KB210101

engineeo

전기산업기사 자격증은

많은 곳에서 필요로 하지만 비전공자에게는 어려운 자격증입니다. 기존의 전기 자격증 수험서는 전공자 기준으로 쓰여있어 생략된 부분, 불친절한 부분이 많아 이해하기에 어려운 경우가 많았습니다. 그리고 2021년부터 출제기준이 변경되었습니다. '전기설비기술기준 및 판단기준' 과목의 내용이 '한국 전기설비규정(KEC)'으로 바뀌게 됩니다. 그래서 많은 분들이 불안감을 가지고 있습니다.

이책은 비전공자의 입장에서 쓰인 최초의 전기산업기사 책입니다. 수많은 검토와 뛰어난 연구진 덕분에 가능하였습니다. 본서의 특징은 다음과 같습니다.

1. 전기산업기사 기출문제집 최초로 문제집과 해설집을 분리하였습니다.

2. ★을 통해 출제빈도를 파악할 수 있어, 중요한 문항을 효율적으로 공부할 수 있습니다.

3. 개념서를 다시 찾아볼 필요 없는 상세한 해설로 학습효율을 높입니다.

4. MATH는 '유튜버 연고맨의 전투수학'의 단원을 의미합니다. 전기 자격증 시험은 수학개념을 알고 있어야 하는 경우가 많으므로, 수학개념이 들어간 문항은 해설집에 전투수학의 단원을 기입하였습니다.

5. 고난도는 매우 어려운 문항을 의미하며, 전기산업기사 합격이 목표라면 넘어가도 좋습니다.

6. '암기할 것'은 유도과정을 이해할 필요 없이 답을 암기함으로써 풀 수 있는 문항에 들어갑니다.

모든 일에는 변수가 존재하며, 그 변수는 '데이터'를 통해 최소화 할 수 있습니다. 전기산업기사, 전기직 공기업 플랫폼 '엔지니오'(https://engineeo.kr)를 통해 40년간 출제된 과년도 문제를 분석하여 출제빈도를 기록하였고, 유사도 측정을 통해 개정고시된 최신 법규에 완벽하게 대응하였습니다.

새롭게 개편된 전기 자격증 시험을 대비하기 위한 교재를 만들기 위해 이지일렉트릭 연구소, 엔지니오팀, 편집부 모두 밤샘 작업을 진행하였습니다. 자격증 취득을 위한 여러분의 노력에 도움이 될 수 있도록 유튜브에서 제 모든 노하우를 녹여 내겠습니다.

합격하기 쉬운 교재를 만들기 위해 수험생의 입장에서 한번 더 생각하며 만들었습니다. 앞으로도 독자분들의 소중한 의견을 귀담아 듣겠습니다.

-엔지니오 대표, 유튜버 연고맨 박상신

박상신

2023 주요 시험일정

1/10 - 1/13

기사, 산업기사 1회 필기시험 접수

(2월까지 응시자격을 갖춘자)

2/13 - 2/28

기사, 산업기사 1회 필기시험

(2월까지 응시자격을 갖춘자)

4/17 - 4/20

기사, 산업기사 2회 필기시험 접수

5/13 - 6/4

기사, 산업기사 2회 필기시험

6/19 - 6/22

기사, 산업기사 3회 필기시험 접수

7/8 - 7/23

기사, 산업기사 3회 필기시험(전기기사, 전기산업기사)

8/7 - 8/10

기사, 산업기사 4회 필기시험 접수

9/2 - 9/17

기사, 산업기사 4회 필기시험(전기공사기사, 전기공사산업기사)

1/16 - 1/19

기사, 산업기사 1회 필기시험 접수

(3월부터 응시자격을 갖춘자)

3/1 - 3/15

기사, 산업기사 1회 필기시험

(3월부터 응시자격을 갖춘자)

※ **2월까지 응시자격을 갖춘자** : 관련학과 기졸업자, 23년 2월 졸업예정자, 최종학년 기수료자, (산업기사의 경우) 최종학년 1/2 기수료자, 관련경력을 이미 갖춘자, 2월 중에 관련 경력을 갖추는 자

※ **3월부터 응시자격을 갖춘자** : 23년 3월부터 최종학년에 재학(휴학, 재적 등) 하는 자, 23년 3월 중(3/1 ~ 3/15)에 관련 경력을 갖추는 자

저희책은 이렇습니다

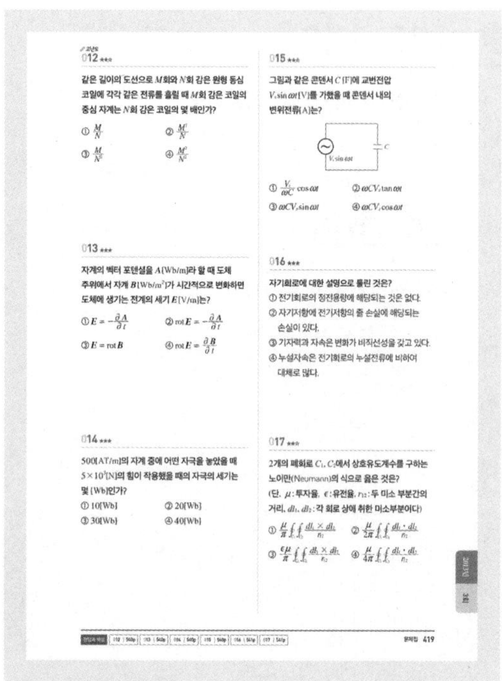

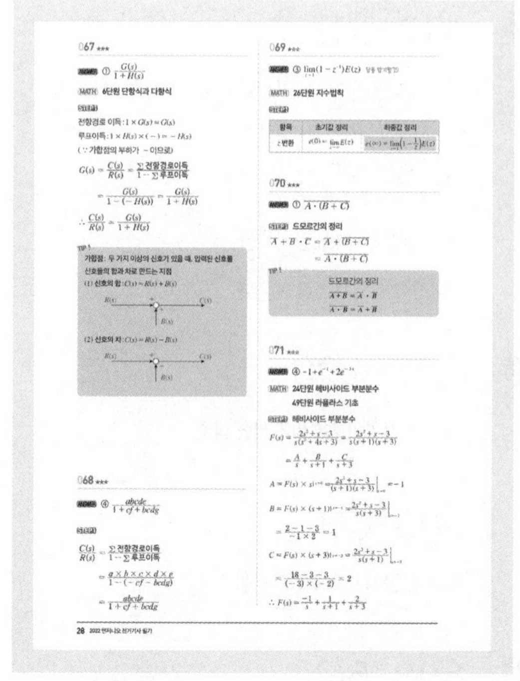

고난도

매우 어려운 문항입니다. 다른 문제를 우선 풀고 해당 문제를 보는 것을 권장합니다.

★★☆

★의 개수로 출제 빈도를 나누었습니다.

★★★은 그만큼 자주 나오는 문제입니다.

정답과 해설

페이지 하단에 정답과 해설 페이지를 기록하여 채점 및 오답체크 시 편리합니다.

MATH

교재 '유튜버 연고맨의 전투수학'의 단원을 의미합니다. 수학개념이 필요하신 분은 해당 교재 또는 무료 유튜브(엔지니오 by 연고맨) 강의를 통하여 확인 가능합니다.

STEP1 STEP2

이상적인 해설이 아닌 실제 사람이 푸는 순서대로 해설을 제작하였습니다.

답을 암기할것!

유도과정을 생략하고 암기하여 풀 수 있는 문제입니다. 해당하는 문제의 풀이를 단축하여 시간을 아낄 수 있습니다.

TIP !

함께 외우면 좋을 공식을 TIP에 추가하였습니다.

엔지니오 교재시리즈

비전공자의 입장에서 쓰인 최초의 전기기사 책, '엔지니오 전기기사 필기'

전기기사에 출제되는 모든 수학개념을 담은 책,
'ABC왕초보 전기설비기술기준'. 저자 직강 무료 인강 무제한 시청!
유튜브에 '연고맨' 검색

특허받은 우선순위 구조화 학습교재, '유튜버 연고맨의 전투수학'.
전기기사, 전기산업기사, 공기업 문제 수록 및 출제빈도 명시.
21년 기출문제 바탕으로 만든 신유형 문제 수록

비전공자의 입장에서 쓰인 최초의 전기산업기사 책, '엔지니오 전기산업기사 필기'

엔지니오 서비스 소개

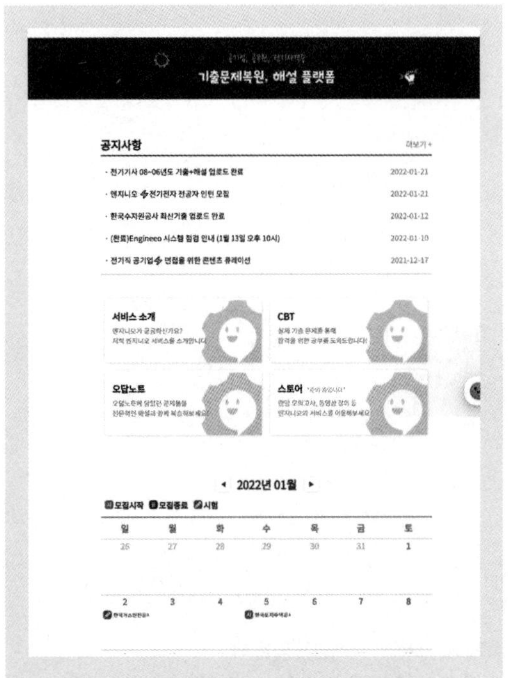

자격증(전기기사, 전기산업기사)외 최신 전기직 공무원 및 전기직 공기업의 문제와 해설 보유. 주요 기업의 채용이나 시험일정을 정리하여 한눈에 확인.

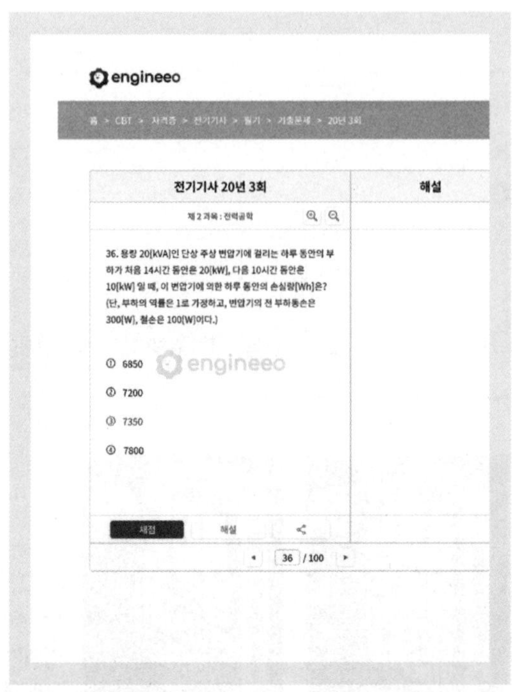

CBT모드로 실제 시험과 같이 응시 및 점수확인. 랜덤모의고사, 점수분석 등 수험자의 점수 향상에 도움. (개발예정)

해 설 집

2023엔지니오전기산업기사필기과년도세트해설집

2022

1회 ········· 12
2회(오전) ········· 36
2회(오후) ········· 57
3회(오전) ········· 77
3회(오후) ········· 97

2021

1회 ········· 120
2회 ········· 141
3회 ········· 164

2020

1·2회 ········· 192
3회 ········· 216

2019

1회 ········· 240
2회 ········· 260
3회 ········· 282

2018

1회 ········· 304
2회 ········· 326
3회 ········· 345

2017

1회 ········· 368
2회 ········· 386
3회 ········· 405

2016

1회 ········· 428
2회 ········· 449
3회 ········· 471

2015

1회 ········· 492
2회 ········· 513
3회 ········· 533

문 제 집

2023엔지니오전기산업기사필기과년도세트해설집

2022

1회 ······ 12
2회(오전) ······ 27
2회(오후) ······ 42
3회(오전) ······ 57
3회(오후) ······ 73

2021

1회 ······ 90
2회 ······ 105
3회 ······ 120

2020

1·2회 ······ 138
3회 ······ 153

2019

1회 ······ 170
2회 ······ 184
3회 ······ 198

2018

1회 ······ 216
2회 ······ 231
3회 ······ 245

2017

1회 ······ 262
2회 ······ 277
3회 ······ 291

2016

1회 ······ 308
2회 ······ 323
3회 ······ 339

2015

1회 ······ 356
2회 ······ 371
3회 ······ 386

정 답 표

2023엔지니오전기산업기사필기과년도세트해설집

2022

1회 ········· 556
2회(오전) ········· 556
2회(오후) ········· 557
3회(오전) ········· 557
3회(오후) ········· 558

2021

1회 ········· 558
2회 ········· 559
3회 ········· 559

2020

1·2회 ········· 560
3회 ········· 560

2019

1회 ········· 561
2회 ········· 561
3회 ········· 562

2018

1회 ········· 562
2회 ········· 563
3회 ········· 563

2017

1회 ········· 564
2회 ········· 564
3회 ········· 565

2016

1회 ········· 565
2회 ········· 566
3회 ········· 566

2015

1회 ········· 567
2회 ········· 567
3회 ········· 568

이지일렉트릭 과년도 기출문제집

2022

2022년 1회

제1과목 | 전기자기학

001 ★

ANSWER ④ $\nabla^2 V = -\frac{\rho}{\epsilon_0}$

MATH 48단원 ∇(델)

포아송 방정식(Poisson's equation)

전하 밀도하 공간적으로 분포하고 있을 때,

그 내부의 임의의 점에서 전위를 결정하는 식

$\nabla \cdot \nabla V = \nabla^2 V = -\frac{\rho}{\epsilon_0}$

TIP !

전하 밀도와 전계의 세기와의 관계식

$\text{div}E = \nabla \cdot E = \frac{\rho}{\epsilon_0}$

전계의 세기와 전위의 관계식

$E = -\text{grad}E = -\nabla V$

002 ★★★

ANSWER ③ $\epsilon_0 \int_s E \cdot ds$

가우스 정리

- 전하가 선, 면, 체적 분포를 하고 있을 때, 폐곡면 내의 전 전하에 대해 폐곡면을 통과하는 전기력선의 수 또는 전속과의 관계를 수학적으로 표현한 식
- 폐곡면에서 나오는 전 전기력선 수는 폐곡면 내에 있는 전 전하량의 $\frac{1}{\epsilon_0}$배와 같다.

가우스정리 적분형 : $\int_s E \cdot ds = \frac{Q}{\epsilon_0}$ 이므로

$\therefore \epsilon_0 \int_s E \cdot ds = Q$

고난도

003 ★★

ANSWER ③ $\frac{d}{2}$ 지점 답을 암기할 것

MATH 38단원 미분 기초

STEP1 특정 위치에서의 전계의 세기

직선 도체에 대한 전계의 세기

$E = \frac{q}{2\pi\epsilon_0 x}[\text{V/m}]$

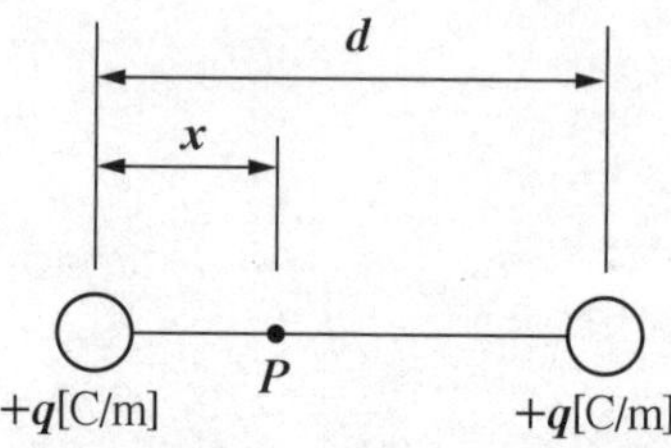

따라서, 임의의 점 P에서의 전계의 세기

$E = \frac{q}{2\pi\epsilon_0 x} - \frac{q}{2\pi\epsilon_0(d-x)} = [\text{V/m}]$

STEP2 최소가 되는 지점 구하기

미분을 통하여 최소가 되는 지점을 구한다.

$$\begin{aligned}\frac{dE}{dx} &= \frac{d}{dx}\left(\frac{q}{2\pi\epsilon_0 x} - \frac{q}{2\pi\epsilon_0(d-x)}\right) \\ &= \frac{q}{2\pi\epsilon_0}\frac{d}{dx}\left(\frac{1}{x} - \frac{1}{d-x}\right) \\ &= \frac{q}{2\pi\epsilon_0}\left(-\frac{1}{x^2} + \frac{1}{(d-x)^2}\right) \\ &= \frac{q}{2\pi\epsilon_0}\left(\frac{-d^2+2dx}{x^2(d-x)^2}\right) = 0\end{aligned}$$

여기서, $(-d^2 + 2dx = 0)$을 만족하는 x는 최소이므로

$\therefore x = \frac{d}{2}$

고난도

004 ★

ANSWER ④ -126

MATH 34단원 역행렬, 판별식, 고유값, 특성방정식
48단원 ∇(델)

스토크스(Stokes)의 정리

어떤 벡터의 폐곡선에 따른 선적분은 그 벡터의 회전을 폐곡선이 만드는 면적에 대하여 면적 적분한 것과 같다.

$$\oint_c H \cdot dl = \int_s (\nabla \times \mathrm{H}) \cdot ds$$

$$\nabla \times H = \begin{vmatrix} a_x & a_y & a_z \\ \frac{\partial}{\partial x} & \frac{\partial}{\partial y} & \frac{\partial}{\partial z} \\ H_x & H_y & H_z \end{vmatrix} = \begin{vmatrix} a_x & a_y & a_z \\ \frac{\partial}{\partial x} & \frac{\partial}{\partial y} & \frac{\partial}{\partial z} \\ 6xy - 3y^2 & 0 \end{vmatrix}$$

$$= \frac{\partial}{\partial x}(-3y^2)a_z + \frac{\partial}{\partial z}(6xy)a_y - \frac{\partial}{\partial y}(6xy)a_z$$

$$-\frac{\partial}{\partial z} - (-3y^2)a_x$$

$$= -6xa_z$$

$$\int_s (\nabla \times \mathrm{H}) \cdot ds = \int_2^5 \int_{-1}^1 (-6x)\,dydx = \int_2^5 (-12x)\,dx = -126[\mathrm{A}]$$

005 ★

ANSWER ② 솔레노이드에 흐르는 전류에 의해 결정된다.

STEP1 결합 계수

결합계수(Coupling factor)($0 \le k \le 1$)

한 코일의 자속이 반대쪽 코일의 전류를 만드는데, 얼마나 실질적으로 사용되는지의 척도

이때, 결합계수는 코일의 형상, 코일의 크기, 코일의 상대 위치 등에 영향을 받는다.

006 ★★★

ANSWER ① 6.25×10^{-5}

정전에너지

$$W = \frac{1}{2}QV = \frac{1}{2} \times (CV) \times V$$

$$= \frac{1}{2}CV^2 = \frac{1}{2} \times (5 \times 10^{-6}) \times 5^2$$

$$= 6.25 \times 10^{-5}[\mathrm{J}]$$

TIP !

도체의 전하에서 나타나는 전위와 정전 용량의 관계식

007 ★★★

ANSWER ④ 종효과

기계적 응력과 전기 분극이 동일 방향으로 발생하는 효과

TIP !

횡효과 : 기계적 응력과 전기 분극이 수직 방향으로 발생하는 효과

008 ★★★

ANSWER ③ 45

MATH 20단원 삼각비

STEP1 비오 사바르 법칙

유한장 직선 전류에 대한 중심 자계의 세기는 다음과 같다.

$$H = \frac{I}{4\pi r}(\sin\theta_1 + \sin\theta_2)$$

STEP2 전선과 중심의 거리

총 길이 40[cm]로 한 변이 10[cm]인 정사각형의 철선을 만들었으므로 중심과 각 전선의 거리

$r = 5[\mathrm{cm}]$

$$\therefore H = 4 \times \frac{I}{4\pi r}(\sin\theta_1 + \sin\theta_2)$$

$$= 4 \times \frac{5}{4\pi \times (5 \times 10^2)}(\sin 45° + \sin 45°)$$

$$\fallingdotseq 45[\mathrm{A/m}]$$

009 ★★

ANSWER ① $\epsilon_0 \frac{\partial E}{\partial t} + \frac{\partial P}{\partial t}$ 답을 암기할 것

STEP1 변위전류

유전체 중의 변위전류 = 진공 중의 전계 변화에 의한 변위전류 + 구속 전자의 변위에 의한 분극 전류

$$i_d = \frac{\partial D}{\partial t} = \epsilon \frac{\partial E}{\partial t}$$
$$= \epsilon_0 \frac{\partial E}{\partial t} + \frac{\partial P}{\partial t} [\mathrm{A/m^2}]$$

고난도

010 ★

ANSWER ① $\frac{1}{3} Q[\mathrm{C}]$

MATH 23단원 유리식

전체 전하량 Q[C]는 바뀌지 않고, 접촉된 이후부터 전위는 동일함을 이용한다.

STEP1 접촉 전 전하량

$Q = C_0 V_0 = (4\pi\epsilon r) V_0$

STEP2 접촉 후 전하량

$$Q = (4\pi\epsilon r) V_0 = Q_1 + Q_2$$
$$= C_1 V_1 + C_2 V_2 = \{(4\pi\epsilon r) + (2\pi\epsilon r)\} V$$
$$= 6\pi\epsilon r V$$

$4\pi\epsilon r V_0 = 6\pi\epsilon r V \rightarrow V = \frac{2}{3} V_0$ 이므로

$\therefore Q_2 = 2\pi\epsilon r V = \frac{4}{3}\pi\epsilon r V_0 = \frac{1}{3} Q[\mathrm{C}]$

011 ★★★

ANSWER ③ 플레밍의 왼손 법칙

- 전동기의 원리 : 플레밍의 왼손법칙

TIP !

플레밍의 왼손법칙

전류가 흐르는 방향과 자기장이 흐르는 방향이 주어지면 전류가 흐르는 도선이 받는 힘인 로렌츠 힘의 방향을 알 수 있다는 법칙이다.

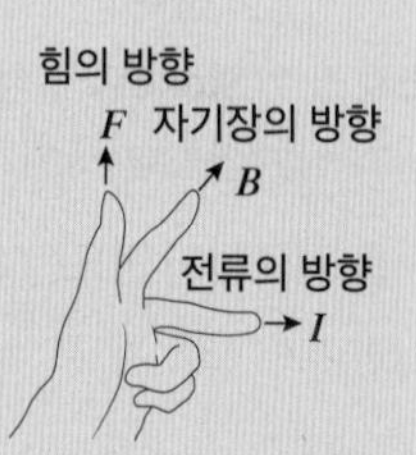

- 발전기의 원리 : 패러데이의 법칙

012 ★★★

ANSWER ① $\mathrm{div} D = 0$ 답을 암기할 것

STEP1 맥스웰 방정식(미분형)

① 가우스 법칙(정전계)

$\mathrm{div} D = \nabla \cdot D = \epsilon \nabla \cdot E = \rho$

(단위 체적에서 발산하는 전속밀도는 그 체적 내의 전하밀도와 같다.)

② 앙페르(암페어)의 주회 적분 법칙

$\mathrm{rot} H = \nabla \times H = i_c + \frac{\partial D}{\partial t}$

(전류는 주위에 회전하는 자계를 발생 시킨다.)

여기서, i_c : 전류밀도, $\frac{\partial D}{\partial t}$: 변위전류밀도

③ 가우스 법칙(정자계)

$\mathrm{div} B = \nabla \cdot B = \mu \nabla \cdot H = 0$

(N극과 S극이 반드시 공존하며 고립된 자하는 없다.)

④ 페러데이 – 노이만의 전자유도법칙

$\mathrm{rot} E = \nabla \times E = -\frac{\partial B}{\partial t} = -\mu \frac{\partial H}{\partial t}$

(전기 회로에서 발생하는 유도 기전력은 폐회로를 통과하는 자속의 변화를 방해하는 방향으로 발생한다.)

013 ★★★

ANSWER ④ $\frac{eEt}{m}$ 답을 암기할 것

MATH 03단원 등식, 방정식
41단원 부정적분

STEP1 속도

속도 $v(t)$와 가속도 $a(t)$의 관계는 다음과 같다.

$$v(t) = \int a(t)dt$$

즉, 가속도를 시간 t 에 대하여 적분하여 속도를 구할 수 있다.

STEP2 전계와 가속도

㉠ 물리계에서 받는 힘 $F = ma$

㉡ 전계에서 받는 힘 $F = eE$ 이므로

∴ 가속도 $a = \frac{eE}{m}$

STEP3 부정적분 및 적분상수

$v(t) = \int \frac{eE}{m}dt = \frac{eE}{m}t + C$ 에서

최초($t = 0$)에 정지($v(0) = 0$)해 있었으므로 적분상수 $C = 0$

$$\therefore v(t) = \frac{eE}{m}t[\text{m/s}]$$

014 ★★★

ANSWER ② h에 비례한다. 답을 암기할 것

MATH 10단원 비례, 반비례, 비례식

지상의 높이 h[m]와 같은 거리에 선전하 밀도 λ[C/m]인 영상전하를 고려하여 선전하간의 작용력을 구하면 다음과 같다.

$$f = \lambda E = \lambda \cdot \frac{\lambda}{2\pi\epsilon_0(2h)} = \frac{\lambda^2}{4\pi\epsilon_0 h}[\text{N/m}]$$

$$\therefore f \propto h$$

015 ★★★

ANSWER ④ 2×10^6

자기저항

$$R_m = \frac{l}{\mu S} = \frac{l}{\mu_0\mu_s S}$$

$$= \frac{30 \times 10^{-2}}{(1 \times 10^{-6}) \times 500 \times (3 \times 10^{-4})}$$

$$= 2 \times 10^6[\text{AT/Wb}]$$

016 ★★★

ANSWER ③ $\sqrt{3}$

플레밍의 왼손 법칙

자계에 의해 전류 도체가 받는 자기력 방향이 결정 (전동기의 원리)

$F = IBl\sin\theta$[N]

따라서, 작용하는 힘은 전류와 자계, 도선의 길이가 일정한 경우, $\sin\theta$에 의해서만 영향을 받는다.

$$\sin 60° = \frac{\sqrt{3}}{2}$$

$$\sin 30° = \frac{1}{2}$$

따라서, $\sqrt{3}$ 배의 힘을 가진다.

017 ★★

ANSWER ④ ㉠ 변위전류, ㉡ 자계 답을 암기할 것

STEP1 앙페르(암페어)의 주회 적분 법칙

전류가 흐르는 도선은 주위에 회전자계를 생성한다.

$\oint_C H \cdot dl = \int_S J \cdot da$ 또는 $\nabla \times H = J$

STEP2 맥스웰 방정식

STEP1 이 유전체 주위의 자기장에는 적용이 안되는 모순점을 발견하여 변위전류의 개념을 고안 다음과 같은 방정식으로 정리하였다.

$$\nabla \times H = J + \frac{\partial D}{\partial t}$$

여기서, J : 전류밀도, $\frac{\partial D}{\partial t}$: 변위전류밀도

따라서, 변위전류도 자계를 발생시킨다.

2022년 1회

018 ★

ANSWER ① 영전위

접지는 대지와 결합하여 전기 설비간의 전위차를 0으로 만드는 것을 목표로 한다.

019 ★★★

ANSWER ② $\dfrac{Bm}{\mu_0\mu_s}$ 답을 암기할 것

MATH 23단원 유리식

STEP1 자극이 받는 힘

자계의 쿨롱의 법칙은 다음과 같다.

$$F = \frac{m_1 m_2}{4\pi\mu_0 r^2}$$

여기서, 자계의 세기 $H = \dfrac{m}{4\pi\mu_0 r^2}$ 이므로

$F = mH$ 의 관계가 성립한다.

STEP2 자속밀도

자속밀도 $B = \mu H = \mu_0\mu_s H$ 에서

$$H = \frac{B}{\mu_0\mu_s}$$

$$\therefore\ F = mH = m \times \frac{B}{\mu_0\mu_s} = \frac{Bm}{\mu_0\mu_s}$$

020 ★★★

ANSWER ④ $\dfrac{1}{\sqrt{\epsilon_0\mu_0}}$ 답을 암기할 것

STEP1 전파속도

$$v = \frac{1}{\sqrt{\epsilon\mu}}[\mathrm{m/s}]$$

전파속도는 주파수에 무관하며 매질의 특성(ϵ, μ)에 의해 결정된다.

STEP2 자유공간에서의 전파속도와 광속

㉠ 광속 $c = 3 \times 10^8[\mathrm{m/s}]$

㉡ $v = \dfrac{1}{\sqrt{\epsilon_0\mu_0}} = 3 \times 10^8[\mathrm{m/s}]$

즉, 자유공간에서 전자파의 전파속도는 광속과 같다.

제2과목 | 전력공학

고난도

021 ★★

ANSWER ① $\dfrac{3E_a}{Z_0 + Z_1 + Z_2}$ 답을 암기할 것

MATH 28단원 복소수의 연산

STEP1 1선 지락 고장

a상에서 지락이 발생한 경우 $I_g = I_a$의 지락전류가 흐르며 b, c 상에서는 차단기가 동작하여 전류가 흐르지 않는다 가정한다.

$\therefore I_b = 0, I_c = 0$

또한 지락시 a 상의 대지전압 $V_a = 0$이다.

(여기서, E_a : 발전기의 a상 기전력)

STEP2 발전기 기본식

$V_0 = -Z_0 I_0,\ V_1 = E_a - Z_1 I_1,\ V_2 = -Z_2 I_2$

STEP3 대칭좌표법 ①

$$\begin{aligned} V_a &= V_0 + V_1 + V_2 \\ &= (-Z_0 I_0) + (E_a - Z_1 I_1) + (-Z_2 I_2) \\ &= 0 \end{aligned}$$

$\rightarrow E_a = Z_0 I_0 + Z_1 I_1 + Z_2 I_2$

STEP4 대칭좌표법 ②

$I_0 = \dfrac{1}{3}(I_a + I_b + I_c)$,

$I_1 = \dfrac{1}{3}(I_a + aI_b + a^2 I_c)$,

$I_2 = \dfrac{1}{3}(I_a + a^2 I_b + aI_c)$ 에서

STEP1 $(I_b = 0, I_c = 0)$에 의하여

$I_0 = I_1 = I_2 = \dfrac{1}{3}I_a$ 이므로

$$\begin{aligned} E_a &= Z_0 I_0 + Z_1 I_1 + Z_2 I_2 \\ &= (Z_0 + Z_1 + Z_2) \times \frac{1}{3}I_a \end{aligned}$$

$$\therefore\ I_a = 3I_0 = \frac{3E_a}{Z_0 + Z_1 + Z_2}$$

022 ★★★

ANSWER ④ 고속 재폐로 방식을 채택한다.

안정도 향상 대책

㉠ 계통의 직렬 리액턴스 감소(다회선 방식 채택, 복도체 방식 채택, 기기의 리액턴스 감소)

㉡ 전압 변동률을 적게 한다. (속응여자방식 채용, 계통의 연계, 중간 조상 방식)

㉢ 계통에 주는 충격을 적게 한다.(적당한 중성점 접지방식, 고속 차단 방식, 재폐로 방식)

㉣ 고장 중의 발전기 돌입 출력의 불평형을 적게 한다.

023 ★★★

ANSWER ② 45

MATH 23단원 유리식

STEP1 개폐기를 닫기 전

선로의 손실

$$P_1 = I_A^2 R + I_B^2 R = (I_A^2 + I_B^2)R$$
$$= (100^2 + 50^2)R = 50 \times 10^3 [\text{kW}]$$

$\therefore R = 4[\Omega]$

STEP2 개폐기를 닫기 후

두 회선에 동일하게 전류 75[A]가 흐르므로

$\therefore P_2 = 2 \times 75^2 \times 4 = 45[\text{kW}]$

024 ★★★

ANSWER ③ 차단기 동작 책무

차단기 동작 책무

- 1 ~ 2회 이상의 투입, 개방 또는 투입차단을 일정한 시간 간격으로 행하여지는 일련의 동작
- $\text{O} - t_1 - \text{CO} - t_2 - \text{CO}$와 같이 나타낸다.

025 ★★★

ANSWER ④ 250

MATH 03단원 등식, 방정식

STEP1 최대 수용 전력

$$\text{수용률} = \frac{\text{최대 수용 전력}}{\text{부하 설비 용량}} = 0.5\text{에서}$$

부하 설비 용량 $= \dfrac{400}{0.8} = 500[\text{kVA}]$ 이므로

최대 수용 전력 $= 500 \times 0.5 = 250[\text{kVA}]$

따라서, 변전시설은 최소 250[kVA] 이상의 용량을 갖춰야 한다.

026 ★★★

ANSWER ③ 31500

STEP1 수차발전기의 출력

$P = 9.8QH\eta_1\eta_2$

$$\therefore Q = \frac{P}{9.8H\eta_1\eta_2} = \frac{2000}{9.8 \times 30 \times 0.95 \times 0.82}$$
$$\fallingdotseq 8.73[\text{m}^3/\text{s}]$$

STEP2 수차발전기의 출력

1[시간] = 3600[초] 이므로

$\therefore$ 사용수량 $= 8.73 \times 3600 \fallingdotseq 31500[\text{m}^3/\text{hour}]$

027 ★★★

ANSWER ③ 한류리액터

① 현수애자 : 지지물에 전선을 고정함과 동시에 전선과 지지물을 절연기신다.

② 직렬콘덴서 : 선로의 유도리액턴스를 감소시켜 및 전압강하를 경감시킨다.

③ 한류리액터 : 단락고장 시 단락전류를 제한하여 차단기의 부담을 줄인다.

④ 사이리스터 : 전력용 반도체 소자로서, 스위칭 작용을 한다.

028 ★★★

ANSWER ① 코로나 현상

전선 주위의 공기 절연이 부분적으로 파괴되어서 낮은 소리나 엷은 빛을 내면서 방전되는 현상

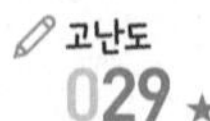

029 ★

ANSWER ④ $\frac{3}{4}$ 답을 암기할 것

MATH **10단원 비례, 반비례, 비례식**

STEP1 전선의 무게

각 전선량은 다음과 같다.(∵ 동일한 재료이므로 전선량 = 무게)

단상 2선식 $W_1 = 2 \times A_1 L$

3상 3선식 $W_3 = 3 \times A_3 L$

전선의 길이(배전거리) L은 같으므로

$\therefore W_1 = 2A_1,\ W_3 = 3A_3$

(여기서, A : 전선의 단면적)

STEP2 전력과 역률, 전압의 관계

단상전력 $P_1 = V_1 I_1 \cos\theta_1$,

3상 전력 $P_3 = \sqrt{3}\, V_3 I_3 \cos\theta_3$ 에서

전력 $P_1 = P_3$, 역률 $\cos\theta_1 = \cos\theta_3$,

전압 $V_1 = V_3$이므로

$\therefore I_1 = \sqrt{3}\, I_3$

STEP3 선로손실과 저항

단상 선로손실 $P_{\ell 1} = 2I_1^2 R_1$,

3상 선로손실 $P_{\ell 3} = 3I_3^2 R_3$에서

선로손실 $P_{\ell 1} = P_{\ell 3}$ 이므로

$2I_1^2 R_1 = 3I_3^2 R_3 \rightarrow 2(\sqrt{3}\, I_3)^2 R_1 = 3I_3^2 R_3$

(∵ **STEP2**)

$\rightarrow 2R_1 = R_3 \rightarrow 2\left(\rho \frac{L}{A_1}\right) = 2\left(\rho \frac{L}{A_3}\right)$

$4\left(\rho \frac{L}{W_1}\right) = 3\rho \frac{L}{W_3}$ (∵ **STEP1**)

$\therefore$ 전선량의 비 $\frac{W_3}{W_1} = \frac{3}{4}$

다른 풀이

위 풀이를 참고하여 동일 조건에서 단상 2선식을 기준으로 한 소요전선량은 다음과 같다.

방식	소요전선량	1선당 공급전력
단상 2선식	$1 = 100[\%]$	$\frac{1}{2}P$
단상 4선식	$\frac{3}{8} = 37.5[\%]$	$\frac{2}{3}P$
3상 3선식	$\frac{3}{4} = 75[\%]$	$\frac{\sqrt{3}}{3}P$
3상 4선식	$\frac{4}{12} = \frac{1}{3} \fallingdotseq 33.33[\%]$	$\frac{3}{4}P$

TIP !

계산과정을 생략하고 표를 암기할 것

030 ★★★

ANSWER ② $\frac{1}{3}$배 감소한다. 답을 암기할 것

STEP1 부하 분포에 따른 전력손실과 전압 강하 비교

부하 종류	전력손실	전압강하
균일 분포	$\frac{1}{3}I^2 rL$	$\frac{1}{2}IrL$
말단에 집중	$I^2 rL$	IrL

여기서, r : 단위 길이당 저항

L : 전선의 길이

031 ★★★

ANSWER ② 가스차단기 – 수소 가스

가스차단기 : 육불화황 가스(SF_6)를 소호매질로 이용한다.

032 ★★★

ANSWER ① $2330[\text{kVA}]$

MATH 23단원 유리식

STEP1 개선 전 변압기의 부하

피상전력 $P_a = 3000[\text{kVA}]$,

역률 $\cos\theta = 0.7$이므로

유효전력

$P = P_a\cos\theta = 3000 \times 0.7 = 2100[\text{kW}]$

STEP2 개선 후 변압기의 부하

콘덴서 설치 후 역률 $\cos\theta = 0.9$이고,

유효전력은 변함이 없으므로

∴ 개선 후 변압기의 부하

$$P_a = \frac{P}{\cos\theta} = \frac{2100}{0.9} \fallingdotseq 2330[\text{kVA}]$$

033 ★★★

ANSWER ③ 송전선에서 댐퍼를 설치하는 이유는 전선의 코로나 방지이다.

댐퍼 : 소도체 간의 간격을 유지하고 전선이 진동하는 것을 방지하기 위해 설치한다.

034 ★

ANSWER ④ $1 + \frac{ZY}{2}$ 답을 암기할 것

T 회로에서의 4단자 정수

$$\begin{bmatrix} A & B \\ C & D \end{bmatrix} = \begin{bmatrix} 1 & \frac{Z}{2} \\ 0 & 1 \end{bmatrix}\begin{bmatrix} 1 & 0 \\ Y & 1 \end{bmatrix}\begin{bmatrix} 1 & \frac{Z}{2} \\ 0 & 1 \end{bmatrix}$$

$$= \begin{bmatrix} 1 + \frac{ZY}{2} & Z\left(+\frac{ZY}{4}\right) \\ Y & 1 + \frac{ZY}{2} \end{bmatrix}$$

035 ★★

ANSWER ③ $e \propto \frac{1}{n}, \epsilon \propto \frac{1}{n^2}, p \propto \frac{1}{n^2}$

답을 암기할 것

MATH 10단원 비례, 반비례, 비례식

STEP1 전압 승압하면 나타나는 현상

㉠ 전압강하 $e = \frac{P}{V}(R + X\tan\theta)$ →

전압에 반비례($e \propto \frac{1}{n}$)

㉡ 전압강하율 $\epsilon = \frac{P}{V^2}(R + X\tan\theta)$

→ 전압의 제곱에 반비례($\epsilon \propto \frac{1}{n^2}$)

㉢ 전력손실 $p = \frac{P^2 R}{V^2\cos^2\theta}$

→ 전압의 제곱에 반비례($p \propto \frac{1}{n^2}$)

036 ★

ANSWER ① 화력 발전소보다 열효율이 높다.

가스터빈의 장단점

- **장점**
  - 운전조작이 간편하다.
  - 구조가 간단하고 운전에 대한 신뢰도가 높다.
  - 기동, 정지가 용이하다.
  - 물 처리가 필요 없고 냉각수 소요 용량이 적다.
  - 설치 장소를 비교적 자유롭게 선정할 수 있다.
- **단점**
  - 가스가 고온이므로 고가의 내열재가 필요하다.
  - 열효율이 낮다.
  - 사이클 공기량이 많아 압축에 많은 에너지가 필요하다.

037 ★★★

ANSWER ④ 단락 방지

철탑 팔의 길이에 차이(오프셋)를 주어 전선이 상하로 움직일 때 서로 단락하는 것을 방지한다.

038 ★★

ANSWER ② 상순 표시기

조상설비 : 무효전력을 조정하는 설비

㉠ 전력용 콘덴서 : 부하 역률이 지상인 경우 진상 무효전력을 공급하여 역률을 증가시킨다.

㉡ 분로리액터 : 전력용 콘덴서와 반대로 부하 역률이 진상인 경우(경부하)에 사용

㉢ 동기 조상기 : 부하가 지상일 때와 진상일 때 모두 사용 가능하다.

상순 표시기 : 공급전원의 상 순서를 표시하는 기기로 조상설비와 거리가 멀다.

039 ★★★

ANSWER ① 댐퍼

① 댐퍼 : 소도체 간의 간격을 유지하고 전선이 진동하는 것을 방지하기 위해 설치한다.

② 피뢰기 : 전기설비를 이상전압으로부터 보호하기 위한 장치이다.

③ 가공지선 : 송전선을 벼락으로부터 보호하기 위해 도선과 평행하게 가설한 도선이다.

④ 매설지선 : 철탑의 저항을 낮추어 역섬락을 방지하기 위해 설치한다.

040 ★★★

ANSWER ② 선로정수의 평형

연가 : 송전선로의 길이를 3n개의 구간으로 나누어서 구간마다 전선의 위치를 바꾸어 선로정수를 평형시키는 것

제3과목 | 전기기기

041 ★

ANSWER ③ MOSFET

전력용 반도체 소자의 접합층

- 3층 구조(NPN) : DIAC
- 4층 구조(PNPN) : SCR, LASCR, GTO, SCS
- 5층 구조(PNPNP) : TRIAC, SSS

MOSFET : 반도체 위에 절연체, 도체를 쌓아 올린 구조

042 ★★★

ANSWER ② 1.75

% 리액턴스

$$\%X = \frac{XP}{10V^2} = \frac{7 \times 10}{10 \times 2^2} = \frac{7}{4} = 1.75[\%]$$

이때 P 의 단위 [kVA], V의 단위 [kV]에 주의할 것

043 ★

ANSWER ② 진권

뒤피치(후절)가 앞피치(전절)보다 큰 권선으로 진행방향은 시계방향의 방사형이다.

044 ★

ANSWER ④ 게이트 – 소스 간의 전압으로 드레인 전류를 제어하는 전압제어스위치로 동작한다.

MOSFET의 특징

㉠ 게이트에 금속 산화막이 추가된 FET구조이다.
㉡ 도통 상태에서 게이트 신호를 제거하면 도통 상태가 유지되지 않는다.
㉢ N채널과 P채널 구조로 분류된다.(pn접합구조가 아님)
㉣ 스위칭 속도가 매우 빠르다.
㉤ 동작주파수가 가장 빠른 반도체이다.
㉥ 전압구동형이며 다수 캐리어의 이동에 의하여 동작 특성이 결정되는 단극성(unipolar) 소자이다.
㉦ 게이트와 소스간 전압에 의해 도통과 차단 상태가 결정된다.
㉧ 온오프 제어가 가능한 소자이다.
㉨ BJT에 비해서 입력 임피던스 값이 매우 크기 때문에 입력 전류의 크기가 매우 작다.
㉩ BJT에 비해 동작 속도는 느리지만 점유면적이 작아 직접화에 유리하다.(고밀도 직접회로 설계가능)

045 ★

ANSWER ③ 수전점의 전압을 조정하기 위하여

탭 변압기(Tap transformer)

변압기의 변압비를 바꾸기 위해 변압기의 1차 혹은 2차 코일에 인출선을 설치하고 있는 변압기이다. 변압기 2차측의 전압변동을 보상하고 일정 전압으로 유지 시키기 위해 사용한다.

탭 전환 변압기 1차측에 몇개의 탭이 있는 이유는 수전점의 전압을 조정하기 위해서이다.

046 ★★

ANSWER ② 인덕터 트립 방식

차단기의 트립 방식

㉠ 직류 전압 트립 방식 : 별도로 설치된 축전지 등이 제어용 직류 전원의 에너지에 의하여 트립되는 방식
㉡ 과전류 트립 방식 : 차단기의 주회로에 접속된 변류기의 2차 전류에 의해 차단기가 트립되는 방식
㉢ 콘덴서 트립 방식 : 충전된 콘덴서의 에너지에 의해 트립되는 방식
㉣ 부족 전압 트립 방식 : 부족 전압 트립 장치에 인가되어 있는 전압의 저하에 의해 차단기가 트립되는 방식

047 ★★★

ANSWER ① 200

MATH **23단원 유리식**

STEP1 계자 전류 I_f

$V = I_f R_f$에서 $R_f = 25[\Omega]$이므로,

$\therefore I_f = 0.04V$

STEP2 대입

$$V = \frac{950 I_f}{30 + I_f} = \frac{950 \times 0.04V}{30 + 0.04V} = \frac{38V}{30 + 0.04V}$$

$$\rightarrow 30 + 0.04V = 38$$

$$\therefore V = \frac{8}{0.04} = 200[\text{V}]$$

048 ★★

ANSWER ③ 출력을 더욱 증대할 수 있다.

동기발전기 전기자 Y결선의 특징

㉠ 중성점을 접지할 수 있어 이상 전압에 대한 대책으로 용이하다

㉡ 코로나 발생 및 열화가 적다.

㉢ 제3고조파의 순환 전류가 흐르지 않는다.

㉣ 코일의 유기전압이 $\frac{1}{\sqrt{3}}$ 배 감소하기 때문에 절연에 용이하다.

㉤ T권선의 보호 및 이상전압의 방지대책이 용이하다.

TIP !

출력은 결선법과 관계없다.

049 ★★

ANSWER ① 4.78

MATH 23단원 유리식

STEP1 유도기전력

$E = V - I_a R_a = 100 - 10 \times 1 = 90[\text{V}]$

STEP2 토크

$$\tau = \frac{P}{2\pi N} = \frac{60(EI_a)}{2\pi N} = \frac{60 \times (90 \times 10)}{2\pi \times 1800} \fallingdotseq 4.77[\text{N} \cdot \text{m}]$$

값이 근접한 4.78[N · m]선택

050 ★★

ANSWER ① 5.8[Ω]

MATH 23단원 유리식

STEP1 동기임피던스

동기임피던스 $Z_s = \frac{E_n}{I_s}$ 에서 단락전류 $I_s = 600[\text{A}]$이고, 정격 상전압 $E_n = \frac{V_n}{\sqrt{3}}$

즉, 정격단자전압(정격선간전압) V_n의 $\frac{1}{\sqrt{3}}$ 배이므로

$$\therefore Z_s = \frac{E_n}{I_s} = \frac{\frac{V_n}{\sqrt{3}}}{I_s} = \frac{\frac{6000}{\sqrt{3}}}{600} \fallingdotseq 5.8[\Omega]$$

051 ★★★

ANSWER ③ 고조파를 제거해서 기전력 파형 개선

STEP1 단절권의 특징

㉠ 고조파를 제거하여 기전력의 파형을 개선한다.

㉡ 코일 단부가 짧게 되어 기계 길이가 축소하여 동의 양이 적게 되는 장점이 있다.

㉢ 전절권에 비해 합성 유기기전력이 축소한다.

㉣ 단절권 계수 K_p

• $K_p = \frac{\text{단절권일 때 기전력의 합}}{\text{전절권일 때 기전력의 합}} = \sin\frac{\beta\pi}{2}$

052 ★★★

ANSWER ③ $\frac{1}{6\sin\frac{\pi}{18}}$

MATH 19단원 호도법과 육십분법
23단원 유리식

STEP1 분포권 계수

$$K_d = \frac{\sin\frac{n\pi}{2m}}{q\sin\frac{n\pi}{2mq}}$$

STEP2 대입

고조파 차수 $n=1$, 상수 $m=3$, 매극 매상의 슬롯 수 $q=3$

$$\therefore K_d = \frac{\sin\frac{n\pi}{2m}}{q\sin\frac{n\pi}{2mq}} = \frac{\sin\frac{\pi}{2\times3}}{3\sin\frac{\pi}{2\times3\times3}}$$

$$= \frac{\sin\frac{\pi}{6}}{3\sin\frac{\pi}{18}} = \frac{\frac{1}{2}}{3\sin\frac{\pi}{18}}$$

$$= \frac{1}{6\sin\frac{\pi}{18}}$$

053 ★★

ANSWER ① 게르게스 현상

게르게스 현상

3상 권선형 유도전동기가 운전중 1선이 단선되는 경우에 단상 전류가 흘러서 전류가 증가하고 속도가 $s=0.5=50[\%]$인 곳에 걸리며 그 이상 가속하지 않는 현상을 말한다.

054 ★★★

ANSWER ② 475

MATH 03단원 등식, 방정식

STEP1 동손과 슬립

2차 동손 $P_{c2}=sP_2$이므로

2차 입력 P_2를 구한다.

STEP2 입·출력 관계

2차 입력 $P_2=P_0+P_{c2}+P_m$이므로

(여기서, P_0 : 정격출력, P_m : 기계손)

$P_2=P_0+P_{c2}+P_m \rightarrow$

$P_2=15000+P_{c2}+350 \rightarrow$

$P_{c2}=P_2-15350$

STEP3 연립방정식 계산

$P_{c2}=sP_2=0.03P_2$

$P_{c2}=P_2-15350$

$\rightarrow 0.03P_2=P_2-15350 \rightarrow$

$$P_2=\frac{15350}{1-0.03} ≒ 15824$$

$\therefore P_{c2}=sP_2=0.03\times15824 ≒ 478[\mathrm{W}]$

055 ★★

ANSWER ③

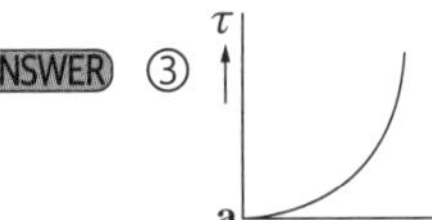

답을 암기할 것

직류 전동기의 토크 특성

타여자 : $\tau=K\phi I_a$

직권 : ㉠ 자기포화가 되지 않는 범위 $\tau=KI_a^2$

㉡ 자기포화 $\tau=KI_a$

분권 : $\tau=K\phi I_a$

(여기서 $K=\dfrac{pZ}{2\pi a}$)

따라서, 직권전동기의 토크는 전기자 전류의 제곱에 비례한다.

TIP!

직권전동기의 자속과 토크

직권전동기는 계자 전류 I_f = 전기자 전류 I_a이므로 자기포화가 되기 전 까지 자속 ϕ이 I_a에 비례한다. 따라서 제곱에 비례하는 특성을 갖는다.

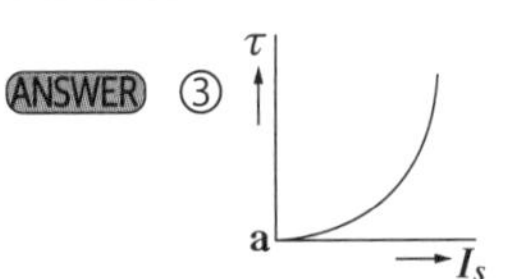

056 ★

ANSWER ④ %임피던스 **답을 암기할 것**

MATH **10단원 비례, 반비례, 비례식**

STEP1 **전압과 주파수의 관계**

변압기의 유기기전력(정격전압)

$E = 4.44fN\phi_m = kfB_m$에서 E 가 일정하므로

∴ 주파수가 증가하면 변압기의 최대자속밀도 B_m는 반비례하여 낮아진다.

STEP2 **자속밀도, 주파수 변화에 따른 특성**

㉠ 철손

- 히스테리시스손 $P_h = K_h f B_m^2$
- 와류손 $P_e = K_e(tfK_f B_m)^2$

주파수도 증가하지만 자속밀도의 제곱에 반비례하므로 감소한다.

㉡ 여자전류 : 철심의 포화도가 낮아지므로 여자전류도 감소한다.

㉢ %임피던스 $\%z = \sqrt{(\%r)^2 + (\%x)^2}$ 에서 %리액턴스 $\%x$는 주파수에 비례하여 증가한다. 따라서, 전압변동률 $\epsilon = \%r\cos\theta + \%x\sin\theta[\%]$ 증가한다.

057 ★

ANSWER ① 중간변압기를 설치할 때에는 고정자 권선과 병렬로 설치한다.

3상 직권 정류자 전동기

㉠ 기동 토크가 매우 크고 속도 제어 범위가 크다.
→ 펌프, 공작기계 등에 사용

㉡ 브러시를 이동하여 속도제어 및 회전 방향 변환이 가능하다.

㉢ 저속에서는 효율과 역률이 나빠진다.(동기속도 근처에서 가장 좋음)

㉣ 중간 변압기는 고정자 권선과 회전자 권선 사이에 직렬로 접속

㉤ 중간 변압기 사용 이유

- 정류자 전압의 조정
- 실효 권수비의 조정
- 경부하 시 속도 이상 상승 방지
- 회전자 상수의 증가

058 ★★

ANSWER ① 전기저항이 작을 것

변압기 철심의 구비 조건

㉠ 투자율이 클 것

㉡ 전기 저항이 클 것(저항률이 클 것)

㉢ 히스테리시스 계수가 작을 것(규소 함유량 : 4[%])

㉣ 성층 철심 구조일 것(두께 : 약 0.35[mm], 와류손 감소를 위해

㉤ 철심에 전류가 흐르지 않을 것(전류는 권선에만 흘러야함)

059 ★★★

ANSWER ① 기본파와 반대 방향으로 $\frac{\omega}{5}$ 배의 속도로 회전한다.

STEP2 유도 전동기의 고조파 차수

㉠ $h = 3n$(3고조파, 6고조파, 9고조파 등)

→ 회전 자계가 발생하지 않는다.

㉡ $h = 3n + 1$(4고조파, 7고조파, 10고조파 등)

→ 기본파와 같은 방향으로 $\frac{1}{h}$ 배 속도로 회전한다.

㉢ $h = 3n + 2$(5고조파, 8고조파, 11고조파 등)

→ 기본파와 반대 방향으로 $\frac{1}{h}$ 배 속도로 회전한다.

060 ★★★

ANSWER ④ 슬립 측정

원선도 작성에 필요한 시험

㉠ 권선 저항 측정 시험

㉡ 무부하 시험(개방 시험)

㉢ 회전자 구속 시험

슬립은 원선도에서 계산한다. 슬립 $= \frac{\text{2차 동손}}{\text{동기 와트}}$

제4과목 | 회로이론

061 ★★★

ANSWER ② $\frac{1}{s}$

MATH 49단원 라플라스 기초

라플라스 변환 표	
$f(t)$	$F(s)$
$\delta(t)$	1
$u(t)$	$\frac{1}{s}$
t	$\frac{1}{s^2}$
t^n	$\frac{n!}{S^{n+1}}$
e^{-at}	$\frac{1}{s+a}$

062 ★★

ANSWER ② 20

STEP1 대칭 3상 전원

대칭 3상 전원이므로 I_c의 크기는 I_a 크기와 같다.

$$I_a = \frac{V_a}{Z} = \frac{200}{6+j8} = -12 - j16$$

$$\therefore |I_c| = |I_a| = \sqrt{12^2 + 16^2} = 20[\text{A}]$$

063 ★

ANSWER ④ 0.25

MATH 37단원 미분의 정의

STEP1 인덕턴스

t 초에 코일 L에 걸리는 전압

$$v_L(t) = L\frac{d}{dt}i(t)[\text{V}]$$

$$v_L(t)\Big|_{t=0} = L \times \frac{di(t)}{dt}\Big|_{t=0} = L \times 400 = 100[\text{V}]$$

$$\therefore L = \frac{100}{400} = 0.25[\text{H}]$$

2022년 1회

064 ★★★

ANSWER ② $10u(t-2)-10u(t-4)$
$-10u(t-8)+10u(t-9)$

그래프를 나눠서 해석한다.

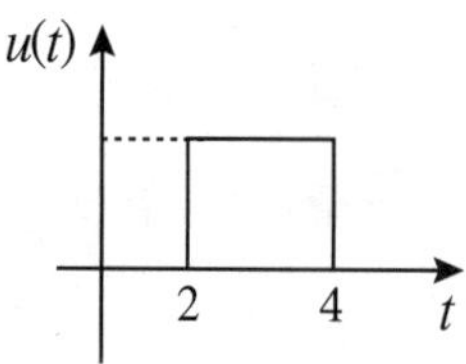

$f_1(t)=10\{u(t-2)-u(t-4)\}$

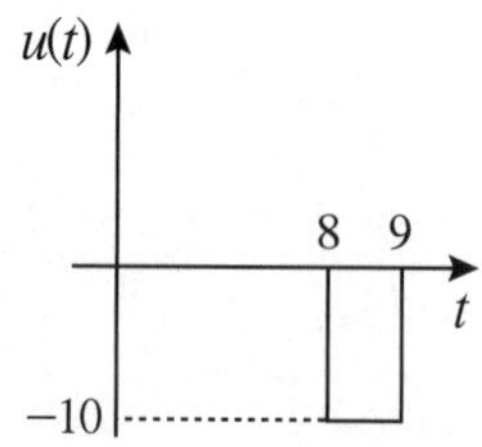

$f_2(t)=-10\{u(t-8)-u(t-9)\}$

$\therefore f(t)=f_1(t)+f_2(t)$
$=10u(t-2)-10u(t-4)$
$-10u(t-8)+10u(t-9)$

065 ★★★

ANSWER ② 15

MATH **22단원 삼각함수 특수공식**

$I_a=I_0+I_1+I_2$
$=(-2+j4)+(6-j5)+(8+j10)$
$=12+j9[A]$

$\therefore |I_a|=\sqrt{12^2+9^2}=15[A]$

066 ★★

ANSWER ② 5

MATH 23단원 유리식
43단원 e 총정리

STEP1 **과도현상 해석**

다음과 같이 스위치를 $t=0$에 동작했다고 가정한다.

㉠ 스위치 동작 전 캐패시터의 전압

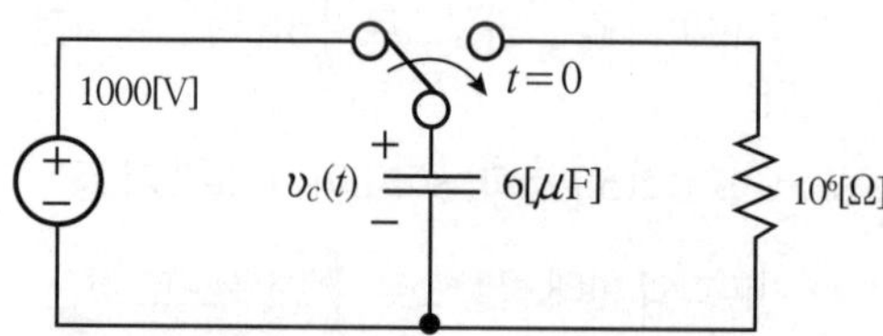

$v_c(0^-)=1000[V]$

㉡ 스위치 동작 후 캐패시터의 전압

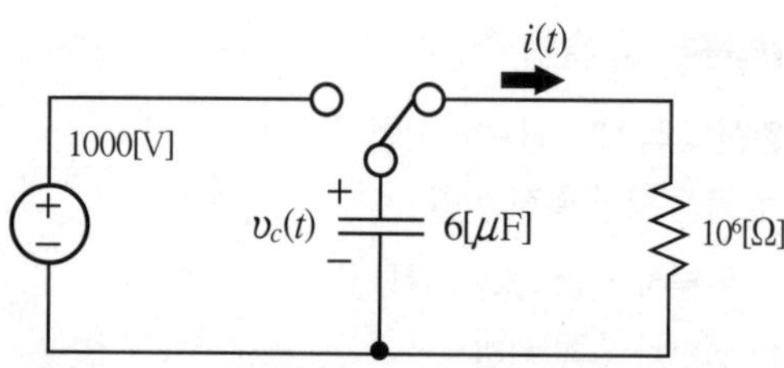

키르히호프의 제 2법칙(KVL)에 의하여
$v_c(t)=i(t)\times R=Ri(t)[V]$

STEP2 **RC 회로의 전류**

RC 회로의 전류 $i(t)=\frac{V}{R}e^{-\frac{1}{RC}t}$ 이므로

$v_c(t)=R\times\frac{V}{R}e^{-\frac{1}{RC}t}=Ve^{-\frac{1}{RC}t}$
$=1000e^{-\frac{1}{RC}t}$

STEP3 **조건 대입**

$v_c(t)=1000e^{-\frac{1}{RC}t}=1000e^{-1}$ 이므로

$-\frac{1}{RC}t=-1\rightarrow t=RC$

$\therefore t=10^6\times(5\times10^{-6})=5[s]$

067 ★★★

ANSWER ② 86.6

2전력계법 : 단상 전력계 2대로 3상 전력을 계산하는 법

- 무효전력 $Q = \sqrt{3}(W_1 - W_2)$[Var]
- 유효전력 $P = W_1 + W_2$[W]
- 피상전력 $P_a = \sqrt{P^2 + Q^2}$
  $= 2\sqrt{W_1^2 + W_2^2 - W_1 W_2}$[VA]
- 역률

$$\cos\theta = \frac{P}{P_a} = \frac{W_1 + W_2}{2\sqrt{W_1^2 + W_2^2 - W_1 W_2}}$$
$$= \frac{100 + 200}{2\sqrt{100^2 + 200^2 - 100 \times 200}}$$
$$= 0.866 ≒ 86.6[\%]$$

068 ★★★

ANSWER ④ 반파정현파 답을 암기할 것

$$\text{파고율} = \frac{\text{최대값}}{\text{실효값}}$$

$$\text{파형률} = \frac{\text{최대값}}{\text{평균값}}$$

정현반파의 실효값은 $\frac{V_m}{2}$이므로

파고율 $= \frac{V_m}{\frac{V_m}{2}} = 2$가 성립한다.

TIP !

파형	정현파	정현 반파	삼각파	구형 반파	구형파
실효값	$\frac{V_m}{\sqrt{2}}$	$\frac{V_m}{2}$	$\frac{V_m}{\sqrt{3}}$	$\frac{V_m}{\sqrt{2}}$	Vm
평균값	$\frac{2V_m}{\pi}$	$\frac{V_m}{\pi}$	$\frac{V_m}{2}$	$\frac{V_m}{2}$	Vm

069 ★

ANSWER ③ 30

STEP1 4단자 방정식

$\begin{bmatrix} V_1 \\ I_1 \end{bmatrix} = \begin{bmatrix} A & B \\ C & D \end{bmatrix}\begin{bmatrix} V_2 \\ I_2 \end{bmatrix}$에서

$A = \frac{V_1}{V_2}\Big|_{I_2=0}$: 전압비,

$B = \frac{V_1}{I_2}\Big|_{V_2=0}$: 임피던스

$C = \frac{I_1}{V_2}\Big|_{I_2=0}$: 어드미턴스,

$D = \frac{I_1}{I_2}\Big|_{V_2=0}$: 전류비

(여기서, $V_2 = 0$: 2차측 단락, $I_2 = 0$: 2차측 개방)

STEP2 임피던스 차원 B

2차측을 단락($V_2 = 0$)하면 다음과 같다.

$\therefore B = \frac{V_1}{I_2}\Big|_{V_2=0} = Z_1 + Z_2 = 10 + 20 = 30[\Omega]$

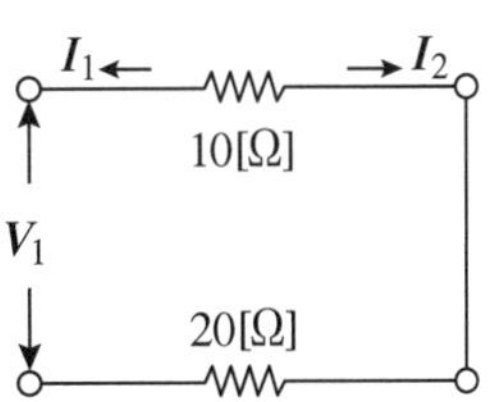

2022년 1회

070 ★★★

ANSWER ③ 2

STEP1 중첩의 원리에 의해 10[V] 전압원 단락

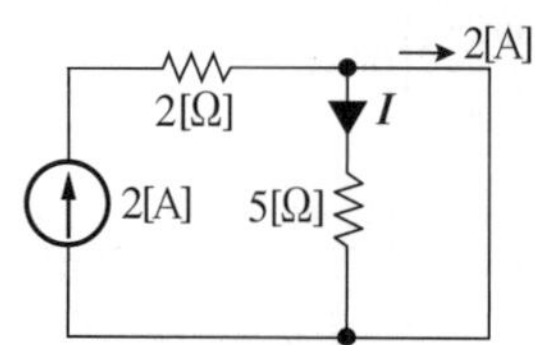

단락된 도선으로 전류가 흐르기 때문에 5[Ω]에 전류가 흐르지않는다.

$\therefore I_1 = 0[A]$

STEP2 중첩의 원리에 의해 2[A] 전류원 개방

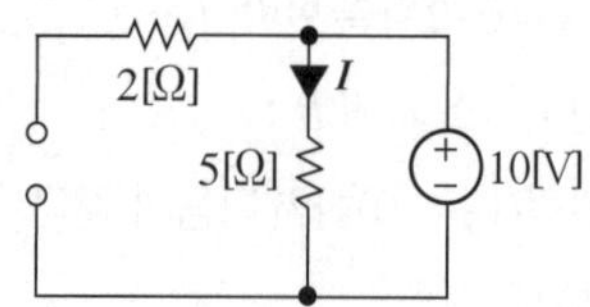

저항 5[Ω]에 흐르는 전류 $I_2 = \frac{V}{R} = \frac{10}{5} = 2[\text{A}]$

$\therefore I = I_1 + I_2 = 0 + 2 = 2[\text{A}]$

071 ★★

ANSWER ① $\frac{s^2}{s^2+1}$

MATH **23단원 유리식**
49단원 라플라스 기초

STEP1 회로의 라플라스 변환

초기조건을 무시하면 다음과 같이 변환할 수 있다.

시간영역	라플라스영역
i, $+$, v, R, $-$	i, $+$, V, R, $-$
i, $+$, v, L, $-$	I, $+$, V, sL, $-$
i, $+$, v, C, $-$	I, $+$, V, $\frac{1}{sC}$, $-$

STEP2 옴의 법칙

$V_1(s) = \frac{1}{Cs}I(s) + LsI(s) = \left(\frac{1}{Cs} + Ls\right)I(s)$

$V_2(s) = LsI(s)$

STEP3 전달함수

∴ 전달함수

$$= \frac{V_2(s)}{V_1(s)} = \frac{LsI(s)}{\left(\frac{1}{Cs} + Ls\right)I(s)} = \frac{Ls}{\frac{1}{Cs} + Ls}$$

$$= \frac{LCs^2}{1 + LCs^2}$$

$$= \frac{s^2}{s^2 + 1}$$

072 ★

ANSWER ② 대칭 2상 교류에 의한 회전자계는 타원형 회전자계이다.

다상 교류에 의한 회전 자계의 형태

㉠ 대칭 3상 교류 → 원형 회전 자계

㉡ 비대칭 3상 교류 → 타원형 회전 자계

※ 대칭 2상 교류에 의한 회전자계는 회전하지 않고 제자리에서 N극과 S극이 번갈아 나온다.

073 ★

ANSWER ① 불형평 3상 Y결선의 비접지식 회로에서는 영상분이 존재한다.

STEP1 비접지식
비접지식에서는 중성선이 없으므로 중성선에 전류가 흐를 수 없다. 따라서, 3상 전류의 합 $I_a+I_b+I_c=0$이 되어야 한다.

STEP2 영상 전류
영상전류 $I_0=\frac{1}{3}(I_a+I_b+I_c)$에서
$I_a+I_b+I_c=0$이므로
영상분은 존재하지 않는다.

074 ★★

ANSWER ③ 54.3

MATH 25단원 무리식
비정현파의 실효값

$I=\sqrt{I_0^2+I_1^2+\cdots+I_n^2}$에서

직류분 $I_0=50$

기본파(실효값) $I_1=\frac{30}{\sqrt{2}}$

$$\therefore I=\sqrt{I_0^2+I_1^2}=\sqrt{50^2+\left(\frac{30}{\sqrt{2}}\right)^2}$$
$$\fallingdotseq 54.3[\text{A}]$$

075 ★★

ANSWER ③ 25

STEP1 △–Y 변환
△결선을 다음과 같이 Y결선으로 바꾼다.

△결선의 저항 $R_\triangle=3R_Y \rightarrow R_Y=r$

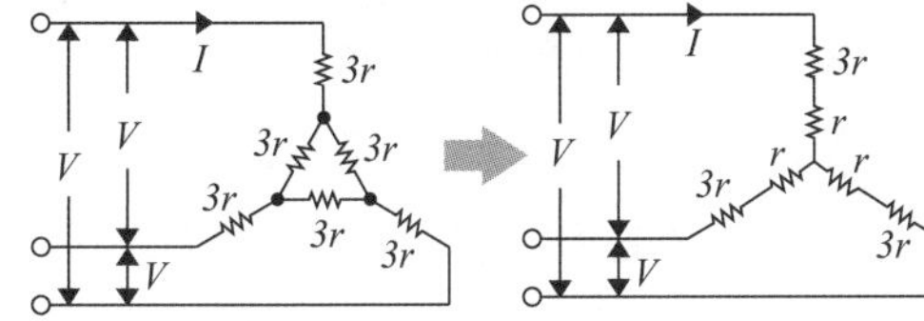

STEP2 선전류 계산
Y결선에서 선전류 $I_l=I_p$로 상전류와 같고
상전류

$$I_p=\frac{V_p}{R}=\frac{200}{3r+r}=\frac{200}{4r}=\frac{200}{4\times 2}=25[\text{A}]$$

$\therefore I_l=25[\text{A}]$

076 ★★

ANSWER ① 순저항

STEP1 수동소자(R, L, C)의 성질

㉠ 순저항: $I=\frac{E}{R}$ → 전압과 전류가 동상

㉡ 유도 리액턴스: $I=\frac{E}{j\omega L}=-j\frac{E}{\omega L}$
→ 전류가 전압보다 위상이 90° 뒤진다(지상).

㉢ 용량 리액턴스: $I=\frac{E}{\frac{1}{j\omega C}}=j\omega CE$ →
전류가 전압보다 위상이 90° 앞선다(진상).

077 ★★

ANSWER ② $0.2-j2.9$

MATH 3단원 등식 방정식
23단원 유리식

STEP1 브리지 회로
평형 조건 $Z_1Z_4=Z_2Z_3$이므로

$$\therefore Z_4=\frac{Z_2Z_3}{Z_1}=\frac{(2-j3)(3+j2)}{2+j4}$$
$$=0.2-j2.9$$

078 ★

ANSWER ① $f(t)=-f(t+\frac{T}{2})$

- 반파 대칭 $f(t)=-f(t+\frac{T}{2})$
- 여현 대칭 $f(t)=f(-t)$
- 정현 대칭 $f(t)=-f(-t)$

079 ★★

ANSWER ④ $\frac{V}{E-V}r$

STEP1 옴의 법칙

$$V = IR, I = \frac{V}{R}$$

STEP2 키르히호프의 법칙

KVL에 의하여 $E = Ir + IR$

STEP1을 이용하여 다음과 같이 정리한다.

$$E = \frac{V}{R}\times r + \frac{V}{R}\times R = \frac{V}{R}r + V$$

$$\rightarrow E - V = \frac{V}{R}r$$

$$\therefore R = \frac{V}{E-V}r$$

080 ★

ANSWER ③ $\frac{s^4+4s^2+1}{s(3s^2+1)}$

MATH 23단원 유리식

STEP1 회로의 라플라스 변환

초기조건을 무시하면 다음과 같이 변환할 수 있다.

시간영역	라플라스영역
i, $+$, v, $-$, R	i, $+$, V, $-$, R
i, $+$, v, $-$, L	I, $+$, V, $-$, sL
i, $+$, v, $-$, C	I, $+$, V, $-$, $\frac{1}{sC}$

$$\therefore Z(s) = \frac{1}{C_1 s} + \left(\frac{1}{C_2 s} + L_1 s\right) \parallel L_2 s$$

$$= \frac{1}{s} + \left(\frac{1}{2s} + \frac{1}{2}s\right) \parallel s$$

(여기서, $C_1 = 1[\text{F}]$, $C_2 = 2[\text{F}]$, $L_1 = 0.5[\text{H}]$, $L_2 = 1[\text{H}]$)

STEP2 전개

$$Z(s) = \frac{1}{s} + \left(\frac{1}{2s} + \frac{1}{2}s\right) \parallel s$$

$$= \frac{1}{s} + \frac{s^2+1}{2s} \parallel s = \frac{1}{s} + \frac{\frac{s^2+1}{2s}\times s}{\frac{s^2+1}{2s}+s}$$

$$= \frac{1}{s} + \frac{\frac{s^2+1}{2}}{\frac{3s^2+1}{2s}} = \frac{1}{s} + \frac{s^3+s}{3s^2+1}$$

$$= \frac{3s^2+1+s(s^3+s)}{s(3s^2+1)} = \frac{s^4+4s^2+1}{s(3s^2+1)}$$

TIP !

구동점 임피던스는 2단자망의 한 쌍의 단자에서 본 임피던스를 구동점 임피던스라고 하며, 보통 $j\omega$ 또는 s로 치환하여 나타낸다.

제5과목 | 전기설비기술기준 및 한국전기설비규정

081 ★★★

ANSWER ④ 16

중성선의 단면적 (한국전기설비규정 231.3.2)

1. 다음의 경우는 중성선의 단면적은 최소한 선도체의 단면적 이상이어야 한다.
   - ㉠ 2선식 단상회로
   - ㉡ 선도체의 단면적이 구리선 16[mm²], 알루미늄선 25[mm²] 이하인 다상 회로
   - ㉢ 제3고조파 및 제3고조파의 홀수배수의 고조파 전류가 흐를 가능성이 높고 전류종합고조파왜형률이 15 ~ 33[%]인 3상회로

082 ★★★

ANSWER ③ 내장형 철탑

특고압 가공전선로의 철주철근 콘크리트주 또는 철탑의 종류(한국전기설비규정 333.11)

㉠ 직선형 : 전선로의 직선부분(3도 이하인 수평각도를 이루는 곳)

㉡ 각도형 : 전선로 중 3도를 초과하는 수평각도를 이루는 곳

㉢ 인류형 : 전가섭선을 인류하는 곳에 사용하는 것

㉣ 내장형 : 전선로의 지지물 양쪽의 경간의 차가 큰 곳에 사용하는 것

㉤ 보강형 : 전선로의 직선 부분에 그 보강을 위하여 사용하는 것

083 ★★★

ANSWER ③ 제2종 특고압 보안공사

특고압 가공전선과 가공약전류전선 등의 공용설치(한국전기설비규정 333.19)

사용전압이 35[kV] 이하인 특고압 가공전선과 가공약전류전선 등을 동일 지지물에 시설하는 경우

㉠ 특고압 가공전선로는 제2종 특고압 보안공사에 의할 것

㉡ 특고압 가공전선은 가공 약전류전선 등의 위로 하고 별개의 완금류에 시설할 것

㉢ 특고압 가공전선은 인장강도 21.67[kN] 이상의 연선 또는 단면적이 50[mm^2] 이상인 경동연선일 것

㉣ 특고압 가공전선과 가공 약전류전선 등 사이의 이격 거리는 2[m] 이상

084 ★★

ANSWER ② 콤바인 덕트 케이블

고압 및 특고압케이블 (한국전기설비규정 122.5)

사용전압이 고압인 전로(전기기계기구 안의 전로를 제외한다)의 전선으로 사용하는 케이블은 연피케이블, 알루미늄피케이블, 클로로프렌외장케이블, 비닐외장케이블, 폴리에틸렌외장케이블, 저독성 난연 폴리올레핀외장케이블, 콤바인 덕트 케이블 또는 KS에서 정하는 성능 이상의 것을 사용하여야 한다.

저압 케이블로도 사용하는 클로로프렌외장케이블, 비닐외장케이블, 저독성 난연 폴리올레핀외장케이블을 제외하면 콤바인덕트케이블이 고압인 전로에서만 사용된다.

085 ★

ANSWER ① 1.0

STEP1 **25[kV] 이하인 특고압 가공전선로의 시설 (한국전기설비규정 333.32)**

특고압 가공전선이 다른 특고압 가공전선과 접근 또는 교차하는 경우의 이격거리는 표에서 정한 값 이상일 것

사용전선의 종류	이격거리
어느 한쪽 또는 양쪽이 나전선인 경우	1.5[m]
양쪽이 특고압절연전선인 경우	1.0[m]
한쪽이 케이블이고, 다른 한쪽이 케이블이거나 특고압절연전선인 경우	0.5[m]

2022년 1회

086 ★★

ANSWER ③ 5000[kVA] 이상, 10000[kVA] 미만

STEP1 특고압용 변압기의 보호장치 (한국전기설비규정 351.4)

특고압용의 변압기에는 그 내부에 고장이 생겼을 경우에 보호하는 장치를 표와 같이 시설하여야 한다.

뱅크 용량의 구분	동작 조건	장치의 종류
5000[kVA] 이상 10000[kVA] 미만	변압기 내부고장	자동차단장치 또는 경보장치
10000[kVA] 이상	변압기 내부고장	자동차단장치
타냉식 변압기 (변압기의 권선 및 철심을 직접 냉각시키기 위하여 봉입한 냉매를 강제 순환시키는 냉각 방식을 말한다)	냉각장치에 고장이 생긴 경우 또는 변압기의 온도가 현저히 상승한 경우	경보장치

087 ★

ANSWER ③ 25

레일 전위의 위험에 대한 보호 (한국전기설비규정 461.2)

교류 전기철도 급전시스템에서의 레일 전위의 최대 허용 접촉전압은 작업장 및 이와 유사한 장소에서는 최대 허용 접촉전압을 25[V](실효값)을 초과하지 않아야 한다.

088 ★★

ANSWER ② 2.5

태양광설비의 시설(한국전기설비규정 522)

전선은 공칭단면적 2.5[mm^2] 이상의 연동선 또는 이와 동등 이상의 세기 및 굵기의 것일 것.

089 ★

ANSWER ④ 금속몰드공사

옥측전선로(한국전기설비규정 221.2)

저압 옥측전선로는 다음의 공사방법에 의할 것

㉠ 애자공사(전개된 장소에 한한다.)

㉡ 합성수지관공사

㉢ 금속관공사(목조 이외의 조영물에 시설하는 경우에 한한다)

㉣ 버스덕트공사[목조 이외의 조영물(점검할 수 없는 은폐된 장소는 제외한다)에 시설하는 경우에 한한다]

㉤ 케이블공사(연피 케이블, 알루미늄피 케이블 또는 무기물절연(MI) 케이블을 사용하는 경우에는 목조 이외의 조영물에 시설하는 경우에 한한다)

090 ★★★

ANSWER ① 애자공사

가연성 분진 위험장소(한국전기설비규정 242.2.2)

가연성 분진(소맥분·전분·유황 기타 가연성의 먼지로 공중에 떠다니는 상태에서 착화하였을 때에 폭발할 우려가 있는 것을 말한다)에 전기설비가 발화원이 되어 폭발할 우려가 있는 곳에 시설하는 저압 옥내전기설비는 합성 수지관 공사·금속관공사 또는 케이블공사에 의할 것

091 ★

ANSWER ③ 1.5

25[kV] 이하인 특고압 가공전선로의 시설 (한국전기설비규정 333.32)

사용전압이 15[kV]를 초과하고 25[kV] 이하인 특고압 가공전선로와 식물 사이의 이격거리는 1.5[m] 이상일 것

다만, 특고압 가공전선이 특고압 절연전선이거나 케이블인 경우로서 특고압 가공전선을 식물에 접촉하지 아니하도록 시설하는 경우에는 그러하지 아니하다.

092 ★★

ANSWER ① 16

저압전로 중의 전동기 보호용 과전류보호장치의 시설(한국전기설비규정 212.6.3)

㉠ 옥내에 시설하는 전동기(정격출력이 0.2[kW] 이하인 것을 제외)에는 전동기가 손상될 우려가 있는 과전류가 생겼을 때에 자동적으로 이를 저지하거나 이를 경보하는 장치를 하여야 한다.

㉡ 과부하 보호장치를 시설하지 않아도 되는 경우
- 전동기를 운전 중 상시 취급자가 감시할 수 있는위치에 시설하는 경우
- 전동기의 구조나 부하의 성질로 보아 전동기가 손상될 수 있는 과전류가 생길 우려가 없는 경우
- 단상전동기로서 그 전원측 전로에 시설하는 과전류 차단기의 정격전류가 16[A](배선차단기는 20[A]) 이하인 경우

093 ★

ANSWER ③ 85

수소냉각식 발전기 등의 시설(한국전기설비규정 351.10)

발전기 내부 또는 조상기 내부의 수소의 순도가 85[%] 이하로 저하한 경우에 이를 경보하는 장치를 시설할 것

094 ★

ANSWER ③ 변전소 간 간격 확대

전식방지대책(한국전기설비규정 461.4)

㉠ 변전소 간 간격 축소

㉡ 레일본드의 양호한 시공

㉢ 장대레일채택

㉣ 절연도장 및 레일과 침목사이에 절연층의 설치

㉤ 기타

095 ★★★

ANSWER ② 6

특고압용 기계기구의 시설 (한국전기설비규정 341.4)

사용전압의 구분	울타리·담 등의 높이와 울타리·담 등으로부터 충전 부분까지의 거리의 합계
35[kV]이하	5[m]
35[kV]초과 160[kV]이하	6[m]
160[kV]초과	• 거리의 합계 = 6 + 단수 × 0.12[m] • 단수 = $\frac{\text{사용전압}[kV]-160}{10}$ 주의)단수 계산에서 소수점 이하는 절상(올림)

096 ★★★

ANSWER ① 조명 및 세척이 가능한 적당한 장치를 시설할 것

지중함의 시설(한국전기설비규정 334.2)

㉠ 지중함은 견고하고 차량, 기타 중량물의 압력에 견디는 구조일 것

㉡ 지중함은 그 안의 고인 물을 제거할 수 있는 구조로 되어 있을 것

㉢ 폭발성 또는 연소성의 가스가 침입할 우려가 있는 것에 시설하는 지중함으로서 그 크기가 $1[m^3]$ 이상인 것에는 통풍장치, 기타 가스를 방산시키기 위한 장치를 시설할 것

㉣ 지중함의 뚜껑은 시설자 이외의 자가 쉽게 열 수 없도록 시설할 것

097 ★★★

ANSWER ④ 1.2

전력보안통신선의 시설 높이와 이격거리 (한국전기설비규정 362.2)

통신선과 특고압 가공전선(특고압 가공전선로의 다중 접지를 한 중성선은 제외한다) 사이의 이격거리는 1.2[m] 이상일 것

098 ★★★

ANSWER ③ 1.5

전로의 절연저항 및 절연내력 (한국전기설비규정 132)

전로의 종류	접지 방식	시험전압 (최대사용 전압의 배수)	최저 시험 전압
1. 7[kV]이하		1.5배	
2. 7[kV]초과 25[kV]이하	다중 접지	0.92배	
3. 7[kV]초과 60[kV]이하 (2란의 것 제외)		1.25배	10.5[kV]
4. 60[kV]초과	비접지	1.25배	
5. 60[kV]초과 (6란과 7란의 것 제외)	접지식	1.1배	75[kV]
6. 60[kV]초과 (7란의 것 제외)	직접 접지	0.72배	
7. 170[kV]초과(발전소 또는 변전소 혹은 이에 준하는 장소에 시설하는 것)	직접 접지	0.64배	

099 ★★

ANSWER ② 전개된 장소 또는 점검 할 수 없는 은폐된 장소에 1종 가요전선관을 사용하였다.

금속제 가요전선관 (한국전기설비규정 232.13)

㉠ 전선은 절연전선(옥외용 비닐절연전선을 제외)일 것

㉡ 전선은 연선일 것. 다만, 단면적 $10[mm^2]$ (알루미늄선은 $16[mm^2]$) 이하인 것은 그러지 아니하다.

㉢ 가요전선관 안에는 전선에 접속점이 없도록 할 것

㉣ 가요전선관은 2종 금속제 가요전선관일 것 다만, 전개된 장소 또는 점검할 수 있는 은폐된 장소에는 1종 가요전선관을 사용할 수 있다.

100 ★★★

ANSWER ① 계기용변성기 1차측 전로

전로의 절연 원칙(한국전기설비규정 131)

다음의 부분 이외에는 대지로부터 절연하여야 한다.

㉠ 저압전로에 접지공사를 하는 경우의 접지점
- 수용장소의 인입구의 접지

㉡ 전로의 중성점에 접지공사를 하는 경우의 접지점
- 고압 또는 특고압과 저압의 혼촉에 의한 위험 방지 시설

㉢ 계기용 변성기의 2차측 전로에 접지공사를 하는 경우의 접지점

㉣ 저압선로와 특고압선로를 동일 지지물에 시설되는 부분에 접지공사를 하는 경우의 접지점

㉤ 중성점이 접지된 특고압 가공선로의 중성선에 다중접지를 하는 경우의 접지점

㉥ 다음과 같이 절연할 수 없는 부분
- 시험용 변압기, 전기울타리용 전원장치

2022년 2회(오전)

제1과목 | 전기자기학

001 ★

ANSWER ① 톰슨 효과(Thomson effect)

① 톰슨 효과 : 동일한 금속에서 양끝을 다른 온도로 유지하고 전류를 흘릴 때 발열 또는 흡열(吸熱)이 일어나는 현상

② 스트레치 효과 : 자유롭게 구부릴 수 있는 도선에 대전류를 흘리면, 도선 상호 간의 반발력으로 인해 도선이 원을 형성하는 현상

③ 홀 효과 : 도체 및 반도체에 전류를 흘리고, 전류의 직각 방향으로 자계를 가하면, 전류와 자기장의 방향에 수직 방향으로 기전력이 발생하는 현상

④ 핀치 효과 : 액체 도체에 전류를 흘리면 전류와 수직 방향으로 원형 자계가 생겨, 전자력에 의해서 액체 도체가 수축을 반복하는 현상

002 ★★

ANSWER ① $-\frac{a}{r}Q$ 답을 암기할 것

STEP1 접지 도체구와 점전하

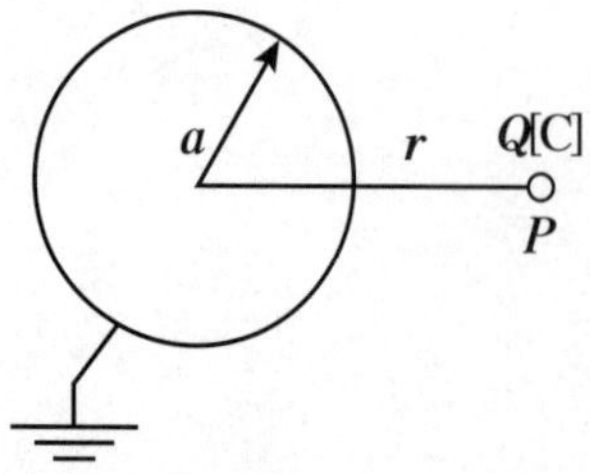

점전하에 의해서 유도된 전하 =

영상전하(Q') = $-\frac{a}{r}Q$[C]

∴ 문제에서는 반지름이 d 로 주어져 있으므로,

점전하에 의해서 유도된 전하 = $-\frac{a}{d}Q$[C]

TIP !

반지름은 r, d 둘 다 자주 쓰인다.

003 ★

ANSWER ① ϵE

STEP1 전기변위장 (Electric Displacement Field)

매질 속에서 전기장의 효과를 나타내는 공간 전속밀도와 같다.

∴ $D = \epsilon E[C/\text{m}^2]$

고난도

004 ★

ANSWER ① 10.29

MATH 23단원 유리식
25단원 무리식

STEP1 거리 계산

점 $P_1(-2, 1, 5)$과 점 $P_2(1, 3, -1)$의 거리는 다음과 같다.

$$r = \sqrt{(-2-1)^2 + (1-3)^2 + (5-(-1))^2} = 7\,[\text{m}]$$

STEP2 전위 계산

㉠ P_2에 의한 P_1의 전위

$$V_1 = \frac{Q_2}{4\pi\epsilon_0 r}$$

㉡ P_1에 의한 P_2의 전위

$$V_2 = \frac{Q_1}{4\pi\epsilon_0 r}$$

STEP3 정전에너지(중첩의 원리)

$$W = \frac{1}{2}Q_1V_1 + \frac{1}{2}Q_2V_2$$
$$= \frac{1}{2}Q_1\left(\frac{Q_2}{4\pi\epsilon_0 r}\right) + \frac{1}{2}Q_2\left(\frac{Q_1}{4\pi\epsilon_0 r}\right)$$
$$= \frac{Q_1Q_2}{4\pi\epsilon_0 r} = \frac{(2\times10^{-6})\times(4\times10^{-6})}{7}$$
$$\times(9\times10^9) \fallingdotseq 10.29\times10^{-3}$$
$$= 10.29[\text{mJ}]$$

TIP !

중첩의 원리

여러개의 전하에 의한 정전에너지 = 각각의 전하에 의한 정전에너지의 합

005 ★★

ANSWER ① σ^2에 비례한다.

MATH 10단원 비례, 반비례, 비례식

STEP1 도체의 전속밀도와 전계의 세기

전속밀도 $D = \sigma$

전계의 세기 $E = \frac{\sigma}{\epsilon}$

STEP2 정전응력

$$f = \frac{1}{2}DE = \frac{\sigma^2}{2\epsilon}$$
$$\therefore f \propto \sigma^2$$

006 ★

ANSWER ③ 정전 차폐

STEP1 정전 차폐

임의의 도체를 일정 전위(영 전위)의 도체로 완전 포위하여, 내외공간의 전계를 완전히 차단하는 현상

007 ★

ANSWER ① $\frac{1}{4\pi\mu_0}\times\frac{m}{r}$ 답을 암기할 것

MATH 41단원 부정적분

STEP1 자위(Magnetic potential)

자계 중 단위 정자극($m = 1[\text{Wb}]$)을 무한 원점에서 임의의 한 점(P)까지 운반하는 데 소요되는 일

$$U[\text{J/Wb}] = -\int_\infty^P H\cdot dl$$

STEP2 점자극에 의한 자계

$H = \frac{m}{4\pi\mu_0 r^2}$ 이므로

$$\therefore U = -\int_\infty^P H\cdot dl = -\int_\infty^r \frac{m}{4\pi\mu_0 r^2}\cdot dr$$
$$= \frac{m}{4\pi\mu_0 r} = \frac{1}{4\pi\mu_0}\times\frac{m}{r}$$

008 ★★★

ANSWER ④ 0.316

STEP1 상호 인덕턴스

$$M = k\sqrt{L_1L_2} = 1\times\sqrt{0.25\times0.4} = \sqrt{0.1}$$
$$\fallingdotseq 0.316[\text{H}]$$

009 ★★★

ANSWER ② 히스테리시스손을 줄이기 위해

STEP1 전기기기의 철손 대책

㉠ 철심 재료로 규소 사용 : 히스테리시스손 감소

㉡ 강판의 두께를 얇게 하고 성층 : 와류손 감소

010 ★★

ANSWER ③ $\frac{I}{2a}$

STEP1 원형 코일 중심의 자계의 세기

$$H_0 = \frac{NI}{2a} = \frac{I}{2a}[\text{AT/m}]$$

011 ★★★

ANSWER ② 400회

STEP1 기자력

$F = NI$ 이므로

$$\therefore N = \frac{F}{I} = \frac{2000}{5} = 400[\text{회}]$$

012 ★★★

ANSWER ① 1.5×10^8

MATH 25단원 무리식

STEP1 전파속도

$$v = \frac{1}{\sqrt{\epsilon\mu}} = \frac{1}{\sqrt{\epsilon_s\epsilon_0\mu_s\mu_0}} = \frac{1}{\sqrt{4 \times \epsilon_0 \times 1 \times \mu_0}}$$

$$= \frac{1}{2} \times \frac{1}{\sqrt{\epsilon_0\mu_0}} = \frac{1}{2} \times (3 \times 10^8)$$

$$= 1.5 \times 10^8[\text{m/s}]$$

TIP!

자유공간($\epsilon_s = 1$, $\mu_s = 1$)의 전파속도는 다음과 같다.

$$v = \frac{1}{\sqrt{\epsilon_0\mu_0}} = 3 \times 10^8[\text{m/s}]$$

또한, 이때의 속도는 빛의 속도 c 와 같다.

즉, $c = 3 \times 10^8[\text{m/s}]$

013 ★★

ANSWER ④ $\frac{D^2}{2\epsilon_0\omega}$

MATH 23단원 유리식

STEP1 정전에너지 밀도

$$w = \frac{W}{Sd} = \frac{1}{2}\epsilon E^2$$

$$= \frac{1}{2} \times \frac{D^2}{\epsilon} = \frac{1}{2} \times \frac{D^2}{\epsilon_r\epsilon_0}$$

STEP1 식 전개

$$\therefore \epsilon_r = \frac{1}{2} \times \frac{D^2}{\epsilon_0 w}$$

✎ 고난도

014 ★★

ANSWER ① 39

MATH 23단원 유리식

45단원 벡터의 더하기

STEP1 쿨롱의 힘

중첩의 원리에 의하여 정점 B에 있는 점전하 Q_B는 점전하 Q_A, Q_C로부터 각각 쿨롱의 힘을 받게 된다.

㉠ Q_A로 인하여 Q_B가 받는 힘(F_{BA})

$$F_{BA} = \frac{Q_BQ_A}{4\pi\epsilon_0 r^2}$$

$$= 9\times10^9\times\frac{(10^{-4}) \times (10^{-4})}{2^2} = 22.5[\text{N}]$$

㉡ Q_C로 인하여 Q_B가 받는 힘(F_{BA})

$$F_{BC} = \frac{Q_BQ_A}{4\pi\epsilon_0 r^2}$$

$$= 9\times10^9\times\frac{(10^{-4}) \times (10^{-4})}{2^2} = 22.5[\text{N}]$$

STEP2 힘의 합성

점전하 Q_A, Q_C 에 의한 힘 F_{BA}와 F_{BC}의 벡터합을 통해 점전하 Q_B에 작용하는 알짜힘을 구할 수 있다.

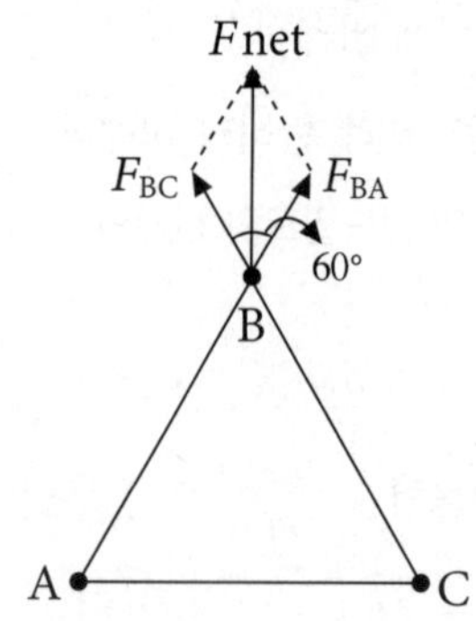

$$F_{\neq t} = \sqrt{F_{BA}^2 + F_{BC}^2 + 2F_{BA}F_{BC}\cos\theta}$$

$$= \sqrt{22.5^2 + 22.5^2 + 2 \times 22.5 \times 22.5 \times \cos 60°}$$

≒ 39[N](정삼각형이므로 $\theta = 60°$)

TIP !

- $\frac{1}{4\pi\epsilon_0} = 9 \times 10^9, \cos 60° = \frac{1}{2}$
- 벡터의 합성

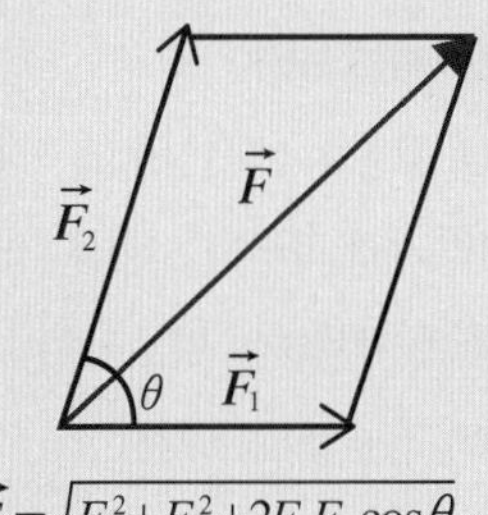

$\vec{F} = \sqrt{F_1^2 + F_2^2 + 2F_1F_2\cos\theta}$

015 ★★★

ANSWER ④ 50

MATH 38단원 미분 기초

STEP1 페러데이의 전자유도 법칙

$$e = -N\frac{d\phi}{dt}$$

자속의 변화량 $d\phi = 5 - 0 = 5$[Wb]

변화 시간 $dt = 10^{-1} = 0.1$[s]

STEP2 대입

$$e = -1 \times \frac{5}{0.1} = -50[V]$$

크기만 계산하므로

$e = 50$[V]

016 ★★★

ANSWER ② Q

STEP1 전속 : 전하에서 나오는 선속

매질에 관계없이 전하 Q[C]일 때 Q[개]의 전속선이 나온다.

017 ★

ANSWER ① $\sqrt{\pi f\mu\sigma} + j\sqrt{\pi f\mu\sigma}$ 답을 암기할 것

STEP1 전파정수

전파정수는 전압, 전류가 선로의 끝 송전단에서부터 멀어져감에 따라 그 진폭과 위상이 변해가는 특성과 관계가 된 상수이다.

$\gamma = \sqrt{ZY} = \alpha + j\beta$

여기서, $\alpha = \sqrt{\pi f\mu\sigma}$: 감쇠정수[V/m]

$\beta = \sqrt{\pi f\mu\sigma}$: 위상정수[rad/m]

따라서, $\gamma = \sqrt{\pi f\mu\sigma} + j\sqrt{\pi f\mu\sigma}$

018 ★

ANSWER ① 오른나사의 회전 방향

STEP1 오른나사 법칙

직선도선에 전류가 오른 나사의 진행방향으로 흐를 때, 자계의 방향은 오른나사의 회전 방향으로 생긴다.

019 ★★

ANSWER ④ 10

MATH 37단원 미분의 정의

STEP1 전류 : 단위시간동안 통과한 전하량

$$\therefore I = \frac{dQ}{dt} = \frac{30}{3} = 10[A]$$

020 ★

ANSWER ② $\dfrac{L_1L_2}{L_1+L_2}$

STEP1 인덕턴스의 병렬접속

가극성: $L_T = \dfrac{L_1L_2 - M^2}{L_1 + L_2 - 2M}$

감극성: $L_T = \dfrac{L_1L_2 - M^2}{L_1 + L_2 + 2M}$

STEP2 유도결합이 없을 때

상호인덕턴스 $M = 0$이므로

$\therefore$ 가극성 = 감극성 = $L_T = \dfrac{L_1L_2}{L_1+L_2}$

제2과목 | 전력공학

021 ★★

ANSWER ① 5

MATH 01단원 SI 접두어 단위
23단원 유리식

STEP1 발전기 출력 $P = 9.8QH\eta$[kW]이므로

유량 $Q = \dfrac{P}{9.8H\eta} = \dfrac{5000}{9.8 \times 100 \times 0.9}$
$= 5.67\,[\mathrm{m^3/s}]$

발전 시간

$t = \dfrac{V}{Q \times 60 \times 60} = \dfrac{100000}{5.67 \times 60 \times 60}$
$\fallingdotseq 5\,[\mathrm{h}]$

022 ★★

ANSWER ① 컷아웃 스위치

STEP1

• 컷아웃 스위치(C.O.S)

주상변압기의 고장이 배전선로에 파급되는 것을 방지하고 변압기의 과부하 소손을 예방하고자 변압기 1차측에 사용하는 보호장치

• 섹셔널라이저(sectionalizer)

고장전류를 차단할 수 있는 능력은 없으며, 선로의 무전압 상태에서 선로를 개방하여 고장구간을 분리시킨다.

• 부하 개폐기

고장 전류와 같은 대전류는 차단할 수 없지만 평상 운전시의 부하전류는 개폐할 수 있다.

• 리클로저(recloser)

배전 선로에서 지락 고장이나 단락 고장 사고가 발생하였을 때 고장을 검출하여 선로를 차단한 후 일정시간이 경과하면 자동적으로 재투입 동작을 반복함으로써 순간 고장을 제거한다.

023 ★★

ANSWER ② 300.56

STEP1

전선의 실제 길이는 $l = S + \dfrac{8D^2}{3S}\,[\mathrm{m}]$이므로,

주어진 조건을 대입하면

$l = 300 + \dfrac{8 \times 8^2}{3 \times 300} = 300.56\,[\mathrm{m}]$

024 ★★

ANSWER ③ 영상전류

STEP1

그림은 지락보호계전기의 동작을 나타내는 회로이다. X에는 a, b, c 모든 상의 전류가 흐르므로 영상전류가 흐른다.

025 ★★★

ANSWER ② ABB

STEP1

① 고압/특고압용 차단기 종류

㉠ 진공차단기(VCB)

- 소호매질 : 진공
- 소형, 경량
- 주파수의 영향을 받지 않는다.

㉡ 유입차단기(OCB)

- 소호매질 : 절연유
- 방음, 소호 장치가 필요 없다.
- 화재우려가 있다.

㉢ 자기차단기(MBB)

- 소호매질 : 자계의 전자력
- 전류 절단이 우수
- 주파수의 영향을 받지 않는다.

㉣ 가스차단기(GCB)

- 소호매질 : SF_6
- 밀폐구조이며, 소음이 적고, 신뢰성이 우수하다.
- 절연내력이 우수하고, 소형화 가능하다.

㉤ 공기차단기(ABB)

- 소호매질 : 압축공기
- 차단 시 소음이 크다.

② 저압용 차단기 종류

㉠ 배선용차단기(NFB)

㉡ 기중차단기(ACB)

㉢ 누전차단기(ELB)

026 ★★

ANSWER ① $\frac{Z_0}{v}$

MATH **25단원 무리식**

STEP1 **송전선의 선로정수**

특성 임피던스 $Z_0 = \sqrt{\frac{L}{C}}$, 위상속도(전파정수)

$v = \frac{1}{\sqrt{LC}}$ 이므로

$$\frac{Z_0}{v} = \sqrt{\frac{L}{C}} \times \sqrt{LC} = L$$

027 ★

ANSWER ③ 전압차동 계전방식

STEP1 **모선보호 계전방식**

㉠ 전류 차동 보호방식

㉡ 전압 차동 보호방식

㉢ 위상 비교 계전방식

㉣ 환상 모선 보호방식

㉤ 거리 방향 계전방식

028 ★★★

ANSWER ① 77

MATH **23단원 유리식**

STEP1 **단락용량**

$$P_s = \frac{100}{\%Z} \times P_n = \frac{100}{20} \times 400 = 2000\,[\mathrm{MVA}]$$

$$P_s = \sqrt{3}\,VI_s$$

$$\Rightarrow I_s = \frac{P_s}{\sqrt{3}\,V} = \frac{2000 \times 1000}{\sqrt{3} \times 15} = 76.98\,[\mathrm{kVA}]$$

029 ★★

ANSWER ① ACB

STEP1 고압/특고압용 차단기 종류

㉠ 진공차단기(VCB)
- 소호매질 : 진공
- 소형, 경량
- 주파수의 영향을 받지 않는다.

㉡ 유입차단기(OCB)
- 소호매질 : 절연유
- 방음, 소호 장치가 필요 없다.
- 화재우려가 있다.

㉢ 자기차단기(MBB)
- 소호매질 : 자계의 전자력
- 전류 절단이 우수
- 주파수의 영향을 받지 않는다.

㉣ 가스차단기(GCB)
- 소호매질 : SF_6
- 밀폐구조이며, 소음이 적고, 신뢰성이 우수하다.
- 절연내력이 우수하고, 소형화 가능하다.

㉤ 공기차단기(ABB)
- 소호매질 : 압축공기
- 차단 시 소음이 크다.

저압용 차단기 종류

㉠ 배선용차단기(NFB)
㉡ 기중차단기(ACB)
㉢ 누전차단기(ELB)

030 ★★

ANSWER ② 페란티 현상 방지

STEP1 페란티 현상

선로의 정전 용량으로 인해 무부하 또는 경부하시에 진상 전류가 흘러 수전단 전압이 송전단 전압보다 높아지는 현상이고 분로리액터나 동기조상기의 지상용량으로 방지할 수 있다.

031 ★★★

ANSWER ① 75.0 답을 암기할 것

MATH 10단원 비례, 반비례, 비례식

STEP1 각 방식별 중량비

단상 2선식 : 1(기준)

단상 3선식 : $\frac{3}{8}$

3상 3선식 : $\frac{3}{4}$

3상 4선식 : $\frac{1}{3}$

따라서, 3상 3선식과 단상 2선식의 중량비는

$$\frac{\frac{3}{4}}{1} = \frac{3}{4} = 0.75$$

032 ★

ANSWER ② $\frac{241}{\delta}(f+25)\sqrt{\frac{d}{3D}}(E-E_0)^2 \times 10^{-5}$

답을 암기할 것

STEP1 코로나 손실을 나타내는 peek의 식

$$P = \frac{241}{\delta}(f+25)\sqrt{\frac{d}{3D}}(E-E_0)^2 \times 10^{-5}[\text{kW/km/선}]$$

033 ★

ANSWER ③ 직렬 리액터

STEP1 배전선로 전압의 조정장치

㉠ 주상변압기 탭조절장치
㉡ 승압기 설치(단권변압기)
㉢ 유도전압조정기(IR, 부하급변 시에 사용)
㉣ 전력용 콘덴서
㉤ 병렬 리액터

034 ★★

ANSWER ① 역섬락 발생

STEP1 역섬락

철탑의 접지 저항이 크면 철탑의 전위가 매우 상승하여 애자 또는 공기를 통해 송전선에 섬락을 일으키는 현상이 일어나는데, 이를 역섬락이라고 한다.

035 ★★★

ANSWER ③ 630

MATH 22단원 삼각함수 특수공식

STEP1 전력용 콘덴서의 용량

$$Q_C = Q_1 - Q_2 = P(\tan\theta_1 - \tan\theta_2)$$
$$= 1500 \times \left(\frac{0.6}{0.8} - \frac{\sqrt{1^2 - 0.95^2}}{0.95}\right)$$
$$\fallingdotseq 631.97[\text{kVar}]$$
$$\therefore 630[\text{kVar}] \text{ 선정}$$

036 ★

ANSWER ② 수실 조압 수조

STEP1 조압 수조

① 차동 조압 수조 : 단면이 다른 두 개의 수조를 수압관으로 이어 수압이 자동으로 조정될 수 있도록 설계, 서징현상(맥동현상)의 시간이 짧은 장점이 있다.

② 수실 조압 수조 : 부하의 급변으로 인한 충격을 방지하기 위하여 설치한 수조, 이용 수심이 크거나 단동형을 사용하기 힘들 때 사용

③ 단동 조압 수조 : 단면적이 큰 하나의 종관으로 구성, 유속 변화가 둔하고 큰 용량의 수조를 필요로 한다.

④ 제수공 조압 수조 : 수조 바닥에 작은 포트(제수공)으로 연결하여 수조와 수로 사이의 압력을 제어

037 ★★

ANSWER ② 잔류 전하의 방전

STEP1 전력용 커패시터(콘덴서)회로의 각 용도

㉠ 전력용 커패시터 : 역률개선

㉡ 직렬 리액터 : 제5고조파 제거

㉢ 방전코일 : 잔류 전하 방전

038 ★

ANSWER ① 절연 협조

STEP1 절연 협조

계통 내의 각 기기, 기구, 애자 등의 상호간에 적절한 절연 강도를 갖게 해서 계통 설계를 합리적이고 경제적으로 할 수 있게 한 것

039 ★★★

ANSWER ① 동작전류가 커질수록 동작시간이 짧아진다.

STEP1 계전기의 한시특성

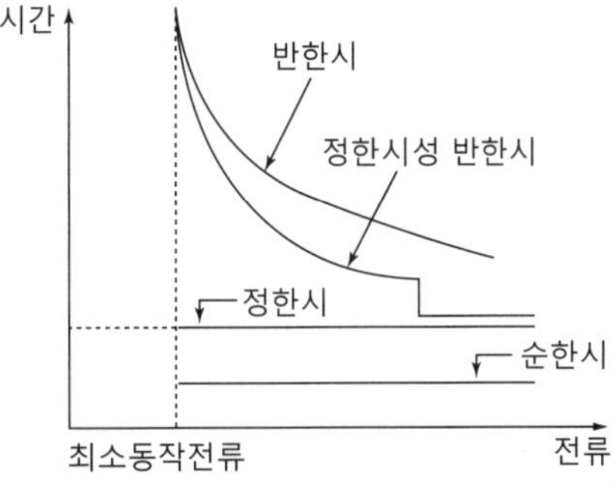

- 순한시 계전기 : 최소 동작전류 이상의 전류가 흐르면 즉시 동작하는 것
- 반한시 계전기 : 동작전류가 커질수록 동작시간이 짧게 되는 특성을 가진 것
- 정한시 계전기 : 동작전류의 크기에 관계없이 일정한시간에서 동작하는 것
- 반한시성 정한시 계전기 : 동작전류가 적은 동안에는 반한시 특성으로 되고 그 이상에서는 정한시 특성이 되는 것

040 ★★

ANSWER ③ 1선 지락고장 시 건전상의 대지전위 상승이 작다.

STEP1 비접지방식의 특징

㉠ 장점

- 변압기 결선을 △ − △으로 사용가능하여 1대가 고장시 V −V결선 송전 가능
- 1선 지락 고장 시 고장전류가 작아 과도 안정도가 크다.
- 고장전류가 작아 전자유도장해가 작다.

㉡ 단점

- 고장전류가 작아 보호 계전기의 확실한 동작이 어렵다.
- 고장 시 건전상의 대지전위 상승이 $\sqrt{3}$ 배이다.

제3과목 | 전기기기

041 ★

ANSWER ② 200

MATH 23단원 유리식

STEP1 주어진 식 확인하기

① 무부하전압 $V = \dfrac{950 I_f}{30 + I_f}$

② 계자전류 $I_f = \dfrac{V}{R_f} = \dfrac{V}{25}$

STEP2 주어진 식 정리

①에 ②를 대입하여 정리

$$V = \frac{950 \times \frac{V}{25}}{30 + \frac{V}{25}} \Rightarrow \left(30 + \frac{V}{25}\right) V = 950 \times \frac{V}{25}$$

STEP3 방정식 풀이

$$V = \left(\frac{950}{25} - 30\right) \times 25 = 200\,[\mathrm{V}]$$

042 ★

ANSWER ① 수전단의 전압을 조정하기 위하여

STEP1 탭 변압기

변압기의 변압비를 바꾸기 위해 변압기의 1차 혹은 2차 코일에 인출선을 설치하고 있는 변압기이다. 변압기 2차측(수전단)의 전압변동을 보상하고 일정 전압으로 유지 시키기 위해 사용한다.

043 ★★

ANSWER ④ 출력을 더욱 증대할 수 있다.

STEP1 동기발전기 전기자 Y결선의 특징

㉠ 중성점을 접지할 수 있어 이상 전압에 대한 대책으로 용이하다.

㉡ 코로나 발생 및 열화가 적다.

㉢ 제3고조파의 순환 전류가 흐르지 않는다.

㉣ 코일의 유기전압이 $\dfrac{1}{\sqrt{3}}$ 배 감소하기 때문에 절연에 용이하다.

㉤ 권선의 보호 및 이상전압의 방지대책이 용이하다.

044 ★★★

ANSWER ③ 전기저항이 작을 것

STEP1 변압기 철심의 구비 조건

㉠ 투자율이 클 것

㉡ 전기 저항이 클 것(저항률이 클 것)

㉢ 히스테리시스 계수가 작을 것(규소 함유량 4[%])

㉣ 성층 철심 구조일 것(두께 : 약 0.35[mm], 와류손 감소를 위해)

㉤ 철심에 전류가 흐르지 않을 것(전류는 권선에만 흘러야 함)

045 ★

ANSWER ④ 게르게스 현상

STEP1 게르게스 현상

3상 권성형 유도전동기가 운전 중 1선이 단선되는 경우에 단상 전류가 흘러서 전류가 증가하고 속도가 $s = 0.5 = 50\%$인 곳에 걸리며 그 이상 가속하지 않는 현상을 말한다.

046 ★★

ANSWER ① 1.75

STEP1 %리액턴스

$$\%X_1 = \frac{PX_1}{10V_1^2} = \frac{10 \times 7}{10 \times 2^2} = 1.75$$

047 ★★★

ANSWER ③ 5.8

MATH **23단원 유리식**

STEP1 단락전류

$$I_s = \frac{V_p}{Z_s} = \frac{\frac{V_l}{\sqrt{3}}}{Z_s}$$

$$\therefore Z_s = \frac{V_l}{\sqrt{3}I_s} = \frac{6000}{600\sqrt{3}} = 5.77\,[\Omega]$$

048 ★

ANSWER ④ 중간변압기를 설치할 때에는 고정자 권선과 병렬로 설치한다.

STEP1 3상 직권 정류자 전동기

㉠ 기동 토크가 매우 크고 속도 제어 범위가 크다 → 펌프, 공작기계 등에 사용

㉡ 브러시를 이동하여 속도제어 및 회전 방향 변환이 가능하다.

㉢ 저속에서는 효율과 역률이 나빠진다.(동기속도 근처에서 가장 좋음)

㉣ 중간 변압기는 고정자 권선과 회전자 권선 사이에 직렬로 접속

㉤ 중간 변압기 사용 이유

- 정류자 전압의 조정
- 실효 권수비의 조정
- 경부하 시 속도 이상 상승 방지
- 회전자 상수의 증가

049 ★★

ANSWER ④ $\dfrac{1}{6\sin\frac{\pi}{18}}$

MATH **19단원 호도법과 육십분법**

STEP1 분포권 계수

$K_d = \dfrac{\sin\frac{n\pi}{2m}}{q\sin\frac{n\pi}{2mq}}$ 에서, 고조파 차수 $n = 1$,

상수 $m = 3$, 매극 매상 당 슬롯수 $q = 3$이므로

$$K_d = \frac{\sin\frac{\pi}{2 \times 3}}{3\sin\frac{\pi}{2 \times 3 \times 3}} = \frac{\sin\frac{\pi}{6}}{3\sin\frac{\pi}{18}}$$

$$= \frac{1}{6\sin\frac{\pi}{18}}$$

050 ★★

ANSWER ④ 인덕터 트립 방식

STEP1 차단기의 트립 방식

㉠ 직류 전압 트립 방식 : 별도로 설치된 축전지 등이 제어용 직류 전원의 에너지에 의하여 트립되는 방식

㉡ 과전류 트립 방식 : 차단기의 주회로에 접속된 변류기의 2차 전류에 의해 차단기가 트립되는 방식

㉢ 콘덴서 트립 방식 : 충전된 콘덴서의 에너지에 의해 트립되는 방식

㉣ 부족 전압 트립 방식 : 부족 전압 트립 장치에 인가되어 있는 전압의 저하에 의해 차단기가 트립되는 방식

051 ★★★

ANSWER ④ 475

MATH 23단원 유리식

STEP1 유도전동기의 2차 동손

$$P_{c2} = sP_2 = \frac{s}{1-s}(P_0 + P_m)$$
$$= \frac{0.03}{1-0.03}(15000 + 350) = 475\,[\mathrm{W}]$$

(P_{c2} : 2차 동손, s : 슬립, P_2 : 2차 입력,

P_0 : 기계적 출력, P_m : 기계손)

052 ★★

ANSWER ③ 기본파와 반대 방향으로 $\frac{1}{5}$배 속도로 회전한다.

STEP1 유도전동기의 고조파 차수

㉠ $h = 3n$(3고조파, 9고조파, $\cdots$)

: 회전자계가 발생하지 않는다.

㉡ $h = 6n+1$(기본파, 7고조파, $\cdots$)

: 기본파와 같은 방향으로 $\frac{1}{h}$배 속도로 회전하는 자계

㉢ $h = 6n+2$(2고조파, 5고조파, $\cdots$)

: 기본파와 반대 방향으로 $\frac{1}{h}$배 속도로 회전하는 자계

기본파의 기자력이 구형파로 나오기 때문에 푸리에 급수로 전개해보면 고조파는 홀수차항만 남는다.

053 ★

ANSWER ④ %임피던스

MATH 10단원 비례, 반비례, 비례식

STEP1 변압기의 주파수가 높아지면 발생하는 현상

㉠ $E = 4.44kf\phi_m N = 4.44kB_m SN$

$\Rightarrow B_m \propto \frac{1}{f}$: 자속밀도 감소 → 철손(무부하손)감소

㉡ 여자전류 감소 → 동손 감소 → 온도 감소

㉢ 임피던스와 전압 변동률은 증가한다.

㉣ 소음 감소

054 ★

ANSWER ① MOSFET 답을 암기할 것

STEP1 전력용 반도체 소자 구조

- 3층 구조(NPN) : DIAC
- 4층 구조(PNPN) : SCR, LASCR, GTO, SCS
- 5층 구조(PNPNP) : TRIAC, SSS

055 ★★

ANSWER ③ 고조파를 제거해서 기전력 파형 개선

STEP1 단절권의 특징

㉠ 고조파를 제거하여 기전력의 파형을 개선한다.

㉡ 코일 단부가 짧게 되어 기계 길이가 축소하여 동의 양이 적게 되는 장점이 있다.

㉢ 전절권에 비해 합성 유기기전력이 축소한다.

㉣ 단절권계수

$$K_p = \frac{\text{단절권일 때 기전력의 합}}{\text{전절권일 때 기전력의 합}} = \sin\frac{\beta}{2}\pi$$

056 ★★

ANSWER ②

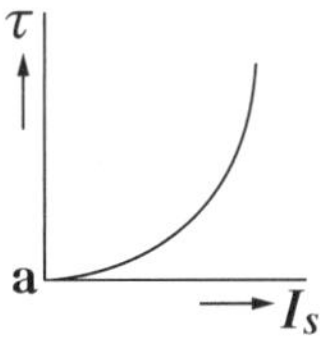

STEP1 직권 전동기의 특성

토크 $\tau \propto$ 전기자전류 I_a^2

057 ★★

ANSWER ④ 슬립 측정

STEP1 유도전동기의 원선도

원선도 작성에 필요한 시험(변압기 특성 시험):

고정자 권선의 저항 측정, 무부하 시험, 구속 시험

TIP !

원선도에서 구할 수 있는 것: 1차 입력, 1차 동손, 동기 와트, 슬립 등

058 ★★★

ANSWER ① 4.78

MATH 23단원 유리식

STEP1 유도기전력

$E = V - I_aR_a = 100 - 10 \times 1 = 90[V]$

STEP2 토크

$$\tau = \frac{60P}{2\pi N} = \frac{60EI_a}{2\pi N} = \frac{60 \times 90 \times 10}{2\pi \times 1800}$$
$$= 4.78[N \cdot m]$$

059 ★

ANSWER ① 진권

STEP1 진권

뒤피치(후절)가 앞피치(전절)보다 큰 권선으로 진행방향은 시계방향의 방사형이다.

060 ★

ANSWER ③ 게이트 – 소스 간의 전압으로 드레인 전류를 제어하는 전압제어스위치로 동작한다.

STEP1 MOSFET의 특징

㉠ 게이트에 금속 산화막이 추가된 FET구조이다.

㉡ 도통 상태에서 게이트 신호를 제거하면 도통 상태가 유지되지 않는다.

㉢ N채널과 P채널 구조로 분류된다.(pn접합구조가 아님)

㉣ 스위칭 속도가 매우 빠르다.

㉤ 동작주파수가 가장 빠른 반도체이다.

㉥ 전압구동형이며 다수 캐리어의 이동에 의하여 동작 특성이 결정되는 단극성(unipolar) 소자이다.

㉦ 게이트와 소스간 전압에 의해 드레인 전류를 제어함으로써 도통과 차단 상태가 결정된다.

㉧ 온오프 제어가 가능한 소자이다.

㉨ BJT에 비해서 입력 임피던스 값이 매우 크기 때문에 입력 전류의 크기가 매우 작다.

㉩ BJT에 비해 동작 속도는 느리지만 점유면적이 작아 집적화에 유리하다.(고밀도 집적회로 설계 가능)

제4과목 | 회로이론

061 ★★

ANSWER ② 불평형 3상 Y결선의 비접지식 회로에서는 영상분이 존재한다.

STEP1 영상전류

영상분은 접지선에 흐르며, 비접지의 경우 흐르지 않는다.

평형 3상에서 각 상의 성분의 합으로 0이 된다.

$I_0 = I_a + I_b + I_c = 0$

062 ★★★

ANSWER ③ $2\sqrt{\frac{L}{C}}$

STEP1 RLC 소자 값에 따른 과도현상

㉠ $R > 2\sqrt{\frac{L}{C}}$: 과제동(비진동)

㉡ $R < 2\sqrt{\frac{L}{C}}$: 부족제동(진동)

㉢ $R = 2\sqrt{\frac{L}{C}}$: 임계제동

063 ★★

ANSWER ③ $I^2 = \frac{1}{T}\int_0^T i^2 dt$

MATH 41단원 부정적분

STEP1 실효값

임의 주기파 순시값 제곱의 1주기에 걸친 평균값의 제곱근

$$I = \sqrt{\frac{1}{T}\int_0^T i^2 dt} \Rightarrow I^2 = \frac{1}{T}\int_0^T i^2 dt$$

064 ★★

ANSWER ③ $\frac{1}{2}VI$

STEP1 비정현파의 전력 계산

비정현파의 전력은 주파수가 같은 전압과 전류의 곱으로 이루어진다.

$$\begin{aligned} P &= \sum VI\cos\theta \\ &= V_0I_0 + V_1I_1\cos\theta_1 + V_2I_2\cos\theta_2 + \cdots \\ &= \frac{V}{\sqrt{2}} \times \frac{I}{\sqrt{2}} = \frac{1}{2}VI \end{aligned}$$

065 ★★★

ANSWER ③ 2

STEP1 전압원 단락

단락된 전선으로 전류가 흐르므로 1[Ω]에 흐르는 전류 $I_1 = 0[\text{A}]$

$\therefore V_R = 0[\text{V}]$

STEP2 전류원 개방

1[Ω]에 걸리는 전압

$V_R = (I_1 + I_2)R = IR = (0 + 2) \times 1 = 2[\text{V}]$

STEP3 중첩의 정리

$V_R = 0 + 2 = 2[\text{V}]$

066 ★★

ANSWER ② $\frac{1}{\tau s + 1}$

MATH 49단원 라플라스 기초

STEP1 회로의 소자를 라플라스 변환한다.

$L \rightarrow Ls$

$R \rightarrow R$

$v_1(t) \rightarrow V_1(s)$

$v_2(t) \rightarrow V_2(s)$

STEP2 회로의 전달함수를 구한다.

$$V_2(s) = \frac{R}{R + Ls} \times V_1(s)$$

$$\therefore \frac{V_2(s)}{V_1(s)} = \frac{R}{R + Ls} = \frac{1}{1 + \frac{L}{R}s} = \frac{1}{1 + \tau s}$$

067 ★

ANSWER ② 6, $\frac{10}{3}$

MATH 25단원 무리식
33단원 행렬 기초

STEP1 회로의 4단자 정수를 구한다.

$$\begin{bmatrix}1 & 4\\0 & 1\end{bmatrix}\begin{bmatrix}1 & 0\\ \frac{1}{5} & 1\end{bmatrix}=\begin{bmatrix}\frac{9}{5} & 4\\ \frac{1}{5} & 1\end{bmatrix}$$

STEP2 회로의 영상 임피던스를 구한다.

$$Z_{01}=\sqrt{\frac{AB}{CD}}=\sqrt{\frac{\frac{9}{5}\times 4}{\frac{1}{5}\times 1}}=\sqrt{36}=6[\Omega]$$

$$Z_{02}=\sqrt{\frac{BD}{AC}}=\sqrt{\frac{4\times 1}{\frac{9}{5}\times\frac{1}{5}}}=\sqrt{\frac{100}{9}}=\frac{10}{3}[\Omega]$$

068 ★

ANSWER ② 이 법칙은 선형소자로만 이루어진 회로에 적용된다.

STEP1 키르히호프의 법칙

키르히호프의 전류법칙은 선형/비선형, 시변/시불변에 관계없이 항상 성립한다.

069 ★★★

ANSWER ① $\frac{1}{s^2+4}$

MATH 22단원 삼각함수 특수공식
49단원 라플라스 기초

STEP1 삼각함수 2배각 공식

$\sin 2\theta = 2\sin\theta\cos\theta$

$\therefore \sin t\cos t = \frac{1}{2}\sin 2t$

STEP2 라플라스 변환

$$\pounds\left[\frac{1}{2}\sin 2t\right]=\frac{1}{2}\times\frac{2}{s^2+2^2}=\frac{1}{s^2+4}$$

070 ★

ANSWER ③ 5

STEP1 전류원 합성

병렬연결된 전류원을 합성하면 다음과 같다.

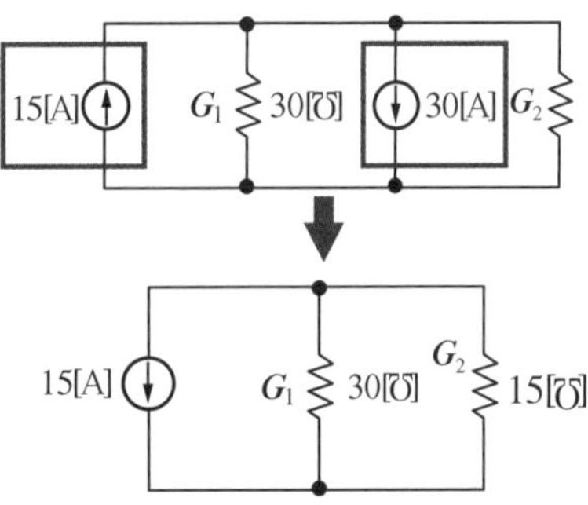

STEP2 전류 분배법칙

컨덕턴스에 따른 전류 분배법칙에 의해

$$I=\frac{G_2}{G_1+G_2}\times I_s=\frac{15}{30+15}\times 15=5[\text{A}]$$

(전류의 방향을 묻지 않았으므로 크기만 계산한다.)

071 ★★

ANSWER ② 1080

MATH 23단원 유리식

STEP1 3상 무효전력

평형 3상 Y결선에서 상전류 $I_p = I_l = 10[\text{A}]$

3상 부하의 무효전력

$$Q=3V_pI_p\sin\theta=3\times 60\times 10\times\sqrt{1-0.8^2}=1080[\text{Var}]$$

고난도

072 ★

ANSWER ③ $AB-CD=1$ 답을 암기할 것

MATH 03단원 등식 방정식

STEP1 가역정리

$V_1I_1=V_2I_2$를 만족할 때 가역정리가 성립한다.

① 하이브리드 파라미터

- 입력 개방 전압이득 $h_{12}=\frac{V_1}{V_2}$
- 출력 단락 전류이득 $h_{21}=\frac{I_2}{I_1}$

$h_{12}=h_{21}\Leftrightarrow\frac{V_1}{V_2}=\frac{I_2}{I_1}\Leftrightarrow V_1I_1-V_2I_2$ 이므로 성립

② 어드미턴스 파라미터

$Y_{12}=\frac{I_1}{V_2}, Y_{21}=\frac{I_2}{V_1}$

$Y_{12}=Y_{21}\Leftrightarrow\frac{I_1}{V_2}=\frac{I_2}{V_1}\Leftrightarrow V_1I_1=V_2I_2$ 이므로 성립

③ 4단자 정수

$A=\frac{V_1}{V_2}, B=\frac{V_1}{I_2}, C=\frac{I_1}{V_2}, D=\frac{I_1}{I_2}$

$AB-CD=1\Leftrightarrow\frac{V_1}{V_2}\times\frac{V_1}{I_2}-\frac{I_1}{V_2}\times\frac{I_1}{I_2}=1$

$\Leftrightarrow V_1^2-I_1^2=V_2I_2$: 가역 조건 아님

④ 임피던스 파라미터

$Z_{12}=\frac{V_1}{I_2}, Z_{21}=\frac{V_2}{I_1}$

$Z_{12}=Z_{21}\Leftrightarrow\frac{V_1}{I_2}=\frac{V_2}{I_1}\Leftrightarrow V_1I_1=V_2I_2$ 이므로 성립

073 ★

ANSWER ③ 짧아진다.

STEP1 시정수

시정수란 정상전류의 63.2[%]가 되는데 걸리는 시간으로 시정수의 값은 과도현상이 소멸되는 시간에 비례한다. 즉, 시정수의 값이 작을수록 과도현상이 소멸되는 시간은 짧아진다.

074 ★★★

ANSWER ① 12.2

MATH 25단원 무리식

STEP1 실효값 계산

$$I=\sqrt{I_0^2+I_1^2}=\sqrt{7^2+\left(\frac{14.1}{\sqrt{2}}\right)^2}=12.2[\text{A}]$$

075 ★★

ANSWER ① 34.6

MATH 23단원 유리식

STEP1 △결선

△결선에서 상전압 $V_p=V_l=100[\text{V}]$

상전류 $I_p=\frac{V_p}{Z}=\frac{100}{5}=20[\text{A}]$

∴ 선전류 $I_l=\sqrt{3}\,I_p=\sqrt{3}\times 20=34.6[\text{A}]$

076 ★★

ANSWER ① $14+j14$

MATH 28단원 복소수의 연산
30단원 직교좌표와 극좌표

STEP1 I_1, I_2를 복소수로 나타낸다.

$$I_1 = 10\angle\tan^{-1}\frac{4}{3} = 10\angle 53.13°$$

$10(\cos 53.13° + j\sin 53.13°)$

$= 10(0.6 + j0.8) = 6 + j8$

$$I_2 = 10\angle\tan^{-1}\frac{3}{4} = 10\angle 36.87°$$

$10(\cos 36.87° + j\sin 36.87°)$

$= 10(0.8 + j0.6) = 8 + j6$

STEP2 복소수 계산

$I = I_1 + I_2 = 6 + j8 + 8 + j6 = 14 + j14[A]$

077 ★★★

ANSWER ④ $10\sin\omega t$

MATH 30단원 직교좌표와 극좌표

STEP1 영상전류

$$i_0 = \frac{1}{3}(i_a + i_b + i_c)$$

$$= \frac{1}{3}\times(30\sin\omega t + 30\sin(\omega t - 90°) + 30\sin(\omega t + 90°))$$

$$= \frac{1}{3}\times 30\sin\omega t = 10\sin\omega t[A]$$

($\because$ $30\sin(\omega t - 90°)$와 $30\sin(\omega t + 90°)$는 위상이 180° 차이나므로 합하면 0이다.)

078 ★★

ANSWER ② 240

MATH 19단원 호도법과 육십분법

STEP1 n상 결선

n상 성형결선 시 선간전압 $V_l = 2\sin\frac{\pi}{n}V_p$

$n = 6$ 일 때

$$V_l = 2\sin\frac{\pi}{6}V_p = 2\times\frac{1}{2}\times 240 = 240[V]$$

079 ★★

ANSWER ② 1.0

MATH 25단원 무리식

STEP1 왜형률(Total Harmonic Distortion)

$$\text{왜형률 } THD = \frac{\text{고조파의 실효값}}{\text{기본파의 실효값}} = \frac{\sqrt{\sum_{n\neq 1} I_n^2}}{I_1}$$

STEP2 왜형률 계산

정현파의 실효값 $I = \dfrac{I_m}{\sqrt{2}}$ 이므로

$I_1 = 50, I_2 = 30, I_3 = 40$

$$\therefore THD = \frac{\sqrt{I_2^2 + I_3^2}}{I_1} = \frac{\sqrt{30^2 + 40^2}}{50} = \frac{50}{50} = 1$$

080 ★★

ANSWER ④ $\frac{1}{4}\times\frac{E_m}{\omega^2 L}(1-\cos 2\omega t)$

MATH 23단원 유리식
41단원 부정적분

STEP1 인덕턴스에 흐르는 전류

$v_L(t) = e(t) = L\dfrac{di(t)}{dt}$ 이므로

$$i(t) = \frac{1}{L}\int e(t)dt = \frac{1}{L}\int E_m\cos\omega t dt = \frac{E}{\omega L}\sin\omega t[A]$$

STEP2 인덕턴스에 축적되는 에너지

$$W_L(t) = \frac{1}{2}Li(t)^2 = \frac{1}{2}L\times\left(\frac{E_m}{\omega L}\sin\omega t\right)^2 = \frac{1}{2}\times\frac{E_m}{\omega^2 L}\sin^2\omega t$$

삼각함수 공식에 의해 $\sin^2\omega t = \dfrac{1-\cos 2\omega t}{2}$ 이므로

$$W_L(t) = \frac{1}{4}\times\frac{E_m}{\omega^2 L}(1-\cos 2\omega t)$$

081 ★

ANSWER ④ 3.2

[한국전기설비규정 222.5]
저압 가공전선의 굵기 및 종류

전압	조건	전선의 굵기 및 인장강도
400[V] 이하	절연 전선	인장강도 2.3[kN]이상의 것 또는 지름 2.6[mm]이상의 경동선
	케이블 이외	인장강도 3.43[kN]이상의 것 또는 지름 3.2[mm]이상의 경동선
400[V] 초과인 저압 (케이블 이외)	시가지에 시설	인장강도 8.01[kN]이상의 것 또는 지름 5[mm]이상의 경동선
	시가지 외에 시설	인장강도 5.26[kN]이상의 것 또는 지름 4[mm]이상의 경동선

082 ★★★

ANSWER ④ 전압계 및 전류계 또는 전력계

[한국전기설비규정 351]
발전소, 변전소, 개폐소 등의 전기설비

발전소에서는 다음과 같은 계측 장치를 시설하여야 한다.

㉠ 발전기의 전압 및 전류 또는 전력
㉡ 발전기의 베어링 및 고정자의 온도
㉢ 주요 변압기의 전압 및 전류 또는 전력
㉣ 특고압용 변압기의 온도

083 ★

ANSWER ② 점검을 용이하게 하기 위해 충전부분이 노출되도록 시설하여야 한다.

[한국전기설비규정 510]전기저장장치

511.1 시설장소의 요구사항

1. 전기저장장치의 이차전지, 제어반, 배전반의 시설은 기기 등을 조작 또는 보수·점검할 수 있는 충분한 공간을 확보하고 조명설비를 설치하여야 한다.
2. 전기저장장치를 시설하는 장소는 폭발성 가스의 축적을 방지하기 위한 환기시설을 갖추고 제조사가 권장하는 온도 습도 수분 분진 등 적정 운영환경을 상시 유지하여야 한다.
3. 침수의 우려가 없도록 시설하여야 한다.
4. 전기저장장치 시설장소에는 기술기준 제21조 제1항과 같이 외벽 등 확인하기 쉬운 위치에 "전기저장장치 시설장소" 표지를 하고, 일반인의 출입을 통제하기 위한잠금장치 등을 설치하여야 한다.

511.2 설비의 안전 요구사항

1. 충전부분은 노출되지 않도록 시설하여야 한다.
2. 고장이나 외부 환경요인으로 인하여 비상상황 발생 또는 출력에 문제가 있을 경우 전기저장장치의 비상정지 스위치 등 안전하게 작동하기 위한 안전시스템이 있어야 한다.
3. 모든 부품은 충분한 내열성을 확보하여야 한다.

084 ★★★

ANSWER ④ 단락전류

[전기설비기술기준 제23조] 발전기의 기계적 강도

① 발전기·변압기·조상기·계기용변성기·모선 및 이를 지지하는 애자는 단락전류에 의하여 생기는 기계적 충격에 견디는 것이어야 한다.

② 수차 또는 풍차에 접속하는 발전기의 회전하는 부분은 부하를 차단한 경우에 일어나는 속도에 대하여, 증기터빈, 가스터빈 또는 내연기관에 접속하는 발전기의 회전하는 부분은 비상 조속 장치 및 그 밖의 비상 정지장치가 동작하여 도달하는 속도에 대하여 견디는 것이어야 한다.

③ 증기터빈에 접속하는 발전기의 진동에 대한 기계적 강도는 제82조제2항을 준용한다.

TIP !

실기 문제에도 나오는 단답문제

085 ★

ANSWER ③ 2

[한국전기설비규정 232.56]애자공사

전선은 절연전선을 사용할 것

(옥외용·인입용 비닐절연전선 제외)

전압		전선과 조영재와의 이격거리	
저압	400[V] 이하	2.5[cm]이상	
	400[V] 초과	건조한 장소	2.5[cm]이상
		기타의 장소	4.5[cm]이상

전선 상호 간격	전선 지지점간의 거리	
	조영재의 윗면 또는 옆면에 따라 시설	조영재에 따라 시설하지 않는 경우
6[cm] 이상	2[m]이하	-
		6[m]이하

086 ★

ANSWER ② 직류방식에서 비지속성 최고저압은 지속시간이 3분 이하로 예상되는 전압의 최고값

[한국전기설비규정 410]전기철도의 전기방식

①, ② 비지속성 최저저압은 지속시간 직류 5분/교류 2분

③ 수전선로의 공칭전압은 교류 3상 22.9[kV], 154[kV], 345[kV]

④ 교류방식의 급전전압 주파수(실효값)는 60[Hz]

087 ★★

ANSWER ① 전선은 옥외용 비닐 절연전선을 사용하였다.

[한국전기설비규정 232.11]합성수지관공사

1. 전선은 절연전선(옥외용 비닐절연전선을 제외한다)일 것 – ①
2. 전선은 합성수지관 안에서 접속점이 없도록 할 것 – ③

[한국전기설비규정 232.11.3]
합성수지관 및 부속품의 시설

1. 관 상호 간 및 박스와는 관을 삽입하는 깊이를 관의 바깥지름의 1.2배(접착제를 사용하는 경우에는 0.8배) 이상으로 하고 또한 꽂음 접속에 의하여 견고하게 접속할 것 – ②
2. 관의 지지점 간의 거리는 1.5[m] 이하로 하고, 또한 그 지지점은 관의 끝·관과 박스의 접속점 및 관 상호 간의 접속점 등에 가까운 곳에 시설할 것 – ④
3. 습기가 많은 장소 또는 물기가 있는 장소에 시설하는 경우에는 방습 장치를 할 것

088 ★★

ANSWER ④ 80

[한국전기설비규정 332.13]고압 가공전선과 가공 약전류전선 등의 접근 또는 교차

[한국전기설비규정 222.13]저압 가공전선과 가공 약전류전선 등의 접근 또는 교차

가공 약전류 전선	저압 가공전선		고압 가공전선	
	저압 절연전선	고압 절연 전선 또는 케이블	절연전선	케이블
일반	0.6[m]	0.3[m]	0.8[m]	0.4[m]
절연전선 또는 통신용 케이블인 경우	0.3[m]	0.15[m]	-	-

0.8[m] → 80[cm]

089 ★★

ANSWER ③ 나전선

[한국전기설비규정 221.1.1]저압 인입선의 시설

전선은 절연전선 또는 케이블일 것

090 ★

ANSWER ③ 1.25

[한국전기설비규정 341.10]

고압 및 특고압 전로 중의 과전류차단기의 시설

과전류차단기로 시설하는 퓨즈 중 고압전로에 사용하는 비포장 퓨즈는 정격전류의 1.25배의 전류에 견디고 또한 2배의 전류로 2분 안에 용단되는 것이어야 한다.

091 ★★

ANSWER ④ 공기 출구에서의 연료가스 농도가 현저히 저하한 경우

[한국전기설비규정 542.2.1]연료전지설비의 보호장치

연료전지는 다음의 경우에 자동적으로 이를 전로에서 차단하고 연료전지에 연료가스 공급을 자동적으로 차단하며 연료전지내의 연료가스를 자동적으로 배기하는 장치를 시설하여야 한다.

가. 연료전지에 과전류가 생긴 경우

나. 발전요소(發電要素)의 발전전압에 이상이 생겼을 경우 또는 연료가스 출구에서의 산소농도 또는 공기 출구에서의 연료가스 농도가 현저히 상승한 경우

다. 연료전지의 온도가 현저하게 상승한 경우

092 ★

ANSWER ② 300

[한국전기설비규정 241.10]아크 용접기

이동형의 용접 전극을 사용하는 아크 용접장치는 다음에 따라 시설하여야 한다.

나. 용접변압기의 1차측 전로의 대지전압은 300[V] 이하일 것

093 ★

ANSWER ③ 30

[한국전기설비규정 222.23]

구내에 시설하는 저압 가공전선로

전선로의 경간은 30[m] 이하일 것

094 ★★

ANSWER ② 1

[한국전기설비규정 132]

전로의 절연저항 및 절연내력

사용전압이 저압인 전로의 절연성능은 기술기준 제52조를 충족하여야 한다. 다만, 저압 전로에서 정전이 어려운 경우 등 절연저항 측정이 곤란한 경우 저항성분의 누설전류가 1[mA] 이하이면 그 전로의 절연성능은 적합한 것으로 본다

095 ★★★

ANSWER ③ 1.5

[한국전기설비규정 134]

연료전지 및 태양전지 모듈의 절연내력

연료전지 및 태양전지 모듈은 최대사용전압의 1.5배의 직류전압 또는 1배의 교류전압(500[V] 미만으로 되는 경우에는 500[V])을 충전부분과 대지사이에 연속하여 10분 간 가하여 절연내력을 시험하였을 때에 이에 견디는 것이어야 한다.

096 ★★

ANSWER ③ 2

[한국전기설비규정 333.2]유도장해의 방지

1. 특고압 가공 전선로는 다음 "가", "나"에 따르고 또한 기설 가공 전화선로에 대하여 상시정전유도작용(常時靜電誘導作用)에 의한 통신상의 장해가 없도록 시설하여야 한다. 다만, 가공 전화선이 통신용 케이블인 때 가공 전화선로의 관리자로부터 승낙을 얻은 경우에는 그러하지 아니하다.
   가. 사용전압이 60[kV] 이하인 경우에는 전화선로의 길이 12[km] 마다 유도전류가 2[μA]를 넘지 아니하도록 할 것
   나. 사용전압이 60[kV]를 초과하는 경우에는 전화선로의 길이 40[km] 마다 유도전류가 3[μA] 을 넘지 아니하도록 할 것

097 ★★★

ANSWER ① 도로를 횡단하여 시설하는 지선의 높이는 일반적으로 지표상 5[m] 이상으로 할 것

[한국전기설비규정 331.11]지선의 시설

3. 가공전선로의 지지물에 시설하는 지선은 다음에 따라야 한다.
   가. 지선의 안전율은 2.5(제6에 의하여 시설하는 지선은 1.5) 이상일 것. 이 경우에 허용 인장하중의 최저는 4.31[kN]으로 한다.
   나.지선에 연선을 사용할 경우에는 다음에 의할 것
   (1) 소선(素線) 3가닥 이상의 연선일 것
   (2) 소선의 지름이 2.6[mm] 이상의 금속선을 사용한 것일 것. 다만, 소선의 지름이 2[mm] 이상인 아연도강연선(亞鉛鍍鋼然線)으로서 소선의 인장강도가 0.68[kN/mm^2] 이상인 것을 사용하는 경우에는 적용하지 않는다.
   다. 지중부분 및 지표상 0.3[m] 까지의 부분에는 내식성이 있는 것 또는 아연도금을 한 철봉을 사용하고 쉽게 부식되지 않는 근가에 견고하게 붙일 것. 다만, 목주에 시설하는 지선에 대해서는 적용하지 않는다.
   라. 지선근가는 지선의 인장하중에 충분히 견디도록 시설할 것
4. 도로를 횡단하여 시설하는 지선의 높이는 지표상 5[m] 이상으로 하여야 한다. 다만, 기술상 부득이한 경우로서 교통에 지장을 초래할 우려가 없는 경우에는 지표상 4.5[m] 이상, 보도의 경우에는 2.5[m] 이상으로 할 수 있다.

098 ★

ANSWER ① 전기울타리용 전원장치에 전기를 공급하는 전로의 사용전압은 600[V] 이하이어야 한다.

[한국전기설비규정 241.1]전기울타리

전기울타리용 전원장치에 전원을 공급하는 전로의 사용전압은 250[V] 이하이어야 한다.

[한국전기설비규정 241.1.3]전기울타리의 시설

전기울타리는 다음에 의하고 또한 견고하게 시설하여야 한다.

1. 전기울타리는 사람이 쉽게 출입하지 아니하는 곳에 시설할 것
2. 전선은 인장강도 1.38[kN] 이상의 것 또는 지름 2[mm] 이상의 경동선일 것
3. 전선과 이를 지지하는 기둥 사이의 이격거리는 25[mm] 이상일 것
4. 전선과 다른 시설물(가공 전선을 제외한다) 또는 수목과의 이격거리는 0.3[m] 이상일 것

099 ★★

ANSWER ④ 캡타이어케이블

[한국전기설비규정 342.2]
옥내 고압용 이동전선의 시설

옥내에 시설하는 고압의 이동전선은 다음에 따라 시설하여야 한다.

㉠ 전선은 고압용의 캡타이어케이블일 것

㉡ 이동전선에 전기를 공급하는 전로에는 전용 개폐기 및 과전류 차단기를 각극(과전류 차단기는 단선식 전로의 중성극을 제외한다)에 시설하고, 또한 전로에 지락이 생겼을 때에 자동적으로 전로를 차단하는 장치를 시설할 것

100 ★★

ANSWER ① 3

[한국전기설비규정 112] 용어 정의

"제2차 접근상태"란 가공 전선이 다른 시설물과 접근하는 경우에 그 가공 전선이 다른 시설물의 위쪽 또는 옆쪽에서 수평 거리로 3[m] 미만인 곳에 시설되는 상태를 말한다.

2022년 2회(오후)

제1과목 | 전기자기학

001 ★★

ANSWER ④ $-Q$[C]와 같다.

STEP1 전기영상법

해석법

점전하 Q가 점$(0, 0, h)$에 위치할 때, $z < 0$의 도체를 공기로 대체점$(0, 0, -h)$에 점전하 $-Q$를 추가한다.

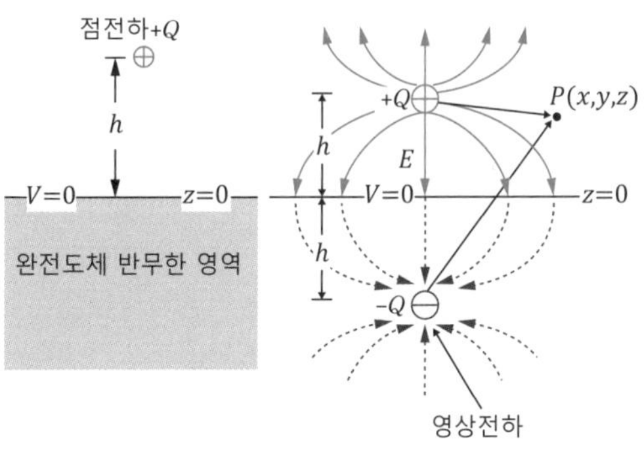

따라서, $-Q$[C]와 같다.

002 ★

ANSWER ① 250

STEP1 옴의 법칙

$R = \frac{V}{I}$에서 전류 $I = \frac{V}{R}$

STEP2 전류 계산

$$\therefore I = \frac{500}{2 \times 10^6} = 2.5 \times 10^{-4}$$
$$= 250 \times 10^{-6} = 250[\mu A]$$

003 ★★

ANSWER ③ $\frac{9}{4} \times 10^9$

MATH 23단원 유리식

STEP1 전기영상법(영상 전하 위치)

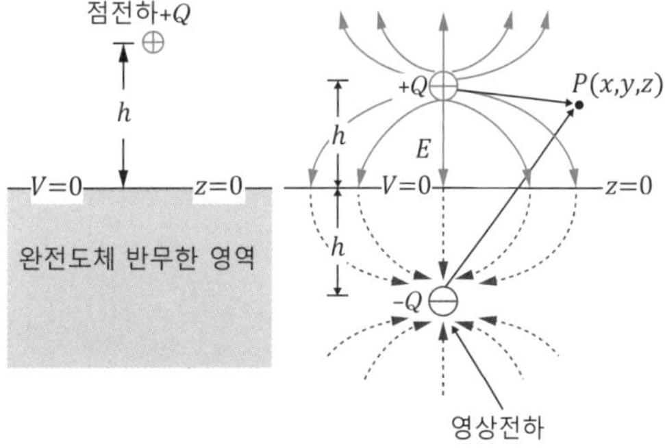

STEP2 쿨롱의 법칙

$$F = \frac{Q_1 Q_2}{4\epsilon_0 (2d)^2} = \frac{Q \times (-Q)}{4^2} \times (9 \times 10^9)$$
$$= -\frac{9}{16} \times 10^9[\mathrm{N}]$$

$\therefore \frac{9}{4} \times 10^9[\mathrm{N}]$의 흡인력이 작용한다.

004 ★★★

ANSWER ④ 7.26×10^{-2}

MATH 23단원 유리식

STEP1 콘덴서에 축적되는 에너지

에너지 $W = \frac{1}{2}CV^2 = \frac{1}{2} \times (3 \times 10^{-6}) \times 220^2$
$= 0.0726 = 7.26 \times 10^{-2}[\mathrm{J}]$

005 ★★

ANSWER ③ 158

MATH 23단원 유리식

STEP1 회로의 전하량

$Q = CV$ 이므로

㉠ $Q_1 = C_1V_1 = (5 \times 10^{-6}) \times 100$

$= 5 \times 10^{-4}$[C]

㉡ $Q_2 = C_2V_2 = (7 \times 10^{-6}) \times 200$

$= 14 \times 10^{-4}$[C]

∴ 회로의 총 전하량

$Q_T = Q_1 + Q_2 = 19 \times 10^{-4}$[C]

STEP2 콘덴서의 병렬연결

㉠ 병렬연결 시 양단의 전위차는 동일하므로

$V = V_1 = V_2$

㉡ 합성 정전용량 $C_T = C_1 + C_2 = 12 \times 10^{-6}$[F]

STEP3 전압계산

$$V = \frac{Q_T}{C_T} = \frac{19 \times 10^{-4}}{12 \times 10^{-6}} \fallingdotseq 158[\text{V}]$$

006 ★★

ANSWER ③ 전계와 반대 방향이다.

STEP1

전계는 전위가 감소하는 방향으로 향한다.

$\vec{E} = -\text{grad}\,\vec{V}$

∴ 문제에서 grad $\vec{V}$ 의 방향은 전위가 증가하는 방향(전계 방향의 반대 $= -\vec{E}$)이다.

TIP !

전위 : 전계 중에 있는 단위 점전하 Q를 무한원점에서 임의의 점 P까지 이동시키는데 필요한 일의 량[J]

007 ★★★

ANSWER ④ 400회

MATH 03단원 등식, 방정식

STEP1 기자력

기자력 $F = NI$ [AT]이므로

$$\therefore N = \frac{F}{I} = \frac{2000}{5} = 400[\text{회}]$$

008 ★★

ANSWER ② 2.23×10^{-6}

MATH 23단원 유리식

STEP1 정전용량

$$C = \epsilon_s \epsilon_0 \frac{S}{d} = 2.1 \times (8.855 \times 10^{-12})$$

$$\times \frac{100 \times 10^{-4}}{1 \times 10^{-2}} \fallingdotseq 1.86 \times 10^{-11}[\text{F}]$$

STEP2 전하량

$Q = CV$ 이므로

$\therefore Q = (1.86 \times 10^{-11}) \times (1.2 \times 10^5)$

$\fallingdotseq 2.23 \times 10^{-6}$[C]

009 ★

ANSWER ④ 정전 차폐

정전 차폐 : 임의의 도체를 일정 전위(영 전위)의 도체로 완전 포위하여, 내외공간의 전계를 완전히 차단하는 현상

010 ★★

ANSWER ④ σ^2에 비례한다.

MATH **10단원 비례, 반비례, 비례식**

STEP1 **도체의 전속밀도와 전계의 세기**

전속밀도 $D = \sigma$

전계의 세기 $E = \frac{\sigma}{\epsilon}$

STEP2 **정전응력**

$f = \frac{1}{2}DE = \frac{\sigma^2}{2\epsilon}$

$\therefore f \propto \sigma^2$

011 ★★★

ANSWER ④ $\mathrm{rot}E = -\frac{\partial B}{\partial t}$

맥스웰 전자방정식(페러데이의 전자유도 법칙)

전기 회로에서 발생하는 유도 기전력은 폐회로를 통과하는 자속의 변화를 방해하는 방향으로 발생한다.

$\mathrm{rot}E = -\frac{\partial B}{\partial t}$

012 ★

ANSWER ② 120π

MATH **25단원 무리식**

STEP1 **매질의 특성 임피던스**

$\eta = \frac{E}{H} = \sqrt{\frac{\mu}{\epsilon}}$ 에서

진공($\epsilon_s = 1$, $\mu_s = 1$)이므로

$\therefore \eta_0 = \sqrt{\frac{\mu_0}{\epsilon_o}} = \sqrt{\frac{4\pi \times 10^{-7}}{\frac{10^{-9}}{36\pi}}} = 120\pi[\Omega]$

TIP !

$120\pi \fallingdotseq 377$

013 ★★

ANSWER ④ $5[\mu F]$

STEP1 **각 콘덴서의 전하량 비교**

$Q = CV$ 이므로 각 콘덴서가 보유할 수 있는 전하량은 다음과 같다.

㉠ $Q_1 = C_1V_1 = (3 \times 10^{-6}) \times 1000$

$= 3 \times 10^{-3}[C]$

㉡ $Q_2 = C_2V_2 = (5 \times 10^{-6}) \times 500$

$= 2.5 \times 10^{-3}[C]$

㉢ $Q_3 = C_3V_3 = (12 \times 10^{-6}) \times 250$

$= 3 \times 10^{-3}[C]$

따라서, $5[\mu F]$ 콘덴서가 전하량($Q_2 = 2.5 \times 10^{-3}[C]$)이 가장 작으므로 먼저 파괴된다.

014 ★★

ANSWER ④ 도체 표면에 수직 방향이다.

STEP1 **도체에 전하 분포 시 현상**

면전하밀도 σ인 도체표면에서 법선(수직) 방향으로 전계의 세기 $E = \frac{\sigma}{\epsilon_0}$, 전속밀도 $D = \sigma$가 나간다.

2022년 2회(오후)

015 ★

ANSWER ② $-x$축 방향

STEP1 앙페르(암페어)의 오른나사 법칙

- 나사의 진행방향 : 전류의 방향
- 나사의 회전방향 : 자계의 방향

STEP2 자계의 방향

xy 평면 $= (0, 0, z)$에서 바라본 자계의 방향은 다음과 같다.

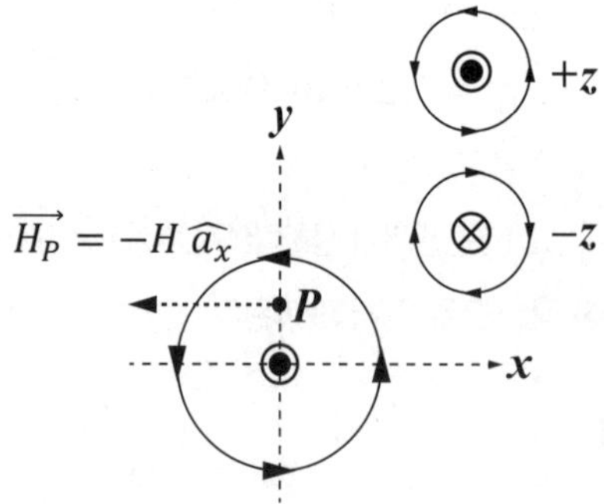

따라서, y 축상의 임의의 점 P 에서 자계의 방향은 $-x$축 방향이다.

016 ★★★

ANSWER ② $4\pi \times 10^{-7}$

MATH 23단원 유리식

STEP1 자계의 세기

반지름 a, 전류 I 인 반원형 도선 중심에서의 자계의 세기 H 는 다음과 같다.

$$H = \frac{I}{4a} = \frac{2}{4 \times \frac{1}{2}} = 1[\text{AT/m}]$$

STEP2 자속밀도

자속밀도 $B = \mu H$ 이므로

$$\therefore B = \mu H = \mu_0 H = (4\pi \times 10^{-7}) \times 1$$
$$= 4\pi \times 10^{-7}[\text{Wb/m}^2]$$

TIP !

진공의 투자율

$\mu = \mu_s \mu_0 = \mu_0 (\because \mu_s = 1)$

017 ★

ANSWER ③ $\frac{\mu l}{8\pi}$

MATH 01단원 SI 접두어 단위
23단원 유리식

STEP1 동축케이블

	자계의 세기 H	단위길이당 인덕턴스
내부	$\frac{rI}{2\pi a^2}[\text{AT/m}]$	$\frac{\mu}{8\pi}[\text{H/m}]$
외부	$\frac{I}{2\pi r}[\text{AT/m}]$	$\frac{\mu_0}{2\pi}\ln\frac{b}{a}[\text{H/m}]$

a : 내부 원통의 반지름[m]

b : 외부 원통의 반지름[m]

r : 동축 중심으로 부터의 거리[m]

STEP2 동축케이블의 인덕턴스

문제에서 묻는 단위는 [H]이므로

$$L = \frac{\mu}{8\mu} \times l = \frac{\mu l}{8\pi}[\text{H}]$$

018 ★★★

ANSWER ④ 페러데이의 법칙

페러데이의 전자유도 법칙

유도 기전력은 코일 속을 쇄교하는 자속의 시간적 변화율에 비례한다.

$$e = -N\frac{d\phi}{dt}$$

019 ★★

ANSWER ② a^2P_m

MATH 01단원 SI 접두어 단위
03단원 등식, 방정식

STEP1 자화의 세기

$$J = \frac{\text{자기모멘트}}{\text{단위체적}} = \frac{m \cdot l}{S \cdot l} = \frac{m}{S} = \frac{m}{a^2} = P_m[\text{T}]$$

STEP2 자극의 세기

$\therefore m = a^2P_m[\text{Wb}]$

$1[\text{T}] = 1[\text{Wb/m}^2]$

고난도

020 ★

ANSWER ② 0

MATH 47단원 평면벡터의 외적

STEP1 전자장에서 운동전하가 받는 힘

$F = q\{E + \boldsymbol{v} \times B\}$

$= q\{E_0\boldsymbol{j} + (\boldsymbol{v}_0 i) \times (B_0 k)\}$

STEP2 자계 계산

㉠ $\boldsymbol{v} \times B = (\boldsymbol{v}_0 i) \times (B_0 k) = -\boldsymbol{v}_0 B_0 \boldsymbol{j}$

㉡ $v_0 = \frac{E_0}{B_0} \rightarrow E_0 = v_0 B_0$ 이므로

$\therefore \boldsymbol{v} \times B = -E_0\boldsymbol{j}$

STEP3 식 전개

$\therefore F = q\{E + \boldsymbol{v} \times B\} = q\{E_0\boldsymbol{j} - E_0\boldsymbol{j}\} = 0$

제2과목 | 전력공학

021 ★

ANSWER ④ 적산 유량 곡선

적산 유량 곡선

적산 유량 곡선은 매일의 수량을 차례로 적산하여 가로축에 일수를, 세로축에 적산 수량을 그린 곡선으로 수력발전소의 댐을 설계하거나 저수지 용량 결정에 사용된다.

022 ★

ANSWER ② 핵분열 연쇄반응을 제어한다.

제어봉이란 원자로 내에서 핵 분열의 연쇄 반응을 제어하고 증배율을 변화시키기 위해서 노심에 삽입하고 이것을 넣었다 빼었다 한다.

붕소(B), 카드뮴(Cd), 하프늄(Hf)와 같이 중성자 흡수 단면적이 큰 재료로서 만들어지며, 중성자의 수가 많아야 한다.

023 ★★★

ANSWER ① 직접 접지 방식을 채용하는 경우 이상전압이 낮기 때문에 변압기 선정시 단절연이 가능하다.

㉠ 직접 접지 방식을 채용하는 경우 이상전압이 낮기 때문에 변압기 선정시 단절연이 가능하다.

㉡ 비접지 방식의 경우 지락 전류가 작아서 보호계전기의 동작이 불확실하며 통신선 유도장해가 작다. 또한 과도안정도가 높다는 특성이 있다.

㉢ 소호 리액터의 접지방식은 선로의 정전용량과 병렬 공진을 이용한 것

㉣ 고저항 접지 방식은 이중고장을 발생시킬 확률이 크다.

024 ★★

ANSWER ④ 지락계전기

비접지 계통의 지락 사고 검출

- 선택접지 계전기(SGR) + 영상전류 검출(ZCT) + 영상전압 검출(GPT)
- 지락 계전기(GR) + 영상 전류 검출(ZCT)

025 ★★★

ANSWER ② 17.3

STEP1 V결선시 출력

$P_V = \sqrt{3}P_1 = \sqrt{3} \times 10 = 17.3[\text{kVA}]$

026 ★★

ANSWER ④ 계통의 정태안정도를 증가시킨다.

직렬 콘덴서

㉠ 역할 : 송배전 선로의 부하와 직렬로 접속하여 선로의 유도성 리액턴스를 보상하여(줄여서) 전압강하를 개선

㉡ 전압변동률 감소 : 전압강하와 비례하여 전압변동률 감소, 수전단 전압의 유지에 기여

㉢ 송전 용량 증가 및 안정도 증진에 기여 : 송전계통에 직렬콘덴서를 설치함으로써 최대 송전전력이 증가하고 정태안정도를 증가시킨다.

027 ★★★

ANSWER ① 전선의 지름이 큰 경우

MATH **10단원 비례, 반비례, 비례식**

STEP1 코로나 임계 전압

$E_0 = 24.3 m_0 m_1 \delta d \log \frac{D}{r}$

m_0 : 전선 표면 계수 → 매끈한 전선(1.0), 거친전선(0.8)

m_1 : 날씨 계수 → 맑음(1.0), 우천시(0.8)

δ : 상대공기밀도 → $\delta = \frac{0.386b}{273 + t}$

(b : 기압, t : 온도)

d : 전선의 직경, D : 선간거리, r : 전선의 반지름

028 ★★★

ANSWER ② 3상 4선식

STEP1 배전방식에 따른 전선 중량비

방식	전선 중량비
단상 2선 (기준)	100[%]
단상 3선	$\frac{3}{8}$ = 37.5[%]
3상 3선	$\frac{3}{4}$ = 75[%]
3상 4선	$\frac{1}{3}$ = 33.33[%]

029 ★

ANSWER ① 주상변압기 탭 전환

배전선의 전압 조정 방법

㉠ 모선전압 조정

- 유도전압 조정기(IR)
- 부하시 탭절환변압기(LRT)

㉡ 선로전압 조정

- 선로전압 강하 보상기(LDC)
- 승압기
- 직렬콘덴서
- 주상 변압기의 탭 조정

030 ★★★

ANSWER ② 피뢰기 동작 중 나타나는 단자전압의 파고값

STEP1 피뢰기

㉠ 피뢰기 : 선로에 내습하는 이상전압의 파고값을 저감시켜서 기기 및 선로를 보호하기 위한 설비

㉡ 피뢰기 제한전압 : 피뢰기 동작 중 나타나는 단자전압의 파고값

㉢ 피뢰기 정격전압 : 속류를 차단하는 최고의 교류 전압

031 ★

ANSWER ③ 362[kV] : 1 cycle

정격전압 [kV]	7.2	25.8	72.5	170	362
정격차단 시간 (cycle)	5~8	5	5	3	3

032 ★★★

ANSWER ③ 고진공에서 전자의 고속도 확산에 의해 차단

소호 원리에 따른 차단기의 종류

- ABB : 압축된 공기를 아크에 불어넣어서 차단
- OCB : 절연유 분해가스의 흡부력을 이용해서 차단
- VCB : 고진공에서 전자의 고속도 확산에 의해 차단
- GCB : 고성능 절연특성을 가진 가스를 이용하여 차단

033 ★★★

ANSWER ③ 478

차단기의 정격차단용량

$= \sqrt{3} \times$ 정격전압 $\times$ 정격차단전류

$= \sqrt{3} \times 6.9 \times 40 = 478[\text{MVA}]$

고난도

034 ★

ANSWER ③ 45

MATH 03단원 등식 방정식

STEP1 선로손실

1회선 당 3상송전선의 전력손실

$P_l = 3I^2R$

STEP2 개폐기 닫기 전

㉠ A회선의 전력손실 $= 3I_A^2R$

㉡ B회선의 전력손실 $= 3I_B^2R$

㉢ 합계 전력손실 $= 50[\text{kW}] = 3I_A^2R + 3I_B^2R$

$= 3(I_A^2 + I_B^2)R = 3(100^2 + 50^2)R$

$\therefore R \fallingdotseq 1.33[\Omega]$

STEP3 개폐기 동작 후 선로손실

㉠ 두 회선의 저항이 같으므로 동일한 전류가 흐른다.

$$I = \frac{I_A + I_B}{2} = \frac{100 + 50}{2} = 75[\text{A}]$$

㉡ 전체 선로손실

$= 2$회선 $\times 3I^2R = 2 \times 3 \times 75^2 \times 1.33$

$\fallingdotseq 44888 \fallingdotseq 45[\text{kW}]$

035 ★★★

ANSWER ① 이상전압의 발생방지

중심점 접지목적

- 이상전압의 경감 및 발생 방지
- 전선로 및 기기의 절연 레벨 경감(단절연·저감 절연)
- 보호 계전기의 신속·확실한 동작
- 소호리액터 접지계통에서 1선 지락 시 아크 소멸 및 안정도 증진

036 ★★★

ANSWER ④ 공급 측 전원의 단락 용량

차단기의 차단용량은 계통(공급 측 전원)의 단락 용량 이상의 것을 선정하여야 한다.

037 ★★★

ANSWER ④ 충격방전 개시전압이 높아야 한다.

피뢰기의 구비조건

㉠ 상용주파 허용단자전압(방전개시전압)이 높을 것

㉡ 충격방전 개시전압이 낮을 것

㉢ 방전내량이 클 것

㉣ 제한전압은 낮을 것

㉤ 속류차단능력이 충분할 것

038 ★

ANSWER ③ $\dfrac{E_s \cdot E_r}{B}$ 답을 암기할 것

원선도의 반지름 $\rho = \dfrac{E_s \cdot E_r}{B}$

039 ★

ANSWER ③ $C_s + 2C_m$ 답을 암기할 것

작용정전용량

단상 2선식 : $C_2 + 2C_m$

3상 3선식 : $C_s + 3C_m$

040 ★★★

ANSWER ① 계통의 리액턴스를 증가시키기 위하여 직렬 리액터를 설치한다.

안정도 향상대책

㉠ 송전 계통의 전달 리액턴스를 감소시키기 위해 기기의 리액턴스 감소 및 선로에 직렬콘덴서를 설치한다.

㉡ 송전계통의 전압변동을 작게 하기 위해 중간조상방식을 채용하거나 속응여자방식을 채용한다.

㉢ 계통을 연계하여 운전한다.

㉣ 제동저항기를 설치한다.

㉤ 직류송전방식의 이용검토로 안정도 문제를 해결한다.

제3과목 | 전기기기

041 ★★

ANSWER ① 4.8

MATH 03단원 등식 방정식

기동 저항기는 전동기 기동 시 기동전류를 억제하기 위하여 전기자 권선과 직렬로 접속하는 저항기이다.

즉, 기동전류 $I_s = \dfrac{V}{r_a + R}$ 로 표시된다.

$$\therefore R = \frac{V}{I_s} - r_a = \frac{225}{30 \times 1.5} - 1.2 = 4.8[\Omega]$$

042 ★★

ANSWER ② 전기자 반작용

발전기 특성 측정을 위해 필요한 시험

- 철손, 기계손 : 무부하시험
- 동기 임피던스, 동기 리액턴스 : 단락시험
- 단락비 : 무부하(개방) 시험, 단락 시험

전기자 반작용은 단락시험이나 무부하시험으로 구할 수 없다.

043 ★

ANSWER ① 단상 반파

정류회로의 맥동률

㉠ 단상 반파 : 121[%]

㉡ 단상 전파 : 48[%]

㉢ 3상 반파 : 17[%]

㉣ 3상 전파 : 4[%]

044 ★★

ANSWER ① 2346

MATH **03단원 등식 방정식**

STEP1 **무부하 수전단 전압**

전부하시 2차전압(정격전압) $V_n = 115[V]$이고

전압변동률 $\epsilon = \dfrac{V_0 - V_n}{V_n} \times 100[\%] = 2[\%]$

이므로

∴ 무부하 수전단 전압 $V_0 = 1.02V_n = 117.3[V]$

STEP2 **1차 단자전압**

1차 단자전압 $=$ 권수비 $\times V_0 = 117.3 \times 20$

$= 2346[V]$

045 ★★

ANSWER ① 단자전압과 계자전류

STEP1 **특성곡선**

구분	횡축	종축	조건
무부하 특성 곡선	계좌전류 I_f	단자전압 $V(=E)$	속도 $n=$ 일정 $I=0$
외부 특성 곡선	부하전류 I	V	$n=$ 일정 계자저항 $R_f=$ 일정
외부 특성 곡선	I	유도 기전력 E	$n=$ 일정 $R_f=$ 일정
부하 특성 곡선	I_f	V	$n=$ 일정 $I=0$
계자 특성 곡선	I	I_f	$n=$ 일정 $V=$ 일정

046 ★

ANSWER ④ 시동 토크가 직류 서보모터에 비해 크다.

서보 모터의 특징

- 기동전압이 작고 토크가 크다.
- 직류 서보모터의 효율이 교류 서보모터보다 높다.
- 직류 서보모터의 기동토크가 교류 서보모터보다 크다.
- 속응성이 뛰어나고 시정수가 짧으며 기계적 응답이 뛰어나다.
- 기계적으로 견고하여 보수가 용이하다.
- 제어방식 : 전압제어방식, 위상제어방식, 전압과 위상 혼합 제어방식

2022년 2회(오후)

047 ★★★

ANSWER ③ 증가한다.

MATH **10단원 비례, 반비례, 비례식**

STEP1 **직류전동기의 회전수**

$N=K\frac{E}{\phi}=K\frac{V-I_aR_a}{\phi}$ 이므로

자속(ϕ)이 감소하면 회전수는 증가한다.

048 ★

ANSWER ② $\phi=\frac{1}{2}\phi_n$ **답을 암기할 것**

- 동일방향 : $\phi=\frac{\sqrt{3}}{2}\phi_n$
- 반대방향 : $\phi=\frac{1}{2}\phi_n$

049 ★★★

ANSWER ② $s=\frac{P_C}{P_2}$ **답을 암기할 것**

MATH **슬립**

$s=\frac{N_s-N}{N_s}=\frac{P_{C2}}{P_2}$

050 ★★

ANSWER ② 정상 리액턴스를 크게 한다.

동기기의 안정도를 증진시키는 방법

㉠ 정상 리액턴스는 작게 하고 단락비를 크게 한다.

㉡ 영상 및 역상 임피던스를 크게 한다.

㉢ 자동전압조정기의 속응도를 크게 한다.(속응여자방식을 채용)

㉣ 회전자의 관성력을 크게 한다.

㉤ 회전부의 플라이휠 효과를 크게 한다.

051 ★

ANSWER ② 단상 직권정류자 전동기에서 보극권선을 사용하지 않는다.

단상 직권 정류자 전동기

㉠ 단상 직권 정류자 전동기의 종류

㉡ 단상 직권 정류자 전동기의 특성

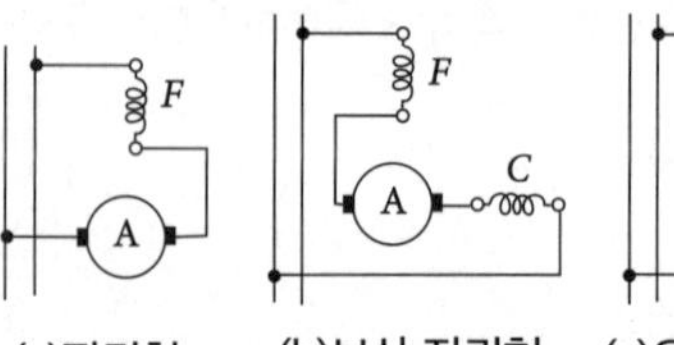

(a)직권형 (b)보상 직권형 (c)유도 보상 직권형

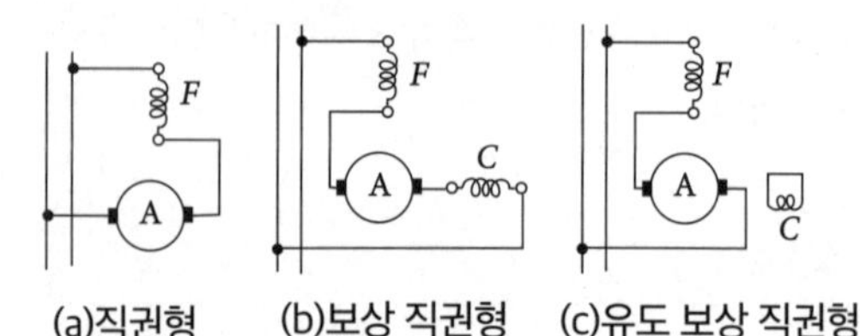

- 성층 철심, 역률 및 정류 개선을 위해 약계자, 강전기자형
- 역률 개선을 위해 보상권선 설치(전기자 반작용 제거)
- 브러시로 단락되는 코일에 단락전류가 커져 정류가 곤란해지므로 보극을 설치한다.
- 저항 도선 : 단락 전류를 적게
- 회전속도를 증가시킬수록 역률이 개선됨
- 용도 : 가정용 미싱, 소형 공구, 영사기, 믹서, 치과 의료용 엔진 등에 사용한다.

052 ★★

ANSWER ① 0.72

MATH **23단원 유리식**

STEP1 **단락비**

$\text{단락비}=\frac{1}{\%\text{임피던스}}=\frac{1}{1.39}=0.72$

053 ★★★

ANSWER ① 120

MATH 23단원 유리식

STEP1 직류발전기

유기기전력

$$E = \frac{pZ\phi N}{60a} = \frac{6 \times 400 \times 0.01 \times 600}{60 \times 2} = 120\,[\text{V}]$$

054 ★★

ANSWER ③ 250

MATH 10단원 비례, 반비례, 비례식
23단원 유리식

STEP1 변압기 손실

철손($P_i = P_h + P_e$)

- 히스테리시스손 $P_h = K_h f B_m^2 = K\dfrac{V^2}{f}$
- 와류손 $P_e = K_e(tfK_fB_m)^2 = KV^2$

즉, 와류손은 주파수와 무관하다.

STEP2 전압에 대한 비례식

$P_e \propto V^2$, $360 : 3300^2 = P_e' : 2750^2$ 이므로

$$\therefore P_e' = \frac{2750^2}{3300^2} \times 360 = 250\,[\text{W}]$$

055 ★

ANSWER ④ 2/3

MATH 23단원 유리식

STEP1 통류율

듀티비(Duty ratio)D : 1주기내에서 펄스가 On 상태인 시간의 비율

STEP2 Boost 컨버터

Boost 컨버터의 출력전압은 다음과 같다.

$$V_{out} = \frac{1}{1-D} V_{in}$$

$$\therefore V_o = \frac{1}{1-D} V_s = 3V_s \Rightarrow D = \frac{2}{3}$$

056 ★★

ANSWER ② 6

STEP1 동기속도

$$N_s = \frac{N}{1-s} = \frac{1164}{1-0.03} = 1200\,[\text{rpm}]$$

STEP2 극수 계산

$$p = \frac{120f}{N_s} = \frac{120 \times 60}{1200} = 6\text{극}$$

057 ★★★

ANSWER ① △ − △와 △ − Y

STEP1 변압기의 병렬운전

병렬 운전 가능	병렬 운전 불가능
△ − △와 △ − △ Y − Y 와 Y − Y Y − △와 Y − △와 △ − Y 와 △ − Y △ − △와 Y − Y △ − Y 와 Y − △	△ − △와 △ − Y △ − △와 Y − △ △ − Y와 Y − Y Y − △와 Y − Y

3개의 △, Y결선은 위상차가 30° 발생하여 순환전류가 흐르기 때문에 병렬운전이 불가능하다.

058 ★

ANSWER ② 두 전동기의 극수의 합을 극수로 하는 전동기의 동기속도이다.

MATH 23단원 유리식

STEP1 종속법(유도전동기의 속도제어법)

㉠ 직렬 종속법 : $N = \dfrac{120f}{p_1 + p_2}$

㉡ 병렬 종속법 : $N = \dfrac{2 \times 120f}{p_1 + p_2}$

㉢ 차동 종속법 : $N = \dfrac{120f}{p_1 - p_2}$

즉, 두 전동기 극수의 합을 합성 극수로 하는 전동기의 동기속도이다.

059 ★★★

ANSWER ① 반발 기동형 → 반발 유도형 → 커패시터 기동형 → 분상 기동형 → 셰이딩코일형

STEP1 단상 유도 전동기 기동토크 비교

반발 기동형 > 반발 유도형 > 콘덴서(커패시터) 기동형 > 분상 기동형 > 셰이딩코일형

060 ★

ANSWER ① 회전계자형은 주로 저전압, 소전류용으로 사용한다.

STEP1 회전계자형 동기기

㉠ 고용량 설비에 적합하다.(고전압, 대전류)

㉡ 고전압이 걸리는 전기자권선을 절연하기 용이하다.

㉢ 계자극은 슬립링과 브러시를 통에 직류전원으로 공급한다.

㉣ ㉢에서 저전압만을 필요로 하므로 기계적으로 튼튼하게 하기 용이하다.

STEP2 회전전기자형 동기기

㉠ 전기자권선을 절연하기 어렵다.

㉡ ㉠의 이유로 저전압, 소전류용으로 사용한다.

제4과목 | 회로이론

061 ★

ANSWER ④ 200

MATH 01단원 SI 접두어 단위

STEP1 전력량

$W = Pt = 800 \times \frac{1}{4} = 200\,[\mathrm{kWh}]$

062 ★

ANSWER ① 노튼의 정리

STEP1 테브난 정리

테브난 정리는 복잡한 회로를 1개의 전압원과 1개의 직렬 저항으로 간단하게 풀어서 해석하는것이고, 노튼 정리는 테브난 회로의 전압원을 전류원으로 직렬 저항을 병렬저항으로 등가 변환하는 것으로 두 정리는 쌍대의 관계이다.

063 ★★

ANSWER ② 8.33×10^{-4}

MATH 19단원 호도법과 육십분법

STEP1 코사인함수를 사인함수로 바꾼다.

$$e(t) = E_m \cos(100\pi t - \frac{\pi}{3}) = E_m \sin(100\pi t + \frac{\pi}{6})$$

STEP2 위상차를 구한다.

위상차 $\theta = \left|\frac{\pi}{6} - \frac{\pi}{4}\right| = \frac{\pi}{12} = \omega t$

$$\therefore t = \frac{\pi}{12} \times \frac{1}{\omega} = \frac{\pi}{12} \times \frac{1}{100\pi} = \frac{1}{1200} = 8.33 \times 10^{-4}\,[\mathrm{s}]$$

064 ★★★

ANSWER ③ 400

STEP1 RLC 소자 값에 따른 과도현상

㉠ $R > 2\sqrt{\frac{L}{C}}$: 과제동(비진동)

㉡ $R < 2\sqrt{\frac{L}{C}}$: 부족제동(진동)

㉢ $R = 2\sqrt{\frac{L}{C}}$: 임계제동

$$\therefore R = 2\sqrt{\frac{L}{C}} = 2\sqrt{\frac{8 \times 10^{-3}}{2 \times 10^{-7}}} = 400\,[\Omega]$$

065 ★★★

ANSWER ① 41.2

MATH 25단원 무리식

STEP1 실효값

$$I = \sqrt{\sum I_n^2}$$
$$= \sqrt{I_1^2 + I_3^2} = \sqrt{\left(\frac{30}{\sqrt{2}}\right)^2 + \left(\frac{50}{\sqrt{2}}\right)^2}$$
$$= 41.2[\text{A}]$$

066 ★★

ANSWER ① $6 + j7$

MATH 30단원 직교좌표와 극좌표

STEP1 대칭좌표법

$$V_a = V_0 + V_1 + V_2$$
$$= -8 + j3 + 6 - j8 + 8 + j12 = 6 + j7$$

TIP !

• 대칭좌표법

상전압의 대칭분에 의한 표현

$$V_a = V_0 + V_1 + V_2$$
$$V_b = V_0 + a^2 V_1 + a V_2$$
$$V_c = V_0 + a V_1 + a^2 V_2$$

• 대칭분

영상분 $V_0 = \frac{1}{3}(V_a + V_b + V_c)$

정상분 $V_1 = \frac{1}{3}(V_a + aV_b + a^2 V_c)$

역상분 $V_2 = \frac{1}{3}(V_a + a^2 V_b + aV_c)$

067 ★★

ANSWER ④ 60

MATH 23단원 유리식

STEP1 △결선의 전압

△결선에서 상전압 $V_p = V_l = 220$

$\therefore$ 1상의 저항 $R = \frac{V_p}{I_p} = \frac{220}{3.67} \fallingdotseq 60[\Omega]$

068 ★

ANSWER ④ 600

MATH 33단원 행렬 기초

STEP1 회로의 4단자 정수를 구한다.

$$\begin{pmatrix} 1 & 300 \\ 0 & 1 \end{pmatrix}\begin{pmatrix} 1 & 0 \\ \frac{1}{450} & 1 \end{pmatrix}\begin{pmatrix} 1 & 300 \\ 0 & 1 \end{pmatrix} = \begin{pmatrix} \frac{5}{3} & 800 \\ \frac{1}{450} & \frac{5}{3} \end{pmatrix}$$

STEP2 영상 임피던스를 구한다.

$$Z_{01} = \sqrt{\frac{AB}{CD}} = \sqrt{\frac{\frac{5}{3} \times 800}{\frac{1}{450} \times \frac{5}{3}}} = 600[\Omega]$$

069 ★★

ANSWER ④ $\frac{Y_1E_1 + Y_2E_2 + Y_3E_3}{Y_1 + Y_2 + Y_3}$

MATH 23단원 유리식

STEP1 밀만의 정리

밀만의 정리에 의해 $n' - n$사이의 전압은 다음과 같다.

$$V_{n'n} = \frac{\frac{E_1}{Z_1} + \frac{E_2}{Z_2} + \frac{E_3}{Z_1}}{\frac{1}{Z_1} + \frac{1}{Z_2} + \frac{1}{Z_3}}$$
$$= \frac{Y_1E_1 + Y_2E_2 + Y_3E_3}{Y_1 + Y_2 + Y_3}$$

2022년 2회(오후)

070 ★★★

ANSWER ③ $\frac{V}{R}\left(1-e^{-\frac{R}{L}t}\right)$ 답을 암기할 것

STEP1 RL 직렬회로의 과도현상

$t=0$일 때 전압이 급격하게 바뀌므로 인덕턴스의 리액턴스 $X_L=2\pi fL$는 순간적으로 무한대가 되며, 회로에는 전류가 흐르지 못한다.

시간이 지나면 전압의 변화가 없기 때문에 리액턴스는 0이 되고, 회로에는 저항 성분만 남기 때문에 회로에 흐르는 전류 $i=\frac{V}{R}$이 된다.

이를 수학적으로 표현하면

$i(t)=\frac{V}{R}\left(1-e^{-\frac{R}{L}t}\right)$와 같이 된다.

TIP !

과도현상

	RL직렬회로	RC 직렬회로
직류 인가	$i(t)=\frac{V}{R}\left(1-e^{-\frac{R}{L}t}\right)$	$i(t)=\frac{V}{R}e^{-\frac{1}{RC}t}$
전원 제거	$i(t)=\frac{V}{R}e^{-\frac{R}{L}t}$	$i(t)=-\frac{V}{R}e^{-\frac{1}{RC}t}$

071 ★★

ANSWER ① Z_2+Z_3

STEP1 임피던스 파라미터

$$V_1=Z_{11}I_1+Z_{12}I_2$$
$$V_2=Z_{21}I_1+Z_{22}I_2$$
$$\therefore Z_{22}=\frac{E_2}{I_1}\bigg|_{I_1=0}=\frac{(Z_2+Z_3)I_2}{I_2}=Z_2+Z_3$$

TIP !

T형 4단자 회로망의 임피던스

$Z_{11}=Z_1+Z_3$

$Z_{12}=Z_{21}+Z_3$

$Z_{22}=Z_2+Z_3$

072 ★

ANSWER ③ 파고율 × 평균치

MATH 25단원 무리식
41단원 부정적분

STEP1 실효값

$$I_{rms}=\sqrt{\frac{1}{T}\int_0^T(I_m\sin\omega t)^2d\omega t}=\frac{I_m}{\sqrt{2}}$$

STEP2 평균값

$$I_0=\frac{1}{T}\int_0^T I_m\sin\omega t\cdot d\omega t=\frac{2}{\pi}I_m=\frac{2\sqrt{2}}{\pi}I_{rms}$$
$$\therefore I_{rms}=\frac{\pi}{2\sqrt{2}}I_0$$

TIP !

$$\text{파고율}=\frac{\text{최대값}}{\text{실효값}},\ \text{파형률}=\frac{\text{실효값}}{\text{평균값}}$$
$$\therefore \text{실효값}=\text{파형률}\times\text{평균값}$$

073 ★★★

ANSWER ① 4

MATH 23단원 유리식, 25단원 무리식

STEP1 회로의 임피던스를 구한다.

$$Z=\frac{V}{I}=\frac{100}{20}=5[\Omega]$$

STEP2 회로의 저항을 구한다.

소비전력 $P=I^2R$이므로

$$R=\frac{P}{I^2}=\frac{1.2\times10^3}{20^2}=3[\Omega]$$

STEP3 회로의 리액턴스를 구한다.

$$X=\sqrt{Z^2-R^2}=\sqrt{5^2-3^2}=4[\Omega]$$

074 ★★

ANSWER ③ 5413

MATH 23단원 유리식
25단원 무리식

STEP1 상전류를 구한다.

Y결선에서 상전압 $V_p = \frac{1}{\sqrt{3}} V_l = \frac{250}{\sqrt{3}}[\text{V}]$

한 상의 임피던스

$$Z = \sqrt{R^2 + X^2} = \sqrt{(5\sqrt{3})^2 + 5^2} = 10[\Omega]$$

$$\therefore \text{상전류 } I_p = \frac{V_p}{Z} = \frac{250}{10\sqrt{3}} = \frac{25}{\sqrt{3}}[\text{A}]$$

STEP2 소비되는 유효전력을 구한다.

3상 소비전력

$$P = 3I^2R = 3 \times \left(\frac{25}{\sqrt{3}}\right)^2 \times 5\sqrt{3} = 5413[\text{W}]$$

075 ★★★

ANSWER ④ 0

MATH 36단원 극한

STEP1 초기값 정리

$$f(0^+) = \lim_{t \to 0} f(t) = \lim_{s \to \infty} sF(s)$$
$$= \lim_{s \to \infty} \frac{a_1 s + a_0}{s^2 + b_1 s + b_0} = 0$$

TIP !

초기값 정리

$$f(0^+) = \lim_{t \to 0} f(t) = \lim_{s \to \infty} sF(s)$$

최종값 정리

$$f(\infty) = \lim_{t \to \infty} f(t) = \lim_{s \to 0} sF(s)$$

076 ★★★

ANSWER ② 15

MATH 25단원 무리식

STEP1 무효전력

$$Q = S\sin\theta = 25 \times \sqrt{1 - 0.8^2} = 25 \times 0.6$$
$$= 15[\text{kVar}]$$

077 ★★

ANSWER ① $C(s) = G(s)$

MATH 49단원 라플라스 기초

STEP1 단위 임펄스 입력

시스템의 입력이 단위 임펄스 함수일 경우 출력은 전달함수와 같게 된다.

$$R(s) = \pounds[\delta(t)] = 1$$
$$\therefore C(s) = G(s)R(s) = G(s)$$

078 ★

ANSWER ① 600

STEP1 코일의 리액턴스

$X_L = 2\pi fL$

$$\therefore f = \frac{X_L}{2\pi L} = \frac{377}{2\pi \times 0.1} = 600[\text{Hz}]$$

079 ★★

ANSWER ④ 100

MATH 19단원 호도법과 육십분법

STEP1 n상 결선

n상 성형결선 시 선간전압 $V_l = 2\sin\frac{\pi}{n} V_p$

$n = 6$일 때

$$V_l = 2\sin\frac{\pi}{6} V_p = 2 \times \frac{1}{2} \times 100 = 100[\text{V}]$$

080 ★

ANSWER ④ 우함수이다.

STEP1 푸리에 급수에서 직류항은 우함수(여현대칭)이다.

종류	파형	성분
여현 대칭	여현 대칭 그림	직류, cos(우수파)
정현 대칭	정현 대칭 그림	sin(기수파)
반파 대칭	반파 대칭 그림	sin, cos(우수파, 기수파 모두 포함)의 홀수항

081 ★★

ANSWER ② 55

[한국전기설비규정 333.22] 특고압 보안공사

제1종 특고압 보안공사 시 전선의 단면적

사용 전압	전선
100[kV] 미만	단면적 55[mm^2]이상의 경동연선
100[kV] 이상 300[kV] 미만	단면적 150[mm^2]이상의 경동연선
500[kV] 이상	단면적 200[mm^2]이상의 경동연선

082 ★★★

ANSWER ④ 합성수지몰드 안에는 접속점을 1개소까지 허용한다.

[한국전기설비규정]

232.21 합성수지몰드공사 232.21.1 시설조건

1. 전선은 절연전선(옥외용 비닐절연전선을 제외한다)일 것
2. 합성수지몰드 안에는 전선에 접속점이 없도록 할 것
3. 합성수지몰드 상호 간 및 합성수지 몰드와 박스 기타의 부속품과는 전선이 노출되지 아니하도록 접속할 것

232.21.2 합성수지몰드 및 박스 기타의 부속품의 선정

2. 합성수지몰드는 홈의 폭 및 깊이가 35[mm] 이하, 두께는 2[mm] 이상의 것일 것.(다만, 사람이 쉽게 접촉할 우려가 없도록 시설하는 경우에는 폭이 50[mm] 이하, 두께 1[mm] 이상의 것을 사용할 수 있다.)

083 ★★

ANSWER ① 6

애자공사에 의한 저압 옥내배선에서 전선상호간의 간격은 6[cm] 이상이어야 한다.

084 ★

ANSWER ① 누설전류를 최소화하기 위해 귀선전류를 금속귀선로 외부로만 흐르도록 한다.

[한국전기설비규정 461.5]

누설전류 간섭에 대한 방지

㉠ 직류 전기철도 시스템의 누설전류를 최소화하기 위해 귀선전류를 금속귀선로 내부로만 흐르도록 하여야 한다.

㉡ 귀선시스템의 종 방향 전기저항을 낮추기 위해서는 레일 사이에 저저항 레일본드를 접합 또는 접속하여 전체 종 방향 저항이 5[%] 이상 증가하지 않도록 하여야 한다.

㉢ 직류 전기철도 시스템이 매설 배관 또는 케이블과 인접할 경우 누설전류를 피하기 위 해 최대한 이격시켜야 하며, 주행레일과 최소 1[m] 이상의 거리를 유지하여야 한다.

085 ★★

ANSWER ④ 0.75

[한국전기설비규정 242.7.4]
터널 등의 전구선 또는 이동전선 등의 시설

㉠ 터널 등에 시설하는 사용전압이 400[V] 이하인 저압의 전구선 또는 이동전선의 시설
- 전구선은 단면적 0.75[mm²] 이상의 300/300[V] 편조고무코드 또는 0.6/1[kV] EP 고무절연 클로로프렌 캡타이어 케이블일 것 다만, 사람이 쉽게 접촉할 우려가 없도록 시설하는 경우에는 단면적 0.75[mm²] 이상의 연동연선을 사용하는 450/750[V] 내열성 에틸렌아세테이트 고무절연전선(출구부의 전선의 간격이 10[mm] 이상인 전구소켓에 부속하는 전선은 단면적이 0.75[mm²] 이상인 450/750[V] 내열성 에틸렌아세테이트 고무절연전선 또는 450/750[V] 일반용 단심 비닐절연전선)을 사용
- 이동전선은 용접용 케이블을 사용하는 경우 이외에는 300/300[V] 편조고무코드, 비닐코드 또는 캡타이어 케이블일 것

㉡ 특고압의 이동전선은 터널 등에 시설할 수 없음

086 ★

ANSWER ③ 전선로의 주위상태를 감시할 목적으로 시설한다.

[한국전기설비규정 364.2]
무선용 안테나 등의 시설 제한

무선용 안테나 등은 전선로의 주위 상태를 감시하거나 배전자동화, 원격검침 등 지능형전력망을 목적으로 시설하는 것 이외에는 가공전선로의 지지물에 시설하여서는 아니된다.

087 ★★

ANSWER ③ 4.0

[한국전기설비규정 222.10] 저압 보안공사

저압보안공사시 전선은 케이블인 경우 이외에는 인장강도 8.01[kN] 이상의 것 또는 지름 5[mm](사용전압이 400[V] 이하인 경우에는 인정강도 5.26[kN] 이상의 것 또는 지름 4[mm] 이상의 경동선) 이상의 경동선이어야 한다.

088 ★★★

ANSWER ① 4.5

[한국전기설비규정 341.8]
고압용 기계기구의 시설

고압용 기계기구는 다음의 어느 하나에 해당하는 경우와 발전소·변전소·개폐소 또는 이에 준하는 곳에 시설하는 경우 이외에는 시설하여서는 아니 된다.

나. 기계기구를 지표상 4.5[m](시가지 외에는 4[m]) 이상의 높이에 시설하고 또한 사람이 쉽게 접촉할 우려가 없도록 시설하는 경우

089 ★

ANSWER ④ 옥측배선

[한국전기설비규정 112] 용어 정의

① 옥외배선 : 건축물 외부의 전기사용장소에서 그 전기사용장소에서의 전기사용을 목적으로 고정시켜 시설하는 전선을 말한다.
② 옥내배선 : 건축물 내부의 전기사용장소에 고정시켜 시설하는 전선
③ 가공인입선 : 가공전선로의 지지물로부터 다른 지지물을 거치지 아니하고 수용장소의 붙임점에 이르는 가공전선
④ 옥측배선 : 건축물 외부의 전기사용장소에서 그 전기사용장소에서의 전기사용을 목적으로 조영물에 고정시켜 시설하는 전선을 말한다.

090 ★★★

ANSWER ② 4.31

[한국전기설비규정 331.11]지선의 시설

가공전선로의 지지물에 시설하는 지선은 다음에 따라야 한다.

가. 지선의 안전율은 2.5 이상일 것. 이 경우에 허용 인장하중의 최저는 4.31[kN]으로 한다.

091 ★★★

ANSWER ④ 1

[한국전기설비규정 133]
회전기 및 정류기의 절연내력

<table>
<tr><th colspan="3">종류</th><th>시험전압</th></tr>
<tr><td rowspan="3">회전기</td><td rowspan="2">발전기·전동기·조상기·기타회전기(회전변류기를 전 제외한다)</td><td>최대사용전압 7[kV] 이하</td><td>최대사용전압의 1.5배의 전압 (500[V] 미만으로 되는 경우에 는 500[V])</td></tr>
<tr><td>최대사용전압 7[kV] 초과</td><td>최대사용전압의 1.25배의 전압 (10.5[kV] 미만으로 되는 경우에는 10.5[kV])</td></tr>
<tr><td colspan="2">회전변류기</td><td>직류측의 최대사용전압의 1배 의 교류전압 (500[V] 미만으로 되는 경우에는 500[V])</td></tr>
</table>

092 ★★★

ANSWER ④ 철탑

[한국전기설비규정 331.11] 지선의 시설

가공전선로의 지지물로 사용하는 철탑은 지선을 사용하여 그 강도를 분담시켜서는 안 된다.

093 ★

ANSWER ② 미네랄 인슈레이션 케이블

[한국전기설비규정 122.5] 고압 및 특고압케이블

1. 사용전압이 고압인 전로(전기기계기구 안의 전로를 제외한다)의 전선으로 사용하는 케이블은 KS에 적합한 것으로 연피케이블·알루미늄피케이블·클로로프렌외장케이블·비닐외장케이블·폴리에틸렌외장케이블·저독성 난연 폴리올레핀외장케이블·콤바인 덕트 케이블 또는 KS에서 정하는 성능 이상의 것을 사용하여야 한다. 다만, 고압 가공전선에 반도전성 외장 조가용 고압케이블을 사용하는 경우, 241.13의 1의 "가"(1)에 따라 비행장등화용 고압케이블을 사용하는 경우 또는 물밑전선로의 시 설에 따라 물밑케이블을 사용하는 경우에는 그러하지 아니하다.

094 ★

ANSWER ④ 옥측에 시설하는 경우 금속관공사, 합성수지관공사, 애자공사로 배선할 것

[한국전기설비규정 520] 태양광발전설비

㉠ 전선 : 2.5[mm^2] 이상의 연동선

㉡ 어레이 출력개폐기는 점검이나 조작이 가능한 곳에 시설할 것

㉢ 모듈을 병렬로 접속하는 전로에는 그 전로에 단락전류가 발생할 경우에 전로를 보호하는 과전류차단기 또는 기타 기구를 시설하여야 한다. 단, 그 전로가 단락전류에 견딜 수 있는 경우에는 그러하지 아니하다.

㉣ 배선설비 공사 : 옥내 시설 시 합성수지관공사, 금속관공사, 가요전선관공사 또는 케이블공사

095 ★

ANSWER ④ 50

[한국전기설비규정 503.2.4]

계통 연계용 보호장치의 시설

단순 병렬운전 분산형전원설비의 경우에는 역전력계전기를 설치한다. 단, 신에너 지 및 재생에너지 개발·이용·보급촉진법 제2조 제1호 및 제2호의 규정에 의한 신·재생에너지를 이용하여 동일 전기 사용장소에서 전기를 생산하는 합계 용량이 50[kW] 이하의 소규모 분산형전원(단, 해당 구내 계통 내의 전기사용 부하의 수전계 약전력이 분산형전원 용량을 초과하는 경우에 한한다)으로서 제1의"다"에 의한 단독운전 방지기능을 가진 것을 단순 병렬로 연계하는 경우에는 역전력계전기 설치를 생략할 수 있다.

096 ★★★

ANSWER ③ **제3종 특고압**

보안공사[한국전기설비규정 333.24]

특고압 가공전선과 도로 등의 접근 또는 교차

㉠ 제1차 접근상태로 시설 : 특고압 가공전선로는 제3종 특고압 보안공사

㉡ 제2차 접근상태로 시설 : 특고압 가공전선로는 제2종 특고압 보안공사

097 ★★

ANSWER ① 20

[한국전기설비규정 232.31] 금속덕트공사

232.31.1 시설조건

1. 전선은 절연전선(옥외용 비닐절연전선을 제외한다)일 것
2. 금속덕트에 넣은 전선의 단면적(절연피복의 단면적을 포함한다)의 합계는 덕트의 내부 단면적의 20%(전광표시장치 기타 이와 유사한 장치 또는 제어회로 등의 배선만을 넣는 경우에는 50%) 이하일 것

098 ★★

ANSWER ② 1

[한국전기설비규정 341.15] 압축공기계통

사용압력에서 공기의 보급이 없는 상태로 개폐기 또는 차단기의 투입 및 차단을 연속하여 1회 이상 할 수 있는 용량을 가지는 것일 것

099 ★★

ANSWER ① 콘센트는 접지극이 없는 방적형 콘센트를 사용하여야 한다.

[한국전기설비규정 234.5] 콘센트의 시설

라. 욕조나 샤워시설이 있는 욕실 또는 화장실 등 인체가 물에 젖어있는 상태에서 전기를 사용하는 장소에 콘센트를 시설하는 경우에는 다음에 따라 시설하여야 한다.

(1) 「전기용품 및 생활용품 안전관리법」의 적용을 받는 인체감전보호용 누전차단기(정격감도전류 15[mA] 이하, 동작시간 0.03초 이하의 전류동작형의 것에 한한다) 또는 절연변압기(정격용량 3[kVA] 이하인 것에 한한다)로 보호된 전로에 접속하거나, 인체감전보호용 누전차단기가 부착된 콘센트를 시설하여야 한다.

(2) 콘센트는 접지극이 있는 방적형 콘센트를 사용하여 211과 140의 규정에 준하여 접지하여야 한다.

마. 습기가 많은 장소 또는 수분이 있는 장소에 시설하는 콘센트 및 기계기구용 콘센트는 접지용 단자가 있는 것을 사용하여 211과 140의 규정에 준하여 접지하고 방습 장치를 하여야 한다.

100 ★★

ANSWER ② 30

[한국전기설비규정 332.13]고압 가공전선과 가공약전류 전선 등의 접근 또는 교차

[한국전기설비규정 222.13] 저압 가공전선과 가공약전류 전선 등의 접근 또는 교차

가공 약전류 전선	저압 가공전선		고압 가공전선	
	저압 절연전선	고압 절연 전선 또는 케이블	절연전선	케이블
일반	0.6[m]	0.3[m]	0.8[m]	0.4[m]
절연전선 또는 통신용 케이블인 경우	0.3[m]	0.15[m]	-	-

통신용 케이블인 경우이므로 0.3[m] → 30[cm]

2022년 3회(오전)

제1과목 | 전기자기학

001 ★★★

ANSWER ① 0.283

MATH 25단원 무리식

상호 인덕턴스

$M = k\sqrt{L_1 L_2}$

결합계수 $k = 1$이므로

$\therefore M = k\sqrt{L_1 L_2} = 1 \times \sqrt{0.2 \times 0.4}$

$\fallingdotseq 0.283[H]$

고난도

002 ★★

ANSWER ① 39

MATH [전투수학(전기수학교재) - 23.유리식]
[전투수학(전기수학교재) - 25.무리식]
[전투수학(전기수학교재) - 45.벡터의 더하기]

STEP1 쿨롱의 힘

중첩의 원리에 의하여 정점 A에 있는 점전하 Q_A는 점전하 Q_B, Q_C로부터 각각 쿨롱의 힘을 받게 된다.

㉠ Q_B로 인하여 Q_A가 받는 힘(F_{AB})

$$F_{AB} = \frac{Q_A Q_B}{4\pi\epsilon_0 r^2}$$
$$= (9 \times 10^9) \times \frac{(1 \times 10^{-4}) \times (1 \times 10^{-4})}{2^2}$$
$$= 22.5[N]$$

㉡ Q_C로 인하여 Q_A가 받는 힘(F_{AC})

$$F_{AC} = \frac{Q_A Q_C}{4\pi\epsilon_0 r^2}$$
$$= (9 \times 10^9) \times \frac{(1 \times 10^{-4}) \times (1 \times 10^{-4})}{2^2}$$
$$= 22.5[N]$$

STEP2 힘의 합성

점전하 Q_B, Q_C에 의한 힘, F_{AB}와 F_{AC}의 벡터합을 통하여 점전하 Q_A에 작용하는 알짜힘을 구할 수 있다.

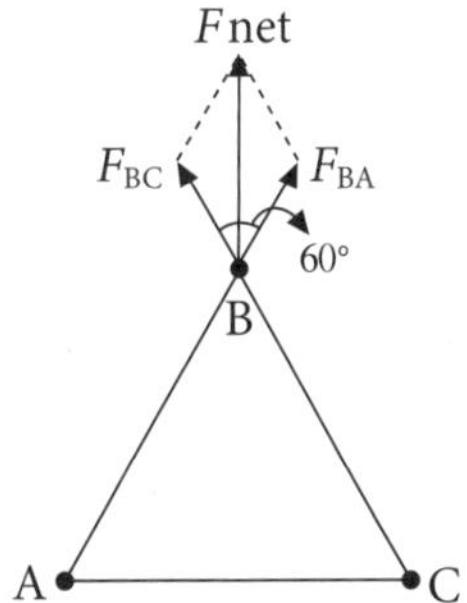

Q_A에 작용하는 알짜힘 $F_{\neq t}$은 다음과 같다.

$$F_{\neq t} = \sqrt{F_{AB}^2 + F_{AC}^2 + 2F_{AB}^2 F_{AC}\cos\theta}$$
$$= \sqrt{22.5^2 + 22.5^2 + 2 \times 22.5 \times 22.5\cos 60°}$$

($\because F_{AB}$와 F_{AC}의 사이각 θ는 정삼각형이므로 60°)

$$= 22.5\sqrt{3}$$
$$\fallingdotseq 39[N]$$

003 ★

ANSWER ② $\sqrt{\pi f\sigma\mu}+j\sqrt{\pi f\sigma\mu}$ 답을 암기할 것

전파정수는 전압, 전류가 선로의 끝 송전단에서부터 멀어져감에 따라 그 진폭과 위상이 변해가는 특성과 관계된 상수이다.

$\gamma=\sqrt{ZY}=\alpha+j\beta$

여기서, $\alpha=\sqrt{\pi f\sigma\mu}$: 감쇠정수[V/m]

$\beta=\sqrt{\pi f\sigma\mu}$: 위상정수[rad/m]

따라서, $\gamma=\sqrt{\pi f\sigma\mu}+j\sqrt{\pi f\sigma\mu}$

004 ★★★

ANSWER ③ 400회

MATH 23단원 유리식

기자력 $F=NI$ 이므로

$\therefore N=\dfrac{F}{I}=\dfrac{2000}{5}=400$[회]

005 ★

ANSWER ④ 히스테리시스손을 줄이기 위해

철심 재료

규소 강판 : 히스테리시스손을 감소

성층 철심 : 와류손을 감소

006 ★★★

ANSWER ② $-\dfrac{a}{d}Q$ 답을 암기할 것

접지 도체구와 점전하

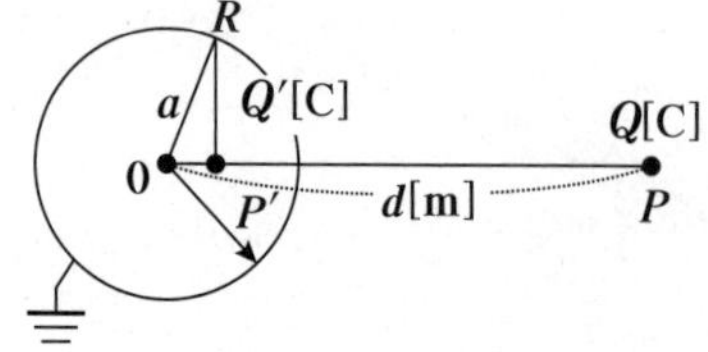

- 접지 도체구의 점전하 Q(영상 전하) :

$\pm\dfrac{a}{d}Q$[C]

- 점전하 Q에 의해서 유도된 전하이므로

$\therefore Q'=-\dfrac{a}{d}Q$[C]

고난도

007 ★★

ANSWER ③ 10.29

[전투수학(전기수학교재) - 23.유리식]

STEP1 정전 에너지 (1)

$W_C=\dfrac{1}{2}CV^2=\dfrac{1}{2}QV\left(\because C=\dfrac{Q}{V}\right)$이므로,

두 점전하로부터 저장된 정전 에너지는

$$W_C=\frac{1}{2}\left(Q_1\cdot\frac{Q_2}{4\pi\epsilon_0 r}\right)+\frac{1}{2}\left(Q_2\cdot\frac{Q_1}{4\pi\epsilon_0 r}\right)=\frac{Q_1Q_2}{4\pi\epsilon_0 r}$$

STEP2 두 점전하 사이의 거리

r = (− 2,1,5) − (1,3, − 1) = (− 3, − 2,6)

$=\sqrt{(-3)^2+(-2)^2+6^2}=7$[m]

STEP3 정전 에너지 (2)

$\therefore W_C=\dfrac{Q_1Q_2}{4\pi\epsilon_0 r}$

$=(9\times10^9)\times\dfrac{(2\times10^{-6})\times(4\times6^{-6})}{7}$

= 0.01028571..[J] ≒ 10.29[mJ]

008 ★★★

ANSWER ② $\dfrac{I}{2a}$

원형 코일 중심의 자계의 세기

$H_0=\dfrac{NI}{2a}=\dfrac{1I}{2a}=\dfrac{I}{2a}$[AT/m]

009 ★

ANSWER ② 50

MATH 37단원 미분의 정의

STEP1 페러데이의 전자 유도 법칙

$$e = -N\frac{d\phi}{dt}$$

㉠ 자속의 변화량 : $d\phi = 5 - 0 = 5[\text{Wb}]$

㉡ 변화시간 : $dt = 10^{-1} = 0.1[\text{s}]$

STEP2 대입

$$e = -1 \times \frac{5}{0.1} - 50[\text{V}]$$

크기만 계산하므로

$\therefore |e| = 50[\text{V}]$

010 ★★

ANSWER ① σ^2에 비례한다. 답을 암기할 것

MATH 10단원 비례, 반비례, 비례식

STEP1 도체의 전속밀도와 전계의 세기

전속밀도 $D = \sigma$

전계의 세기 $E = \frac{\sigma}{\epsilon}$

STEP2 정전응력

$$f = \frac{1}{2}DE = \frac{\sigma^2}{2\epsilon}$$

$\therefore f \propto \sigma^2$

011 ★

ANSWER ④ $\frac{D^2}{2\epsilon_0\omega}$

MATH 23단원 유리식

STEP1 정전에너지 밀도

$$\omega = \frac{W}{Sd} = \frac{1}{2}\epsilon E^2 = \frac{1}{2} \times \frac{D^2}{\epsilon} = \frac{1}{2} \times \frac{D^2}{\epsilon_r \epsilon_0}$$

STEP2 식 전개

$$\therefore \epsilon_r = \frac{1}{2} \times \frac{D^2}{\epsilon_0 \omega}$$

012 ★★

ANSWER ② $\frac{1}{4\pi\mu_0} \times \frac{m}{r}[\text{J/Wb}]$

MATH 42단원 정적분

STEP1 자위(Magnetic potential)

자계 중 단위 정자극 ($m = 1[\text{Wb}]$)을 무한 원점에서 임의의 한 점(P)까지 운반하는데 소요되는 일

$$\therefore U[\text{J/Wb}] = -\int_{\infty}^{P} H \cdot dl$$

STEP2 점자극에 의한 자계

$H = \frac{m}{4\pi\mu_0 r^2}$ 이므로

$$\therefore U = -\int_{\infty}^{P} H \cdot dl = -\int_{\infty}^{r} \frac{m}{4\pi\mu_0 r^2} \cdot dr$$

$$= \frac{m}{4\pi\mu_0 r}$$

$$= \frac{1}{4\pi\mu_0} \times \frac{m}{r}$$

013 ★★

ANSWER ③ Q

- 전속 : 전하에서 나오는 가상선

  매질에 관계없이 전하 Q[C]일 때, Q[개]의 전속선이 나온다.

- 전기력선 : 전기력에 따라 이동하는 가상선

  매질의 유전율에 따라 Q[C]일 때,

  $\frac{Q}{\epsilon} = \frac{Q}{\epsilon_r \epsilon_0}$ [개]의 전기력선이 나온다.

014 ★★

ANSWER ② 10[A]

MATH 37단원 미분의 정의

전류의 정의

전류 : 단위시간 동안 변화한 전하량의 크기

$$\therefore I = \frac{dQ}{dt} = \frac{30}{3} = 10[\text{A}]$$

015 ★★

ANSWER ④ 정전 차폐

정전 차폐 : 임의의 도체를 일정 전위(영 전위)의 도체로 완전 포위하여, 내외공간의 전계를 완전히 차단하는 현상

016 ★

ANSWER ① ϵE

전기변위장(Electric Displacement Field)

매질 속에서 전기장의 효과를 나타내는 공간으로 전속밀도와 같다.

$\therefore D = \epsilon E[\mathrm{C/m^2}]$

017 ★★

ANSWER ① 톰슨 효과(Thomson effect)

STEP1 열전 현상

① 톰슨 효과

도체인 막대기의 양끝(동일한 금속의 양끝)을 다른 온도로 유지하고 전류를 흘릴 때 줄열(Joule's heat) 이외에 발열 또는 흡열(吸熱)이 일어나는 현상

STEP2 전류에 의한 자기효과

② 홀 효과(Hall effect)

도체 및 반도체에 전류를 흘리고, 전류의 직각 방향으로 자계를 가하면, 전류, 자속밀도가 이루는 면과 수직 방향으로 기전력이 발생하는 현상

③ 핀치 효과(Pinch effect)

액체 도체에 전류를 흘리면 전류와 수직 방향으로 원형 자계가 생겨, 전자력에 의해서 액체 도체가 수축을 반복하는 현상

④ 스트레치 효과(stretch)

자유롭게 구부릴 수 있는 도선에 대전류를 흘리면, 도선 상호 간의 반발력으로 인해 도선이 원을 형성하는 현상

018 ★

ANSWER ④ 오른 나사의 회전 방향

오른나사 법칙(law of clockwise screw)

직선도선에 전류가 오른 나사의 진행 방향으로 흐를 때, 자계의 방향은 오른 나사의 회전 방향으로 생긴다.

019 ★

ANSWER ① 1.5×10^8

MATH **25단원 무리식**

STEP1 전파속도

$$\begin{aligned} v &= \frac{1}{\sqrt{\epsilon\mu}} = \frac{1}{\sqrt{\epsilon_s\epsilon_0\mu_s\mu_0}} \\ &= \frac{1}{\sqrt{4 \times \epsilon_0 \times 1 \times \mu_0}} = \frac{1}{2} \times \frac{1}{\sqrt{\epsilon_0\mu_0}} \\ &= \frac{1}{2} \times (3 \times 10^8) \\ &= 1.5 \times 10^8[\mathrm{m/s}] \end{aligned}$$

TIP !

자유공간의($\epsilon_s = 1,\ \mu_s = 1$)전파속도는 다음과 같다.

$$v = \frac{1}{\sqrt{\epsilon_0\mu_0}} = 3 \times 10^8[\mathrm{m/s}]$$

또한, 이때의 속도는 빛의 속도 c 와 같다.

즉, $c = 3 \times 10^8[\mathrm{m/s}]$

020 ★

ANSWER ① $\dfrac{L_1L_2}{L_1+L_2}$ **답을 암기할 것**

STEP1 인덕턴스의 병렬접속

가극성 : $L_T = \dfrac{L_1L_2 - M^2}{L_1 + L_2 - 2M}$

감극성 : $L_T = \dfrac{L_1L_2 - M^2}{L_1 + L_2 + 2M}$

STEP2 유도결합이 없을 때

상호인덕턴스 $M = 0$이므로

$\therefore$ 가극성 = 감극성 = $L_T = \dfrac{L_1L_2}{L_1 + L_2}$

제2과목 | 전력공학

021 ★

ANSWER ③ DSR

- OVR(과전압 계전기) : 기준 이상의 전압이 인가되었을 때 동작
- ZR(거리 계전기) : 계전기사 설치된 위치로부터 고장점까지의 전기적거리에 비례하여 한시동작
- DSR(단락 계전기, DOCR) : 어느 일정한 방향으로 일정한 크기 이상의 단락전류가 흘렀을 때 동작
- UFR(저주파 계전기) : 공급된 전력의 주파수가 기준 이하일 때 동작

022 ★★

ANSWER ③ 단락방지

오프셋 : 상하 전선의 접촉으로 인한 단락을 방지하기 위해 전선의 위치를 수직에서 벗어나게 하는 것

023 ★★

ANSWER ② $P(\tan\theta_1 - \tan\theta_2)$

개선에 필요한 콘덴서의 용량

$Q = P(\tan\theta_1 - \tan\theta_2)$

024 ★★

ANSWER ② 단락비가 작은 발전기로 충전한다.

발전기 자기여자현상 방지 대책

㉠ 다수의 발전기를 병렬로 운전하여 무부하 운전을 방지한다.

㉡ 단락비가 큰 발전기로 충전한다.

㉢ 발전기 충전전압(정격전압)을 낮게 한다.

㉣ 수전단에 분로 리액터를 설치 한다.

025 ★★★

ANSWER ② 비율차동계전기

비율차동계전기

비율차동계전기(또는 전류차동계전기)는 변압기, 발전기 등의 내부단락 및 지락고장을 검출하는 장치이다.

작동원리는 1차전류와 2차전류의 차 전류가 일정 비율 이상으로 되면 동작한다.

026 ★

ANSWER ① 계통을 연계하면 고장용량이 감소된다.

① 계통을 연계하면 배후전력이 커서 고장전류가 많아(고장용량 증가) 보호방식이 복잡해진다.

② 변압기와 선로의 정상 및 역상 임피던스는 같다.

③ 직류송전은 주파수가 0이므로 무효전력이 없다.

④ 장간애자는 내염, 내무 애자로서 적당하다. 단, 기계적 강도가 약하다.

027 ★★★

ANSWER ② 단로기(DS)

단로기는 소호능력이 없는 개폐기이며 부하전류의 차단이 불가능하다.

028 ★★★

ANSWER ② 차단기

개폐장치 능력

기능 \ 능력	회로 분리		사고 차단	
	무부하	부하	과부하	단락
퓨즈	O			O
차단기	O	O	O	O
개폐기	O	O	O	
단로기	O			
전자 접촉기	O	O	O	

029 ★

ANSWER ① 전선의 진동방지

㉠ 댐퍼 : 전선의 진동 방지

㉡ 초호각(아킹혼) : 이상전압으로 부터 애자련 보호

㉢ 복도체 : 코로나 방전 방지

㉣ 연가 : 유도장해 감소

030 ★

ANSWER ① 송전계통의 절연레벨 중 가장 높게 잡는다.

㉠ 피뢰기 절연협조

- 송전계통의 절연레벨 중 가장 낮게 잡는다.

㉡ 피뢰기 용어

- 충격방전 개시전압 : 충격전압 인가 시 방전 개시 전압
- 상용주파 방전 개시전압 : 상용주파수 전압 인가 시 방전 개시 전압
- 제한전압 : 피뢰기가 처리하고 남은 전압
- 정격전압 : 속류 차단이 되는 교류전압의 최대값

㉢ 피뢰기 구조

- 직렬갭
  - 평상시(정상 상태) : 대지간의 절연 유지(누설전류 차단)
  - 이상 전압 내습 시 : 뇌전류 방전 및 전압의 상승 방지
  - 방전 종료 후 : 속류 차단
- 특성요소
  - 정상상황에서는 속류를 차단, 방전 전류가 큰 경우에는 저항이 낮아져 한전압을 낮게 유지

031 ★★★

ANSWER ① 전선의 바깥지름을 크게 한다.

STEP1 코로나 임계 전압

코로나가 방전을 시작하는 개시 전압이다.

$$E_0 = 24.3 m_0 m_1 \delta d \log_{10}\frac{D}{r}[\text{kV}]$$

m_0 : 전선표면에 정해지는 계수 → 매끈한 전선(1.0), 거친 전선(0.8)

m_1 : 날씨에 관한 계수 → 맑은 날(1.0), 우천 시(0.8)

δ : 상대공기밀도, d : 전선의 직경, D : 선간거리, r : 전선의 반지름, E : 전선에 걸리는 대지전압, f : 주파수

STEP2 코로나 방지 주요 대책

㉠ 전선의 바깥지름(직경)을 크게 한다. (가장 효과적)

㉡ 복도체를 사용한다.

㉢ 가선금구를 개량

032 ★★

ANSWER ② 173.2[kVA]

MATH **23단원 유리식**

V결선 출력 $P_V = \sqrt{3}P_1 = 100[\text{kVA}]$

Δ 결선 출력

$$P_\triangle = 3P_1 = \sqrt{3}\times\sqrt{3}P_1 = \sqrt{3}\times P_V = 100\sqrt{3} = 173.2[\text{kVA}]$$

고난도

033 ★

ANSWER ③ 21285×10^6

MATH 01단원 SI 접두어, 단위
23단원 유리식

STEP1 발전단 열 소비량

$$mH = \frac{860W}{\eta}$$

m : 연료소비량, H : 연료발열량

W에는 [kWh]값을 넣어야 함.
위 문제는 500[MW]이므로 500×10^3대입

STEP2 계산

㉠ 정격출력(500[MW])mH

$$= \frac{860 \times (500 \times 10^3)}{0.4} \times 15 = 1.6125 \times 10^{10}$$
$$= 16125 \times 10^6 [\text{kcal}]$$

㉡ 50[%] 출력 (250[MW]mH

$$= \frac{860 \times (250 \times 10^3)}{0.375} \times 9 = 0.516 \times 10^{10}$$
$$= 5160 \times 10^6 [\text{kcal}]$$

∴ ㉠ + ㉡ = $(16125 + 5160) \times 10^6$
$= 21285 \times 10^6[\text{kcal}]$

034 ★★

ANSWER ② $\frac{3}{4}$

배선방식에 따른 비교

배선 방식	1선당 공급전력	1선당 공급전력비	전력 손실 (전선 소요량)
단상 2선식	$\frac{1}{2}VI$	1 = 100[%]	1 = 100[%]
단상 3선식	$\frac{2}{3}VI$	$\frac{4}{3} \fallingdotseq 133[\%]$	$\frac{3}{8}=37.5[\%]$
3상 3선식	$\frac{\sqrt{3}}{3}VI$	$\frac{2\sqrt{3}}{3} \fallingdotseq 115[\%]$	$\frac{3}{4}=75[\%]$
3상 4선식	$\frac{\sqrt{3}}{4}VI$	$\frac{\sqrt{3}}{2} \fallingdotseq 86.6[\%]$	$\frac{1}{3}\fallingdotseq 33.3[\%]$

035 ★

ANSWER ④ 367

MATH 03단원 등식, 방정식

STEP1 3상 전력

$$P = \sqrt{3}\,VI\cos\theta \rightarrow I = \frac{P}{\sqrt{3}\,V\cos\theta}$$

STEP2 계산

$$\therefore I = \frac{P}{\sqrt{3}\,V\cos\theta} = \frac{40000 \times 10^3}{\sqrt{3} \times 70000 \times 0.9}$$
$$\fallingdotseq 367[\text{A}]$$

036 ★★★

ANSWER ④ 초호각(아킹혼)

㉠ 아머로드 : 전선의 진동 방지(애자 주변에 설치)

㉡ 가공지선 : 뇌격에 대하여 송전선을 보로

㉢ 댐퍼 : 전선의 진동 방지(전선에 무거운 추를 설치)

㉣ 초호각(아킹혼) : 이상전압(섬락)으로 부터 애자련 보호

037 ★

ANSWER ④ 가장 높은 이상전압은 무부하 송전선의 충전전류를 차단할 때이다.

내부 이상 전압

㉠ 개폐 이상전압은 전부하보다 무부하일 때 크다.

㉡ 개폐 이상전압은 투입보다 개방할 때 크다.

㉢ 상규 대지 전합의 3.5배 이하이다.(폐로 시 2배 이하)

㉣ 가장 높은 이상전압은 무부하 송전선의 충전전류를 차단할 때이다.

038 ★★

ANSWER ④ $\dfrac{E}{Z}$

옴법

단락전류 $I_S = \dfrac{E}{Z}$

039 ★★

ANSWER ① $\dfrac{3상\ 유효전력}{3상\ 피상전력}$

STEP1 **역률**

㉠ 3상 평형부하

- $\dfrac{3상\ 유효전력}{3상\ 피상전력}$

㉡ 3상 불평형부하

- $\dfrac{3상\ 유효전력}{각\ 상의\ 피상전력\ 벡터\ 합}$

040 ★

ANSWER ③ 9800

출력

$P_g = 9.8QH = 9.8 \times 10 \times 100 = 9800[\text{kW}]$

제3과목 | 전기기기

041 ★

ANSWER ④ DIAC

DIAC은 양방향성 2단자 소자로 아래 그림과 같이 게이트가 없다. 따라서 DIAC은 게이트에 의한 턴온(turn-on)을 이용하지 않는다. 양 단자 중 하나의 극성만 브레이크 오버 전압에 도달하면 도통되고, 유지전류 이하로 떨어지면 턴오프는 특성을 갖고 있다.

방향성	전력소자	
단방향성	3단자	SCR, GTO, LASCR
	4단자	SCS
쌍(양)방향성	2단자	DIAC, SSS →과전압(전파제어)
	3단자	TRIAC

042 ★★

ANSWER ③ 5

MATH **03단원 등식, 방정식**

$\eta_G = \dfrac{출력}{출력 + 손실} \times 100[\%]$

$80 = \dfrac{20[\text{kW}]}{20[\text{kW}] + 손실} \times 100[\%]$

$\therefore$ 손실 $= 5[\text{kW}]$

043 ★★

ANSWER ② 96

$P_2 = P_0 + P_{c2} + P_m$에서

$P_{c2} = P_2 - P_0 - P_m = 7950 - 7500 - 130$

$= 320[\text{W}]$

(P_0 : 2차 출력, P_{c2} : 2차동손, P_m : 기계손)

$P_{c2} = sP_2$ 에서 $s = \dfrac{P_{c2}}{P_2} = \dfrac{320}{7950} = 0.04$

$\eta_2 = 1 - s = 1 - 0.04 = 0.96 = 96[\%]$

044 ★★★

ANSWER ④ 효율

비례 추이

㉠ 가능한 특성 : 1차 입력, 1차 전류, 2차 전류, 역률, 동기 와트(토크를 2차 입력으로 표시한 것)

㉡ 불가능한 특성 : 동기 속도, 출력, 2차 동손, 2차 효율, 저항

㉢ 최대 토크는 변하지 않는다.

045 ★★

ANSWER ③ 0.1

MATH 03단원 등식 방정식

$$\tau = \frac{P}{\omega} = \frac{P}{2\pi \times \frac{N}{60}} = 9.55\frac{P}{N}$$

$$\rightarrow 1 = 9.55 \times \frac{P}{1000}$$

위 식을 P 에 대한 식으로 정리하면 다음과 같다.

$$P = \frac{1 \times 1000}{9.55} = 104.71 \fallingdotseq 0.1\,[\text{kW}]$$

고난도

046 ★

ANSWER ① 0.132

MATH 03단원 등식, 방정식
23단원 유리식

STEP1 1상의 권선수

$$W = \frac{180 \times 4}{3} = 120\,[\text{회}]$$

STEP2 주파수

동기속도 $N_s = \frac{120f}{p} = 360\,[\text{rpm}]$이므로

$$\therefore f = \frac{pN_s}{120} = \frac{20 \times 360}{120} = 60\,[\text{Hz}]$$

STEP3 1극의 자속

1상 유기기전력 $E = 4.44_{\omega}f\phi W[\text{V}]$이므로

$$\therefore \phi = \frac{E}{4.44k_{\omega}fW} = \frac{\frac{V}{\sqrt{3}}}{4.44 \times 0.9 \times 60 \times 120}$$

$$= \frac{\frac{6600}{\sqrt{3}}}{4.44 \times 0.9 \times 60 \times 120} \fallingdotseq 0.132\,[\text{Wb}]$$

047 ★★★

ANSWER ① 110[kV] 이상 되는 계통에서 많이 사용되고 있다.

△ – △결선은 Y결선처럼 중성점을 접지할 수 없으므로 이상전압의 발생 정도가 많다. 그러므로 110[kV] 이상되는 특고압의 배전용 변압에는 사용되지 않는다.

048 ★★

ANSWER ④ 충전전류를 증가시킨다.

자기여자현상 방지대책

㉠ 발전기용량을 선로의 충전용량보다 크게한다.

㉡ 수전단에 병렬리액터(분로리액터) 설치

㉢ 단락비가 큰 철 기계 사용

㉣ 동기조상기의 부족여자운전(충전전류 감소)

㉤ 발전기 2대 이상을 병렬 운전하여 충전

㉥ 주파수를 낮추어 충전

㉦ 충전전압을 낮게 하여 충전

049 ★★

ANSWER ③ 전기자의 직경이 크고 길이가 짧아야 한다.

서보모터의 특징

- 기동 토크가 크다.
- 회전자 관성 모멘트가 작다.
- 제어권선 전압이 0에서는 기동해서는 안되고, 곧 정지해야 한다.
- 직류 서보모터의 기동 토크가 교류 서보모터보다 크다.
- 속응성이 좋고, 기계적 시정수가 짧아 기계적 응답이 좋다.
- 회전자 팬에 의한 냉각 효과를 기대할 수 없다.
  따라서 서보모터는 속응성이 좋고, 회전자의 관성 모멘트가 적어야 하므로 회전자 직경을 작게 해야 한다.

050 ★★

ANSWER ③ 토크

동기 와트란 동기 각속도로 회전 시 2차 입력을 토크에 관한 식으로 표현한 것이다.

$$T = \frac{P_0}{\omega} = \frac{P_2(1-s)}{\omega_s(1-s)} = \frac{P_2}{\omega_s} \rightarrow P_2 = \omega_s T$$

051 ★

ANSWER ② 계자전류와 단락전류

동기발전기의 단락 곡선 : 계자전류와 단락전류와의 관계 곡선으로 직선형태로 나타난다.

052 ★

ANSWER ① α가 커지면 부하전류가 작아진다.

MATH **10단원 비례, 반비례, 비례식**

STEP1 **변압기 손실과 최대효율**

㉠ 변압기 손실

P_i : 철손, P_c : 동손, m : 부하율

㉡ m부하에서의 최대효율조건

$P_i = m^2 P_c$

$\therefore m = \sqrt{\dfrac{P_i}{P_c}}$ 이므로 문제에 주어진 α와 같다.

STEP2 **동손**

동손 $P_c = I^2 R$이므로

$$\alpha = \sqrt{\frac{P_i}{P_c}} = \sqrt{\frac{P_i}{I^2 R}} = \frac{1}{I}\sqrt{\frac{P_i}{R}}$$

따라서, 부하율 $\alpha = m$이 커지면 부하전류 I는 작아진다.

053 ★

ANSWER ③ 2차 권선 중 한 선이 단선

3상 권선형 유도전동기의 2차 회로가 1선이 단선된 경우, 2차 회로에 단상 전류가 흐르므로 부하가 슬립이 50[%]인 곳에서 걸리면 더 이상 가속되지 않는다. 이러한 현상을 게르게스 현상이라 한다.

즉, 회전속도 $N = (1-2s)N_0$가 됨을 말하며,

이는 토크가 낮은 부분이 생기는 것으로 이를 게르게스현상이라 한다.

054 ★★★

ANSWER ③ $\alpha = mP$

전기자 권선법의 중권과 파권

구분	중권(병렬권)	파권(직렬권)
병렬회로 수	$P_{극수}$	2
브러시 수	$P_{극수}$	2
용도	저전압, 대전류	고전압, 소전류
균압환 설치	4극 이상	–

055 ★

ANSWER ③ $P' = 4P$

MATH **10단원 비례, 반비례, 비례식**

STEP1 **출력**

토크 $= \dfrac{출력}{각속도} \rightarrow T = \dfrac{P}{\omega}$ 이므로

$\therefore$ 출력 $P = T\omega$

STEP2 필요전력 P'

$T \rightarrow 2T$

$\omega \rightarrow 2\omega$이므로

$P' = 2T \times 2\omega = 4T\omega = 4P$

056 ★

ANSWER ① 0

정류자형 주파수 변환기

㉠ 회전자가 정지하고 있는 경우 정류자 상의 브러시 사이에 나타나는 전압 E_c의 주파수 f_c는 슬립링에 가해진 전원용 주파수 f_1과 같다.

㉡ 회전자의 외부에서 힘을 가하여 ϕ와 반대방향으로 속도 $n = n_s$로 회전시 E_c의 주파수 f_c는 0이 되어 직류전압이 된다.

㉢ 회전자를 Φ와 같은 방향의 속도 n으로 회전 시 E_c의 주파수 $f_c = f_1 + f$[Hz] 이다. 즉, 전원의 주파수 f_1을 임의의 주파수 $f_1 + f$로 변환할 수 있다.

057 ★★

ANSWER ④ 2500

MATH 10단원 비례, 반비례, 비례식

STEP1 병렬운전시 부하 분담

분담용량은 정격용량에 비례하고 누설임피던스에 반비례한다.

부하분담비

$$\frac{P_a}{P_b} = \frac{P_A}{P_B} \times \frac{\%Z_B}{\%Z_A} = \frac{1500}{1500} \times \frac{6[\%]}{4[\%]} = 1.5$$

(여기서, P_a, P_b : 실제 부하분담용량,

P_A, P_B : 정격부하용량)

STEP2 실제 부하분담용량 계산

%임피던스가 작은 변압기가 전부하를 부담하므로

$P_b = 1500[\text{kVA}]$

$$P_a = P_b \times \frac{\%Z_B}{\%Z_A} = 1500 \times \frac{4}{6} = 1000[\text{kVA}]$$

$$\therefore P = P_a + P_b = 1000 + 1500 = 2500[\text{kVA}]$$

058 ★★★

ANSWER ④ Scott 결선

상수변환

㉠ 3상-3상간의 상수변환

- Scott(스코트) 결선(T결선)
- Meyer(메이어) 결선
- Wood bridge(우드 브리지) 결선

㉡ 3상-6상간의 상수변환

- 2중 △결선
- 2중 성형결선
- 대각 결선
- Fork(포크) 결선
- 환상 결선

059 ★★★

ANSWER ④ 10

정류자 편간전압

$$e_{sa} = \frac{pE}{K} = \frac{6 \times 220}{132} = 10[\text{V}]$$

여기서, e_{sa} : 정류자 편간 전압

E : 유기기전력

K : 정류자편수

P : 극수

060 ★

ANSWER ③ 게이트와 에미터간 입력 임피던스가 매우 작아 BJT보다 구동하기 쉽다.

IGBT의 특징

① GTO 사이리스터처럼 역방향 전압저지 특성을 갖는다.

② 전력용 MOSFET처럼 전압 제어소자이고 게이트와 에미터간 입력 임피던스가 매우 높아 BJT 보다 구동하기 쉽다.

③ BJT처럼 on-drop이 전류에 관계없이 낮고 거의 일정하여 MOSFET 보다 큰 전류를 흘릴 수 있다.

061 ★★★

ANSWER ③ $\dfrac{0.866s+5}{s^2+100}$

MATH 22단원 삼각함수 특수공식

STEP1 삼각함수 특수공식

$$\begin{aligned}\sin(10t+60°) &= \sin 10t\cos 60° + \cos 10t \sin 60° \\ &= \sin 10t \times \frac{1}{2} + \cos 10t \times \frac{\sqrt{3}}{2} \\ &= \frac{1}{2}(\sin 10t + \sqrt{3}\cos 10t)\end{aligned}$$

STEP2 라플라스 변환

$$\frac{1}{2}(\sin 10t + \sqrt{3}\cos 10t) \rightarrow$$

$$\xrightarrow{\pounds} \frac{1}{2}\left(\frac{10}{s^2+10^2} + \sqrt{3}\frac{s}{s^2+10^2}\right)$$

$$\fallingdotseq \frac{0.866s+5}{s^2+10^2}$$

062 ★★★

ANSWER ① 4

STEP1 전원변환법

전압원과 직렬연결된 저항은 전류원과 병렬연결된 저항으로 상호 변환 가능하다.

이때, 전류원을 전압원으로 변환시 다음과 같다.

$V = IR = 6[A] \times 15[\Omega] = 90[V]$

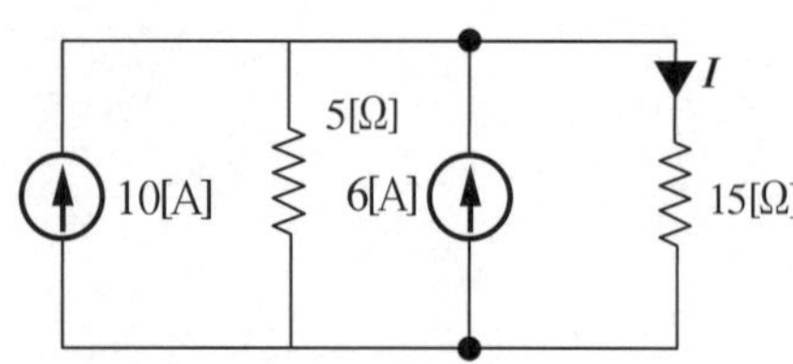

∴ 전체 전류 $I_T = 10 + 6 = 16[A]$

STEP2 전류 분배 법칙

$$I = I_T \times \frac{5}{15+5} = 16 \times \frac{5}{20} = 4[A]$$

063 ★★

ANSWER ② 3

MATH 30단원 직교좌표와 극좌표

STEP1 대칭좌표법

$$\begin{aligned}V_0 &= \frac{1}{3}\{V_a + V_b + V_c\} \\ &= \frac{1}{3}\{3 + (2 - j3) + (4 + j3)\} = 3[V]\end{aligned}$$

TIP !

- 3상 전원의 대칭분 표현

$V_a = V_0 + V_1 + V_2$

$V_b = V_0 + a^2V_1 + aV_2$

$V_c = V_0 + aV_1 + a^2V_2$

- 대칭성분

영상분 $V_0 = \dfrac{1}{3}(V_a + V_b + V_c)$

정상분 $V_1 = \dfrac{1}{3}(V_a + aV_b + a^2V_c)$

역상분 $V_2 = \dfrac{1}{3}(V_a + a^2V_b + aV_c)$

064 ★★

ANSWER ④ $j\omega C$

STEP1 수동소자의 임피던스

$$L \rightarrow j\omega L = Z_1,\ L \rightarrow \frac{1}{j\omega C} = Z_2$$

STEP2 4단자 정수

㉠ $A = 1 + \dfrac{Z_1}{Z_2}$

㉡ $B = Z_1 = j\omega L$

㉢ $C = \dfrac{1}{Z_2} = j\omega C$

㉣ $D = 1$

065 ★★

ANSWER ① 346.4

Y결선 선간 전압 $V_l = \sqrt{3}\, V_p$ 이고

상전압 $V_p = I_p\,|Z|$ 에서

상전류 = 부하전류 $I_p = 10[A]$

임피던스의 크기

$|Z| = \sqrt{R^2 + X^2} = \sqrt{16^2 + 12^2} = 20[\Omega]$

이므로

$V_p = 10 \times 20 = 200[V]$

$\therefore V_l = \sqrt{3} \times 200 = 200\sqrt{3} = 346.4[V]$

066 ★★

ANSWER ④ $\dfrac{P_1 + P_2}{2\sqrt{P_1^2 + P_2^2 - P_1 P_2}}$ 답을 암기할 것

2전력계법에서의 역률

$$\cos\theta = \frac{P_1 + P_2}{2\sqrt{P_1^2 + P_2^2 - P_1 P_2}}$$

TIP !

2전력계법

㉠ 유효전력 $P = P_1 + P_2[W]$

㉡ 피상전력

$P_a = 2\sqrt{P_1^2 + P_2^2 - P_1 P_2}[VA]$

㉢ 역률 $\dfrac{P_1 + P_2}{2\sqrt{P_1^2 + P_2^2 - P_1 P_2}}$

067 ★★

ANSWER ④ 500[W]

MATH 23단원 유리식

STEP1 cos함수는 sin함수로 변환한다.

$$i = 10\cos(100\pi t - \frac{\pi}{3})$$
$$= 10\sin(100\pi t + \frac{\pi}{6})[A]$$

STEP2 소비전력 값을 구한다.

$$P = VI\cos\theta = \frac{V_m}{\sqrt{2}} \times \frac{I_m}{\sqrt{2}} \times \cos(\frac{\pi}{6} - \frac{\pi}{6})$$
$$= \frac{100}{\sqrt{2}} \times \frac{10}{\sqrt{2}} \times \cos 0°$$
$$= 500[W]$$

068 ★

ANSWER ③ 3

MATH 37단원 미분의 정의

커패시터에 흐르는 전류

$$i = C\frac{dV}{dt} = 100 \times 10^{-6} \times 30 \times 10^3 = 3[A]$$

069 ★★

ANSWER ④ 처음에는 입력과 같이 변했다가 지수적으로 감쇠한다.

MATH 43단원 e 총정리

STEP1 RC 직렬회로

$$i(t) = \frac{E}{R}e^{-\frac{1}{RC}t}[A]$$

$$v_R(t) = Ee^{-\frac{1}{RC}t}[A]$$

$$v_C(t) = E\left(1 - e^{-\frac{1}{RC}t}\right)[A]$$

따라서, RC 직렬 회로에서 저항에 걸리는 전압은 초기에는 입력과 같으며 점차 지수적으로 감소하여 0에 가까워진다.

070 ★★

ANSWER ③ $\frac{\pi}{2}(1-\frac{2}{n})$ 답을 암기할 것

STEP1

성형 결선(Y결선)

전압: $E_l = 2\sin\frac{\pi}{n}E_{p\angle}\frac{\pi}{2}\left(1-\frac{2}{n}\right)$

전류: $I_l = I_p$

환형 결선(△결선)

전압: $E_l = E_p$

전류: $I_l = 2\sin\frac{\pi}{n}I_{p\angle} - \frac{\pi}{2}\left(1-\frac{2}{n}\right)$

071 ★★★

ANSWER ① $25\sqrt{2}$

MATH 25단원 무리식

비정현파의 실효값 전류

$$I = \sqrt{I_1^2 + I_3^2 + \cdots + I_n^2} = \sqrt{I_1^2 + I_3^2}$$
$$= \sqrt{\left(\frac{30}{\sqrt{2}}\right)^2 + \left(\frac{40}{\sqrt{2}}\right)^2} = \frac{50}{\sqrt{2}}$$
$$≒ 25\sqrt{2}[A]$$

(여기서, I_1: 기본파의 실효값 = $\frac{30}{\sqrt{2}}$

I_3: 제3고조파의 실효값 = $\frac{40}{\sqrt{2}}$)

072 ★★★

ANSWER ③ 160

MATH 22단원 삼각함수 특수공식

무효전력 $Q = P_a\sin\theta$에서

역률 $\cos\theta = 0.6$ 이므로

피상전력 $P_a = \frac{P}{\cos\theta} = \frac{120}{0.6} = 200[kVA]$

$$\sin\theta = \sqrt{1-0.6^2} = 0.8$$
$$\therefore Q = P_a\sin\theta = 200\times 0.8 = 160[kVar]$$

073 ★★

ANSWER ④ $r_1 = 6, r_2 = 3$

MATH 10단원 비례, 반비례, 비례식
23단원 유리식

STEP1 키르히호프의 제1법칙(KCL)

정의: 점하나를 기준으로 들어오는 전류와 나가는 전류의 합은 0이다.

$I = I_1 + I_2 = 5[A]$

STEP2 전류비 대입

$I_1 : I_2 = 1:2 \to I_2 = 2I_1$를 대입하면

$I = 5 = I_1 + 2I_1 = 3I_1$

$\therefore I_1 = \frac{5}{3}, I_2 = \frac{10}{3}[A]$

STEP3 전압강하

r_1과 r_2양단에 걸리는 전압은 다음과 같다.

$V_{12} = V - IR = 20 - 5\times 2 = 10[V]$

STEP4 옴의법칙

$R = \frac{V}{I}$이므로

$$\therefore r_1 = \frac{V_{12}}{I_1} = \frac{10}{\frac{5}{3}} = \frac{10\times 3}{5} = 6[\Omega]$$
$$r_2 = \frac{V_{12}}{I_2} = \frac{10}{\frac{10}{3}} = \frac{10\times 3}{10} = 3[\Omega]$$

074 ★★

ANSWER ① 2.5

MATH 43단원 e 총정리

STEP1 RL직렬회로

전류

$$i(t) = \frac{E}{R}\left(1-e^{-\frac{1}{r}t}\right) = \frac{E}{R}\left(1-e^{-\frac{R}{L}t}\right)[A]$$

전류 $v_L(t) = Ee^{-\frac{1}{r}t} = Ee^{-\frac{R}{L}t}[A]$

시정수 $\tau = \frac{L}{R}$

STEP2 시정수 계산

$$\therefore \tau = \frac{L}{R} = \frac{50\times 10^{-3}}{20\times 10^3} = 2.5\times 10^{-6}$$
$$= 2.5[\mu s]$$

075 ★

ANSWER ② 90

STEP1 회로의 전류를 구한다.

$$I = \frac{V}{R} = \frac{20}{20+25+10} = 2[A]$$

STEP2 b에서의 전위를 구한다.

d에서 접지했으므로 d 의 전위 = 0[V]

a에서의 전위는 $0 - 10 \times 2 = -20[V]$

b에서의 전위는 $-20 + 110 = 90[V]$

076 ★

ANSWER ③ $\frac{3}{2}r$

해석을 위하여 회로를 변형하면 다음과 같다.

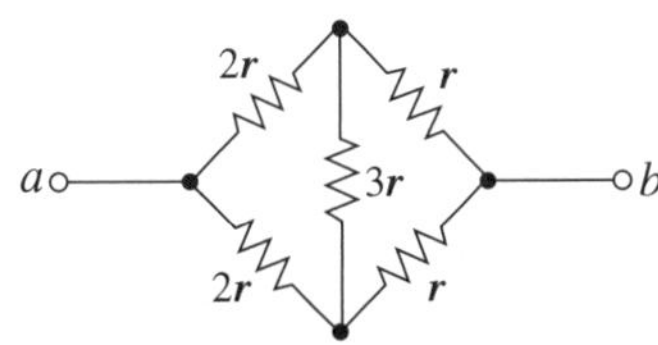

브리지 회로의 평형상태이므로 $3r$ 을 무시하면

$$R = \frac{(2r+r)\times(2r+r)}{(2r+r)+(2r+r)} = \frac{9r^2}{6r} = \frac{3}{2}r[\Omega]$$

077 ★★

ANSWER ④ 4

MATH 01단원 SI 접두어, 단위

정저항 회로

㉠ 회로가 주파수에 관계없이 일정한 임피던스를 가지는 회로이다.

㉡ 회로에 L, C 가 존재하지만 합성 임피던스의 j성분(허수부)이 0이 되어 저항만 있는 회로와 동일하다.

㉢ 정저항 회로의 조건 : $R = \sqrt{\frac{L}{C}}$

$$\therefore C = \frac{L}{R^2} = \frac{40\times10^{-3}}{100^2} = 4\times10^{-6}[F]$$
$$= 4[\mu F]$$

078 ★★

ANSWER ② $50te^{-2t}$

MATH 49단원 라플라스 기초, 50단원 라플라스 심화

STEP1 라플라스 변환

문제의 미분방정식을 변환한다.

$$sI(s) + 4I(s) + 4\frac{I(s)}{s} = \frac{50}{s}$$

양변을 이항하여 전류의 함수로 정리한다.

$$\rightarrow I(s)(s+4+\frac{4}{s}) = \frac{50}{s}$$

$$I(s) = \frac{50}{s(s+4+\frac{4}{s})} = \frac{50}{s^2+4s+4}$$
$$= \frac{50}{(s+2)^2}$$

STEP2 라플라스 역변환

$$£^{-1}[I(s)] = i(t) = £^{-1}[\frac{50}{(s+2^2)}]$$
$$= 50te^{-2t}$$

TIP !

$$\frac{1}{s^2} \xrightarrow{£^{-1}} t$$

시간추이정리

$$F(s+\alpha) \xrightarrow{£^{-1}} e^{-\alpha t}f(t)$$

079 ★★

ANSWER ④ 불평형 3상 △결선의 비접지식 회로에서는 영상분이 존재한다.

STEP1 비접지식

비접지식에서는 중성선이 없으므로 중성선에 전류가 흐를 수 없다. 따라서, 3상 전류의 합 $I_a + I_b + I_c = 0$이 되어야 한다.

STEP2 영상 전류

영상전류 $I_0 = \frac{1}{3}(I_a + I_b + I_c)$에서

$I_a + I_b + I_c = 0$이므로

영상분은 존재하지 않는다.

080 ★★★

ANSWER ① 750

[전투수학(전기 수학 교재) - 22.삼각함수 특수공식]

STEP1 삼각함수를 변환한다.

$i(t) = 20\cos(\omega t - 30°) + 10\cos(3\omega t - 30°)$

$= 20\cos(-90° + \omega t + 60°)$

$+ 10\cos(-90° + 3\omega t + 60°)$

$= 20\sin(\omega t + 60°) + 10\sin(3\omega t + 60°)[A]$

$(\because \cos(-\frac{\pi}{2} + \theta) = \sin\theta)$

STEP2 소비전력을 구한다.

정현파의 소비전력은 같은 고조파끼리의 전압과 전류의 곱으로 구해진다.

$P = V_1 I_1 \cos\theta_1 + V_3 I_3 \cos\theta_3$

$= \frac{100}{\sqrt{2}} \times \frac{20}{\sqrt{2}} \times \cos 60° + \frac{50}{\sqrt{2}} \times \frac{10}{\sqrt{2}} \times \cos 0°$

750[W]

제5과목 | 전기설비기술기준 및 한국전기설비규정

081 ★★

ANSWER ② 경보장치

특고압용 변압기의 보호장치 (한국전기설비규정 351.4)

특고압용의 변압기에는 그 내부에 고장이 생겼을 경우에 보호하는 장치를 표와 같이 시설하여야 한다.

뱅크 용량의 구분	동작 조건	장치의 종류
5000[kVA] 이상 10000[kVA] 미만	변압기 내부고장	자동차단장치 또는 경보장치
10000[kVA] 이상	변압기 내부고장	자동차단장치
타냉식 변압기	냉각장치에 고장이 생긴 경우 또는 변압기의 온도가 현저히 상승한 경우	경보장치

082 ★★

ANSWER ② 점검을 용이하게 하기 위해 충전부분이 노출되도록 시설하여야 한다.

전기저장장치(한국전기설비규정 510)

511.1 시설장소의 요구사항

1. 전기저장장치의 이차전지, 제어반, 배전반의 시설은 기기 등을 조작 또는 보수·점검할 수 있는 충분한 공간을 확보하고 조명설비를 설치하여야 한다.
2. 전기저장장치를 시설하는 장소는 폭발성 가스의 축적을 방지하기 위한 환기시설을 갖추고 제조사가 권장하는 온도 습도 수분 분진 등 적정 운영환경을 상시 유지하여야 한다.
3. 침수의 우려가 없도록 시설하여야 한다.
4. 전기저장장치 시설장소에는 기술기준 제21조 제1항과 같이 외벽 등 확인하기 쉬운 위치에 "전기저장장치 시설장소" 표지를 하고, 일반인의 출입을 통제하기 위한잠금장치 등을 설치하여야 한다.

511.2 설비의 안전 요구사항

1. 충전부분은 노출되지 않도록 시설하여야 한다.
2. 고장이나 외부 환경요인으로 인하여 비상상황 발생 또는 출력에 문제가 있을 경우 전기저장장치의 비상정지 스위치 등 안전하게 작동하기 위한 안전시스템이 있어야 한다.
3. 모든 부품은 충분한 내열성을 확보하여야 한다.

083 ★

ANSWER ④ 250[mA] 이하에서 동작하는 열 코일

특고압 가공전선로 첨가설치 통신선의 시가지 인입 제한(한국전기설비규정 362.5)

RP_1 : 교류 300[V] 이하에서 동작하고, 최소 감도 전류가 3[A] 이하로서 최소 감도 전류 때의 응동시간이 1사이클 이하이고 또한 전류 용량이 50[A], 20초 이상인 자복성(自復性)이 있는 릴레이 보안기

H : 250[mA] 이하에서 동작하는 열 코일

084 ★★★

ANSWER ④ 사용압력의 1.5배 이상 3배 이하

압축공기계통(한국전기설비규정 341.15)

주 공기탱크 또는 이에 근접한 곳에는 사용압력의 1.5배 이상 3배 이하의 최고 눈금이 있는 압력계를 시설할 것

085 ★★★

ANSWER ③ 애자공사

나전선의 사용 제한(한국전기설비규정 231.4)

1. 옥내에 시설하는 저압전선에는 나전선을 사용하여서는 아니 된다. 다만, 다음중 어느 하나에 해당하는 경우에는 그러하지 아니하다.
   가. 애자공사에 의하여 전개된 곳에 다음의 전선을 시설하는 경우
      (1) 전기로용 전선
      (2) 전선의 피복 절연물이 부식하는 장소에 시설하는 전선
      (3) 취급자 이외의 자가 출입할 수 없도록 설비한 장소에 시설하는 전선
   나. 버스덕트공사에 의하여 시설하는 경우
   다. 라이팅덕트공사에 의하여 시설하는 경우
   라. 접촉 전선을 시설하는 경우

086 ★

ANSWER ② 전류제한소자 적용

레일 전위의 접촉전압 감소방법 (한국전기설비규정 461.3)

교류 전기철도 급전시스템의 최대 허용 접촉전압 값을 초과하는 경우 다음 방법을 고려하여 접촉전압을 감소시켜야 한다.

㉠ 접지극 추가 사용
㉡ 등전위 본딩
㉢ 전자기적 커플링을 고려한 귀선로의 강화
㉣ 전압제한소자 적용
㉤ 보행 표면의 절연
㉥ 단락전류를 중단시키는데 필요한 트래핑 시간의 감소

087 ★

ANSWER ④ 내장형

상시 상정하중(한국전기설비규정 333.13)

내장형·보강형 철탑의 경우에는 전가섭선에 관하여 각 가섭선의 상정 최대장력의 33[%]와 같은 불평균 장력의 수평 종분력에 의한 하중을 고려하여야 한다.

088 ★

ANSWER ① 170

전차선로의 충전부와 차량 간의 절연이격 (한국전기설비규정 431.3)

전차선과 차량 간의 최소 절연이격거리

시스템 종류	공칭전압[V]	동적[mm]	정적[mm]
직류	750	25	25
	1,500	100	150
단상교류	25,000	170	270

089 ★★★

ANSWER ① 1

변압기 전로의 절연내력(한국전기설비규정 135)

전로의 종류	접지 방식	시험전압 (최대사용 전압의 배수)	최저 시험 전압
1. 7[kV]이하		1.5배	
2. 7[kV]초과 25[kV]이하	다중 접지	0.92배	
3. 7[kV]초과 60[kV]이하 (2란의 것 제외)		1.25배	10.5[kV]
4. 60[kV]초과	비접지	1.25배	
5. 60[kV]초과 (6란과 7란의 것 제외)	접지식	1.1배	75[kV]
6. 60[kV]초과 (7란의 것 제외)	직접 접지	0.72배	
7. 170[kV]초과(발전소 또는 변전소 혹은 이에 준하는 장소에 시설하는 것)	직접 접지	0.64배	

$7200 \times 1.25 = 9000[V]$

최저 시험전압 10.5[kV] → 10500[V] 이므로,

정답은 10500[V]

090 ★★

ANSWER ③ 수상전선로에 사용하는 부대(浮臺)는 쇠사슬 등으로 견고하게 연결한다.

수상전선로의 시설(한국전기설비규정 335.3)

수상 전선로를 시설하는 경우에는 그 사용전압은 저압 또는 고압인 것에 한한다.

가. 전선
① 저압 : 클로로프렌 캡타이어 케이블
② 고압 : 캡타이어 케이블

나. 수상전선로의 전선과 가공전선로 접속점의 높이
① 접속점이 육상에 있는 경우 : 지표상 5[m] 이상
다만, 저압인 경우에 도로상 이외의 곳에 있을 때에는 지표 상 4[m]
② 접속점이 수면상에 있는 경우 : 저압 4[m] 이상, 고압 5[m] 이상

다. 수상전선로의 사용전압이 고압인 경우에는 전로에 지락이 생겼을 때에 자동적으로 전로를 차단하기 위한 장치를 시설하여야 한다.

라. 수상전선로에 사용하는 부대(浮臺)는 쇠사슬 등으로 견고하게 연결한 것일 것

마. 수상전선로의 전선은 부대의 위에 지지하여 시설하고 또한 그 절연 피복을 손상하지 아니하도록 시설할 것

091 ★

ANSWER ② 10

전기욕기(한국전기설비규정 241.2)

전기욕기에 전기를 공급하기 위한 전기욕기용 전원장치(내장되는 전원 변압기의 2차 측 전로의 사용전압이 10[V] 이하의 것에 한한다)는 안전기준에 적합하여야 한다.

092 ★★★

ANSWER ① 덕트의 끝부분은 막지 않을 것

금속덕트공사(한국전기설비규정 232.31)

㉠ 전선은 절연전선(옥외용 비닐절연전선을 제외한다)일 것
㉡ 금속덕트 안에는 전선에 접속점이 없도록 할 것. 다만, 전선을 분기하는 경우에는 그 접속점을 쉽게 점검할 수 있는 때에는 그러하지 아니하다.
㉢ 덕트의 끝부분은 막을 것
㉣ 덕트는 물이 고이는 낮은 부분을 만들지 않도록 시설할 것

093 ★★★

ANSWER ③ 1

지중 전선로의 시설(한국전기설비규정 334.1)

㉠ 지중전선로에는 케이블을 사용한다.

㉡ 지중전선로의 매설방법 : 직접매설식, 관로식, 암거식

㉢ 직접매설의 경우 케이블의 매설깊이
- 차량, 기타 중량물에 의한 압력을 받는 장소 : 1.0[m]이상
- 기타 장소 : 0.6[m]이상

㉣ 관로식의 경우 케이블의 매설깊이
- 차량, 기타 중량물에 의한 압력을 받는 장소 : 1.0[m]이상
- 기타 장소 : 0.6[m] 이상

094 ★★

ANSWER ④ 10

특고압 가공전선로의 내장형 등의 지지물 시설 (한국전기설비규정 333.16)

특고압 가공전선로 중 지지물로서 직선형의 철탑을 연속하여 10기 이상 사용하는 부분에는 10기 이하마다 내장 애자장치가 되어 있는 철탑 또는 이와 동등 이상의 강도를 가지는 철탑 1기를 시설하여야 한다.

095 ★

ANSWER ③ 2.6

저압 가공전선의 굵기 및 종류 (한국전기설비규정 222.5)

전압	조건	전선의 굵기 및 인장강도
400[V] 이하	절연 전선	인장강도 2.3[kN]이상의 것 또는 지름 2.6[mm]이상의 경동선
	케이블 이외	인장강도 3.43[kN]이상의 것 또는 지름 3.2[mm]이상의 경동선
400[V] 초과인 저압 (케이블 이외)	시가지에 시설	인장강도 8.01[kN]이상의 것 또는 지름 5[mm]이상의 경동선
	시가지 외에 시설	인장강도 5.26[kN]이상의 것 또는 지름 4[mm]이상의 경동선

096 ★

ANSWER ③ 6

접지도체(한국전기설비규정 142.3.1)

나. 중성점 접지용 접지도체는 공칭단면적 16[mm^2] 이상의 연동선 또는 동등 이상의 단면적 및 세기를 가져야 한다. 다만, 다음의 경우에는 공칭단면적 6[mm^2] 이상의 연동선 또는 동등 이상의 단면적 및 강도를 가져야 한다.

(1) 7[kV] 이하의 전로

(2) 사용전압이 25[kV] 이하인 특고압 가공전선로. 다만, 중성선 다중접지 방식의 것으로서 전로에 지락이 생겼을 때 2초 이내에 자동적으로 이를 전로로부터 차단하는 장치가 되어 있는 것

097 ★

ANSWER ④ 두 개 이상의 전선을 병렬로 사용할 때 각 전선의 굵기를 35[mm²] 이상의 동선을 사용한다.

전선의 접속(한국전기설비규정 123)

전선을 접속하는 경우에는 전선의 전기 저항을 증가 시키지 아니하도록 접속하여야 하며, 또한 다음에 따라야 한다.

㉠ 병렬로 사용하는 각 전선의 굵기는 동선 50[mm²] 이상 또는 알루미늄 70[mm²] 이상으로 하고, 전선은 같은 도체, 같은 재료, 같은 길이 및 같은 굵기의 것을 사용할 것

㉡ 코드상호, 캡타이어 케이블 상호 또는 이들 상호를 접속하는 경우에는 코드 접속기·접속함 기타의 기구를 사용 할 것. 다만, 공칭 단면적이 10[mm²] 이상인 캡타이어 케이블 상호를 규정에 준하여 접속하는 경우에는 기구를 사용하지 않을 수 있다.

㉢ 도체에 알루미늄(알루미늄 합금을 포함 한다.)을 사용하는 전선과 동(동합금을 포함 한다.)을 사용하는 전선을 접속하는 등 전기 화학적 성질이 다른 도체를 접속하는 경우에는 접속 부분에 전기적 부식이 생기지 않도록 할 것

㉣ 절연 전선상호·절연 전선과 코드, 캡타이어 케이블과 접속하는 경우에는

① 전선의 세기를 20[%] 이상 감소시키지 아니할 것

② 접속부분은 접속관 기타의 기구를 사용할 것

③ 접속부분의 절연전선에 절연전선의 절연물과 동등 이상의 절연효력이 있는 것으로 충분히 피복할 것

098 ★

ANSWER ② 금속관공사를 목조의 조영물에 시설

옥측전선로(한국전기설비규정 221.2)

저압 옥측전선로는 다음의 공사방법에 의할 것

㉠ 애자공사(전개된 장소에 한한다.)

㉡ 합성수지관공사

㉢ 금속관공사(목조 이외의 조영물에 시설하는 경우에 한한다)

㉣ 버스덕트공사[목조 이외의 조영물(점검할 수 없는 은폐된 장소는 제외한다)에 시설하는 경우에 한한다]

㉤ 케이블공사(연피 케이블, 알루미늄피 케이블 또는 무기물절연(MI) 케이블을 사용하는 경우에는 목조 이외의 조영물에 시설하는 경우에 한한다)

099 ★★★

ANSWER ① 300

도로 등의 전열장치(한국전기설비규정 241.12)

발열선을 도로(농로 기타 교통이 빈번하지 아니하는 도로 및 횡단보도교를 포함한다. 이하 같다), 주차장 또는 조영물의 조영재에 고정시켜 시설하는 경우에는 다음에 따라야 한다.

가. 발열선에 전기를 공급하는 전로의 대지전압은 300[V] 이하일 것

100 ★

ANSWER ④ 케이블

고압 옥측전선로의 시설(한국전기설비규정 331.13.1)

고압 옥측전선로는 전개된 장소에는 다음에 따라 시설하여야 한다.

가. 전선은 케이블일 것

2022년 3회(오후)

제1과목 | 전기자기학

001 ★★

ANSWER ① 도체 표면의 전하밀도는 표면의 곡률이 큰 부분일수록 작다.

답을 암기할 것

도체의 성질과 전하분포

㉠ 도체 표면에서의 전하 밀도는 곡률이 클수록(뾰족할수록) 크다.

㉡ 전하는 도체 내부에는 존재하지 않고, 도체 표면에만 분포한다.

㉢ 도체 면에서의 전계의 세기는 도체 표면에 항상 수직이다.

㉣ 도체의 전위는 등전위이므로 전위경도는 0이다. 따라서, 도체 내부의 전계의 세기는 0이다.

㉤ 도체 표면과 내부의 전위는 동일하고(등전위), 표면은 등전위면이다.

002 ★★

ANSWER ④ $P=\epsilon_0(\epsilon_s-1)E$ 답을 암기할 것

분극 전하

$$P=\chi E$$
$$=(\epsilon-\epsilon_0)E$$
$$=\epsilon_0(\epsilon_s-1)E$$
$$=\left(1-\frac{1}{\epsilon_s}\right)D$$

003 ★★

ANSWER ② $\nabla\times E=0$ 답을 암기할 것

전계의 회전성

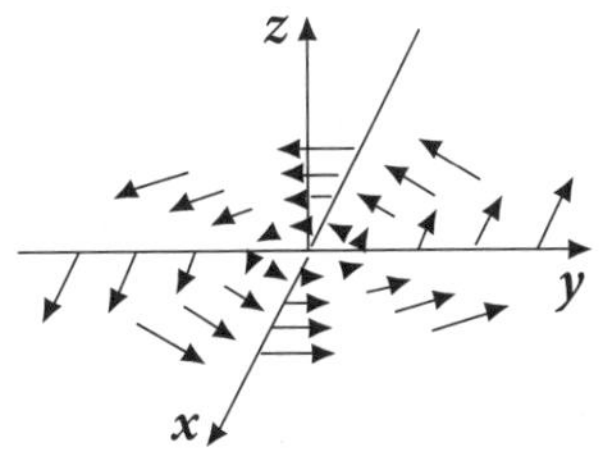

문제에서 비회전성이라고 하였으므로, 회전으로 인해 발생하는 벡터의 크기와 방향을 나타내는 *curl* 을 이용하여 다음과 같이 수식적으로 표현할 수 있다.

$\text{curl}E=\nabla\times E=0$

TIP !

㉠ 벡터의 기울기(Gradient)

변화한 기울기로서 크기와 방향이 있는 벡터량

$$\nabla T(x,y,z)=\frac{\partial T}{\partial x}\hat{a}_x+\frac{\partial T}{\partial y}\hat{a}_y+\frac{\partial T}{\partial z}\hat{a}_z$$

㉡ 벡터의 발산(Divergence)

벡터의 단위체적당 발산 수

$$\nabla\cdot\vec{V}=\left(\frac{\partial}{\partial x}\hat{a}_x+\frac{\partial}{\partial y}\hat{a}_y+\frac{\partial}{\partial z}\hat{a}_z\right)\cdot(V_x\hat{a}_x+V_y\hat{a}_y+V_z\hat{a}_z)=\frac{\partial V_x}{\partial x}+\frac{\partial V_y}{\partial y}+\frac{\partial V_z}{\partial z}$$

㉢ 벡터의 회전(Curl)

회전으로 인하여 발생하는 벡터의 크기와 방향

$$\nabla\times\vec{V}=\begin{vmatrix}\hat{a}_x & \hat{a}_y & \hat{a}_z\\ \frac{\partial}{\partial x} & \frac{\partial}{\partial y} & \frac{\partial}{\partial z}\\ V_x & V_y & V_z\end{vmatrix}=\left(\frac{a V_z}{\partial y}-\frac{\partial V_y}{\partial z}\right)\hat{a}_x+\left(\frac{a V_x}{\partial z}-\frac{\partial V_z}{\partial x}\right)\hat{a}_y+\left(\frac{a V_y}{\partial x}-\frac{a V_x}{\partial y}\right)\hat{a}_z$$

2022년 3회(오후)

004 ★★★

ANSWER ④ $\frac{mB}{\mu_0\mu_r}$

자속밀도 $B=\mu H=\mu_0\mu_r H$ 에서

$$H=\frac{B}{\mu_0\mu_r}$$

$$\therefore F=mH=m\times\frac{B}{\mu_0\mu_r}=\frac{mB}{\mu_0\mu_r}[N]$$

005 ★★

ANSWER ① $F_1=F_2$ 답을 암기할 것

쿨롱의 법칙 : 균일 매질내에서 사이의 거리가 r 인 점전하에 가해지는 힘

- 작용하는 힘은 두 전하의 곱에 비례한다.
- 두 전하의 거리 제곱에 반비례한다.

$$F=\frac{Q_1Q_2}{4\pi\epsilon r^2}[N]$$

따라서, 쿨롱의 법칙에 의해서 두 전하 사이의 힘은 두 전하의 전하량과 거리에만 영향을 받기 때문에 또 다른 전하에 대해서 영향을 받지 않는다.

006 ★

ANSWER ④ $-25.6a_y-19.2a_z$

MATH 47단원 평면벡터의 외적

STEP1 플레밍의 왼손법칙

정의 : 자계에 의해 전류 도체가 받는 자기력 방향이 결정(전동기의 원리)

$$\vec{F}=(\vec{I}\times\vec{B})\cdot l[N]$$

STEP2 전자력 계산

$$(\vec{I}\times\vec{B})=\begin{vmatrix} a_x & a_y & a_z \\ 4 & 0 & 0 \\ 0 & -0.6 & 0.8 \end{vmatrix}=-3.2a_y-2.4a_z$$

$$\vec{F}=(\vec{B}\times\vec{I})\cdot l=(-3.2a_y-2.4a_z)\times 8$$
$$=-25.6a_y-19.2a_z$$

007 ★

ANSWER ② $\frac{\rho}{\pi a}$ 답을 암기할 것

양 반구도체 사이의 저항 : $\frac{\rho}{\pi a}$

008 ★

ANSWER ④ $\epsilon_0\int_S E\cdot dS=Q$

가우스 정리

- 전하가 선, 면, 체적 분포를 하고 있을 때, 폐곡면 내의 전 전하에 대해 폐곡면을 통과하는 전기력선의 수 또는 전속과의 관계를 수학적으로 표현한 식
- 폐곡면에서 나오는 전 전기력선 수는 폐곡면 내에 있는 전 전하량의 $\frac{1}{\epsilon_0}$ 배와 같다.
- $\int_S E\cdot dS=\frac{Q}{\epsilon_0}$ (적분형)

$$\therefore \epsilon_0\int_S E\cdot dS=Q$$

009 ★★★

ANSWER ④ 200[V] 5[μF]

STEP1 커패시터의 파괴조건

커패시터는 전하량($Q=CV$)이 기준을 넘어서면 파괴된다.

STEP2 커패시터 직렬연결

커패시터를 직렬로 연결하면, 각 커패시터에 저장되는 전하량은 동일하므로 다음과 같이 전하량을 계산한다.

$$Q_1=C_1\times V_1=(5\times 10^{-6})\times 200$$
$$=1\times 10^{-3}[C]$$
$$Q_2=C_2\times V_2=(4\times 10^{-6})\times 300$$
$$=1.2\times 10^{-3}[C]$$
$$Q_3=C_3\times V_3=(3\times 10^{-6})\times 400$$
$$=1.2\times 10^{-3}[C]$$
$$Q_4=C_4\times V_4=(3\times 10^{-6})\times 500$$
$$=1.5\times 10^{-3}[C]$$

따라서, 전하량이 $Q_1=1\times 10^{-3}$[C]으로 가장 낮은 200[V] – 5[μF] 커패시터가 먼저 파괴된다.

010 ★★

ANSWER ④ 12.5

MATH 03단원 등식 방정식

STEP1 자기 인덕턴스의 직렬접속

㉠ 가동접속

$L_1 + L_2 + 2M = 75[\text{mH}]$

㉡ 차동접속

$L_1 + L_2 - 2M = 25[\text{mH}]$

STEP2 상호 인덕턴스

㉠ + ㉡ = $4M = 50[\text{mH}]$

$\therefore M = 12.5[\text{mH}]$

011 ★★★

ANSWER ② $r_2 = 2r_1$

MATH 10단원 비례, 반비례, 비례식

점전하에 의한 전위

$$V = \frac{Q}{4\pi\epsilon r} \propto \frac{1}{r}$$

따라서, V가 $\frac{1}{2}V$ 가 되려면 r 이 2배가 되어야 한다.

$\therefore r_2 = 2r_1$

012 ★★★

ANSWER ④ $\frac{Fv}{I}$

MATH 03단원 등식, 방정식

STEP1 도체가 받는 힘

도체가 받는 힘 $F = IBl\sin\theta[\text{N}]$에서

도체와 자계가 직각이므로 $\sin 90° = 1$

따라서, $Bl = \frac{F}{I}$

STEP2 유기 전압

$$\therefore e = vBl = \frac{Fv}{I}[\text{V}]$$

013 ★★★

ANSWER ③ $\frac{L_1L_2}{L_1 + L_2}$

STEP1 인덕턴스의 병렬접속

가극성: $L_T = \frac{L_1L_2 - M^2}{L_1 + L_2 - 2M}$

감극성: $L_T = \frac{L_1L_2 - M^2}{L_1 + L_2 + 2M}$

STEP2 유도결합이 없을 때

상호인덕턴스 $M = 0$이므로

$\therefore$ 가극성 = 감극성 = $L_T = \frac{L_1L_2}{L_1 + L_2}$

014 ★★

ANSWER ③ 10^5

MATH 25단원 무리식

전기 쌍극자의 전위

$$V = \frac{M}{4\pi\epsilon_0 r^2}\cos\theta$$

$$\therefore r = \sqrt{\frac{M\cos\theta}{4\pi\epsilon_0 V}} = \sqrt{\frac{1}{4\pi\epsilon_0} \times \frac{M\cos\theta}{V}}$$

$$= \sqrt{(9 \times 10^9) \times \frac{10 \times 1}{9}}$$

($\because$ 같은 방향이므로 $\theta = 0$)

$$= 10^5[\text{m}]$$

TIP!

전기 쌍극자

- 전위 $V = \frac{M}{4\pi\epsilon_0 r^2}\cos\theta$
- 전계의 세기 $E = \frac{M}{4\pi\epsilon_0 r^3}\sqrt{1 + 3\cos^2\theta}$

015 ★

ANSWER ① $E_2 = 4E_1$

MATH 10단원 비례, 반비례, 비례식
38단원 미분 기초

STEP1 정현파 자속의 유기기전력

$$e = -N\frac{d\phi}{dt} = -N\frac{d}{dt}(\phi_m \sin\omega t) = -N(\omega\phi_m \cos\omega t)$$

최대값 $e_m = N\phi_m\omega = N \times BS \times 2\pi f$ 이므로

$e_m \propto B,\ e_m \propto f$

STEP2 대입

$B \to 2B, f \to 2f$ 일 때 유기기전력은 4배가 되므로

$\therefore E_2 = 4E_1$

016 ★★★

ANSWER ③ $L_1 . L_2 = M^2$

MATH 03단원 등식, 방정식

STEP1 결합계수

$$k = \frac{M}{\sqrt{L_1L_2}}$$

STEP2 $k=1$대입

$$1 = \frac{M}{\sqrt{L_1L_2}} \to M = \sqrt{L_1L_2}$$

$$\therefore L_1 \cdot L_2 = M^2$$

017 ★★★

ANSWER ② 1

MATH 03단원 등식, 방정식

STEP1 자기인덕턴스와 전류

$L = \dfrac{N\phi}{I} \to I = \dfrac{N\phi}{L}$ 에서

쇄교 자속수 $\Phi = N\phi$ 이므로

$$\therefore I = \frac{\Phi}{L} = \frac{0.2}{20 \times 10^3} = 10[\text{A}]$$

STEP2 자기에너지

$$\therefore W_L = \frac{1}{2}LI^2 = \frac{1}{2}\Phi I = \frac{1}{2} \times 0.2 \times 10 = 1[\text{J}]$$

018 ★★

ANSWER ① ϵ_s

MATH 23단원 유리식

STEP1 콘덴서의 정전용량, 유전율

$$C = \frac{Q}{V} = \frac{Q}{Ed} = \frac{Q}{d\frac{Q}{\epsilon S}} = \frac{\epsilon S}{d}[\text{F}]$$

STEP2 정전용량의 비

$$\frac{C}{C_0} = \frac{\frac{\epsilon_0\epsilon_s S}{d}}{\frac{\epsilon_0 S}{d}} = \epsilon_s$$

고난도

019 ★★

ANSWER ② $\omega = \dfrac{eB}{m}, T = \dfrac{2\pi m}{eB}$ 답을 암기할 것

MATH 23단원 유리식

STEP1 자계내의 운동 전하에 작용하는 힘

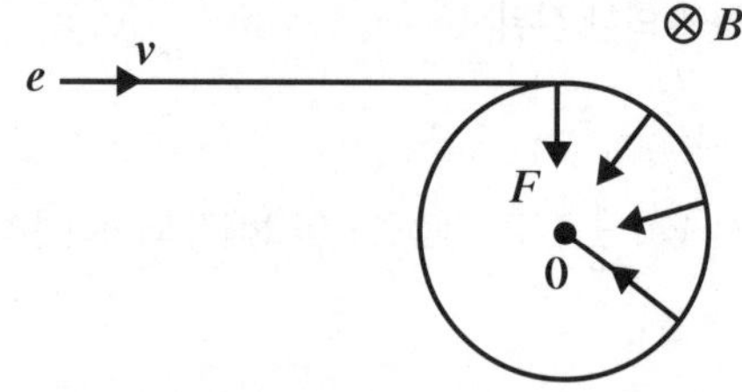

$F = qv \times B = \mu_0 evH[\text{N}]$

STEP2 원심력

$$F = \frac{mv^2}{r}[\text{N}]$$

이때, 원운동을 하므로, 원심력과 자계에서 받는 힘은 평형이다.

STEP3 각속도와 주기 구하기

$F = \mu_0 evH = \dfrac{mv^2}{r}$ 이므로

㉠ 각속도 $\omega = \dfrac{v}{r} = \dfrac{eB}{m}[\text{rad/s}]$

㉡ 주기 $T = \dfrac{2\pi}{\omega} = \dfrac{2\pi m}{eB}[\text{s}]$

020 ★★★

ANSWER ④ 126

MATH 25단원 무리식

STEP1 매질의 고유 임피던스

$$\eta = \frac{E}{H} = \sqrt{\frac{\mu}{\epsilon}} = \sqrt{\frac{\mu_s\mu_0}{\epsilon_s\epsilon_0}}$$
$$= \sqrt{\frac{\mu_s}{\epsilon_s}} \times \sqrt{\frac{\mu_0}{\epsilon_0}} = \sqrt{\frac{1}{9}} \times 377$$
$$\fallingdotseq 126[\Omega]$$

TIP !

$$\epsilon_0 = \frac{10^{-9}}{36\pi}, \mu_0 = 4\pi \times 10^{-7}$$
$$\therefore \sqrt{\frac{\mu_0}{\epsilon_0}} = 120\pi \fallingdotseq 377$$

제2과목 | 전력공학

021 ★★★

ANSWER ② 코로나 현상

코로나 현상 : 전선 주위의 공기 절연이 부분적으로 파괴되어서 낮은 소리나 엷은 빛을 내면서 방전되는 현상

022 ★★★

ANSWER ① 선로정수의 평형

연가의 목적

- 선로 정수 평형
- 근접 통신선에 대한 유도장해 감소
- 소호리액터 접지계통에서 중성점의 잔류전압으로인한 직렬 공진의 방지
- 대지 정전용량, 임피던스 평형

023 ★★★

ANSWER ③ $\frac{1}{3}$배 감소한다. 답을 암기할 것

구분	전력 손실	전압 강하
말단 집중 부하	P	V
균등 분포 부하	$\frac{1}{3}P$	$\frac{1}{2}V$

024 ★★★

ANSWER ① 가스차단기 – 수소 가스

종류	소호매질
유입차단기	절연유
진공차단기	고진공
자기차단기	전자기력
공기차단기	압축공기
가스차단기	SF_6 가스

025 ★★

ANSWER ② 차단기 동작 책무

차단기 표준 동작 책무

차단기가 계통에 사용될 때 차단 – 투입 – 차단의 동작을 반복하게 되는데, 그 동작 시간 간격을 나타낸 일련의 동작 규정이다.

㉠ 일반용(7.2[kV])

O – (3분) – CO – (3분) – CO

CO – (15초) – CO

㉡ 고속도재투입용(25.8[kV])

O – (0.3초) – CO – (3분) – CO

026 ★★

ANSWER ③ 댐퍼

① 가공지선 : 송전선을 벼락으로부터 보호하기 위해 도선과 평행하게 가설한 도선이다.

② 피뢰기 : 전기설비를 이상전압으로부터 보호하기 위한 장치이다.

③ 댐퍼 : 소도체 간의 간격을 유지하고 전선이 진동하는 것을 방지하기 위해 설치한다.

④ 매설지선 : 철탑의 저항을 낮추어 역섬락을 방지하기 위해 설치한다.

027 ★★

ANSWER ① $\frac{3}{4}$

배선방식에 따른 비교

배선방식	1선당 공급전력	1선당 공급전력비	전력 손실 (전선 소요량)
단상 2선식	$\frac{1}{2}VI$	1 = 100[%]	1 = 100[%]
단상 3선식	$\frac{2}{3}VI$	$\frac{4}{3} ≒ 133[\%]$	$\frac{3}{8} = 37.5[\%]$
3상 3선식	$\frac{\sqrt{3}}{3}VI$	$\frac{2\sqrt{3}}{3} ≒ 115[\%]$	$\frac{3}{4} = 75[\%]$
3상 4선식	$\frac{\sqrt{3}}{4}VI$	$\frac{\sqrt{3}}{2} ≒ 86.6[\%]$	$\frac{1}{3} ≒ 33.3[\%]$

028 ★★★

ANSWER ② 한류리액터

한류리액터 : 선로의 단락사고 시 일시적으로 발생하는 단락전류를 제한하여 차단기의 용량을 감소하기 위해 선로에 직렬로 설치

029 ★★★

ANSWER ④ $\frac{3E_a}{Z_0 + Z_1 + Z_2}$ 답을 암기할 것

STEP1 발전기 기본식

a상 지락 시 관계식은 다음과 같다.

㉠ $V_a = 0 \rightarrow V_a = V_0 + V_1 + V_2 = 0$

㉡ $I_b = I_c = 0 \rightarrow I_0 = I_1 = I_2$

㉢ $V_a = E_a - (Z_0 + Z_1 + Z_2)I_0 = 0$

STEP2 지락전류

㉡으로부터 $I_a = I_0 + I_1 + I_2 = 3I_0$

$\therefore I_g = I_a = 3I_0 = \frac{3E_a}{Z_0 + Z_1 + Z_2}[A]$

(∵ ㉢ 대입)

030 ★★

ANSWER ① 31500

MATH 01단원 SI접두어 단위, 23단원 유리식

STEP1 수차발전기의 출력

$P = 9.8QH\eta_1\eta_2$

$\rightarrow Q = \frac{P}{9.8H\eta_1\eta_2} = \frac{2000}{9.8 \times 30 \times 0.95 \times 0.82}$

$≒ 8.73[m^3/sec]$

STEP2 사용수량

1[시간] = 3600[초] 이므로

$\therefore 8.73 \times 3600 ≒ 31500[m^3]$

031 ★★

ANSWER ② 화력 발전소보다 열효율이 높다.

가스터빈의 장단점

㉠ 장점
- 운전조작이 간편하다.
- 구조가 간단하고 운전에 대한 신뢰도가 높다.
- 기동, 정지가 용이하다.
- 물 처리가 필요 없고 냉각수 소요 용량이 적다.
- 설치 장소를 비교적 자유롭게 선정할 수 있다.

㉡ 단점
- 가스가 고온이므로 고가의 내열재가 필요하다.
- 열효율이 낮다.
- 사이클 공기량이 많아 압축에 많은 에너지가 필요하다.

032 ★★★

ANSWER ④ 고속 재폐로 방식을 채택한다.

안정도 향상 대책

㉠ 계통의 직렬 리액턴스 감소(다회선 방식 채택, 복도체 방식 채택, 기기의 리액턴스 감소)

㉡ 전압 변동률을 적게 한다. (속응여자방식 채용, 계통의 연계, 중간 조상 방식)

㉢ 계통에 주는 충격을 적게 한다.(적당한 중성점 접지방식, 고속 차단 방식, 재폐로 방식)

㉣ 고장 중의 발전기 돌입 출력의 불평형을 적게 한다.

033 ★★

ANSWER ② 상순 표시기

조상설비 : 무효전력을 조정하는 설비

① 전력용 콘덴서 : 부하 역률이 지상인 경우 진상 무효전력을 공급하여 역률을 증가시킨다.

③ 분로리액터 : 전력용 콘덴서와 반대로 부하 역률이 진상인 경우(경부하)에 사용

④ 동기 조상기 : 부하가 지상일 때와 진상일 때 모두 사용 가능하다.

034 ★★

ANSWER ③ 단락 방지

오프셋 : 상하 전선의 접촉으로 인한 단락을 방지하기 위해 철탑 지지점의 위치를 수직에서 벗어나게 하는 것을 말한다.

035 ★

ANSWER ③ 45

MATH 23단원 유리식

STEP 1 개폐기 동작 전 선로손실, 전선의 저항

1회선당 전력손실 $P_l = 3I^2R[\text{kW}]$이므로

$$P_{l1} = 3I_A^2R + 3I_B^2R \ (\because \text{저항은 동일})$$
$$= 3 \times 100^2 \times R + 3 \times 50^2 \times R$$
$$= 37500R = 50\,[\text{kW}]$$
$$\therefore R = \frac{50000}{37500} \fallingdotseq 1.33\,[\Omega]$$

STEP 2 개폐기 동작 후 선로손실

양 회선을 병렬로 사용하면 동일한 전류가 흐르므로 전체 전류의 2로 나눈다.

$$I_A = I_B = \frac{100 + 50}{2} = 75\,[\text{A}]$$

따라서, 양 회선을 병렬로 사용하는 경우의 선로손실은 다음과 같다.

$$P_{l2} = 2\text{회선} \times 3 \times 75^2 \times R$$
$$= 2 \times 3 \times 75^2 \times 1.33$$
$$\fallingdotseq 45000$$
$$= 45[\text{kW}]$$

036 ★★

ANSWER ② $e \propto \frac{1}{n}, \epsilon \propto \frac{1}{n^2}, p \propto \frac{1}{n^2}$

MATH 10단원 비례, 반비례, 비례식

STEP1 전압에 따른 변화

㉠ 전압강하 $e = \frac{P}{V}(R + X\tan\theta)$:
전압에 반비례

㉡ 전압강하율 $\epsilon = \frac{P}{V^2}(R + X\tan\theta)$:
전압의 제곱에 반비례

㉢ 전력손실 $p = \frac{P^2 R}{V^2 \cos^2\theta}$:
전압의 제곱에 반비례

037 ★★

ANSWER ① 송전선에서 댐퍼를 설치하는 이유는 전선의 코로나 방지이다.

댐퍼 : 소도체 간의 간격을 유지하고 전선이 진동하는 것을 방지하기 위해 설치한다.

038 ★★

ANSWER ① 2330

STEP1 3000[kVA], 역률 0.7

유효전력 $P = 3000 \times 0.7 = 2100[\text{kW}]$

STEP2 역률 0.9로 개선

유효전력은 변하지 않으므로($P = 2100 \rightarrow 2100$)

∴ 변압기 부하

$$P_a = \frac{P}{0.9} = \frac{2100}{0.9} ≒ 2330[\text{kVA}]$$

039 ★★

ANSWER ③ $1 + \frac{ZY}{2}$ 답을 암기할 것

MATH 33단원 행렬 기초

T회로에서의 4단자 정수

$$\begin{bmatrix} A & B \\ C & D \end{bmatrix} = \begin{bmatrix} 1 & \frac{Z}{2} \\ 0 & 1 \end{bmatrix}\begin{bmatrix} 1 & 0 \\ Y & 1 \end{bmatrix}\begin{bmatrix} 1 & \frac{Z}{2} \\ 0 & 1 \end{bmatrix}$$

$$= \begin{bmatrix} 1 + \frac{ZY}{2} & Z\left(1 + \frac{ZY}{4}\right) \\ Y & 1 + \frac{ZY}{2} \end{bmatrix}$$

040 ★★

ANSWER ④ 250

MATH 03단원 등식, 방정식

STEP1 부하 설비 용량

부하 설비 용량 $= \frac{400}{0.8} = 500[\text{kVA}]$

STEP2 수용률과 변압기 선정

수용률 $= \frac{\text{최대 수용 전력}}{\text{부하 설비 용량}} = 0.5$

→ 최대 수용 전력 $= 500 \times 0.5 = 250[\text{kVA}]$

따라서, 최소 250[kVA]이상의 변압기를 선정한다.

제3과목 | 전기기기

041 ★★

ANSWER ② 96

MATH 03단원 등식, 방정식

STEP1 기계적 출력 P_0

기계적 출력 P_0 = 전동기 출력 + 기계손이므로

$\therefore P_0 = P + P_m = 7.5 + 0.13 = 7.63[\text{kW}]$

STEP2 2차 효율

$$\eta_2 = \frac{P_0}{P_2} \times 100[\%] = \frac{7.63}{7.95} \times 100$$
$$= 96[\%]$$

TIP !

유도전동기의 출력

2차 입력(공극 출력) : P_2	기계손 : P_m
기계적 출력 : $P_0 = P_2 - P_{c2}$	2차 동손 : P_{c2}
정격 출력(축 출력) : $P = P_0 - P_m$	

042 ★★★

ANSWER ④ $a = mP$ 답을 암기할 것

전기자 권선법의 중권과 파권

구분	중권(병렬권)	파권(직렬권)
병렬회로 수	$P(mP)$	$2(2m)$
브러시 수	P	2
용도	저전압, 대전류	고전압, 소전류
균압환	4극 이상	-

043 ★

ANSWER ③ 0

정류자형 주파수 변환기

㉠ 회전자가 정지하고 있는 경우 정류자 상의 브러시 사이에 나타나는 전압 E_c의 주파수 f_c는 슬립링에 가해진 전원용 주파수 f_1 과 같다.

㉡ 회전자의 외부에서 힘을 가하여 ϕ와 반대방향으로 속도 $n = n_s$로 회전시 E_c 의 주파수 f_c는 0이 되어 직류전압이 된다.

㉢ 회전자를 Φ와 같은 방향의 속도 n으로 회전 시 E_c의 주파수 $f_c = f_1 + f$ [Hz]이다. 즉, 전원의 주파수 f_1 을 임의의 주파수 $f_1 + f$ 로 변환할 수 있다.

044 ★★★

ANSWER ① Scott 결선 답을 암기할 것

상수변환

㉠ 3상 - 2상간의 상수변환

- Scott(스코트) 결선(T결선)
- Meyer(메이어) 결선
- Wood bridge(우드 브리지) 결선

㉡ 3상 - 6상간의 상수변환

- 2중 △결선
- 2중 성형 결선
- 대각 결선
- Fork(포크) 결선
- 환상 결선

045 ★★★

ANSWER ③ 10

정류자 편간전압

$$e_{sa} = \frac{pE}{K} = \frac{6 \times 220}{132} = 10\,[\text{V}]$$

여기서, e_{sa} : 정류자 편간 전압

E : 유기기전력

K : 정류자편수

P : 극수

046 ★★

ANSWER ① 5

직류발전기 규약효율

$$\eta_G = \frac{\text{출력}}{\text{출력} + \text{손실}} \times 100\,[\%]$$

$$80 = \frac{20}{20 + \text{손실}} \times 100\,[\%]$$

$$\therefore \text{손실} = 5\,[\text{kW}]$$

047 ★★

ANSWER ④ 전기자의 직경이 크고 길이가 짧아야 한다.

서보모터의 특징

- 기동 토크가 크다.
- 회전자 관성 모멘트가 작다.
- 제어권선 전압이 0에서는 기동해서는 안되고, 곧 정지해야 한다.
- 직류 서보모터의 기동 토크가 교류 서보모터보다 크다.
- 속응성이 좋고, 기계적 시정수가 짧아 기계적 응답이 좋다.
- 회전자 팬에 의한 냉각 효과를 기대할 수 없다.

따라서 서보모터는 속응성이 좋고, 회전자의 관성 모멘트가 적어야 하므로 회전자 직경을 작게 해야 한다.

048 ★

ANSWER ④ 계자전류와 단락전류

동기발전기의 단락 곡선 : 계자전류와 단락전류와의 관계 곡선으로 직선형태로 나타난다.

049 ★

ANSWER ③ α가 커지면 부하전류가 작아진다.

답을 암기할 것

MATH **10단원 비례, 반비례, 비례식**

STEP1 **변압기 손실과 최대효율**

㉠ 변압기 손실

P_i : 철손, P_c : 동손, m : 부하율

㉡ m부하에서의 최대효율조건

$P_i = m^2 P_c$

$\therefore\ m = \sqrt{\dfrac{P_i}{P_c}}$ 이므로 문제에 주어진 α와 같다.

STEP2 **동손**

동손 $P_c = I^2 R$이므로

$$\alpha = \sqrt{\frac{P_i}{P_c}} = \sqrt{\frac{P_i}{I^2 R}} = \frac{1}{I}\sqrt{\frac{P_i}{R}}$$

따라서, 부하율 $\alpha = m$이 커지면 부하전류 I는 작아진다.

050 ★★★

ANSWER ① 효율 답을 암기할 것

비례추이 가능/불가능

㉠ 비례추이 가능

- 1, 2차 전류
- 역률
- 토크
- 1차 입력

㉡ 비례추이 불가능

- 효율
- 출력
- 2차 동손

051 ★★

ANSWER ③ 게이트와 에미터간 입력 임피던스가 매우 작아 BJT보다 구동하기 쉽다.

IGBT의 특징

① GTO 사이리스터처럼 역방향 전압저지 특성을 갖는다.

② 전력용 MOSFET처럼 전압 제어소자이고 게이트와 에미터간 입력 임피던스가 매우 높아 BJT 보다 구동하기 쉽다.

③ BJT처럼 on-drop이 전류에 관계없이 낮고 거의 일정하여 MOSFET 보다 큰 전류를 흘릴 수 있다.

052 ★★★

ANSWER ④ 110[kV] 이상 되는 계통에서 많이 사용되고 있다.

Δ－Δ결선은 중성점 접지가 불가능하므로 이상 전압이 발생할 수 있다. 그러므로 77[kV]이하의 배전용 변압기에 사용되고 그 이상은 거의 사용하지 않는다.
따라서, 110[kV] 이상되는 특고압의 배전용 변압에는 사용되지 않는다.

053 ★★

ANSWER ① 2500

MATH **10단원 비례, 반비례, 비례식**

STEP1 **병렬운전시 부하 분담**

분담용량은 정격용량에 비례하고 누설임피던스에 반비례한다.

부하분담비

$$\frac{P_a}{P_b} = \frac{P_A}{P_B} \times \frac{\%Z_B}{\%Z_A} = \frac{1500}{1500} \times \frac{6[\%]}{4[\%]} = 1.5$$

(여기서, P_a, P_b : 실제 부하분담용량,

P_A, P_B : 정격부하용량)

STEP2 **실제 부하분담용량 계산**

%임피던스가 작은 변압기가 전부하를 부담하므로

$$P_b = 1500[\text{kVA}]$$

$$P_a = P_b \times \frac{\%Z_B}{\%Z_A} = 1500 \times \frac{1}{1.5} = 1000[\text{kVA}]$$

$$\therefore P = P_a + P_b = 1000 + 1500 = 2500[\text{kVA}]$$

054 ★★

ANSWER ④ 0.1

MATH **03단원 등식 방정식**

$$\tau = \frac{P}{\omega} = \frac{P}{2\pi \times \frac{N}{60}} = 9.55\frac{P}{N}$$

$$\rightarrow 1 = 9.55 \times \frac{P}{1000}$$

위 식을 P 에 대한 식으로 정리하면 다음과 같다.

$$P = \frac{1 \times 1000}{9.55} = 104.71 \fallingdotseq 0.1[\text{kW}]$$

055 ★★

ANSWER ① 충전전류를 증가시킨다.

자기여자현상 방지대책

㉠ 발전기용량을 선로의 충전용량보다 크게한다.

㉡ 수전단에 병렬리액터(분로리액터) 설치

㉢ 단락비가 큰 철 기계 사용

㉣ 동기조상기의 부족여자운전

㉤ 발전기 2대 이상을 병렬 운전하여 충전

㉥ 주파수를 낮추어 충전

㉦ 충전전압을 낮게 하여 충전

056 ★★

ANSWER ② 토크

동기 와트란 동기 각속도로 회전 시 2차 입력을 토크에 관한 식으로 표현한 것이다.

$$T = \frac{P_0}{\omega} = \frac{P_2(1-s)}{\omega_s(1-s)} = \frac{P_2}{\omega_s} \rightarrow P_2 = \omega_s T$$

057 ★

ANSWER ④ 2차 권선 중 한 선이 단선

- 3상 권선형 유도전동기의 2차 회로가 1선이 단선된 경우, 2차 회로에 단상 전류가 흐르므로 부하가 슬립이 50[%]인 곳에서 걸리면 더이상 가속되지 않는다. 이러한 현상을 게르게스 현상이라 한다.
- 즉, 회전속도 $N = (1-2s)N_0$ 가 됨을 말하며, 이는 토크가 낮은 부분이 생기는 것으로 이를 게르게스현상이라 한다.

고난도

058 ★★★

ANSWER ② 0.132

MATH 03단원 등식, 방정식
23단원 유리식

STEP1 1상의 권선수

$$W = \frac{180 \times 4}{3} = 120\,[\text{회}]$$

STEP2 주파수

동기속도 $N_s = \frac{120f}{p} = 360\,[\text{rpm}]$이므로

$$\therefore f = \frac{pN_s}{120} = \frac{20 \times 360}{120} = 60\,[\text{Hz}]$$

STEP3 1극의 자속

1상 유기기전력 $E = 4.44k_\omega f\phi W[\text{V}]$이므로

$$\therefore \phi = \frac{E}{4.44k_\omega fW} = \frac{\frac{V}{\sqrt{3}}}{4.44 \times 0.9 \times 60 \times 120}$$

$$= \frac{\frac{6600}{\sqrt{3}}}{4.44 \times 0.9 \times 60 \times 120} \fallingdotseq 0.132\,[\text{Wb}]$$

059 ★

ANSWER ④ $P' = 4P$

MATH 10단원 비례, 반비례, 비례식

STEP1 출력

토크 $= \frac{\text{출력}}{\text{각속도}} \rightarrow T = \frac{P}{\omega}$ 이므로

$\therefore$ 출력 $P = T\omega$

STEP2 필요전력 P'

$T \rightarrow 2T$

$\omega \rightarrow 2\omega$이므로

$P' = 2T \times 2\omega = 4T\omega = 4P$

060 ★

ANSWER ② DIAC

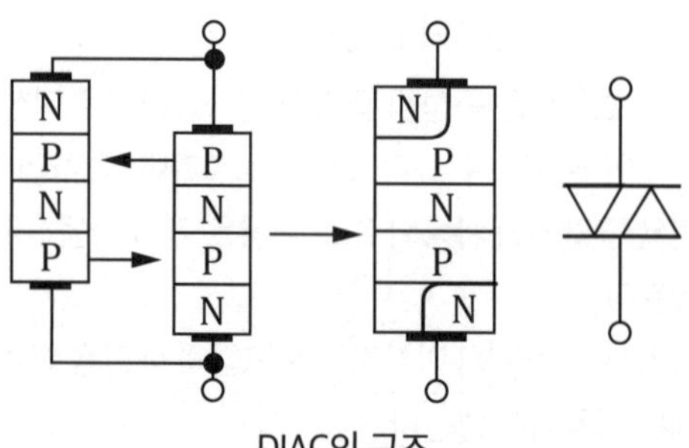

DIAC의 구조

DIAC은 게이트가 없다. 그러므로 게이트에 의한 턴온(turn-on)을 이용하지 않는다.

제4과목 | 회로이론

061 ★★★

ANSWER ① 정현파

STEP1 각 파형의 특징

파형	정현파	정현반파	삼각파	구형반파	구형파
실효값	$\frac{V_m}{\sqrt{2}}$	$\frac{V_m}{2}$	$\frac{V_m}{\sqrt{3}}$	$\frac{V_m}{\sqrt{2}}$	V_m
평균값	$\frac{2V_m}{\pi}$	$\frac{V_m}{\pi}$	$\frac{V_m}{2}$	$\frac{V_m}{2}$	V_m

STEP2 파고율

정현파일 때 파고율 $= \frac{V_m}{\frac{V_m}{\sqrt{2}}} = \sqrt{2}$ 이다.

TIP!

파고율 $= \frac{\text{최대값}}{\text{실효값}}$

파형률 $= \frac{\text{실효값}}{\text{평균값}}$

062 ★★

ANSWER ④ 불형평 3상 Y결선의 비접지식 회로에서는 영상분이 존재한다.

비접지식에서는 중성선이 없으므로 3상 전류의 합 $I_a + I_b + I_c = 0$이다.

따라서, 영상 전류

$I_0 = \frac{1}{3}(I_a + I_b + I_c) = \frac{1}{3} \times 0 = 0$으로 영상분이 존재하지 않는다.

063 ★★

ANSWER ④ 90

MATH 23단원 유리식

STEP1 저항의 크기를 구한다.

Y결선이므로

상전압 $V_p = \frac{V_l}{\sqrt{3}} = \frac{300}{\sqrt{3}} = 100\sqrt{3}\,[\text{V}]$

상전류 $I_p = I_l = 30[\text{A}]$

$\therefore R = \frac{V_p}{I_p} = \frac{100\sqrt{3}}{30} \fallingdotseq 5.77\,[\Omega]$

STEP2 △접속

△결선이므로

상전압 $V_p = V_l = 300[\text{V}]$

상전류 $I_p = \frac{V_p}{R} = \frac{300}{5.77} \fallingdotseq 52\,[\text{A}]$

$\therefore$ 선전류 $I_l = \sqrt{3}\,I_p = \sqrt{3} \times 52 \fallingdotseq 90\,[\text{A}]$

✎ 고난도

064 ★★

ANSWER ④ $\frac{1}{4}$

STEP1 관계식 정리

다음과 같이 전류를 설정한다.

전류 분배법칙을 이용하여 다음과 같이 정리한다.

$I_a = I_2$

$I_b = 2 \times I_a \rightarrow I_2 = \frac{1}{2} I_b$

$I_c = 2 \times I_b \rightarrow I_2 = \left(\frac{1}{2}\right)^2 I_c$

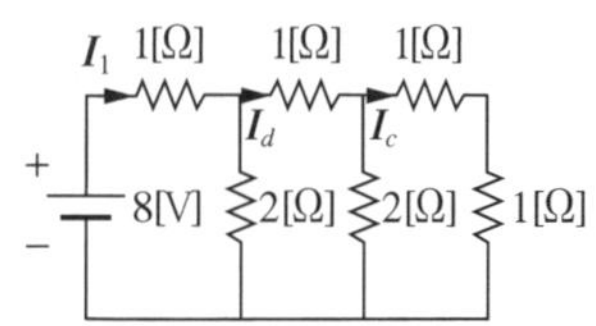

$I_d = 2 \times I_c \rightarrow I_2 = \left(\frac{1}{2}\right)^3 I_d$

즉, 회로의 전류는 마디를 지날 때 마다 $\frac{1}{2}$씩 감소한다.

$\therefore I_2 = \left(\frac{1}{2}\right)^4 I_1$

STEP2 전체전류 I_1 계산

전체합성저항 $R_T = 1 + \{2 \parallel (1+1)\} = 2[\Omega]$이므로

$I_1 = \frac{V}{R_T} = \frac{8}{2} = 4[\text{A}]$

$\therefore I_2 = \left(\frac{1}{2}\right)^4 I_1 = \left(\frac{1}{2}\right)^4 \times 4 = \frac{1}{4}[\text{A}]$

065 ★★

ANSWER ① 90

STEP1 직류 전원

전원이 직류이므로 $j\omega = 0$, $s = 0$이다.

$\therefore Z(0) = 30[\Omega]$

STEP2 옴의 법칙

$V = I \times Z = 3 \times 30 = 90[V]$

066 ★

ANSWER ④ 30

STEP1 Y → △ 변환

$R_{\triangle} = 3R_Y = 3 \times 10 = 30[\Omega]$

067 ★★★

ANSWER ④ 1

STEP1 중첩의 정리(전압원 단락)

전류원 3[A]의 전류는 단락된 전선으로만 흐른다.

$\therefore I_1 = 0[A]$

STEP2 중첩의 정리(전류원 개방)

3[Ω]에 흐르는 전류 $I_2 = \dfrac{3[V]}{3[\Omega]} = 1[A]$

$\therefore I = I_1 + I_2 = 0 + 1 = 1[A]$

068 ★

ANSWER ① $2\sqrt{\dfrac{L}{C}}$

RLC 소자 값에 따른 과도현상 특성

㉠ $R > 2\sqrt{\dfrac{L}{C}}$: 과제동(비진동)

㉡ $R < 2\sqrt{\dfrac{L}{C}}$: 부족제동(진동)

㉢ $R = 2\sqrt{\dfrac{L}{C}}$: 임계제동

069 ★★★

ANSWER ① 15

대칭좌표법

$I_a = I_0 + I_1 + I_2$

$= (-2 + j4) + (6 - j5) + (8 + j10)$

$= 12 + j9[A]$

$\therefore |I_a| = \sqrt{12^2 + 9^2} = 15[A]$

TIP !

3상전류

$I_a = I_0 + I_1 + I_2$

$I_b = I_0 + a^2 I_1 + a I_2$

$I_c = I_0 + a I_1 + a^2 I_2$

070 ★★

ANSWER ④ $I_a + I_b + I_c = 0$

평형 3상의 중성선에는 전류가 흐르지 않는다.

071 ★★★

ANSWER ② 41.2

MATH 25단원 무리식

전류의 실효값

$I = \sqrt{I_1^2 + I_3^2} = \sqrt{\left(\dfrac{30}{\sqrt{2}}\right)^2 + \left(\dfrac{50}{\sqrt{2}}\right)^2}$

$\fallingdotseq 41.2[A]$

072 ★

ANSWER ②$28-j6$

MATH 28단원 복소수의 연산

STEP1 병렬회로의 전류를 구한다.

$$I_1 = \frac{V}{Z_1} = \frac{100}{5} = 20[\text{A}]$$

$$I_2 = \frac{V}{Z_2} = \frac{100}{8+j6} = \frac{100(8-j6)}{(8+j6)(8-j6)}$$
$$= \frac{100(8-j6)}{8^2+6^2}$$
$$= 8-j6[\text{A}]$$

STEP2 키르히호프의 전류법칙

$$I = I_1 + I_2 = 20 + (8-j6) = 28-j6[\text{A}]$$

073 ★★★

ANSWER ④ 10^{-3}

MATH 43단원 e 총정리

STEP1 직류전원 인가 시 RL직렬회로

$$i(t) = \frac{V}{R}\left(1 - e^{-\frac{R}{L}t}\right)[\text{A}]$$

STEP2 시정수 τ

$$\tau = \frac{L}{R} = \frac{10\times 10^{-3}}{10} = 10^{-3}[\text{s}]$$

074 ★

ANSWER ③ R

MATH 28단원 복소수의 연산

STEP1 합성임피던스를 구한다.

$$Z = R_{\parallel}\frac{1}{j\omega C} = \frac{R\times\frac{1}{j\omega C}}{R+\frac{1}{j\omega C}} = 1+\frac{R}{j\omega RC}$$
$$= \frac{R}{1+j\omega RC}\times\frac{1-j\omega RC}{1-j\omega RC} = \frac{R(1-j\omega RC)}{1^2+(\omega RC)^2}$$
$$= \frac{R}{1^2+(\omega RC)^2} - j\frac{\omega RC}{1^2+(\omega RC)^2}$$

STEP2 Z의 실수부를 비교한다.

$$\frac{R}{1^2+(\omega RC)^2} = \frac{R}{2}$$ 이므로

$$\therefore 1+(\omega RC)^2 = 2 \rightarrow \omega RC = 1$$
$$\rightarrow \frac{1}{\omega C} = R$$

075 ★

ANSWER ① $I_m\sqrt{R^2+\omega^2L^2}\cos(\omega t+\theta+\phi)$

MATH 25단원 무리식

STEP1 회로의 임피던스를 구한다.

$$Z = \sqrt{R^2+X^2} = \sqrt{R^2+\omega^2L^2}$$

STEP2 회로양단의 순시 전압을 구한다.

$$V = IZ_{\angle}(\theta_V - \theta_I)$$
$$= I_m\cos(\omega t+\theta)\times\sqrt{R^2+\omega^2L^2}\times{}_{\angle\phi}$$
$$= I_m\sqrt{R^2+\omega^2L^2}\cos(\omega t+\theta+\phi)$$

076 ★★★

ANSWER ① $\frac{1}{RCs+1}$

MATH 49단원 라플라스 기초

STEP1 회로의 소자를 라플라스 변환한다.

$R\rightarrow R$

$C\rightarrow \frac{1}{Cs}$

$v_1(t), v_2(t) \rightarrow V_1(s), V_2(s)$

STEP2 전압분배를 통해 전달함수를 구한다.

$$V_2(s) = \frac{\frac{1}{Cs}}{R+\frac{1}{Cs}}\times V_1(s)$$

$$\therefore \frac{V_2(s)}{V_1(s)} = \frac{\frac{1}{Cs}}{R+\frac{1}{Cs}} = \frac{1}{RCs+1}$$

077 ★

ANSWER ④ $\dfrac{E_m^2}{2R}$

MATH 23단원 유리식

유효전력은 R 에서 소비되는 전력이다.

병렬회로이기 때문에 R 에 걸리는 전압의 실효값

$$V = \frac{E_m}{\sqrt{2}}$$

∴ 소비 유효전력

$$P = \frac{V^2}{R} = \frac{\left(\frac{E_m}{\sqrt{2}}\right)^2}{R} = \frac{E_m^2}{2R}[\mathrm{W}]$$

078 ★★★

ANSWER ② $\dfrac{3s}{(s^2+1)(s^2+4)}$

MATH 23단원 유리식
49단원 라플라스 기초

STEP1 삼각함수의 라플라스 변환

- $\pounds[\sin\omega t] = \dfrac{\omega}{s^2+\omega^2}$
- $\pounds[\cos\omega t] = \dfrac{s}{s^2+\omega^2}$

STEP2 계산

$$\begin{aligned}\pounds[f(t)] &= \pounds[\cos t] - \pounds[\cos 2t] \\ &= \frac{s}{s^2+1} - \frac{s}{s^2+4} \\ &= \frac{s(s^2+4) - s(s^2+1)}{s^2+1} \\ &= \frac{3s}{(s^2+1)(s^2+4)}\end{aligned}$$

TIP !

분모의 부호를 보고 선지를 선택한다.

079 ★★

ANSWER ① 우함수이다.

종류	파형	성분
여현 대칭 (Y축 대칭)	우함수 $f(t) = f(-t)$	직류, cos파
정현 대칭 (원점 대칭)	기함수 $f(t) = -f(-t)$	sin파
반파 대칭	반주기 마다 크기는 같고 부호가 다르다. $f(t) = -f\left(t + \frac{T}{2}\right)$	sin, cos (우수파, 기수파 모두 포함) 파의 홀수항

080 ★★★

ANSWER ① $\dfrac{B}{A-1}$

MATH 33단원 행렬 기초

STEP1 4단자 정수 A, B, C, D를 구한다.

$$\begin{aligned}\begin{bmatrix} A & B \\ C & D \end{bmatrix} &= \begin{bmatrix} 1 & 0 \\ \frac{1}{Z_2} & 1 \end{bmatrix}\begin{bmatrix} 1 & Z_1 \\ 0 & 1 \end{bmatrix}\begin{bmatrix} 1 & 0 \\ \frac{1}{Z_3} & 1 \end{bmatrix} \\ &= \begin{bmatrix} 1 & Z_1 \\ \frac{1}{Z_2} & 1+\frac{Z_1}{Z_2} \end{bmatrix}\begin{bmatrix} 1 & 0 \\ \frac{1}{Z_3} & 1 \end{bmatrix} \\ &= \begin{bmatrix} 1+\frac{Z_1}{Z_3} & Z_1 \\ \frac{1}{Z_2}+\frac{1}{Z_3}+\frac{Z_1}{Z_2 Z_3} & 1+\frac{Z_1}{Z_2} \end{bmatrix}\end{aligned}$$

STEP2 A, B를 통해 Z_3를 나타낸다.

$A = 1+\dfrac{Z_1}{Z_3}$, $B = Z_1 \to A-1 = \dfrac{Z_1}{Z_3}$ 이므로

$$\therefore \frac{B}{A-1} = \frac{Z_1}{\frac{Z_1}{Z_3}} = Z_3$$

제5과목 | 전기설비기술기준 및 한국전기설비규정

081 ★★

ANSWER ② 10

특고압 가공전선로의 내장형 등의 지지물 시설 (한국전기설비규정 333.16)

특고압 가공전선로 중 지지물로서 직선형의 철탑을 연속하여 10기 이상 사용하는 부분에는 10기 이하마다 내장 애자장치가 되어 있는 철탑 또는 이와 동등 이상의 강도를 가지는 철탑 1기를 시설하여야 한다.

082 ★★

ANSWER ② 점검을 용이하게 하기 위해 충전부분이 노출되도록 시설하여야 한다.

[한국전기설비규정 510]전기저장장치

511.1 시설장소의 요구사항

㉠ 전기저장장치의 이차전지, 제어반, 배전반의 시설은 기기 등을 조작 또는 보수·점검할 수 있는 충분한 공간을 확보하고 조명설비를 설치하여야 한다.

㉡ 전기저장장치를 시설하는 장소는 폭발성 가스의 축적을 방지하기 위한 환기시설을 갖추고 제조사가 권장하는 온도·습도·수분·분진 등 적정 운영환경을 상시 유지하여야 한다.

㉢ 침수의 우려가 없도록 시설하여야 한다.

㉣ 전기저장장치 시설장소에는 기술기준 제21조 제1항과 같이 외벽 등 확인하기 쉬운 위치에 "전기저장장치 시설장소" 표지를 하고, 일반인의 출입을 통제하기 위한잠금장치 등을 설치하여야 한다.

511.2 설비의 안전 요구사항

㉠ 충전부분은 노출되지 않도록 시설하여야 한다.

㉡ 고장이나 외부 환경요인으로 인하여 비상상황 발생 또는 출력에 문제가 있을 경우 전기저장장치의 비상정지 스위치 등 안전하게 작동하기 위한 안전시스템이 있어야 한다.

㉢ 모든 부품은 충분한 내열성을 확보하여야 한다.

083 ★★★

ANSWER ③ 300

도로 등의 전열장치(한국전기설비규정 241.12)

발열선을 도로(농로 기타 교통이 빈번하지 아니하는 도로 및 횡단보도교를 포함한다. 이하 같다), 주차장 또는 조영물의 조영재에 고정시켜 시설하는 경우에는 다음에 따라야 한다.

- 발열선에 전기를 공급하는 전로의 대지전압은 300[V] 이하일 것

084 ★

ANSWER ③ 내장형

상시 상정하중 (한국전기설비규정 333.13)

내장형·보강형 철탑의 경우에는 전가섭선에 관하여 각 가섭선의 상정 최대장력의 33[%]와 같은 불평균 장력의 수평 종분력에 의한 하중을 고려하여야 한다.

085 ★

ANSWER ① 250[mA] 이하에서 동작하는 열 코일

특고압 가공전선로 첨가설치 통신선의 시가지 인입 제한(한국전기설비규정 362.5)

RP_1 : 교류 300[V] 이하에서 동작하고, 최소 감도 전류가 3[A] 이하로서 최소 감도 전류 때의 응동시간이 1사이클 이하이고 또한 전류 용량이 50[A], 20초 이상인 자복성(自復性)이 있는 릴레이 보안기

H : 250[mA] 이하에서 동작하는 열 코일

086 ★★★

ANSWER ① 2.6

저압 가공전선의 굵기 및 종류
(한국전기설비규정 222.5)

전압	조건	전선의 굵기 및 인장강도
400[V] 이하	절연전선	인장강도 2.3[kN]이상의 것 또는 지름 2.6[mm]이상의 경동선
	케이블 이외	인장강도 3.43[kN]이상의 것 또는 지름 3.2[mm]이상의 경동선
400[V] 초과인 저압 (케이블 이외)	시가지에 시설	인장강도 8.01[kN]이상의 것 또는 지름 5[mm]이상의 경동선
	시가지 외에 시설	인장강도 5.26[kN]이상의 것 또는 지름 4[mm]이상의 경동선

087 ★

ANSWER ③ 전류제한소자 사용

레일 전위의 접촉전압 감소방법
(한국전기설비규정 461.3)

교류 전기철도 급전시스템의 최대 허용 접촉전압 값을 초과하는 경우 다음 방법을 고려하여 접촉전압을 감소시켜야 한다.

㉠ 접지극 추가 사용
㉡ 등전위 본딩
㉢ 전자기적 커플링을 고려한 귀선로의 강화
㉣ 전압제한소자 적용
㉤ 보행 표면의 절연
㉥ 단락전류를 중단시키는데 필요한 트래핑 시간의 감소

088 ★

ANSWER ③ 케이블

[한국전기설비규정 331.13.1]
고압 옥측전선로의 시설

고압 옥측전선로는 전개된 장소에는 다음에 따라 시설하여야 한다.

㉠ 전선은 케이블일 것
㉡ 케이블은 견고한 관 또는 트라프에 넣거나 사람이 접촉할 우려가 없도록 시설할 것
㉢ 케이블을 조영재의 옆면 또는 아랫면에 따라 붙일 경우에는 케이블의 지지점 간의 거리를 2[m] (수직으로 붙일 경우에는 6[m])이하로 하고 또한 피복을 손상하지 아니하도록 붙일 것
㉣ 케이블을 조가용선에 조가하여 시설하는 경우에 전선이 고압 옥측 전선로를 시설하는 조영재에 접촉하지 아니하도록 시설할 것
㉤ 관 기타의 케이블을 넣는 방호장치의 금속제 부분·금속제의 전선 접속함 및 케이블의 피복에 사용하는 금속제에는 이들의 방식조치를 한 부분 및 대지와의 사이의 전기저항 값이 10[Ω] 이하인 부분을 제외하고 접지공사를 할 것

089 ★★★

ANSWER ① 사용압력의 1.5배 이상 3배 이하

압축공기계통 (한국전기설비규정 341.15)

주 공기탱크 또는 이에 근접한 곳에는 사용압력의 1.5배 이상 3배 이하의 최고 눈금이 있는 압력계를 시설할 것

090 ★★★

ANSWER ① 1

지중 전선로의 시설 (한국전기설비규정 334.1)

㉠ 지중전선로에는 케이블을 사용한다.

㉡ 지중전선로의 매설방법 : 직접매설식, 관로식, 암거식

㉢ 직접매설의 경우 케이블의 매설깊이

- 차량, 기타 중량물에 의한 압력을 받는 장소 : 1.0[m]이상
- 기타 장소 : 0.6[m]이상

㉣ 관로식의 경우 케이블의 매설깊이

- 차량, 기타 중량물에 의한 압력을 받는 장소 : 1.0[m]이상
- 기타 장소 : 0.6[m] 이상

091 ★

ANSWER ③ 두 개 이상의 전선을 병렬로 사용할 때 각 전선의 굵기를 35[mm^2] 이상의 동선을 사용한다.

전선의 접속 (한국전기설비규정 123)

전선을 접속하는 경우에는 전선의 전기 저항을 증가 시키지 아니하도록 접속하여야 하며, 또한 다음에 따라야 한다.

㉠ 병렬로 사용하는 각 전선의 굵기는 동선 50[mm^2] 이상 또는 알루미늄 70[mm^2] 이상으로 하고, 전선은 같은 도체, 같은 재료, 같은 길이 및 같은 굵기의 것을 사용할 것

㉡ 코드상호, 캡타이어 케이블 상호 또는 이들 상호를 접속하는 경우에는 코드 접속기·접속함 기타의 기구를 사용 할 것. 다만, 공칭 단면적이 10[mm^2] 이상인 캡타이어 케이블 상호를 규정에 준하여 접속하는 경우에는 기구를 사용하지 않을 수 있다.

㉢ 도체에 알루미늄(알루미늄 합금을 포함 한다.)을 사용하는 전선과 동(동합금을 포함 한다.)을 사용하는 전선을 접속하는 등 전기 화학적 성질이 다른 도체를 접속하는 경우에는 접속 부분에 전기적 부식이 생기지 않도록 할 것.

㉣ 절연 전선상호·절연 전선과 코드, 캡타이어 케이블과 접속하는 경우에는

- 전선의 세기를 20[%] 이상 감소시키지 아니할 것
- 접속부분은 접속관 기타의 기구를 시용할 것
- 접속부분의 절연전선에 절연전선의 절연물과 동등 이상의 절연효력이 있는 것으로 충분히 피복할 것

092 ★

ANSWER ① 170

전차선로의 충전부와 차량 간의 절연이격 (한국전기설비규정 431.3)

전차선과 차량 간의 최소 절연이격거리

시스템 종류	공칭전압[V]	동적 [mm]	정적 [mm]
직류	750	25	25
	1,500	100	150
단상교류	25,000	170	270

093 ★

ANSWER ④ 6

[한국전기설비규정 142.3.1]접지도체

중성점 접지용 접지도체는 공칭단면적 16[mm^2] 이상의 연동선 또는 동등 이상의 단면적 및 세기를 가져야 한다. 다만, 다음의 경우에는 공칭단면적 6[mm^2] 이상의 연동선 또는 동등 이상의 단면적 및 강도를 가져야 한다.

- 7[kV] 이하의 전로
- 사용전압이 25[kV] 이하인 특고압 가공전선로. 다만, 중성선 다중접지 방식의 것으로서 전로에 지락이 생겼을 때 2초 이내에 자동적으로 이를 전로로부터 차단하는 장치가 되어 있는 것

094 ★★

ANSWER ② 경보장치

특고압용 변압기의 보호장치 (한국전기설비규정 351.4)

특고압용의 변압기에는 그 내부에 고장이 생겼을 경우에 보호하는 장치를 표와 같이 시설하여야 한다.

뱅크 용량의 구분	동작 조건	장치의 종류
5000[kVA] 이상 10000[kVA] 미만	변압기 내부고장	자동차단장치 또는 경보장치
10000[kVA] 이상	변압기 내부고장	자동차단장치
타냉식 변압기	냉각장치에 고장이 생긴 경우 또는 변압기의 온도가 현저히 상승한 경우	경보장치

095 ★★★

ANSWER ④ 10500

전로의 절연저항 및 절연내력 (한국전기설비규정 132)

전로의 종류	접지 방식	시험전압 (최대사용 전압의 배수)	최저 시험 전압
1. 7[kV]이하		1.5배	
2. 7[kV]초과 25[kV]이하	다중 접지	0.92배	
3. 7[kV]초과 60[kV]이하 (2란의 것 제외)		1.25배	10.5[kV]
4. 60[kV]초과	비접지	1.25배	
5. 60[kV]초과 (6란과 7란의 것 제외)	접지식	1.1배	75[kV]
6. 60[kV]초과 (7란의 것 제외)	직접 접지	0.72배	
7. 170[kV]초과(발전소 또는 변전소 혹은 이에 준하는 장소에 시설하는 것)	직접 접지	0.64배	

$7200 \times 1.25 = 9000$[V]이지만, 최저 시험 전압은 10.5[kV]이므로 10500[V]이다.

096 ★★★

ANSWER ② 애자공사

나전선의 사용 제한 (한국전기설비규정 231.4)

옥내에 시설하는 저압전선에는 나전선을 사용하여서는 아니 된다. 다만, 다음중 어느 하나에 해당하는 경우에는 그러하지 아니하다.

㉠ 애자공사에 의하여 전개된 곳에 다음의 전선을 시설하는 경우
- 전기로용 전선
- 전선의 피복 절연물이 부식하는 장소에 시설하는 전선
- 취급자 이외의 자가 출입할 수 없도록 설비한 장소에 시설하는 전선

㉡ 버스덕트공사에 의하여 시설하는 경우
㉢ 라이팅덕트공사에 의하여 시설하는 경우
㉣ 접촉 전선을 시설하는 경우

097 ★

ANSWER ① 금속관공사를 목조의 조영물에 시설

옥측전선로(한국전기설비규정 221.2)

저압 옥측전선로는 다음의 공사방법에 의할 것

㉠ 애자공사(전개된 장소에 한한다.)

㉡ 합성수지관공사

㉢ 금속관공사(목조 이외의 조영물에 시설하는 경우에 한한다)

㉣ 버스덕트공사[목조 이외의 조영물(점검할 수 없는 은폐된 장소는 제외한다)에 시설하는 경우에 한한다]

㉤ 케이블공사(연피 케이블, 알루미늄피 케이블 또는 무기물절연(MI) 케이블을 사용하는 경우에는 목조 이외의 조영물에 시설하는 경우에 한한다)

098 ★★

ANSWER ① 수상전선로에 사용하는 부대(浮臺)는 쇠사슬 등으로 견고하게 연결한다.

수상전선로의 시설(한국전기설비규정 335.3)

수상 전선로를 시설하는 경우에는 그 사용전압은 저압 또는 고압인 것에 한한다.

가. 전선

① 저압 : 클로로프렌 캡타이어 케이블

② 고압 : 캡타이어 케이블

나. 수상전선로의 전선과 가공전선로 접속점의 높이

① 접속점이 육상에 있는 경우 : 지표상 5[m] 이상. 다만, 저압인 경우에 도로상 이외의 곳에 있을 때에는 지표 상 4[m]

② 접속점이 수면상에 있는 경우 : 저압 4[m] 이상. 고압 5[m] 이상

다. 수상전선로의 사용전압이 고압인 경우에는 전로에 지락이 생겼을 때에 자동적으로 전로를 차단하기 위한 장치를 시설하여야 한다.

라. 수상전선로에 사용하는 부대(浮臺)는 쇠사슬 등으로 견고하게 연결한 것일 것

마. 수상전선로의 전선은 부대의 위에 지지하여 시설하고 또한 그 절연 피복을 손상하지 아니하도록 시설할 것

099 ★

ANSWER ③ 10

전기욕기(한국전기설비규정 241.2)

전기욕기에 전기를 공급하기 위한 전기욕기용 전원장치(내장되는 전원 변압기의 2차 측 전로의 사용전압이 10[V] 이하의 것에 한한다)는 안전기준에 적합하여야 한다.

100 ★★★

ANSWER ③ 덕트의 끝부분은 막지 않을 것

금속덕트공사 (한국전기설비규정 232.31)

㉠ 전선은 절연전선(옥외용 비닐절연전선을 제외한다)일 것

㉡ 금속덕트 안에는 전선에 접속점이 없도록 할 것. 다만, 전선을 분기하는 경우에는 그 접속점을 쉽게 점검할 수 있는 때에는 그러하지 아니하다.

㉢ 덕트의 끝부분은 막을 것

㉣ 덕트는 물이 고이는 낮은 부분을 만들지 않도록 시설할 것

엔지니오 과년도 기출문제집

2021

2021년 1회

제1과목 | 전기자기학

고난도

001 ★

ANSWER ③ 9×10^{16}

MATH 23단원 유리식

STEP1 정전력

쿨롱의 법칙 $F = \dfrac{Q_1 Q_2}{4\pi\epsilon_0 R^2} = \dfrac{Q_1 Q_2}{\alpha_0 R^2}[\mathrm{N}]$

$\therefore 4\pi\epsilon_0 = \alpha_0$

STEP2 자기력

쿨롱의 법칙(자기장) $F = \dfrac{Q_1 Q_2}{4\pi\mu_0 R^2} = \dfrac{Q_1 Q_2}{\beta_0 R^2}[\mathrm{N}]$

$\therefore 4\pi\mu_0 = \beta_0$

STEP3 전류와 자계간의 전자력

플레밍의 왼손법칙

$$F = BIl\sin\theta = \frac{mIl\sin\theta}{4\pi R^2} = \frac{mIl\sin\theta}{\gamma_0 R^2}[\mathrm{N}]$$

$\therefore 4\pi = \gamma_0$

STEP4 관계식 구하기

$$\frac{r_0^2}{\alpha_0\beta_0} = \frac{(4\pi)^2}{4\pi\epsilon_0 \times 4\pi\mu_0} = \frac{1}{\epsilon_0\mu_0}$$

$$= (3 \times 10^8)^2 \left(\because c = 3 \times 10^8 = \frac{1}{\sqrt{\epsilon_0\mu_0}}\right)$$

$$= 9 \times 10^{16}$$

TIP !

빛의 속도(진공 중 전파속도)

$$c = 3 \times 10^8 = \frac{1}{\sqrt{\epsilon_0\mu_0}}$$

002 ★★★

ANSWER ④ 1

MATH 23단원 유리식

코일에 저장되는 자기에너지

$W_L = \dfrac{1}{2}LI^2 = \dfrac{1}{2}\Phi I[\mathrm{J}]\,(\because \Phi = LI)$

$L = 20[\mathrm{mH}], \Phi = 0.2[\mathrm{Wb}]$ 일때, 전류는

$I = \dfrac{\Phi}{L} = \dfrac{0.2}{20 \times 10^{-3}} = 10[\mathrm{A}]$ 이다.

따라서, 주어진 조건에서 코일에 저축된 자기에너지는

$W_L = \dfrac{1}{2} \times (20 \times 10^{-3}) \times (10)^2 = 1[\mathrm{J}]$ 이다.

003 ★

ANSWER ② 폐곡면을 통해 나오는 자속은 폐곡면 내의 자극의 세기와 같다.

STEP1 맥스웰 방정식(적분형)

① 가우스 법칙(정전계)

$$\oint_S D \cdot dS = \int_v \rho dv$$

② 가우스 법칙(정자계)

$$\oint_S B \cdot dS = 0$$

(폐곡면을 통해 나오는 자속은 0이다.)

③ 페러데이 – 노이만의 전자유도법칙

$$\oint_c E \cdot dl = -\int_S \frac{\partial B}{\partial t} \cdot dS$$

④ 앙페르(암페어)의 주회 적분 법칙

$$\oint_c H \cdot dl = I_c + \int_S \frac{\partial D}{\partial t} \cdot dS$$

(여기서, I_c : 전도전류, $\dfrac{\partial D}{\partial t}$: 변위전류밀도(전속의 시간적 변화율))

004 ★

ANSWER ④ 2

MATH 10단원 비례 반비례 비례식

전위

$V = \dfrac{Q}{4\pi\epsilon_0 r} \propto \dfrac{1}{r}$ 이므로, 다음과 같이 비례식을 세울 수 있다.

$V:\dfrac{1}{2}V = \dfrac{1}{r}:\dfrac{1}{x} \rightarrow x = \dfrac{2r}{V} \times V$

$\therefore x = 2r$

005 ★★★

ANSWER ① $P = \epsilon_0(\epsilon_s - 1)E$ 답을 암기할 것

분극의 세기

분극은 단위체적당 전기쌍극자 모멘트이다.

$P = \dfrac{Q}{S} = \dfrac{M}{V}[\text{C/m}^2]$

분극은 전속밀도와 전계를 이용하여 다음과 같이 표현할 수 있다.

$P = D - D_0 = \epsilon_0(\epsilon_s - 1)E$

$= D\left(1 - \dfrac{1}{\epsilon_s}\right)[\text{C/m}^2]$

여기서, ϵ_0 : 진공에서의 유전율

$(8.855 \times 10^{-12}[\text{F/m}])$

ϵ_S : 비유전율

006 ★★★

ANSWER ② 5

MATH 23단원 유리식

STEP1 쿨롱의 법칙

$F = \dfrac{Q_1 Q_2}{4\pi\epsilon r^2} = \dfrac{Q_1 Q_2}{4\pi(\epsilon_s\epsilon_0)r^2}$

㉠ 진공($\epsilon_s = 1$)

$F = \dfrac{Q_1 Q_2}{4\pi\epsilon_0 r^2} = 15[\text{N}]$

㉡ 유전체($\epsilon_s \neq 1$)를 넣은 경우

$F' = \dfrac{Q_1 Q_2}{4\pi(\epsilon_s\epsilon_0)r^2} = 3[\text{N}]$

STEP2 관계식 정리

$F \times \dfrac{1}{F'} = \dfrac{Q_1 Q_2}{4\pi\epsilon_0 r^2} \times \dfrac{4\pi(\epsilon_s\epsilon_0)r^2}{Q_1 Q_2} = \epsilon_s$

$\therefore \epsilon_s = F \times \dfrac{1}{F'} = 15 \times \dfrac{1}{3} = 5$

비유전율의 단위는 없다.

007 ★★★

ANSWER ① ϵ_S 답을 암기할 것

평행판 콘덴서의 정전용량은 다음과같다.

$C = \dfrac{\epsilon_0\epsilon_s S}{d}[\text{F}]$

진공에서의 비유전율(ϵ_s)은 1이므로, 판 사이에 비유전율 ϵ_s을 삽입하였을 때의 정전용량은 진공일 때 용량의 ϵ_s배이다.

008 ★

ANSWER ② 1

원운동의 주기 $T = \dfrac{2\pi}{\omega}$

여기서, ω는 구심 가속도

구심 가속도 $\omega = \dfrac{v}{r} = \dfrac{eBv}{mv} = \dfrac{eB}{m}[\text{rad/s}]$

따라서, 속도가 2배가 되어도 구심 가속도는 바뀌지 않으므로 주기는 1배, 그대로이다.

009 ★

ANSWER ④ 18, 2

합성 인덕턴스

$L = L_1 + L_2 \pm 2M = L_1 + L_2 \pm 2k\sqrt{L_1 L_2}$

최대값 $L_{\max} = 5 + 5 + 2 \times 0.8 \times \sqrt{5 \times 5}$
$= 18[\text{mH}]$

최소값 $L_{\min} = 5 + 5 - 2 \times 0.8 \times \sqrt{5 \times 5}$
$= 2[\text{mH}]$

010 ★★

ANSWER ② $\frac{1}{r^2}$에 비례한다. 답을 암기할 것

MATH 10단원 비례, 반비례 비례식

STEP1 전기쌍극자

전위

$$V = \frac{M\cos\theta}{4\pi\epsilon r^2}[\text{V}]$$

전계

$$E = \sqrt{E_r^2 + E_\theta^2} = \frac{M}{4\pi\epsilon r^3}\sqrt{1 + 3\cos^2\theta}[\text{V/m}]$$

따라서, $\frac{1}{r^2}$에 비례한다.

011 ★★

ANSWER ② 1.5×10^8

전자파의 전파속도

$$v = \frac{1}{\sqrt{\epsilon\mu}} = \frac{c}{\sqrt{\epsilon_s\mu_s}}[\text{m/s}]$$

여기서, c : 빛의 속도($= 3 \times 10^8$[m/s])

ϵ_s : 비유전율

μ_s : 비투자율

주어진 조건을 대입하면,

$$v = \frac{3 \times 10^8}{\sqrt{4 \times 1}} = 1.5 \times 10^8[\text{m/s}]$$

012 ★

ANSWER ① $\sqrt{\pi f\mu\sigma} + j\sqrt{\pi f\mu\sigma}$

전파정수

전파정수는 전압, 전류가 선로의 끝 송전단에서부터 멀어져감에 따라 그 진폭과 위상이 변해가는 특성과 관계된 상수이다.

$$\gamma = \sqrt{ZY} = \alpha + j\beta$$

여기서, $\alpha = \sqrt{\pi f\mu\sigma}$: 감쇠정수[V/m]

$\beta = \sqrt{\pi f\mu\sigma}$: 위상정수[rad/m]

따라서, $\gamma = \sqrt{\pi f\mu\sigma} + j\sqrt{\pi f\mu\sigma}$

013 ★

ANSWER ② $\frac{\alpha_1 R_1 + \alpha_2 R_2}{R_1 + R_2}$ 답을 암기할 것

온도계수와 저항의관계

- 온도계수 α

  온도 변화에 따른 저항의 변화율(어떤온도에서 1[℃]상승할 때 저항 증가율)

- 저항이 직렬 접속일 때

$$\alpha_1 R_1 + \alpha_2 R_2 \rightarrow \alpha = \frac{\alpha_1 R_1 + \alpha_2 R_2}{R_1 + R_2}$$

014 ★★★

ANSWER ② 400[회]

MATH 23단원 유리식

기자력

$F = NI$ 이므로

$$\therefore N = \frac{F}{I} = \frac{2000}{5} = 400[\text{회}]$$

015 ★★★

ANSWER ④ 톰슨 효과(Thomson effect)

① 펠티에 효과

열전대에 전류를 흐르게 했을 때, 전류에 의해 발생하는 줄열 외에도 열전대의 각 접점에서 발열 혹은 흡열 작용이 일어난 현상

② 볼타 법칙

서로 다른 두 종류의 금속을 접촉시키고 얼마 후에 떼어서 각각 검사하면 양과 음으로 대전되는 현상

③ 제백효과

온도차에 의해 폐회로 상에서 전위차가 발생되는 효과

④ 톰슨 효과

도체인 막대기의 양끝을 다른 온도로 유지하고 전류를 흘릴 때 줄열(Joule's heat) 이외에 발열 또는 흡열(吸熱)이 일어나는 현상

TIP !

제백 효과	펠티에 효과	톰슨 효과
열전현상(열→전기)	전열현상(전기→열)	

016 ★★

ANSWER ② $F=\oint_c (Idl)\times B[\mathrm{N}]$ **답을 암기할 것**

플레밍의 왼손 법칙

자계 내에서 전류 도체가 받는 힘을 표현

- $F=BIl\sin\theta$
- $F=IL\times B$
- $F=\oint_c (Idl)\times B[\mathrm{N}]$

017 ★★

ANSWER ④ $\dfrac{L_1\cdot L_2}{L_1+L_2}$

인덕턴스의 합성

두 코일을 서로 간섭 없이 병렬연결하였으므로, 상호인덕턴스는 없다.

따라서 병렬 가동접속과 병렬 차동접속을 구분할 필요가 없으므로,

$$L=\frac{L_1\cdot L_2}{L_1+L_2}$$

TIP !

병렬 가동접속: $L=\dfrac{L_1L_2-M^2}{L_1+L_2-2M}$

병렬 차동접속: $L=\dfrac{L_1L_2-M^2}{L_1+L_2+2M}$

고난도

018 ★★

ANSWER ③ 38.97

MATH **23단원 유리식**

STEP1 **쿨롱의 힘**

중첩의 원리에 의하여 정점 B에 있는 점전하 Q_B는 점전하 Q_A, Q_C 로부터 각각 쿨롱의 힘을 받게 된다.

① Q_A로 인하여 Q_B가 받는 힘(F_{BA})

$$F_{BA}=\frac{Q_BQ_A}{4\pi\epsilon_0 r^2}=9\times10^9\times\frac{(10^{-4})\times(10^{-4})}{2^2}$$
$$=22.5[\mathrm{N}]$$

② Q_C로 인하여 Q_B가 받는 힘(F_{BC})

$$F_{BC}=\frac{Q_BQ_C}{4\pi\epsilon_0 r^2}=9\times10^9\times\frac{(10^{-4})\times(10^{-4})}{2^2}$$
$$=22.5[\mathrm{N}]$$

STEP2 **힘의 합성**

점전하 Q_A, Q_C 에 의한 힘, F_{BA}와 F_{BC} 의 벡터합을 통하여 점전하 Q_B에 작용하는 알짜힘을 구할 수 있다.

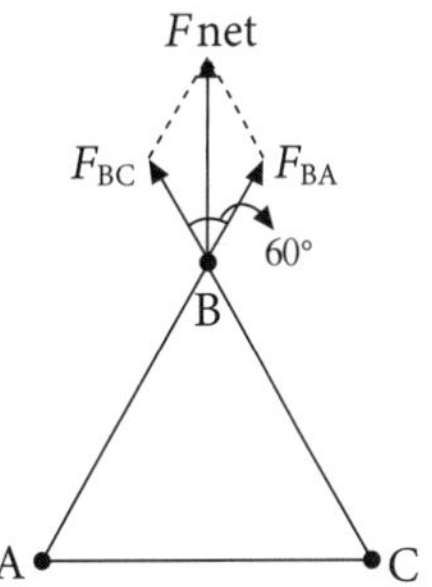

$$F_{net}=F_{BA}\cos\theta+F_{BC}\cos\theta$$
$$=22.5\times\cos30^\circ+22.5\times\cos30^\circ$$
$$=22.5\times\frac{\sqrt{3}}{2}+22.5\times\frac{\sqrt{3}}{2}=38.97[\mathrm{N}]$$

019 ★

ANSWER ② 5.14

MATH 23단원 유리식

STEP1 정전 에너지 (1)

$W_c = \frac{1}{2}CV^2 = \frac{1}{2}QV\left(\because C = \frac{Q}{V}\right)$ 이므로,

두 점전하로부터 저장된 정전에너지는

$$W_c = \frac{1}{2}\left(Q_1 \cdot \frac{Q_2}{4\pi\epsilon_0 r}\right) + \frac{1}{2}\left(\frac{Q_1}{4\pi\epsilon_0 r} \cdot Q_2\right) = \frac{Q_1 Q_2}{4\pi\epsilon_0 r}$$

STEP2 두 점전하 사이의 거리

$r = (\ \ 2,1,5) - (1,3,-1) - (-3,-2,6)$

$= \sqrt{(-3)^2 + (-2)^2 + 6^2} = 7\,[\mathrm{m}]$

STEP3 정전 에너지 (2)

$$\therefore W_c = 9 \times 10^9 \times \frac{(1 \times 10^{-6}) \times (4 \times 10^{-6})}{7} = 0.00514\,[\mathrm{J}] = 5.14\,[\mathrm{mJ}]$$

020 ★★

ANSWER ④ 암페어의 오른나사 법칙

답을 암기할 것

암페어의 오른나사 법칙

- 전류방향 : 오른나사의 진행 방향
- 자계방향 : 오른나사의 회전 방향

TIP !

㉠ 페러데이의 전자유도 법칙
- 유도 기전력의 크기 = 폐회로에 쇄교하는 자속의 시간적 변화

㉡ 렌츠의 법칙
- 유도 기전력의 방향 = 자속 변화를 방해하는 방향

㉢ 플레밍의 법칙
- 왼손 : 자계 내에서 전류 도체가 받는 힘
- 오른손 : 자계 내에서 운동하는 도체에 생성되는 유기 기전력

제2과목 | 전력공학

021 ★★★

ANSWER ④ 인덕턴스는 작고, 정전용량은 크다.

지중선 계통은 가공선 계통에 비해 선간 거리(D)가 짧으므로 인덕턴스는 작고, 정전용량은 크다. 가공선 계통은 지중선 계통에 비해 선간 거리(D)가 훨씬 크므로 인덕턴스(L)는 크고 정전용량(C)은 작다.

022 ★★

ANSWER ② 프란시스수차

동작원리에 의한 분류	수차의 종류	적용낙차
충동형	펠톤 수차	300[m] 이상 고낙차
반동형	프란시스 수차	50~500[m]의 중낙차
	카플란 수차	30[m] 이하 저낙차
	튜블러 수차	20[m] 이하 저낙차

023 ★

ANSWER ② 다회선에서 지락고장 회선의 선택 동작

선택지락계전기(SGR)

병행 2회선 송전선로에서 지락 사고 시 고장회선만을 선택·차단할 수 있게 하는 계전기이다.

024 ★★★

ANSWER ② 충격 방전 개시 전압이 높을 것

피뢰기의 구비조건

① 상용 주파 방전 개시 전압이 높을 것

② 충격 방전 개시 전압이 낮을 것

③ 제한 전압이 낮을 것

④ 속류 차단 능력이 클 것

⑤ 방전 내량이 크며 장시간 사용하여도 열화가 적을 것

025 ★★

ANSWER ② 1

파동 임피던스

$Z = \sqrt{\frac{L}{C}} = 138\log_{10}\frac{D}{r} = 300\,[\Omega]$ 에서

$\log_{10}\frac{D}{r} = \frac{300}{138}$ 이므로

$\therefore L = 0.4605\log_{10}\frac{D}{r} = 0.4605 \times \frac{300}{138}$
$\fallingdotseq 1\,[\mathrm{mH/km}]$

026 ★

ANSWER ② 역률

전력원선도 작성에 필요한 것

㉠ 송,수전단 전압

㉡ 선로정수(선로의 일반회로정수)

㉢ 상차각

027 ★★★

ANSWER ④ 이상 전압의 방지

STEP1 **중성점 접지목적**

㉠ 이상전압의 경감 및 발생 방지

㉡ 전선로 및 기기의 절연레벨 경감(단절연, 저감절연)

㉢ 보호계전기의 신속, 확실한 동작

㉣ 소호리액터 접지계통에서 1선 지락시 아크 소멸 및 안정도 증진

028 ★★★

ANSWER ③ ZCT

STEP1

① CT(Current Transformer, 변류기)
대전류를 소전류로 변환하여 계측기 및 계전기에 전원공급하는 기기

② GPT(Ground Potential Transformer, 접지형 계기용 변압기)
비접지식 방식(△결선)에서 1선 지락사고 시 영상전압을 검출하는 용도로 사용되는 기기

③ ZCT(Zero Current Transformer, 영상 변류기)
접지식(Y결선) 계통에서 지락사고시 각 상의 불평형 전류를 검출(영상전류 검출)하는 용도로 사용되는 기기

④ PT(Potential Transformer, 계기용 변압기)
고전압을 저전압으로 변성하여 계측기 및 계전기에 전원공급하는 기기

029 ★★

ANSWER ① 차단기 동작 책무

STEP1 차단기 표준 동작 책무

차단기가 계통에 사용될 때 차단 – 투입 – 차단의 동작을 반복하게 되는데, 그 동작 시간 간격을 나타낸 일련의 동작 규정이다.

㉠ 일반용(7.2[kV]) :

O – (3분) – CO – (3분) – CO

CO – (15초) – CO

㉡ 고속도재투입용(25.8[kV]) :

O – (0.3초) – CO – (3분) – CO

030 ★★

ANSWER ④ 발전기 정격전압을 높게 한다.

STEP1 발전기 자기여자현상 방지 대책

발전기가 송전선로를 충전하는 경우 자기여자 현상을 방지하기 위해서는 단락비를 크게 하면 된다. 따라서, 선로를 안전하게 충전할 수 있는 단락비의 값은 다음 식을 만족하여야 한다.

단락비 > $\frac{Q'}{Q}\left(\frac{V}{V'}\right)^2(1+\sigma)$

여기서,

Q' : 소요 충전전압 V'에서의 충전용량[kVA]

Q : 발전기의 정격출력[kVA]

V : 발전기의 정격전압[V]

σ : 발전기 정격전압에서의 포화율

따라서, 자기여자현상을 방지하기 위해서는 발전기 정격전압 V를 낮게 하여야 한다.

031 ★

ANSWER ④ 수소 부족 시 공기와 혼합사용이 가능하다.

수소 냉각 방식은 수소의 순도와 압력을 일정하게 유지하기 위한 설비가 필수 이므로 공기와 혼합 사용하지 않는다.

032 ★

ANSWER ② 45

MATH 23단원 유리식

STEP1 선로 손실

$P_l = 3I^2R$[kW]

STEP2 개폐기 동작 전

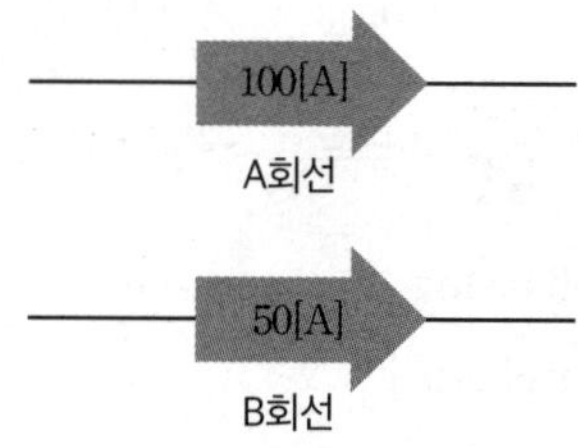

$$P_l = 50 \times 10^3 = 3I_A^2R_A + 3I_B^2R_B$$
$$= 3 \times 100^2 \times R_A + 3 \times 50^2 \times R_B$$

동일 굵기이므로 $R = R_A = R_B$

$50 \times 10^3 = (3 \times 100^2 + 3 \times 50^2) \times R$

$$\therefore R = \frac{50 \times 10^3}{3 \times 100^2 + 3 \times 50^2} \fallingdotseq 1.33[\Omega]$$

STEP3 개폐기 동작 후(병렬 연결)

다음 그림과 같이 두 회선의 전류는 동일하다.
($\because R = R_A = R_B$)

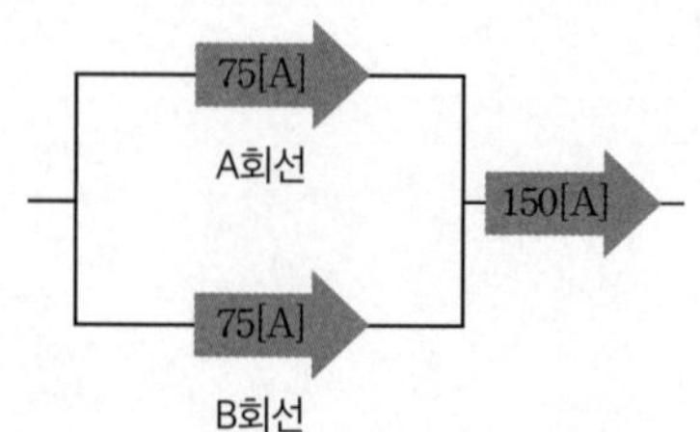

$$
\begin{aligned}
P_l &= 3I_A^2R_A + 3I_B^2R_B \\
&= 3 \times 75^2 \times R_A + 3 \times 75^2 \times R_B \\
&= (3 \times 75^2) \times (R_A + R_B) \\
&= (3 \times 75^2) \times (R + R) \\
&= (3 \times 75^2) \times (2R) = 3 \times 75^2 \times 2 \times R \\
&= 45[\mathrm{kW}]
\end{aligned}
$$

033 ★

ANSWER ② 전류의 제곱에 비례한다.

답을 암기할 것

선로의 전력손실은 전류의 제곱에 비례한다.

TIP !

부하 구분	전력손실	전압강하
말단부하	$I^2 \times (rL)$	$I \times (rL)$
균등부하	$\frac{1}{3}I^2 \times (rL)$	$\frac{1}{2}I \times (rL)$

(여기서, r: 단위 길이당 저항, L: 전선의 길이)

034 ★★

ANSWER ④ 제5고조파 전류의 억제

답을 암기할 것

직렬 리액터는 제5고조파 제거를 목적으로 사용된다.

$$2\pi(5f_0)L = \frac{1}{2\pi(5f_0)C}$$

따라서, $X_L = \frac{1}{25} \times X_C = 0.04X_C$

즉, 제5고조파를 제거하기 위해서는 콘덴서 용량의 4[%]에 해당하는 직렬 리액터를 설치하면 되지만 여유를 고려하여 콘덴서 용량의 5 ~ 6[%]에 해당하는 직렬 리액턴스를 설치한다.

TIP !

제3고조파 제거를 위한 직렬 리액터의 용량

이론상: 11[%], 실제: 12 ~ 13[%]

035 ★★★

ANSWER ④ 비율차동계전기

비율차동계전기

비율차동계전기(또는 전류차동계전기)는 변압기, 발전기 등의 내부단락 및 지락고장을 검출하는 장치이다.

작동원리는 1차전류와 2차전류의 차 전류가 일정 비율 이상으로 되면 동작한다.

036 ★★

ANSWER ③ 지락 전류를 크게 하기 위하여 직접 접지 방식을 채용한다.

안정도 향상 대책

㉠ 계통의 직렬 리액턴스 감소(다회선 방식 채택, 복도체 방식 채택, 기기의 리액턴스 감소)

㉡ 전압 변동률을 적게 한다. (속응여자방식 채용, 계통의 연계, 중간 조상 방식)

㉢ 계통에 주는 충격을 적게 한다.(적당한 중성점 접지방식, 고속 차단 방식, 재폐로 방식)

- 중성점 접지방식을 채용하여 지락전류를 줄인다.

㉣ 고장 중의 발전기 돌입 출력의 불평형을 적게 한다.

037 ★

ANSWER ① 6.6

발전기 정격전압

380, 600, 3.3, 6.6, 11, 13.8, 18, 20, 22[kV] 등

TIP !

6.6[kV]은 2회 출제된 적이 있다.

038 ★★★

ANSWER ① 공기차단기 – ACB 답을 암기할 것

- 공기차단기 - ABB(Air Blast circuit Breaker): 압축공기를 이용하여 소호
- 기중차단기 - ACB(Air Circuit Breaker): 대기중에서 아크를 길게하여 소호실에서 차단

TIP !

- **진공차단기**(Vacuum) – VCB
- **가스**(Gas)**차단기** – GCB
- **자기**(Magnetic)**차단기** – MBB
- **유입**(Oil)**차단기** – OCB

039 ★

ANSWER ① 스케일(scale)

스케일이란 관석이라고도 부르며 보일러의 급수에 포함되어 있는 알루미늄, 나트륨 등의 염류가 굳어서 되는 것이다.

040 ★★

ANSWER ③ 철탑에서 $\frac{1}{3}$ 지점에 있는 것

답을 암기할 것

- 전압 부담 최대 : 전선에 가장 가까운 것
- 전압 부담 최소 : 철탑에서 $\frac{1}{3}$ 지점에 있는 것

제3과목 | 전기기기

041 ★

ANSWER ④ 406[V], 52[A]

MATH **23단원 유리식**

외분권 가동 복권 발전기

- 계자 전류

$$I_f = \frac{V}{R_f} = \frac{400}{200} = 2[A]$$

- 전기자 전류

$I_a = I + I_f = 50 + 2 = 52[A]$

- 유도 기전력

$E = V + I_a(R_a + R_s) = 400 + 52(0.09 + 0.03)$

$= 406.24[V]$

042 ★

ANSWER ② 단자 전압과 계자 전류

- 무부하 포화곡선 : 유기기전력(E) – 계자전류(I_f)와의 관계
- 부하 포화곡선 : 단자전압(V) – 계자전류(I_f)와의 관계

043 ★★★

ANSWER ③ 80

STEP1 **3권선 변압기의 전력**

1차 전력 = 2차 전력 + 3차 전력

1차 전력 = $10{,}000(0.8 + j0.6) - j6000$

$= 8000[kVA]$

STEP2 **1차 전류**

$$I_1 = \frac{P_1}{V_1} = \frac{8000}{100} = 80[A]$$

044 ★★

ANSWER ③ 약 15.72 [kVA]

STEP1 자기용량

자기용량 : 변압기 자신의 용량

자기용량 $= (V_2 - V_1)I_2 = eI_2$

STEP2 대입한다.

자기용량

$$= eI_2 = (3300 - 3000) \times \frac{300 \times 10^3}{\sqrt{3} \times 3300} \times 10^{-3}$$
$$= 15.746 \fallingdotseq 15.75[\text{kVA}]$$

045 ★

ANSWER ③ 전력용 BJT는 전압제어소자로 온 상태를 유지하는데 거의 무시할 만큼의 전류가 필요로 된다.

BJT는 전류구동형이고 MOSFET은 전압구동형이다.

TIP !

MOSFET의 특징

㉠ 게이트에 금속 산화막이 추가된 FET구조이다.
㉡ 도통 상태에서 게이트 신호를 제거하면 도통 상태가 유지되지 않는다.
㉢ N채널과 P채널 구조로 분류된다.(pn접합구조가 아님)
㉣ 스위칭 속도가 매우 빠르다.
㉤ 동작주파수가 가장 빠른 반도체이다.
㉥ 전압구동형이며 다수 캐리어의 이동에 의하여 동작 특성이 결정되는 단극성(unipolar) 소자이다.
㉦ 게이트와 소스간 전압에 의해 도통과 차단 상태가 결정된다.
㉧ 온오프 제어가 가능한 소자이다.
㉨ BJT에 비해서 입력 임피던스 값이 매우 크기 때문에 입력 전류의 크기가 매우 작다.
㉩ BJT에 비해 동작 속도는 느리지만 점유면적이 작아 직접화에 유리하다.(고밀도 직접회로 설계 가능)

046 ★★

ANSWER ① Scott 결선 **답을 암기할 것**

- 3상에서 2상을 얻는 방법 : 스코트(scott) 결선, 메이어(meyer) 결선, 우드 브리지(wood bridge) 결선
- 3상에서 6상을 얻는 방법 : Fork 결선, 환상 결선, 2중 3각 결선

047 ★

ANSWER ① DIAC

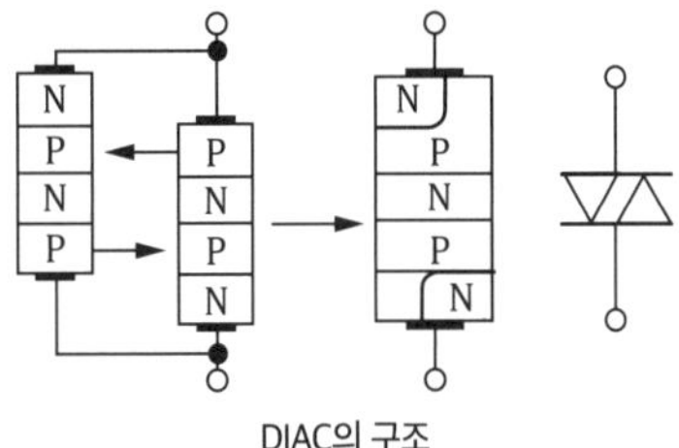

DIAC의 구조

DIAC은 게이트가 없다. 그러므로 게이트에 의한 턴온(turn-on)을 이용하지 않는다.

048 ★★★

ANSWER ③ $\dfrac{1}{6\sin\dfrac{\pi}{18}}$

분포계수 $K_d = \dfrac{\sin\dfrac{\pi}{2m}}{q\sin\dfrac{\pi}{2mq}}$

여기서, m상수

q매극 매상당 슬롯수, $\pi = 180°$

$$\text{분포계수 } K_d = \frac{\sin\frac{\pi}{2m}}{q\sin\frac{\pi}{2mq}} = \frac{\sin\frac{\pi}{6}}{3\sin\frac{\pi}{2\times 9}} = \frac{\frac{1}{2}}{3\sin\frac{\pi}{18}} = \frac{1}{6\sin\frac{\pi}{18}}$$

049 ★★

ANSWER ④ $a = mP$ 답을 암기할 것

전기자 권선법의 중권과 파권

구분	중권(병렬권)	파권(직렬권)
병렬회로 수	$a = P$ or mP	$a = 2$ or $2m$
브러시 수	$B = P$	$B = 2$
용도	저전압, 대전류	고전압, 소전류
균압환 설치	4극 이상	–

다중도 언급이 없으면 $m = 1$

050 ★★

ANSWER ② 5

STEP1 두 대의 변압기에 흐르는 전류

$$Z_1 = 6 + j4 = \sqrt{6^2 + 4^2} = \sqrt{52}$$

$$Z_2 = 4 + j6 = \sqrt{4^2 + 6^2} = \sqrt{52}$$

두 대의 변압기의 누설 임피던스의 크기가 같고 병렬운전하기 때문에 각 회로에 25[A]씩 흐른다.

STEP2 순환전류

$$I_c = \frac{25(6 + j4) - 25(4 + j6)}{(4 + j6) + (6 + j4)}$$

$$= \frac{150 + j100 - 100 - j150}{10 + j10} = \frac{50 - j50}{10 + j10}$$

$$= \frac{-j1000}{200} \quad (\because \text{분모의 유리화})$$

$$= -j5 \rightarrow |-j5| = 5[\text{A}]$$

051 ★★★

ANSWER ① 비율차동계전기 답을 암기할 것

변압기 내부고장 검출용 보호계전기

① 유온계 ② 유면계

③ 방압안전장치 ④ 부흐홀츠계전기

⑤ 비율차동계전기 ⑥ 충격압력계전기

052 ★

ANSWER ④ Y −Y

- △ − △ : 전원측, 부하측 모두 제3고조파 전압이 없다.
- Y − △ : 전원측에 제3고조파 전압이 있으나 부하측에는 △결선이므로 포함되지 않는다.
- △ −Y : 전원측에 제3고조파 전압이 없으므로 부하측이 Y결선이어도 포함되지 않는다.
- Y −Y : 전원측에 포함된 제 3고조파가 그대로 부하측에 유기된다.

053 ★★★

ANSWER ② 인화점이 높을 것

변압기유

㉠ 변압기유의 사용목적 : 절연유지, 냉각작용

㉡ 변압기유가 갖추어야 할 조건

- 절연내력이 높을 것
- 점도가 낮을 것
- 인화점이 높고 응고점이 낮을 것
- 화학작용이 일어나지 않을 것
- 변질하지 말 것
- 비열이 커서 냉각효과가 클 것

054 ★★

ANSWER ④ 단락비가 작은 발전기를 사용한다.

자기 여자 현상(Self excitation)

장거리 고압 송전선을 무부하로 충전하는 동기는 앞선 전류에 의해 전압이 점차 상승되어 정상 전압까지 확립되어 가는 현상을 말한다.

㉠ 발전기 2대 또는 3대를 병렬로 모선에 접속한다.

㉡ 수전단에 동기 조상기를 접속하고 이것을 부족 여자로 운전한다.

㉢ 송전 선로의 수전단에 변압기를 접속한다.

㉣ 수전단에 리액턴스를 병렬로 접속한다.

㉤ 발전기의 단락비를 크게 한다.

055 ★★★

ANSWER ③ 직류용은 없고 교류용만 있다.

서보모터의 특징

㉠ 빈번한 시동, 정지, 역전 등의 가혹한 상태에 견디도록 견고하고 큰 돌입 전류에 견딜 수 있다.

㉡ 토크 맥동(주기적인 변동)이 작고, 안정된 제어가 용이하다.

㉢ 직류 모터 토크 > 교류 모터 토크 → 교류용도 있다.

㉣ 속응성이 좋다. 시정수가 짧다. 기계적 응답이 좋다.

㉤ 제어권선 전압이 0이 되었을 때 신속하게 정지한다.

㉥ 기동 토크가 크나, 회전부의 관성 모멘트가 작다.

056 ★★★

ANSWER ④ 2.5

MATH **10단원 비례, 반비례, 비례식**
23단원 유리식

STEP1 **와류손**

$$P_e = K_e(t \cdot f \cdot K_f \cdot B_m)^2$$
$$= K(f \cdot \frac{V}{f})^2 = KV^2$$

STEP2 와류손은 주파수와 무관하며, 전압의 제곱 비례($P_e \propto V^2$)임을 확인

STEP3 **비례식으로 변압기의 와류손 구하기**

$$P_e' = P_e \times (\frac{V'}{V})^2 = 3 \times (\frac{3000}{3300})^2$$
$$= 2.4793 \fallingdotseq 2.5[\text{kW}]$$

057 ★★

ANSWER ② 191.1

MATH **23단원 유리식**

STEP1 **분권전동기의 발생토크**

$$\tau = 9.55 \times \frac{P}{N} = 9.55 \times \frac{E \cdot I_a}{N}$$

(여기서, P : 기계적 동력, E : 역기전력, I_a : 전기자 전류)

STEP2 **분권전동기의 역기전력**

$$E = V - I_a R_a = 215 - 150 \times 0.1 = 200[\text{V}]$$

STEP3 **대입한다.**

$$\tau = 9.55 \times \frac{E \times I_a}{N} = 9.55 \times \frac{200 \times 150}{1500}$$
$$= 191.1[\text{N} \cdot \text{m}]$$

058 ★★

ANSWER ③ 2500

MATH **23단원 유리식**

STEP1 **병렬운전 시 부하 분담**

$$\frac{P_a}{P_b} = \frac{P_A}{P_B} \times \frac{\%Z_b}{\%Z_a}$$

즉, 분담용량은 정격용량에 비례하고 누설임피던스에 반비례한다.

STEP2 **부하분담을 이용하여 식 세우기**

$P_B = P_A \times \dfrac{\%Z_A}{\%Z_B}$ 이고,

$$P = P_A + P_B = P_A + P_A \times \frac{\%Z_A}{\%Z_B}$$
$$= 1500 + 1500 \times \frac{4}{6} = 2500[\text{kVA}]$$

059 ★

ANSWER ③ 철손 **답을 암기할 것**

무부하손 : 부하량에 관계없이 발생하는 손실

무부하손 종류 : 철손, 유전체손 등

060 ★★★

ANSWER ③ 평균 리액턴스 전압을 브러시 접촉면 전압 강하보다 크게 한다.

STEP1 양호한 정류를 위한 조건

㉠ 리액턴스 전압이 작을 것

㉡ 인덕턴스가 작을 것

㉢ 정류주기가 클 것

㉣ 전압정류 : 보극(리액턴스 전압 보상)

㉤ 저항정류 : 탄소브러시 → 접촉저항이 크다.

제4과목 | 회로이론

061 ★★★

ANSWER ③ 10^{-3}

MATH 43 단원 e 총정리

스위치를 닫았을 때 RL 직렬회로의 과도전류

$$i(t) = \frac{E}{R}\left(1 - e^{-\frac{R}{L}t}\right)$$

시정수 $\tau = \frac{L}{R} = \frac{10 \times 10^{-3}}{10} = 10^{-3}[\text{s}]$

062 ★★★

ANSWER ③ $20\sqrt{3}$

MATH 15단원 절대값, 23단원 유리식

STEP1 △결선 특징

		△결선	Y결선
선간전압 V_l	상전압 V_p	$V_l = V_{p\angle}0°$	$I_l = \sqrt{3}\,V_{p\angle}30°$
선전류 I_l	상전류 I_p	$I_l = \sqrt{3}\,I_{p\angle} - 30°$	$I_l = I_{p\angle}0°$

$\therefore V_l = V_p,\ I_l = \sqrt{3}\,I_p$

STEP2 상전류 계산

$$I_P = \frac{V_P}{Z} = \frac{200}{|6 + j8|} = \frac{200}{\sqrt{6^2 + 8^2}} = 20[\text{A}]$$

$(\because V_l = V_p)$

STEP3 선전류 계산

$$\therefore I_l = \sqrt{3}\,I_p = \sqrt{3} \times 20 = 20\sqrt{3}[\text{A}]$$

063 ★★★

ANSWER ② $\frac{\omega C}{\sqrt{2}}\sqrt{E_1^2 + 9E_3^2}$

MATH 23단원 유리식, 25단원 무리식

STEP1 1고조파에서의 전류를 구한다.

용량리액턴스 $X_1 = \frac{1}{\omega C}$

$$I_1 = \frac{V_1}{X_1} = \frac{E_1}{\frac{1}{\omega C}} = \omega C E_1$$

STEP2 3고조파에서의 전류를 구한다.

용량리액턴스 $X_3 = \frac{1}{3\omega C}$

$$I_3 = \frac{V_3}{X_3} = \frac{E_3}{\frac{1}{3\omega C}} = 3\omega C E_3$$

STEP3 전류의 실효값

$$I = \sqrt{(\frac{I_1}{\sqrt{2}})^2 + (\frac{I_3}{\sqrt{2}})^2}$$

$$= \sqrt{(\frac{\omega C E_1}{\sqrt{2}})^2 + (\frac{3\omega C E_3}{\sqrt{2}})^2}$$

$$= \frac{\omega C}{\sqrt{2}}\sqrt{E_1^2 + 9E_3^2}[\text{A}]$$

064 ★★

ANSWER ② 47[A]

키르히호프의 제1법칙(KCL)

어느 한 점에 유입되는 전류와 유출되는 전류는 같아야 한다.

Σ유입전류 = Σ유출전류

$I_1 + I_2 + I_4 = I_3 + I_5$

$40 + 12 + 10 = 15 + I_5$

$\therefore I_5 = 47$

065 ★★

ANSWER ② $\frac{1}{2R}(V_3^2 - V_1^2 - V_2^2)$ 답을 암기할 것

3전압계법

소비전력 $P = V_1 I\cos\theta$

V_1과 V_2의 벡터합성을 하면 가 V_3된다.

$V_3 = \sqrt{V_1^2 V_2^2 + 2V_1 V_2 \cos\theta}$ 이므로,

$$\cos\theta = \frac{V_3^2 - V_1^2 - V_2^2}{2V_1 V_2}$$

$$P = V_1 I\cos\theta = V_1 \times \frac{V_2}{R} \times \frac{V_3^2 - V_1^2 - V_2^2}{2V_1 V_2}$$

$$\therefore P = \frac{1}{2R}(V_3^2 - V_1^2 - V_2^2)$$

TIP !

문제마다 전압계 순서 또는 위치가 다를 수 있으니 주의한다.

066 ★★

ANSWER ② $R^2 = \frac{4L}{C}$

조건	특성
$R^2 > \frac{4L}{C}$	과제동(비진동)
$R^2 = \frac{4L}{C}$	임계제동(임계진동)
$R^2 < \frac{4L}{C}$	부족제동(진동)

067 ★★★

ANSWER ③ 86.6

2전력계법의 역률

$$\cos\theta = \frac{W_1 + W_2}{2\sqrt{W_1^2 + W_2^2 - W_1 W_2}}$$

(여기서, $\cos\theta$: 역률

W_1, W_2 : 전력계 지시 값)

$$\cos\theta = \frac{200 + 100}{2\sqrt{200^2 + 100^2 - 200 \times 100}}$$

$$\fallingdotseq 0.866 = 86.6[\%]$$

TIP !

$\cos\theta = \frac{W_1 + W_2}{2\sqrt{W_1^2 + W_2^2 - W_1 W_2}}$ 을 암기할 것

068 ★★★

ANSWER ③ $E = 6.25[\text{V}]$, $R = 5[\Omega]$

STEP1 **테브낭 등가회로의 전압 E**

5[V]가 2[Ω]과 3[Ω]과 직렬연결이며 3[Ω]에 걸리는 전압

$$E = \frac{R_2}{R_1 + R_2}E = \frac{5}{3+5} \times 10 = 6.25[\text{V}]$$

STEP2 **테브낭 등가회로의 저항 R**

저항의 합성을 이용

합성저항 $R = 3.125 + (3 \parallel 5)$

$$R = 3.125 + \frac{3 \times 5}{3 + 5} = 5[\Omega]$$

069 ★★

ANSWER ③ $C = \frac{1}{2}$

T형 등가회로

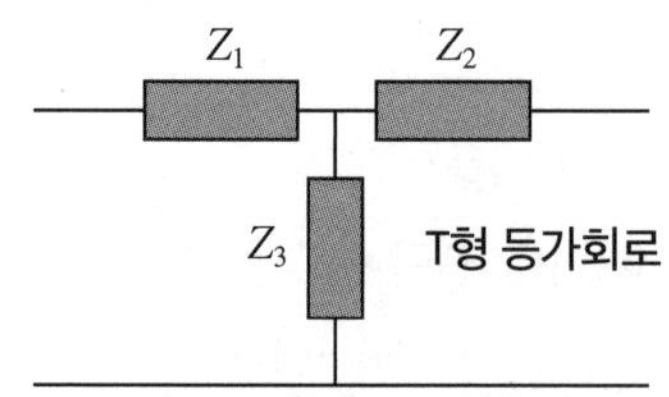

$$\begin{bmatrix} A & B \\ C & D \end{bmatrix} = \begin{bmatrix} 1+\frac{Z_1}{Z_2} & \frac{Z_1Z_2+Z_1Z_3+Z_2Z_3}{Z_3} \\ \frac{1}{Z_3} & 1+\frac{Z_2}{Z_3} \end{bmatrix}$$
$$= \begin{bmatrix} 1+\frac{4}{4} & \frac{4\times4+4\times4+4\times4}{4} \\ \frac{1}{4} & 1+\frac{4}{4} \end{bmatrix}$$
$$= \begin{bmatrix} 2 & 12 \\ \frac{1}{4} & 2 \end{bmatrix}$$
$$\therefore C = \frac{1}{4}$$

070 ★★★

ANSWER ④ $\frac{5}{2}$

최종값정리

$$\lim_{t\to\infty} f(t) = \lim_{s\to 0} sF(s)$$
$$= \lim_{s\to 0} sC(s)$$
$$= \lim_{s\to 0} s \times \frac{5}{s(s^2+s+2)} = \frac{5}{2}$$

TIP !

정상값 : 정상상태($t=\infty$)일 때의 함수 값

071 ★

ANSWER ② 17.3 답을 암기할 것

$$P_{max} = \sqrt{3}P = \sqrt{3}\times 10 = 17.3[\text{kVA}]$$

072 ★★★

ANSWER ④ 0

영상분 전류 $I_0 = \frac{1}{3}(I_a + I_b + I_c)$

비접지는 $I_a + I_b + I_c = 0$이므로

$\therefore I_0 = 0$

073 ★★★

ANSWER ② $[1+2e^{-2t}+3e^{-3t}]u(t)$

MATH 49단원 라플라스 기초

STEP1 시간추이 정리

$$\frac{1}{s} \xrightarrow{\pounds} u(t)$$
$$\frac{1}{s+2} \xrightarrow{\pounds} e^{-2t}u(t)$$
$$\frac{1}{s+3} \xrightarrow{\pounds} e^{-3t}u(t)$$

STEP2 전개

$$\therefore f(t) = u(t) + 2e^{-2t}u(t) + 3e^{-3t}u(t)$$
$$= [1+2e^{-2t}+3e^{-3t}]u(t)$$

TIP !

$f(t)$	$F(s)$	$F(z)$
$u(t)$	$\frac{1}{s}$	$\frac{z}{z-1}$
e^{-at}	$\frac{1}{s+a}$	$\frac{z}{z-e^{-at}}$

074 ★

ANSWER ① 37

MATH 43단원 e 총정리

STEP1 시정수

시정수는 A의 약 37[%]가 되기까지의 시간이다.

지수함수의 지수부의 절대값을 1로 만드는 값으로서 지수부 $-\frac{1}{T}t$ 대신에 -1을 대입하면 다음과 같다.

$f(t) = Ae^{-1} \to e^{-1} = 0.3678794412\cdots ≒ 37[\%]$

TIP !

RL 직렬 회로의 전류

$i(t) = I_0(1 - e^{-1}) \fallingdotseq 0.632I_0$으로

정상값의 63.2[%]에 도달할 때의 시간을 의미한다.

075 ★

ANSWER ② 1200

MATH 15단원 절대값, 27단원 복소수

STEP1 *RLC* 직렬연결

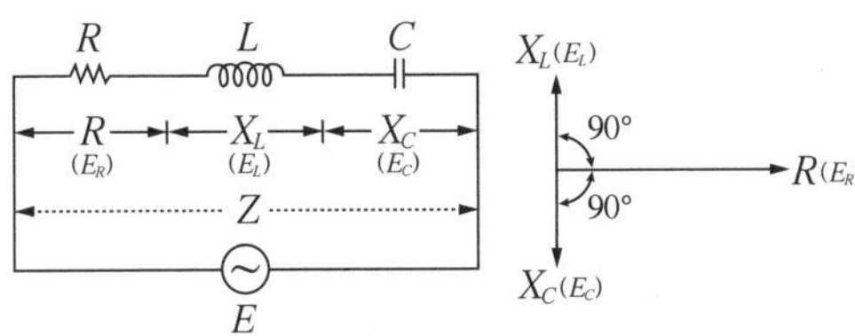

$Z = R + j(X_L - X_C) = 4 + j(4 - 1) = 4 + j3[\Omega]$

리액턴스에 걸리는 전압

$$V = 100 \times \frac{3}{|4 + j3|} = 100 \times \frac{3}{5} = 60[\text{V}]$$

$$Q = \frac{V^2}{X} = \frac{60^2}{3} = 1200[\text{Var}]$$

076 ★

ANSWER ③ $2r$ 답을 암기할 것

STEP1 브리지 평형임을 인지한다.

$R_1R_3 = R_2R_4$으로 브리지회로 평형조건에 만족한다는 것을 인지한다.

STEP2 합성저항 R_{ab}

브리지 평형상태 이므로 중앙에 있는 $2r$ 은 무시할 수 있다.

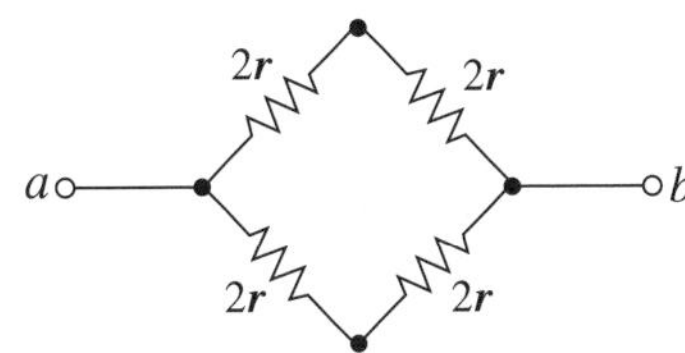

위 회로에 합성저항을 구하면

$$R_{ab} = \frac{4r \times 4r}{4r + 4r} = 2r[\Omega]$$

고난도

077 ★

ANSWER ④ 약 3000

MATH 03단원 등식 방정식

STEP1 회로 및 결선방식 특징

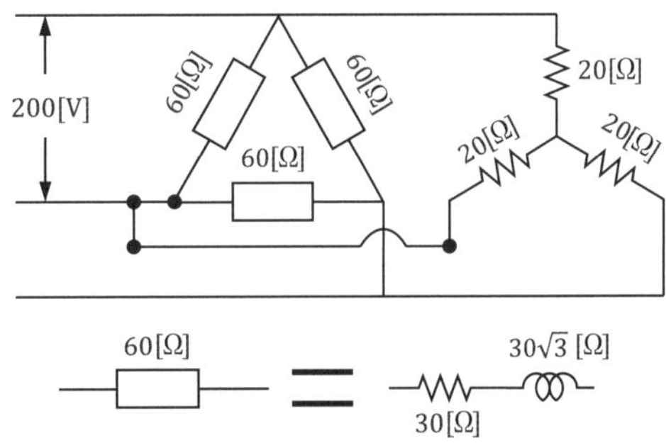

60[Ω] = 30[Ω] + $30\sqrt{3}$ [Ω]

		Δ결선	Y결선
선간전압 V_l	상전압 V_p	$V_l = V_{p\angle}0°$	$I_l = \sqrt{3}\,V_{p\angle}30°$
선전류 I_l	상전류 I_p	$I_l = \sqrt{3}\,I_{p\angle} - 30°$	$I_l = I_{p\angle}0°$

STEP2 소비전력

교류회로의 유효전력 $P = VI\cos\theta$ 에서

㉠ Δ결선

$$P_{\triangle} = 3 \times V_pI_p\cos\theta = 3 \times V_l \times \left(\frac{V_p}{Z}\right) \times \cos\theta$$

$$= 3 \times 200 \times \left(\frac{200}{60}\right) \times 0.5 = 1000[\text{W}]$$

㉡ Y결선

순저항이므로

$$P_Y = 3 \times \frac{V_p^2}{R} = 3 \times \frac{\left(\frac{200}{\sqrt{3}}\right)^2}{20} = 2000[\text{W}]$$

∴ 총 소비전력

$$P = P_{\triangle} + P_Y = 1000 + 2000 = 3000[\text{W}]$$

078 ★★★

ANSWER ① 22.7 **답을 암기할 것**

MATH **28단원 복소수의 연산,**

30단원 직교좌표와 극좌표

STEP1 **대칭좌표법**

대칭 좌표법	
영상분: $V_0 = \frac{1}{3}(V_a + V_b + V_c)$	$V_a = V_0 + V_1 + V_2$
정상분: $V_1 = \frac{1}{3}(V_a + aV_b + a^2 V_c)$	$V_b = V_0 + a^2V_1 + aV_2$
역상분: $V_2 = \frac{1}{3}(V_a + a^2 V_b + aV_c)$	$V_c = V_0 + aV_1 + a^2V_2$

(여기서, $a = 1\angle 120°$,

$a^2 = 1\angle 240° = 1\angle -120°$)

역상분 전압 $V_2 = \frac{1}{3}(V_a + a^2 V_b + aV_c)$

$= \frac{1}{3} \times (80 + 1\angle 240° \times (-40 - j30)$

$+ 1\angle 120° \times (-40 + j30))$

$= 22.7[\mathrm{V}]$

079 ★★

ANSWER ② 3

MATH **23단원 유리식, 25단원 무리식**

STEP1 **제3고조파 전압**

전압 $V_3 = \frac{30\sqrt{2}}{\sqrt{2}} = 30[\mathrm{V}]$

STEP2 **제3고조파 임피던스**

$$Z_3 = \sqrt{R^2 + \left(\frac{1}{3\omega C}\right)^2} = \sqrt{R^2 + \left(\frac{1}{3} \times \frac{1}{\omega C}\right)^2}$$

$$= \sqrt{8^2 + \left(\frac{1}{3} \times 18\right)^2} = \sqrt{8^2 + 6^2} = 10$$

STEP3 **옴의 법칙**

전류 $I_3 = \frac{V_3}{Z_3} = \frac{30}{10} = 3[\mathrm{A}]$

080 ★

ANSWER ① 우함수이다.

푸리에 급수

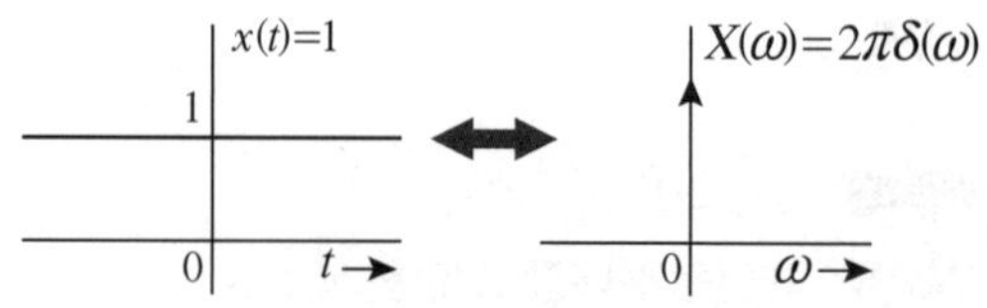

푸리에 급수 직류항(Fourier transform dc signal)은 y축 대칭(우함수)이다.

제5과목 | 전기설비기술기준 및 한국전기설비규정

081 ★

ANSWER ③ 25

전차선로의 충전부와 차량 간의 절연이격 (한국전기설비규정 431.3)

시스템 종류	공칭전압[V]	동적[mm]	정적[mm]
직류	750	25	25
	1,500	100	150
단상교류	25,000	170	270

082 ★★★

ANSWER ③ 원형 철근콘크리트주 : 1038

풍압하중의 종별과 적용(한국전기설비규정 331.6)

<table>
<tr><th colspan="2">풍압을 받는 구분</th><th colspan="2">구성재의 수직투영면적 1[m^2]에 대한 풍압</th></tr>
<tr><td rowspan="8">지지물</td><td>목주</td><td colspan="2">588[Pa]</td></tr>
<tr><td rowspan="4">철주</td><td colspan="2">• 원형 : 588[Pa]</td></tr>
<tr><td colspan="2">• 삼각형 또는 농형 : 1412[Pa]</td></tr>
<tr><td colspan="2">• 강관으로 4각형 : 1117[Pa]</td></tr>
<tr><td colspan="2">• 기타 : 1784[Pa](복재가 전·후면에 겹치는 경우 : 1627[Pa])</td></tr>
<tr><td>철근콘크리트주</td><td>• 원형 : 588[Pa]</td><td>• 기타 : 882[Pa]</td></tr>
<tr><td>철탑</td><td>• 강관 : 1255[Pa]</td><td>기타 : 2157[Pa]</td></tr>
<tr><td colspan="2">전선 기타 가섭선</td><td>• 단도체 : 745[Pa]</td><td>• 다도체 : 666[Pa]</td></tr>
<tr><td colspan="2">애자장치(특고압 전선용)</td><td colspan="2">1039[Pa]</td></tr>
<tr><td colspan="2">완금류</td><td>• 단일재 : 1196[Pa]</td><td>• 기타 : 1627[Pa]</td></tr>
</table>

083 ★★★

ANSWER ② 2.5

사람이 상시 통행하는 터널 안의 배선의 시설
(한국전기설비규정 242.7.1)

애자공사에 의하여 시설하고 또한 이를 노면상 2.5[m] 이상의 높이로 할 것

084 ★★★

ANSWER ④ 3.2

저압 가공전선의 굵기 및 종류
(한국전기설비규정 222.5)

㉠ 저압 가공전선은 나전선, 절연전선, 다심형 전선 또는 케이블을 사용하여야 한다.

㉡ 전선의 굵기

<table>
<tr><th>전압</th><th>조건</th><th>전선의 굵기 및 인장강도</th></tr>
<tr><td rowspan="2">400[V] 이하</td><td>절연전선</td><td>인장강도 2.3[kN]이상의 것 또는 지름 2.6[mm]이상의 경동선</td></tr>
<tr><td>케이블 이외</td><td>인장강도 3.43[kN]이상의 것 또는 지름 3.2[mm]이상의 경동선</td></tr>
<tr><td rowspan="2">400[V] 초과인 저압(케이블 이외)</td><td>시가지에 시설</td><td>인장강도 8.01[kN]이상의 것 또는 지름 5[mm]이상의 경동선</td></tr>
<tr><td>시가지 외에 시설</td><td>인장강도 5.26[kN]이상의 것 또는 지름 4[mm]이상의 경동선</td></tr>
</table>

085 ★

ANSWER ② 4.8

전차선 및 급전선의 높이(한국전기설비규정 431.6)

전차선 및 급전선의 최소 높이는 다음 표의 값 이상을 확보해야 한다.

시스템 종류	공칭전압[V]	동적[m]	정적[m]
직류	750	4.8	4.4
	1500	4.8	4.4
단상 교류	25000	4.8	4.57

086 ★★★

ANSWER ④ 1.8

가공전선로 지지물의 철탑오름 및 전주오름방지 (한국전기설비규정 331.4)

가공전선로 지지물의 철탑오름 및 전주오름 방지 가공전선로의 지지물에 취급자가 오르고 내리는 데 사용하는 발판볼트 등을 1.8[m] 미만에 시설하여서는 아니 된다.

087 ★

ANSWER ② 10

전기욕기 (한국전기설비규정 241.2)

전기욕기에 전기를 공급하기 위한 전기욕기용 전원장치(내장되는 전원 변압기의 2차 측 전로의 사용전압이 10[V] 이하의 것에 한한다)는 안전기준에 적합하여야 한다.

088 ★★

ANSWER ② 6

접지도체(한국전기설비규정 142.3.1)

중성점 접지용 접지도체는 공칭단면적 16[mm^2] 이상의 연동선 또는 동등 이상의 단면적 세기를 가져야 한다. 다만, 다음의 경우에는 공칭단면적 6[mm^2] 이상의 연동선 또는 동등 이상의 단면적 및 강도를 가져야 한다.

(1) 7[kV] 이하의 전로

(2) 사용전압이 25[kV]이하인 특고압 가공전선로. 다만, 중성선 다중접지 방식의 것으로서 전로에 지락이 생겼을 때 2초 이내에 자동적으로 이를 전로로부터 차단하는 장치가 되어 있는 것

089 ★

ANSWER ③ 0.8

전기철도차량의 역률(한국전기설비규정 441.4)

전기철도차량이 전차선로와 접촉한 상태에서 견인력을 끄고 보조전력을 가동한 상태로 정지해 있는 경우, 가공 전차선로의 유효전력이 200[kW] 이상일 경우 총 역률은 0.8보다는 작아서는 안 된다.

090 ★

ANSWER ① 50

두 개 이상의 전선을 병렬로 사용하는 경우 (한국전기설비규정 123)

㉠ 병렬로 사용하는 각 전선의 굵기는 동선 50[mm^2] 이상 또는 알루미늄 70[mm^2] 이상으로 하고, 전선은 같은 도체, 같은 재료, 같은 길이 및 같은 굵기의 것을 사용할 것

㉡ 같은 극의 각 전선은 동일한 터미널 러그에 완전히 접속할 것

㉢ 같은 극인 각 전선의 터미널 러그는 동링한 도체에 2개 이상의 리벳 또는 2개 이상의 나사로 접속할 것

㉣ 병렬로 사용하는 전선에는 각각에 퓨즈를 설치하지 말 것

㉤ 교류회로에서 병렬로 사용하는 전선은 금속관 안에 전자적 불평형이 생기지 않도록 시설할 것

091 ★★

ANSWER ① 2

접지극의 시설 및 접지저항(한국전기설비규정 142.2)

건축물·구조물의 철골 기타의 금속제는 이를 비접지식 고압전로에 시설하는 기계기구의 철대 또는 금속제 외함의 접지공사 또는 비접지식 고압전로와 저압전로를 결합하는 변압기의 저압전로의 접지공사의 접지극으로 사용할 수 있다. 다만, 대지와의 사이에 전기저항 값이 2[Ω] 이하인 값을 유지하는 경우에 한한다.

092 ★

ANSWER ④ 50

계통 연계용 보호장치의 시설
(한국전기설비규정 503.2.4)

단순 병렬운전 분산형전원설비의 경우에는 역전력계전기를 설치한다. 단, 신에너 지 및 재생에너지 개발·이용·보급촉진법 제2조 제1호 및 제2호의 규정에 의한 신·재생에너지를 이용하여 동일 전기사용장소에서 전기를 생산하는 합계 용량이 50[kW] 이하의 소규모 분산형전원(단, 해당 구내계통 내의 전기사용 부하의 수전계 약전력이 분산형전원 용량을 초과하는 경우에 한한다)으로서 제1의“다”에 의한 단독운전 방지기능을 가진 것을 단순 병렬로 연계하는 경우에는 역전력계전기 설치를 생략할 수 있다.

093 ★★★

ANSWER ④ 3

용어 정의(한국전기설비규정 112)

“제2차 접근상태”란 가공 전선이 다른 시설물과 접근하는 경우에 그 가공 전선이 다른 시설물의 위쪽 또는 옆쪽에서 수평 거리로 3[m]미만인 곳에 시설되는 상태를 말한다.

094 ★★★

ANSWER ④ 금속관 공사

폭연성 분진 위험장소(한국전기설비규정 242.2.1)

저압 옥내배선, 저압 관등회로 배선 및 소세력 회로의 전선은 금속관공사 또는 케이블공사(캡타이어케이블을 사용하는 것을 제외한다)에 의할 것

095 ★★★

ANSWER ② 3분

점멸기의 시설(한국전기설비규정 234.6)

다음의 경우에는 센서등(타임스위치 포함)을 시설하여야 한다. 일반주택 및 아파트 각 호실의 현관등은 3분 이내에 소등되는 것

096 ★★★

ANSWER ③ 3.5

고압 가공인입선의 시설
(한국전기설비규정 331.12.1)

고압 가공인입선의 높이는 그 전선의 아래쪽에 위험 표시를 할 경우 지표상 3.5[m]까지로 감할 수 있다.

097 ★★★

ANSWER ② 2

유도장해의 방지(한국전기설비규정 333.2)

사용전압이 60[kV] 이하인 경우에는 전화선로의 길이 12[km] 마다 유도전류가 2[μA]를 넘지 아니하도록 할 것

098 ★★

ANSWER ② 전선은 지름 1.6[mm]의 경동선 또는 이와 동등 이상의 세기 및 굵기일 것

저압 인입선의 시설(한국전기설비규정 221.1.1)

저압 가공인입선은 다음에 따라 시설하여야 한다.

㉠ 전선은 절연전선 또는 케이블일 것

㉡ 전선이 케이블인 경우 이외에는 인장강도 2.30[kN] 이상의 것 또는 지름 2.6[mm] 이상의 인입용 비닐절연전선일 것. 다만, 경간이 15[m] 이하인 경우는 인장강도 1.25[kN] 이상의 것 또는 지름 2[mm] 이상의 인입용 비닐절연전선일 것

㉢ 전선의 높이는 다음에 의할 것

- 철도 또는 궤도를 횡단하는 경우에는 레일면상 6.5[m] 이상
- 횡단보도교의 위에 시설하는 경우에는 노면상 3[m] 이상

099 ★

ANSWER ③ 전선과 옥상전선로를 시설하는 조영재와의 이격거리를 0.5[m]로 한다.

옥상전선로(한국전기설비규정 221.3)

전선과 그 저압 옥상 전선로를 시설하는 조영재와의 이격거리는 2[m] 이상일 것

100 ★★★

ANSWER ④ 단락전류

발전기의 기계적 강도(전기설비기술기준 제23조)

① 발전기·변압기·조상기·계기용변성기·모선 및 이를 지지하는 애자는 단락전류에 의하여 생기는 기계적 충격에 견디는 것이어야 한다.

② 수차 또는 풍차에 접속하는 발전기의 회전하는 부분은 부하를 차단한 경우에 일어나는 속도에 대하여, 증기터빈, 가스터빈 또는 내연기관에 접속하는 발전기의 회전하는 부분은 비상 조속장치 및 그 밖의 비상 정지장치가 동작하여 도달하는 속도에 대하여 견디는 것이어야 한다.

③ 증기터빈에 접속하는 발전기의 진동에 대한 기계적 강도는 제82조 제2항을 준용한다.

TIP !

실기 문제에도 나오는 단답문제

2021년 2회

제1과목 | 전기자기학

001 ★

ANSWER ④ 도체 표면에 수직 방향이다.

답을 암기할 것

STEP1 도체에 전하 분포시 현상

면전하밀도 σ 인 도체표면에서 법선(수직)방향으로 다음과 같이 나간다.

㉠ 전기력선 : $E = \dfrac{\sigma}{\epsilon_0}$

㉡ 전속 : $D = \sigma$

고난도

002 ★

ANSWER ① $\dfrac{1}{3}Q$

MATH 23단원 유리식

STEP1 접촉 전 전하량

$Q = C_0V_0 = (4\pi\epsilon_0 r)V_0$

STEP2 접촉 후 전하량

$Q = (4\pi\epsilon_0 r)V_0 = Q_1 + Q_2 = C_1V_1 + C_2V_2$

$= (4\pi\epsilon_0 r)V_1 + (2\pi\epsilon_0 r)V_2$

접촉 후 도체구의 전위는 동일($V = V_1 = V_2$)하므로

$\therefore\ Q = 6\pi\epsilon_0 rV \rightarrow\ V = \dfrac{2}{3}V_0$

STEP3 전하량 계산

$Q_2 = (2\pi\epsilon_0 r)V = (2\pi\epsilon_0 r) \times \dfrac{2}{3}V_0$

$= \dfrac{1}{3} \times 4\pi\epsilon_0 rV_0 = \dfrac{1}{3}Q[\mathrm{C}]$

003 ★★

ANSWER ④ σ^2에 비례한다.

MATH 01단원 SI 접두어 단위

32단원 파이, 유전율, 투자율

정전응력

$f = \dfrac{1}{2}DE = \dfrac{1}{2}\epsilon E^2 = \dfrac{D^2}{2\epsilon}$

표면전하밀도 σ = 전속밀도 D 이므로

$\therefore f = \dfrac{\sigma^2}{2\epsilon} \rightarrow f \propto \sigma^2$

004 ★★

ANSWER ③ $\nabla \times E = 0$ 답을 암기할 것

STEP1 벡터의 회전

$\mathrm{rot}E = \nabla \times E$

STEP2 비회전성

$\mathrm{rot}E = \nabla \times E = 0$

2021년 2회

005 ★★★

ANSWER ③ 지구의 용량이 커서 전위가 거의 일정하기 때문이다.

STEP1 접지

접지는 누전을 방지하기 위하여 상대적으로 정전용량이 큰 대전체에 연결시키는 것을 일컫는다. 이러한 이유는 정전용량이 큰 대전체로 누설되는 전류를 흘려보내기 위함이다.

STEP2 지구의 전위

전위는 $V = \dfrac{Q}{4\pi\epsilon r}$[V]이므로 도체의 반지름 r 과 반비례관계를 가지고 있다.
지구 반지름은 전하의 관점에서 무한히 크므로, 지구의 전위는 0[V]이다.

STEP3 지구의 정전용량

또한, 정전용량 $C = \dfrac{Q}{V} = 4\pi\epsilon r$ 이므로, 정전용량은 반지름 r 과 비례관계를 가진다. 이는 곧 지구의 정전용량은 무한함을 나타낸다.

STEP4

따라서, 정전용량이 무한에 가까운(전위가 0[V]로 일정한) 대지에 접지하여 누설전류를 제거하기 위하여 접지한다.

006 ★

ANSWER ② $\pi\epsilon a V^2$

STEP1 정전용량

㉠ 도체구 $C = 4\pi\epsilon a$

㉡ 반도체구 $C = 2\pi\epsilon a$

STEP2 정전 에너지

$$W_C = \frac{1}{2}CV^2 = \frac{1}{2} \times (2\pi\epsilon a) \times V^2$$
$$= \pi\epsilon a V^2 [J]$$

007 ★★

ANSWER ② $-\dfrac{a}{r}Q$ 답을 암기할 것

STEP1 영상전하법 - 접지구도체와 점전하

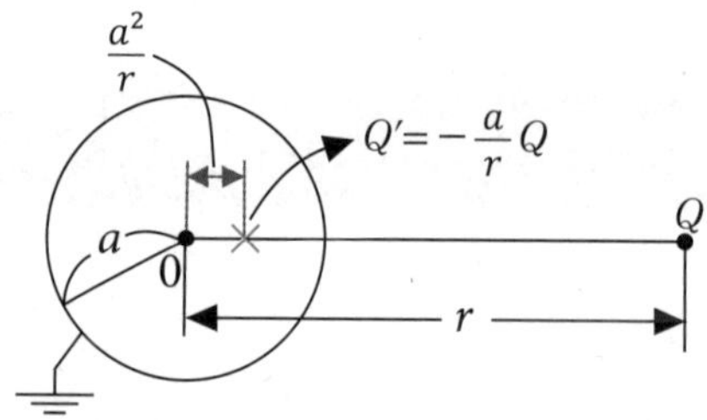

점전하로 인하여 접지구도체에 유도되는 총 전하(영상전하)는 $Q' = -\dfrac{a}{r}Q$[C]

008 ★★

ANSWER ④ 잔류자기는 크고, 보자력은 작아야 한다.

STEP1 자석 재료

- 영구자석 재료 : 잔류 자속밀도(B_r)와 보자력(H_c)이 커야 한다.
- 전자석 재료 : 히스테리시스 곡선 면적과 보자력(H_c)이 작아야 한다.

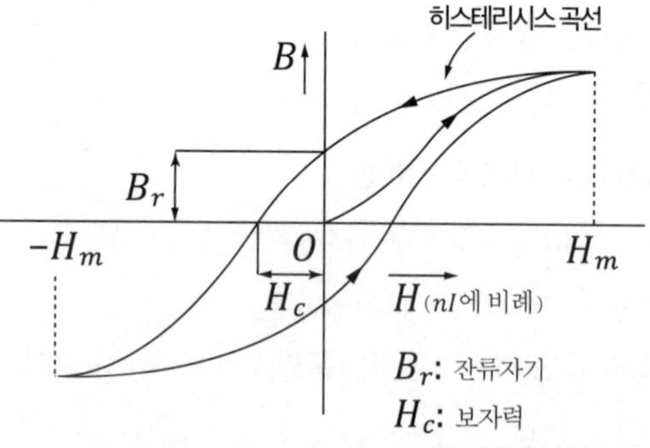

- 잔류 자속밀도(B_r) : 외부에서 가한 자계 세기를 0으로 해도 자성체에 남는 자속밀도 크기
- 보자력(H_c) : 자화된 자성체 내부 B를 0으로 만들기 위해서, 자화와 반대 방향으로 외부에서 가하는 자계의 세기

009 ★★★

ANSWER ① 12.5

MATH 03단원 등식, 방정식

STEP1 인덕턴스의 직렬접속

가동결합 : $L_{가동} = L_1 + L_2 + 2M = 75[\text{mH}]$

차동결합 : $L_{차동} = L_1 + L_2 - 2M = 25[\text{mH}]$

STEP2 식 연립 및 전개

$L_{가동} - L_{차동} = 75 - 25 = 50 = 4M$

$\therefore M = \frac{50}{4} = 12.5[\text{mH}]$

010 ★

ANSWER ① $e \propto Bf$ 답을 암기할 것

MATH 38단원 미분 기초, 39단원 삼각함수, e^x 그리고 지수함수의 미분

STEP1 유기기전력

자속 ϕ의 변화에 의해 발생되는 유기기전력은

$$e_m = -N\frac{d\phi}{dt}[\text{V}]$$

여기서, $\phi(t) = \phi\sin\omega t$

따라서,

$$e_m = -N\frac{d\phi}{dt} = -N \times \frac{d}{dt}(\phi\sin\omega t)$$
$$= -N \times \phi \times \omega\cos wt[\text{V}]$$

STEP2 자속밀도

자속밀도 B는 “단위면적당 해당 면적을 통과하는 자속의 수”이다.

$$B = \frac{\phi}{S}[\text{Wb/m}^2]$$

이를 자속 ϕ에 대한 식으로 표현하면,

$\phi = BS[\text{Wb}]$ 이다.

STEP3 유기기전력에 대입

$e_m = -N \times BS \times \omega \times \cos\omega t[\text{V}]$

각속도는 $\omega = 2\pi f$ 이므로, 이를 대입하여 다시 표현하면 유기기전력은

$e_m = -N \times BS \times 2\pi f \times \cos\omega t[\text{V}]$

따라서, $e_m \propto Bf$ 의 비례관계를 가짐을 알 수 있다.

011 ★

ANSWER ② $\frac{1}{2}\mu_0 H^2$

자계 에너지 밀도

자성체 단위 체적당 저장되는 에너지, 즉 자계 에너지 밀도는

$W_m = \frac{1}{2}BH = \frac{B^2}{2\mu_0} = \frac{1}{2}\mu_0 H^2[\text{J/m}^3]$ 이다.

고난도

012 ★

ANSWER ③ $\frac{11}{6}$

STEP1 평행판 콘덴서의 정전용량

판 사이가 진공(또는 공기)로 채워진 평행판 콘덴서의 정전용량은 다음과 같다.

$$C_0 = \frac{\epsilon_0\epsilon_s S}{d} = \frac{\epsilon_0 S}{d}[\text{F}]$$

여기서, ϵ_s : 비유전율

STEP2 평행판 콘덴서의 직, 병렬연결

㉠ 정전용량 C_A, C_B가 직렬연결 된 경우, 그 합성 정전용량은

$$C_{eq} = C_A \| C_B = \frac{1}{\frac{1}{C_A} + \frac{1}{C_B}} = \frac{C_A C_B}{C_A + C_B}$$

㉡ 정전용량 C_A, C_B가 병렬연결 된 경우, 그 합성 정전용량은

$C_{eq} = C_A + C_B$

STEP3 주어진 조건의 적용

문제의 조건에 따라 콘덴서의 구성을 다음과 같이 직,병렬연결 형태로 나타낼 수 있다.

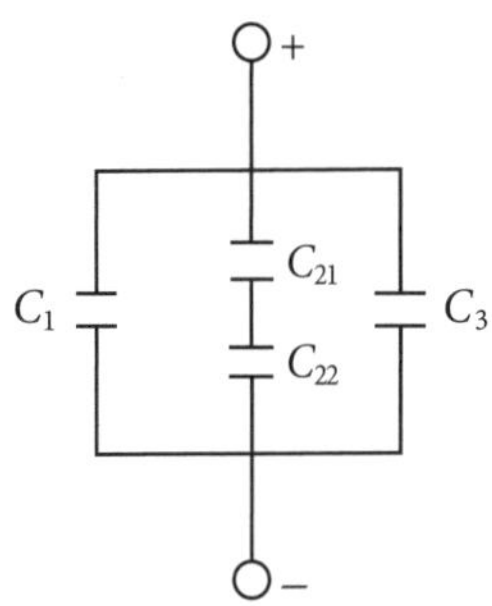

위 **STEP2** 평행판 콘덴서 직·병렬연결을 이용하여 각각의 정전용량 C_1, C_2, C_3는 다음과 같이 구할 수 있다.

$$C_1 = \frac{\epsilon_0 \times 3 \times \left(\frac{1}{3}S\right)}{d} = \frac{\epsilon_0 S}{d} = C_0$$

$$C_2 = \frac{C_{21}C_{22}}{C_{21}+C_{22}} = \frac{\frac{\epsilon_0 \times 1 \times \left(\frac{1}{3}S\right)}{\frac{d}{2}} \times \frac{\epsilon_0 \times 3 \times \left(\frac{1}{3}S\right)}{\frac{d}{2}}}{\frac{\epsilon_0 \times 1 \times \left(\frac{1}{3}S\right)}{\frac{d}{2}} + \frac{\epsilon_0 \times 3 \times \left(\frac{1}{3}S\right)}{\frac{d}{2}}}$$

$$= \frac{\epsilon_0 S}{2d} = \frac{1}{2}C_0$$

$$C_3 = \frac{\epsilon_0 \times 1 \times \left(\frac{1}{3}S\right)}{d} = \frac{\epsilon_0 S}{3d} = \frac{1}{3}C_0$$

마지막으로 C_1, C_2, C_3은 모두 병렬연결이므로,

$$C_1 + C_2 + C_3 = C_0 + \frac{1}{2}C_0 + \frac{1}{3}C_0 = \frac{11}{6}C_0$$

013 ★★

ANSWER ① $\frac{CV}{\rho\epsilon}$ 답을 암기할 것

MATH 1단원 SI 접두어 단위
23단원 유리식

STEP1 저항과 정전용량

저항은 $R = \rho\frac{l}{A}$

정전용량 $C = \epsilon\frac{A}{l}$ 이므로

$\therefore RC = \rho\epsilon \rightarrow R = \frac{\rho\epsilon}{C}$

STEP2 옴의 법칙

$$I = \frac{V}{R} = \frac{V}{\frac{\rho\epsilon}{C}} = \frac{CV}{\rho\epsilon}$$

014 ★

ANSWER ② $\frac{\epsilon_s\epsilon_0 S}{d}$ 답을 암기할 것

MATH 23단원 유리식

STEP1 콘덴서

㉠ 전하량 $Q = \sigma S$

㉡ 전계 $E = \frac{\sigma}{\epsilon} = \frac{\sigma}{\epsilon_s\epsilon_0}$

㉢ 전위 $V = Ed = \frac{\sigma d}{\epsilon_s\epsilon_0}$

(여기서, σ : 단위 면전하밀도)

STEP2 정전용량

$$C = \frac{Q}{V} = \frac{\sigma S}{\frac{\sigma d}{\epsilon_s\epsilon_0}} = \frac{\epsilon_s\epsilon_0 S}{d}$$

015 ★

ANSWER ② 톰슨효과

STEP1 홀효과

- 전류가 흐르고 있는 도체에 전하의 이동방향에 수직한 방향으로 자기장을 가하면 도체 측면에 전위차가 발생하는 현상

STEP2 열전현상

- 톰슨효과 : 같은 도체의 두 점에 온도차를 주고 전류가 흐르면 발열 또는 흡수가 일어나는 현상
- 제백효과 : 두 종류의 금속을 접합한 후 온도차에 의해 폐회로 상에서 전위차가 발생하는 현상(열전대)
- 펠티에효과 : 두 종류의 금속을 접합한 후 동일 온도차에서 전류가 흐르면 발열 또는 흡수가 일어나는 현상

016 ★

ANSWER ① $\gamma = \alpha + j\beta$ 답을 암기할 것

전파정수

전파정수는 전압, 전류가 선로의 끝 송전단에서부터 멀어져감에 따라 그 진폭과 위상이 변해가는 특성과 관계된 상수이다.

$\gamma = \sqrt{ZY} = \alpha + j\beta$

여기서, α : 감쇠정수[V/m]

β : 위상정수[rad/m]

017 ★★

ANSWER ② ㉮ 제곱, ㉯ 세제곱 답을 암기할 것

MATH 10단원 비례 반비례 비례식

STEP1 전기 쌍극자에 의한 전위와 전계

전위 : $V = \dfrac{M}{4\pi\epsilon r^2}\cos\theta[\text{V}] \propto \dfrac{1}{r^2}$

전계 : $E = \dfrac{M}{4\pi\epsilon r^3}\sqrt{1+3\cos^2\theta}[\text{V/m}] \propto \dfrac{1}{r^3}$

STEP2 자기 쌍극자에 의한 자위와 자계

자위 : $U_p = \dfrac{M}{4\pi\mu_0 r^2}\cos\theta[AT] \propto \dfrac{1}{r^2}$

자계 : $H = \dfrac{M}{4\pi\mu_0 r^3}\sqrt{1+3\cos^2\theta}[\text{AT/m}] \propto \dfrac{1}{r^3}$

018 ★★★

ANSWER ② $\dfrac{I}{2a}$ 답을 암기할 것

원형 코일 중심에서의 자계의 세기

$H = \dfrac{NI}{2a} = \dfrac{I}{2a}[\text{AT/m}]$

019 ★★★

ANSWER ③ 히스테리시스손을 적게하기 위하여

규소 강판 : 히스테리시스손 감소 효과

성층 철심 : 와류손 감소 효과

020 ★

ANSWER ① Q 답을 암기할 것

STEP1 전기력선, 전속

전하량 Q에 대하여 다음과 같다.

- 전기력선 수 $N = \dfrac{Q}{\epsilon} = \dfrac{Q}{\epsilon_s \epsilon_0}$: 매질에 영향을 받음
- 전속선 수 $N = Q$: 매질에 영향을 받지 않음

제2과목 | 전력공학

021 ★★

ANSWER ② 고속도 재폐로 방식을 채용한다.

안정도 향상 대책

㉠ 계통의 직렬 리액턴스 감소(다회선 방식 채택, 복도체 방식 채택, 기기의 리액턴스 감소)

㉡ 전압 변동률을 적게 한다.(속응여자방식 채용, 계통의 연계, 중간 조상 방식)

㉢ 계통에 주는 충격을 적게 한다.(적당한 중성점 접지방식, 고속 차단 방식, 재폐로 방식)

- 중성점 접지방식을 채용하여 지락전류를 줄인다.

㉣ 고장 중의 발전기 돌입 출력의 불평형을 적게 한다.

022 ★★★

ANSWER ① 코로나 현상 답을 암기할 것

STEP1 코로나

전선 주위의 공기절연이 국부적으로 파괴되어 낮은소리나 엷은 빛을 내면서 방전하게 되는 현상

STEP2 코로나 현상 영향

㉠ 전선이 부식된다.

㉡ 고조파 발생으로 유도장해가 발생한다.

㉢ 소호리액터 접지계통에서 소호 불능의 원인이 된다.

023 ★★★

ANSWER ② $\frac{V_s V_r}{B}$ 답을 암기할 것

전력 원선도의 반지름 $= \frac{V_s V_r}{B}$

024 ★★★

ANSWER ① 영상 전류가 흘러서 답을 암기할 것

통신선 장해와 원인

- 정전 유도 장해 : 상호 정전용량과 영상전압
- 전자 유도 장해 : 상호 인덕턴스와 영상전류

025 ★

ANSWER ② 송전선에서 댐퍼를 설치하는 이유는 전선의 코로나 방지이다.

전선의 진동방지 대책

- 댐퍼 : 추를 달아 전선의 진동 방지
- 아마로드 : 지지점 부근의 전선을 보강하여 진동 방지

026 ★

ANSWER ② 가공지선 때문에 송전선로의 대지 용량이 감소하므로 대지와의 사이에 방전할 때 유도전압이 특히 커서 차폐 효과가 좋다.

가공지선의 설치 효과

㉠ 직격뢰로부터 선로 및 기기 차폐

㉡ 유도뢰에 의한 정전차폐효과

㉢ 통신선의 전자유도장해를 경감시킬 수 있는 전자차폐효과

가공지선은 송전선로보다 위에 위치하여 송전선로의 대지 용량에 영향을 주지 않는다.

027 ★

ANSWER ① 상용 주파 방전 개시 전압이 낮아야 한다.

STEP1 피뢰기의 구비조건

㉠ 상용주파 허용단자전압(방전개시전압)이 높을 것

㉡ 충격방전 개시전압이 낮을 것

㉢ 제한전압은 낮을 것

㉣ 속류차단능력이 충분할 것방전내량이 클 것

㉤ 방전내량이 클 것

028 ★★

ANSWER ② 가스차단기 – 압축공기

차단기 종류와 소호 매질

- 진공차단기 – 고진공
- 가스차단기 – SF_6 가스
- 기중차단기 – 소호 매질 없음
- 공기차단기 – 압축공기
- 자기차단기 – 전자력
- 유입차단기 – 절연유

029 ★★★

ANSWER ③ 정전 용량이 크다.

STEP1 전력 퓨즈의 특성

㉠ 장점

- 고속도 차단 가능
- 소형으로 큰 차단용량을 갖는다.
- 차단시 소음이 없다.
- 소형, 경량

㉡ 단점

- 재투입이 불가능하다.
- 차단 시 과전압 발생
- 과전류에 의해 용단이 쉽고, 결상이 쉬움
- 동작시간 조정이 불가능

030 ★★★

ANSWER ④ 단락전류의 제한

한류리액터

단락 사고시 단락 전류를 제한하여 기기 및 계통을 보호

031 ★

ANSWER ② 75

MATH 23단원 유리식

STEP1 **배전선로 비교**

방식	전선 중량비	1선당 전력손실
단상 2선식	100[%]	$\frac{1}{2}VI\cos\theta$
단상 3선식	$\frac{3}{8}=37.5[\%]$	$\frac{2}{3}VI\cos\theta$
3상 3선식	$\frac{3}{4}=75[\%]$	$\frac{\sqrt{3}}{3}VI\cos\theta$
3상 4선식	$\frac{1}{3}≒33.33[\%]$	$\frac{\sqrt{3}}{4}VI\cos\theta$

STEP2 **계산**

$$\frac{3상\ 4선식}{3상\ 3선식}=\frac{\frac{\sqrt{3}}{4}VI\cos\theta}{\frac{\sqrt{3}}{3}VI\cos\theta}=\frac{3}{4}=0.75$$

∴ 3상 3선식을 $1\times100=100$이라 하면

3상 4선식은 $0.75\times100=75$

032 ★★

ANSWER ② 단락방지

오프셋(Off-set)

전선의 도약에 의한 혼촉(단락)을 방지하여 사고 예방

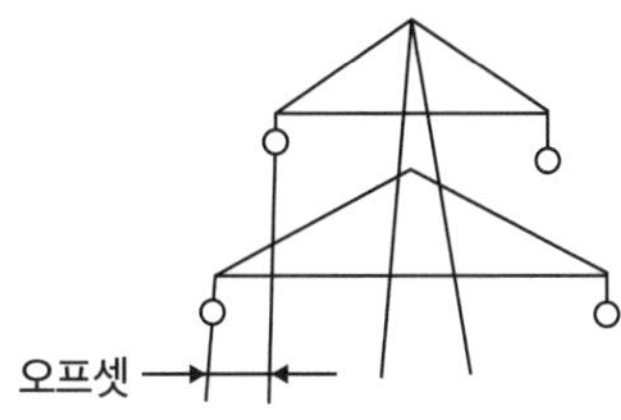

033 ★

ANSWER ④ 만조로 되는 동안 바닷물을 받아들여 발전한다.

STEP1 **조력발전**

㉠ 간만의 차가 큰 해안에 설치한다.

㉡ 완만한 해안선에는 설치하기 곤란하다.

㉢ 만조(밀물)시에 저수하고 간조(썰물)시에 발전한다.

034 ★★

ANSWER ④ 31,500

MATH 01단원 SI 접두어 단위

23단원 유리식

STEP1 **수력 발전 출력**

$P=9.8QH\eta$

(여기서, P : 정격출력 [kW],

Q : 사용수량 [m³/s]

H : 평균유효낙차 [m]

$\eta=\eta_t\eta_g$, η_t : 수차 효율,

η_g : 발전기 효율)

$$\therefore\ Q=\frac{P}{9.8H\eta_t\eta_g}\times3600[m^3/h]$$

($\because$ 1[m³/h] = 3600[m³/h])

STEP2 **계산**

$$Q=\frac{P}{9.8H\eta_t\eta_g}\times3600$$
$$=\frac{2000}{9.8\times30\times0.95\times0.82}\times3600$$
$$≒31,437[m^3/h]$$

따라서, 가장 근접한 31,500[m³]을 선택

> TIP !
> 출력 P의 단위가 [kW]임에 주의할 것

035 ★★

ANSWER ④ 약 173.2[kVA]

V결선

V결선 시 변압기 용량 $P_V = \sqrt{3} \times 1$대 용량 $= \sqrt{3}P_1 = \dfrac{P_\triangle}{\sqrt{3}}$

따라서, $\dfrac{P_\triangle}{P_V} = \dfrac{3P_1}{\sqrt{3}P_1} = \sqrt{3}$ 이므로 △결선 시 배전 가능한 변압기 용량은

$100 \times \sqrt{3} = 173.2[\text{kVA}]$이다.

036 ★★★

ANSWER ② $\dfrac{1}{3}$

집중 부하와 분포 부하

구분	전력 손실	전압 강하
말단에 집중부하	P	V
균등 분포 부하	$\dfrac{1}{3}P$	$\dfrac{1}{2}V$

037 ★★

ANSWER ① 65

MATH **1단원 SI접두어 단위**

STEP1 **수용률**

임의의 기간 중 수용가의 최대수요전력과 사용전기설비의 정격용량의 합계와의 비를 수용률이라 한다.

$$\text{수용률} = \frac{\text{최대수용전력}[\text{kW}]}{\text{수용(부하)설비용량}[\text{kW}]} \times 100[\%]$$

$$= \frac{910}{250+800+200+150} \times 100$$

$$= \frac{910}{1400} \times 100 = 65[\%]$$

038 ★★★

ANSWER ④ $P(\tan\theta_1 - \tan\theta_2)$ **답을 암기할 것**

STEP1 **전력용 콘덴서의 용량 산정**

전력용 콘덴서 설치하기 전, 후에 대한 전력 변화를 도식화 하면 다음과 같다.

개선전 (전력용 콘덴서 설치 전)	개선후 (전력용 콘덴서 설치후)

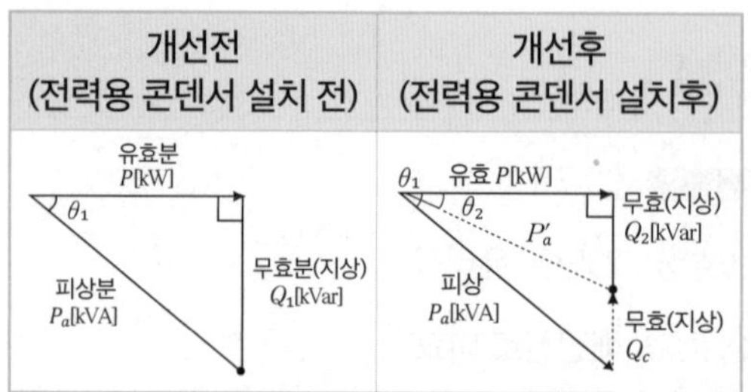

지상무효전력을 감소시키기 위해 공급되는 진상무효전력은 다음과 같다.

$Q_C = Q_1 - Q_2 = P[\text{kW}] \times (\tan\theta_1 - \tan\theta_2)$

여기서, $Q_1[\text{kVA}]$: 개선전 지상무효분

$Q_2[\text{kVA}]$: 개선후 지상무효분

039 ★★★

ANSWER ③ 0.9755

STEP1 **작용정전용량**

- 단상 1회선 : $C = C_s + 2C_m$
- 3상 1회선 : $C = C_s + 3C_m$

STEP2 **계산**

$C = C_s + 3C_m = 0.6044 + 3 \times 0.1237$

$= 0.9755[\mu\text{F}]$

040 ★

ANSWER ④ 부하가 밀집된 시가지

저압 뱅킹 방식

부하 밀집도가 높은 지역의 배전선에 2대 이상의 변압기를 저압측에 접속하여 공급하는 배전방식으로 다음과 같은 특징이 있다.

㉠ 전압동요(flicker)현상이 감소된다.

㉡ 부하 증가에 대해 많은 변압기 전력을 공급할 수 있으므로 탄력성이 있다.

㉢ 캐스케이딩 현상에 의한 정전범위 증가 우려가 있다.

→ 해결책 : 구분퓨즈

TIP !

캐스케이딩 현상

저압 뱅킹 배전방식으로 운전 중 건전한 변압기 일부에 고장이 발생하면 그 부하가 다른 건전한 변압기에 걸려 고장이 확대되는 현상

제3과목 | 전기기기

041 ★★★

ANSWER ① 10

STEP1 정류자 편간전압

$$e_{sa}=\frac{pE}{K}=\frac{6\times 220}{132}=10[\text{V}]$$

(여기서, e_{sa} : 정류자 편간 전압

E : 유기기전력

K : 정류자 편수

P : 극수)

042 ★★

ANSWER ② $s'=2-s$ 답을 암기할 것

STEP1 단상 유도 전동기의 회전

단상 유도 전동기는 기동시 이론적으로 기동토크가 존재하지 않음을 다음과 같은 이론으로 설명한다.

㉠ 2회전자계 이론(2전동기설)

㉡ 직교자계이론

STEP2 2전동기설

㉠ 1차 권선에는 회전하지 않는 교번자계(맥동자계)가 있다.

㉡ ㉠의 자계를 둘로 나누어 정방향(시계) 회전자계와 역방향(반시계) 회전자계가 있다 가정한다.

㉢ ㉡의 각 슬립은 다음과 같다.

- 정방향(Front) 슬립 $s_f=s$
- 역방향(Back) 슬립 $s_b=2-s$

㉣ ㉢의 토크곡선을 다음과 같이 나타낸다.

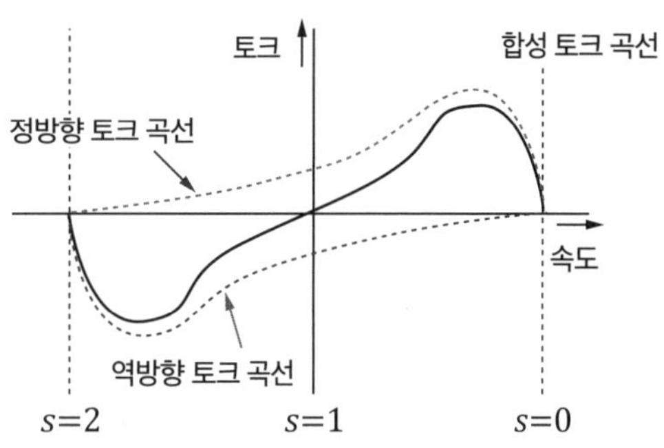

㉤ ㉣에 따라 기동($s=1$)시에 합성토크가 0이고, 외부에서 인위적으로 힘을 가하여야 회전자계가 생겨 기동을 할 수 있다.

2021년 2회

043 ★★★

ANSWER ③ 500

MATH 23단원 유리식

STEP1 전기자 결선법

파권이므로 내부 회로수 $a=2$

STEP2 토크

$$\tau=\frac{pZ}{2\pi a}\phi I_a=\frac{4\times100}{2\pi\times2}\times3.14\times5 \fallingdotseq 500[\text{N}\cdot\text{m}]$$

044 ★★★

ANSWER ② 평균 리액턴스 전압을 크게 한다.

STEP1 양호한 정류를 위한 조건

㉠ 리액턴스 전압이 작을 것

㉡ 인덕턴스가 작을 것

㉢ 정류주기가 클 것

㉣ 전압정류 : 보극(리액턴스 전압 보상)

㉤ 저항정류 : 탄소브러시

045 ★★

ANSWER ④ $\dfrac{1}{6\sin\frac{\pi}{18}}$

STEP1 분포권의 계수

$$k_d=\frac{\sin\frac{\pi}{2m}}{q\sin\frac{\pi}{2mq}}$$

STEP2 대입한다.

$$k_d=\frac{\sin\frac{\pi}{2m}}{q\sin\frac{\pi}{2mq}}=\frac{\sin\frac{\pi}{2\times3}}{3\times\sin\frac{\pi}{2\times3\times3}}=\frac{1}{6\sin\frac{\pi}{18}}$$

고난도

046 ★★

ANSWER ② 542

MATH 23단원 유리식, 25단원 무리식

STEP1 부하 전류 구하기

역률 $\cos\theta=0.85$이므로

$$I_T=|I_T|(\cos\theta+j\sin\theta)=1200\times(0.85+j\sqrt{1^2-0.85^2})\fallingdotseq1020+j632[\text{A}]$$

STEP2 발전기 A의 유효전류와 역률

㉠ 각 발전기의 유효전류 $I_A'=I_B'$이므로

$$I_A'=\frac{1020}{2}=510[\text{A}]$$

㉡ $|I_A|=678[\text{A}]$이므로

발전기 A의 역률

$$\cos\theta_A=\frac{I_A'}{|I_A|}=\frac{510}{678}\fallingdotseq0.75$$

$$\therefore I_A=510+j\left(678\times\sqrt{1^2-0.75^2}\right)[\text{A}]\fallingdotseq510+j448[\text{A}]$$

STEP3 발전기 B의 전류

키르히호프 제1법칙(KCL)에 따라

$I_T=I_A+I_B$이므로

$$I_B=I_T-I_A=(1020+j632)-(510+j448)=510+j184[\text{A}]$$

∴ 발전기 B의 전류의 크기

$$|I_B|=\sqrt{510^2+184^2}\fallingdotseq542[\text{A}]$$

047 ★★★

ANSWER ② $\dfrac{EV}{x_s}\sin\delta$ 답을 암기할 것

STEP1 비돌극형 동기 발전기

- 단상 : $P_1 = \dfrac{EV}{x_s}\sin\delta$
- 3상 : $P_3 = 3\dfrac{EV}{x_s}\sin\delta$

048 ★★

ANSWER ② 리액터로 작용

STEP1 동기조상기

동기전동기를 무부하 상태로 운전하고 여자전류의 가감을 통해 전기자 반작용 현상을 이용하여 전력 계통의 전압조정 및 역률 개선에 사용하는 기기이다.

STEP2 동기조상기의 특징

㉠ 동기전동기의 위상특성곡선(V곡선)을 이용하는 설비이다.

㉡ 여자전류를 변화시켜 진상 또는 지상 전류를 공급함으로써 무효전력 조정장치로 사용한다.

㉢ 부족여자운전 → 리액터 작용

㉣ 과여자운전 → 콘덴서 작용

049 ★★

ANSWER ③ 반환 부하법

변압기의 온도 시험

㉠ 실 부하법(Actual loading method)

가장 정확한 방법이나 변압기 용량이 크면 시험 설비의 용량도 커야 하므로 소용량 외에는 사용을 하지 않는다.

㉡ 모의 부하법(Simulated loading method)

- 등가 부하법(Equivalent loading method) - 단락 시험법이라고도 하며 단락시험과 비슷하나 전손실(부하손+무부하손)에 해당하는 전류(정격전류 이상)를 흘러 시험. 간단한 방법이지만 철손이 발생하지 않아 정확성은 다소 낮다.
- 반환 부하법(Loading back method) - 동일한 용량의 변압기 2대를 병렬로 연결하고 그 중 1대에 철손과 동손을 공급하여 측정. 실 부하에 가까운 시험법으로 실질적으로 가장 정확한 측정법이다.

반환 부하법은 변압기가 2대 이상 필요하며, 1차측 정격전압(고전압) 인가로 인한 센서의 절연이나 전압 유도에 대한 문제가 있으므로 간단한 실험(공장, 실험실)에서는 등가 부하법(단락 시험법)을 많이 실시한다.

050 ★

ANSWER ③ 수전점의 전압을 조정하기 위하여

주상 변압기의 고압측 탭의 용도

㉠ 주상 변압기의 고압측 탭을 조정하여 2차측(저압측)의 전압을 조정한다.

㉡ 전압 조정 이유는 2차측의 부하가 많아지거나 적어짐에 따라 전압변동이 생기기 때문이다.

㉢ 탭의 변경 및 조정을 통해 권수비가 바뀌게 되고, 그에 따라 2차측 전압이 커지거나 작아진다.

051 ★★★

ANSWER ④ 3.4

STEP1 전압 변동률

$$\epsilon = \begin{cases} p\cos\theta + q\sin\theta & \text{지상} \\ p\cos\theta - q\sin\theta & \text{진상} \end{cases}$$

$\therefore \epsilon = p\cos\theta + q\sin\theta = 2 \times 0.8 + 3 \times 0.6$

$= 3.4[\%]$

052 ★

ANSWER ① 12.99

MATH 23단원 유리식

STEP1 권수비

㉠ 주좌 변압기 $a = \dfrac{n_1}{n_2}$

㉡ T좌 변압기 $a_T = \dfrac{\frac{\sqrt{3}}{2}n_1}{n_2} = \dfrac{\sqrt{3}}{2}a$

$\therefore a_T = \dfrac{\sqrt{3}}{2} \times \dfrac{3300}{220} \fallingdotseq 12.99$

053 ★

ANSWER ③ 2차 여자제어법, 2차 저항제어법

유도전동기 속도제어방식

㉠ 농형 유도 전동기

- 주파수 변환법
- 극수 변환법
- 전압 제어법

㉡ 권선형 유도전동기

- 2차 저항법
- 2차 여자법

054 ★

ANSWER ③ $\dfrac{K_{W1}N_1}{sK_{W2}N_2}$ 답을 암기할 것

STEP1 유도 전동기 운전 시 유도 기전력

슬립 s로 운전시 다음과 같다.

1차 $E_1 = 4.44K_{W1}N_1\phi f$

2차 $E_2' = sE_2 = s \times (4.44K_{W2}N_2\phi f)$

STEP2 전압비 계산

$$\frac{E_1}{E_2'} = \frac{4.44K_{W1}N_1\phi f}{s4.44K_{W2}N_2\phi f} = \frac{K_{W1}N_1}{sK_{W2}N_2} = \frac{a}{s}$$

(여기서, a : 1차와 2차의 권수비)

055 ★

ANSWER ② 턴오프 시간이 SCR보다 짧으며 급격한 전압변동에 강하다.

TRIAC(TRIelectrode AC switch)

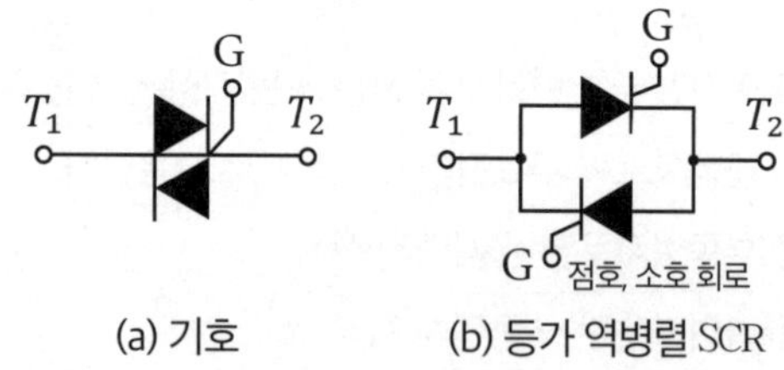

(a) 기호 (b) 등가 역병렬 SCR

㉠ 쌍방향 3단자 사이리스터 이다.

㉡ 모터같은 부하의 개폐시 급격한 전압 변동이 생겨 오동작 위험이 있다.(스내버 회로를 구성하여 오동작 방지)

㉢ SCR 2개를 역병렬 접속한 것과 같다.

㉣ 게이트에 전류를 흘리면 어느 방향이든 전압이 높은 쪽에서 낮은 쪽으로 도통한다.

056 ★★★

ANSWER ① 628

MATH 23단원 유리식

STEP1 단상 반파 정류

직류전압 $E_d = \frac{\sqrt{2}}{\pi}E = 200[\mathrm{V}]$

$\therefore E = \frac{\pi}{\sqrt{2}}E_d = \frac{\pi}{\sqrt{2}} \times 200 = 100\sqrt{2}\pi[\mathrm{V}]$

STEP2 PIV 구하기

$$\mathrm{PIV} = \sqrt{2}E = \sqrt{2} \times 100\sqrt{2}\pi = 200\pi \fallingdotseq 628[\mathrm{V}]$$

057 ★

ANSWER ① 20

STEP1 무효횡류(무효 순환 전류)

$$I_c = \frac{\text{전압차}}{2Z_s} = \frac{200}{2 \times 5} = 20[\mathrm{A}]$$

058 ★★

ANSWER ③ 1.15

MATH 23단원 유리식

STEP1 기계적 출력을 위한 운전시 등가회로 2차 저항 환산

$r_2 = 0.04[\Omega]$

$r_2{}' = a^2\beta r_2 = 2^2 \times 1 \times 0.04 = 0.16[\Omega]$

STEP2 부하저항의 1차 환산값

$$R' = \frac{1-s}{s}r_2{}' = \frac{1-0.04}{0.04} \times 0.16 = 3.84[\Omega]$$

STEP3 기계적 출력 구하기

$$P(\text{기계적 출력}) = 3(I_1{}')^2R' = 3 \times 10^2 \times 3.84 = 1{,}152[\mathrm{W}] = 1.152[\mathrm{kW}]$$

059 ★★

ANSWER ② 변하지 않는다.

STEP1 전원극성을 반대로 할 경우 회전방향

㉠ 타여자 : 반대로 회전

㉡ 자여자(직권, 분권) : 변하지 않는다.

060 ★★★

ANSWER ② 슬립 측정

STEP1 원선도를 그리기 위한 시험

- 저항측정
- 무부하(개방) 시험(no load test) : 철손, 여자전류
- 구속(단락) 시험 : 동손, 임피던스 전압, 단락전류

STEP2 원선도에서 구할 수 없는 것

- 기계적 출력 • 기계손

STEP3 원선도에서 구할 수 있는 것

- 1차 입력 • 2차 입력 (동기와트) • 철손
- 1차 동손 • 2차 동손

슬립 $s = \frac{\text{2차 동손}}{\text{2차 입력}}$ 이므로 작성시 필요로 하지 않는다.

제4과목 | 회로이론

061 ★

ANSWER ① $\frac{V^2R}{R^2+X^2}$ 답을 암기할 것

STEP1 전력특징

- 유효전력 = 소비전력
- 무효전력 = 축적전력

STEP2 유효전력

$$P = I^2R = \left(\frac{V}{Z}\right)^2R = \left(\frac{V}{\sqrt{R^2+X^2}}\right)^2R = \frac{V^2R}{R^2+X^2}$$

062 ★

ANSWER ③ $\frac{1}{240}$

MATH 15단원 절대값, 22 삼각함수 특수공식

STEP1 위상차→시간

위상차 $\theta = \omega t$ 에서 시간 $t = \frac{\theta}{\omega}$

STEP2 삼각함수 변환

위상을 비교하기 위해 e_2의 함수를 sin형태로 변경한다.

$$e_2(t) = 150\cos(120\pi t - 30°)$$
$$= 150\sin(120\pi t - 30° + 90°)$$
$$\left(\because \sin\left(\theta + \frac{\pi}{2}\right) = \cos\theta\right)$$
$$= 150\sin(120\pi t + 60°)$$

STEP3 위상비교

e_1, e_2의 위상차 $\theta = |\theta_1 - \theta_2|$ ($\because$ 크기만 계산)

$$= |-30° - 60°|$$
$$= 90°$$

각 주파수 $\omega = 120\pi$이므로

$$\therefore t = \frac{\theta}{\omega} = \frac{90°}{120\pi} = \frac{\frac{\pi}{2}}{120\pi} = \frac{1}{240}$$

063 ★★

ANSWER ① 11.2

MATH 25단원 무리식

비정현파의 실효값

$$I = \sqrt{I_0^2 + I_1^2 + I_2^2 + \cdots + I_n^2}$$
$$= \sqrt{I_0^2 + I_1^2} = \sqrt{5^2 + \left(\frac{14.1}{\sqrt{2}}\right)^2}$$
$$\fallingdotseq 11.2[\text{A}]$$

064 ★★

ANSWER ③ 1.06

MATH 23단원 유리식

STEP1 용량성 리액턴스

$X_c = \frac{1}{\omega C} = \frac{1}{2\pi f \times C}$ 이므로

$$f = \frac{1}{2\pi C X_C} = \frac{1}{2\pi \times (3 \times 10^{-6}) \times 50}$$
$$\fallingdotseq 1.06 \times 10^3[\text{Hz}]$$
$$\therefore 1.06 \times 10^3[\text{Hz}] = 1.06[\text{kHz}]$$

TIP !

- 유도성 리액턴스 $X_L = \omega L = 2\pi f L$
- 용량성 리액턴스 $X_c = \frac{1}{\omega C} = \frac{1}{2\pi f \times C}$

065 ★★★

ANSWER ① 짧아진다.

시정수란 과도현상에서 전류가 흐르기 시작하고 정상상태의 값의 63.2[%]에 도달하기까지 걸리는 시간을 말한다.

즉, 시정수가 작을수록 도달시간이 짧아진다(과도현상이 짧게 지속된다).

066 ★★★

ANSWER ③ 346.4

MATH 15단원 절대값

STEP1 Y결선 특징

3상	Y결선	△결선
전압	$V_l = \sqrt{3}\, V_{p\angle} 30°$	$V_l = V_{p\angle} 0°$
전류	$I_l = I_{p\angle} 0°$	$I_l = \sqrt{3}\, I_{p\angle} - 30°$

$\therefore$ 부하의 선간전압 $V_l = \sqrt{3}\, V_p$

STEP2 상전압 계산

Y결선 임피던스의 크기

$|Z_Y| = \sqrt{16^2 + 12^2} = 20[\Omega]$

$\therefore$ 상전압 $V_p = I_p \times Z_Y = 10 \times 20 = 200[V]$

STEP3 선간전압 계산

$\therefore \ V_l = \sqrt{3}\,V_p = \sqrt{3} \times 200 \fallingdotseq 346.4[V]$

067 ★★★

ANSWER ② 2

MATH 중첩의 정리

STEP1 전압원 계산(전류원 개방)

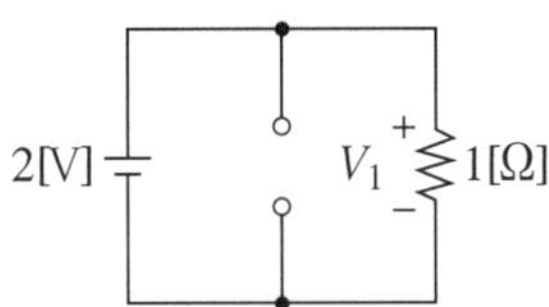

$V_1 = 2[V]$

STEP2 전류원 계산(전압원 단락)

저항이 없는 쪽으로만 전류가 흐른다. 즉, 저항에는 전류가 흐르지 않으므로 $V_2 = 0[V]$

STEP3

$\therefore V_R = V_1 + V_2 = 2 + 0 = 2[V]$

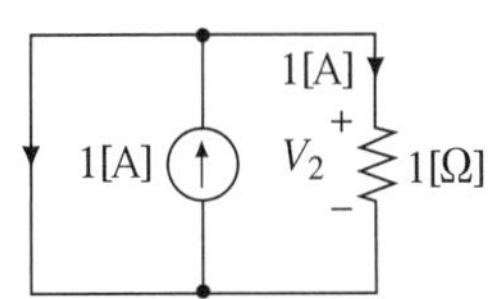

068 ★

ANSWER ① 노튼의 정리 **답을 암기할 것**

등가회로 해석법

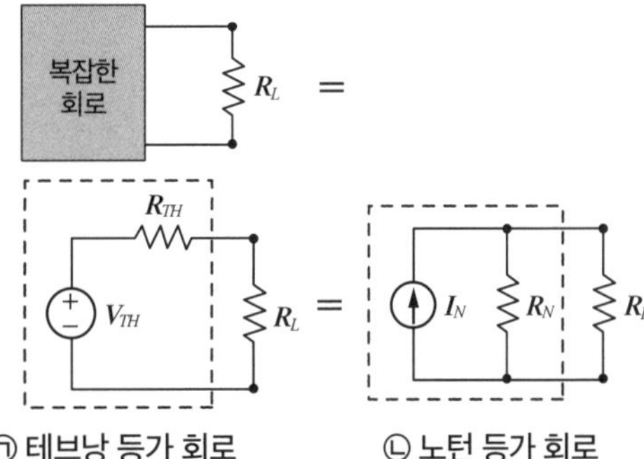

㉠ 테브낭 등가 회로 ㉡ 노턴 등가 회로

노튼의 정리는 1개의 등가 전류원과 병렬연결된 등가 전류원으로 해석하는 방법으로 테브낭의 정리와 쌍대 관계에 있다.

069 ★★★

ANSWER ③ C

4단자 기본 방정식

$$\begin{bmatrix} V_s \\ I_s \end{bmatrix} = \begin{bmatrix} A & B \\ C & D \end{bmatrix} \begin{bmatrix} V_r \\ I_r \end{bmatrix}$$

A : 개방 전압이득, B : 단락임피던스

C : 개방 어드미턴스, D : 단락 전류이득

2021년 2회

070 ★

ANSWER ② 240

STEP1 6상 성형 결선

대칭 6상 성형결선에서 상전압과 선간전압의 크기는 같다.

$$V_l = 2\sin\frac{\pi}{6}V_{p\angle}\frac{\pi}{2}\left(1-\frac{2}{6}\right) = V_{p\angle}60°$$

TIP !

n상	성형(Star)	환형
전압	$V_l=2\sin\frac{\pi}{n}V_{p\angle}\frac{\pi}{2}\left(1-\frac{2}{n}\right)$	$V_l=V_{p\angle}0°$
전류	$I_l=I_{p\angle}0°$	$I_l=2\sin\frac{\pi}{n}I_{p\angle}-\frac{\pi}{2}\left(1-\frac{2}{n}\right)$

3상	Y결선	△결선
전압	$V_l=\sqrt{3}V_{p\angle}30°$	$V_l=V_{p\angle}0°$
전류	$I_l=I_{p\angle}0°$	$I_l=\sqrt{3}I_{p\angle}-30°$

071 ★

ANSWER ① $\frac{1}{2}VI$

STEP1 비정현파의 유효전력(=평균전력)

비정현파의 유효전력은 주파수가 같아야지만 전력이 존재한다.

$$P = V_0I_0 + \sum_{n=1}^{\infty}V_nI_n\cos\theta$$
$$= V_0I_0 + V_1I_1\cos\theta_1 + V_2I_2\cos\theta_2 + \cdots$$

즉, 기본파 전력만 존재하므로

$\therefore P = V_1I_1\cos\theta_1$[W]

STEP2 유효전력 계산

기본파 전압, 전류의 실효값 $V_1 = \frac{V}{\sqrt{2}}$[V],

$I_1 = \frac{I}{\sqrt{2}}$[A]이고 위상차 $\theta_1 = 0°$이므로

$$\therefore P = V_1I_1\cos\theta_1 = \frac{V}{\sqrt{2}}\times\frac{I}{\sqrt{2}}\times\cos 0° = \frac{VI}{2}\text{[W]}$$

TIP !

비정현파의 전력

- 유효전력 $P = V_0I_0 + \sum_{n=1}^{\infty}V_nI_n\cos\theta_n$
- 무효전력 $Q = \sum_{n=1}^{\infty}V_nI_n\sin\theta_n$
- 피상전력
  $P_a = VI = \sqrt{V_0^2+V_1^2+V_2^2+\cdots}\times\sqrt{I_0^2+I_1^2+I_2^2+\cdots}$

072 ★★

ANSWER ③ 푸리에 분석

① 키르히호프의 법칙 : 균일한 전류가 흐르는 저항, 전지가 직·병렬로 연결된 회로에서 각 저항에 흐르는 전류를 구하는 규칙을 말한다.

② 뉴턴의 법칙 : 전기회로에서 두 개의 단자를 지닌 전압원, 전류원, 저항의 어떠한 조합이라도 이상적인 전류원와 병렬저항로 변환

③ 푸리에 분석 : 비정현파를 직류분 + 고조파 + 기본파의 정현파들의 합으로 표시하는 분석법이다.

④ 테일러의 분석 : 한없이 미분가능한 초월함수와 분수함수를 무한급수로 나타내는 분석법이다.

073 ★★★

ANSWER ① $10\sin\omega t$

MATH 22단원 삼각함수 특수공식,
30단원 직교좌표와 극좌표

STEP1 정현파의 합성(Phaser)

영상분: $I_0 = \frac{1}{3}(I_a + I_b + I_c)$ [A]에서

각 상의 실효값 $I_a = \frac{30}{\sqrt{2}}\angle 0° = \frac{30}{\sqrt{2}}$,

$I_b = \frac{30}{\sqrt{2}}\angle -90° = -j\frac{30}{\sqrt{2}}$,

$I_c = \frac{30}{\sqrt{2}}\angle 90° = j\frac{30}{\sqrt{2}}$ 이다.

$$\begin{aligned} \therefore I_0 &= \frac{1}{3}(I_a + I_b + I_c) \quad \text{이고} \\ &= \frac{1}{3}\left\{\frac{30}{\sqrt{2}} + \left(-j\frac{30}{\sqrt{2}}\right) + \left(j\frac{30}{\sqrt{2}}\right)\right\} \\ &= \frac{10}{\sqrt{2}} = \frac{10}{\sqrt{2}}\angle 0° \text{ [A]} \end{aligned}$$

다시 정현파로 바꾸면 $i_0 = 10\sin\omega t$[A]

074 ★

ANSWER ② 600

MATH 232단원 유리식, 33단원 행렬 기초

STEP1 4단자 정수

$$\begin{bmatrix} A & B \\ C & D \end{bmatrix} = \begin{bmatrix} 1 & 300 \\ 0 & 1 \end{bmatrix}\begin{bmatrix} 1 & 0 \\ \frac{1}{450} & 1 \end{bmatrix}\begin{bmatrix} 1 & 300 \\ 0 & 1 \end{bmatrix} = \begin{bmatrix} \frac{5}{3} & 800 \\ \frac{1}{450} & \frac{5}{3} \end{bmatrix}$$

STEP2 영상임피던스

$$Z_{01} = \sqrt{\frac{AB}{CD}} = \sqrt{\frac{\frac{5}{3} \times 800}{\frac{1}{450} \times \frac{5}{3}}} = 600\,[\Omega]$$

075 ★★★

ANSWER ② $\frac{E}{R}\left(1 - e^{-\frac{R}{L}t}\right)$ 답을 암기할 것

직류전원 인가 시 직렬회로의 과도전류 $i(t)$

㉠ RL 직렬회로

$$i(t) = \frac{E}{R}\left(1 - e^{-\frac{R}{L}t}\right)\text{[A]}$$

㉡ RC 직렬회로

$$i(t) = \frac{E}{R}e^{-\frac{1}{RC}t}\text{ [A]}$$

076 ★★★

ANSWER ② $1 - e^{-t}$

MATH 24단원 헤비사이드 부분분수
49단원 라플라스 기초

STEP1 헤비사이드 부분분수

$$F(s) = \frac{1}{s(s+1)} = \frac{A}{s} + \frac{B}{s+1}$$

㉠ $A = \left.\frac{1}{s+1}\right|_{s=0} = 1$

㉡ $B = \left.\frac{1}{s}\right|_{s+1=0} = -1$

$\therefore F(s) = \frac{1}{s} + \frac{-1}{s+1}$

STEP2 역라플라스 변환

$$\frac{1}{s} + \frac{-1}{s+1} \xrightarrow{\pounds^{-1}} 1 + (-e^{-t})$$

$\therefore f(t) = 1 - e^{-t}$

2021년 2회

077 ★★★

ANSWER ② $R < 2\sqrt{\frac{L}{C}}$

STEP1 RLC 회로의 과도현상

$R^2 - 4\frac{L}{C}$ 의 부호에 따라 진동의 상태가 결정되며 다음 표와 같다.

조건	특성
$R^2 - 4\frac{L}{C} > 0$	과제동(비진동)
$R^2 - 4\frac{L}{C} = 0$	임계제동(임계진동)
$R^2 - 4\frac{L}{C} < 0$	부족제동(진동)

$\therefore R^2 - 4\frac{L}{C} < 0 \rightarrow R - 2\sqrt{\frac{L}{C}} < 0$

$\rightarrow R < 2\sqrt{\frac{L}{C}}$

078 ★★

ANSWER ④ 3200

MATH 23단원 유리식

STEP1 Y결선 특징

3상	Y결선	△결선
전압	$V_l = \sqrt{3}\, V_{p\angle}30°$	$V_l = V_{p\angle}0°$
전류	$I_l = I_{p\angle}0°$	$I_l = \sqrt{3}\, I_{p\angle} - 30°$

전류상전압 $V_p = \frac{V_l}{\sqrt{3}} = \frac{200}{\sqrt{3}}[\mathrm{V}]$이므로

$\therefore$ 상전류 $I_p = \frac{V_p}{Z} = \frac{\frac{200}{\sqrt{3}}}{10} = \frac{20}{\sqrt{3}}[\mathrm{A}]$

STEP2 3상전력

무효전력

$$P_r = 3I_p^2X = 3 \times \left(\frac{20}{\sqrt{3}}\right)^2 \times 8 = 3200[\mathrm{Var}]$$

079 ★

ANSWER ② 이 법칙은 선형소자로만 이루어진 회로에 적용된다.

키르히호프의 전류법칙은 선형/비선형, 시변/시불변에 관계없이 항상 성립한다.

080 ★★

ANSWER ④ 12.7

MATH 15단원 절대값

STEP1 △결선 특징

부하의 선간전압 $V_l = V_p$

부하의 선전류 $I_l = \sqrt{3}\, I_p$

$\therefore V_p = V_l = 220[\mathrm{V}]$,

$I_p = \frac{I_l}{\sqrt{3}} = \frac{30}{\sqrt{3}} = 10\sqrt{3}[\mathrm{A}]$

STEP2 옴의 법칙

$$\therefore Z_\triangle = \frac{V_p}{I_p} = \frac{220}{10\sqrt{3}} \fallingdotseq 12.7[\Omega]$$

081 ★★★

ANSWER ① DC 60[V]

전기부식방지 시설(한국전기설비규정 241.16)

㉠ 전기부식방지용 전원장치에 전기를 공급하는 전로의 사용 전압은 저압이어야 한다.
㉡ 전기부식방지용 변압기는 절연 변압기일 것
㉢ 전기부식방지 회로(전기부식방지용 전원장치로부터 양극 및 피방식체까지의 전로를 말한다.)의 사용전압은 직류 60[V] 이하일 것
㉣ 지중에 매설하는 양극의 매설 깊이는 0.75[m] 이상일 것
㉤ 수중에 시설하는 양극과 그 주위1[m] 이내의 거리에 있는 임의점과의 사이의 전위차는 10[V]를 넘지 아니할 것
㉥ 지표 또는 수중에서 1[m] 간격의 임의의 2점간의 전위차가 5[V]를 넘지 아니할 것

082 ★★

ANSWER ① 접속부분의 전기저항은 20[%] 증가시키도록 할 것

전선의 접속(한국전기설비규정 123)

㉠ 접속부분의 전기저항을 증가시키지 말 것
㉡ 전선의 인장하중을 20[%] 이상 감소시키지 말 것
㉢ 코드 상호, 캡타이어케이블 상호, 케이블 상호 또는 이들을 상호 접속하는 경우에는 코드 접속기·접속함·기타의 기구를 사용할 것
㉣ 도체에 알루미늄을 사용하는 전선과 동을 사용하는 전선을 접속하는 등 전기화학적 성질이 다른 도체를 접속하는 경우에는 접속부분에 전기적 부식이 생기지 아니하도록 할 것
㉤ 절연물과 동등 이상의 절연효력이 있는 것으로 충분히 절연할 것

083 ★★

ANSWER ① 6

접지도체(한국전기설비규정 142.3.1)

중성점 접지용 접지도체는 공칭단면적 16[mm^2] 이상의 연동선 또는 동등 이상의 단면적 및 세기를 가져야 한다. 다만, 다음의 경우에는 공칭단면적 6[mm^2] 이상의 연동선 또는 동등 이상의 단면적 및 강도를 가져야 한다.

(1) 7[kV] 이하의 전로
(2) 사용전압이 25[kV] 이하인 특고압 가공전선로. 다만, 중성선 다중접지 방식의 것으로서 전로에 지락이 생겼을 때 2초 이내에 자동적으로 이를 전로로부터 차단하는 장치가 되어 있는 것

084 ★★★

ANSWER ④ 660

회전기 및 정류기의 절연내력 (한국전기설비규정 133)

종류			시험전압	시험방법
회전기	발전기 전동기 조상기 기타회전기	최대사용전압 7[kV] 이하	최대사용전압의 1.5배의 전압 (500[V] 미만으로 되는 경우에는 500[V])	권선과 대지 사이에 연속하여 10분간 가한다.
		최대사용전압 7[kV] 초과	최대사용전압의 1.25배의 전압 (10.5[kV] 미만으로 되는 경우에는 10.5[kV])	
	회전변류기		직류측의 최대사용전압의 1배의 교류전압 (500[V] 미만으로 되는 경우에는 500[V])	

따라서, 시험전압 $= 440 \times 1.5 = 660$[V]

085 ★★

ANSWER ④ 인장강도 1.25[kN] 이상의 것 또는 지름 2[mm] 이상의 인입용 비닐절연전선일 것

저압 인입선의 시설(한국전기설비규정 221.1.1)

전선이 케이블인 경우 이외에는 인장강도 2.30[kN] 이상의 것 또는 지름 2.6[mm] 이상의 인입용 비닐 절연전선일 것(다만, 경간이 15[m] 이하인 경우는 인장강도 1.25[kN] 이상의 것 또는 지름 2[mm] 이상의 인입용 비닐절연전선일 것)

086 ★

ANSWER ③ 4[mm]

교통신호등(한국전기설비규정 234.15)

조가용선은 인장강도 3.7[kN] 이상의 금속선 또는 지름 4[mm] 이상의 아연도철선을 2가닥 이상 꼰 금속선을 사용할 것

087 ★

ANSWER ② 10

전기욕기(한국전기설비규정 241.2)

전기욕기에 전기를 공급하기 위한 전기욕기용 전원장치(내장되는 전원 변압기의 2차 측 전로의 사용전압이 10[V] 이하의 것에 한한다)는 안전기준에 적합하여야 한다.

088 ★★

ANSWER ③ 6

접지도체(한국전기설비규정 142.3.1)

큰 고장전류가 접지도체를 통하여 흐르지 않을 경우 접지도체의 최소 단면적은 다음과 같다.

㉠ 구리 6[mm^2] 이상

㉡ 철제 50[mm^2] 이상

089 ★★

ANSWER ③ 단면적이 0.75[mm^2] 이상인 코드 또는 캡티이어 케이블

저압 옥내배선의 사용전선
(한국전기설비규정 231.3.1)

진열장 또는 이와 유사한 것의 내부배선의 사용 전압이 400[V] 이하인 저압 옥내배선은 단면적 0.75[mm^2] 이상인 코드 또는 캡타이어케이블을 사용한다.

090 ★★★

ANSWER ④ 600

고압 가공전선로 경간의 제한
(한국전기설비규정 222.8)

고압 가공전선로의 경간은 표에서 정한 값 이하이어야 한다.

지지물의 종류	경간
목주·A종 철주 또는 A종 철근 콘크리트주	150[m]
B종 철주 또는 B종 철근 콘크리트주	250[m]
철탑	600[m]

091 ★★

ANSWER ① 5.0

특고압 가공전선의 높이(한국전기설비규정 333.7)

<table>
<tr><th>전압의 범위</th><th>일반 장소</th><th>도로 횡단</th><th>철도 또는 궤도횡단</th><th>횡단보도교</th></tr>
<tr><td>35[kV] 이하</td><td>5[m]</td><td>6[m]</td><td>6.5[m]</td><td>4[m](특고압절연전선 또는 케이블 사용)</td></tr>
<tr><td rowspan="2">35[kV] 초과 60[kV] 이하</td><td>6[m]</td><td>6[m]</td><td>6.5[m]</td><td>5[m](케이블 사용)</td></tr>
<tr><td colspan="4">산지 등에서 사람이 쉽게 들어갈 수 없는 장소 : 5[m] 이상</td></tr>
<tr><td rowspan="3">60[kV] 초과</td><td>일반 장소</td><td colspan="3">가공전선의 높이
=6+단수×0.12[m]</td></tr>
<tr><td>철도 또는 궤도 횡단</td><td colspan="3">가공전선의 높이
=6.5+단수×0.12[m]</td></tr>
<tr><td>산지</td><td colspan="3">가공전선의 높이
=5+단수×0.12[m]</td></tr>
</table>

092 ★★

ANSWER ② 0.8

고압 가공전선과 안테나의 접근 또는 교차가공전선과 안테나 사이의 이격거리 (한국전기설비규정 332.14)

<table>
<tr><th colspan="2">사용 전압 부분 공작물의 종류</th><th>저압</th><th>고압</th></tr>
<tr><td rowspan="3">안테나</td><td>일반적인 경우</td><td>0.6[m]</td><td>0.8[m]</td></tr>
<tr><td>전선이 고압절연전선</td><td>0.3[m]</td><td>0.8[m]</td></tr>
<tr><td>전선이 케이블인 경우</td><td>0.3[m]</td><td>0.4[m]</td></tr>
</table>

093 ★

ANSWER ③ 6[mm^2]

고압 옥내배선 등의 시설 (한국전기설비규정 342.1)

애자사용배선에 의한 고압 옥내배선은 다음에 의하고, 또한 사람이 접촉할 우려가 없도록 시설할 것

- 전선은 공칭단면적 6[mm^2] 이상의 연동선 또는 이와 동등 이상의 세기 및 굵기의 고압 절연전선이나 특고압 절연전선 또는 인하용 고압 절연전선일 것

094 ★

ANSWER ③ 빙설이 적은 지방에서는 고온 계절에는 갑종 풍압하중, 저온 계절에는 을종 풍압하중을 적용한다.

풍압하중의 종별과 적용(한국전기설비규정 331.6)

제1의 풍압하중의 적용은 다음에 따른다.

㉠ 빙설이 많은 지방 이외의 지방에서는 고온계절에는 갑종 풍압하중, 저온계절에는 병종 풍압하중

㉡ 빙설이 많은 지방에서는 고온계절에는 갑종 풍압하중, 저온계절에는 을종 풍압 하중

㉢ 빙설이 많은 지방 중 해안지방 기타 저온계절에 최대풍압이 생기는 지방에서는 고온계절에는 갑종 풍압하중, 저온계절에는 갑종 풍압하중과 을종 풍압하중 중 큰 것

095 ★★★

ANSWER ② 1.0

지중전선로의 시설(한국전기설비규정 334.1)

지중 전선로를 시설(직접매설식, 관로식)하는 경우 매설 깊이

① 차량 기타 중량물의 압력을 받을 우려가 있는 장소 : 1.0[m] 이상

② 기타 장소 : 0.6[m] 이상

096 ★★★

ANSWER ① 저압 전선은 직경 2.0[mm]의 경동선이나 동등 이상의 세기 및 굵기의 절연전선을 사용하였다.

STEP 1

터널 안 전선로의 시설 (한국전기설비규정 335.1)

전압	전선의 굵기	사용공사의 종류	노면상 (레일면 상) 높이
저압	2.6[mm] 이상 경동선 (인장강도 2.30[kN])	• 합성수지관공사 • 금속관공사 • 금속제가요전선관공사 • 케이블공사 • 애자공사	2.5[m] 이상
고압	4.0[mm] 이상 경동선 (인장강도 5.26[kN])	• 케이블공사 • 애자공사	3[m]이상
특고압		• 케이블공사	

097 ★

ANSWER ④ 60

특고압 옥내 전기설비의 시설

(한국전기설비규정 342.4)

특고압 옥내배선은 다음에 따르고 또한 위험의 우려가 없도록 시설하여야 한다.

㉠ 사용전압은 100[kV] 이하일 것. 다만, 케이블트레이 배선에 의하여 시설하는 경우에는 35[kV] 이하일 것

㉡ 전선은 케이블일 것

㉢ 특고압 옥내배선과 저압 옥내전선, 관등회로의 배선 또는 고압 옥내전선 사이 : 0.6[m] 이상

098 ★★★

ANSWER ① 10

전로의 절연저항 및 절연내력

(한국전기설비규정 132.2)

직류식 전기철도용 전차선로의 절연부분과 대지 사이의 절연저항은 사용전압에 대한 누설전류가 궤도의 연장 1[km]마다 가공 직류 전차선(강체조가식을 제외한다)은 10[mA], 기타의 전차선은 100[mA]를 넘지 아니하도록 유지하여야 한다.

099 ★

ANSWER ② 통합 운전 상태

상태계통 연계용 보호장치의 시설

(한국전기설비규정 503.2.4)

계통 연계하는 분산형전원설비를 설치하는 경우 다음에 해당하는 이상 또는 고장 발생 시 자동적으로 분산형전원설비를 전력계통으로부터 분리하기 위한 장치 시설 및 해당 계통과의 보호협조를 실시하여야 한다.

㉠ 분산형전원설비의 이상 또는 고장

㉡ 연계한 전력계통의 이상 또는 고장

㉢ 단독운전 상태

100 ★★

ANSWER ③ 배류 선륜

전력선 반송 통신용 결합장치의 보안장치

(한국전기설비규정 362.11)

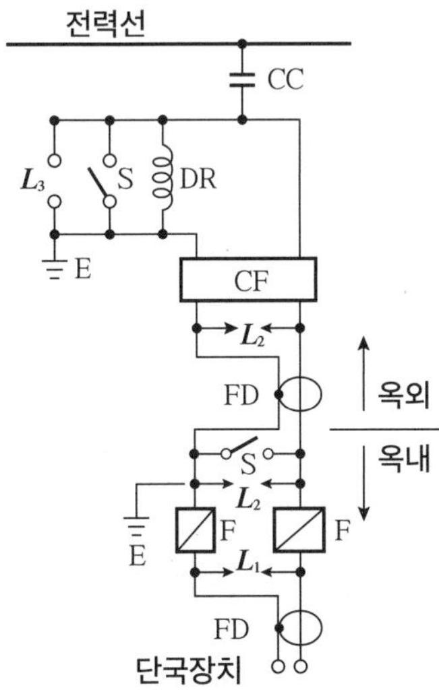

- FD : 동축케이블
- F : 정격 전류 10[A] 이하의 포장 퓨즈
- DR : 전류 용량 2[A] 이상의 배류 선륜
- L_1 : 교류 300[V] 이하에서 동작하는 피뢰기
- L_2 : 동작전압이 교류 1,300[V]를 넘고 1,600[V] 이하로 조정된 방전갭
- L_3 : 동작전압이 교류 2[kV]를 넘고 3[kV] 이하로 조성된 구상 방전갭
- S : 접지용 개폐기
- CF : 결합 필터
- CC : 결합 콘덴서(결합 안테나를 포함한다)
- E : 접지

2021년 3회

제1과목 | 전기자기학

001 ★★★

ANSWER ③ $-\frac{a}{d}Q$ 답을 암기할 것

STEP1 접지 구도체와 영상전하

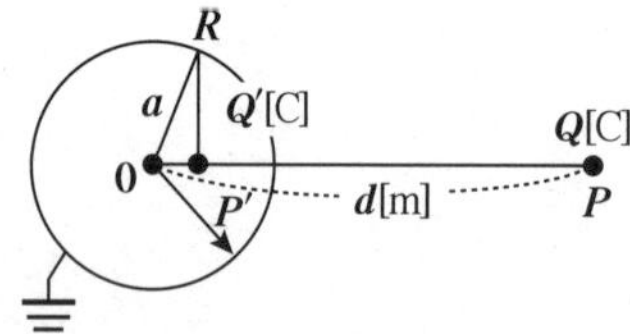

TIP !

전기영상법 접지구도체

- 영상전하 위치 : $\frac{a^2}{d}$
- 영상전하 크기 : $Q' = -\frac{a}{d}Q$

002 ★★★

ANSWER ② 7.7[mA]

MATH 23단원 유리식

STEP1 옴의 법칙

$$I = \frac{V}{R}[\mathrm{A}]$$

STEP2 저항과 정전용량의 관계

$$RC = \rho\frac{d}{S} \times \frac{\epsilon S}{d} = \epsilon\rho[\mathrm{s}]$$

즉, $R = \frac{\epsilon\rho}{C} = \frac{\epsilon_0\epsilon_s\rho}{C}$

$= \frac{(8.855 \times 10^{-12}) \times 2.2 \times 10^{11}}{30 \times 10^{-6}}$ 이다.

$\fallingdotseq 64.937 \times 10^3[\Omega]$

STEP3 대입

$$I = \frac{500}{64.937 \times 10^3} \fallingdotseq 7.7 \times 10^{-3}[\mathrm{A}]$$
$$= 7.7[\mathrm{mA}]$$

TIP !

$1[\mu\mathrm{F}] = 1 \times 10^{-6}[\mathrm{F}]$

공기중의 유전율 $\epsilon_0 = 8.855 \times 10^{-12}$

$$4\pi\epsilon_0 = \frac{1}{9 \times 10^9}$$

$$\epsilon_0 = \frac{1}{4\pi \times 9 \times 10^9}$$

003 ★

ANSWER ④ $q_{21} = -q_{11}$

STEP1 용량계수와 유도계수

도체 i 의 전하 $Q_i = \sum_{j=1}^{n} q_{ij}V_j$ 에서

i : 유도 되는 도체, j : 기준 도체, V_j : 도체 j 의 전위 (단위 전위 $+1[\mathrm{V}]$)

㉠ 용량계수(Coefficient of capacity) 첨자가 동일($i = j$)

도체 자신의 전위를 기준으로 하므로

$q_{11}, q_{22}, q_{33}, \cdots\cdots, q_{nn}(q_{ii}) > 0$

㉡ 유도계수(Coefficient of induction)($i \neq j$)

도체 j 를 기준($+1[\mathrm{V}]$)으로 도체 i 에 유도되는 계수

$q_{21}, q_{31}, \cdots\cdots, q_{n1}(q_{ij}) \leq 0$

STEP2 정전차폐

임의의 도체를 일정 전위(영전위)의 도체로 완전 포위하여, 내외공간의 전계를 완전히 차단하는 현상 따라서 도체 1과 3은 정전기적 관계를 하지 않는다.

STEP3 용량계수와 유도계수의 성질

- $q_{23} = -q_{33}$
- $q_{13} = q_{31} = 0$(∵ 정전차폐)
- $q_{21} = -q_{11}$

004 ★★

ANSWER ② $\frac{2}{3}C_1$

MATH 23단원 유리식

STEP1 평행 평판 도체의 정전용량

$$C_1 = \frac{\epsilon S}{d}[\text{F}]$$

STEP2 바뀐 값 적용

$$C_2 = \frac{\epsilon\left(\frac{S}{3}\right)}{\frac{1}{2}d} = \frac{2}{3}\frac{\epsilon S}{d} = \frac{2}{3}C_1[\text{F}]$$

005 ★

ANSWER ③ 자화된 강자성체에 온도를 증가시키면 자성이 약해진다.

자성체

㉠ 자성체 조건

- 영구 자석으로 쓰이는 강자성체는 잔류 자속밀도(B_r)와 보자력(H_c)이 커야 한다.
- 전자석의 재료로 쓰이는 자성체는 히스테리시스 면적, 보자력(H_c)이 작아야한다.
- 와(전)류손은 여자 효율 및 과열로 인한 자성의 제거 등의 영향을 주므로 작아야한다.

㉡ 자성체의 소자

- 강자성체는 자화되면 잔류자기가 남아 항상 자성을 보유하므로 직류법, 교류법, 가열법을 통하여 잔류자기를 제거한다.

㉢ 자기 회로의 옴의 법칙

- $\phi = \frac{F}{R_m}$ 이므로 기자력 F 와 자속 ϕ는 비선형 관계이다.

006 ★

ANSWER ④ σ^2에 비례 　　　답을 암기할 것

MATH 40단원 합성함수와 편미분

STEP1 도체 표면의 전계

$$E = \frac{\sigma}{\epsilon}$$

STEP2 정전응력

도체 표면의 단위면적이 받는 힘 f는 다음과 같다.

$$f = \frac{1}{2}ED = \frac{1}{2}\epsilon E^2 = \frac{1}{2}\epsilon\left(\frac{\sigma}{\epsilon}\right)^2$$

$$= \frac{\sigma^2}{2\epsilon}$$

$$\therefore f \propto \sigma^2$$

007 ★★

ANSWER ④ $L_1 \cdot L_2 = M^2$ 　　　답을 암기할 것

결합계수($0 \le k \le 1$)

한 코일의 자속이 반대쪽 코일의 전류를 만드는데, 얼마나 실질적으로 사용되는지의 척도

- $k = 0$: 자기적 결합이 전혀 되지 않음($M = 0$)
- $0 < k < 1$: 일반적인 자기 결합 상태 ($M = k\sqrt{L_1L_2}$)
- $k = 1$: 완전한 자기 결합($M = \sqrt{L_1L_2}$)

즉, $M^2 = L_1 \cdot L_2$의 식이 성립된다.

008 ★★

ANSWER ③ 120π 　　　답을 암기할 것

- 진공의 고유 임피던스

$$\eta_0 = \frac{E}{H} = \sqrt{\frac{\mu_0}{\epsilon_0}} = \sqrt{4\pi \times 10^{-7} \times 9 \times 10^9 \times 4\pi}$$

$$= 120\pi \fallingdotseq 377[\Omega]$$

2021년 3회

고난도
009 ★

ANSWER ③ 변위전류가 전도전류보다 $\frac{\pi}{2}$ 빠르다. 답을 암기할 것

MATH 22 단원 삼각함수 특수공식, 39단원 삼각함수, e^x그리고 지수함수의 미분

STEP1 변위 전류 밀도

$$i_d = \frac{\partial D}{\partial t} = \frac{\partial (\epsilon E)}{\partial t} = \frac{\partial}{\partial t}\epsilon\left(\frac{v}{d}\right)$$
$$= \frac{\epsilon}{d}V_m\frac{\partial}{\partial t}\sin wt$$
$$= \frac{w\epsilon}{d}V_m\cos wt[\mathrm{A/m^2}]$$

STEP2 변위 전류

$$i_d \cdot S = S\cdot\frac{w\epsilon}{d}V_m\cos wt$$
$$= S\cdot\frac{w\epsilon}{d}V_m\sin\left(wt+\frac{\pi}{2}\right)[\mathrm{A}]$$

STEP3 전도 전류

전도 전류는 전압과 동일한 삼각파의 형태를 가지게 된다.

즉, 변위전류가 전도 전류보다 $\frac{\pi}{2}$ 빠르다.

TIP !

변위전류

- 유전체(콘덴서) 주변의 자기장을 해석하기 위한 개념
- 콘덴서의 전류는 전도전류(저항)의 전류보다 위상이 $\frac{\pi}{2}$ 빠르다.(진상전류)

고난도
010 ★

ANSWER ② $\dfrac{2\pi\epsilon_0}{\ln\frac{2h}{a}}$ 답을 암기할 것

STEP1 전기영상법

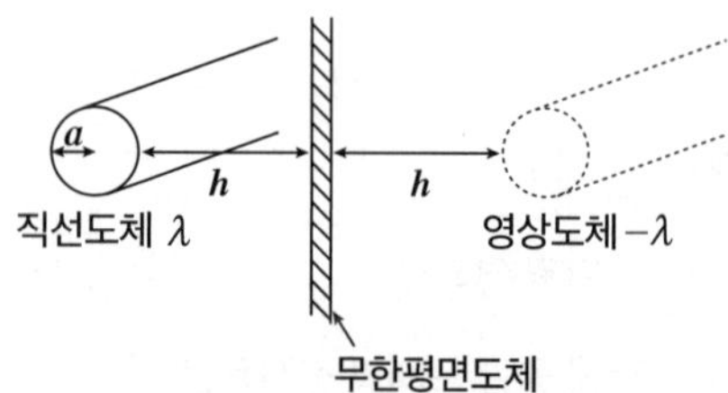

무한평면도체(= 대지)와 h만큼 떨어져 있는 도선의 정전용량은 그림과 같이 전기영상법을 통해 해석한다.

STEP2 전용량 해석

평행한 두 도선의 정전용량

$C = \dfrac{\lambda}{V} = \dfrac{\pi\epsilon_0}{\ln\frac{d-a}{a}}$ 에서

거리 $d=2h$이므로 $C = \dfrac{\pi\epsilon_0}{\ln\frac{2h-a}{a}}$

$h\gg a$이므로 $C \fallingdotseq \dfrac{\pi\epsilon_0}{\ln\frac{2h}{a}}$

대지와 도선사이의 정전용량을 계산하므로 정전용량은 2배이다.

$$\therefore C = \frac{2\pi\epsilon_0}{\ln\frac{2h}{a}}[\mathrm{F/m}]$$

TIP !

도선의 작용정전용량(전력공학)

$$C = \frac{2\pi\epsilon_0}{\ln\frac{d}{a}} = \frac{2\pi\epsilon_0\times\log_{10}e}{\ln\frac{d}{a}\times\log_{10}e}$$
$$\fallingdotseq \frac{0.02413}{\log_{10}\frac{d}{a}}[\mu\mathrm{F/m}]$$

011 ★★

ANSWER ④ 50

MATH 37단원 미분의 정의

STEP1 패러데이 법칙

$$e = -\frac{d\Phi}{dt} = -N\frac{d\phi}{dt} = -\frac{d\phi}{5} = -10[\text{V}]$$

(N: 감은 코일 수)

$$-\frac{d\phi}{5} = -10$$

($\because d\phi$ = 자속의 변화율)

등식의 성질에 의해 $d\phi = 50$

따라서, 자속은 50[Wb]

012 ★★★

ANSWER ③ $\delta = \frac{1}{\sqrt{\pi f \mu k}}$ 답을 암기할 것

침투 깊이(표피두께)(skin depth)

$$\delta = \sqrt{\frac{2}{wk\mu}} = \sqrt{\frac{1}{\pi f \mu k}}[\text{m}]$$

013 ★

ANSWER ② $mHl\sin\theta$

토크 : 자석과 자계의 상호작용에 의해서 자석에 가해지는 회전력

$T = Fl\sin\theta = mHl\sin\theta[\text{N}\cdot\text{m}]$

014 ★

ANSWER ④ 자기력선은 투자율이 큰 쪽에 모여진다. 답을 암기할 것

MATH 10단원 비례, 반비례, 비례식

STEP1 경계조건

	전계	자계
평행 (법선성분)	$E_1\sin\theta_1 =$ $E_2\sin\theta_2$	$H_1\sin\theta_1 =$ $H_2\sin\theta_2$
수직 (접선성분)	$D_1\cos\theta_1 =$ $D_2\cos\theta_2$	$B_1\cos\theta_1 =$ $B_2\cos\theta_2$
굴절 법칙	$\frac{\tan\theta_1}{\tan\theta_2} = \frac{\epsilon_1}{\epsilon_2}$	$\frac{\tan\theta_1}{\tan\theta_2} = \frac{\mu_1}{\mu_2}$

STEP2 경계면 수직입사($\theta_1 = 0°$)

㉠ 전속 및 자기력선(자계의 세기)는 굴절하지 않고 직진한다.

㉡ 전속밀도와 자속밀도는 연속(일정)이다.

㉢ 전계와 자계의 세기는 불연속이다.

STEP3 굴절의 법칙

$\frac{\tan\theta_1}{\tan\theta_2} = \frac{\mu_1}{\mu_2} \rightarrow \tan\theta_1 : \tan\theta_2 = \mu_1 : \mu_2$

$\rightarrow \theta_1 : \theta_2 = \mu_1 : \mu_2$에서

$\mu_1 > \mu_2$일 때 $\theta_1 > \theta_2$이므로

- $B_1 > B_2$, $H_1 < H_2$

따라서, 자기력선(자계의 세기)는 투자율이 큰 쪽에서 작은쪽으로 모인다.

2021년 3회

고난도

015 ★★★

ANSWER ③ $H = \frac{mv}{\mu_0 er}$[A/m] 답을 암기할 것

MATH 3단원 등식, 방정식

STEP1 평등자계 내에서 전자의 원운동

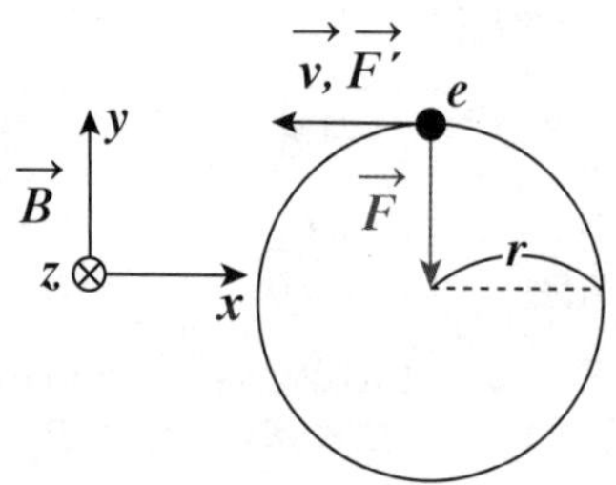

원운동 조건 : 원심력 = 구심력

㉠ 원심력(전자의 운동) $\vec{F'} = \frac{mv^2}{r}\hat{r}$

㉡ 구심력(로렌쯔 힘)

$\vec{F} = e(\vec{v} \times \vec{B}) = -evB\hat{r}$

즉, 원심력과 구심력은 크기는 같고 방향은 서로 반대이다.

STEP2 전개

STEP1 에 의하여 $|\vec{F'}| = |\vec{F}| \rightarrow \frac{mv^2}{r} = evB$

자속밀도 B에 대하여 정리하면

$B = \frac{mv}{er}$

$B = \mu H$ 이므로

$\therefore H = \frac{B}{\mu} = -\frac{mv}{\mu er}$[A/m]

016 ★★★

ANSWER ① $\frac{4\pi\epsilon_0 ab}{b-a}$ 답을 암기할 것

STEP1 동심구의 정전용량

$$C = \frac{4\pi\epsilon_0}{\frac{1}{a} - \frac{1}{b}} = \frac{4\pi\epsilon_0 ab}{b-a}[\text{F}]$$

고난도

017 ★

ANSWER ③ 8.33

MATH 1단원 SI 접두어 단위

STEP1 전위와 전하량의 관계

$Q = CV$[C]

이때, 연결될 때의 전하량과 연결 전의 전하량의 총량은 같다.

STEP2 도체구의 정전용량

$C = 4\pi\epsilon a$[F]

STEP3 공통전위 구하기

$$\begin{aligned} Q &= Q_1 + Q_2 = 4\pi\epsilon r_1 V_1 + 4\pi\epsilon r_2 V_2 \\ &= Q_1' + Q_2' \\ &= 4\pi\epsilon r_1 V + 4\pi\epsilon r_2 V[\text{C}] \end{aligned}$$

$$\begin{aligned} \therefore V &= \frac{4\pi\epsilon r_1 V_1 + 4\pi\epsilon r_2 V_2}{4\pi\epsilon r_1 + 4\pi\epsilon r_2} = \frac{r_1 V_1 + r_2 V_2}{r_1 + r_2} \\ &= \frac{(2\times10^{-2})\times5 + (4\times10^{-2})\times10}{(2\times10^{-2}) + (4\times10^{-2})} \\ &= \frac{50}{6} \fallingdotseq 8.33[\text{V}] \end{aligned}$$

018 ★

ANSWER ① $\frac{rI}{2\pi a^2}$ 답을 암기할 것

원통 도체 내부의 전류에 대한 자계의 세기

$$H = \frac{rI}{2\pi a^2}[\text{AT/m}]$$

019 ★★★

ANSWER ③ $\nabla \times E = -\frac{\partial B}{\partial t}$ 답을 암기할 것

STEP1 맥스웰 방정식(미분형)

① 앙페르(암페어)의 주회 적분 법칙

$\text{rot}H = \nabla \times H = i_c + \frac{\partial D}{\partial t}$

(전류는 주위에 회전하는 자계를 발생 시킨다.)

여기서, i_c : 전류밀도, $\frac{\partial D}{\partial t}$: 변위전류밀도

② 가우스 법칙(정자계)

$\text{div}B = \nabla \cdot B = \mu \nabla \cdot H = 0$

(N극과 S극이 반드시 공존하며 고립된 자하는 없다.)

③ 페러데이 – 노이만의 전자유도법칙

$$\text{rot}E = \nabla \times E = -\frac{\partial B}{\partial t} = -\mu\frac{\partial H}{\partial t}$$

(전기 회로에서 발생하는 유도 기전력은 폐회로를 통과하는 자속의 변화를 방해하는 방향으로 발생한다.)

④ 가우스 법칙(정전계)

$\text{div}D = \nabla \cdot D = \epsilon \nabla \cdot E = \rho$

(단위 체적에서 발산하는 전속밀도는 그 체적 내의 전하밀도와 같다.)

020 ★

ANSWER ② $\dfrac{\sigma_P}{\epsilon_0(\epsilon_s - 1)}$ 답을 암기할 것

STEP1 분극의 세기

$$\begin{aligned}\sigma_P &= (\epsilon - \epsilon_0)E = \epsilon E - \epsilon_0 E \\ &= \epsilon_0(\epsilon_s - 1)E \\ &= D - \epsilon_0 E[\text{C/m}^2] \quad (\because D = \epsilon E)\end{aligned}$$

$$\therefore E = \frac{\sigma_P}{\epsilon_0(\epsilon_s - 1)}[\text{V/m}]$$

제2과목 | 전력공학

021 ★★★

ANSWER ④ $C_s + 3C_m$

단상 2선식의 1조당 작용 정전 용량

$C = C_s + C_m$

3상 3선식의 1조당 작용 정전 용량

$C = C_s + 3C_m[\text{F}]$

고난도

022 ★

ANSWER ① $1 + \dfrac{1}{BC}$ 답을 암기할 것

STEP1 4단자 정수

㉠ 중거리 송전선로 해석

$$\begin{bmatrix} E_s \\ I_s \end{bmatrix} = \begin{bmatrix} A & B \\ C & D \end{bmatrix}\begin{bmatrix} E_s \\ I_s \end{bmatrix}$$

E_s : 송전전압(상전압), E_r : 수전전압(상전압)

I_s : 송전전류, I_r : 수전전류

㉡ 4단자 파라미터 관계

$$\begin{vmatrix} A & B \\ C & D \end{vmatrix} = AD - BC = 1$$

STEP2 단락용량과 충전용량 계산

㉠ 단락용량

W_{ss} = 송전단전압 × 단락전류 = $E_s \times I_{ss}$에서

수전단 단락 시 $V_r = 0$이므로

단락전류 $I_{ss} = \dfrac{D}{B}E_s$, 단락용량 $W_{ss} = \dfrac{D}{B}E_s^2$

㉡ 충전용량

W_{so} = 송전단전압 × 무부하(개방)전류 = $E_s \times I_{so}$

수전단 개방시 $I_r = 0$이므로

개방전류 $I_{so} = \dfrac{C}{A}E_s$, 충전용량 $W_{so} = \dfrac{C}{A}E_s^2$

STEP3 단락용량과 충전용량의 비

단락용량과 충전용량의 비 =

$$\frac{\text{단락용량}}{\text{충전용량}} = \frac{\frac{D}{B}E_s^2}{\frac{C}{A}E_s^2} = \frac{AD}{BC}$$ 이고

$AD - BC = 1$이므로 $AD = BC + 1$

$$\therefore \frac{AD}{BC} = \frac{BC+1}{BC} = 1 + \frac{1}{BC}$$

2021년 3회

023 ★★★

ANSWER ④ 피뢰기 동작 중 단자전압의 파고값

STEP1 **피뢰기**

㉠ 충격 방전 개시 전압 : 피뢰기 단자에 충격전압을 인가 하였을 때 방전 개시전압

㉡ 상용주파 방전 개시전압 : 상용주파수의 방전개시 전압(실효값)

㉢ 제한전압 : 충격파 전류가 흐르고 있을 때의 단자 전압, 피뢰기 동작 중 단자전압의 파고값을 의미한다.

024 ★★★

ANSWER ③ ㄷ – ⓓ

STEP1 **리액터 구분**

㉠ 병렬 리액터(분로 리액터) : 송전 손실 경감하여 페란티 효과 방지

㉡ 한류 리액터 : 단락 전류 제한하여 차단기의 용량 경감

㉢ 직렬 리액터 : 제 5고조파 제거

㉣ 소호 리액터 : 지락 아크의 소멸

025 ★★★

ANSWER ③ $\frac{E_S E_R}{B}$ 　　**답을 암기할 것**

전력 원선도의 반지름 산출식

$$\rho = \frac{E_S E_R}{B}$$

026 ★★

ANSWER ③ 직접 접지 방식을 채용하는 경우 이상전압이 낮기 때문에 변압기 선정시 단절연이 가능하다

항목	비접지	직접 접지	고저항 접지	소호리액터 접지
지락시 건전상전압상승	$\sqrt{3}$ 배 이상	$\sqrt{3}$ 배 이상	$\sqrt{3}$ 배	$\sqrt{3}$ 배 이상
절연레벨경감	불가능	가능	불가능	불가능
과도 안정도	크다	최소	중간 정도	크다
보호계전기 동작	곤란	가장 확실	확실	불가능
통신선 유도장해	작다	최대	중간	최소
지락전류	작다	최대	중간	최소

① 소호 리액터 접지 방식은 대지 정전용량과의 병렬공진을 이용하여 지락전류를 최소화 시킨다.

② 고저항 접지방식의 다중 고장 발생 확률은 직접 접지 보다 많고 비접지 보다 적다.

③ 직접접지에서는 중성점으로 갈수록 충격(이상전압)이 약해지므로 중성점에 가까울수록 절연 강도를 낮추는 단절연이 가능하다.

④ 비접지 방식은 지락전류가 아주 적어서 차단이 곤란하며 다중 고장 발생 확률이 가장 크다.

027 ★★★

ANSWER ② 약 1730

STEP1 **4대 이용시 V결선 출력**

변압기 2대로 V결선으로 3상을 공급할 경우의 출력은 $P_V = \sqrt{3}P_1$ 이므로 변압기 4대, V결선, 2뱅크 방식으로 3상 전원을 공급하게 되면
(여기서, P_1 : 변압기 1대의 용량) 다음과 같다.

$$\therefore P = \sqrt{3} \times P_1 \times 2 = \sqrt{3} \times 500 \times 2$$
$$= 1732[\text{kVA}]$$

028 ★

ANSWER ③ 5

STEP1 차단기의 정격차단시간

정격전압 [kV]	7.2	25.8	72.5	170	362
정격차단 시간 (cycle)	5~8	5	5	3	3

029 ★★★

ANSWER ② 지락 계전기

STEP1 ZCT

ZCT는 영상변류기이며, 영상전류를 검출한다. 영상전류는 지락사고 시에 발생하기 때문에 지락 계전기를 사용한다.

030 ★★

ANSWER ② 3상 4선식

STEP1 배전 방식별 소요 전선량의 비

배전방식	단상 2선식	단상 3선식	3상 3선식	3상 4선식
소요전선량	24	9	18	8

3상 4선식이 가장 적게 소요되며
단상 2선식과 비교하면
$\frac{8}{24} \times 100 \fallingdotseq 33.3[\%]$이다.

031 ★

ANSWER ② 중성자의 수를 줄인다

STEP1 제어봉

붕소(B), 카드뮴(Cd), 하프늄(Hf), 인듐(In)과 같은 중성자를 잘 흡수하는 재료로 만들어지며 출력을 줄이고자 할 때, 원자로에 집어넣어 핵분열 과정에서 생성되는 중성자의 양을 줄이는 역할을 한다.

032 ★

ANSWER ③ 납

방사능 차폐 재료로 납을 많이 쓰는 이유는 다음과 같다.

- 원자량, 밀도가 커서 차폐효과가 크다.
- 금속 원소이므로 전자 밀도가 높다.
- 가격이 싸다.

033 ★

ANSWER ② U^{238}

STEP1 핵분열성 물질(질량수가 홀수)

㉠ 자연적 핵분열성 물질(Th : 토륨, U : 우라늄)

- ${}_{90}Th^{231}$, ${}_{90}Th^{233}$, ${}_{92}Th^{233}$, ${}_{92}Th^{235}$

㉡ 인위적인 핵변환을 통한 핵분열성 물질 (Ph : 플루토늄)

- ${}_{94}Pu^{239}$, ${}_{94}Pu^{241}$

STEP2 핵연료 원료물질(질량수가 짝수)

직접 핵분열이 일어나기 어려워 핵변환 과정을 통하여 핵분열성 물질로 변환

- ${}_{90}Th^{230}$, ${}_{90}Th^{232}$, ${}_{92}Th^{234}$, ${}_{92}Th^{238}$, ${}_{94}Pu^{240}$, ${}_{94}Pu^{242}$

TIP !

핵변환 과정의 예

${}_{92}U^{238} + {}_{0}n^{1} \rightarrow {}_{92}U^{239} \rightarrow {}_{93}Np^{239} \rightarrow {}_{94}Pu^{239}$

${}_{92}U^{238}$: 자연계에 존재하는 우라늄의 99.3[%]를 차지하며 핵분열 확률은 매우 낮다.

034 ★

ANSWER ③ 단락전류

고압 및 특고압기기의 단락 보호용으로 전력퓨즈를 설치한다.

035 ★

ANSWER ① 과도안정도

안정도의 종류

① 정태 안정도(static stability)

송전 계통이 불변 부하 또는 극히 서서히 증가하는 부하에 대하여 계속적으로 송전할 수 있는 능력을 정태 안정도로 하고, 안정도를 유지할 수 있는 극한의 송전 전력을 정태 안정 극한 전력이라고 한다.

② 과도 안정도(transient stability)

계통에 갑자기 고장 사고와 같은 급격한 외란이 발생하였을 때에도 탈조하지 않고 새로운 평형 상태를 회복하여 송전을 계속할 수 있는 능력을 과도 안정도라 하고 이 경우의 극한 전력을 과도 안정 극한 전력이라고 한다.

③ 동태 안정도(dynamic stability)

고속 자동 전압 조정기로 등기기의 여자 전류를 제어할 경우의 정태 안정도를 특히 동태 안정도라 한다.

036 ★★

ANSWER ④ $\frac{V_s \cdot V_r}{X}$

STEP1 송전전력

송전전력 $P = \frac{V_s V_r}{X} \sin\delta\,[\text{MW}]$에서 최대 송전 전력은 부하각 $\delta = 90°$ 에서 발생하므로, 최대 송전전력 $P = \frac{V_s V_r}{X}[\text{MW}]$가 된다.

037 ★★★

ANSWER ③ 15000

STEP1 3상용 차단기의 차단용량

$P_s = \sqrt{3} \times$ 정격전압 $\times$ 정격차단전류[MVA]

$= \sqrt{3} \times 170 \times 10^3 \times 50 \times 10^3[\text{MVA}]$

$= 14722 \times 10^6$

$≒ 15000[\text{MVA}]$

038 ★★★

ANSWER ③ 상대공기밀도가 낮다.

STEP1 코로나 임계전압

$E_0 = 24.3 m_0 m_1 \delta d \log_{10}\frac{D}{r}[\text{kV}]$

여기서, m_0 : 전선 표면에 정해지는 계수

→ 매끈한 전선(1.0), 거친 전선(0.8)

m_1 : 날씨에 관한 계수

→ 맑은 날(1.0), 우천시(0.8)

δ : 상대공기밀도

d : 전선의 직경

D : 선간거리

r : 전선의 반지름

상대공기밀도는 코로나 임계전압과 비례하므로 상대공기밀도가 낮아질 경우 코로나 임계전압은 감소한다.

039 ★

ANSWER ② 지지물에 전선을 지지할 수 있는 충분한 기계적 강도를 갖추어야 한다.

STEP1 애자의 구비 조건

㉠ 절연내력이 클 것

㉡ 비, 눈, 안개 등에 대해 필요한 표면저항을 가지고 누설전류가 적어야 한다.

㉢ 충분한 기계적 강도를 가져야 한다.

㉣ 전기적 및 기계적 특성의 열화가 적어야 한다.

㉤ 온도의 급변에 견디고 습기를 흡수하지 않아야 한다.

040 ★★★

ANSWER ④ 동기조상기

STEP1 배전선로의 전압을 조정하는 방법

㉠ 승압기

㉡ 유도 전압 조정기

㉢ 주상변압기 탭 전환

㉣ 선로전압 강하보상기(LDC)

동기조상기 : 무부하 상태에서 운전하는 동기전동기로 무효전력을 조정하는 설비

제3과목 | 전기기기

041 ★★

ANSWER ③ 3과 36

STEP1 매극 매상의 슬롯수

$$q(\text{매극상의 슬롯수}) = \frac{\text{슬롯수}}{\text{극수} \times \text{상수}} = \frac{36}{3 \times 4} = 3$$

STEP2 총 코일수

$$N = \frac{\text{총 도체수}}{2} = \frac{\text{슬롯수} \times \text{층수}}{2} = \frac{36 \times 2}{2} = 36$$

042 ★

ANSWER ④ 2.5

MATH 10단원 비례, 반비례, 비례식

STEP1 와류손과 전압과의 관계

와류손 $P_c = \sigma(tfB_m)^2$에서

최대 자속밀도 $B_m \propto \frac{V}{f}$ 이므로

$P_c \propto B_m^2 \propto V^2$ 로 주파수에 무관하다.

※ 55번 참고

STEP2 전압과 와류손의 관계식

$$P_c' = P_c \times \left(\frac{V'}{V}\right)^2 = 3 \times \left(\frac{3000}{3300}\right)^2 = 2.48 \fallingdotseq 2.5[\text{kW}]$$

043 ★

ANSWER ③ $E,\ 2\sqrt{3}I,\ 6EI$

STEP1 △결선 특징

선간전압 $V_l =$ 상전압 E

선전류 $I_l = \sqrt{3} \times$ 상전류 I_p

STEP2 피상전력

피상전력 $P_a = \sqrt{3}V_lI_l$에서

상전류 $I_p = I + I = 2I$ 이므로

$I_l = \sqrt{3}I_p = \sqrt{3} \times 2I = 2\sqrt{3}I$

$\therefore P_a = \sqrt{3}V_lI_l = \sqrt{3} \times E \times (2\sqrt{3}I) = 6EI$

044 ★

ANSWER ③ 게이트와 에미터 사이의 입력 임피던스가 매우 낮아 BJT 보다 구동하기 쉽다.

STEP1

IGBT(Insulated Gate Bipolar Transistor)의 특성

IGBT는 MOSFET와 트랜지스터의 장점을 취한 것으로서,

㉠ 소스에 대한 게이트의 전압으로도 통과차단을 제어한다.

㉡ 게이트와 에미터 사이의 입력임피던스가 매우 크다.

㉢ 스위칭 속도는 FET와 트랜지스터의 중간 정도로 빠른 편에 속한다.

㉣ 역방향 전압저지가 가능한 GTO 사이리스터의 특성도 갖추고 있다.

	IGBT	MOSFET	BJT
최대전류	500[A]이상	200[A]이상	500[A]이상
입력 임피던스	높음	높음	낮음
스위칭 속도	중간	빠름	느림
소자 특성	전압제어 소자	전압제어 소자	전류제어 소자

045 ★★

ANSWER ② 부족 여자로 한다.

STEP1 자기여자현상

동기발전기에 용량성 부하를 접속하는 경우 진상 전류에 의한 단자 전압의 상승 과정

STEP2 동기발전기 자기여자현상 방지법

㉠ 발전기 2대나 3대를 모선에 병렬로 접속한다.

㉡ 수전단에 동기조상기를 접속하여 부족여자로 운전하여 선로에 지상전류 공급

㉢ 송전선로의 수전단에 변압기 접속

㉣ 수전단에 분로(병렬) 리액터 설치

㉤ 단락비를 크게한다.

046 ★

ANSWER ② $\tau - \tau_c$

STEP1 전동기 토크(τ)와 부하토크(τ_c)의 관계

㉠ $\tau - \tau_c = 0$: 일정 속도를 유지

㉡ $\tau - \tau_c > 0$: 가속

㉢ $\tau - \tau_c < 0$: 감속

047 ★★

ANSWER ③ 1875

STEP1 병렬운전 시 부하 분담

$$\frac{P_a}{P_b} = \frac{P_A}{P_B} \times \frac{\%Z_b}{\%Z_a}$$

즉, 분담용량은 정격용량에 비례하고 누설임피던스에 반비례한다.

STEP2 부하분담을 이용하여 식 세우기

$P_B = P_A \times \dfrac{\%Z_A}{\%Z_B}$ 이고,

$$P = P_A + P_B = P_A + P_A \times \frac{\%Z_A}{\%Z_B}$$

$$= 1000 + 1000 \times \frac{7}{8} = 1875[\text{kVA}]$$

048 ★

ANSWER ② 턴오프 시간이 SCR보다 짧으며 급격한 전압변동에 강하다.

STEP1 TRIAC(trielectrode AC switch)

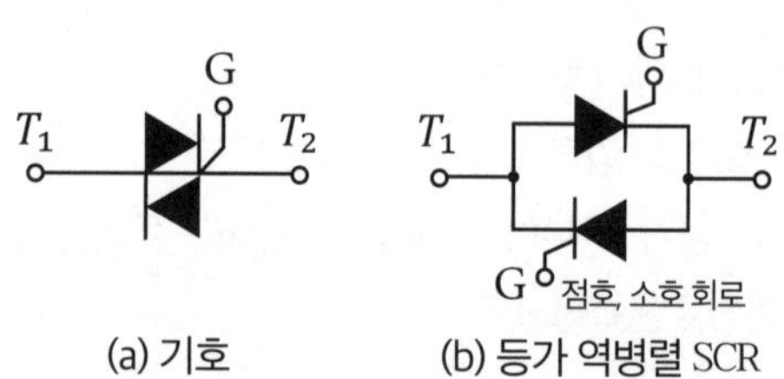

(a) 기호 (b) 등가 역병렬 SCR

㉠ SCR은 한 방향으로만 도통할 수 있는데 반하여 이 소자는 3단자이고 양방향으로 도통할 수 있다.

㉡ TRIAC은 기능상으로 2개의 SCR을 역병렬 접속한 것과 같다.

㉢ T_1과 GATE사이에 전류가 공급되면 T_1과 T_2 사이가 ON이 되고 GATE에 전류가 흐르지 않아도 ON을 유지한다.(턴오프 시간이 길다.)

㉣ 직류에서는 OFF가 불가능하므로 교류 전력의 제어용으로 사용된다.

049 ★

ANSWER ② 슈라게 전동기

STEP1 단상 반발 전동기

㉠ 단상 반발 전동기는 브러시를 단락시켜 브러시 이동으로 기동하며 브러시를 이용하여 토크 및 속도 제어가 가능하다.

㉡ 종류

- 아트킨손형 전동기
- 톰슨형 전동기
- 데리형 전동기

TIP !

슈라게 전동기 : 3상 분권 정류자전동기(직류 분권전동기와 비슷하다.)

050 ★★★

ANSWER ① 10

STEP1 정류자 편간전압

$$e_{sa} = \frac{pE}{K} = \frac{6 \times 220}{132} = 10[V]$$

여기서, e_{sa} : 정류자 편간 전압

E : 유기기전력

K : 정류자 편수

P : 극수

051 ★

ANSWER ③ 19.2

MATH 10단원 비례, 반비례, 비례식

STEP1 유도전동기의 토크

토크 $\tau = K\frac{sE_2^2 r_2}{r_2^2 + (sx_2)^2}$ 에서

$\tau \propto V^2 \propto \frac{1}{s}$ 이므로 (주파수와는 무관하다.)

$\therefore s \propto \frac{1}{V^2}$

STEP2 계산

$$0.16 \times (\frac{220}{200})^2 = 0.1936 = 19.36\%$$
$$\fallingdotseq 19.2[\%]$$

052 ★

ANSWER ④ 계자전류와 단락전류

STEP1 동기발전기 3상 단락곡선

3상 단락곡선 : 부하측을 단락시킨후 계자전류 I_f를 증가 시 단락전류 I_s 와의 관계를 곡선(직선)으로 나타냄

053 ★★

ANSWER ④ 1.21

STEP1 전기자 전류

계자전류 $(I_f) = \frac{V}{R_f} = \frac{200}{40} = 5[A]$

기동전류는 정격의 150[%]이므로

기동전류(I) = 105 × 1.5 = 157.5[A]

전기자 전류$(I_a) = I - I_f$ = 157.5 − 5 = 152.5[A]

STEP2 기동저항(R_s)

$$R_a + R_s = \frac{V}{I_a} = \frac{200}{152.5} = 1.31[\Omega]$$

기동저항(R_s) = 1.31 − R_a = 1.31 − 0.1

= 1.21[A]

054 ★★

ANSWER ② 권선형 유도전동기

STEP1 비례추이

비례추이는 권선형 유도 전동기에서 사용하며 기동토크 특성에서 2차 저항 r_2를 n배하면 슬립도 n배 되어 기동토크는 증가하고 최대토크는 불변한다.

2021년 3회

055 ★

ANSWER ④ 철손감소 답을 외울 것

MATH 10단원 비례, 반비례, 비례식

STEP1 변압기 손실

㉠ 철손($P_i = P_h + P_e$)

• 히스테리시스손 $P_h = K_h f B_m^2 = K\frac{V^2}{f}$

• 와류손 $P_e = K_e(tfK_f B_m)^2 = KV^2$

(일반적인 조건에서는 주파수에 비례한다. STEP2 참고)

㉡ 동손

• $P_c = I^2R$(동손은 주파수와 무관하다.)

STEP2 주파수와 철손의 관계

㉠ 조건이 없을 경우

$P_h \propto f$, $P_e \propto f^2$ 으로 주파수가 증가하면 철손도 증가한다.

㉡ 기전력(전압)이 일정할 때

기전력이 일정하면 최대자속밀도 $B_m \propto \frac{1}{f}$ 이므로 $P_h \propto \frac{1}{f}$ 이고 P_e 은 주파수에 무관하다.

따라서, 같은 전압에서 주파수가 증가하면 철손의 80[%]를 차지하는 히스테리시스손의 감소로 철손이 감소한다.

056 ★

ANSWER ② 1081

MATH 10단원 비례, 반비례, 비례식

STEP1 전동기 회전속도의 관계

$E_c = K\phi N$이므로 $E_c \propto N$ 임을 확인한다.

STEP2 역기전력

무부하일 때의 역기전력

$E_{c0} = 200[V]$

$I_a = 100[A]$일 때의 역기전력

$E_c = V - I_aR_a = 200 - (100 \times 15) = 185[V]$

STEP3 비례식 세우기

$E_c \propto N$ 이므로 비례식을 세우면

$E_{c0} : E_c = N_0 : N$

$200 : 185 = N_0 : 100$

$\therefore N_0 = \frac{200}{185} \times 1000 ≒ 1081[rpm]$

057 ★

ANSWER ④ 0.13

STEP1 1상의 권선수

$W = \frac{180 \times 2}{3} = 120$

STEP2 주파수

$N_s = \frac{120f}{p}$

$\therefore f = \frac{pN_s}{120} = \frac{20 \times 360}{120} = 60[Hz]$

STEP3 1극의 자속

$E = 4.44k_\omega f\phi W[V]$

$\Rightarrow \phi = \frac{E}{4.44k_\omega fW} = \frac{V/\sqrt{3}}{4.44k_\omega fW}$

$= \frac{6600/\sqrt{3}}{4.44 \times 0.9 \times 60 \times 120} = 0.132[Wb]$

058 ★

ANSWER ④ 기동 시 토크는 정격토크의 $\frac{1}{2}$이 된다.

STEP1 단상 유도 전동기의 회전

전동기는 회전자계가 있어야 회전이 가능하나 단상 유도 전동기는 회전자계가 없으므로 이론적으로 기동토크가 존재하지 않는다. 따라서, 인위적으로 기동이 필요함을 다음과 같은 이론으로 설명한다.

㉠ 2회전자계 이론(2전동기설)

㉡ 직교자계 이론

2전동기설의 이론

㉠ 1차 권선에는 회전하지 않는 교번자계(맥동자계)가 있다.

㉡ ㉠의 교번자계를 나누어 정방향(시계방향) 회전자계와 역방향(반시계방향) 회전자계가 있다 가정한다.

㉢ ㉡의 각 방향 슬립은 정방향 슬립 s_f, 역방향 슬립 $s_b = 2 - s$이다.

㉣ 다음 그림과 같이 합성 토크 그래프로 나타낸다.

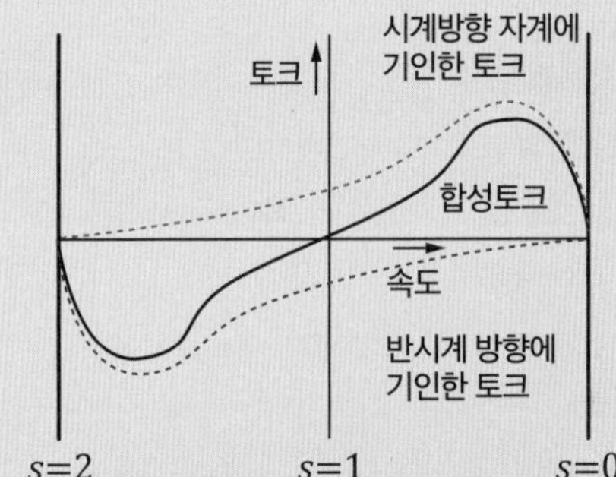

㉤ ㉣에 따라 기동($s = 1$)시 합성 토크가 0이며 기동법을 이용하여 인위적으로 축을 이동 시 회전자계가 생기므로 기동토크를 발생시킨다.

059 ★★

ANSWER ③ 300

STEP1 가극성일 때 전압계의 지시를 구한다.

$V_3 = V_1 + V_2 = 200 + V_2$

STEP2 저압측 전압 V_2를 구한다.

$$V_2 = \frac{V_1}{a} = \frac{200}{2} = 100$$

$$(\because \text{권수비 } a = \frac{E_1}{E_2} = \frac{210}{105} = 2)$$

STEP3 대입한다.

$V_3 = V_1 + V_2 = 200 + 100 = 300[\text{V}]$

TIP !

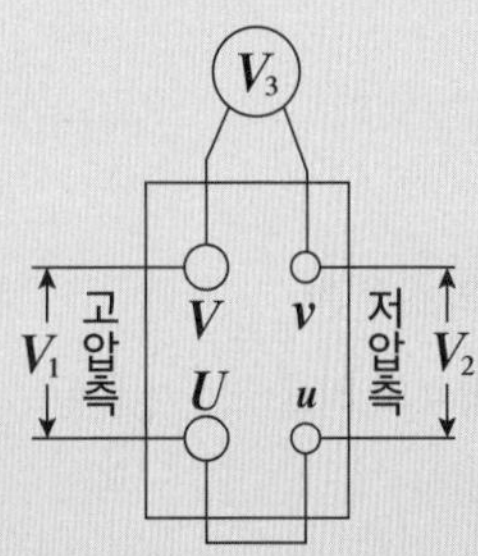

- 가극성 : $V_3 = V_1 + V_2$
- 감극성 : $V_3 = V_1 - V_2$
- 권수비 $a = \frac{\text{2차전압}}{\text{2차전압}} = \frac{\text{고압측 전압}}{\text{저압측 전압}}$

060 ★★★

ANSWER ③ 9.5

STEP1 V결선 출력

단상 변압기 3대를 Δ결선 중 1대가 소손되어 나머지 2대로 V결선 구동하고 과부하 10[%]의 최대 부하를 구하면

$$P_V = \sqrt{3}P \times \text{과부하율}$$
$$= \sqrt{3} \times 5 \times 1.1 = 9.5[\text{kVA}]$$

061 ★★

ANSWER ④ $C(s) = G(s)$

MATH 49단원 라플라스 기초

STEP1 단위 임펄스 함수

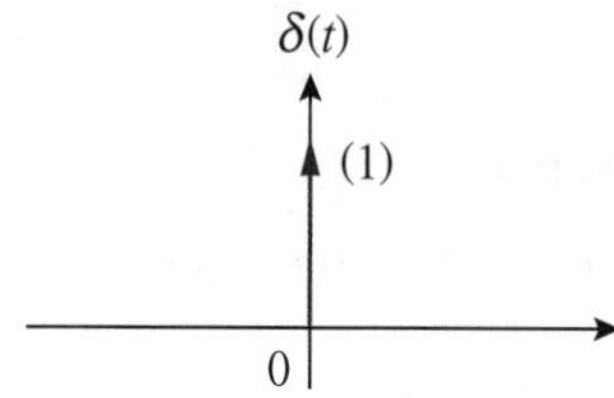

$$\delta(t) = \begin{cases} 1 & (t = 0) \\ 0 & (t \neq 0) \end{cases}$$

STEP2 라플라스 변환

단위 임펄스 함수의 라플라스 변환은

$\pounds\,[\delta(t)] = 1$

즉, $R(s) = 1$ 이므로

$\therefore C(s) = G(s)R(s) = G(s)$

062 ★★★

ANSWER ② $\dfrac{E}{R}\left(1 - e^{-\frac{R}{L}t}\right)$

STEP1 과도현상

직류전원 인가시 과도전류

RL 직렬 회로: $i(t) = \dfrac{E}{R}\left(1 - e^{-\frac{R}{L}t}\right)[\text{A}]$

RC 직렬 회로: $i(t) = \dfrac{E}{R}e^{-\frac{1}{RC}t}\,[\text{A}]$

063 ★★

ANSWER ④ $10\sqrt{3}$

STEP1 △결선 특징

부하의 선간전압 $V_l = V_p$

부하의 선전류 $I_l = \sqrt{3}\,I_p$

STEP2 선전류 계산

상전류

$$I_p = \frac{E_p}{Z} = \frac{E_l}{Z} = \frac{E_l}{\sqrt{R^2 + X^2}} = \frac{100}{\sqrt{6^2 + 8^2}} = 10[\text{A}]$$

이므로

$\therefore I_l = \sqrt{3}\,I_p = 10\sqrt{3}\,[\text{A}]$

064 ★★

ANSWER ④ 800

STEP1 2전력계법

2전력계법의 소비전력(유효전력):

$P = W_1 + W_2[\text{W}]$

$\therefore 500 + 300 = 800[\text{W}]$

TIP !

2전력계법

- 피상전력
  $P_a = 2\sqrt{W_1^2 + W_2^2 - W_1 W_2}\,[\text{VA}]$
- 유효전력 $P = W_1 + W_2[\text{W}]$
- 무효전력 $Q = \sqrt{3}\,(W_1 - W_2)\,[\text{Var}]$
- 역률
  $$\cos\phi = \frac{W_1 + W_2}{2\sqrt{W_1^2 + W_2^2 - W_1 \times W_2}}$$

065 ★★★

ANSWER ④ $2r$

STEP1 브리지 평형회로

브리지 회로 평형조건 $R_1R_3 = R_2R_4$

즉, 마주보는 임피던스의 곱이 서로 같으므로 중앙의 저항을 제외할 수 있다.

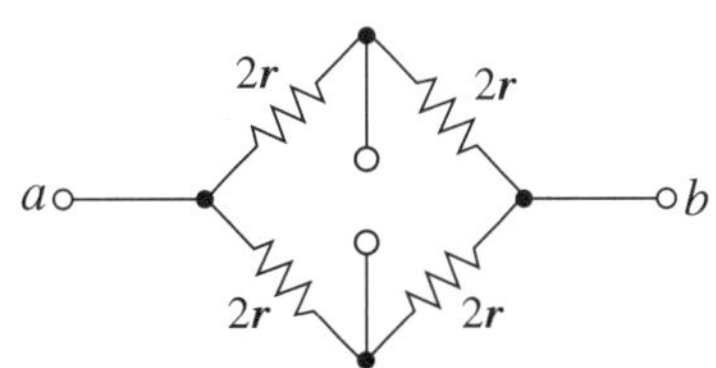

STEP2 합성저항 R_{ab}

$$\therefore R_{ab} = (2r + 2r) \parallel (2r + 2r)$$
$$= 4r \parallel 4r = 2r$$

066 ★★★

ANSWER ④ $\dfrac{Y_1E_1 + Y_2E_2 + Y_3E_3}{Y_1 + Y_2 + Y_3}$

STEP1 밀만의 정리

중성점의 전위

$$V_{n'n} = \frac{\frac{E_1}{Z_1} + \frac{E_2}{Z_2} + \frac{E_3}{Z_3}}{\frac{1}{Z_1} + \frac{1}{Z_2} + \frac{1}{Z_3}} = \frac{Y_1E_1 + Y_2E_2 + Y_3E_3}{Y_1 + Y_2 + Y_3}$$

고난도

067 ★

ANSWER ② $\dfrac{E}{r}e^{-\frac{R+r}{L}t}$ 답을 암기할 것

STEP1 정상상태(스위치 열기 전) 해석

$-\infty < t < 0^-$에서 정상상태($t = 0^-$)일 때 인덕터는 단락회로로 동작하므로 다음과 같이 나타낼 수 있다.

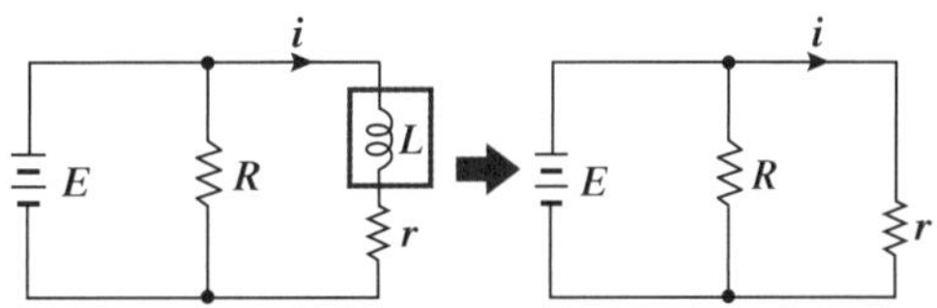

$$\therefore i(t = 0^-) = \frac{E}{r}$$

($\because$ 키르히호프의 제2법칙(KVL))

STEP2 과도현상 해석

스위치를 열었을 때($t = 0^+$) 열기 전의 전류와 같으므로 $i(t = 0^-) = i(t = 0^+) = \dfrac{E}{r}$

STEP3 RL 과도현상

RL 회로의 직류전원 제거시 전류는 다음과 같다.

$$i(t) = I_0e^{-\frac{R_T}{L}t}$$

여기서, I_0 : 초기전류값 $i(0) = \dfrac{E}{r}$

R_T : 인덕터에서 본 합성저항 $R_T = R + r$

$$\therefore i(t) = \frac{E}{r}e^{-\frac{R+r}{L}t}$$

2021년 3회

068 ★★★

ANSWER ④ 20

STEP1 전류원에 의한 전류

전압원은 단락시킨 후 전류를 구한다.

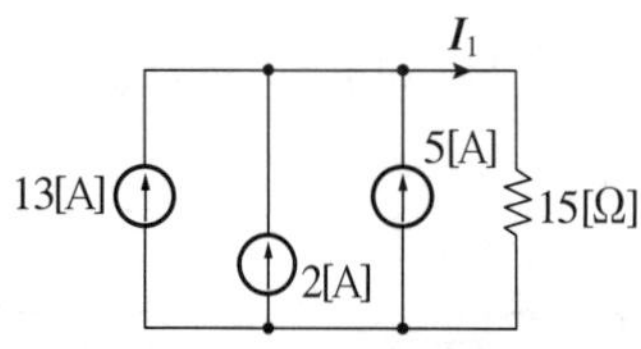

$I_1 = 13 + 2 + 5 = 20[A]$

STEP2 전압원에 의한 전류

전류원을 개방시킨 후 전류를 구한다.

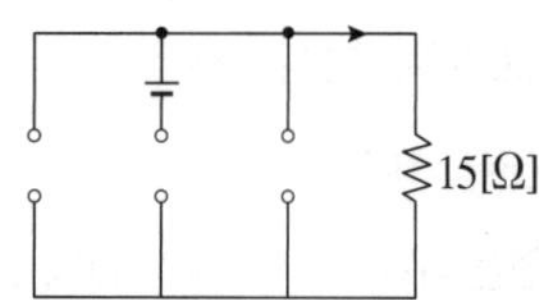

전류원을 개방하면 위 회로와 같으므로 I_1에 흐르는 전류는 0[A]

STEP3 중첩의 원리

중첩의 원리에 의해 STEP1 과 **STEP2** 에서 구한 값을 합치면, $20 + 0 = 20[A]$

고난도

069 ★★

ANSWER ③ 3[Ω]

MATH **3단원 등식 방정식, 8단원 인수분해**

STEP1 등가회로 해석 (1)

다음 그림과 같은 회로를 가정한다.

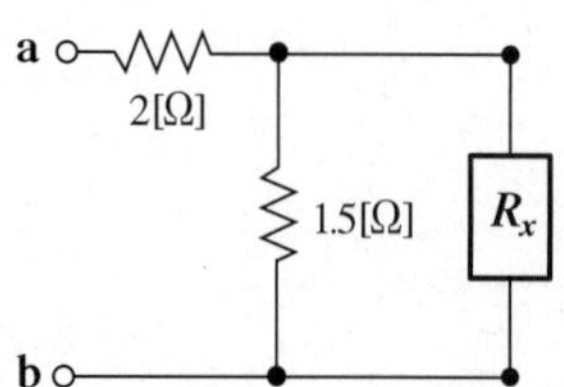

a와 b사이의 저항 $R_{ab} = 2 + \dfrac{1.5 \times R_x}{1.5 + R_x}$

STEP2 등가회로 해석 (2)

무한히 긴 회로 이므로 회로의 맨 우측에서 보았을 때 $R_{ab} \fallingdotseq R_x$이므로 $R_{ab} = R_x$로 볼 수 있다.

STEP3 방정식 전개

$R_{ab} = R_x = 2 + \dfrac{1.5 \times R_x}{1.5 + R_x}$

$\rightarrow R_x = 2 + \dfrac{1.5 \times R_x}{1.5 + R_x}$

$\rightarrow (1.5 + R_x)R_x = 2(1.5 + R_x) + 1.5 \times R_x$

$\rightarrow R_x^2 - 2R_x - 3 = 0$

$\rightarrow (R_x - 3)(R_x + 1) = 0$ ($\because$ 인수분해)

$\rightarrow R_x = 3, -1$

저항은 양수이므로

$\therefore R_x = 3[\Omega]$

070 ★★

ANSWER ① $\dfrac{r}{M}$

STEP1 최대 전력 전달

최대 전력을 공급받기 위한 부하저항은 합성 내부저항의 크기와 같다.

합성 내부저항 $= \dfrac{r}{M}$ 이므로 ($\because$ 저항의 병렬연결)

$\therefore$ 부하저항 $R_L = \dfrac{r}{M}[\Omega]$

TIP !

최대전력전송 조건

㉠ 내부저항 r일 때

부하저항 $R = r$

㉡ 내부임피던스 $z = r + jx$일 때

부하임피던스

$Z = \overline{z} = \overline{(r + jx)} = r - jx$

071 ★★★

ANSWER ③ $\dfrac{2s+1}{s^2+1}$

MATH 49단원 라플라스 기초

STEP1 라플라스 변환

$$\begin{aligned} F(s) &= \pounds[f(t)] = \pounds[\sin t + 2\cos st] \\ &= \pounds[\sin t] + \pounds[2\cos t] \quad (\because \text{선형성}) \\ &= \pounds[\sin t] + 2\pounds[\cos t] \quad (\because \text{선형성}) \\ &= \frac{1}{s^2+1^2} + 2\times\frac{s}{s^2+1^2} \\ &= \frac{2s+1}{s^2+1} \end{aligned}$$

072 ★★★

ANSWER ③ 1, 1 답을 암기할 것

STEP1 각 파형의 특징

	정현파	정류파(반파)	3각파	구형파	구형반파
실효값	$\frac{V_m}{\sqrt{2}}$	$\frac{V_m}{2}$	$\frac{V_m}{\sqrt{3}}$	V_m	$\frac{V_m}{\sqrt{2}}$
평균값	$\frac{2V_m}{\pi}$	$\frac{V_m}{\pi}$	$\frac{V_m}{2}$	V_m	$\frac{V_m}{2}$
파형률	1.11	1.57	1.15	1.0	1.414
파고율	1.414	2.0	1.732	1.0	1.414

$$\text{파형률} = \frac{\text{실효값}}{\text{평균값}},\ \text{파고율} = \frac{\text{최대값}}{\text{실효값}}$$

TIP !

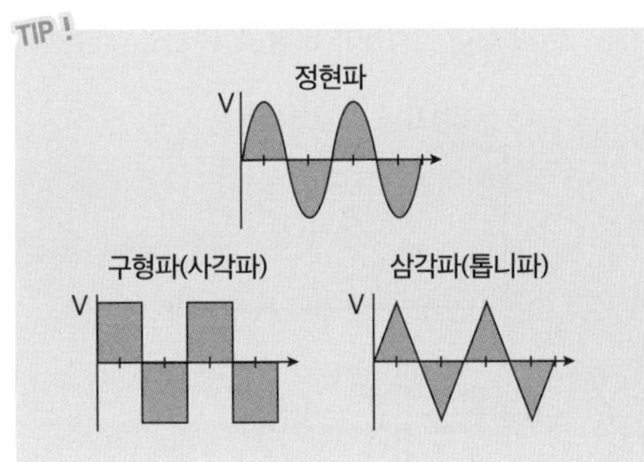

073 ★★

ANSWER ④ 1.59[μF]

MATH 1단원 SI 접두어 단위

STEP1 정전용량

정전용량 $C = \dfrac{1}{2\pi f X_C}$ 에서

용량성 리액턴스

$$X_C = \frac{V}{I} = \frac{100}{60\times10^{-3}} = 1.66\times10^3[\Omega]$$

$$\begin{aligned} \therefore C &= \frac{1}{2\pi f X_C} = \frac{1}{2\times\pi\times60\times(1.66\times10^3)} \\ &= 1.59\times10^{-6}[\text{F}] \\ &= 1.59[\mu\text{F}] \end{aligned}$$

> $1[\text{mA}] = 1\times10^{-3}[\text{A}]$
> $1[\mu\text{F}] = 1\times10^{-6}[\text{F}]$

074 ★★

ANSWER ② 346.4

MATH 15단원 절대값

STEP1 Y결선 특징

부하의 선간전압 $V_l = \sqrt{3}\,V_p$

부하의 선전류 $I_l = I_p$

STEP2 옴의 법칙

$$V_p = I\times Z = 10\times\left(\sqrt{16^2+12^2}\right)$$
$(\because$ 임피던스의 크기)

$$\therefore\ V_l = \sqrt{3}\times200 \fallingdotseq 346.4[\text{V}]$$

075 ★

ANSWER ③ 4.0

MATH 23단원 유리식

STEP1 무효전력과 리액턴스

무효전력 $P_r = I^2X$ 에서

리액턴스 $X = \dfrac{P_r}{I^2}$

STEP2 복소전력

피상전력 $P_a = VI = 200 \times 30 = 6000[VA]$

유효전력 $P = 4800[W]$ 이므로

(∵ $1[kW] = 10^3[W]$)

$$P_r = \sqrt{P_a^2 - P^2} = \sqrt{6000^2 - 4800^2} = 3600[Var]$$

$$\therefore X = \frac{P_r}{I^2} = \frac{3600}{30^2} = 4[\Omega]$$

076 ★★

ANSWER ② $-2.67 - j0.67$

MATH 28단원 복소수의 연산

STEP1 다상 교류

영상전류

$$I_0 = \frac{1}{3}(I_a + I_b + I_c)$$
$$= \frac{1}{3}(15 + j2 - 20 - j14 - 3 + j10)$$
$$= \frac{1}{3}(-8 - j12) = -2.67 - j0.67[A]$$

077 ★★★

ANSWER ④ 384

MATH 10단원 비례, 반비례, 비례식

STEP1 전력과 전압의 관계

전열기의 전력 $P = \dfrac{V^2}{R}$ 에서 (∵ 순저항 기기)

$P \propto V^2$

STEP2 비례식 계산

전압 변경 후의 전력 P'는 다음과 같다.

$$P : P' = V^2 : (0.8V)^2$$

$$\therefore P' = P\frac{(0.8V)^2}{V^2} = P \times 0.8^2 = 600 \times 0.64 = 384[W]$$

078 ★

ANSWER ④ $4 - j2$

MATH 28단원 복소수의 연산

STEP1 브리지 회로

평형 조건은 마주보는 임피던스의 곱이 같아야한다.

$Z_1Z_3 = Z_2Z_4$이므로

$(2 + j4)(2 - j3) = Z(3 + j2)$

$$\therefore Z = \frac{(2 + j4)(2 - j3)}{3 + j2} = 4 - j2[\Omega]$$

079 ★★★

ANSWER ③ 6[V], 2[Ω]

STEP1 테브낭 등가전압

$V_{ab} = 3[\Omega]$에 걸리는 전위차이므로

전압분배법칙에 의하여

$$V_{ab} = \frac{3}{2+3} \times 10 = 6[V]$$

STEP2 테브낭 등가저항

다음 그림과 같이 전압원은 단락, 전류원은 개방한다.

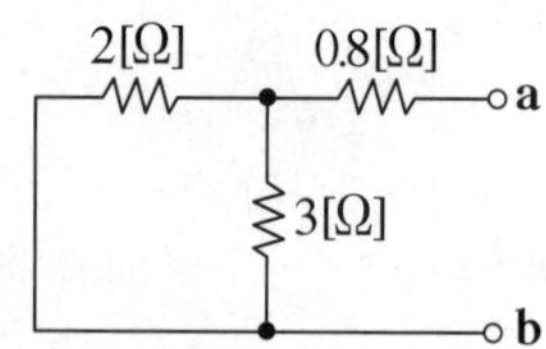

$$\therefore R = 0.8 + \frac{2 \times 3}{2+3} = 2[\Omega]$$

고난도

080 ★

ANSWER ③ 10

MATH 41단원 부정적분

STEP1 푸리에 급수

주기성을 갖는 파형은 다음과 같이 표현할 수 있다.

$$f(t) = a_0 + \sum_{n=1}^{\infty} a_n \cos(n\omega t) + \sum_{n=1}^{\infty} b_n \sin(n\omega t) + $$

여기서 a_0은 직류분이므로 주기함수의 평균을 통하여 구할 수 있다.

STEP2 주기함수의 평균

$a_0 = \frac{1}{T}\int_0^T i(t)\,d\phi$ 에서

주기 $T = 2\pi$, $\int_0^T i(t)\,d\phi$ = 주기 T 동안의 넓이이므로

$$\therefore a_0 = \frac{1}{2\pi} \times (20 \times \pi) = 10$$

제5과목 | 전기설비기술기준 및 한국전기설비규정

081 ★

ANSWER ① 25

전차선로의 충전부와 차량 간의 절연이격 (한국전기설비규정 431.3)

시스템 종류	공칭전압(V)	동적(mm)	정적(mm)
직류	750	25	25
	1,500	100	150
단상교류	25,000	170	270

082 ★★★

ANSWER ② 연선을 사용할 경우에는 소선(素線) 3가닥 이상이어야 한다.

지선의 시설 (한국전기설비규정 331.11)

3. 가공전선로의 지지물에 시설하는 지선은 다음에 따라야 한다.
   - ㉠ 지선의 안전율은 2.5(제6에 의하여 시설하는 지선은 1.5) 이상일 것. 이 경우에 허용 인장하중의 최저는 4.31[kN]으로 한다.
   - ㉡ 소선(素線) 3가닥 이상의 연선일 것
   - ㉢ 지중부분 및 지표상 0.3[m] 까지의 부분에는 내식성이 있는 것 또는 아연도금을 한 철봉을 사용하고 쉽게 부식되지 않는 근가에 견고하게 붙일 것. 다만, 목주에 시설하는 지선에 대해서는 적용하지 않는다.
4. 도로를 횡단하여 시설하는 지선의 높이는 지표상 5[m] 이상으로 하여야 한다.

083 ★

ANSWER ③ 서지보호장치

피뢰등전위본딩(한국전기설비규정 153.2)

본딩도체로 직접 접속할 수 없는 장소의 경우에는 서지보호장치를 이용한다.

2021년 3회

084 ★★★

ANSWER ② 수상전로에 사용하는 부대(浮臺)는 쇠사슬 등으로 견고하게 연결한다.

수상전선로의 시설(한국전기설비규정 335.3)

1. 수상전선로를 시설하는 경우에는 그 사용전압은 저압 또는 고압인 것에 한하며 다음에 따르고 또한 위험의 우려가 없도록 시설하여야 한다.
   ㉠ 전선은 전선로의 사용전압이 저압인 경우에는 클로로프렌 캡타이어 케이블이어야 하며, 고압인 경우에는 캡타이어 케이블일 것
   ㉢ 수상전선로에 사용하는 부대(浮臺)는 쇠사슬 등으로 견고하게 연결한 것일 것
   ㉣ 수상전선로의 전선은 부대의 위에 지지하여 시설하고 또한 그 절연피복을 손상하지 아니하도록 시설할 것
2. 제1의 수상전선로에는 이와 접속하는 가공전선로에 전용개폐기 및 과전류 차단기를 각 극(과전류 차단기는 다선식 전로의 중성극을 제외한다)에 시설하고 또한 수상전선로의 사용전압이 고압인 경우에는 전로에 지락이 생겼을 때에 자동적으로 전로를 차단하기 위한 장치를 시설하여야 한다.

085 ★★★

ANSWER ① 1.0

지중전선로의 시설(한국전기설비규정 334.1)

지중 전선로를 시설(직접매설식, 관로식)하는 경우 매설 깊이

① 차량 기타 중량물의 압력을 받을 우려가 있는 장소 : 1.0[m] 이상

② 기타 장소 : 0.6[m] 이상

086 ★★

ANSWER ① 0.4

고압 가공전선과 건조물의 접근
(한국전기설비규정 332.11)

사용 전압 부분 건조물의 종류		저압	고압
상부 조영재	일반적인 경우	1[m]	2[m]
	전선이 고압절연 전선	1[m]	2[m]
	전선이 케이블	1[m]	1[m]
기타 조영재 또는 상부 조영재의 옆쪽 또는 아래쪽	일반적인 경우	1.2[m]	1.2[m]
	전선이 고압절연 전선	0.4[m]	1.2[m]
	전선이 케이블	0.4[m]	0.4[m]
	사람이 쉽게 접근할 수 없도록 시설한 경우	0.8[m]	0.8[m]

087 ★★

ANSWER ② 관등회로의 배선은 애자사용공사에 의할 것

관등회로의 배선 (한국전기설비규정 234.12.3)

1. 관등회로의 배선은 애자공사로 다음에 따라서 시설하여야 한다.
   ㉠ 전선은 네온관용 전선을 사용할 것
   ㉡ 배선은 외상을 받을 우려가 없고 사람이 접촉될 우려가 없는 노출장소에 시설할 것
   ㉢ (1) 전선 상호간의 이격거리는 60[mm] 이상일 것
   (3) 전선 지지점간의 거리는 1[m] 이하로 할 것

088 ★★

ANSWER ② 교류 1,000[V] 이하에서 동작하는 피뢰기

특고압 가공전선로 첨가설치 통신선의 시가지 인입 제한(한국전기설비규정 362.5)

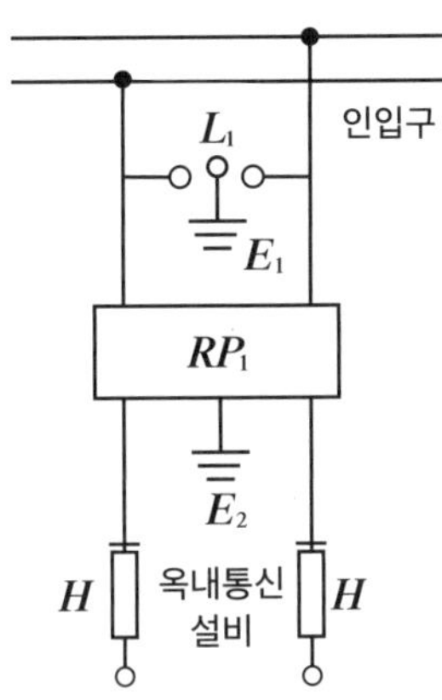

급전전용통신선용 보안 장치

RP_1 : 교류 300[V] 이하에서 동작하고, 최소 감도 전류가 3[A] 이하로서 최소 감도 전류 때의 응동시간이 1사이클 이하이고 또한 전류 용량이 50[A], 20초 이상인 자복성(自復性)이 있는 릴레이 보안기

L_1 : 교류 1[kV] 이하에서 동작하는 피뢰기

E_1 및 E_2 : 접지

089 ★

ANSWER ④ 태양전지 모듈을 주차장 상부에 시설하는 경우는 위험표시를 하지 않아도 된다.

태양광발전설비 설치장소의 요구사항 (한국전기설비규정 521.1)

5. 태양전지 모듈의 직렬군 최대개방전압이 직류 750[V] 초과 1500 [V] 이하인 시설장소는 다음에 따라 울타리 등의 안전조치를 하여야 한다.
   - ㉠ 태양전지 모듈을 지상에 설치하는 경우는 351.1의 1에 의하여 울타리·담 등을 시설하여야 한다.
   - ㉡ 태양전지 모듈을 일반인이 쉽게 출입할 수 있는 옥상 등에 시설하는 경우는 식별이 가능하도록 위험 표시를 하여야 한다.
   - ㉢ 태양전지 모듈을 일반인이 쉽게 출입할 수 없는 옥상·지붕에 설치하는 경우는 모듈 프레임 등 쉽게 식별할 수 있는 위치에 위험 표시를 하여야 한다.
   - ㉣ 태양전지 모듈을 주차장 상부에 시설하는 경우는 "㉡"와 같이 시설하고 차량의 출입 등에 의한 구조물, 모듈 등의 손상이 없도록 하여야 한다.

090 ★★★

ANSWER ② 2.6[mm]

저압 가공전선의 굵기 및 종류 (한국전기설비규정 222.5)

2. 사용전압이 400[V] 이하인 저압 가공전선은 케이블인 경우를 제외하고는 인장강도 3.43[kN] 이상의 것 또는 지름 3.2[mm](절연전선인 경우는 인장강도 2.3[kN] 이상의 것 또는 지름 2.6[mm] 이상의 경동선) 이상의 것이어야 한다.

091 ★★

ANSWER ③ 합성수지관공사

옥측전선로 (한국전기설비규정 221.2)

저압 옥측전선로는 다음의 공사방법에 의할 것

㉠ 애자공사(전개된 장소에 한한다.)

㉡ 합성수지관공사

㉢ 금속관공사(목조 이외의 조영물에 시설하는 경우에 한한다.)

㉣ 버스덕트공사(목조 이외의 조영물(점검할 수 없는 은폐된 장소는 제외한다)에 시설하는 경우에 한한다.)

㉤ 케이블공사(연피 케이블, 알루미늄피 케이블 또는 무기물절연(MI) 케이블을 사용하는 경우에는 목조 이외의 조영물에 시설하는 경우에 한한다.)

092 ★

ANSWER ③ 내장형

상시 상정하중 (한국전기설비규정 333.13)

㉠ 인류형의 경우에는 전가섭선에 관하여 각 가섭선의 상정 최대장력과 같은 불평균 장력의 수평 종분력에 의한 하중

㉡ 내장형 · 보강형의 경우에는 전가섭선에 관하여 각 가섭선의 상정 최대장력의 33[%]와 같은 불평균 장력의 수평 종분력에 의한 하중

㉢ 직선형의 경우에는 전가섭선에 관하여 각 가섭선의 상정 최대장력의 3[%]와 같은 불평균 장력의 수평 종분력에 의한 하중.(단 내장형은 제외한다)

㉣ 각도형의 경우에는 전가섭선에 관하여 각 가섭선의 상정 최대장력의 10[%]와 같은 불평균 장력의 수평 종분력에 의한 하중

093 ★★★

ANSWER ② 10500

전로의 절연저항 및 절연내력 (한국전기설비규정 132)

전로의 종류	접지방식	시험전압 (최대사용 전압의 배수)	최저 시험 전압
1. 7[kV]이하		1.5배	
2. 7[kV]초과 25[kV]이하	다중접지	0.92배	
3. 7[kV]초과 60[kV]이하 (2란의 것 제외)		1.25배	10.5[kV]
4. 60[kV]초과	비접지	1.25배	
5. 60[kV]초과 (6란과 7란의 것 제외)	접지식	1.1배	75[kV]
6. 60[kV]초과 (7란의 것 제외)	직접접지	0.72배	
7. 170[kV]초과(발전소 또는 변전소 혹은 이에 준하는 장소에 시설하는 것)	직접접지	0.64배	

$7200 \times 1.25 = 9000$[V] 이지만, 최저 시험 전압은 10.5[kV] 이므로 10500[V] 이다.

094 ★★★

ANSWER ① 역률계

계측장치(한국전기설비규정 351.6)

발전소에서는 다음의 사항을 계측하는 장치를 시설하여야 한다.

㉠ 발전기의 전압 및 전류 또는 전력

㉡ 발전기의 베어링 및 고정자의 온도

㉢ 주요 변압기의 전압 및 전류 또는 전력

㉣ 특고압용 변압기의 온도

095 ★★★

ANSWER ③ 600

특고압 가공전선로의 경간 제한 (한국전기설비규정 333.21)

지지물의 종류	경간
목주·A종 철주 또는 A종 철근 콘크리트주	150[m]
B종 철주 또는 B종 철근 콘크리트주	250[m]
철탑	600[m]이하 (단주인 경우에는 400[m]이하

096 ★

ANSWER ① 전선과 수목 사이의 이격거리는 50[cm] 이상이어야 한다.

사용전압(한국전기설비규정 241.1.2)

전기울타리용 전원장치에 전원을 공급하는 전로의 사용전압은 250[V] 이하이어야 한다.

전기울타리의 시설(한국전기설비규정 241.1.3)

전기울타리는 다음에 의하고 또한 견고하게 시설하여야 한다.

1. 전기울타리는 사람이 쉽게 출입하지 아니하는 곳에 시설할 것
2. 전선은 인장강도 1.38[kN] 이상의 것 또는 지름 2[mm] 이상의 경동선일 것
3. 전선과 이를 지지하는 기둥 사이의 이격거리는 25[mm] 이상일 것
4. 전선과 다른 시설물(가공 전선을 제외한다) 또는 수목과의 이격거리는 0.3[m] 이상일 것

097 ★

ANSWER ③ 피뢰기는 개방형을 사용하고 유효 보호거리를 증가시키기 위하여 방전개시전압 및 제한전압이 낮은 것을 사용한다.

설비보호의 일반사항(한국전기설비규정 451)

㉠ 피뢰기 설치장소

- 변전소 인입측 및 급전선 인출측
- 가공전선과 직접 접속하는 지중케이블에서 낙뢰에 의해 절연파괴의 우려가 있는 케이블 단말
- 피뢰기는 가능한 한 보호하는 기기와 가깝게 시설하되 누설전류 측정이 용이하도록 지지대와 절연하여 설치한다.

㉡ 피뢰기의 선정

- 피뢰기는 밀봉형을 사용하고 유효 보호거리를 증가시키기 위하여 방전개시전압 및 제한전압이 낮은 것을 사용한다.

098 ★★

ANSWER ② 3.0

저압 인입선의 시설(한국전기설비규정 221.1.1)

전선의 높이는 다음에 의할 것

㉠ 도로(차도와 보도의 구별이 있는 도로인 경우에는 차도)를 횡단하는 경우에는 노면상 5[m](기술상 부득이한 경우에 교통에 지장이 없을 때에는 3[m] 이상

㉡ 철도 또는 궤도를 횡단하는 경우에는 레일면상 6.5[m] 이상

㉢ 횡단보도교의 위에 시설하는 경우에는 노면상 3[m] 이상

㉣ ㉠에서 ㉢까지 이외의 경우에는 지표상 4[m] (기술상 부득이한 경우에 교통에 지장이 없을 때에는 2.5[m]) 이상

099 ★

ANSWER ③ 10

용어 정의(한국전기설비규정 112)

"리플프리(Ripple - free)직류"란 교류를 직류로 변환할 때 리플성분의 실효값이 10[%] 이하로 포함된 직류를 말한다.

100 ★

ANSWER ② 정격감도전류 40[mA], 동작시간이 0.5[초]인 전류 동작형의 인체감전 보호용 누전차단기를 시설하는 경우

기계기구의 철대 및 외함의 접지 (한국전기설비규정 142.7)

접지공사를 생략할 수 있는 경우

㉠ 사용전압이 직류 300[V] 또는 교류 대지전압이 150[V] 이하인 기계기구를 건조한 곳에 시설하는 경우

㉡ 저압용의 기계기구를 건조한 목재의 마루 기타 이와 유사한 절연성 물건 위에서 취급하도록 시설하는 경우

㉢ 철대 또는 외함의 주위에 적당한 절연대를 설치하는 경우

㉣ 외함이 없는 계기용변성기가 고무·합성수지 기타의 절연물로 피복한 것일 경우

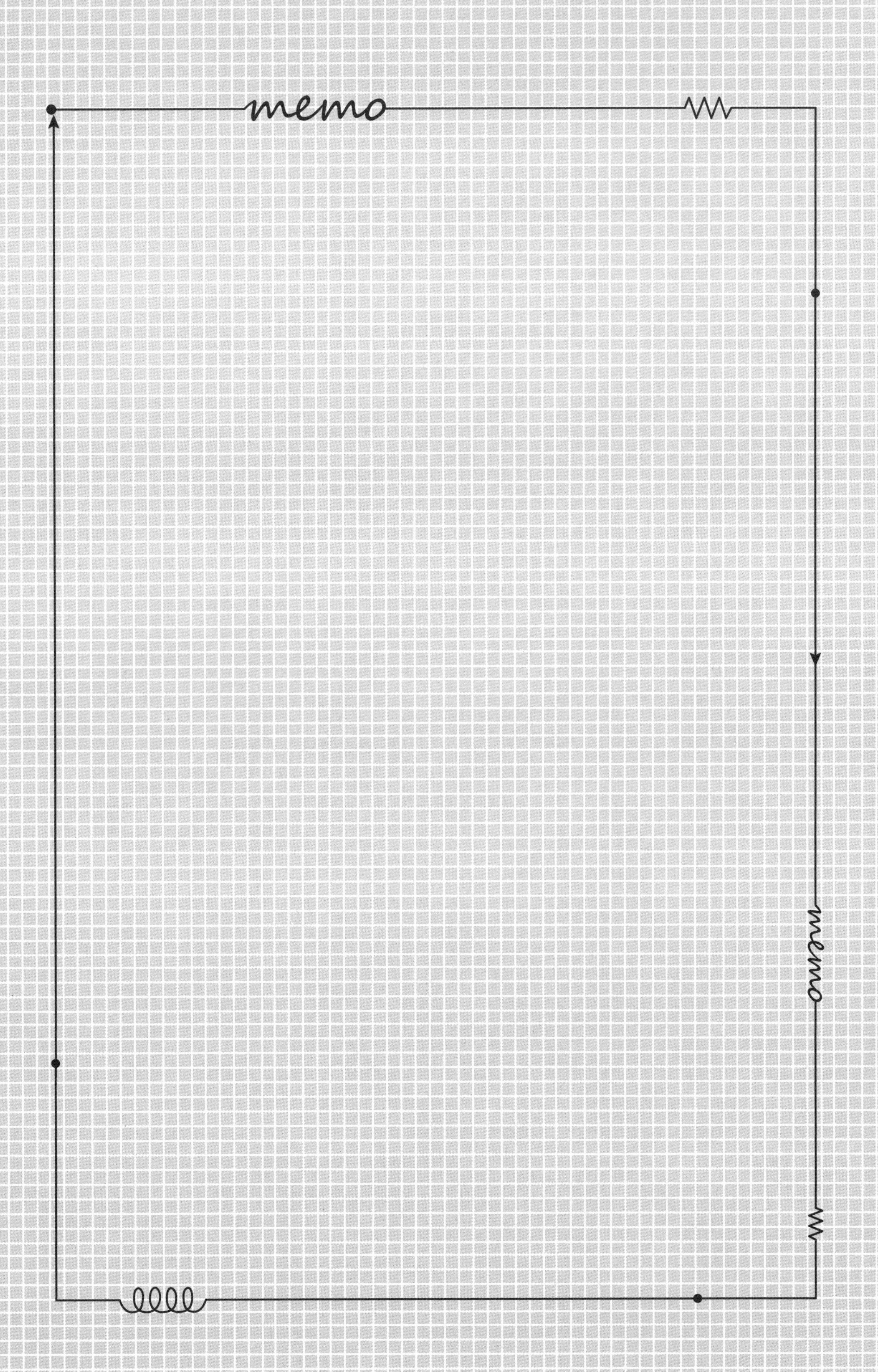

㉤ 정격감도전류가 30[mA] 이하, 동작시간이 0.03[초] 이하의 전류동작형의 인체감전 보호용 누전차단기를 시설하는 경우

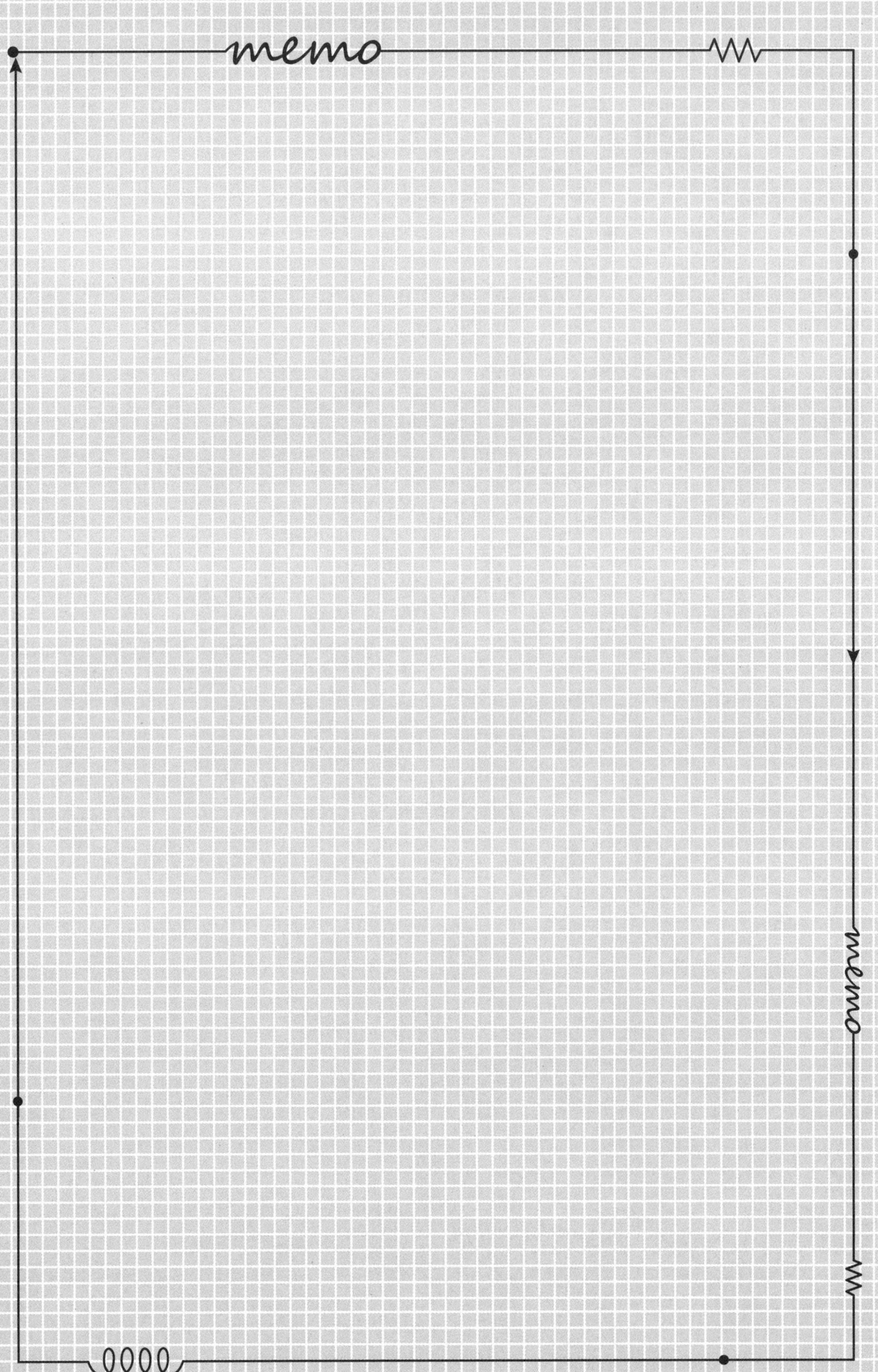
memo
memo

엔지니오 과년도 기출문제집

2020

2020년 1·2회

제1과목 | 전기자기학

001 ★★★

ANSWER ① 굴절

MATH 10단원 비례, 반비례, 비례식

STEP1 경계조건

	전계	자계
평행 (법선성분)	$E_1\sin\theta_1 =$ $E_2\sin\theta_2$	$H_1\sin\theta_1 =$ $H_2\sin\theta_2$
수직 (접선성분)	$D_1\cos\theta_1 =$ $D_2\cos\theta_2$	$B_1\cos\theta_1 =$ $B_2\cos\theta_2$
굴절 법칙	$\frac{\tan\theta_1}{\tan\theta_2} = \frac{\epsilon_1}{\epsilon_2}$	$\frac{\tan\theta_1}{\tan\theta_2} = \frac{\mu_1}{\mu_2}$

STEP2 굴절의 법칙

$\frac{\tan\theta_1}{\tan\theta_2} = \frac{\epsilon_1}{\epsilon_2} \rightarrow \tan\theta_1 : \tan\theta_2 = \epsilon_1 : \epsilon_2$

$\rightarrow \theta_1 : \theta_2 = \epsilon_1 : \epsilon_2$에서

$\epsilon_1 > \epsilon_2$일 때 $\theta_1 : \theta_2$이므로

즉, 유전율이 다른 경우, θ_1과 θ_2 또한

다른 값이어야 한다.

002 ★★

ANSWER ② 2

STEP1 전하의 총량은 일정하다.

$Q = Q_A + Q_B$

Q : 전체 전하량

Q_A : A 도체구의 전하량

Q_B : B 도체구의 전하량

접촉 순간의 전위는 같다.

점전하 Q[C]에서 거리 r[m]인 점에서의 전위

$$V = \frac{Q}{4\pi\epsilon_0\epsilon_s r}[\mathrm{N}]$$

STEP2 전개

$$V = \frac{Q_A}{4\pi\epsilon_0\epsilon_s r} = \frac{Q_B}{4\pi\epsilon_0\epsilon_s r}[\mathrm{N}]$$

$$Q_B = \frac{4\pi\epsilon_0\epsilon_s r_2}{4\pi\epsilon_0\epsilon_s r_1}Q_A = \frac{3}{9}Q_A = \frac{1}{3}(Q - Q_B)$$

$$\Rightarrow \frac{4}{3}Q_B = \frac{Q}{3}, Q_B = \frac{Q}{4} = \frac{8}{4} = 2[\mathrm{C}]$$

고난도

003 ★

ANSWER ② $\frac{1}{4\pi k}\left(\frac{1}{a} - \frac{1}{b}\right)$ 답을 암기할 것

STEP1 저항과 정전용량의 관계

동심 구 도체에 전류가 흘러감에 따라 작용하는 정전용량이 존재한다.

$RC = \epsilon\rho[\mathrm{s}]$

STEP2 동심 구에서의 정전용량

$$C_{ab} = \frac{4\pi\epsilon}{\frac{1}{a} - \frac{1}{b}}[\mathrm{F}]$$

STEP3 저항 구하기

$$R = \frac{\epsilon\rho}{C} = \frac{\epsilon\rho}{\dfrac{4\pi\epsilon}{\dfrac{1}{a}-\dfrac{1}{b}}} = \frac{\rho}{4\pi}\left(\frac{1}{a}-\frac{1}{b}\right)[\Omega]$$

도전율 $k = \dfrac{1}{\text{저항률}(\rho)}$

$$R = \frac{1}{4\pi k}\left(\frac{1}{a}-\frac{1}{b}\right)[\Omega]$$

004 ★★

ANSWER ④ σ^2에 비례 답을 암기할 것

STEP1 정전응력

도체에 분포된 전하에 의해서, 도체 표면에 작용 (단위면적 당) 하는 힘

$$f = \frac{1}{2}DE = \frac{1}{2}\epsilon E^2 = \frac{D^2}{2\epsilon}[\mathrm{N/m^2}]$$

STEP2 전하밀도 이용

표면의 전하밀도 σ는 도체 표면의 전속 밀도와 같다.

따라서, $D^2 = (\epsilon E)^2$와 같으므로, σ^2에 비례한다.

005 ★

ANSWER ④ $C_2 = 9C_1$

STEP1 평행 평판 도체의 정전용량

$$C_1 = \frac{\epsilon S}{d}[\mathrm{F}]$$

STEP2 바뀐 값 적용

$$C_2 = \frac{\epsilon(3S)}{\dfrac{1}{3}d} = \frac{\epsilon 9S}{d} = 9C_1[\mathrm{F}]$$

006 ★★

ANSWER ④ 0 답을 암기할 것

폐회로를 일주할 때 전계가 하는 일은 0이 된다. (경로와 무관하다.)

- 보존장의 조건: $\oint E \cdot dl = 0(\mathrm{rot}E = 0)$

007 ★

ANSWER ③ $\dfrac{\mu_1}{\mu_2} = \dfrac{\tan\theta_1}{\tan\theta_2}$ 답을 암기할 것

STEP1 경계조건

	전계	자계
평행 (법선성분)	$E_1\sin\theta_1 = E_2\sin\theta_2$	$H_1\sin\theta_1 = H_2\sin\theta_2$
수직 (접선성분)	$D_1\cos\theta_1 = D_2\cos\theta_2$	$B_1\cos\theta_1 = B_2\cos\theta_2$
굴절 법칙	$\dfrac{\tan\theta_1}{\tan\theta_2} = \dfrac{\epsilon_1}{\epsilon_2}$	$\dfrac{\tan\theta_1}{\tan\theta_2} = \dfrac{\mu_1}{\mu_2}$

고난도

008 ★

ANSWER ④ $\dfrac{a_1V_1 + a_2V_2}{a_1 + a_2}$ 답을 암기할 것

STEP1 연결한 후, 전위는 같아진다.

$V = V_1 = V_2$

STEP2 총 전하는 항상 같다.

Q: 전체 전하량

Q_A: A 도체구의 전하량

Q_B: B 도체구의 전하량

㉠ 도체구에서의 전위 V

$$V = \frac{Q}{4\pi\epsilon_0\epsilon_s a}[\mathrm{V}]$$

㉡ 도체구의 전하 Q

$Q = 4\pi\epsilon_0\epsilon_s aV[\mathrm{C}]$

STEP3 전하공식 적용

$$\begin{aligned} Q &= 4\pi\epsilon_0\epsilon_s a_1V_1 + 4\pi\epsilon_0\epsilon_s a_2V_2 \\ &= 4\pi\epsilon_0\epsilon_s(a_1V_1 + a_2V_2) \\ &= V(4\pi\epsilon_0\epsilon_s a_1 + 4\pi\epsilon_0\epsilon_s a_2)[\mathrm{C}] \end{aligned}$$

$$\begin{aligned} V &= \frac{4\pi\epsilon_0\epsilon_s(a_1V_1 + a_2V_2)}{V(4\pi\epsilon_0\epsilon_s a_1 + 4\pi\epsilon_0\epsilon_s a_2)} \\ &= \frac{(a_1V_1 + a_2V_2)}{a_1 + a_2}[\mathrm{V}] \end{aligned}$$

009 ★★★

ANSWER ④ $L_1 \cdot L_2 = M^2$

STEP1 결합계수

$k = \dfrac{M}{\sqrt{L_1 L_2}}$ 또는 $M = k\sqrt{L_1 L_2}$

(k : 결합계수(Coupling factor))

$1 = \dfrac{M}{\sqrt{L_1 L_2}},\ L_1 L_2 = M^2$

010 ★★

ANSWER ② EH 답을 암기할 것

포인팅벡터(Poynting vector) $\overrightarrow{P}$

- 전자계 내의 한 점을 통과하는 에너지 흐름의 단위 면적당 전력 또는 전력 밀도를 표시하는 벡터

$P = E \times H = \dfrac{E^2}{\eta_0} = \eta_0 H^2 [\mathrm{W/m^2}]$

011 ★

ANSWER ④ $q_{21} = -q_{11}$

STEP1 용량계수와 유도계수

도체 $\boldsymbol{i}$ 의 전하 $Q_i = \sum_{j=1}^{n} q_{ij} V_j$ 에서

$\boldsymbol{i}$: 유도 되는 도체, $\boldsymbol{j}$: 기준 도체, V_j : 도체 $\boldsymbol{j}$ 의 전위 (단위 전위 $+1[\mathrm{V}]$)

㉠ 용량계수(Coefficient of capacity) 첨자가 동일($\boldsymbol{i = j}$) 도체 자신의 전위를 기준으로 하므로 $q_{11}, q_{22}, q_{33}, \cdots\cdots, q_{nn}(q_{ii}) > 0$

㉡ 유도계수(Coefficient of induction)($\boldsymbol{i \neq j}$) 도체 $\boldsymbol{j}$를 기준($+1[\mathrm{V}]$)으로 도체 $\boldsymbol{i}$ 에 유도되는 계수 $q_{21}, q_{31}, \cdots\cdots, q_{n1}(q_{ij}) \leq 0$

STEP2 정전차폐

임의의 도체를 일정 전위(영전위)의 도체로 완전 포위하여, 내외공간의 전계를 완전히 차단하는 현상 따라서 도체 1과 3은 정전기적 관계를 하지 않는다.

STEP3 용량계수와 유도계수의 성질

- $q_{23} = -q_{33}$
- $q_{13} = q_{31} = 0$ (∵ 정전차폐)
- $q_{21} = -q_{11}$

012 ★

ANSWER ① 주파수에 비례한다.

STEP1 와류손과 고유저항

와(전)류손(P_e) : 자속이 도체를 통과하면서 도체 표면에 회전하는 모양의 전류(와전류)에 의해서 열에너지로 소비되는 손실

($P_e = \sigma (tfB_m)^2 [\mathrm{W/m^3}]$)

(σ : 도전율, t : 통과하는 도체의 두께, f : 주파수, B_m : 최대자속밀도)

$\rho = \dfrac{1}{\sigma} [\Omega \cdot \mathrm{m}]$: 고유저항(저항률)

즉, 주파수의 제곱에 비례(≠ 주파수에 비례)하고,
저항에 반비례(도전율에 비례)하고,
자속밀도의 제곱에 비례한다.

013 ★★

ANSWER ③ $\sqrt{2}$

STEP1 평행 도선 사이의 힘과 전류 관계식

평행 도선 사이의 힘 : $F = \dfrac{\mu I_1 I_2}{2\pi d} [\mathrm{N/m}]$

STEP2 평행 왕복 도선의 전류

$$F = \frac{\mu I^2}{2\pi d} [\mathrm{N/m}]$$

$$I = \sqrt{\frac{2\pi d F}{\mu}} = \sqrt{\frac{2\pi \times 0.1 \times (4 \times 10^{-6})}{\mu_0 (= 4\pi \times 10^{-7})}} = \sqrt{2} [\mathrm{A}]$$

014 ★

ANSWER ① ϵ_s 답을 암기할 것

STEP1 콘덴서의 정전용량와 유전율

$$C = \frac{Q}{V} = \frac{Q}{Ed} = \frac{Q}{d\dfrac{Q}{\epsilon S}} = \frac{\epsilon S}{d}[\mathrm{F}]$$

$\epsilon = \epsilon_0\epsilon_s$: 유전율

ϵ_0 : 진공상태에서 유전율, $8.855 \times 10^{-12}[\mathrm{F/m}]$

ϵ_s : 비유전율

STEP2 정전용량의 비

$$\frac{C}{C_0} = \frac{\dfrac{\epsilon_0\epsilon_s S}{d}}{\dfrac{\epsilon_0 S}{d}} = \epsilon_s$$

015 ★

ANSWER ② 변위전류의 크기는 유전율에 반비례 한다.

STEP1 암페어의 주회법칙

전류가 흐르는 도선은 주위에 회전자계를 생성한다.

$\oint_C H \cdot d\ell = \int_S J \cdot da$ 또는 $\nabla \times H = J$

(여기서, J : 전도전류 밀도)

그러나, 전도전류를 가지고 유전체 주위에 생성된 자계를 해석할 수 없으므로 맥스웰이 변위 전류 개념을 추가하여 다음과 같이 해석하였다.

(맥스웰 방정식 $\nabla \times H = J + \dfrac{\partial D}{\partial t}$)

STEP2 변위전류

변위전류 $i_d = \dfrac{\partial D}{\partial t}$

① 변위전류에 의해 유전체 주변에 자계가 발생한다.

② $i_d = \dfrac{\partial D}{\partial t} = \epsilon\dfrac{\partial E}{\partial t}$, 유전율에 비례한다.

③ $i_d = \dfrac{\partial D}{\partial t}$, 전속밀도의 시간적 변화를 나타낸다.

④ $i_d = \dfrac{\partial D}{\partial t} = \epsilon\dfrac{\partial E}{\partial t} = \epsilon_0\dfrac{\partial E}{\partial t} + \dfrac{\partial P}{\partial t}$

$\epsilon_0\dfrac{\partial E}{\partial t}$: 진공 중의 전계 변화에 의한 변위전류

$\dfrac{\partial P}{\partial t}$: 구속전자의 변위에 의한 분극전류

016 ★★

ANSWER ② 철심의 길이

환상 솔레노이드의 자기 인덕턴스

$$L = \frac{\mu S N^2}{l}[\mathrm{H}]$$

즉, 철심의 길이에 반비례한다.

017 ★★

ANSWER ④ 자성체의 단위 면적당 자기력선의 밀도

자화의 세기 : 자성체의 단위면적 당 발생하는 자기량, 단위체적 당 모멘트(자기분극)

자화의 세기

$J = \dfrac{m}{S}$ (단위 면적당 자화된 자하량)

$= \dfrac{ml}{Sl}$ (단위 면적당 자화선의 밀도)

$= \dfrac{M}{V}$ (단위 체적당 자기모멘트) $[\mathrm{Wb/m^3}]$

TIP !

자성체의 단위 면적당 자기력선의 밀도

$\dfrac{\phi}{S} = B$: 자기장의 세기

018 ★★★

ANSWER ② $\dfrac{I}{2a}$ 답을 암기할 것

원형 코일 중심의 자계의 세기

$$H_0 = \frac{NI}{2a} = \frac{1I}{2a} = \frac{I}{2a}[\mathrm{AT/m}]$$

019 ★★

ANSWER ② 115

STEP1 **정사각형 회로 중심의 자계의 세기**

$$H_0 = \frac{2\sqrt{2}\,I}{\pi l}[\mathrm{AT/m}]$$

STEP2 **변화에 대한 자계의 세기**

면적의 3배 = 길이의 $\sqrt{3}$ 배

$$H_0' = \frac{2\sqrt{2}\times 2I}{\pi\times\sqrt{3}\,l} = \frac{2}{\sqrt{3}}\frac{2\sqrt{2}\,I}{\pi l}[\mathrm{AT/m}]$$

$$\frac{2}{\sqrt{3}} ≒ 1.15$$

즉, 원래 자계의 세기의 115[%]가 된다.

020 ★★

ANSWER ② 전기쌍극자에 의한 전계

MATH **10단원 비례 반비례 비례식**

STEP1

① 두 점전하 사이에 작용하는 힘(쿨롱의 법칙)

$$F = k\frac{Q_1Q_2}{r^2} = \frac{Q_1Q_2}{4\pi\epsilon_0 r^2}[\mathrm{N}]$$

② 전기 쌍극장에 의한 전계

$$E = \sqrt{E_r^2 + E_\theta^2} = \frac{M\sqrt{1+3\cos^2\theta}}{4\pi\epsilon_0 r^3}[\mathrm{V/m}]$$

③ 직선 전하에 의한 전계

$$E = \frac{\lambda}{2\pi\epsilon_0 r}[\mathrm{V/m}]$$

④ 전하의 전위

$$V_P = -\int_\infty^r E\cdot dl = -\int_\infty^r \frac{Q}{4\pi\epsilon_0 r^2}dr$$

$$= \frac{Q}{4\pi\epsilon_0 r}[\mathrm{V}]$$

즉, 전기 쌍극자에 의한 전계가 거리 세제곱에 반비례한다.

제2과목 | 전력공학

021 ★★

ANSWER ④ UVR

- 부족 전압 계전기(UVR : Under Voltage Relay)
  전압이 정정값 이하 시 동작
- 과전압 계전기(OVR : Over Voltage Relay)
  전압이 정정값 초과 시 동작

022 ★

ANSWER ② 프란시스 수차

동작원리에 의한 분류	수차의 종류	낙차
충동형	펠톤수차	300[m]이상 고낙차
반동형	프란시스 수차 카플란 수차 튜우블러 수차	50~500[m]의 중낙차 30[m] 이하의 저낙차 20[m] 이하의 저낙차

023 ★★★

ANSWER ② 선로의 정전용량

STEP1 **페란티 현상**

무부하 또는 경부하 시 수전단 전압이 송전단 전압보다 높아지는 현상

㉠ 원인 : 선로의 정전용량(진상전류)

㉡ 방지 대책 : 진상전류와 반대되는 지상전류 공급
(동기 조상기의 부족여자 운전, 분로 리액터)

024 ★★★

ANSWER ② 양수식발전소

양수식 발전소 : 경부하시 또는 심야에 잉여 전력을 이용해서 펌프로 물을 하부 저수지에서 상부 저수지로 양수하여 저장하였다가 첨두부하 시에 발전하는 발전소

025 ★

ANSWER ④ kg·m/kcal

• 일당량 : 1[kcal]에 해당하는 일의 양

• 열의 일당량 : 427[kg·m/kcal]

TIP !

일 = 힘 × 거리

1[kcal] = 427[kg·m]

1[kg·m] = 9.8[J]

∴ 1[kcal] = 4186[J] = 4.2[kJ]

026 ★★

ANSWER ② 전선의 정전용량이 감소된다.

STEP1 복도체나 다도체를 사용할 때 장점

• 인덕턴스는 감소하고 정전용량은 증가한다.

• 같은 단면적의 단도체에 비해 전류용량 및 송전용량이 증가한다.

• 코로나 임계전압의 상승으로 코로나현상이 방지된다.

027 ★★★

ANSWER ② 대지 정전용량의 감소

STEP1 연가의 목적

• 선로정수 평형

• 근접 통신선에 대한 유도장해 감소

• 소호리액터 접지계통에서 중성점의 잔류전압으로 인한 직렬공진의 방지

• 대지정전용량, 임피던스 평형

028 ★★★

ANSWER ④ 비율차동계전기

STEP1 계전기 종류

① 역상 계전기 : 역상분의 접압 또는 전류를 검출하는 계전기, 전력설비의 불평형 운전 또는 결상 운전 방지를 위해 설치

② 과전압 계전기 : 전압의 크기가 일정값 이상으로 되었을 때 동작

③ 과전류 계전기 : 전류의 크기가 일정값 이상으로 되었을 때 동작

④ 비율차동 계전기 : 발전기 내부 단락 검출용

029 ★★★

ANSWER ④ 탑각 접지저항을 작게 한다.

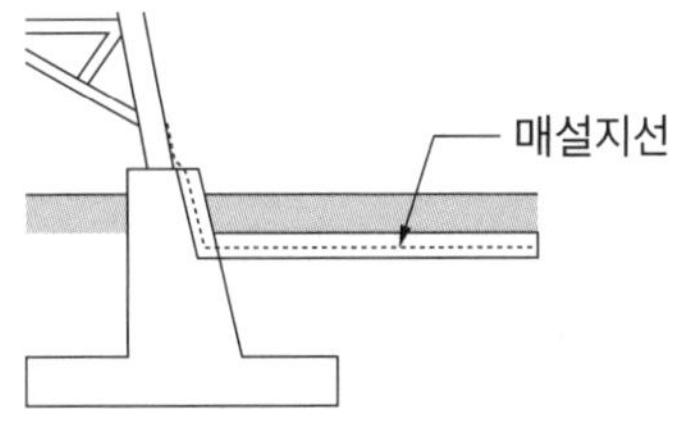

철탑의 하부

역섬락은 철탑의 탑각 접지 저항이 커서 낙뢰로 인한 과전압을 대지로 방전하지 못하고 선로에 뇌격을 보내는 현상이다. 따라서, 탑각 접지 저항의 감소를 통해 역섬락을 방지한다. 이를 위해서 매설지선을 설치한다.

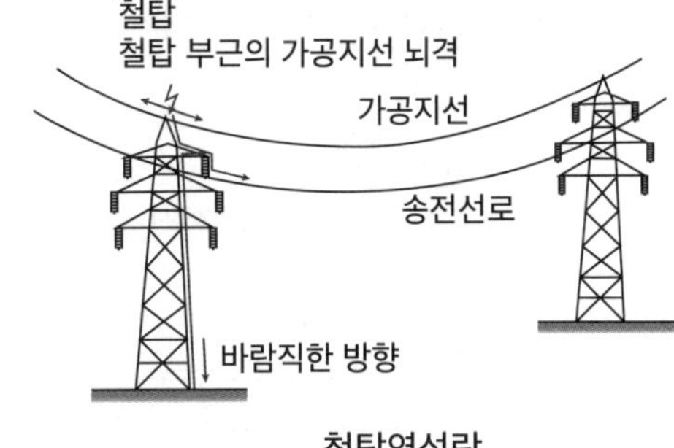

철탑역섬락

030 ★★★

ANSWER ① 전압의 승압, 강압 변경이 용이하다.

STEP1 교류송전방식의 장점

㉠ 전압의 승압·강압 변경이 용이

㉡ 유도전동기에서 회전자계를 쉽게 얻음

㉢ 계통의 일관된 운용이 가능

031 ★

ANSWER ② 110

STEP1 단상 2선식의 전압강하

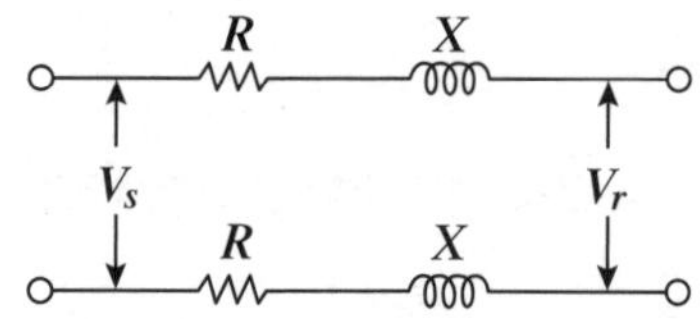

전압강하 : $e = V_s - V_r = 2I(R\cos\theta + X\sin\theta)$

급전점의 전압(V_s) $= V_r + 2I(R\cos\theta + X\sin\theta)$

(부하는 순저항 부하이므로 역률 $\cos\theta = 1$, $\sin\theta = 0$)

$\therefore\ 100 + 2 \times \frac{3000}{100} \times (0.15 \times 1 + 0.25 \times 0)$
$= 109[V]$

032 ★★★

ANSWER ③ 계전기 동작시간은 전류의 크기와 반비례한다.

STEP1 계전기의 한시특성에 의한 분류

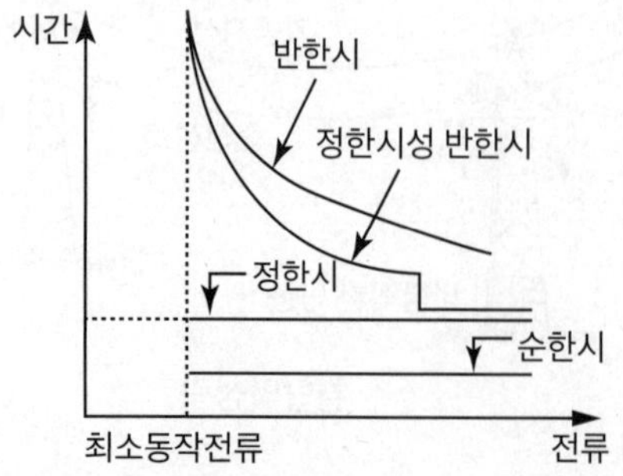

㉠ 순한시 계전기 : 최소 동작전류 이상의 전류가 흐르면 즉시 동작하는 것

㉡ 반한시 계전기 : 동작전류가 커질수록 동작시간이 짧게 되는 특성을 가진 것

㉢ 정한시 계전기 : 동작전류의 크기에 관계없이 일정한 시간에서 동작하는 것

㉣ 반한시성 정한시 계전기 : 동작전류가 적은 동안에는 반한시 특성으로 되고 그 이상에서는 정한시 특성이 되는 것

033 ★★★

ANSWER ③ $\sqrt{3}\,I(R\cos\theta + X\sin\theta)$

STEP1 전기방식에 따른 전압강하

㉠ 단상3선식, 3상4선식 : $e = I(R\cos\theta + X\sin\theta)$

㉡ 단상2선식 : $e = 2I(R\cos\theta + X\sin\theta)$

㉢ 3상 3선식 : $e = \sqrt{3}\,I(R\cos\theta + X\sin\theta)$

034 ★

ANSWER ② 조임쇠

STEP1 전선의 진동 억제 대책

㉠ 댐퍼 : 전선의 진동 억제

㉡ 아머 로드 : 지지점 부근의 전선을 보강하여 진동 감소

㉢ 클램프 : 전선의 클램프 무게를 변경하여 임계진동을 피함

035 ★★★

ANSWER ① 한류리액터

STEP1 한류리액터

선로의 단락사고 시 일시적으로 발생하는 단락전류를 제한하여 차단기의 용량을 감소하기 위해 선로에 직렬로 설치

036 ★

ANSWER ① 4800

MATH 22단원 삼각함수 특수공식

STEP1 개선용 콘덴서 용량

콘덴서 용량(Q_c)

$$= P\tan\theta_1 - P\tan\theta_2 = P(\tan\theta_1 - P\tan\theta_2)$$

$$= P\left(\frac{\sin\theta_1}{\cos\theta_1} - \frac{\sin\theta_2}{\cos\theta_2}\right)$$

$$= P\left(\frac{\sqrt{1-\cos^2\theta_1}}{\cos\theta_1} - \frac{\sqrt{1-\cos^2\theta_2}}{\cos\theta_2}\right)[\text{kVA}]$$

(여기서, $\cos\theta_1$: 개선 전 역률,

$\cos\theta_2$: 개선 후 역률)

STEP2 설비용량

$$P = \frac{Q_c}{\left(\frac{\sqrt{1-\cos^2\theta_1}}{\cos\theta_1} - \frac{\sqrt{1-\cos^2\theta_2}}{\cos\theta_2}\right)}$$

$$= \frac{2800}{\left(\frac{\sqrt{1-0.6^2}}{0.6} - \frac{\sqrt{1-0.8^2}}{0.8}\right)} = 4800[\text{kW}]$$

037 ★

ANSWER ③ 전압강하가 작고, 효율이 높다.

STEP1 단상 3선식의 특징 및 단상 2선식과의 비교

㉠ 소요 전선량이 감소한다.

㉡ 중성선에서 퓨즈를 설치하지 않는다.

㉢ 단상 3선식은 전압의 개수가 2개이다. (110[V], 220[V])

㉣ 전압 불평형이 생기기 쉽다. 그래서 전압 불평형을 줄이기 위하여 저압선의 말단에 밸런서(Balancer)를 설치한다.

㉤ 단상 3선식의 경우 단상 2선식에 비해 전압 강하가 감소하고 배전 효율은 상승한다.

038 ★★

ANSWER ③ 3

STEP1 전력 손실률

$$K = \frac{P_l}{P} \times 100 = \frac{3I^2R}{P} \times 100$$

$$= \frac{3R}{P}\left(\frac{P}{\sqrt{3}\,V\cos\theta}\right)^2 \times 100$$

$$= \frac{PR}{V^2\cos^2\theta} \times 100[\%]$$

에서 전력 손실률이 일정한 경우에는 $P \propto V^2$

따라서, $\frac{P'}{P} = \left(\frac{V'}{V}\right)^2$

STEP2

$\frac{P'}{P} = \left(\frac{V'}{V}\right)^2$ 를 아래와 같이 대입해서 정리해 준다.

$\therefore P' = \left(\frac{\sqrt{3}}{1}\right)^2 P = 3P$ 가 된다.

039 ★★★

ANSWER ④ 1차 측과 2차 측의 혼촉

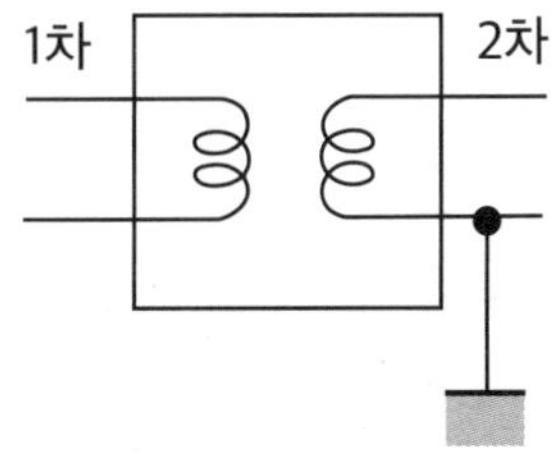

변압기 1·2차 권선의 혼촉 사고로 인한 2차측(저압측)의 전위상승 및 기기의 절연 파괴를 방지하기 위해 설치

2020년 1·2회

040 ★

ANSWER ① 1000

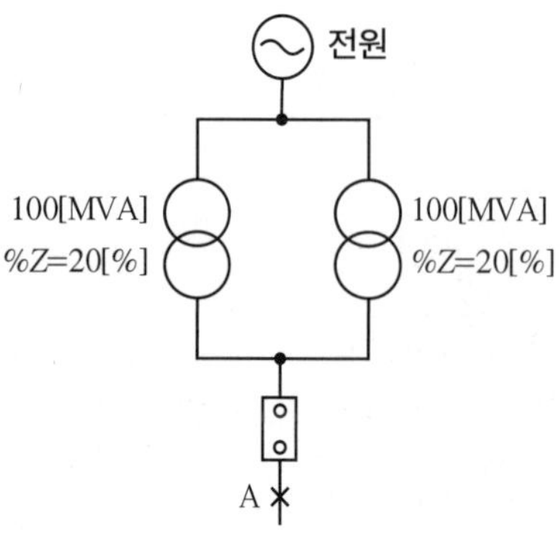

STEP1

기준용량 $P_n = 100$[MVA]로 정하고, %Z를 기준 용량으로 환산하면

$$\%Z_t = 20 \times \frac{100}{100} = 20[\%]$$

STEP3

A점에서의 합성 $\%Z = \frac{20 \times 20}{20 + 20} = 10[\%]$

차단기 용량 $P_s = \frac{100}{\%Z} \times P_n$ 에서

$$P_s = \frac{100}{10} \times 100 = 1000[\text{MVA}]$$

제3과목 | 전기기기

041 ★

ANSWER ② 40.6

STEP1 각 파형의 맥동률과 정류 효율

정류 종류	단상 반파	단상 전파	3상 반파	3상 전파
맥동률[%]	121	48	17.7	4.04
정류 효율 [%]	40.6	81.1	96.7	99.8

042 ★★

ANSWER ① 분권발전기

STEP1

㉠ 균압모선 : 병렬운전 시 두 발전기의 전위차 발생을 발생을 방지하기 위해 연결하는 선

㉡ 병렬운전 시 균압모선이 필요한 발전기 : 직권 발전기, 평복권 발전기, 과복권 발전기

043 ★

ANSWER ② 회전방향이 반대가 된다.

3상 유도전동기의 경우 임의의 2선의 접속을 반대로 하면 회전자의 회전방향이 반대로 된다.

044 ★

ANSWER ④ 1.35

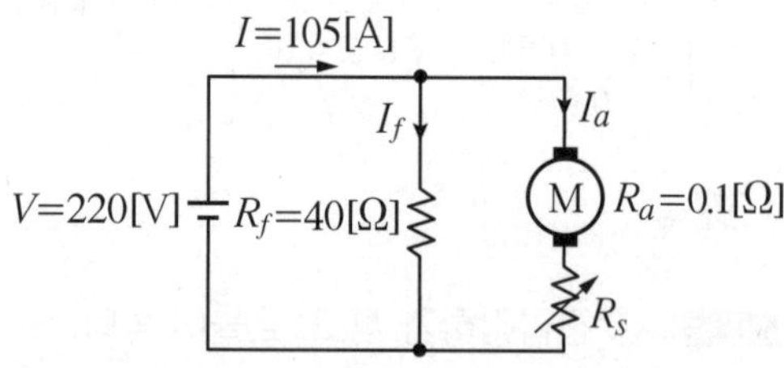

STEP1 병렬회로는 전압이 동일하므로

$$R_a + R_s = \frac{V}{I_a} \rightarrow R_s = \frac{V}{I_a} - R_a$$

$$R_s = \frac{220}{I_a} - 0.1$$

STEP2 전기자 전류 I_a를 구한다.

$I_a = I - I_f$

여기서, I_a : 전기자 전류

I : 기동전류

I_f : 계자전류

• 계자전류 $I_f = \frac{V}{R_f} = \frac{220}{40} = 5.5[\text{A}]$

• 기동전류 I 는 정격의 150[%]이므로

기동전류 $I = 105 \times 1.5 = 157.5$[A]

$I_a = I - I_f = 157.5 - 5.5 = 152$[A]

STEP3 **STEP1 에서 구한 식에 전기자 전류값을 대입한다.**

$$R_s = \frac{220}{I_a} - 0.1 = \frac{220}{152} - 0.1 = 1.35[\Omega]$$

045 ★★

ANSWER ② 301

MATH **10단원 비례 반비례 비례식**

STEP1 **역기전력과 속도[rpm]는 비례 관계이다.**

$E_{b1} = 300[V]$, $N_1 = 200[rpm]$

$E_{b2} = ?$, $N_2 = ?$

$$\because E = \frac{P\phi N}{60} \cdot \frac{Z}{A} \rightarrow E \propto N$$

여기서, P : 극수

ϕ : 매극당 자속[Wb]

N : 분당 회전수[rpm]

Z : 총 도체수

A : 내부 병렬회로수

(파권 A = 2, 중권 A = P)

STEP2

역기전력 $E_b = V_t - I_a \cdot (R_a + R_f)$

$E_{b2} = V_t - I_a \times (R_a + R_f)$

$= 500 - 30 \times (0.8 + 0.8) = 452[V]$

STEP3 **비례식을 세운다.**

$E_{b1} : E_{b2} = N_1 : N_2$

$300 : 452 = 200 : N_2$

$$N_2 = \frac{452 \times 200}{300} \fallingdotseq 301.33[rpm]$$

TIP !

직권전동기 역기전력 $E_b = V_t - I_a \cdot (R_a + R_f)$

분권전동기 역기전력 $E_b = V_t - I_a R_a$

046 ★

ANSWER ③ 역호

수은 정류기의 이상현상

① 통호 : 아크 유출

② 실호 : 점호 실패

③ 역호 : 밸브 작용이 상실되는 현상

④ 이상전압 발생(수은 정류기의 이상현상에 점호는 없다)

047 ★

ANSWER ① $P \propto f$

MATH **10단원 비례 반비례 비례식**

• $N = (1-s)N_s = (1-s)\dfrac{2f}{p}$ 에서 $f \propto N$

• $P = \omega\tau = 2\pi\dfrac{N}{60}\tau$ 에서 $N \propto P$

$\therefore P \propto N \propto f$

TIP !

• **출력**(Power, P)

• **극수**(Number Of Poles, P)

이 문제에서는 출력 P가 나와서 극수를 소문자 p로 하였다.

048 ★

ANSWER ③ 정류기능을 갖는 단방향성 3단자 소자이다.

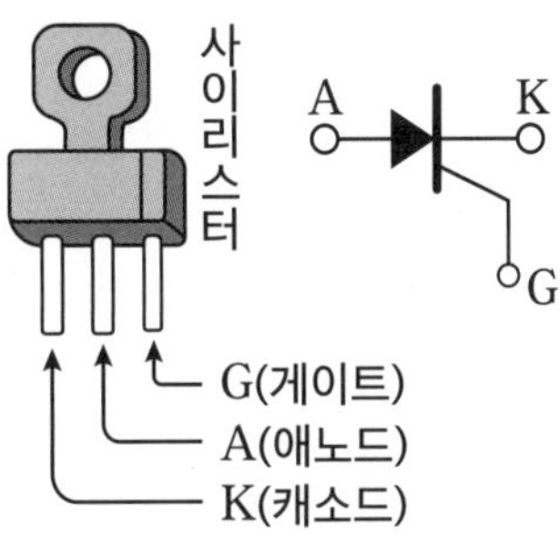

SCR은 정류기능을 갖는 단방향성 3단자 소자이다.

2020년 1·2회

049 ★

ANSWER ② 6

MATH 3단원 등식 방정식

STEP1 극수의 공식

$$P = \frac{120f}{N_s} = \frac{120 \times 60}{?}$$

STEP2 동기속도 N_s

$N = (1-s)N_s$에서

$$N_s = \frac{N}{1-s} = \frac{1164}{1-0.03} = 1200\,[\text{rpm}]$$

STEP3 대입

$$P = \frac{120f}{N_s} = \frac{120 \times 60}{1200} = 6$$

050 ★★

ANSWER ④ 회전자의 플라이휠 효과를 작게 한다.

과도 안정도 : 운전 상태가 급변하여도 계통이 안정을 유지하는 정도

동기기의 과도 안정도 증가시키는 방법

① 동기화 리액턴스를 작게 할 것
② 회전자의 플라이휠 효과를 크게 할 것
③ 속응 여자 방식을 채용할 것
④ 발전기의 조속기 동작을 신속히 할 것
⑤ 동기 탈조 계전기를 사용할 것

051 ★

ANSWER ④ $25.5 + j24.7$

MATH 28단원 복소수의 연산

STEP1 2차측 임피던스 Z_2를 1차로 환산한 임피던스

$Z_2' = a^2 Z_2$

STEP2 권수비 a

$$a = \frac{3300}{110} = 30$$

STEP3 대입

$$Z_2' = a^2 Z_2 = 30^2(0.015 + j0.013)$$
$$= 13.5 + j11.7[\Omega]$$
$$Z = Z_1 + Z_2' = (12 + j13) + (13.5 + j11.7)$$
$$= (12 + 13.5) + (j13 + j11.7)$$
$$= 25.5 + j24.7[\Omega]$$

052 ★

ANSWER ① 피상전력과 유효전력은 감소한다.

역률이 개선되면 유효전력은 변화가 없고(감소하지 않는다), 무효전력은 감소하여 피상전력도 감소한다.

053 ★

ANSWER ③ 반발기동형 단상유도전동기

반발 기동형의 특징

기동 시 정류자에서 발생하는 불꽃으로 라디오의 장해를 줄 수 있으며, 기동토크가 가장 크다.

054 ★★★

ANSWER ④ 처음은 큰 전류가 흐르나 점차 감소한다.

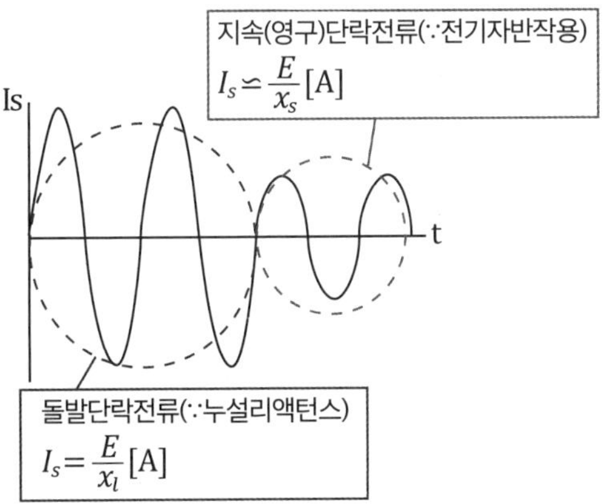

단락초기에는 큰 전류가 흐르나 점차 감소하여 일정한 전류가 흐르게 된다.

055 ★

ANSWER ③ 400[V], 50[A]

구분	중권	파권	다중 중권
전기자 병렬회로 수 A	P	2	mP

여기서, P : 극수, m : 다중도

STEP1 중권에서 파권으로 바꿨을 때 유기기전력

$$\because E = \frac{E\phi N}{60} \cdot \frac{Z}{A} \rightarrow E \propto \frac{1}{A}$$

여기서, P : 극수

ϕ : 매극당 자속[Wb]

N : 분당 회전수[rpm]

Z : 총 도체수

A : 내부 병렬회로수

(파권 $A = 2$, 중권 $A = P$)

$$100 : E = \frac{1}{8} : \frac{1}{2} \rightarrow E = \frac{200 \times \frac{1}{2}}{\frac{1}{8}} = 400[\text{V}]$$

STEP2 중권에서 파권으로 바꿨을 때 전기자 전류

중권에서 전기자 전류 $I_a = 200$[A]일 때, 각 권선에 흐르는 전류는 병렬회로 수로 나눠준다.

중권에서 병렬회로 수는 극수와 같으므로

$A = P = 8$

각 권선에 흐르는 전류

$$i_a = \frac{200}{A} = \frac{200}{8} = 25[\text{A}]$$

파권($A = 2$)일 때, 전기자 전류

$I_a = A \cdot i_a = 2 \times 25 = 50$[A]

056 ★

ANSWER ② 720

STEP1 회전속도

회전속도 $N = (1 - s)N_s$

동기속도

$$N_s = \frac{120f}{P} = \frac{120 \times 60}{8} = 900[\text{rpm}]$$

$$N = (1 - ?) \times 900$$

STEP2 기동 시 슬립

$\frac{r_2}{s_m} = \frac{r_2 + R_s}{s_t}$ 에서

$$\frac{0.04}{0.04} = \frac{0.04 + 0.16}{s_t} \quad \therefore s' = 0.2$$

여기서, r_2 : 2차 각 상의 저항

s : 전부하 슬립(최대 토크시 슬립)

s_t : 기동 시 슬립

R_s : 2차 외부회로 저항

STEP3 대입

회전속도 $N = (1 - s)N_s$

$N = (1 - ?) \times 900 = (1 - 0.2) \times 900$

$= 720$[rpm]

057 ★★★

ANSWER ① 20

단락전류

$$I_{SC} = \frac{I_{FL}}{\%Z} \times 100 = \frac{I_{FL}}{5} \times 100 = 20I_{FL}$$

$\therefore\ I_{SC} = 20I_{FL}$

여기서,

I_{SC}(Short Circuit Current) : 단락전류

I_{FL}(Full Load Current) : 전부하 전류(정격전류)

$\%Z$(Percent Impedance) : 임피던스 강하

058 ★

ANSWER ① $Y_0{}' = a^2 Y_0$

STEP1 변압기 임피던스 환산

- 2차측 임피던스 Z_2를 1차로 환산한 임피던스

  $Z_2{}' = a^2 Z_2$

- 1차측에서 임피던스 Z_1를 2차로 환산한 임피던스

  $Z_1{}' = \frac{1}{a^2} Z_1$

STEP2 임피던스→어드미턴스

1차측에서 임피던스 Z_1를 2차로 환산한 임피던스

$Z_1{}' = \frac{1}{a^2} Z_1$

임피던스와 어드미턴스는 역수관계이므로

$\left(Z = \frac{1}{Y}\right)$

$\frac{1}{Y_1{}'} = \frac{1}{a^2} \times \frac{1}{Y_1} \rightarrow Y_1{}' = a^2 Y_1$

STEP3 문제 조건 반영

$Y_0{}' = a^2 Y_0$

059 ★

ANSWER ④ 난조를 방지한다.

제동권선의 주목적 - 난조 방지

모든 3상 발전기는 같은 속도로 운전한다.
그런데 계통에서 사고가 나게되면 같은 속도로 운전하지 못하고 빨랐다가 느려졌다를 반복하는 '난조(hunting)가 발생한다. 난조가 생겼을 때 전력계통 안정화를 위해서 동기속도로 다시 돌아와야 하는데 그 역할을 하는 것이 제동권선(Damper Winding)이다.

060 ★★

ANSWER ② 단락시험

STEP1 변압기의 단락시험으로 알 수 있는 항목

㉠ 임피던스 전압(정격전류 = 단락전류 일 때 측정)

㉡ 임피던스 와트(전부하 동손)

㉢ 전압변동률

㉣ 내부 임피던스(권선의 저항)

㉤ 누설 리액턴스(누설 자속)

㉥ % 전압 강하

제4과목 | 회로이론

061 ★

ANSWER ③ 0.25

MATH **38단원 미분 기초**

STEP1 과도현상

인덕터의 전압 $v_L(t) = L\frac{di(t)}{dt}$ 에서

$t = 0$일 때, $100 = L \times 400$ 이므로

$\therefore\ L = \frac{100}{400} = 0.25\,[\mathrm{H}]$

062 ★★★

ANSWER ② 5413

MATH 15단원 절대값,
30단원 직교좌표와 극좌표

STEP1 Y결선 특징

부하의 선간전압 $V_l = \sqrt{3}\,V_p$

부하의 선전류 $I_l = I_p$

STEP2 상전압, 상전류 계산

상전압 $V_p = \dfrac{V_l}{\sqrt{3}} = \dfrac{250}{\sqrt{3}}[\mathrm{V}]$

임피던스

$Z_Y\sqrt{R^2+X^2} = \sqrt{(5\sqrt{3})^2+5^2} = 10$ 이므로

상전류 $I_p = \dfrac{V_p}{Z_Y} = \dfrac{\dfrac{250}{\sqrt{3}}}{10} = \dfrac{25}{\sqrt{3}}[\mathrm{A}]$

STEP3 유효전력 계산

$$\therefore P = 3|I_p|^2R = 3\times\left(\frac{25}{\sqrt{3}}\right)^2\times 5\sqrt{3}$$
$$\fallingdotseq 5412.66 \fallingdotseq 5413[\mathrm{W}]$$

고난도

063 ★

ANSWER ② $\dfrac{r}{2}$ 답을 암기할 것

MATH 16단원 이차방정식, 37단원 미분의 정의

STEP1 옴의법칙

전체저항 $= r_1 + r_2 \parallel (r-r_2)$ 이므로

$r_2 \parallel (r-r_2)$ 의 저항값이 최대가 될수록 전류가 작아진다.

STEP2 합성저항 계산

r_2와 $r-r_2$의 합성저항 R_T는 다음과 같다.

$$R_T = r_2 \parallel (r-r_2) = \frac{r_2\times(r-r_2)}{r_2+(r-r_2)}$$
$$= \frac{r\times r_2 - r_2^2}{r} = \frac{-r_2^2+r\times r_2}{r}$$

r은 상수이므로 $-r_2^2+r\times r_2$이 최대값이 되어야한다.

STEP3 이차방정식의 최대값과 미분

이차방정식 $-r_2^2+r\times r_2 = 0$에서 최대값이 되기 위한 r_2는 미분을 통하여 구한다.

$$\frac{d}{dr_2}(-r_2^2+r\times r_2) = -2r_2+r = 0$$
$$\therefore r_2 = \frac{r}{2}[\Omega]$$

TIP!

수식 풀이 과정이 복잡하므로 r_2의 값이 중간값일 때 합성저항이 최대임을 암기할 것

064 ★

ANSWER ① 0 답을 암기할 것

STEP1 밀만의 정리

$$V_0 = \frac{\sum I}{\sum\frac{1}{Z}} = \frac{\dfrac{V_a}{Z_a}+\dfrac{V_b}{Z_b}+\cdots+\dfrac{V_n}{Z_n}}{\dfrac{1}{Z_a}+\dfrac{1}{Z_b}+\cdots+\dfrac{1}{Z_n}}$$ 에서

임피던스가 동일($Z_a = Z_b = Z_c$)하고,

3상 전압이 평형($V_a+V_b+V_c=0$)이다.

$$\therefore V_0 = \frac{\dfrac{V_a}{Z_a}+\dfrac{V_b}{Z_b}+\dfrac{V_c}{Z_c}}{\dfrac{1}{Z_a}+\dfrac{1}{Z_b}+\dfrac{1}{Z_c}} = \frac{\dfrac{V_a}{Z}+\dfrac{V_b}{Z}+\dfrac{V_c}{Z}}{\dfrac{1}{Z}+\dfrac{1}{Z}+\dfrac{1}{Z}}$$
$(\because Z_a = Z_b = Z_c = Z)$
$$= \frac{\dfrac{1}{Z}(V_a+V_b+V_c)}{\dfrac{3}{Z}} = 0$$
$(\because V_a+V_b+V_c=0)$

065 ★★★

ANSWER ③ 3

STEP1 회로 연장 및 축소

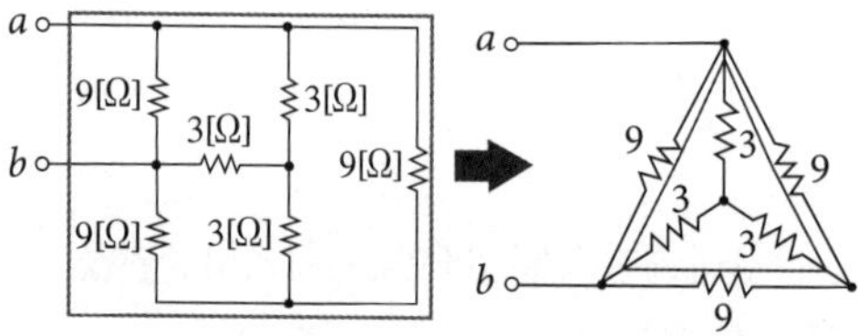

$R_Y = 3R_\triangle = 9[\Omega]$

STEP2 Y → △ 변환

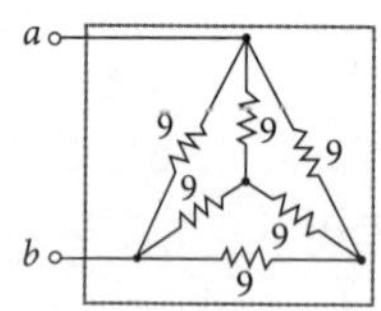

$$9 \parallel 9 = \frac{9 \times 9}{9+9} = 4.5[\Omega]$$

STEP3 합성저항 계산

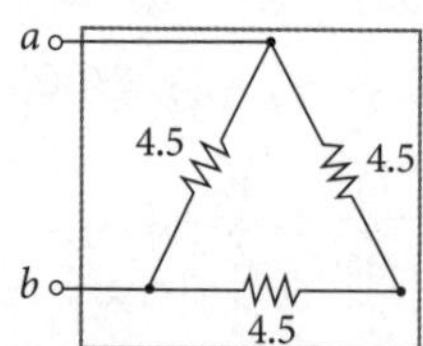

$$R_{ab} = 4.5 \parallel (4.5 + 4.5) = 4.5 \parallel (9)$$
$$= \frac{4.5 \times 9}{4.5 + 9} = 3[\Omega]$$

고난도

066 ★★

ANSWER ③ $\dfrac{R_2Cs+1}{R_1Cs+R_2Cs+1}$

MATH 49단원 라플라스 기초

STEP1 전달함수

전달함수 $G(s) = \dfrac{E_2(s)}{E_1(s)}$에서

$E_1(s) = \pounds\{e_1(t)\}$, $E_2(s) = \pounds\{e_2(t)\}$이고

키르히호프 제2법칙(KVL)에 의해

$$e_1(t) = R_1 i(t) + R_1 i(t) + \frac{1}{C}\int i(t)\,dt$$

$$e_2(t) = R_2 i(t) + \frac{1}{C}\int i(t)\,dt$$

STEP2 라플라스 변환

$$\pounds\{e_1(t)\} = E_1(s)$$
$$= R_1 I(s) + R_2 I(s) + \frac{1}{C}\left\{\frac{1}{s}I(s)\right\}$$
$$= \left(R_1 + R_2 + \frac{1}{Cs}\right)I(s)$$
$$\pounds\{e_2(t)\} = E_2(s) = R_2 I(s) + \frac{1}{C}\left\{\frac{1}{s}I(s)\right\}$$
$$= \left(R_2 + \frac{1}{Cs}\right)I(s)$$

STEP3 전개

$$\therefore G(s) = \frac{E_2(s)}{E_1(s)} = \frac{\left(R_2 + \frac{1}{Cs}\right)I(s)}{\left(R_1 + R_2 + \frac{1}{Cs}\right)I(s)}$$
$$= \frac{R_2 + \frac{1}{Cs}}{R_1 + R_2 + \frac{1}{Cs}}$$
$$= \frac{R_2Cs + 1}{R_1Cs + R_2Cs + 1}$$

(∵ 분모의 유리화)

067 ★★★

ANSWER ③ 1

STEP1 10[V] 전압원 계산 (5[V] 전압원 단락)

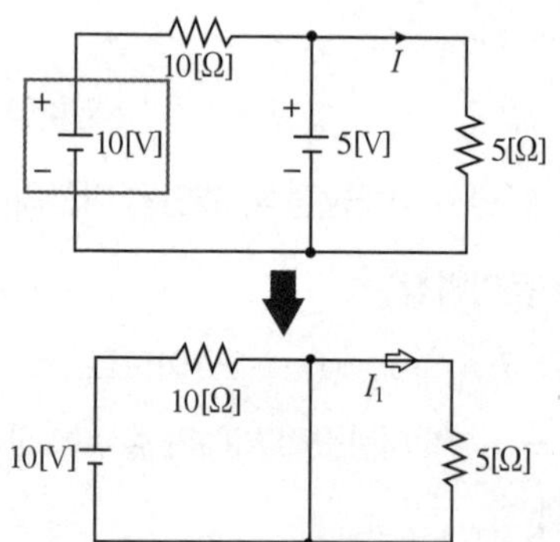

전류가 5[Ω]으로 흐르지 않으므로 $I_1 = 0$

STEP2 5[V] 전압원 계산 (10[V] 전압원 단락)

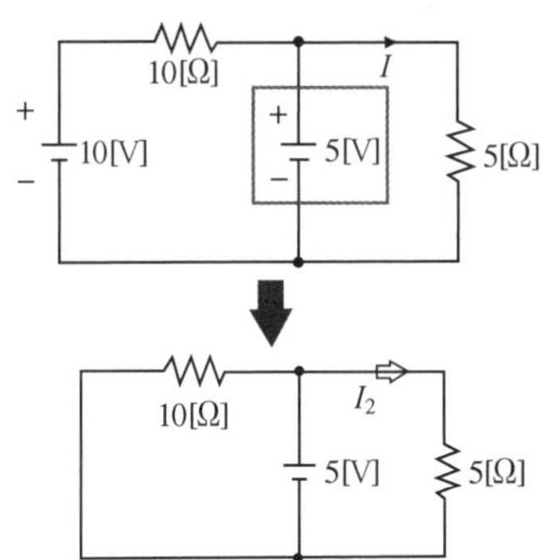

$$I_2 = \frac{5[\mathrm{V}]}{5[\Omega]} = 1[\mathrm{A}]$$

STEP3 중첩의 원리

$\therefore I = I_1 + I_2 = 0 + 1 = 1[\mathrm{A}]$

068 ★★★

ANSWER ③ 15

MATH 15단원 절대값,
30단원 직교좌표와 극좌표

STEP1 대칭 좌표법

대칭 좌표법	
영상분 $I_0 = \frac{1}{3}(I_a + I_b + I_c)$	$I_a = I_0 + I_1 + I_2$
정상분 $I_1 = \frac{1}{3}(I_a + aI_b + a^2 I_c)$	$I_b = I_0 + a^2 I_1 + aI_2$
역상분 $I_2 = \frac{1}{3}(I_a + a^2 I_b + aI_c)$	$I_c = I_0 + aI_1 + a^2 I_2$

(여기서, $a = 1\angle 120°$, $a^2 = 1\angle -120°$)

$\therefore I_a = I_0 + I_1 + I_2$

$= (-2 + j4) + (6 - j5) + (8 + j10)$

$= 12 + j9$

$|I_a| = \sqrt{12^2 + 9^2} = 15[\mathrm{A}]$

069 ★

ANSWER ② $P = 1500,\ Q = -1500\sqrt{3}$

MATH 27단원 복소수,
30단원 직교좌표와 극좌표

STEP1 복소전력

$S = V\overline{I} = P + jQ$

STEP2 켤레복소수

$\overline{I} = \overline{(15\sqrt{3} + j15)} = 15\sqrt{3} - j15[\mathrm{A}]$

STEP3 복소수계산

$S = V\overline{I} = (50\sqrt{3} - j50)(15\sqrt{3} - j15)$

$= 1500 + j(-1500\sqrt{3})$

$\therefore$ 유효전력 $P = 1500[\mathrm{kW}]$,

무효전력 $Q = -1500\sqrt{3}[\mathrm{Var}]$

TIP !

용어

- 복소전력 $S = V\overline{I} = P + jQ$
- 피상전력 $P_a = |S| = \sqrt{P^2 + Q^2}$

고난도

070 ★

ANSWER ④ $R_1R_2 = \omega^2 L_1 L_2$ 답을 암기할 것

MATH 7단원 다항식 심화, 28단원 복소수의 연산

STEP1 임피던스 변환

$R_1 \to R_1, L_1 \to j\omega L_1$

$R_2 \to R_2, L_2 \to j\omega L_2$

STEP2 I_1 계산

$$I_1 = \frac{V}{j\omega L_1 + \left\{\frac{R_1(R_2 + j\omega L_2)}{R_1 + R_2 + j\omega L_2}\right\}}$$
$$= \frac{V}{\frac{j\omega L_1 \times (R_1 + R_2 + j\omega L_2)}{R_1 + R_2 + j\omega L_2} + \frac{R_1R_2 + j\omega L_2 R_2}{R_1 + R_2 + j\omega L_2}}$$
$$= \frac{V}{\frac{j\omega L_1R_1 + j\omega L_1R_2 - \omega^2 L_1L_2 + R_1R_2 + j\omega L_2R_2}{R_1 + R_2 + j\omega L_2}}$$
$$= \left(\frac{R_1 + R_2 + j\omega L_2}{R_1R_2 - \omega^2 L_1L_2 + j\omega L_1R_1 + j\omega L_1R_2 + j\omega L_2R_2}\right)V$$

STEP3 I_2 계산

전류분배법칙에 의하여

$I_2 = \frac{R_1}{R_1 + R_2 + j\omega L_2} I_1$ 이므로

$$I_2 = \frac{R_1}{R_1 + R_2 + j\omega L_2} I_1$$
$$= \frac{R_1}{R_1 + R_2 + j\omega L_2} \times \left(\frac{R_1 + R_2 + j\omega L_2}{R_1R_2 - \omega^2 L_1L_2 + j\omega L_1R_1 + j\omega L_1R_2 + j\omega L_2R_2}\right)V$$
$$= \frac{R_1}{R_1R_2 - \omega^2 L_1L_2 + j\omega L_1R_1 + j\omega L_1R_2 + j\omega L_2R_2} V$$
$$= \frac{R_1}{R_1R_2 + \omega^2 L_1L_2 + j(\omega L_1R_1 + \omega L_1R_2 + \omega L_2R_2)} V$$

STEP4 위상 조건

$$I_2 = \frac{R_1}{R_1R_2 + \omega^2 L_1L_2 - j(\omega L_1L_2 + \omega L_1R_2 + \omega L_2R_2)} V$$

에서 분모의 실수부($R_1R_2 - \omega^2 L_1L_2$)가 0일 때,

$I_2 = -j\frac{R_1}{(\omega L_1R_1 + \omega L_1R_2 + \omega L_2R_2)} V$ 가

되어 허수부만 남는다. 즉, 위상이 90° 뒤지기 위한 조건이 된다.

$\therefore R_1R_2 - \omega^2 L_1L_2 = 0 \to R_1R_2 - \omega^2 L_1L_2$

071 ★★

ANSWER ④ b_n의 기수항만 존재한다.

답을 암기할 것

MATH 12단원 평행이동과 우함수 기함수

STEP1 푸리에 급수

$$f(t) = a_0 + \sum_{n=1}^{\infty} a_n \cos\omega t + \sum_{n=1}^{\infty} b_n \sin\omega t$$

STEP2 정현대칭(기함수)

$f(t) = -f(-t)$

필요충분조건 $f(t) = \sum_{n=1}^{\infty} b_n \sin n\omega t$

STEP3 반파대칭

$$f(t) = -f\left(t + \frac{T}{2}\right)$$

필요충분조건 $f(t) = \sum_{n=1,3,5,\cdots}^{\infty} b_n \sin n\omega t$

따라서, 정현 및 반파대칭의 경우 sin항의 기수(홀수)항만 나타난다.

TIP !

	기함수파 (정현대칭)	우함수파 (여현대칭)	대칭파 (반파대칭)
대칭 조건	$f(t) =$ $-f(-t)$	$f(t) = f(-t)$	$f(t) =$ $-f(t+\frac{T}{2})$
결과	sin항만 존재	cos항 존재 직류분 존재	고조파 차수가 홀수차 항만 존재

072 ★★

ANSWER ② $(R \times C)$의 값이 클수록 과도 전류는 천천히 사라진다.

답을 암기할 것

MATH 43단원 e 총정리

STEP1 RC 과도현상

RC 직렬회로의 전류 $i(t) = \frac{V}{R} e^{-\frac{1}{RC}t}$

STEP2 과도현상 비교

시정수 $\tau = RC$에 따라 다음과 같다.

㉠ 크기가 작을 때 $\left(y = e^{-\frac{1}{2}x}\right)$

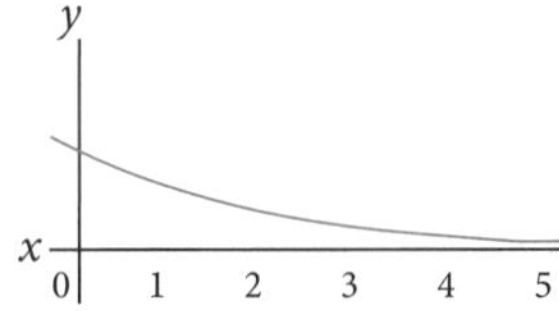

• 정상상태에 빨리 근접한다.(과도현상이 빨리 사라진다.)

㉡ 크기가 클 때 $\left(y = e^{-\frac{1}{8}x}\right)$

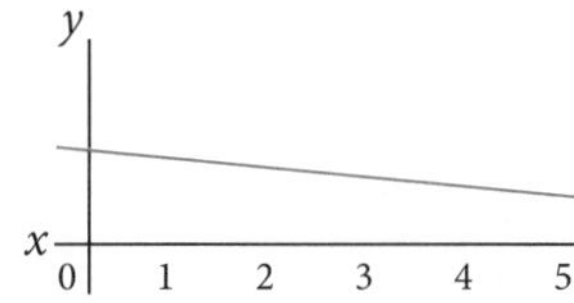

• 정상상태에 늦게 근접한다.(과도현상이 천천히 사라진다.)

073 ★★★

ANSWER ② $50\sqrt{3}$

STEP1 V결선

단상 변압기 2대로 V결선 시 출력

$P_V = \sqrt{3} P_1 = \sqrt{3} \times 50 = 50\sqrt{3}$ [kVA]

(여기서, P_1 : 단상 변압기 1대의 출력)

074 ★★

ANSWER ① $10\sin\omega t$

MATH 30단원 직교좌표와 극좌표

STEP1 정현파의 복소수 변환

$i(t) = \sqrt{2} I \sin(\omega t + \theta) = I(\cos\theta + j\sin\theta)$

이므로

전류 $i_a(t)$, $i_b(t)$, $i_c(t)$의 실효값 전류 I_a, I_b, I_c는 다음과 같다.

$30\sin\omega t \rightarrow$

$$I_a = \frac{30}{\sqrt{2}}\cos 0° + j\frac{30}{\sqrt{2}}\sin 0° = \frac{30}{\sqrt{2}}$$

$30\sin(\omega t - 90°) \rightarrow$

$$I_b = \frac{30}{\sqrt{2}}\cos(-90°) + j\frac{30}{\sqrt{2}}\sin(-90°) = -j\frac{30}{\sqrt{2}}$$

$30\sin(\omega t + 90°) \rightarrow$

$$I_c = \frac{30}{\sqrt{2}}\cos 90° + j\frac{30}{\sqrt{2}}\sin 90° = j\frac{30}{\sqrt{2}}$$

STEP2 영상전류 계산 및 순시값 변환

영상전류(실효값) $I_0 = \frac{1}{3}(I_a + I_b + I_c) = \frac{1}{3} \times \left(\frac{30}{\sqrt{2}}\right) = 5\sqrt{2}$

다시 순시값으로 변환하면,

$5\sqrt{2} \rightarrow i_0(t) = 10\sin\omega t$

다른풀이

$\sin(\omega t \pm \theta) = \sin\omega t\cos\theta \pm \cos\omega t\sin\theta$ 이므로

$i_b(t) + i_c(t)$

$= (\sin\omega t\cos 90° - \cos\omega t\sin 90°) + (\sin\omega t\cos 90° + \cos\omega t\sin 90°) = 0$

$$\therefore i_0 = \frac{1}{3}(i_a + i_b + i_c) = \frac{1}{3}(i_a) = 10\sin\omega t\,[\text{A}]$$

2020년 1·2회

075 ★★★

ANSWER ③ $\dfrac{2s+1}{s^2+1}$

MATH 49단원 라플라스 기초

STEP1

$$\begin{aligned} F(s) &= \pounds\{f(t)\} = \pounds\{\sin t + 2\cos t\} \\ &= \pounds\{\sin t\} + \pounds\{2\cos t\} \\ &= \pounds\{\sin t\} + 2\pounds\{\cos t\} \quad (\because \text{선형성}) \\ &= \frac{1}{s^2+1} + 2\left(\frac{s}{s^2+1}\right) \\ &= \frac{1}{s^2+1} + \frac{2s}{s^2+1} = \frac{2s+1}{s^2+1} \end{aligned}$$

TIP !

선형성(중첩의 원리)

- 가산성(Additivity) : $f(a+b) = f(a) + f(b)$
- 동차성(Homogeneity) : $f(ax) = af(x)$

TIP !

$$\pounds[\sin \omega t] = \frac{\omega}{s^2+\omega^2},$$

$$\pounds[\cos \omega t] = \frac{s}{s^2+\omega^2}$$

076 ★★★

ANSWER ② 12.2

STEP1 비정현파의 실효값

$I = \sqrt{I_0^2 + I_0^2 + I_0^2 + \cdots + I_n^2}$ 에서

$I_0 = 7, I_1 = \left(\dfrac{14.1}{\sqrt{2}}\right)$이므로

$$I = \sqrt{I_0^2 + I_1^2} = \sqrt{7^2 + \left(\frac{14.1}{\sqrt{2}}\right)^2}$$

$\fallingdotseq 12.2[\mathrm{A}]$

077 ★

ANSWER ④ 80

MATH 3단원 등식 방정식

STEP1 교체 전 회로의 기전력

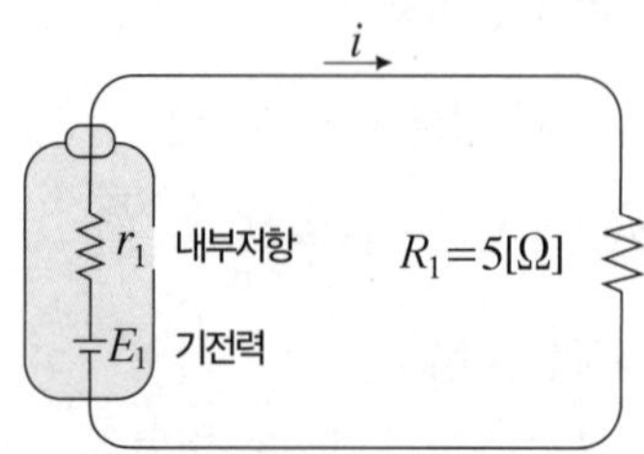

옴의 법칙에 의해 기전력

$E_1 = I_1 r_1 + I_1 R_1 = 8 \times r_1 + 8 \times 5$

STEP2 교체 후 회로의 기전력

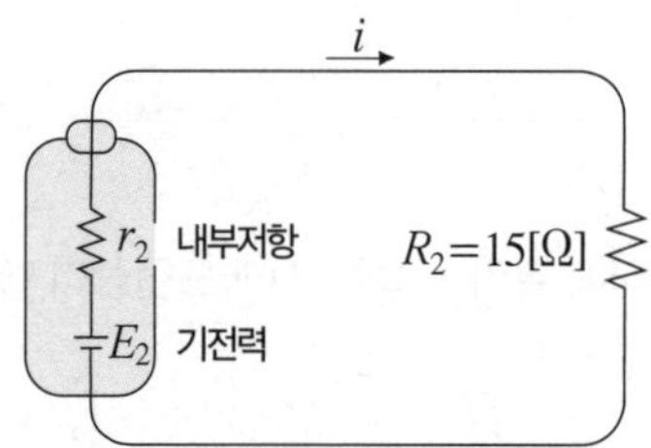

$R_1 = 5[\Omega]$을 $R_2 = 15[\Omega]$로

교체 한 회로의 기전력

$E_2 = I_2 r_2 + I_2 R_2 = 4 \times r_2 + 4 \times 15$

STEP3 내부저항 계산

기전력 E 와 내부저항 r 은 동일하므로

$E_1 = E_2, r = r_1 = r_2 \rightarrow I_1 r_1 + I_1 R_1 = I_2 r_2 + I_2 R_2$

이다.

$8 \times r + 8 \times 5 = 4 \times r + 4 \times 15 \rightarrow r = 5[\Omega]$

$\therefore E = 8 \times 5 + 8 \times 5 = 80[\mathrm{V}]$

078 ★★★

ANSWER ③ 구형파

STEP1 각 파형의 특징정현파

	정현파	정류파(반파)	3각파	구형파	구형 반파
실효값	$\frac{V_m}{\sqrt{2}}$	$\frac{V_m}{2}$	$\frac{V_m}{\sqrt{3}}$	V_m	$\frac{V_m}{\sqrt{2}}$
평균값	$\frac{2V_m}{\pi}$	$\frac{V_m}{\pi}$	$\frac{V_m}{2}$	V_m	$\frac{V_m}{2}$
파형률	1.11	1.57	1.15	1.0	1.414
파고율	1.414	2.0	1.732	1.0	1.414

$$\text{파형률} = \frac{\text{실효값}}{\text{평균값}},\ \text{파고율} = \frac{\text{최대값}}{\text{실효값}}$$

TIP !

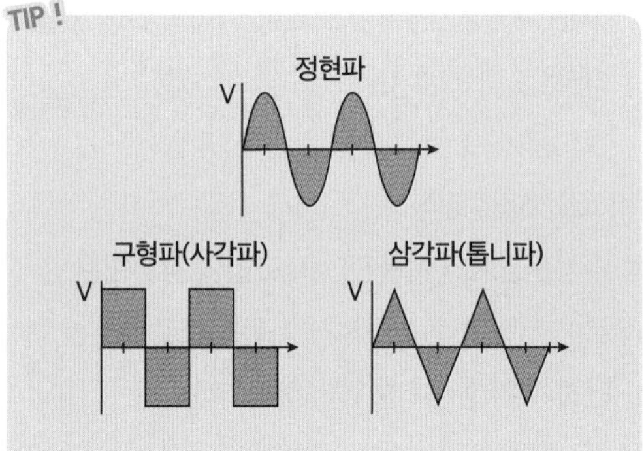

079 ★

ANSWER ④ $D=6$ 답을 암기할 것

STEP1 4단자 정수(T 형 회로)

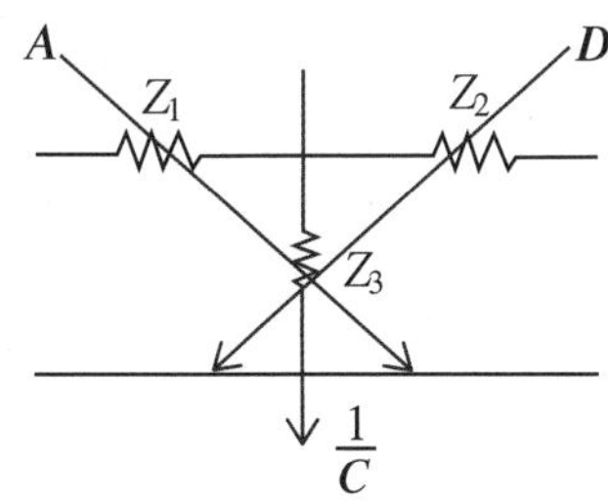

$$A = \frac{Z_1 + Z_3}{Z_3} = 1 + \frac{Z_1}{Z_3}$$

$$B = \frac{Z_1Z_2 + Z_2Z_3 + Z_3Z_1}{Z_3}$$

$$C = \frac{1}{Z_3}$$

$$D = \frac{Z_2 + Z_3}{Z_3} = 1 + \frac{Z_2}{Z_3}$$

$Z_1 = Z_2 = Z_3 = 4[\Omega]$이므로

$A = 2,\ B = 3Z_3 = 12[\Omega],\ C = \frac{1}{4}[\Omega],$

$D = 2[\Omega]$

다른풀이

본 문제의 풀이는 다음의 풀이를 요약한 것이다.

$$\begin{bmatrix} A & B \\ C & D \end{bmatrix} = \begin{bmatrix} 1 & Z_1 \\ 0 & 1 \end{bmatrix}\begin{bmatrix} 1 & 0 \\ \frac{1}{Z_3} & 1 \end{bmatrix}\begin{bmatrix} 1 & Z_2 \\ 0 & 1 \end{bmatrix}$$

$$= \begin{bmatrix} 1 & 4 \\ 0 & 1 \end{bmatrix}\begin{bmatrix} 1 & 0 \\ \frac{1}{4} & 1 \end{bmatrix}\begin{bmatrix} 1 & 4 \\ 0 & 1 \end{bmatrix} = \begin{bmatrix} 2 & 12 \\ \frac{1}{4} & 2 \end{bmatrix}$$

080 ★

ANSWER ④ $A=3, B=8, C=0.5, D=2$

STEP1 4단자 정수

$\begin{bmatrix} V_1 \\ I_1 \end{bmatrix} = \begin{bmatrix} A & B \\ C & D \end{bmatrix}\begin{bmatrix} V_2 \\ I_2 \end{bmatrix}$에서

㉠ 개방 전압비 $A = \left.\frac{V_1}{V_2}\right|_{I_2=0} = \frac{12}{4} = 3$

㉡ 단락 임피던스 $B = \left.\frac{V_1}{I_2}\right|_{V_2=0} = \frac{16}{2} = 8$

㉢ 개방 어드미턴스 $C = \left.\frac{I_1}{V_2}\right|_{I_2=0} = \frac{2}{4} = 0.5$

㉣ 단락 전류비 $D = \left.\frac{I_1}{I_2}\right|_{V_2=0} = \frac{4}{2} = 2$

여기서, $V_2 = 0$: 2차측 단락, $I_2 = 0$: 2차측 개방

TIP !

A만 구하여 답을 찾는다.

2020년 1·2회

081 ★★★

ANSWER ④ 허용인장하중 : 4.31[kN], 소선지름 : 2.6[mm], 안전율 : 2.5

지선의 시설(한국전기설비규정 331.11)

가공 전선로의 지지물에 시설하는 지선은 다음에 따라야 한다.

㉠ 지선의 안전율은 2.5 이상 일 것. 이 경우에 허용인장 하중의 최저는 4.31[kN]으로 한다.

㉡ 지선에 연선을 사용할 경우에는 다음에 의할 것

- 소선 3가닥 이상의 연선일 것
- 소선의 지름이 2.6[mm] 이상의 금속선을 사용한 것 일것

㉢ 지중부분 및 지표상 0.3[m]까지의 부분에는 내식성이 있는 것 또는 아연도금을 한 철봉을 사용하고 쉽게 부식되지 않는 근가에 견고하게 붙일 것

㉣ 도로를 횡단하여 시설하는 지선의 높이는 지표상 5[m] 이상으로 하여야 한다.

082 ★

ANSWER ① 3

특고압과 고압의 혼촉등에 의한 위험 방지시설 (한국전기설비규정 322.3)

변압기에 의하여 특고압전로에 결합되는 고압전로에는 사용전압의 3배 이하인 전압이 가하여진 경우에 방전하는 장치를 그 변압기의 단자에 가까운 1극에 설치하여야 한다.

083 ★

ANSWER ② 수상전선로에 사용하는 부대(浮臺)는 쇠사슬 등으로 견고하게 연결한다.

수상전선로의 시설(한국전기설비규정 335.3)

수상 전선로를 시설하는 경우에는 그 사용전압은 저압 또는 고압인 것에 한한다.

㉠ 전선

- 저압 : 클로로프렌 캡타이어 케이블
- 고압 : 캡타이어 케이블

㉡ 수상전선로의 전선과 가공전선로 접속점의 높이

- 접속점이 육상에 있는 경우 : 지표상 5[m] 이상 다만, 저압인 경우에 도로상 이외의 곳에 있을 때에는 지표 상 4[m]
- 접속점이 수면상에 있는 경우 : 저압 4[m] 이상, 고압 5[m] 이상

㉢ 수상전선로의 사용전압이 고압인 경우에는 전로에 지락이 생겼을 때에 자동적으로 전로를 차단하기 위한 장치를 시설하여야 한다.

㉣ 수상전선로에 사용하는 부대(浮臺)는 쇠사슬 등으로 견고하게 연결한 것일 것

㉤ 수상전선로의 전선은 부대의 위에 지지하여 시설하고 또한 그 절연 피복을 손상하지 아니하도록 시설할 것

084 ★★

ANSWER ② 2

특고압 가공전선과 저고압 가공전선 등의 접근 또는 교차(한국전기설비규정 333.26)

사용전압의 구분	이격거리
60[kV]이하	2[m]
60[kV]초과	• 이격거리 = 2 + 단수 × 0.12[m] • 단수 = $\frac{\text{전압}[kV]-60}{10}$ 단수 계산에서 소수점 이하는 버림

085 ★★★

ANSWER ② 1.8

가공 전선로 지지물의 철탑 오름 및 전주 오름 방지 (한국전기설비규정 331.4)

가공전선로의 지지물에 취급자가 오르고 내리는데 사용하는 발판 볼트 등을 지표상 1.8[m] 미만에 시설하여서는 아니 된다.

086 ★★

ANSWER ④ 이동전선에 전기를 공급하는 전로의 중성극에 전용 개폐기 및 과전류차단기를 시설하였다.

옥내 고압용 이동전선의 시설 (한국전기설비규정 342.2)

옥내에 시설하는 고압의 이동전선은 다음에 따라 시설하여야 한다.

㉠ 전선은 고압용의 캡타이어 케이블일 것

㉡ 이동전선에 전기를 공급하는 전로에는 전용 개폐기 및 과전류 차단기를 각 극(과전류 차단기는 다선식 전로의 중성극을 제외 한다)에 시설하고, 또한 전로에 지락이 생겼을 때에 자동적으로 전로를 차단하는 장치를 시설할 것

087 ★★

ANSWER ④ 1.5

특고압 가공전선과 저고압 가공전선 등의 접근 또는 교차(한국전기설비규정 333.26)

보호망은 규정에 준하여 접지공사를 한 금속제의 망상장치로 하고 또한 다음에 따라 시설하여야 한다.

㉠ 보호망을 구성하는 금속선은 그 외주 및 특고압 가공전선의 바로 아래에 시설하는 금속선에 인장강도 8.01[kN] 이상의 것 또는 지름 5[mm] 이상의 경동선을 사용하고 기타 부분에 시설하는 금속선에 인장강도 3.64[kN] 이상 또는 지름 4[mm] 이상의 아연도철선을 사용할 것

㉡ 보호망을 구성하는 금속선 상호간의 간격은 가로세로 각 1.5[m] 이하일 것

㉢ 보호망과 저고압 가공전선 등과의 수직 이격거리는 60[cm] 이상일 것

088 ★

ANSWER ③ 교통신호등 회로의 인하선은 지표상 2[m] 이상으로 시설한다.

교통신호등(한국전기설비규정 234.15)

㉠ 교통신호등의 제어장치의 금속제외함 및 신호등을 지지하는 철주에는 접지공사를 하여야 한다.

㉡ 교통신호등 제어장치의 2차측 배선의 최대사용전압은 300[V] 이하이어야 한다.

㉢ 전선의 지표상의 높이는 2.5[m] 이상이어야 한다.

㉣ LED를 광원으로 사용하는 교통신호등의 설치는 KS C 7528(LED 교통신호등)에 적합한 것을 사용한다.

089 ★

ANSWER ③ 애자사용 공사에 의하여 시설하고 이를 노면상 2[m] 이상의 높이에 시설한다.

사람이 상시 통행하는 터널 안의 배선의 시설 (한국전기설비규정 242.7.1)

사람이 상시 통행하는 터널 안의 배선(전기기계기구 안의 배선, 관등회로의 배선 및 소세력 회로의 전선을 제외 한다.)은 그 사용전압이 저압의 것에 한 하고 또한 다음에 따라 시설하여야 한다.

㉠ 합성수지관공사, 금속관공사, 금속제가요전선관 공사, 케이블공사 및 애자공사에 의할 것

㉡ 전선은 공칭 단면적 2.5[mm^2]의 연동선과 동등 이상의 세기 및 굵기의 절연전선(옥외용 비닐 절연전선 및 인입용 비닐 절연전선을 제외 한다)을 사용하여 애자공사에 의하여 시설하고 또한 이를 노면상 2.5[m] 이상의 높이로 할 것

㉢ 전로에는 터널의 입구에 가까운 곳에 전용개폐기를 시설할 것

090 ★★★

ANSWER ① 1차측 4950[V], 2차측 500[V]

변압기 전로의 절연내력(한국전기설비규정 135)

권선의 종류 (최대사용전압)	접지 방식	시험전압 (최대사용 전압의 배수)	최저 시험전압
1. 7[kV]이하		1.5배	500[V]
	다중 접지	0.92배	500[V]
2. 7[kV]초과 25[kV]이하	다중 접지	0.92배	
3. 7[kV]초과 60[kV] 이하(2란의 것 제외)		1.25배	10.5[kV]
4. 60[kV]초과 (8란의 것 제외)	비접지	1.25배	
5. 60[kV]초과(6란 및 8란의 것 제외)	접지식	1.1배	75[kV]
6. 60[kV]초과 (7란의 것 제외)	직접 접지	0.72배	
7. 170[kV]초과	직접 접지	0.64배	

- 1차측 시험전압 $= 3300 \times 1.5 = 4950$[V]
- 2차측 시험전압 $= 220 \times 1.5 = 330$[V]

2차측은 1.5배를 하여도 최저시험전압 500[V]가 되지 않으므로 2차측 시험전압은 500[V]가 되어야 한다.

091 ★

ANSWER ④ 38

고압 가공전선과 교류전차선 등의 접근 또는 교차 (한국전기설비규정 332.15)

고압 가공전선은 케이블인 경우 이외에는 인장강도 14.51[kN] 이상의 것 또는 단면적 38[mm^2] 이상의 경동연선(교류 전차선 등과 교차하는 부분을 포함하는 경간에 접속점이 없는 것에 한한다.)

092 ★

ANSWER ① 50

고압 가공전선 등의 병행설치
(한국전기설비규정 332.8)

저압 가공전선과 고압 가공전선 사이의 이격거리는 0.5[m] 이상일 것

093 ★★★

ANSWER ③ 1.5

25[kV]이하인 특고압 가공전선로의 시설
(한국전기설비규정 333.32)

사용전선의 종류	이격거리
어느 한쪽 또는 양쪽이 나전선인 경우	1.5[m]
양쪽이 특고압 절연전선인 경우	1[m]
한쪽이 케이블이고 다른 한쪽이 케이블이거나 특고압 절연전선인 경우	0.5[m]

094 ★

ANSWER ③ 45

발전소 등의 울타리·담 등의 시설
(한국전기설비규정 351.1)

고압 또는 특고압 가공전선(전선에 케이블을 사용하는 경우는 제외함)과 금속제의 울타리·담 등이 교차하는 경우에 금속제의 울타리·담 등에는 교차점과 좌·우로 45[m] 이내의 개소에 규정에 의한 접지공사를 하여야 한다.

095 ★★

ANSWER ③ 전원측에 강화절연을 한 의료용 절연변압기를 설치하고 그 2차측 전로는 접지한다.

의료장소의 안전을 위한 보호설비
(한국전기설비규정 242.10.3)

㉠ 비단락 보증 절연변압기의 2차측 정격전압은 교류 250[V] 이하로 하며 공급방식 및 정격출력은 단상 2선식, 10[kVA] 이하로 할 것

㉡ 비단락 보증 절연변압기의 2차측 정격전압은 교류 250[V] 이하로 하며 공급방식 및 정격출력은 단상 2선식, 10[kVA] 이하로 할 것

㉢ 전원측에 따라 이중 또는 강화절연을 한 비단락 보증절연 변압기를 설치하고 그 2차측 전로는 접지하지 말 것

㉣ 절연감시장치를 설치하여 절연저항이 50[kΩ]까지 감소하면 표시설비 및 음향설비로 경보를 발하도록 할 것

096 ★

ANSWER ④ 1.5

무선용 안테나 등을 지지하는 철탑 등의 시설
(한국전기설비규정 364.1)

목주는 풍압하중에 대한 안전율은 1.5 이상이어야 한다.

출제기준 변경 및 개정된 관계 법규에 따라 삭제된 문제가 있어 20문항이 안됩니다.

2020년 3회

제1과목 | 전기자기학

001 ★

ANSWER ① ㉠:H, ㉡:F

MATH SI 단위계

STEP1 옴의 법칙

㉠ $[\Omega \cdot \text{s}] = \left[\frac{\text{V}}{\text{A}} \cdot \text{S}\right]$

㉡ $\left[\frac{\text{s}}{\Omega}\right] = \left[\frac{\text{A}}{\text{V}} \cdot \text{S}\right]$

STEP2 인덕턴스와 커패시턴스

㉠ 인덕턴스

인덕터 회로에 유도되는 유도기전력

$V = -L\frac{di}{dt}$ 이므로

$\therefore [\text{V}] = [\text{H}]\frac{[\text{A}]}{[\text{s}]} \rightarrow [\text{H}] = \left[\frac{\text{V}}{\text{A}} \cdot \text{s}\right]$

㉡ 커패시턴스

1[V]의 전위차가 있을 때, 1[C]의 전하를 저장할 수 있는 유전체의 용량 $C = \frac{Q}{V}$

$\therefore [\text{F}] = \frac{[\text{C}]}{[\text{V}]} = \frac{[\text{A} \cdot \text{s}]}{[\text{V}]} (\because 1[\text{A}] = 1[\text{C/s}])$

$\rightarrow [\text{F}] = \left[\frac{\text{A}}{\text{V}} \cdot \text{s}\right]$

TIP !

전류 1[A] = 1[s]동안 전하 1[C]만큼 흐름

002 ★

ANSWER ④ $\frac{\sigma d}{\epsilon_0}$

MATH 41단원 부정적분

STEP1 두 장의 무한 평판 도체간의 전위차

$V = -\int_d^0 E\,dl[\text{V}]$

STEP2 두장의 무한 평판 도체의 전계의 세기

$E = \frac{\sigma}{\epsilon_0}[\text{V/m}]$

STEP3 전계 대입

$V = -\int_d^0 E\,dl = \frac{\sigma d}{\epsilon_0}[\text{V}]$

003 ★★

ANSWER ④ 6.25×10^{-5}

STEP1 자속밀도와 자계의 관계

- 자속밀도B : 단위 면적당 자속의 수

$B = \mu H[\text{Wb/m}^2]$

$\mu = \frac{B}{H} = \frac{0.05}{800} = 6.25 \times 10^{-5}[\text{H/m}]$

004 ★★★

ANSWER ② 항상 정(+)의 값을 갖는다.

자기 인덕턴스

자신의 회로에 단위 전류가 흐를 때의 자속 쇄교 수 자기유도 작용에 의해서, 발생한 기전력의 크기. 항상 정(+)의 값을 갖는다.

005 ★★

ANSWER ③ "자기저항 = (자기회로의 단면을 통과하는 자속)/(자기회로의 총 기자력)"이다.

STEP1 자기 저항

• 자기저항(리액턴스)

$$R_m = \frac{F}{\Psi} = \frac{Hl}{\mu Hs} = \frac{l}{\mu S}[\text{AT/Wb}]$$

$$= \frac{\text{자기회로의 총 기자력}}{\text{자기회로의 단면을 통과하는 자속}}$$

$$= \frac{F}{\Psi} = \frac{NI}{\mu Hs}$$

• 자기저항의 역수는 퍼미언스(permeance)라 한다.

STEP2 인덕턴스와 자속

인덕턴스와 자기저항의 관계

인덕턱스 $L = \frac{\mu SN^2}{l} = \frac{l}{R_m S}\frac{SN^2}{l}$

$= \frac{N^2}{R_m}$

자속저항 $R_m = \frac{N^2}{L}[1/\text{H}]$

자속 $\Psi = BS = \mu HS[\text{Wb}]$

006 ★★

ANSWER ① 1.93×10^{-7}

STEP1 분극의 세기

$P = \chi E$

$= \epsilon_0 \chi_e E$

$= (\epsilon - \epsilon_0)E = \epsilon E - \epsilon_0 E = \epsilon_0(\epsilon_s - 1)E$

(P: 분극의 세기, $\chi = \epsilon_0(\epsilon_s - 1)$: 분극률, $\chi_e = \epsilon_s - 1$: 비분극률)

STEP2 계산

$P = \epsilon_0(\epsilon_s - 1)E$

$= 8.855 \times 10^{-12}(2.8 - 1)E$

$= 8.855 \times 10^{-12} \times 1.8E$

$\fallingdotseq 1.93 \times 10^{-7}[\text{C/m}^2]$

007 ★

ANSWER ④ 4×10^{-5}

STEP1 전하에 작용하는 힘

$F = Eq = (5 \times 10^2) \times (8 \times 10^{-8})$

$= 4 \times 10^{-5}[\text{N}]$

008 ★★

ANSWER ④ 10^6

STEP1 전류밀도

$$I = \oint_s \vec{J} \cdot ds \Rightarrow J = \frac{I}{S} = \frac{I}{\pi r^2}$$

$$= \frac{\pi}{\pi \times (1 \times 10^{-3})^2}$$

$$= 10^6[\text{A/m}^2]$$

009 ★★

ANSWER ② $\frac{Q}{4\pi r^2}$ 답을 암기할 것

구체에서의 전속밀도

외부($r > a$)	$E = \frac{Q}{4\pi\epsilon_0 r^2}[\text{V/m}]$ $D = \epsilon_0 E = \epsilon_0 \frac{Q}{4\pi\epsilon_0 r^2}$ $= \frac{Q}{4\pi r^2}[\text{C/m}^2]$
표면($r = a$)	$E = \frac{Q}{4\pi\epsilon_0 a^2}[\text{V/m}]$ $D = \epsilon_0 E = \epsilon_0 \frac{Q}{4\pi\epsilon_0 a^2}$ $= \frac{Q}{4\pi a^2}[\text{C/m}^2]$
내부($r < a$)	$E = \frac{r}{4\pi\epsilon_0 a^3}Q[\text{V/m}]$ $D = \epsilon_0 E = \epsilon_0 \frac{rQ}{4\pi\epsilon_0 a^3}$ $= \frac{rQ}{4\pi a^3}[\text{C/m}^2]$

010 ★★

ANSWER ② 9

유기 기전력 : 자속밀도가 변화하지 않고 도체의 운동으로 발생하는 기전력

$$e = \frac{d\phi}{dt} = \frac{BdS}{dt} = Bl\frac{dy}{dt} = Blv\sin\theta[\mathrm{V}]$$
$$= 2 \times 0.3 \times 30 \times \sin 30° = 9[\mathrm{V}]$$

011 ★

ANSWER ④ $\frac{\mu_0 I}{2\pi r}$

STEP1 자속 밀도와 자계의 세기

$B = \mu H = \mu_0\mu_s H = \mu_0 H$

STEP2 무한장 직선 전류에 의한 자계

$$H = \frac{I}{2\pi r}[\mathrm{AT/m}]$$

$$\therefore B = \mu_0 H = \frac{\mu_0 I}{2\pi r}[\mathrm{Wb/m^2}]$$

012 ★★

ANSWER ① $-\frac{Q}{2\pi d^2}$

STEP1 무한 평면에서의 최대 전하밀도

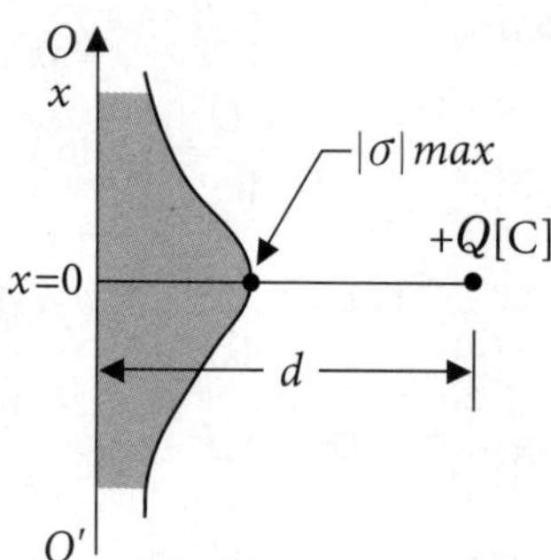

$$\sigma = \epsilon_0 E = \frac{Qd}{2\pi(h^2+x^2)^{3/2}}[\mathrm{C/m^2}]$$

전하밀도의 크기가 최대인 경우는 $x = 0$이므로,

$$\therefore |\sigma|_{\max} = \frac{Q}{2\pi d^2}[\mathrm{C/m^2}]$$

013 ★★

ANSWER ③ 20

STEP1 평행 도선 사이의 힘

$F = \frac{\mu I_1 I_2}{2\pi d}[\mathrm{N/m}]$에서

$I_1 = I_2 = 10 \times 10^3[\mathrm{kA}]$이므로

$$\therefore F = \frac{\mu I^2}{2\pi d} = \frac{(4\pi \times 10^{-7}) \times (10 \times 10^3)^2}{2\pi \times 1}$$
$$= \frac{2 \times 10^{-7} \times (10 \times 10^3)^2}{1} = 20[\mathrm{N/m}]$$

014 ★★

ANSWER ① $H = \sqrt{\frac{\epsilon}{\mu}}E$

고유 임피던스 $\eta = \frac{E}{H} = \sqrt{\frac{\mu}{\epsilon}}[\Omega]$

$\therefore H = E\sqrt{\frac{\epsilon}{\mu}}[\Omega]$

015 ★

ANSWER ① 곡률이 작으면 작아진다.

STEP1 전하밀도와 도체 표면의 모양

㉠ 곡률이 크다(곡률 반지름이 작다)

- 모양이 뾰족하므로 전하밀도가 높다.

㉡ 곡률이 작다(곡률 반지름이 크다)

- 모양이 완만하므로 전하밀도가 낮다.

016 ★

ANSWER ④ 3600

전하의 단위는 MKS 단위계의 쿨롱(coulomb)[C]이므로, [Ah]의 [h] 또한 초[sec]로 바꾼다.

1[h] = 3600[sec]

1[A] × 3600[sec] = 3600[C]

017 ★★★

ANSWER ② 구리

STEP1

강자성체	상자성체	반자성체
철(Fe), 니켈(Ni), 코발트(Co)	알루미늄(Al), 망간(Mn), 백금(Pt), 산소(O)	구리(Cu), 은(Ag)

TIP !

니켈(Ni), 코발트(Co), 백금(Pt), 은(Ag)는 영어 약어로 출제된 적이 있다. 순수한 망간(Mn)은 상자성체(비투자율 1.2)로 분류되며 다른 금속과 합금하여 강자성체의 재료로 쓰인다.

018 ★★★

ANSWER ③ 고립된 자극이 존재한다.
답을 암기할 것

STEP1 맥스웰 방정식

① 페러데이 – 노이만의 전자유도법칙

$$\mathrm{rot}E = \nabla \times E = -\frac{\partial B}{\partial t} = -\mu\frac{\partial H}{\partial t}$$

(전기 회로에서 발생하는 유도 기전력은 폐회로를 통과하는 자속의 변화를 방해하는 방향으로 발생한다.)

② 앙페르(암페어)의 주회 적분 법칙

$$\mathrm{rot}H = \nabla \times H = i_c + \frac{\partial D}{\partial t}$$

(전류는 주위에 회전하는 자계를 발생 시킨다.)

여기서, i_c : 전류밀도, $\frac{\partial D}{\partial t}$: 변위전류밀도

③ 가우스 법칙(정자계)

$$\mathrm{div}\, B = \nabla \cdot B = \mu\nabla \cdot H = 0$$

(N극과 S극이 반드시 공존하며 고립된 자하(자극)는 없다.)

④ 가우스 법칙(정전계)

$$\mathrm{div}\, D = \nabla \cdot D = \epsilon\nabla \cdot E = \rho$$

(단위 체적에서 발산하는 전속밀도는 그 체적 내의 전하밀도와 같다. 전하는 단독으로 존재할 수 있으며 전하에서 전속이 발산한다.)

고난도

019 ★

ANSWER ① 2[μF]의 커패시터가 제일 먼저 파괴된다. 답을 암기할 것

MATH 10단원 비례, 반비례, 비례식

STEP1 유전체(커패시터)의 절연 파괴

유전체는 견딜 수 있는 전하량 Q를 넘으면 절연파괴 되며 이때의 전압이 콘덴서의 내압이다.

$Q = CV$

내압은 여러 가지 요소에 의해 정해지나 문제에서 모든 유전체가 동일한 재질 및 두께이므로 따라서, 내압은 서로 V로 같으며 내압 이상의 전압을 인가받으면 절연파괴 된다고 볼 수 있다.

STEP2 커패시터의 직렬 연결

키르히호프 법칙에 따라 직렬회로의 전하는 일정하므로

$Q = C_1V_1 = C_2V_2 = C_3V_3$

커패시터가 인가 받는 전압은 정전용량에 반비례한다.

$$V_1 : V_2 : V_3 = \frac{1}{C_1} : \frac{1}{C_2} : \frac{1}{C_3} = \frac{1}{2} : \frac{1}{3} : \frac{1}{4} = 6:4:3$$

따라서, 정전용량이 가장 작은 2[μF]의 커패시터가 전압을 가장 많이 인가 받으므로 내압에 빨리 도달하여 제일 먼저 파괴된다.

020 ★

ANSWER ① 동일하다.

STEP1 패러데이관(Faraday tube)

㉠ 단위전하에서 나오는 전속선의 관
㉡ 패러데이 관 수 = 전속선 수
㉢ 패러데이관 내의 전속선 수는 일정하다.
㉣ 패러데이관 양단에 정·부의 단위 전하(± 1[C])가 있다.
㉤ 진전하가 없는 점에서는 패러데이관은 연속적이다.

2020년 3회

제2과목 | 전력공학

021 ★

ANSWER ③ 공급측 전원의 단락용량

STEP1 차단기 용량 선정

차단기의 차단 용량은 계통(공급)의 단락 용량 이상의 것을 선정하여야 한다.

(차단기 용량 ≥ 단락용량)

TIP !

정격차단용량 = $\sqrt{3}$ × 정격전압 × 정격차단전류

단락용량 = $\sqrt{3}$ × 공칭전압 × 정격차단전류

단락용량 $P_s = \frac{100}{\%Z} P_n$

여기서, P_n : 공급측 설비용량

022 ★

ANSWER ② 9800

STEP1 수력발전소의 출력

$\therefore P = 9.8QH = 9.8 \times 10 \times 100 = 9800[\text{kW}]$

023 ★★★

ANSWER ④ 충격파 전류가 흐르고 있을 때의 피뢰기 단자전압

피뢰기 제한전압 : 피뢰기 동작 중 나타나는 단자전압의 파고값

024 ★

ANSWER ① 부하가 서서히 증가할 때의 극한전력

STEP1

• 정태 안정도(Static stability)

송전 계통이 불변 부하 또는 극히 서서히 증가하는 부하에 대하여 계속적으로 송전할 수 있는 능력

• 정태 안정 극한 전력(Steady state stability limit)

안정도를 유지할 수 있는 극한의 송전 전력

025 ★★★

ANSWER ④ 40

STEP1 변류비

변류기 여유율 1.5를 고려한 변류비

$= \frac{1\text{차 전류} \times 1.5}{5}$

STEP2 1차 전류 구하는 법

$P = \sqrt{3}\, V_1 I_1 \cos\theta$ 에서

$$I_1 = \frac{P}{\sqrt{3}\, V_1 \cos\theta} = \frac{600 \times 10^3}{\sqrt{3} \times 3000 \times 0.85} = 135.85[\text{A}]$$

STEP3 대입

$$\therefore \text{변류비} = \frac{135.85 \times 1.5}{5} \fallingdotseq 40$$

026 ★★★

ANSWER ④ 100

still의 식(경제적인 송전전압 결정식)

송전전압

$$V_s = 5.5\sqrt{0.6 \times \text{송전거리}[\text{km}] + \frac{\text{송전전력}[\text{kW}]}{100}}\,[\text{kV}]$$

$$= 5.5\sqrt{0.6 \times 51 + \frac{30000}{100}} = 100[\text{kV}]$$

027 ★★★

ANSWER ③ 전력선의 1선 지락 사고 등에 의한 영상전류

STEP1 통신선의 장해

㉠ 정전 유도 장해

- 전력선과 통신선 사이의 상호정전용량과 영상전압에 의해 발생
- 사고 뿐만 아니라 평상시에도 발생

㉡ 전자 유도 장해

- 지락 사고 시 흐르는 큰 영상전류에 의해 유도전압이 상승하여 유도장해가 발생

- 전자유도전압 $E_m = j\omega MlI_g = j\omega Ml(3I_0)$

028 ★

ANSWER ③ 3권선 변압기

STEP1 3권선 변압기

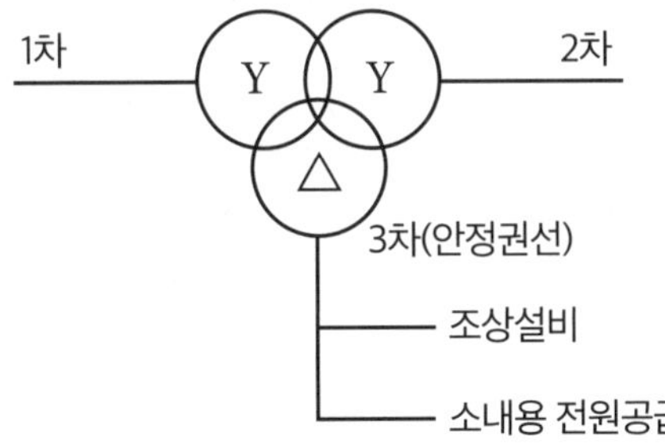

1차 및 2차측 권선 그리고 조상설비 채용 및 제3고조파 제거용으로 사용되는 제3권선이 있는 3권선 변압기를 사용한다.

고난도

029 ★

ANSWER ① $\dfrac{C_m}{C_s} = \dfrac{1}{6}$

STEP1

3상 1회선의 송전선로에 3상 전압을 가해 충전할 때 흐르는 충전전류

$- \ I_{C1} = 2\pi f C_1 \dfrac{V}{\sqrt{3}}$

$-$ 3상 1회선인 경우 $C_1 = C_s + 3C_m$

$$\therefore \ I_{C1} = 2\pi f C_1 \frac{V}{\sqrt{3}} = 2\pi f(C_s + 3C_m)\frac{V}{\sqrt{3}} = 30[\text{A}]$$

STEP2

3선을 일괄하여 이것과 대지 사이에 상전압을 가하여 충전시켰을 때 충전 전류

$- \ I_{C2} = 2\pi f C_2 \dfrac{V}{\sqrt{3}}$

$-$ 3선을 일괄한 경우 $C_2 = 3C_s$

$$\therefore \ I_{C2} = 2\pi f C_2 \frac{V}{\sqrt{3}} = 2\pi f(3C_s)\frac{V}{\sqrt{3}} = 60[\text{A}]$$

STEP3 관계 정리

3선 일괄하는 것이 3상 1회선인 경우의 충전 전류의 2배 이므로

$$2 \times \left[2\pi f(C_s + 3C_m)\frac{V}{\sqrt{3}}\right] = 2\pi f(3C_s)\frac{V}{\sqrt{3}}$$

$2C_s + 6C_m = 3C_s$ 에서 $6C_m = C_s$

$$\therefore \ \frac{C_m}{C_s} = \frac{1}{6}$$

030 ★

ANSWER ③ 부하율

- 수용률 : 수요를 상정할 경우 사용
- 부등률 : 최대 전력의 발생시각 또는 발생 시기의 분산을 나타내는 지표로 사용
- 부하율 : 일정 기간 중 부하 변동의 정도를 나타내는 것으로서 전기설비가 얼마만큼 유효하게 이용되고 있는가 하는 정도를 파악하는 데 사용

031 ★★★

ANSWER ③ 6.8

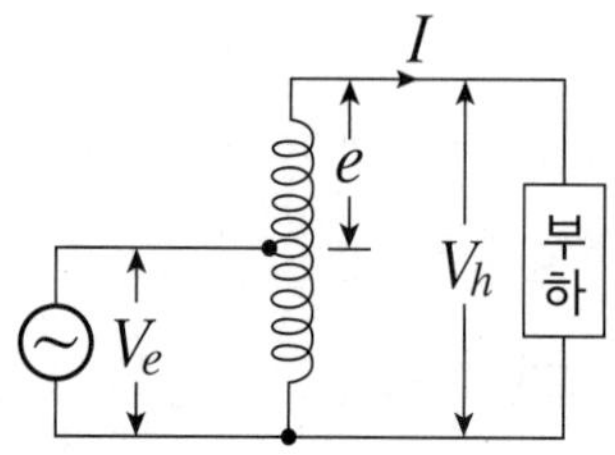

STEP1 부하용량 계산

$$V_h = V_l + e = V_l\left(1 + \frac{1}{n}\right)$$

$$= 2900 \times \left(1 + \frac{210}{3150}\right) = 3093.33[\text{V}]$$

STEP2 자기용량 계산

$$I = \frac{P}{V_h \times \cos\theta}, W = eI$$

$$I = \frac{P}{V_h \times \cos\theta} = \frac{80 \times 10^3}{3093.33 \times 0.8} = 32.33[\text{A}]$$

$$\therefore W = eI = 210 \times 32.33 \times 10^{-3} \fallingdotseq 6.8[\text{kVA}]$$

032 ★★★

ANSWER ② 역섬락 발생

철탑의 탑각 접지 저항이 커지면 낙뢰로 인한 과전압을 대지로 방전하지 못하고 선로에 뇌격을 보내는 역섬락이 발생한다.

고난도

033 ★★★

ANSWER ④ 96

STEP1 개선 전 전력

유효전력 $P = 480[\text{kW}]$이므로

유도성 무효전력

$$Q_1 = P\tan\theta_1 = P \times \frac{\sin\theta_1}{\cos\theta_1}$$

$$= 480 \times \frac{0.6}{0.8} = 360[\text{kVar}]$$

STEP2 역률 개선

콘덴서 $Q_c = 220[\text{kVA}]$는 순용량성 부하이므로 $220[\text{kVar}]$이고 전력용 콘덴서로 무효전력을 상쇄하므로 개선 후 무효전력

$$Q_2 = Q_1 - Q_c = 360 - 220 = 140[\text{kVar}]$$

STEP3 개선 후 역률

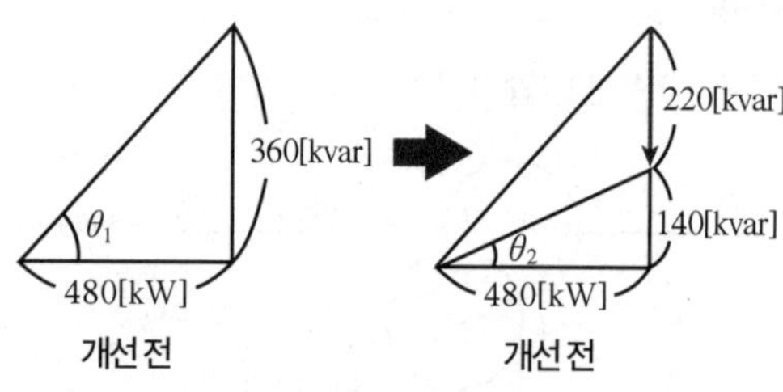

$$\therefore \cos\theta_2 = \frac{P}{\sqrt{P^2 + (Q_L - Q_C)^2}} \times 100$$

$$= \frac{480}{\sqrt{480^2 + (360 - 220)^2}} \times 100$$

$$= 96[\%]$$

034 ★★

ANSWER ① 급수 중에 함유된 산소 등의 분리 제거

STEP1 탈기기(Deaerator)

스프레이 노즐을 통해 분사된 물을 가열 증기와 접촉하여 탈기(용존 산소, 이산화탄소 등 비응축성 가스)된 물을 보일러에 공급

035 ★★★

ANSWER ④ 2차측 절연 보호

변류기의 2차측을 개방하면 1차 부하전류가 모두 여자전류로 변화하여 2차 코일에 과전압이 발생하여 절연이 파괴되고, 권선이 손상될 위험이 있다.

036 ★★

ANSWER ② ㉠: 열효율, ㉡: 전력량, ㉢: 연료, ㉣: 비

답을 암기할 것

$$\text{화력발전소의 열효율} = \frac{\text{전력량을 열량으로 환산한 값}}{\text{연료의 보유열량}}$$

037 ★★

ANSWER ④ $\dfrac{E_s + E_r}{E_s} \times 100[\%]$

STEP1 전압강하

$$e = E_s - E_r \begin{cases} I(R\cos\theta + X\sin\theta) & \text{단상} \\ \sqrt{3}\,I(R\cos\theta + X\sin\theta) & \text{3상} \end{cases}$$

STEP2 전압강하율(전압강하의 정도)

$$\delta = \frac{e}{E_r} \times 100 = \frac{E_s - E_r}{E_r} \times 100 = \frac{\sqrt{3}\,I(R\cos\theta + X\sin\theta)}{E_r} \times 100[\%]$$

038 ★★★

ANSWER ① 페란티 효과

STEP1

① 페란티 효과: 무부하 또는 경부하 시 송전 선로에 충전 전류(전압보다 위상이 빠른 전류)가 흐르면 수전단 전압이 송전단 전압보다 높아지는 현상

② 표피 효과: 교류전류의 경우 도체 중심보다 도체 표면에 전류가 많이 흐르는 현상

③ 근접 효과: 같은 방향의 전류는 바깥쪽으로 다른 방향의 전류는 안쪽으로 모이는 현상

④ 도플러 효과: 파원과 관측자 사이의 거리가 좁아질 때에는 파동의 주파수가 더 높게, 거리가 멀어질 때에는 파동의 주파수가 더 낮게 관측된 현상

039 ★★★

ANSWER ④ 이상 전압의 경감 및 발생 방지

STEP1 중심점 접지목적

㉠ 이상전압의 경감 및 발생 방지

㉡ 전선로 및 기기의 절연 레벨 경감(단절연·저감 절연)

㉢ 보호 계전기의 신속·확실한 동작

㉣ 소호리액터 접지계통에서 1선 지락 시 아크 소멸 및 안정도 증진

040 ★

ANSWER ④ $AD - BC = 1$

STEP1 4단자 정수

$$\begin{bmatrix} V_1 \\ I_1 \end{bmatrix} = \begin{bmatrix} A & B \\ C & D \end{bmatrix} \begin{bmatrix} V_2 \\ I_2 \end{bmatrix} \text{에서}$$

$$\begin{vmatrix} A & B \\ C & D \end{vmatrix} = AD - BC = 1$$

제3과목 | 전기기기

041 ★

ANSWER ② $X_d > X_q$

STEP1 철극기

돌극형(철극기) $X_d > X_q$

비철극기 $X_d = X_q$

여기서, X_d: 직축 동기리액턴스

X_q: 횡축 동기리액턴스

042 ★★

ANSWER ③ 60

STEP1 맥동률

맥동률(Ripple Factor) $\gamma = \frac{V_{r(rms)}}{V_{DC}} \times 100$

여기서,

$V_{r(rms)}$: 교류분 실효값 전압
(Peak to peak ripple voltage)

V_{DC} : 직류 전압 평균값(Average value of filter's output voltage)

$$\gamma = \frac{V_{r(rms)}}{V_{DC}} \times 100 \rightarrow 3 = \frac{V_{r(rms)}}{2000} \times 100$$

$$\therefore V_{r(rms)} = 60[\text{V}]$$

043 ★

ANSWER ③ 금속 흑연질

금속 흑연질 브러시 : 저전압, 대전류

044 ★

ANSWER ③ $\sqrt{3}\frac{V}{a}$

STEP1 결선 특징

㉠ △결선 : 선간전압 V_l = 상전압 V_p이므로
1차측 선간전압 $V = V_{1p}$

㉡ Y결선 : 선간전압 $V_l = \sqrt{3}$ × 상전압 V_p이므로
2차측 선간전압 $V_{2l} = \sqrt{3}\,V_{2p}$

STEP2 전압비(권수비)

$a = \frac{V_{1p}}{V_{2p}} = \frac{N_1}{N_2}$에서 $V_{2p} = \frac{V_{1p}}{a}$이므로

(※변압기 권수비는 반드시 상전압이다)

$$\therefore V_{2l} = \sqrt{3}\frac{V}{a}$$

045 ★★

ANSWER ④ 기계적으로 튼튼하여 가장 많이 사용

STEP1 동기발전기를 회전계자형으로 하는 이유

㉠ 전기자보다 계자극을 회전자로 하는 것이 기계적으로 튼튼하여 가장 많이 사용한다.

㉡ 전기자가 고정자이므로 고압 대전류용에 좋고 절연이 쉽다.

㉢ 계자회로는 직류의 저압회로이며 소요전력도 적다.

046 ★★★

ANSWER ① 3상 유도전압조정기에는 단락권선이 필요 없다.

STEP1 3상 유도전압조정기

단상 유도전압 조정기	3상 유도전압조정기
• 교번자계를 이용한다. • 단락권선이 필요하다. • 1, 2차 전압 사이에 위상차가 없다.	• 회전자계를 이용한다. • 단락권선이 필요없다. • 1, 2차 전압 사이에 위상차가 있다.

047 ★★

ANSWER ② 6

STEP1 극수가 다른 전동기 2대를 이용하여 속도를 제어하는 방법

직렬종속 $N = \dfrac{120f}{P_1 + P_2}[\text{rpm}]$

여기서, N: 전동기 속도

f: 전원주파수

P_1: 1번 전동기의 극수

P_2: 2번 전동기의 극수

STEP2 직렬종속법으로 속도제어하므로,

$$N = \frac{120f}{P_1 + P_2} = \frac{120 \times 60}{12 + 8}$$
$$= 360[\text{rpm}] = 6[\text{rps}]$$

TIP !

$1[\text{rps}] = 60[\text{rpm}]$

048 ★★

ANSWER ① 직류를 교류로 변환

인버터 : 직류를 교류로 변환하는 기기

TIP !

전압의 종별 변환기기

변환 전 \ 변환 후	AC	DC
AC	사이클로 컨버터	컨버터
DC	인버터	쵸파

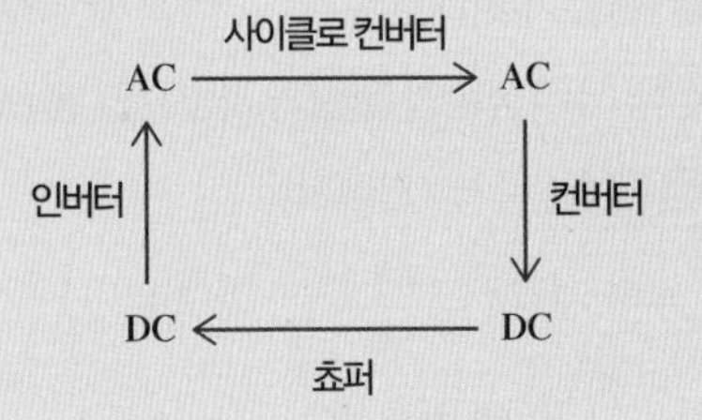

049 ★

ANSWER ② 역기전력은 회전방향에 따라 크기가 다르다.

STEP1 역기전력

역기전력 $E_c = \dfrac{P\phi N}{60} \cdot \dfrac{Z}{A} = V_t - I_a R_a$

여기서, P : 극수

ϕ : 매극당 자속[Wb]

N : 분당 회전수[rpm]

Z : 총 도체수

A : 내부 병렬회로수

(파권 A = 2, 중권 A = P)

V_t : 단자전압(공급전압)

① $E_c \propto N$

② 역기전력은 회전방향과 관계 없다.

③ $E_c = V_t - I_a R_a$에서 V_t는 고정이므로 역기전력이 증가하면 전기자전류(I_a)는 감소한다.

④ $E_c = V_t - I_a R_a$이므로 부하가 걸려있으면 $V_t > E_c$이다.

TIP !

역기전력(Counter electromotive force)
전동기가 회전하면 도체의 자속을 끊고 있으므로 발전기의 경우와 같이 기전력을 유기한다.
이 방향은 전기자 전류를 방해하는 단자전압과 반대방향으로 작용한다.

050 ★

ANSWER ① 전동발전기

STEP1 3상 유도전동기의 실부하법

㉠ 전기동력계법

㉡ 프로니브레이크법

㉢ 손실을 알고 있는 직류발전기를 이용

전동발전기는 실부하법에서 부하로 쓰이지 않는다.

2020년 3회

051 ★

ANSWER ③ 내철형 철심

STEP1 직류기

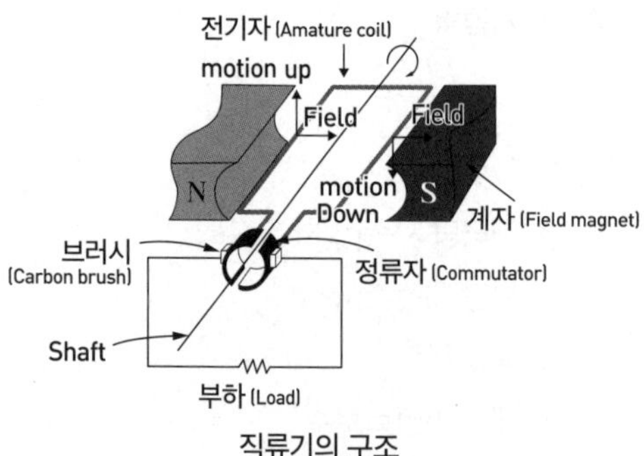

직류기의 구조

직류기의 3요소는 계자(Field magnet), 전기자(Amature coil), 정류자(Commutator)이다.

㉠ 계자(Field magnet) : 자극과 계철로 구성되어 있고, 계자코일에 전류를 흘려 자속을 만들어 내는 부분이다.

㉡ 전기자(Amature coil) : 철심과 전기자 권선으로 구성되어 있고, 자속을 끊어 기전력 발생시키는 부분이다.

㉢ 정류자(Commutator) : 전기자에서 발생된 교류 기전력을 직류로 변환하는 부분이다.

052 ★★

ANSWER ② 24

STEP1 3상 유도전동기의 입력을 계산하면

$$P_i = \frac{P}{\eta_m \cos\theta} = \frac{30}{0.86 \times 0.84} = 41.53\,[\mathrm{kVA}]$$

(η_m : 전동기의 효율, $\cos\theta$: 전동기의 역률)

STEP2

전동기의 입력은 변압기의 출력이므로 단상 변압기 2대로 V결선으로 출력했을 때

$P_V = \sqrt{3}\,P_1 = 41.53[\mathrm{kVA}]$

STEP3

단상 변압기 1대의 용량

$$P_1 = \frac{P_V}{\sqrt{3}} = \frac{41.53}{\sqrt{3}} \fallingdotseq 24\,[\mathrm{kVA}]$$

053 ★★★

ANSWER ① 0.9397

STEP1 단절권계수

단절권 계수 : $K_p = \sin\frac{1}{2}\beta\pi$

STEP2 β

$$\beta = \frac{\text{코일간격}}{\text{극간격}} = \frac{\text{코일간격}}{\frac{\text{전슬롯수}}{\text{극수}}}$$

코일간격 : $8 - 1 = 7$,

극간격 $= \dfrac{\text{총 슬롯수}}{\text{극수}} = \dfrac{P}{S} = \dfrac{54}{6} = 9$

따라서, $\beta = \dfrac{7}{9}$

∴ 단절권 계수

$$K_p = \sin\frac{1}{2}\beta\pi = \sin\frac{1}{2} \times \frac{7}{9} \times \pi = 0.9397$$

054 ★★★

ANSWER ① 변압기

STEP1 부흐홀쯔 계전기

부흐홀쯔 계전기는 변압기의 내부고장으로 발생하는 기름의 분해 가스 증기 또는 유류를 이용하여 부저를 움직여 계전기의 접점을 닫는다. 변압기의 주탱크와 콘서베이터를 연결하는 관중에 설치한다.

055 ★★★

ANSWER ① 철손 = 동손

STEP1 변압기 최대효율

㉠ 전부하 시 고정손인 철손과 가변손인 동손이 같게 될 때 ($P_i = P_c$) 발생한다.

㉡ $\dfrac{1}{m}$ 부하 시 $P_i = \left(\dfrac{1}{x}\right)^2 P_c$ 이므로

$\dfrac{1}{x} = \sqrt{\dfrac{P_i}{P_c}}$ 일 때 발생한다.

056 ★★★

ANSWER ② 직권 전동기

직권 전동기에서는 토크가 클 때 속도가 적어져 전기철도(전차용)에 쓴다.

그리고 부하가 변하면 속도 변동이 가장 크다.

TIP !

직권전동기의 특징

㉠ 부하에 따라 속도가 크게 변화한다.

㉡ +, − 극성을 반대로 해도 회전 방향은 변하지 않는다.

㉢ $T \propto I^2 \propto \frac{1}{N^2}$

㉣ 위험상태는 무부하 상태, 정격전압인 경우이다.

㉤ 변속도 전동기이다. 전기철도용으로 많이 사용된다.

057 ★

ANSWER ② 8.63×10^{-3}

1차 유기기전력 $E_1 = 4.44fN_1\phi_m$[V]의 식을 이용하여

$$\therefore \phi_m = \frac{E_1}{4.44fN_1} = \frac{6900}{4.44 \times 60 \times 3000} = 0.00863 = 8.63 \times 10^{-3}[\text{Wb}]$$

(ϕ_m: 최대자속[Wb], B_m최대자속밀도[Wb/m^2], S: 면적[m^2])

058 ★

ANSWER ④ 환상권

전기자 권선에 환상권은 거의 사용되지 않는다.

059 ★★★

ANSWER ④ 와전류에 의한 손실을 작게 하기 위해

STEP 1 강판 성층과 와류손의 관계

와류손 $P_e = K_e(tf K_f B_m)^2 = KV^2$에서

$P_e \propto t$ 즉, 철심의 두께 t 의 제곱에 비례한다.

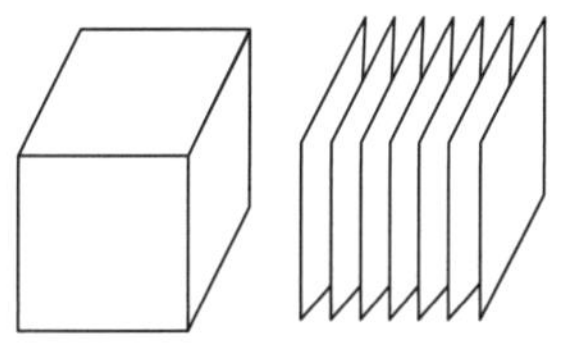

와전류손을 감소시키기 위해서는 얇은 규소강판을 성층하여 사용하면 된다.

규소를 쓰는 이유는 히스테리시스손을 작게 하기 위한 이유도 있으나 성층을 통한 와전류손의 감소 효과가 가장 크다.

060 ★★★

ANSWER ③ 쉐이딩 코일형

기동 토크는 반발 기동형 > 콘덴서 기동형 > 분상 기동형 > 셰이딩 코일형 순이다.

061 ★

ANSWER ② 4.2

MATH 22삼각함수 특수공식

STEP1 역률과 무효전력

역률이 100[%]일 때 무효전력의 합이 0이므로

용량성 리액턴스 $X_C = \frac{V^2}{Q_C}$ 에서 회로망의 무효

전력 $= Q_C$

STEP2 회로망의 무효전력 계산

회로망의 무효전력 $Q = VI\sin\theta$에서

$\cos\theta = \frac{P}{VI} = \frac{1800}{100 \times 30} = 0.6$ 이고,

$\sin\theta = \sqrt{1-\cos^2\theta} = \sqrt{1-0.8^2} = 0.6$ 이므로 $Q = VI\sin\theta = 100 \times 30 \times 0.8 = 2400[\text{Var}]$

STEP3 리액턴스 계산

$\therefore X_C = \frac{V^2}{Q_C} = \frac{100^2}{2400} \fallingdotseq 4.2[\Omega]$

062 ★

ANSWER ① $\frac{Cs}{LCs^2+RCs+1}E_i(s)$

MATH 23단원 유리식, 49단원 라플라스 기초

STEP1 라플라스 변환

$$e_i(t) = Ri(t) + L\frac{di(t)}{dt} + \frac{1}{C}\int i(t)\,dt$$

$$\xrightarrow{\pounds} E_i(s) = RI(s) + LsI(s) + \frac{1}{C}\frac{I(s)}{s}$$

STEP2 식 전개

$$E_i(s) = RI(s) + LsI(s) + \frac{1}{C}\frac{I(s)}{s}$$

$$= \left\{R + Ls + \frac{1}{Cs}\right\}I(s)$$ 이므로

$$\therefore I(s) = \frac{1}{R + Ls + \frac{1}{Cs}}E_i(s)$$

$$= \frac{Cs}{LCs^2+RCs+1}E_i(s)$$

063 ★★★

ANSWER ③ 0.36

STEP1

왜형률 $= \frac{\sum \text{각 고조파의 실효값}}{\text{기본파의 실효값}}$ 에서 기본파 V_1이고, 제3고조파 $V_3 = 0.3V_1$,

제5고조파 $V_5 = 0.2V_1$이므로

∴ 왜형률

$$= \frac{\sqrt{V_3^2 + V_5^2}}{V_1} = \frac{\sqrt{(0.3V_1)^2 + (0.2V_1)^2}}{V_1}$$

$$= \frac{\sqrt{(0.3)^2V_1^2 + (0.2)^2V_1^2}}{V_1}$$

$$= \frac{V_1\sqrt{(0.3)^2+(0.2)^2}}{V_1} = \sqrt{(0.3)^2+(0.2)^2}$$

$\fallingdotseq 0.36$

064 ★★★

ANSWER ④ $6+j7$

MATH 28단원 복소수의 연산,
30단원 직교좌표와 극좌표

STEP1 대칭좌표법

대칭 좌표법	
영상분 $V_0 = \frac{1}{3}(V_a + V_b + V_c)$	$V_a = V_0 + V_1 + V_2$
정상분 $V_1 = \frac{1}{3}(V_a + aV_b + a^2V_c)$	$V_b = V_0 + a^2V_1 + aV_2$
역상분 $V_2 = \frac{1}{3}(V_a + a^2V_b + aV_c)$	$V_c = V_0 + aV_1 + a^2V_2$

(여기서, $a = 1\angle 120°$, $a^2 = 1\angle -120°$)

$\therefore V_a = V_0 + V_1 + V_2$

$= (-8+j3) + (6-j8) + (8+j12)$

$= 6 + j7[\text{V}]$

065 ★★★

ANSWER ③ 0.96

MATH 27단원 복소수,
30단원 직교좌표와 극좌표

STEP1 복소전력

$S = V\overline{I} = P + jQ$

$S = V\overline{I} = (120 + j90)\overline{(3 + j4)}$

$= (120 + j90)(3 - j4) = 720 - j210$

STEP2 역률

역률 $\cos\theta = \dfrac{P}{P_a}$ 에서

유효전력 $P = 720[W]$

피상전력

$P_a = |S| = \sqrt{720^2 + 210^2} = 750[VA]$이므로

$\therefore \cos\theta = \dfrac{P}{P_a} = \dfrac{720}{750} = 0.96$

066 ★★★

ANSWER ③ 13.2

MATH 22단원 삼각함수 특수공식

STEP1

무효전력 $Q = P_a \times \sin\theta$ 에서

$\sin\theta = \sqrt{1 - \cos^2\theta} = \sqrt{1 - 0.8^2} = 0.6$

$\therefore Q = P_a \times \sin\theta = 22 \times 0.6 = 13.2[kVar]$

(여기서, $\cos\theta$: 역률, P_a : 피상전력이다.)

067 ★

ANSWER ① $\begin{bmatrix} 1 & 0 \\ Y & 1 \end{bmatrix}$

MATH 33단원 행렬 기초

STEP1 어드미턴스 행렬

	A	B	C	D
직렬 Y_1	1	$\dfrac{1}{Y_1}$	0	1
병렬 Y_2	1	0	Y_2	1

068 ★★★

ANSWER ③ 15

STEP1 전압원 단락

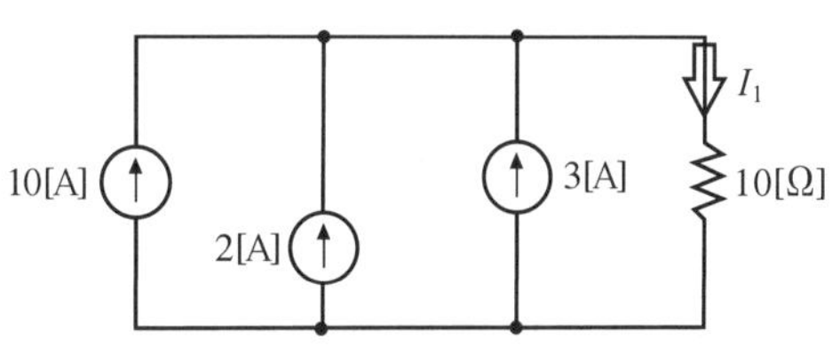

키르히호프 제1법칙(KCL)에 의해

$I_1 = 10 + 2 + 3 = 15[A]$

STEP2 전류원 개방

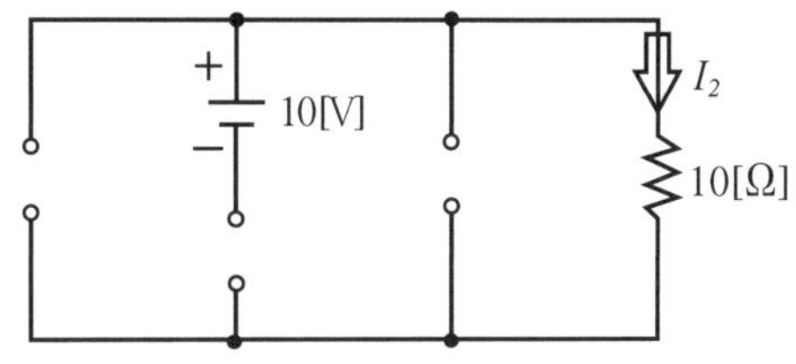

$I_2 = 0[A]$

STEP3 중첩의 정리

$\therefore I = I_1 + I_2 = 15 + 0 = 15[A]$

069 ★★

ANSWER ③ 2

STEP1

동일한 크기의 저항(R) n개 연결 시

합성저항 $R_T = \begin{cases} n \times R : 직렬 \\ \dfrac{R}{n} : 병렬 \end{cases}$ 이다.

즉, 5개의 저항을 병렬 연결시킬 때 R_T의 값이 가장 작다.

$\therefore R_T = \dfrac{10}{5} = 2[\Omega]$

070 ★★

ANSWER ④ 86.6

STEP1

이용률 $U = \dfrac{V\text{결선 출력}}{\text{변압기 2대 출력}}$ 에서

V결선 출력 $P_V = \sqrt{3}\,P$ 이므로

$$U = \frac{P_V}{2P} = \frac{\sqrt{3}\,P}{2P} \fallingdotseq 0.866 = 86.6[\%]$$

고난도

071 ★

ANSWER ④ 0

MATH 28단원 복소수의 연산, 33단원 행렬 기초

STEP1 영상 임피던스

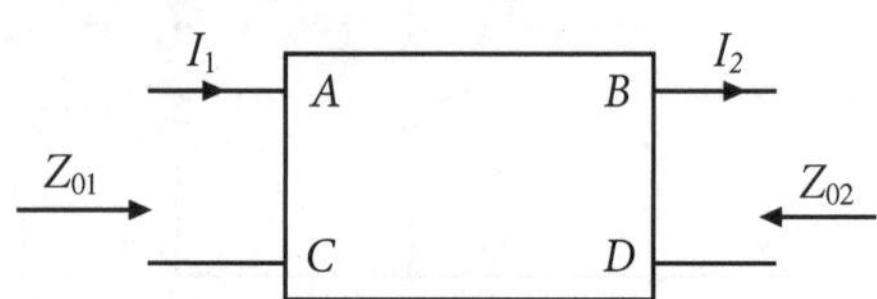

영상 임피던스 $Z_{01} = \sqrt{\dfrac{AB}{CD}}$, $Z_{02} = \sqrt{\dfrac{BD}{AC}}$

에서 문제의 회로가 좌우대칭이므로 $A = D$

$$Z_{01} = Z_{02} = \sqrt{\frac{B}{C}}$$

STEP2 4단자 정수(T형 회로)

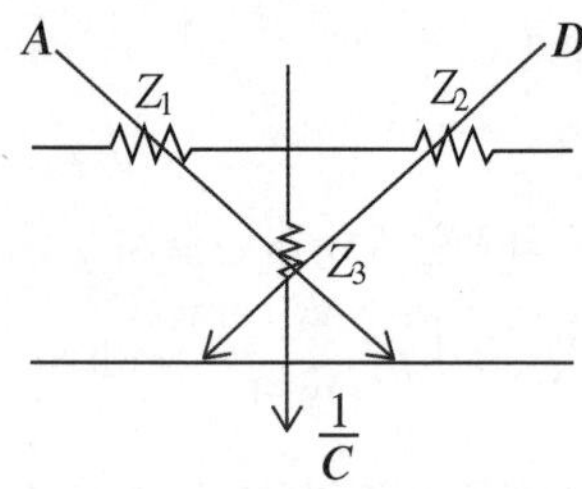

$$A = \frac{Z_1 + Z_3}{Z_3} = 1 + \frac{Z_1}{Z_3}$$

$$B = \frac{Z_1Z_2 + Z_2Z_3 + Z_3Z_1}{Z_3}$$

$$C = \frac{1}{Z_3}$$

$$D = \frac{Z_2 + Z_3}{Z_3} = 1 + \frac{Z_2}{Z_3}$$

$$B = \frac{(j100)(j100) + (j100)(-j50) + (-j50)(j100)}{-j50} = 0$$

$$C = \frac{1}{-j50} = j\frac{1}{50}$$

STEP3

$B = 0$이므로

$$\therefore Z_{01} = Z_{02} = \sqrt{\frac{B}{C}} = 0$$

다른 풀이

풀이가 오래 걸리므로 권장하지 않는다.

STEP2

$$\begin{bmatrix} A & B \\ C & D \end{bmatrix} = \begin{bmatrix} 1 & j100 \\ 0 & 1 \end{bmatrix}\begin{bmatrix} 1 & 0 \\ \frac{1}{-j50} & 1 \end{bmatrix}\begin{bmatrix} 1 & j100 \\ 0 & 1 \end{bmatrix}$$

$$= \begin{bmatrix} 1 \times 1 + j100 \times \left(\frac{1}{-j50}\right) & 1 \times 0 + j100 \times 1 \\ 0 \times 1 + 1 \times \left(\frac{1}{-j50}\right) & 0 \times 0 + 1 \times 1 \end{bmatrix}\begin{bmatrix} 1 & j100 \\ 0 & 1 \end{bmatrix}$$

$$= \begin{bmatrix} -1 & j100 \\ \frac{1}{-j50} & 1 \end{bmatrix}\begin{bmatrix} 1 & j100 \\ 0 & 1 \end{bmatrix} = \begin{bmatrix} -1 & 0 \\ \frac{1}{-j50} & -1 \end{bmatrix}$$

$$= \begin{bmatrix} -1 & 0 \\ \frac{j}{50} & -1 \end{bmatrix} \quad (\because \text{분모의 유리화})$$

072 ★★★

ANSWER ② 2.7

STEP1 정현파의 평균값

정현파 전류의 평균값 $I_{av} = \dfrac{2}{\pi} I_m$ 에서

전류의 최대값 $I_m = 3\sqrt{2}$ 이므로

$$\therefore I_{av} = \frac{2}{\pi} \times 3\sqrt{2} \fallingdotseq 2.7[\text{A}]$$

TIP !

	정현파	정류파(반파)	3각파	구형파	구형반파
실효값	$\frac{I_m}{\sqrt{2}}$	$\frac{I_m}{2}$	$\frac{I}{\sqrt{3}}$	I_m	$\frac{I_m}{\sqrt{2}}$
평균값	$\frac{2I_m}{\pi}$	$\frac{I_m}{\pi}$	$\frac{I_m}{2}$	I_m	$\frac{I_m}{2}$
파형률	1.11	1.57	1.15	1.0	1.414
파고율	1.414	2.0	1.732	1.0	1.414

073 ★★

ANSWER ④ 10

STEP1 병렬회로의 전류 분배 법칙

$$6[\text{A}] = \frac{30}{20+30}I$$

$$\therefore I = 6 \times \left(\frac{20+30}{30}\right) = 10[\text{A}]$$

다른 풀이

키르히호프 제2법칙(KVL)에 의해 20[Ω]과 30[Ω]의 양단의 전압은 같다.

따라서, 20[Ω]의 전압

$V_{20} = I \times R = 6 \times 20 = 120[\text{V}]$이고

30[Ω]에 흐르는 전류

$I_{30} = \frac{V}{R} = \frac{120}{30} = 4[\text{A}]$이다.

키르히호프 제1법칙(KCL)에 의해

$I = 6 + 4 = 10[\text{A}]$

074 ★★★

ANSWER ④ $Ae^{-\alpha t}$

MATH **49단원 라플라스 기초**

STEP1

$e^{-\alpha t} \xrightarrow{\mathcal{L}} \frac{1}{\alpha + s}$ 이므로

$$\mathcal{L}^{-1}\left[\frac{A}{\alpha+s}\right] = A\mathcal{L}^{-1}\left[\frac{1}{\alpha+s}\right] = Ae^{-\alpha t}$$

075 ★★

ANSWER ③ $(R \times C)$의 값이 클수록 과도 전류는 천천히 사라진다.

답을 암기할 것

MATH **43단원 e 총정리**

STEP1 RC 과도현상

RC 직렬회로의 전류 $i(t) = \frac{V}{R}e^{-\frac{1}{RC}t}$

STEP2 과도현상 비교

시정수 $\tau = RC$에 따라 다음과 같다.

㉠ 크기가 작을 때 $\left(y = e^{-\frac{1}{2}x}\right)$

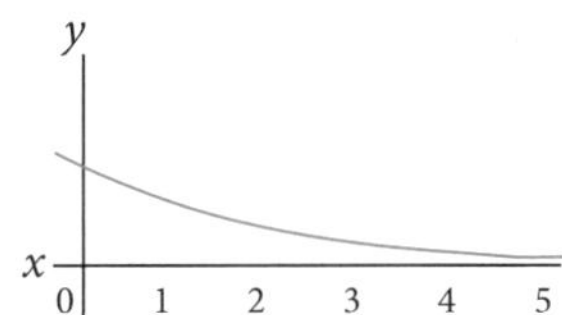

• 정상상태에 빨리 근접한다.(과도현상이 빨리 사라진다.)

㉡ 크기가 클 때 $\left(y = e^{-\frac{1}{8}x}\right)$

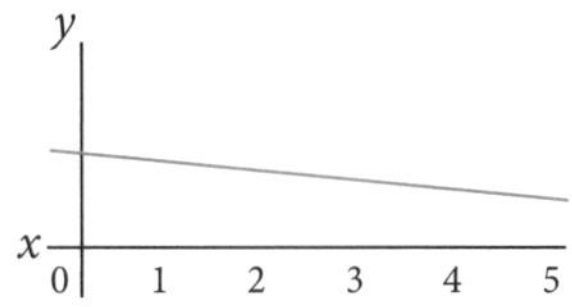

• 정상상태에 늦게 근접한다.(과도현상이 천천히 사라진다.)

076 ★★★

ANSWER ④ $\frac{Y_1E_1 + Y_2E_2 + Y_3E_3}{Y_1 + Y_2 + Y_3}$

STEP1 밀만의 정리

중성점의 전위

$$V_{n'n} = \frac{\frac{E_1}{Z_1} + \frac{E_2}{Z_2} + \frac{E_3}{Z_3}}{\frac{1}{Z_1} + \frac{1}{Z_2} + \frac{1}{Z_3}} = \frac{Y_1E_1 + Y_2E_2 + Y_3E_3}{Y_1 + Y_2 + Y_3}$$

2020년 3회

고난도

077 ★

ANSWER ④ $I_0 e^{-\frac{R}{L}t}$

STEP1 RL **과도현상**

인덕터에 흐르는 전류

$$i_L(t) = I_0\left(1 - e^{-\frac{R}{L}t}\right)[\mathrm{A}]$$

STEP2 키르히호프 법칙

키르히호프 제1법칙(KCL)에 의해

$$I_0 = i_R(t) + i_L(t)$$

$$i_R(t) = I_0 - i_L(t) = I_0 - I_0\left(1 - e^{-\frac{R}{L}t}\right)$$

$$= I_0 e^{-\frac{R}{L}t}[\mathrm{A}]$$

078 ★★★

ANSWER ③ 2400

STEP1 △결선 특징

부하의 선간전압 $V_l = V_p$

부하의 선전류 $I_l = \sqrt{3}\,I_p$

∴ 상전압 $V_p = V_l = 200[\mathrm{V}]$

STEP2 피상전력

$$P_a = 3V_pI_p = 3V_p\left(\frac{V_p}{Z}\right) = \frac{3V_p^2}{Z}$$

1상 임피던스 $Z = \sqrt{14^2 + 48^2} = 50$ 이므로

$$\therefore P_a = \frac{3V_p^2}{Z} = \frac{3 \times 200^2}{50} = 2400[\mathrm{VA}]$$

079 ★★

ANSWER ③ 114

STEP1 비정현파의 실효값

$$I = \sqrt{I_0^2 + I_1^2 + I_2^2 + \cdots}$$

$$= \sqrt{I_0^2 + \left(\frac{I_{m1}}{\sqrt{2}}\right)^2 + \left(\frac{I_{m2}}{\sqrt{2}}\right)^2 + \cdots}$$ 에서

직류분 $I_0 = 100$, 기본파의 실효값 $I_1 = 50$,

제3고조파의 실효값 $I_3 = 20$

$$\therefore I = \sqrt{I_0^2 + I_1^2 + I_3^2} = \sqrt{100^2 + 50^2 + 20^2}$$

$$\fallingdotseq 113.58 \fallingdotseq 114[\mathrm{A}]$$

080 ★

ANSWER ② 4

STEP1 △ − Y **변환**

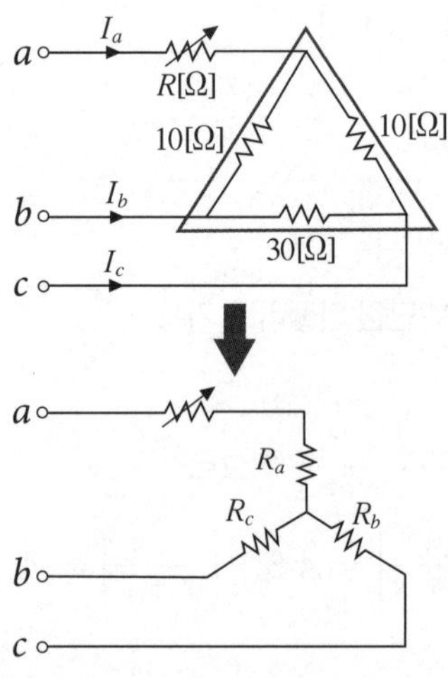

$$R_a = \frac{10 \times 10}{10 + 10 + 30} = 2[\Omega]$$

$$R_b = \frac{10 \times 30}{10 + 10 + 30} = 6[\Omega]$$

$$R_c = \frac{10 \times 30}{10 + 10 + 30} = 6[\Omega]$$

가변저항 R이 $R + R_a = R_b = R_c$일 때, 평형을 이루어 각 선전류가 모두 같게 되므로

$$\therefore R = R_b - R_a = 6 - 2 = 4[\Omega]$$

제5과목 | 전기설비기술기준 및 한국전기설비규정

081 ★★★

ANSWER ① 목주

특고압 보안공사(한국전기설비규정 333.22)

제1종 특고압 보안공사에서 전선로의 지지물은 B종 철주·B종 철근 콘크리트주 또는 철탑을 사용할 것

목주는 사용할 수 없다.

082 ★★

ANSWER ② 3.2

특고압 가공전선과 식물의 이격거리 (한국전기설비규정 333.30)

사용전압의 구분	이격거리
60[kV]이하	2[m]
60[kV]초과	2[m]에 사용전압이 60[kV]를 초과하는 10[kV] 또는 그 단수마다 12[cm]를 더한 값

단수 $n = \frac{154-60}{10} = 9.4 \rightarrow 10$단

이격거리 $= 2 + 10 \times 0.12 = 3.2$[m]

083 ★

ANSWER ③ ㉠: 변전소, ㉡: 전차선

용어 정의(한국전기설비규정 112)

"전기철도용 급전선"이란 전기철도용 변전소로부터 다른 전기철도용 변전소 또는 전차선에 이르는 전선을 말한다.

084 ★

ANSWER ③ 5

저압 인입선의 시설(한국전기설비규정 221.1.1)

도로를 횡단하는 경우: 노면상 5[m] 이상

085 ★★★

ANSWER ③ 1.25

기구 등의 전로의 절연내력 (한국전기설비규정 136)

전로의 종류	접지 방식	시험전압 (최대사용 전압의 배수)	최저 시험전압
1. 7[kV]이하		1.5배	
2. 7[kV]초과 25[kV]이하	다중 접지	0.92배	
3. 7[kV]초과 60[kV] 이하(2란의 것 제외)		1.25배	10.5[kV]
4. 60[kV]초과	비접지	1.25배	
5. 60[kV]초과(6란과 7란의 것 제외)	접지식	1.1배	75[kV]
6. 60[kV]초과 (7란의 것 제외)	직접 접지	0.72배	
7. 170[kV]초과(발전소 또는 변전소 혹은 이에 준하는 장소에 시설하는 것)	직접 접지	0.64배	

086 ★

ANSWER ① 50

고압 가공전선 등의 병행설치 (한국전기설비규정 332.8)

저압 가공전선과 고압 가공전선 사이의 이격거리는 0.5[m] 이상일 것

2020년 3회

087 ★★★

ANSWER ① 금속관 공사

폭연성 분진 위험장소(한국전기설비규정 242.2.1)

폭연성 분진이 많은 장소의 저압 옥내배선에 적합한 배선공사방법은 금속관공사 또는 케이블공사이다.

088 ★★

ANSWER ② 3

특고압과 고압의 혼촉 등에 의한 위험방지시설 (한국전기설비규정 322.3)

변압기에 의하여 특고압 전로에 결합되는 고압 전로에는 사용전압의 3배 이하인 전압이 가하여진 경우에 방전하는 장치를 그 변압기의 단자에 가까운 1극에 설치하여야 한다.

089 ★

ANSWER ④ 통신선이 도로·횡단보도교·철도의 레일과 교차하는 경우에는 통신선은 지름 4[mm]의 절연전선과 동등 이상의 절연 효력이 있을 것

전력보안통신선의 시설 높이와 이격거리 (한국전기설비규정 362.2)

㉠ 인장강도 8.01[kN] 이상의 것 또는 지름(단선)의 경우 지름 5[mm]의 경동선일 것

㉡ 통신선이 케이블 또는 광섬유 케이블일 때는 0.4[m]이상으로 할 것

㉢ 통신선과 삭도 또는 다른 가공약전류 전선 등 사이의 이격거리는 0.8[m]이상으로 할 것

㉣ 통신선이 도로·횡단보도교·철도의 레일과 교차하는 경우에는 통신선은 지름 4[mm]의 절연전선과 동등 이상의 절연 효력이 있을 것

090 ★★★

ANSWER ② 21068

변압기 전로의 절연내력(한국전기설비규정 135)

권선의 종류 (최대사용전압)	접지 방식	시험전압 (최대사용 전압의 배수)	최저 시험 전압
1. 7[kV]이하		1.5배	500[V]
	다중 접지	0.92배	500[V]
2. 7[kV]초과 25[kV]이하	다중 접지	0.92배	
3. 7[kV]초과 60[kV]이하 (2란의 것 제외)		1.25배	10.5[kV]
4. 60[kV]초과 (8란의 것 제외)	비접지	1.25배	
5. 60[kV]초과 (6란 및 8란의 것 제외)	접지식	1.1배	75[kV]
6. 60[kV]초과	직접 접지	0.72배	
7. 170[kV]초과	직접 접지	0.64배	

※ 전로에 케이블을 사용하는 경우에는 직류로 시험할 수 있으며, 시험전압은 교류의 경우의 2배가 된다.

∴ 시험전압 $= 22900 \times 0.92 = 21068$[V]

091 ★

ANSWER ③ 105

시가지 등에서 특고압 가공전선로의 시설 (한국전기설비규정 333.1)

사용전압이 130[kV]를 초과하는 경우는 105[%] 이상인 것

092 ★★★

ANSWER ③ 2.5

고압 가공전선의 안전율(한국전기설비규정 332.4)

가공전선이 케이블 이외인 경우 안전율이 다음 이상이 되는 이도로 시설하여야 한다.

㉠ 경동선 또는 내열 동합금선 : 2.2 이상

㉡ 그 밖의 전선 : 2.5

093 ★★

ANSWER ④ 온도가 현저히 상승한 경우

조상설비의 보호장치(한국전기설비규정 351.5)

설비 종별	뱅크 용량의 구분	자동적으로 전로로부터 차단하는 장치
전력용 커패시터 및 분로리액터	500[kVA]초과 15,000[kVA]미만	• 내부에 고장이 생긴 경우 • 과전류가 생긴 경우
	15,000[kVA]미만	• 내부에 고장이 생긴 경우 • 과전류가 생긴 경우 • 과전압이 생긴 경우
조상기	15,000[kVA]이상	내부에 고장이 생긴 경우

094 ★★

ANSWER ① 정격감도전류 15[mA] 이하, 동작시간 0.03초 이하의 전류동작형 누전차단기

콘센트의 시설(한국전기설비규정 234.5)

인체 감전 보호용 누전차단기(정격 감도전류 15[mA] 이하, 동작 시간 0.03[초] 이하의 전류동작형의 것에 한한다) 또는 절연 변압기(정격용량 3[kVA] 이하인 것에 한한다)로 보호된 전로에 접속하거나, 인체감전보호용 누전차단기가 부착된 콘센트를 시설하여야 한다.

095 ★★

ANSWER ① 100

발전기 등의 보호장치(한국전기설비규정 351.3)

발전기에는 다음의 경우에 자동적으로 이를 전로로부터 차단하는 장치를 시설하여야 한다.

- 용량이 100[kVA] 이상의 발전기를 구동하는 풍차의 압유장치의 유압이 현저히 저하한 경우

096 ★

ANSWER ② 절연변압기의 2차측 전로에는 반드시 접지공사를 하며, 그 저항값은 5[Ω] 이하가 되도록 하여야 한다.

수중조명등(한국전기설비규정 234.14)

㉠ 절연변압기 2차측 전로의 사용전압은 150[V] 이하이어야 한다.

㉡ 절연변압기의 2차측 전로는 접지하지 말 것

㉢ 절연변압기 2차측 전로의 사용전압이 30[V] 이하인 경우에는 1차 권선과 2차 권선 사이에 금속제의 혼촉 방지판이 있어야 한다.

㉣ 절연변압기의 2차측 전로의 사용전압이 30[V]를 초과하는 경우에는 그 전로에 지락이 생겼을 때에 자동적으로 전로를 차단하는 장치가 있어야 한다.

097 ★★★

ANSWER ② 지선의 안전율은 2.5 이상, 허용 인장하중의 최저는 3.31[kN]으로 할 것

지선의 시설(한국전기설비규정 331.11)

㉠ 지선에 연선을 사용하는 경우 소선(素線) 3가닥 이상의 연선일 것

㉡ 지선의 안전율은 2.5 이상일 것. 이 경우에 허용 인장하중의 최저는 4.31[kN]일 것

㉢ 지선에 연선을 사용하는 경우 소선의 지름이 2.6[mm] 이상의 금속선을 사용한 것일 것

㉣ 가공전선로의 지지물로 사용하는 철탑은 지선을 사용하여 그 강도를 분담시키지 않을 것

098 ★★★

ANSWER ② 300

도로 등의 전열장치(한국전기설비규정 241.12)

발열선에 전기를 공급하는 전로의 대지전압은 300[V] 이하일 것

출제기준 변경 및 개정된 관계 법규에 따라 삭제된 문제가 있어 20문항이 안됩니다.

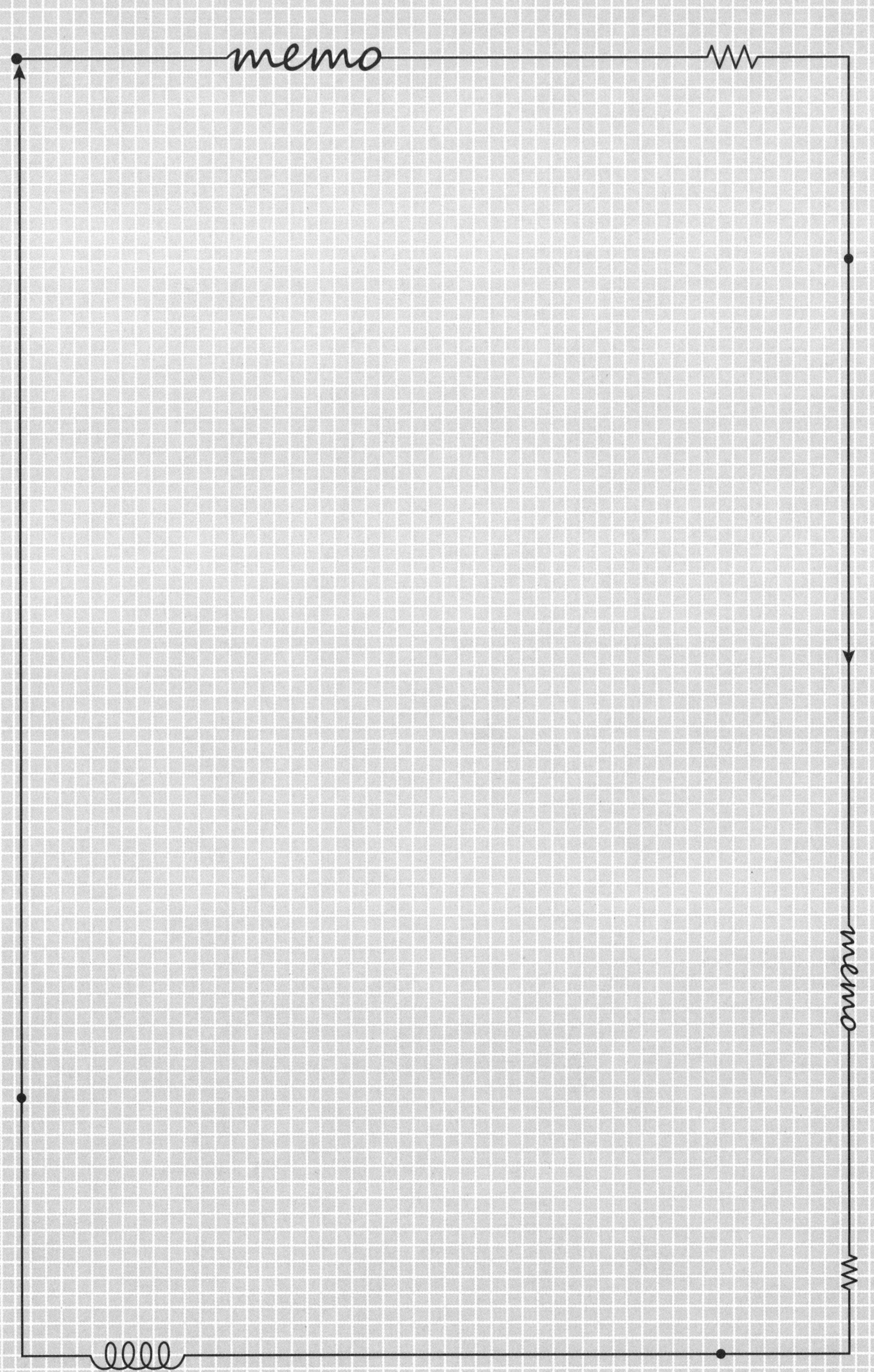
memo
memo

엔지니오 과년도 기출문제집

2019

2019년 1회

제1과목 | 전기자기학

001 ★

ANSWER ② $\dfrac{2\pi\epsilon_0\epsilon_s l}{\ln\dfrac{b}{a}}$ 답을 암기할 것

STEP1 동축케이블의 정전용량

$$C_{ab} = \frac{2\pi\epsilon}{\ln\dfrac{b}{a}}[\mathrm{F}]$$

위의 정전용량은 동축케이블의 단위 길이당 정전용량이므로, 케이블의 길이 l 을 고려하면 다음과 같다.

$$C_{ab} = \frac{2\pi l}{\ln\dfrac{b}{a}} = \frac{2\epsilon_0\epsilon_s l}{\ln\dfrac{b}{a}}[\mathrm{F}]$$

002 ★★★

ANSWER ④ 전기력선은 유전율이 큰 쪽에 모여진다.

MATH 10단원 비례, 반비례, 비례식

STEP1 경계조건

	전계	자계
평행 (법선성분)	$E_1\sin\theta_1 = E_2\sin\theta_2$	$H_1\sin\theta_1 = H_2\sin\theta_2$
수직 (접선성분)	$D_1\cos\theta_1 = D_2\cos\theta_2$	$B_1\cos\theta_1 = B_2\cos\theta_2$
굴절 법칙	$\dfrac{\tan\theta_1}{\tan\theta_2} = \dfrac{\epsilon_1}{\epsilon_2}$	$\dfrac{\tan\theta_1}{\tan\theta_2} = \dfrac{\mu_1}{\mu_2}$

STEP2 경계면 수직입사($\theta_1 = 0°$)

㉠ 전속 및 자기력선(자계의 세기)는 굴절하지 않고 직진한다.

㉡ 전속밀도와 자속밀도는 연속(불변)이다.

㉢ 전계와 자계의 세기는 불연속이다.

STEP3 굴절의 법칙

$\dfrac{\tan\theta_1}{\tan\theta_2} = \dfrac{\epsilon_1}{\epsilon_2} \to \tan\theta_1 : \tan\theta_2 = \epsilon_1 : \epsilon_2$

$\to \theta_1 : \theta_2 = \epsilon_1 : \epsilon_2$ 에서

$\epsilon_1 > \epsilon_2$일 때 $\theta_1 > \theta_2$이므로

• $D_1 > D_2$, $E_1 > E_2$

따라서, 전기력선(전계의 세기)는 유전율이 큰 쪽에서 작은 쪽으로 모인다.

003 ★

ANSWER ② $-3a_x - 3a_y - 6a_z$

STEP1 벡터의 외적

$$\begin{aligned}
A \times B &= (A_x a_x + A_y a_y + A_z a_z) \\
&\quad \times (B_x a_x + B_y a_y + B_z a_z) \\
&= (A_yB_z - A_zB_y)a_x - (A_zB_x - A_xB_z)a_y \\
&\quad + (A_xB_y - A_yB_x)a_z \\
&= \begin{vmatrix} a_x & a_y & a_z \\ A_x & A_y & A_z \\ B_x & B_y & B_z \end{vmatrix} = \begin{vmatrix} A_y & A_z \\ B_y & B_z \end{vmatrix} a_x \\
&\quad - \begin{vmatrix} A_x & A_z \\ B_x & B_z \end{vmatrix} a_y + \begin{vmatrix} A_x & A_y \\ B_x & B_y \end{vmatrix} a_z \\
&= \begin{vmatrix} a_x & a_y & a_z \\ 2 & 4 & -3 \\ 1 & -1 & 0 \end{vmatrix} = \begin{vmatrix} 4 & -3 \\ -1 & 0 \end{vmatrix} a_x \\
&\quad - \begin{vmatrix} 2 & -3 \\ 1 & 0 \end{vmatrix} a_y + \begin{vmatrix} 2 & 4 \\ 1 & -1 \end{vmatrix} a_z \\
&= -3a_x - 3a_y - 6a_z
\end{aligned}$$

004 ★

ANSWER ① 2.5×10^{-5}

STEP1 자속밀도

$\vec{B} = \mu\vec{H} = \mu_0\mu_s\vec{H}$ [Wb/m²]

진공 중의 자속 밀도이므로, 비투자율은 1이다.

$$\vec{B} = \mu\vec{H} = \mu_0\mu_s\vec{H}$$
$$= 4\pi \times 10^{-7} \times 1 \times 20$$
$$≒ 2.5 \times 10^{-5}[\mathrm{Wb/m^2}]$$

005 ★★

ANSWER ④ $B^{2.0}$ 답을 암기할 것

STEP1 흡입력

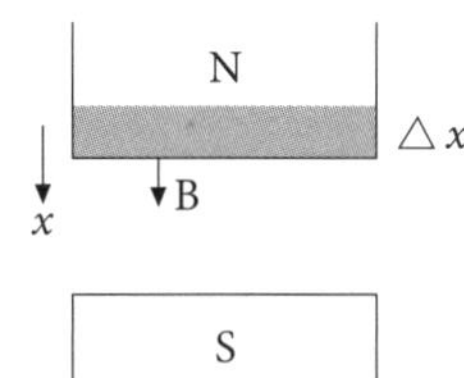

N극의 강자성체를 그림과 같이 $\triangle x$ 만큼 움직일 때, 에너지의 증가량은 $\triangle W$이다.

$$\triangle W = \frac{1}{2\mu}B^2 \triangle xS - \frac{1}{2\mu_0}B^2 \triangle xS$$

이때, 힘은 에너지증가량/움직인 거리로 구할 수 있다.

$F_x = -\frac{\triangle W}{\triangle x} = \left(\frac{B^2}{2\mu_0} - \frac{B^2}{2\mu}\right)S[\mathrm{N}]$이때,

강자성체는 $\mu_0 \ll \mu$인 특성을 가지므로 힘은 다음과 같은 특성을 가진다.

$$\frac{B^2}{2\mu_0} \gg \frac{B^2}{2\mu}$$

$\therefore F_x = \frac{B^2}{2\mu_0}S[\mathrm{N}]$이므로 $F \propto B^{2.0}$

006 ★★

ANSWER ① 환상 솔레노이드

STEP1 감자현상

감자현상

자성체를 어떠한 자계(H_o)에 놓으면 자화되어, 자성체 내부에 외부 자계(H_o)를 감소시키는 방향으로 자기 감자계(H')가 발생하는 현상

$$H' = \frac{N}{\mu_0}J = \frac{\chi N}{\mu_0}H$$

(N: 감자율, $0 \le N \le 1$)

이때, 감자율이 0이되는 경우는 자극이 존재하지 않는 환상솔레노이드의 경우이다.

TIP !

그 외의 자성체에 따른 감자율

- 자계와 평행한 막대 자성체의 감자율 : 0에 근접한 값
- 자계와 수직인 막대 자성체의 감자율 : 1에 근접한 값
- 구 자성체의 감자율 : $\frac{1}{3}$
- 원통 자성체의 감자율 : $\frac{1}{2}$ 다.

007 ★★

ANSWER ③ $\frac{1}{2}$ 답을 암기할 것

STEP1 무한 직선 도선에서의 자계

$$H = \frac{I}{2\pi r}[\mathrm{A/m}]$$

이때, 점 P에서 자계의 세기가 0이라는 의미는 2개의 직선 도선에서의 자계가 같음을 의미한다.

즉, 다음과 같은 수식이 성립된다.

$H = \frac{I}{2\pi a} = \frac{2I}{2\pi b}[\mathrm{A/m}]$, 이 수식을 정리하면

$\frac{1}{2} = \frac{a}{b}$ 다음과 같다.

008 ★★

ANSWER ④ $4d\sqrt{\pi\epsilon_0 mg}$

F 영상력(Image force) : 유도전하 $-Q$와 점전하 Q의 서로 작용하는 힘

$$F = \frac{Q \times (-Q)}{4\pi\epsilon_0(2d)^2} = -\frac{Q^2}{16\pi\epsilon_0 d^2}[N]$$

(− 부호 : 인력)

중력 : mg(g : 중력 가속도)

따라서, 정전력(영상력)과 중력이 같으므로 다음과 같은 수식이 성립된다.

$$\frac{Q^2}{16\pi\epsilon_0 d^2} = mg, Q = \sqrt{mg16\pi\epsilon_0 d^2}$$
$$= 4d\sqrt{mg\pi\epsilon_0}$$

009 ★

ANSWER ③ 1.3×10^{-7}

STEP1 정전에너지

$$W = \frac{1}{2}QV = \frac{1}{2}CV^2 = \frac{Q^2}{2C}[J]$$

이때, 극판의 정전용량은

$$C = \frac{\epsilon S}{d} = \frac{\epsilon_0\epsilon_s S}{d}$$
$$= \frac{(8.855 \times 10^{-12}) \times 3 \times (10 \times 10^{-4})}{1 \times 10^{-3}}$$
$$= 2.6565 \times 10^{-11}[F]$$

STEP2 대입

$$W = \frac{1}{2}CV^2$$
$$= \frac{1}{2} \times (2.6565 \times 10^{-11}) \times 100^2$$
$$\fallingdotseq 1.33 \times 10^{-7}[J]$$

010 ★★

ANSWER ③ 500[V], 전류와 같은 방향

STEP1 자기유도 작용에 의해서 발생한 기전력

$$e = -L\frac{dI}{dt} = -0.5\frac{20-25}{\frac{1}{200}} = 500[V]$$

이때 기전력의 부호는 정(+)이므로, 전류와 같은 방향이다.

011 ★★

ANSWER ③ 2배 증가시킨다.

STEP1 점전하에 의한 전위

$$V = -\int_{\infty}^{r} E \cdot dl = -\int_{\infty}^{r} \frac{Q}{4\pi\epsilon_0 r^2}dr$$
$$= \frac{Q}{4\pi\epsilon_0 r}[V]$$

전위 V는 거리 r에 반비례하기 때문에, 전위의 $\frac{1}{2}$이 되기 위해선 거리가 2배로 증가되어야 한다.

012 ★

ANSWER ② Wb/m

STEP1 자계의 세기

단위 정자하($m = 1$[Wb])에 작용하는 힘

따라서, 자계의 세기의 단위는 다음과 같다.

$$\left[\frac{N}{Wb}\right] = \left[\frac{N \cdot m}{Wb \cdot m}\right] = \left[\frac{J}{Wb \cdot m}\right]$$
$$= \left[\frac{A}{m}\right] = \left[\frac{AT}{m}\right]$$

013 ★

ANSWER ① $R = \frac{\epsilon\rho}{C}$

STEP1 접지저항과 정전용량

접지극에 접지전류가 흘러 들어가면 그에 작용하는 저항과 접지극의 표면 전하에 의해 작용하는 정전용량이 존재한다.

$$RC = \rho\frac{d}{S} \times \frac{\epsilon S}{d} = \epsilon\rho[\mathrm{s}],$$

이때, 저항 R에 대해서 식을 정리하면 다음과 같다.

$$R = \frac{\epsilon\rho}{C}[\Omega]$$

014 ★★

ANSWER ② $-Q$[C]와 같다.

STEP1 전기영상법

해석법

점전하 Q가 점(0, 0, h)에 위치할 때, $z < 0$의 도체를 공기로 대체점(0, 0, $-h$)에 점전하 $-Q$를 추가한다.

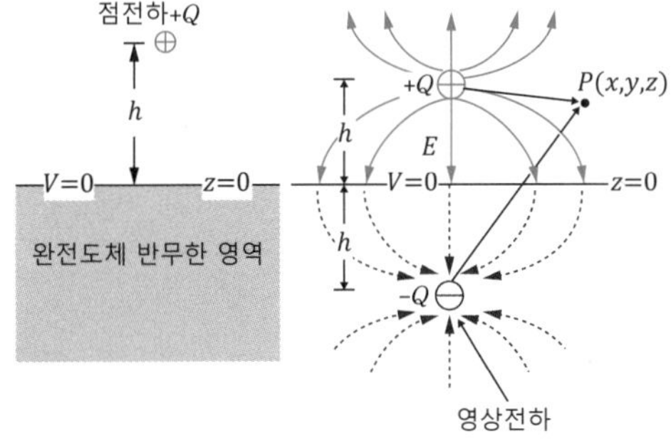

따라서, $-Q$[C]와 같다.

015 ★★

ANSWER ① $P = E \times H$

포인팅벡터(Poynting vector) $\vec{P}$

전자계 내의 한 점을 통과하는 에너지 흐름의 단위 면적당 전력 또는 전력 밀도를 표시하는 벡터

$$\vec{P} = \vec{E} \times \vec{H}[\mathrm{W/m^2}]$$

016 ★

ANSWER ③ $\frac{\mu_0\mu_r ANI}{\delta\mu_r + l}$

STEP1 자기회로의 옴의 법칙

$$\phi_0 = \frac{F}{R_m}[\mathrm{Wb}]$$

$F = NI$, 자기저항 R_m은 철심부와 공극부의 저항의 합으로 표현된다. 따라서, 자기저항

$$R_m = \frac{F}{\Psi} = \frac{Hl}{\mu Hs} = \frac{l}{\mu S}[\mathrm{AT/Wb}]$$

(l : 길이, A : 면적)을 이용하면 다음과 같다.

$$R_m = \frac{l}{\mu A} + \frac{\delta}{\mu_0 A} = \frac{l}{\mu_0\mu_r A} + \frac{\delta}{\mu_0 A}[\mathrm{AT/Wb}]$$

STEP2 자속 대입

$$\phi_0 = \frac{F}{R_m} = \frac{NI}{\frac{l}{\mu_0\mu_r A} + \frac{\delta}{\mu_0 A}} = \frac{\mu_0\mu_r ANI}{\delta\mu_r + l}[\mathrm{Wb}]$$

017 ★★★

ANSWER ③ 4.8×10^{-8}

STEP1 전기량과 정전용량

$Q = CV$[C]

동심구의 정전용량

$$C_{ab} = \frac{4\pi\epsilon}{\frac{1}{a} - \frac{1}{b}}[\mathrm{F}]$$

STEP2 대입

$$Q = CV = \frac{4\pi\epsilon_0}{\frac{1}{a} - \frac{1}{b}}V$$

$$= \frac{\frac{1}{9 \times 10^9}}{\frac{1}{6 \times 10^{-2}} - \frac{1}{8 \times 10^{-2}}} \times 1800$$

$$= 4.8 \times 10^{-8}[\mathrm{C}]$$

TIP !

공기중의 유전율 $\epsilon_0 = 8.855 \times 10^{-12}$

$$4\pi\epsilon_0 = \frac{1}{9 \times 10^9}$$

$$\epsilon_0 = \frac{1}{4\pi \times 9 \times 10^9}$$

018 ★

ANSWER ② $\frac{1}{2}N\phi I$

STEP1 **자계에너지**

$W = \frac{1}{2}LI^2[\mathrm{J}]$

인덕턴스 $L = \frac{N\phi}{I}[\mathrm{Wb/A}]$ 또는 $[\mathrm{H}]$

$W = \frac{1}{2}\frac{N\phi}{I}I^2 = \frac{1}{2}N\phi I[\mathrm{J}]$

019 ★★

ANSWER ② $\frac{N^2}{R_m}$

① 자기 회로의 옴의 법칙 : 자속 $\phi = \frac{F}{R_m} = \frac{NI}{R_m}$

② 인덕턴스

$L = \frac{N\phi}{I} = \frac{N}{I}\frac{NI}{R_m} = \frac{N^2}{R_m}[\mathrm{Wb/A}]$ 또는 $[\mathrm{H}]$

③ (유사) – 환상 솔레노이드 인덕턴스

$L = \frac{\mu SN^2}{l}[\mathrm{H}]$

④ 환상 솔레노이드의 자속

$\phi = BS = \mu HS = \mu\frac{NI}{l}S = \frac{\mu SNI}{l}[\mathrm{Wb}]$

020 ★★

ANSWER ② ㉠ 변위전류, ㉡ 자계 답을 암기할 것

STEP1 **앙페르(암페어)의 주회 적분 법칙**

전류가 흐르는 도선은 주위에 회전자계를 생성한다.

$\oint_C H \cdot d\ell = \int_S J \cdot da$ 또는 $\nabla \times H = J$

STEP2 **맥스웰 방정식**

STEP1 이 유전체 주위의 자기장에는 적용이 안되는 모순점을 발견하여 변위전류의 개념을 고안 다음과 같은 방정식으로 정리하였다.

$\nabla \times H = J + \frac{\partial D}{\partial t}$

여기서, J : 전류밀도, $\frac{\partial D}{\partial t}$: 변위전류밀도

따라서, 변위전류도 자계를 발생시킨다.

제2과목 | 전력공학

021 ★

ANSWER ④ 계통의 정태안정도를 증가시킨다

직렬콘덴서를 설치하였을 때 장점

- 선로의 인덕턴스를 보상하여 전압강하 및 전압 변동률을 줄인다.
- 최대 송전 전력이 증대하고 정태 안정도가 증대한다.
- 부하역률이 나쁜 선로일수록 설치효과가 좋다.
- 역률개선은 전력용 콘덴서(병렬콘덴서)를 사용다.

022 ★★★

ANSWER ④ 이상전압의 발생 방지

중성점 접지의 목적

- 이상 전압 발생 방지
- 1선 지락시 건전상 전압 상승 억제 및 기기나 선로의 절연 절감
- 보호 계전기 동작 확실
- 소호 리액터 계통에서의 1선 지락시 아크 소멸

023 ★

ANSWER ② 1150

STEP1

발전기와 선로의 총 저항은 $Z = Z_g + Z_l$

여기서, $Z_g = j6$, $Z_l = 1 + j5$

$\therefore Z = 1 + j11[\Omega]$

STEP2

단락전류 $I_s = \frac{E}{Z}$

E는 3상이기 때문에 송전전압을 $\sqrt{3}$ 으로 나눠줘야 한다.

$\therefore I_s = \frac{22/\sqrt{3}}{11.05} = 1.14948[\mathrm{kA}] = 1149.48[\mathrm{A}]$

024 ★★

ANSWER ④ 제5고조파

STEP1 **고조파 제거 방법**

㉠ 3고조파 제거 : 변압기의 △결선 방식

㉡ 5고조파 제거 : 콘덴서와 직렬로 접속하는 직렬 리액터

025 ★★

ANSWER ③ 저전압계전기 사용

배전선로 전압조정

㉠ 선로전압 강하 보상기(LDC)

㉡ 고정 승압기 : 단상 승압기, 3상 V결선 승압기, 3상 △결선 승압기

㉢ 직렬콘덴서(병렬콘덴서는 주로 역률 개선용으로 사용되지만 동시에 전압조정 효과도 있다.)

㉣ 주상변압기의 탭 조정

㉤ 유도전압조정기

026 ★★★

ANSWER ① 댐퍼

① 댐퍼 : 선로의 진동 방지

② 소호각(소호환) : 섬락 사고 시 애자련 보호

③ 가공지선 : 뇌의 차폐

④ 탑각 접지 : 뇌 침입 시 역섬락 방지

027 ★

ANSWER ④ ㉮ 4배, ㉯ $\frac{1}{4}$ 답을 암기할 것

STEP1

전력 손실 공식

$$P_l = 3I^2R = 3\left(\frac{P}{\sqrt{3}\,V\cos\theta}\right)^2 R = \frac{P^2R}{V^2\cos\theta^2},$$

$P_l \propto \frac{1}{V^2}$ 성립

∴ 전압을 2배로 승압할 경우

$(V \to 2V)$: $P_l' = \frac{1}{4}P_l$

STEP2

전력 손실률 공식

$$k = \frac{P_l}{P} = \frac{RP}{V^2\cos\theta^2}$$

공급전력으로 다시 정리하면 $P = \frac{kV^2\cos\theta^2}{R}$ 가 되며, $P \propto V^2$ 성립

∴ 전압을 2배로 승압 할 경우$(V \to 2V)$: $P' = 4P$

028 ★★

ANSWER ③ $\frac{C}{A}E_s$ 답을 암기할 것

STEP1

송전선의 무부하 시 수전단전류 $I_R = 0$ 이므로

송전단 전압 $E_S = AE_R + BI_R$ 에서

$$E_S = AE_R + B \times 0 = AE_R$$

∴ 수전단 전압 $E_R = \frac{E_S}{A}$

STEP2

송전선의 무부하 시 수전단전류 $I_R = 0$ 이므로

송전단 전류 $I_S = CE_R + DI_R$ 에서

$$I_S = CE_R + D \times 0 = CE_R$$

송전단 전류 $I_s = CE_R$에서 $E_R = \frac{E_S}{A}$ 를 대입시켜주면

∴ $I_s = CE_R = \frac{C}{A}E_S$

029 ★

ANSWER ③ 컷아웃스위치

① 리클로저(recloser) : 배전 선로에서 지락 고장이나 단락 고장 사고가 발생하였을 때 고장을 검출하여 선로를 차단한 후 일정시간이 경과하면 자동적으로 재투입 동작을 반복함으로써 순간 고장을 제거한다.

② 부하 개폐기 : 고장 전류와 같은 대전류는 차단할 수 없지만 평상 운전 시의 부하전류는 개폐할 수 있다.

③ 컷아웃 스위치(C.O.S) : 주상변압기의 고장이 배전선로에 파급되는 것을 방지하고 변압기의 과부하 소손을 예방하고자 변압기 1차측에 사용하는 보호장치

④ 섹셔널라이저(sectionalizer) : 고장전류를 차단할 수 있는 능력은 없으며, 선로의 무전압 상태에서 선로를 개방하여 고장구간을 분리시킨다.

030 ★★★

ANSWER ③ $3I_0$

1선 지락시 $I_0 = I_1 = I_2$이므로

지락전류 $I_g = I_0 + I_1 + I_2 = 3I_0$

031 ★★

ANSWER ① 점검 시에는 차단기로 부하회로를 끊고 난 다음에 단로기를 열어야 하며, 점검 후에는 단로기를 넣은 후 차단기를 넣어야 한다.

단로기 운용방법

- 단로기는 부하전류 및 단락전류의 개폐 능력이 없으므로 오동작 시 아크에 의해 사고의 발생우려가 높다.
- 차단기의 개방 유무를 확인
- 단로기와 차단기 사이에 인터록을 설정하여 차단기의 Open 시에만 단로기의 동작이 가능하도록 운용
  (차단기 Open = 부하회로를 끊음)

032 ★★★

ANSWER ② 300

$$\text{합성최대전력} = \frac{\text{설비용량} \times \text{수용률}}{\text{부등률}} = \frac{600 \times 0.6}{1.2} = 300\,[\text{kW}]$$

033 ★

ANSWER ④ 계기용변압기

계기용 변압기(PT : Potential Transformer)

고전압을 저전압으로 변성하여 계기나 계전기에 공급하기 위한 목적으로 사용

034 ★

ANSWER ③ 선로리액턴스에 반비례하고 상차각에 비례한다.

송전 전력 $P = \frac{V_s V_r}{X} \sin\delta [\mathrm{MW}]$

(V_s : 송전단 전압[kV],

V_r : 수전단 전압[kV]

δ : 송·수전단 전압의 위상차,

X : 선로의 리액턴스[Ω])

∴ 송전전력 P는 선로리액턴스 X에 반비례하고 상차각 δ에 비례한다.

035 ★★

ANSWER ④ 실수축은 유효전력이고, 허수축은 무효전력이다.

전력 원선도의 가로축(실수축) : 유효 전력

전력 원선도의 세로축(허수축) : 무효 전력

036 ★★

ANSWER ② 내장형 철탑

철주, 철근 콘크리트주 또는 철탑의 종류

㉠ 직선형 : 전선로의 직선 부분(3° 이하의 수평 각도를 이루는 곳을 포함)에 사용하는 것으로 내장형과 보강형은 제외한다.

㉡ 내장형 : 전선로의 지지물 양쪽의 경간의 차가 큰 곳에 사용하며, E형 철탑이라고도 한다.

㉢ 각도형 : 전선로 중 3° 를 넘는 수평 각도를 이루는 곳에 사용하는 것

㉣ 인류형 : 전 가섭선을 인류하는 곳에 사용하는 것

㉤ 보강형 : 전선로의 직선 부분에 그 보강을 위하여 사용하는 것

037 ★★

ANSWER ① 수차의 조속기가 예민하다

STEP1 **수력발전기 난조**

- 난조 현상 : 동기발전기의 회전자가 진동하는 현상
- **난조 발생원인**
  - ㉠ 원동기의 조속기 감도가 너무 예민한 경우
  - ㉡ 원동기 회전력에 고조파분이 포함된 경우
  - ㉢ 전기자 저항이 큰 경우

038 ★

ANSWER ③ 진상전류

재점호 현상과 발생원인

- 재점호 : 충전전류를 차단할 때 전류파의 0의 위치에서 소거된 아크가 재기전압에 의하여 극간에 다시 발생하는 것
- 재점호 발생원인 : 콘덴서에 의한 진상전류 때문

039 ★

ANSWER ② 50 **답을 암기할 것**

부하위치에 따른 전압강하 및 전력 손실

구분	전력 손실	전압 강하
말단에 집중 부하	P	V
균등 분포 부하	$\frac{1}{3}P$	$\frac{1}{2}V$

040 ★★

ANSWER ② $L = \frac{Z_0}{V}$

- 파동 임피던스

$$Z_0 = \sqrt{\frac{Z}{Y}} = \sqrt{\frac{R + j\omega L}{G + j\omega C}} = \sqrt{\frac{L}{C}} [\Omega]$$

- 전파속도 $V = \frac{\omega}{\beta} = \frac{\omega}{\omega\sqrt{Lc}} = \sqrt{\frac{1}{LC}} [\mathrm{m/s}]$

$$\therefore \frac{Z_0}{V} = \frac{\sqrt{\frac{L}{C}}}{\sqrt{\frac{1}{LC}}} = L$$

2019년 1회

041 ★★★

ANSWER ④ 97.4[%], 75[kVA]

STEP1 변압기 m부하 시 효율

m부하 시 효율은

$$\eta_m = \frac{mP_n\cos\theta}{mP_n\cos\theta + P_i + m^2P_c} \times 100[\%]$$

STEP2 최대 효율 조건

$m^2P_c = P_i$에서 최대 효율이 발생하므로

$m = \sqrt{\frac{P_i}{P_c}} = \sqrt{\frac{1}{4}} = \frac{1}{2}$ 따라서

$150 \times \frac{1}{2} = 75\,[\text{kVA}]$에서 최대 효율

STEP3 대입한다.

$$\eta_m = \frac{mP_n\cos\theta}{mP_n\cos\theta + P_i + m^2P_c} \times 100[\%]$$

$$= \frac{150 \times \frac{1}{2}}{150 \times \frac{1}{2} + 1 \times 2} \times 100[\%]$$

$$= 97.4[\%]$$

042 ★

ANSWER ② 위상각

사이리스터는 정류 전압의 위상각을 제어한다.

043 ★

ANSWER ④ 엘리베이터

GD^2는 플라이휠 효과로 관성모멘트를 의미한다. 엘리베이터용 전동기는 일반적으로 성능이 높은 신뢰도를 지니며 기동토크가 큰 것이 요구 된다. 그러므로 엘리베이터용 전동기의 GD^2(플라이휠 효과)는 작아야 한다.

044 ★

ANSWER ④ 직권 정류자전동기

단상 직권 정류자 전동기

- 직류 직권 전동기에 전원을 직류 대신 교류로 공급해도 항상 같은 방향의 토크를 발생하므로 운전이 가능하다.
- 직류, 교류 모두 가능하여 만능 전동기(유니버셜 모터, Universal motor)라 불린다.
- 믹서기, 재봉틀, 진공소제기, 휴대용 드릴, 영사기, 치과의료용 등 소형 공구 및 가전 제품에 사용한다.

045 ★

ANSWER ③ 권선온도계

권선온도계 : 변압기의 상부 온도와 부하전류에 의한 권선의 온도를 측정한다.

046 ★★

ANSWER ② 3.4

STEP1

전압변동률 $\epsilon = p\cos\theta \pm q\sin\theta$

(지상일 때 : $p\cos\theta + q\sin\theta$

진상일 때 : $p\cos\theta - q\sin\theta$)

ϵ : 전압 변동률, p : %저항강하, q : %리액턴스강하

STEP2 대입

$\epsilon = p\cos\theta \pm q\sin\theta$

$= 2 \times 0.8 + 3 \times 0.6 = 3.4[\%]$

047 ★

ANSWER ③ 47

STEP1 열저항

IGBT의 열저항 $R_g = \frac{\Delta T}{P}[°C/W]$

(ΔT : 온도상승범위[℃], P : 손실[W])

온도변화를 구하기 위해서 $\Delta T = R_g \times P$

STEP2 대입한다.

$\Delta T = R_g \times P = R_g \times V \times I$

$= 0.623 \times 3 \times 25 = 46.88 \fallingdotseq 47$[℃]

048 ★

ANSWER ④ 직권전동기의 저항제어와 조합하여 사용한다

STEP1 직류 전동기의 속도제어

구분	제어 특성	특징
계자 제어법	• 정출력 제어	• 속도제어 범위가 좁다
전압 제어법	정토크 제어 • 워드 레오나드 방식 • 일그너 방식	• 제어 범위가 넓다 • 손실이 매우 적다 • 정역운전이 가능하다 • 설비비가 많이 든다
직렬 저항법		효율이 나쁘다

㉠ 계자 제어(타여자, 분권, 직권)

㉡ 전압 제어법(타여자, 분권)

㉢ 직렬 저항법(타여자, 분권, 직권)

㉣ 직·병렬 제어법(직권) : 직권 전동기의 저항 제어와 조합하여 사용한다.

STEP2 워드 레오나드 방식

㉠ 직류 전동기 전기자에 직류 발전기의 출력단자를 연결하여 전압을 조정하여 속도를 조정하는 방식

㉡ 정토크 가변 속도의 용도에 적합하여 제철용 압연기, 엘리베이터에 사용된다.

㉢ 정지 워드 레오나드 방식 : 사이리스터를 이용하여 전압을 전동기에 공급하는 방식으로 기존 워드 레오나드 방식 보다 효율이 향상 되고 유지보수도 개선되었다.

049 ★★

ANSWER ① 감자작용

STEP1 전기자 반작용

㉠ 횡축 반작용(교차자화작용) : 전기자 전류와 유기기전력 (무부하 전압)과 동위상이 되는 경우이며, 이때 전류의 크기는 $I\cos\theta$이다.

㉡ 직축 반작용 : 전기자 전류와 유기기전력(무부하 전압)과 위상차가 있는 경우이며, 감자 작용과 증자 작용이 있다.

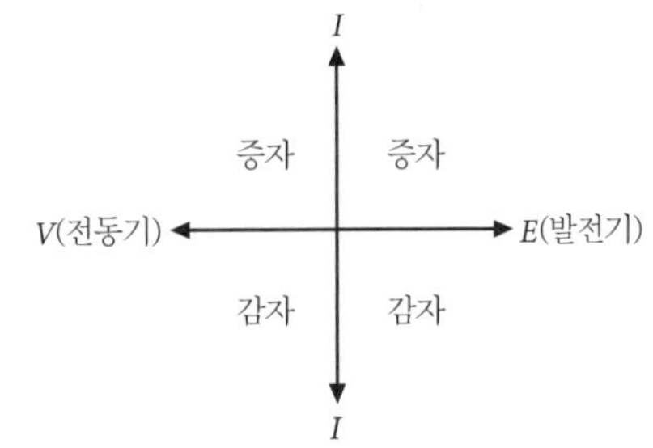

	동기 발전기	동기 전동기
전압과 동상	횡축 반작용	횡축 반작용
진상 전류	증자 작용	감자 작용
지상 전류	감자 작용	증자 작용

2019년 1회

050 ★

ANSWER ③ $I_2 = 227.3, I_1 = 7.58$

STEP1 1차 전류

$$I_1 = \frac{I_2}{a}, \text{권수비}(a = \frac{N_1}{N_2} = \frac{V_1}{V_2} = \frac{I_2}{I_1})$$

STEP2 2차 전류 및 2차 전압 구하기

$$I_2 = \frac{P}{V_2 \cos\theta}, V_2 = \frac{V_1}{a}$$

STEP3 순서대로 대입한다.

$$V_2 = \frac{V_1}{a} = \frac{6600}{30} = 220[\text{V}],$$

$$I_2 = \frac{P}{V_2 \cos\theta} = \frac{40 \times 10^3}{220 \times 0.8} = 227.27[\text{A}]$$

$$I_1 = \frac{I_2}{a} = \frac{227.27}{30} = 7.58[\text{A}]$$

1차 전류 : 7.58[A], 2차 전류 : 227.27[A]

051 ★

ANSWER ① $I = \sqrt{\frac{x}{y}}$

STEP1 최대 효율 조건

직류전동기 손실이 $x + yI^2$ 중에서 x : 부하 전류에 관계없는 철손(고정손), yI^2 : 전류의 제곱에 비례하는 전부하 동손(가변손)이다. 그러므로 $x = yI^2$ (철손 = 동손)일 때 최대 효율이 되므로

$I = \sqrt{\frac{x}{y}}$ 이 된다.

052 ★★

ANSWER ③ 14.3

STEP1 T좌 변압기

$$a_T = \frac{\frac{\sqrt{3}}{2} n_1}{n_2} = \frac{\sqrt{3}}{2} a_M$$

STEP2 대입한다.

$$a_T = a_M \times \frac{\sqrt{3}}{2} = \frac{3300}{200} \times \frac{\sqrt{3}}{2}$$
$$= 16.5 \times 0.86 = 14.29 ≒ 14.3$$

053 ★★★

ANSWER ④ $0 < s < 1$

STEP1 슬립의 범위

- 유도 전동기 : 0 < s < 1
- 유도 발전기($N_s < N$) : s < 0
- 제동기(역회전) : 1 < s < 2

054 ★

ANSWER ① 8.12

STEP1 직류전동기의 토크(회전력)

$$T = \frac{PZ}{2\pi a} \phi I_a$$

STEP2 대입한다.

$$T = \frac{PZ}{2\pi a} \phi I_a = \frac{6 \times 500}{2 \times \pi \times 6} \times 0.01 \times 100$$
$$= 79.58[\text{N} \cdot \text{m}]$$

STEP3 단위환산

문제에서 물어본 발생토크의 단위는 [kg·m]이므로 단위를 환산한다.

1[kg·m] = 9.8[N·m]이므로

발생토크(T) $= \frac{79.58}{9.8} = 8.12[\text{kg} \cdot \text{m}]$

055 ★★★

ANSWER ③ 0.67

STEP1 제 n고조파에 대한 단절계수,

$$\beta = \frac{\text{코일 간격}}{\text{극간격}}$$

제 n고조파 단절권 계수는 $K_p = \sin\frac{n\beta\pi}{2}$ 이고

제3고조파의 단절권 계수는 $K_p = \sin\frac{3\beta\pi}{2}$ 이다.

STEP2 제3고조파 제거를 위한 β 조정

제3고조파를 제거하기 위해서 $\frac{3\beta\pi}{2}$ 가 $0, \pi, 2\pi$가 되어야 하므로 β 값을 조정한다. 이때 β 는 $0, \frac{2}{3}, \frac{4}{3}, \cdots$ 이므로 $\beta = \frac{2}{3} = 0.67$ 이다.

056 ★

ANSWER ③ 최대 출력은 최대 토크보다 고속도에서 발생한다. 답을 암기할 것

STEP1 3상 유도 전동기 속도 특성

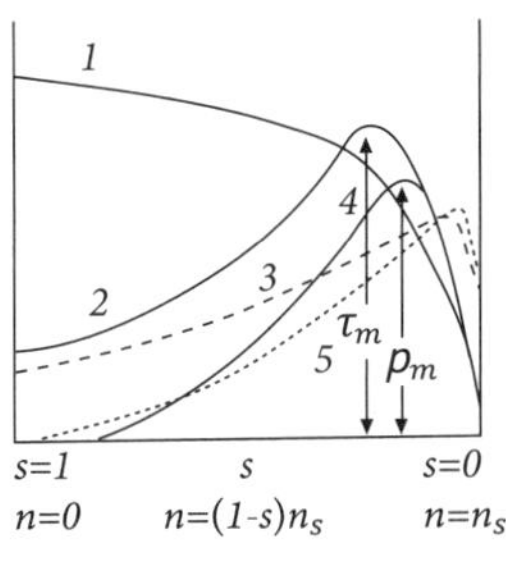

최대 출력에서의 속도는 최대 토크에서의 속도보다 고속도에서 발생한다.

057 ★★★

ANSWER ③ 230

STEP1 직류 분권 발전기의 유도기전력

$E = V + I_aR_a = V + (I + I_f)R_a \qquad (I_a = I + I_f)$

(E : 유도기전력, V : 단자전압, I : 부하전류,

I_a : 전기자 전류, I_f : 계자전류, R_a : 전기자 저항)

STEP2 대입한다.

$E = V + (I + I_f)R_a$

$= 220 + (48 + 2) \times 0.2 = 230[V]$

058 ★★

ANSWER ② 12.5

STEP1 전압변동률

$$\epsilon = \frac{V_{NL} - V_{FL}}{V_{FL}} \times 100$$

(여기서, ϵ(Voltage Regulation) : 전압변동률,

V_{NL}(No Load Voltage) : 무부하 단자전압,

V_{FL}(Full Load Voltage) : 전부하 단자 전압)

STEP2 무부하 단자전압(V_{NL})

$$V_{NL} = V_{FL} + R_aI_a = 200 + 0.025 \times \frac{200 \times 10^3}{200} = 225[V]$$

STEP3 전압변동률 식에 대입한다.

$$\therefore \epsilon = \frac{V_{NL} - V_{FL}}{V_{FL}} \times 100 = \frac{225 - 200}{200} \times 100 = 12.5[\%]$$

059 ★★

ANSWER ① $I\cos\theta$

STEP1 전기자 반작용(횡축 반작용)

횡축 반작용(교차자화작용) : 전기자 전류와 유기기전력 (무부하 전압)과 동위상이 되는 경우이며, 이때 전류의 크기는 $I\cos\theta$이다.

060 ★★★

ANSWER ④ 기동장치가 필요하다.

STEP1 단상 유도 전동기의 특성

㉠ 기동 시 기동 토크가 존재하지 않으므로 기동장치가 필요하다.

㉡ 슬립이 0이 되기 전에 토크는 미리 0이 된다.

㉢ 2차 저항이 증가되면 최대토크는 감소한다. (비례추이를 할 수 없다.)

㉣ 2차 저항 값이 어느 일정 값이상이 되면 토크는 –가 된다.

2019년 1회

061 ★★

ANSWER ④ 직류분 + 기본파 + 고조파

비정현파 = 직류분 + 기본파 + 고조파

062 ★★

ANSWER ③ 3

STEP1 초기값 정리

$$i(0^+) = \lim_{t\to 0} i(t) = \lim_{s\to\infty} \times I(s)$$
$$= \lim_{s\to 0} s \times \frac{12(s+8)}{4s(s+6)}$$
$$= \lim_{s\to\infty} \frac{12(s+8)}{4(s+6)} = \lim_{s\to\infty} \frac{3s+24}{s+6}$$
$$= \lim_{s\to\infty} \frac{3+\frac{24}{s}}{1+\frac{6}{s}} = 3$$

063 ★★

ANSWER ④ $\frac{\pi}{2}\left(1-\frac{2}{n}\right)$ 답을 암기할 것

STEP1

성형 결선(Y결선)

전압: $E_l = 2\sin\frac{\pi}{n}E_{p\angle}\frac{\pi}{2}\left(1-\frac{2}{n}\right)$

전류: $I_l = I_p$

환형 결선(△결선)

전압: $E_l = E_p$

전류: $I_l = 2\sin\frac{\pi}{n}I_{p\angle} - \frac{\pi}{2}\left(1-\frac{2}{n}\right)$

064 ★★★

ANSWER ④ $\frac{1}{3}(V_a + aV_a + a^2V_c)$ 답을 암기할 것

STEP1

- 영상 전압 $V_0 = \frac{1}{3}(V_a + V_b + V_c)$
- 정상 전압 $V_1 = \frac{1}{3}(V_a + aV_b + a^2V_c)$
- 역상 전압 $V_2 = \frac{1}{3}(V_a + a^2V_b + aV_c)$

065 ★

ANSWER ② $1 + \frac{Z_3}{Z_2}$

STEP1

- 전압분배법칙에 의해 Z_2에 걸리는 전압

$$V_2 = \frac{V_1}{Z_2 + Z_3} \times Z_2$$

- $A = \left.\frac{V_1}{V_2}\right|_{I_2=0}$

$$= \frac{V_1}{\frac{Z_2}{Z_2+Z_3}\cdot V_1} = \frac{Z_2+Z_3}{Z_2}$$
$$= 1 + \frac{Z_3}{Z_2}$$

TIP !

π형회로 4단자 정수

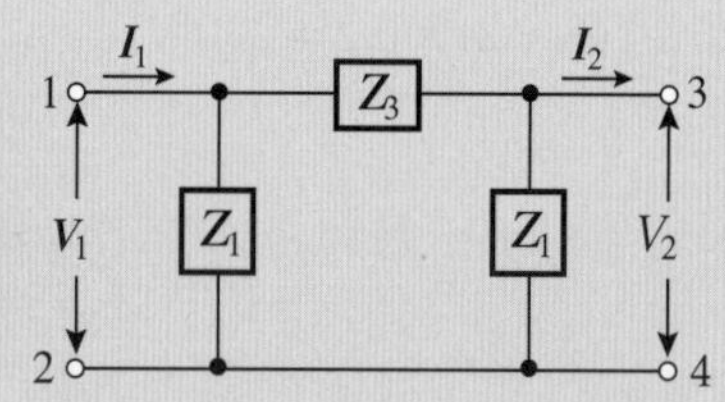

$$\begin{bmatrix} A & B \\ C & D \end{bmatrix} = \begin{bmatrix} 1+\frac{Z_3}{Z_2} & Z_3 \\ \frac{Z_1+Z_2+Z_3}{Z_1Z_2} & 1+\frac{Z_3}{Z_1} \end{bmatrix}$$

066 ★

ANSWER ① 0

STEP1 직류전원 인가 시 소자의 특징

소자	초기 상태	정상 상태
L	개방	단락
C	단락	개방

초기 상태에서 직류와 구형파의 차이는 없으므로 C는 단락 상태가 되어 전압이 0이다.

067 ★★

ANSWER ③ 2.4

STEP1 임피던스

$Z = R + jX_L = 6 + j8$ 이므로

크기는 다음과 같다.

$\therefore |Z| = |6 + j8| = \sqrt{6^2 + 8^2} = 10[\Omega]$

STEP2 유효전력

$$P = I^2R = \left(\frac{V}{Z}\right)^2 R$$
$$= \left(\frac{200}{10}\right)^2 \times 6 = 2400[W]$$
$$= 2.4[kW]$$

TIP !

실효값 전압 $V = \frac{V_m}{\sqrt{2}} = 200[V]$

068 ★

ANSWER ② 용량 리액턴스

STEP1 삼각함수 변환

$i = 50\cos 377t = 50\sin(377t + 90°)[A]$

STEP2 위상 비교

- 저항 : 전압과 전류는 동상($I = \frac{E}{R}[A]$)
- 유도 리액턴스 : 전류가 전압보다 90° 뒤진다.

$(I = \frac{E}{jwL} = -j\frac{E}{wL}[A])$

- 용량 리액턴스 : 전류가 전압보다 90° 앞선다.

$(I = \frac{E}{\frac{1}{jwC}} = jwCE[A]$

전류가 전압보다 위상이 90° 앞선 진상전류가 흐르므로 회로의 소자는 용량 리액턴스이다.

069 ★

ANSWER ③ 4.5

STEP1 전원과 저항의 연결

3개직렬 3조 병렬 연결시 내부 합성저항

$r = \frac{3 \times 0.5}{3} = 0.5[\Omega]$

직렬 연결 된 부하저항 1.5[Ω]을 포함하면

전체합성저항 $R_T = r + 1.5 = 0.5 + 1.5 = 2[\Omega]$

STEP2 옴의 법칙

옴의 법칙에 의해 부하전류 $I = \frac{V_T}{R_T}$

$\therefore I = \frac{V_T}{R_T} = \frac{9}{2} = 4.5[A]$

070 ★★★

ANSWER ② $\frac{d^2}{dt^2}e_o(t) + 3\frac{d}{dt}e_o(t) + e_o(t) = e_i(t)$

MATH 50단원 라플라스 심화

STEP1

$$\frac{E_o(s)}{E_i(s)} = \frac{1}{s^2 + 3s + 1}$$

$\rightarrow E_i(s) = s^2E_o(s) + 3sE_o(s) + E_o(s)$

$\rightarrow \pounds^{-1}[E_i(s)]$

$= \pounds^{-1}[s^2E_o(s) + 3sE_o(s) + E_o(s)]$

$\rightarrow e_i(t) = \frac{d^2}{dt^2}e_o(t) + 3\frac{d}{dt}e_o(t) + e_o(t)$

071 ★

ANSWER ③ 640

MATH 10단원 비례 반비례 비례식

STEP1

$P = \frac{V^2}{R}$[W]에서 $P \propto V^2$

따라서, $P : P' = V^2 : V'^2 = V^2 : (0.8V)^2$

$\therefore P' = 0.64P = 0.64 \times 1000 = 640$[W]

072 ★★

ANSWER ④ 15

STEP1

제3고조파 전류 $I_3 = \frac{V_3}{Z_3}$에서

제3고조파 전압 $V_3 = \frac{150\sqrt{2}}{\sqrt{2}} = 150[V]$

제3고조파 임피던스 $Z_3 = \sqrt{R^2 + X_3^2}$

(∵ R은 주파수와 무관)

$X_3 = 3\omega \times L = 3\omega L = 6[\Omega]$이므로

$$Z_3 = \sqrt{R^2 + X_3^2} = \sqrt{8^2 + 6^2} = 10[\Omega]$$

$$\therefore I_3 = \frac{V_3}{Z_3} = \frac{150}{10} = 15[A]$$

073 ★★★

ANSWER ③ 4

STEP1 Y결선 특징

선간전압 $V_l = \sqrt{3}\,V_p$

선전류 $I_l = I_p$

STEP2 상전압 계산

상전압 $V_p = \frac{V_l}{\sqrt{3}} = \frac{200\sqrt{3}}{\sqrt{3}} = 200[V]$

STEP3 상전류 계산

상전류 $I_p = \frac{V_p}{Z}$에서

임피던스

$$Z = \sqrt{R^2 + X^2} = \sqrt{30^2 + 40^2} = 50[\Omega]$$

상전류 $I_p = \frac{V_p}{Z} = \frac{200}{\sqrt{30^2 + 40^2}} = 4[A]$

$\therefore I_l = I_p = 4[A]$

074 ★★★

ANSWER ④ 30

STEP1 △결선 특징

선간전압 $V_l = V_p$

선전류 $I_l = \sqrt{3}\,I_p$

∴ 상전압 $V_p = V_l = 220[V]$

STEP2 부하저항 계산

부하1상의 임피던스 =

$$\frac{\text{상전압}}{\text{상전류}} = \frac{220}{7.33} = 30.01[\Omega]$$

075 ★

ANSWER ③ 3.5

MATH 26단원 지수법칙

STEP1 RL 직렬 회로

회로 직류 전압 인가 시 흐르는 전류

$$i = \frac{E}{R}\left(1 - e^{-\frac{R}{L}t}\right)[\text{A}]$$

STEP2 정상상태($t = \infty$) 해석

$i(\infty) = \frac{E}{R}$, $R = 10 + 10 = 20[\Omega]$이므로

$$\therefore\ i(\infty) = \frac{70}{20} = 3.5[\text{A}]$$

TIP !

직류전원인가 시 소자의 특징

소자	초기 상태	정상 상태
L	개방	단락
C	단락	개방

076 ★★★

ANSWER ④ $\frac{P_1 + P_2}{2\sqrt{P_1^2 + P_2^2 - P_1P_2}}$ 답을 암기할 것

STEP1 2전력계법

- 피상전력 $P_a = 2\sqrt{P_1^2 + P_2^2 - P_1P_2}[\text{VA}]$
- 유효전력 $P = P_1 + P_2[\text{W}]$
- 무효전력 $Q = \sqrt{3}(P_1 - P_2)[\text{Var}]$
- 역률 $\cos\phi = \frac{P_1 + P_2}{2\sqrt{P_1^2 + P_2^2 - P_1P_2}}$

077 ★★★

ANSWER ② $\frac{1}{4}$

STEP1 영상임피던스

$$Z_{01} = \sqrt{\frac{AB}{CD}},\ Z_{02} = \sqrt{\frac{BD}{AC}}$$

$$\therefore\ Z_{01}Z_{02} = \frac{B}{C}$$

STEP2 계산

$$Z_{02} = \frac{B}{C \times Z_{01}} = \frac{\frac{5}{3}}{1 \times \frac{20}{3}} = \frac{1}{4}[\Omega]$$

078 ★

ANSWER ② 2

STEP1 절점 전압법

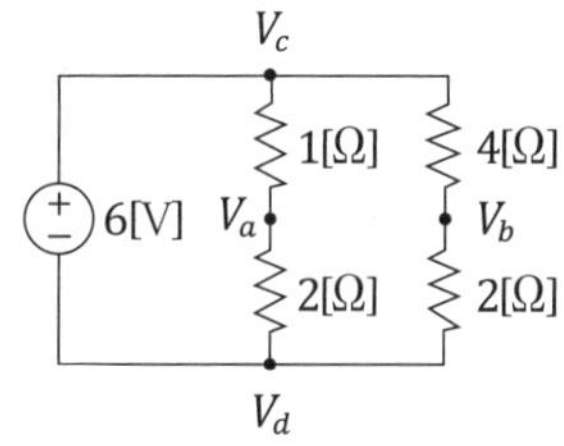

위 그림에서 $V_c = 6$, $V_d = 0$일 때,

키르히호프의 제2법칙(KVL)에 의해 V_a, V_b는 좌우 2[Ω]에 인가된 전압과 같다.

즉, 전압 분배법칙에 의해

$$V_a = \frac{2}{1+2} \times 6 = 4[\text{V}],$$

$$V_b = \frac{2}{4+2} \times 6 = 2[\text{V}]$$

$$\therefore\ V_{ab} = V_a - V_b = 4 - 2 = 2[\text{V}]$$

2019년 1회

079 ★

ANSWER ② $\dfrac{L}{R_1 + R_2}$

STEP1 RL 직렬 회로

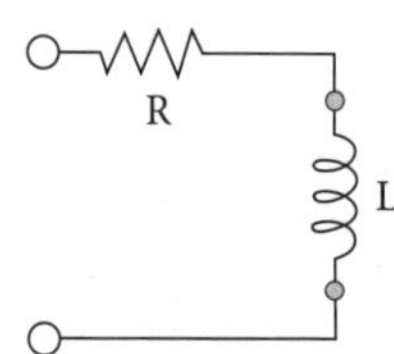

RL 직렬 회로의 시정수 $\tau = \dfrac{L}{R}$에서

저항 R은 R_1, R_2의 합성저항이므로 $R = R_1 + R_2$

$\therefore \tau = \dfrac{L}{R} = \dfrac{L}{R_1 + R_2}$

080 ★★

ANSWER ④ $\cos\pi(t-2) \cdot u(t-2)$

MATH 50단원 라플라스 심화

STEP1 시간 추이 정리

$\pounds\,[f(t-a)] = F(s)e^{-as}$ 에서 $a = 2$ 이므로

$\pounds^{-1}[F(s)e^{-2s}] = f(t-2)$

STEP2 라플라스 역변환

$\pounds^{-1}\left[\dfrac{s}{s^2+\pi^2}\right] = \cos\pi t \cdot u(t)$

STEP3 $t \to t-2$대입

$\therefore \pounds^{-1}[F(s)]$
$= f(t-2) = \cos\pi(t-2) \cdot u(t-2)$

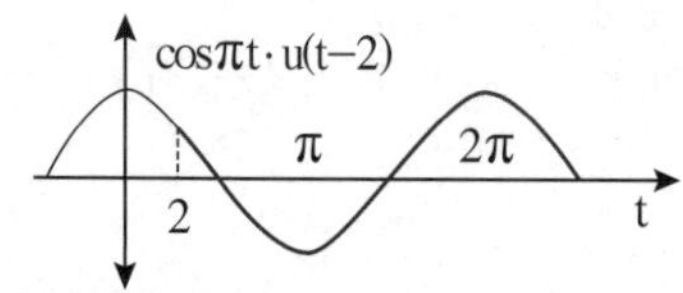

TIP !

시간 추이 정리

$\pounds\,[f(t-a)] = F(s)e^{-as}$

제5과목 | 전기설비기술기준 및 한국전기설비규정

081 ★★★

ANSWER ② 애자사용 공사

고압 옥내배선 등의 시설(한국전기설비규정 342.1)

고압 옥내배선은 다음 중 하나에 의하여 시설할 것

㉠ 애자공사 (건조한 장소로서 전개된 장소에 한한다)

㉡ 케이블공사

㉢ 케이블트레이공사

082 ★

ANSWER ③ 15

25[kV] 이하인 특고압 가공전선로의 시설 (한국전기설비규정 333.32)

각 접지도체를 중성선으로 부터 분리 하였을 경우의 각 접지점의 대지 전기저항 값과 1[km] 마다 중성선과 대지 사이의 합성 전기저항 값은 표에서 정한 값 이하일 것

사용전압	각 접지점의 대지 전기저항치	1[km] 마다의 합성 전기저항치
15[kV]이하	300[Ω]	30[Ω]
15[kV]초과 25[kV]이하	300[Ω]	15[Ω]

083 ★★★

ANSWER ③ 역률계

계측장치(한국전기설비규정 351.6)

변전소 또는 이에 준하는 곳에는 다음의 사항을 계측하는 장치를 시설하여야 한다.

㉠ 주요 변압기의 전압 및 전류 또는 전력

㉡ 특고압용 변압기의 온도

084 ★

ANSWER ③ 40

고압 가공전선과 가공 약전류전선 등의 접근 또는 교차(한국전기설비규정 332.13)

저압 가공전선과 가공 약전류전선 등의 접근 또는 교차(한국전기설비규정 222.13)

가공 약전류 전선	저압 가공전선		고압 가공전선	
	저압 절연전선	고압 절연전선 또는 케이블	절연 전선	케이블
일반	0.6[m]	0.3[m]	0.8[m]	0.4[m]
절연전선 또는 통신용 케이블인 경우	0.3[m]	0.15[m]		

0.4[m] → 40[cm]

085 ★

ANSWER ① 5

전기부식방지 시설(한국전기설비규정 241.16)

㉠ 수중에 시설하는 양극과 그 주위 1[m] 이내의 거리에 있는 임의점과의 사이의 전위차는 10[V]를 넘지 아니할 것

㉡ 지표 또는 수중에서 1[m] 간격의 임의의 2점간의 전위차가 5[V]를 넘지 아니할 것

086 ★★★

ANSWER ④ 소선 지름 : 2.6[mm], 안전율 : 2.5, 허용인장 하중 : 4.31[kN]

지선의 시설(한국전기설비규정 331.11)

지선의 안전율은 2.5 이상일 것. 이 경우에 허용 인장하중의 최저는 4.31[kN]으로 한다.

087 ★

ANSWER ④ 3.0

25[kV]이하인 특고압 가공전선로의 시설 (한국전기설비규정 333.32)

사용전압이 15[kV]를 초과하고 25[kV] 이하인 특고압 가공전선과 건조물의 조영재 사이의 이격거리는 표에서 정한 값 이상일 것

건조물의 조영재	접근형태	전선의 종류	이격거리
상부 조영재	위쪽	나전선	3.0[m]
		특고압 절연전선	2.5[m]
		케이블	1.2[m]
기타의 조영재	옆쪽 또는 아래쪽	나전선	1.5[m]
		특고압 절연전선	1.0[m]
		케이블	0.5[m]
		나전선	1.5[m]
		특고압 절연전선	1.0[m]
		케이블	0.5[m]

088 ★★★

ANSWER ② 목주

시가지 등에서 특고압 가공전선로의 시설 (한국전기설비규정 333.1)

특고압 가공전선로를 시가지, 기타 인가가 밀집한 지역에 시설하는 경우 지지물은 목주를 사용할 수 없고 철주, 철근 콘크리트주, 또는 철탑을 사용한다.

089 ★★

ANSWER ④ 5.0

고압 가공전선의 굵기 및 종류 (한국전기설비규정 332.3)

고압 가공전선은 인장강도 8.01[kN] 이상의 고압 절연전선, 특고압 절연전선 또는 지름 5[mm] 이상의 경동선의 고압 절연전선, 특고압 절연 전선을 사용하여야 한다.

090 ★

ANSWER ② 통풍 밀폐형

케이블트레이 공사(한국전기설비규정 232.41)

케이블트레이공사는 케이블을 지지하기 위하여 사용하는 금속재 또는 불연성 재료로 제작된 유닛 또는 유닛의 집합체 및 그에 부속하는 부속재 등으로 구성된 견고한 구조물을 말하며 사다리형, 펀칭형, 메시형, 바닥 밀폐형 기타 이와 유사한 구조물을 포함하여 적용한다.

091 ★

ANSWER ② 상별(相別) 표시

특고압 전로의 상 및 접속 상태의 표시 (한국전기설비규정 351.2)

발전소·변전소 또는 이에 준하는 곳의 특고압 전로에는 그의 보기 쉬운 곳에 상별 표시를 하여야 한다.

092 ★

ANSWER ④ 원격 감시 제어가 되지 않는 발전소

전력보안통신설비의 시설 요구사항 (한국전기설비규정 362.1)

발전소, 변전소 및 변환소에서의 전력보안통신 설비의 시설 장소는 다음에 따른다.

㉠ 원격감시제어가 되지 아니하는 발전소·변전소·개폐소·전선로 및 이를 운용하는 급전소 및 급전분소 간

㉡ 2개 이상의 급전소(분소) 상호간과 이들을 통합 운용하는 급전소(분소) 간

093 ★★

ANSWER ③ 60

전기부식방지 시설(한국전기설비규정 241.16)

전기부식방지 회로(전기부식방지용 전원장치로부터 양극 및 피방식체까지의 전로를 말한다. 이하 같다)의 사용전압은 직류 60[V] 이하일 것

094 ★★★

ANSWER ④ 19800

전로의 절연저항 및 절연내력 (한국전기설비규정 132)

전로의 종류	접지 방식	시험전압 (최대사용 전압의 배수)	최저 시험 전압
1. 7[kV]이하		1.5배	
2. 7[kV]초과 25[kV]이하	다중 접지	0.92배	
3. 7[kV]초과 60[kV]이하 (2란의 것 제외)		1.25배	10.5[kV]
4. 60[kV]초과	비접지	1.25배	
5. 60[kV]초과 (6란과 7란의 것 제외)	접지식	1.1배	75[kV]
6. 60[kV]초과 (7란의 것 제외)	직접 접지	0.72배	
7. 170[kV]초과(발전소 또는 변전소 혹은 이에 준하는 장소에 시설하는 것)	직접 접지	0.64배	

※ 전로에 케이블을 사용하는 경우에는 직류로 시험할 수 있으며, 시험 전압은 교류의 경우의 2배가 된다.

∴ 시험전압 $= 6.6[kV] \times 1.5 \times 2 = 19.8[kV]$

$= 19.8 \times 10^3[V] = 19800[V]$

095 ★

ANSWER ④ 80

고압 가공전선 상호 간의 접근 또는 교차
(한국전기설비규정 332.17)

고압 가공전선과 다른 고압가공전선과의 이격거리

구분	고압 가공전선	
	일반	케이블
고압 가공전선	0.8[m]	0.4[m]
고압가공전선의 지지물	0.6[m]	0.3[m]

0.8[m] → 80[cm]

096 ★

ANSWER ② 1.25

고압 및 특고압 전로 중의 과전류차단기의 시설
(한국전기설비규정 341.10)

비포장 퓨즈는 정격전류의 1.25배의 전류에 견디고 2배의 전류에는 2분 안에 용단(끊어짐)되어야 한다.

출제기준 변경 및 개정된 관계 법규에 따라 삭제된 문제가 있어 20문항이 안됩니다.

2019년 1회

2019년 2회

제1과목 | 전기자기학

001 ★★★

ANSWER ④ 전속선은 유전율이 작은 유전체 쪽으로 모이려는 성질이 있다.

MATH 10단원 비례, 반비례, 비례식

STEP1 경계조건전계

	전계	자계
평행 (법선성분)	$E_1\sin\theta_1 =$ $E_2\sin\theta_2$	$H_1\sin\theta_1 =$ $H_2\sin\theta_2$
수직 (접선성분)	$D_1\cos\theta_1 =$ $D_2\cos\theta_2$	$B_1\cos\theta_1 =$ $B_2\cos\theta_2$
굴절 법칙	$\frac{\tan\theta_1}{\tan\theta_2} = \frac{\epsilon_1}{\epsilon_2}$	$\frac{\tan\theta_1}{\tan\theta_2} = \frac{\mu_1}{\mu_2}$

STEP2 경계면 수직입사($\theta_1 = 0°$)

㉠ 전속 및 자기력선(자계의 세기)는 굴절하지 않고 직진한다.

㉡ 전속밀도와 자속밀도는 연속(변하지 않는다)이다.

㉢ 전계와 자계의 세기는 불연속이다.

STEP3 굴절의 법칙

$\frac{\tan\theta_1}{\tan\theta_2} = \frac{\epsilon_1}{\epsilon_2} \rightarrow \tan\theta_1 : \tan\theta_2 = \epsilon_1 : \epsilon_2 \rightarrow$

$\theta_1 : \theta_2 = \epsilon_1 : \epsilon_2$에서

$\epsilon_1 > \epsilon_2$일 때 $\theta_1 : \theta_2$이므로

• $D_1 > D_2$, $E_1 < E_2$

따라서, 전속은 유전율이 큰 쪽으로 모인다.

002 ★

ANSWER ③ 8

STEP1 전위계수와 전위

P_{ij} : 전위계수(Coefficient of potential)

$= \frac{1}{C} = \frac{V}{Q}[1/F]$[엘라스턴스(Elastance)]

(도체 j 에만 단위 전하를 주었을 때 도체 i 의 전위를 의미)

$$V_i = \sum_{j=1}^{n} P_{ij}Q_j$$

STEP2 A와 B의 전위계수 구하기

$V_A = P_{AA}Q_A + P_{AB}Q_B = P_{AA} \times 1 + P_{AB} \times 0$

$= 3 = P_{AA}$

$V_B = P_{BB}Q_B + P_{BA}Q_A = P_{BB} \times 0 + P_{BA} \times 1$

$= 2 = P_{BA} = P_{AB}$

STEP3 A의 전위 구하기

$V_A' = P_{AA}Q_A + P_{AB}Q_B$

$= P_{AA} \times 2 + P_{AB} \times 1 = 3 \times 2 + 2 \times 1 = 8$

003 ★★

ANSWER ② $-Q$

STEP1 전기영상법

해석법

점전하 Q가 점$(0, 0, h)$에 위치할 때, $z<0$의 도체를 공기로 대체점$(0, 0, -h)$에 점전하 $-Q$를 추가한다.

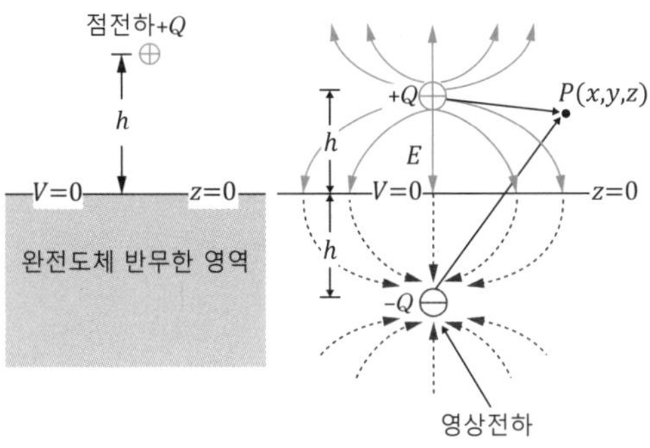

따라서, $-Q$[C]와 같다.

004 ★

ANSWER ③ $\dfrac{1}{4\pi \times 9 \times 10^9}$[F/m] **답을 암기할 것**

ϵ_0 : 진공상태에서 유전율,

$$\frac{1}{4\pi \times 9 \times 10^9} = 8.855 \times 10^{-12}[\text{F/m}]$$

TIP !

공기중의 유전율 $\epsilon_0 = 8.855 \times 10^{-12}$

$$4\pi\epsilon_0 = \frac{1}{9 \times 10^9}$$

$$\epsilon_0 = \frac{1}{4\pi \times 9 \times 10^9}$$

005 ★★

ANSWER ① 3.5×10^{-7}

STEP1 분극의 세기

$P = \epsilon_0(\epsilon_s - 1)E$

ϵ_0 : 진공상태에서 유전율,

$$\frac{1}{4\pi \times 9 \times 10^9} = 8.855 \times 10^{-12}[\text{F/m}]$$

$$P = \epsilon_0(\epsilon_s - 1)E$$
$$= 8.855 \times 10^{-12} \times (5-1) \times 10^4$$
$$= 3.5 \times 10^{-7}[\text{C/m}^2]$$

006 ★

ANSWER ① 1

STEP1 자계 에너지

$$W = \frac{1}{2}LI^2[\text{J}]$$

STEP2 전류 대체

이때, $N\phi = LI$ 관계식에서 전류에 관하여 정리하면 다음과 같다.

$I = \dfrac{N\phi}{L}$ 즉, 자계 에너지의 전류를 대체할 수 있다.

$$W = \frac{1}{2}LI^2 = \frac{1}{2}L\left(\frac{N\phi}{L}\right)^2 = \frac{N^2\phi^2}{2L}[\text{J}]$$

이때, 권선 수 N은 언급된 바가 없으므로 1로 한다.

$$W = \frac{N^2\phi^2}{2L} = \frac{1^2 \times 0.2^2}{2 \times 20 \times 10^{-3}} = 1[\text{J}]$$

007 ★★

ANSWER ② $E \times H$의 방향과 같다. **답을 암기할 것**

포인팅벡터(Poynting vector) $\overrightarrow{P}$

전자계 내의 한 점을 통과하는 에너지 흐름의 단위 면적당 전력 또는 전력 밀도를 표시하는 벡터

$\overrightarrow{P} = \overrightarrow{E} \times \overrightarrow{H}\,[\text{W/m}^2]$(진행 방향과 평행이다.)

2019년
2회

008 ★★

ANSWER ① 항상 0이다. **답을 암기할 것**

STEP1 전기력선과 등전위면의 관계

- 전기력선 : 전계 내에서 단위전하 $+1[C]$이 아무 저항 없이 전기력에 따라 이동할 때 그려지는 가상선
- 단위전하 $+1[C]$이 이동하는 전기력선은 등전위면과 직교한다.
- 또한, 등전위면에서 하는 일은 항상 "0"이다.
- 따라서, 필요한 일의 양은 항상 0이다.

009 ★

ANSWER ③ 3

STEP1 영상전하

$$n = \frac{360°}{\theta°} - 1 = \frac{360}{90} - 1 = 3$$

(직교는 $\theta = 90°$ 를 의미한다)

TIP !

평판도체가 각각 x축, y축에 위치하고 점전하 $+q$가(a, b)에 위치해 있을 때 영상전하는 다음과 같다.

y
$-q(-a, b)$ $+q(a, b)$
x
$+q(-a, -b)$ $-q(a, -b)$

010 ★

ANSWER ① $0.53 \times 10^7 ya_x$

STEP1 자계의 세기

자속밀도 $\vec{B} = \mu\vec{H} = \mu_0\mu_s\vec{H}\,[\text{Wb/m}^2]$에 대해서, 자계의 세기 H는

$$\vec{H} = \frac{B}{\mu_0\mu_s} = [\text{AT/m}]\text{이다.}$$

STEP2 자화율

자화 세기(자기분극)의 정도

$$\chi = \mu - \mu_0 = \mu_0(\mu_s - 1) = \mu_0\,\chi_s\,(\text{비자화율} : \chi_s)$$

STEP3 대입

$$\vec{H} = \frac{B}{\mu_0\mu_s} = \frac{B}{\mu_0(\chi_S + 1)}$$
$$= \frac{20ya_x}{4\pi \times 10^{-7}(2+1)}$$
$$= 0.53 \times 10^7\,ya_z[\text{AT/m}]$$

011 ★

ANSWER ① A **답을 암기할 것**

STEP1 자위

[A], [AT], [gilbert, Gb]

- 점 P 에 대한 자위 :

$$U = -\int_\infty^P \vec{H}\,\vec{dr} = \int_P^\infty \vec{H}\,\vec{dr}\,[\text{A}]$$

TIP !

② 전위 V : [V], [J/C]
③ 자계의 세기 H : [AT/m], [N/Wb], [N/m], [Oersted]
④ 자속밀도 B : [Gauss], [T], [Wb/m²]

012 ★

ANSWER ① 온도 변화에 관계없이 일어난다.

초전효과(pyroelectric effect)

발생 주체	수정, 전기석, 로셀염, 티탄산바륨의 결정
원인	가열, 냉각
결과	• **가열**: 한 면에 정(+)의 전기, 다른 면에 부(-)의 전기가 나타나 분극 발생 • **냉각**: 역의 분극 발생
세부 사항	압전효과가 나타나는 유전체 결정에 가열, 냉각을 가한다.

013 ★

ANSWER ② 25

STEP1 자기 유도 작용에 의해서 발생한 기전력

$$e = -L\frac{dI}{dt} = -0.05 \times \frac{500}{1} = -25[\mathrm{V}]$$

014 ★

ANSWER ③ $\sqrt{2}\,a$

STEP1 평행 평판 도체

정전용량 $C = \frac{\epsilon S}{d}[\mathrm{F}]$(S: 도체판의 면적, πr^2)

STEP2 정전용량으로 새로운 면적 구하기

$$C = \frac{\epsilon S}{d} = \frac{\epsilon \pi a^2}{d} = C' = \frac{\epsilon S'}{2d}[\mathrm{F}]$$

$$S' = \frac{\epsilon \pi a^2}{d} \times \frac{2d}{\epsilon} = 2\pi a^2$$

따라서, 새로운 반지름은 $\sqrt{2}\,a$이다.

015 ★

ANSWER ② 0.239

결합계수(Coupling factor)$(0 \le k \le 1)$

한 코일의 자속이 반대쪽 코일의 전류를 만드는데, 얼마나 실질적으로 사용되는지의 척도

$$k = \frac{M}{\sqrt{L_1 L_2}} = \frac{0.1}{\sqrt{0.35 \times 0.5}} = 0.239$$

016 ★★★

ANSWER ② 폐곡면을 통해 나오는 자속은 폐곡면 내의 자극의 세기와 같다.

답을 암기할 것

STEP1 맥스웰 방정식(적분형)

① 가우스 법칙(정전계)

$$\oint_S D \cdot dS = Q$$

(폐곡면을 통해 나오는 전속은 폐곡면 내의 전하량과 같다.)

② 가우스 법칙(정자계)

$$\oint_S B \cdot dS = 0$$

(폐곡면을 통해 나오는 자속은 0이다. 즉, 고립된 자하는 없다.)

③ 페러데이 – 노이만의 전자유도법칙

$$\oint_c E \cdot dl = -\int_S \frac{\partial B}{\partial t} \cdot dS$$

(폐곡선에 따른 전계의 선적분은 폐곡선 내를 통하는 자속의 시간 변화율과 같다.)

④ 앙페르(암페어)의 주회 적분 법칙

$$\oint_c H \cdot dl = I + \int_S \frac{\partial D}{\partial t} \cdot dS$$

(폐곡선에 따른 자계의 선적분은 폐곡선 내를 통하는 전류와 전속의 시간적 변화율을 더한 것과 같다.)

여기서, i_c: 전류밀도, $\frac{\partial D}{\partial t}$: 변위전류밀도

017 ★

ANSWER ④ 0.4π

STEP1 구좌표계 벡터

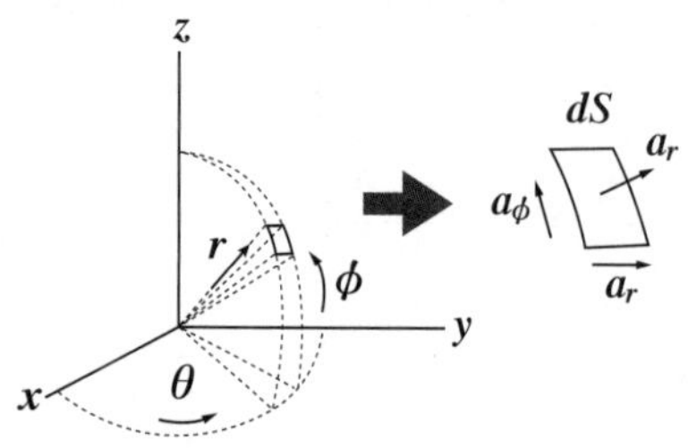

$\therefore d\vec{S} = a_r \cdot dS$

STEP2 전류밀도와 전류의 관계

$$I = \oint_S \vec{J} \cdot d\vec{S} = \oint_S \left(\frac{2}{r}a_r\right) \cdot (a_r \cdot dS)$$

$$= \oint_S \frac{2}{r} dS \qquad (\because a_r \cdot a_r = 1)$$

$$= \frac{2}{r}S = \frac{2}{r} \times 4\pi r^2 \; (\because \text{구의 넓이} = 4\pi r^2)$$

$$= 8\pi r = 8\pi \times (5 \times 10^{-2}) = 0.4\pi[\text{A}]$$

TIP !

구 겉넓이 $S = 4\pi r^2$

018 ★

ANSWER ② $\chi_m > 0, \mu_r < 1$이면 상자성체

자성체의 종류	투자율	비투자율	비자하율	종류
강자성체	$\mu \gg \mu_0$	$\mu_s \gg 1$	$\chi_s \gg 1$	철(Fe) 니켈(Ni) 코발트(Co)
상자성체	$\mu > \mu_0$	$\mu_s > 1$	$\chi_s > 0$	백금(Pt) 알루미늄(Al) 산소
반자성체	$\mu < \mu_0$	$\mu_s < 1$	$\chi_s < 0$	은(Ag) 구리(Cu) 비스무트(Bi)

TIP !

영어 약어(산소 → O, 백금 → Pt)로도 출제된 적이 있다. 순수한 망간(Mn)은 상자성체(비투자율 1.2)로 분류되며 다른 금속과 합금하여 강자성체의 재료로 쓰인다.

019 ★

ANSWER ④ 0.9

STEP1 토크

자석과 자계의 상호작용에 의해서. 자석에 가해지는 회전력

$T = NIBS\sin\theta = FBS\sin\theta[\text{N} \cdot \text{m}]$

(S : 코일의 면적)

자속밀도가 면과 평행한 방향으로 가해지므로 $\theta = 90°$ 이다.

STEP2 대입

$$T = NIBS\sin\theta$$

$$= 400 \times 1 \times 0.8 \times (9\pi \times 10^{-4}) \times \sin 90°$$

$$= 0.9[\text{N} \cdot \text{m}]$$

020 ★★

ANSWER ② 자기회로의 길이에 반비례한다.

자기저항(리액턴스)

$$R_m = \frac{F}{\Psi} = \frac{Hl}{\mu Hs} = \frac{l}{\mu S}$$

$$= \frac{l}{\mu_0 \mu_s S}[\text{AT/Wb}]$$

자기저항은 단위는 [AT/Wb],

자기회로의 길이에 비례,

자기회로의 단면적에 반비례,

자성체의 비투자율에 반비례한다.

021 ★★★

ANSWER ② 차단기가 트립 지령을 받고 트립 장치가 동작하여 전류차단을 완료할 때까지의 시간

차단기의 정격차단시간

정격전압하에서 규정된 표준 동작책무 및 동작상태에 따라 차단할 때의 차단시간한도로서 트립코일여자로부터 아크소호까지의 시간(개극시간 + 아크시간)

정격전압[kV]	7.2	25.8	72.5	170	362
정격차단시간(cycle)	5~8	5	5	3	3

022 ★★

ANSWER ① 중간 조상설비를 설치한다.

안정도 향상 대책

㉠ 직렬리액턴스를 작게 한다.
- 발전기나 변압기 리액턴스를 작게 한다.
- 선로에 복도체를 사용하거나 병행회선수를 늘린다.
- 선로에 직렬콘덴서를 설치한다.

㉡ 전압변동을 적게 한다.
- 단락비를 크게 한다.
- 속응여자방식을 채용한다.

㉢ 계통을 연계시킨다.

㉣ 중간조상방식을 채용한다.

㉤ 고장구간을 신속히 차단시키고 재폐로방식을 채택한다.

㉥ 소호리액터 접지방식을 채용한다.

㉦ 고장 시에 발전기 입·출력의 불평형을 작게 한다.

023 ★

ANSWER ① 여자돌입전류에 동작할 것

보호 계전 방식의 구비 조건

㉠ 고장 회선 내지 고장 구간의 선택 차단을 신속 정확하게 할 수 있을 것

㉡ 과도 안정도를 유지하는데 필요한 한도 내의 동작 시한을 가질 것

㉢ 적절한 후비 보호 능력이 있을 것

㉣ 계통 구성이라든지 발전기 운전 대수의 변화에 따른 고장 전류의 변동에 대해서도 동작 시간의 조정 등으로 소정의 계전기 동작이 수행되어야 할 것

㉤ 전력 계통 운용의 입장에서도 보호 계전 방식 전체가 경제적이어야 할 것

㉥ 여자돌입 전류에 오동작 하지 말 것

024 ★★

ANSWER ④ 보일러 급수를 예열한다.

절탄기 : 배기가스의 여열을 이용해서 보일러 급수를 예열하는 장치

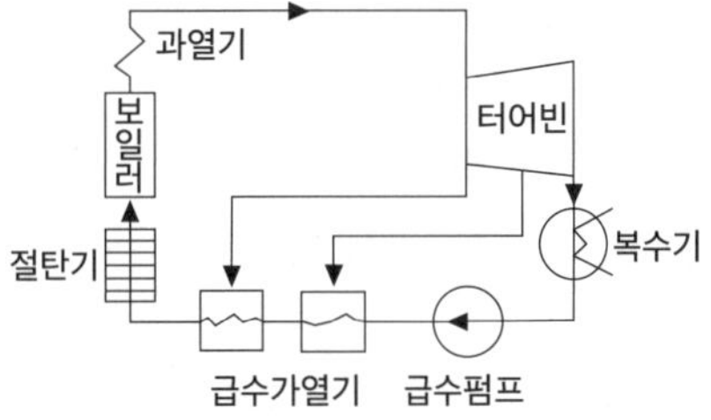

025 ★★★

ANSWER ① 뇌해 방지

가공지선의 설치효과

㉠ 직격뢰로부터 선로 및 기기 차폐

㉡ 유도뢰에 의한 정전차폐효과

㉢ 통신선의 전자유도장해를 경감시킬 수 있는 전자차폐효과

2019년 2회

026 ★★

ANSWER ① 1, 2차 전류의 차로 동작한다

차동계전기 : 피보호 설비(또는 구간)에 유입하는 어떤 전류의 크기와 유출되는 전류의 크기 간의 차이가 일정치 이상이 되면 동작하는 계전기

027 ★★★

ANSWER ① 역률이 항상 1 이다.

직류 송전 방식의 장·단점

장점

㉠ 선로의 리액턴스가 없으므로 안정도가 높다.

㉡ 유전체손 및 충전 용량이 없고 절연 내력이 강하다.

㉢ 비동기 연계가 가능하다.

㉣ 단락전류가 적고 임의 크기의 교류계통을 연계시킬 수 있다.

㉤ 코로나손 및 전력 손실이 적다.

㉥ 역률이 항상 1로 되기 때문에 송전효율도 좋아진다.

단점

㉠ 직교 변환 장치가 필요하다.

㉡ 전압의 승압 및 강압이 불리하다.

㉢ 고조파나 고주파 억제 대책이 필요하다.

028 ★★★

ANSWER ④ 캐스케이딩(Cascading)

캐스케이딩 현상 : 저압뱅킹 배전방식으로 운전 중 건전한 변압기 일부가 고장이 발생하면 부하가 다른 건전한 변압기에 걸려서 고장이 확대되는 현상

029 ★★

ANSWER ① 표피효과

표피효과 : 도체의 중심으로 갈수록 전류의 밀도가 낮아지는 현상 (전류가 잘 흐르지 못하는 현상)

표피두께 $\delta = \sqrt{\frac{1}{\pi f \sigma \mu}}$ [m]

− f (주파수), σ (도전율), μ(투자율)가 클수록 δ가 작게 되어 표피 효과가 심해진다.

030 ★

ANSWER ④ 영상전류

접지선을 통해 대지로 흐르는 전류는 영상전류이다.

031 ★★★

ANSWER ② 24

STEP1 콘덴서의 충전용량

$Q_c = 3\omega CE^2$

(여기서, E : 상전압)

STEP2 결선별 특징

㉠ Y결선

선간전압 $V_l = \sqrt{3}E$

선전류 $I_l = I_p$

㉡ △결선

선간전압 $V_l = E$

선전류 $I_l = \sqrt{3}I_p$

$$\therefore Q_\triangle = 3 \times (2\pi \times 60) \times \left(\frac{1}{6\pi} \times 10^{-6}\right) \times 20000^2 = 24000[\text{VA}] = 24000[\text{VA}] \times 10^{-3} = 24[\text{kVA}]$$

TIP !

△결선을 Y결선으로 바꾸면 진상용량은 $\frac{1}{3}$ 배가 된다.

032 ★★★

ANSWER ① 선로애자 > 차단기 > 변압기 > 피뢰기

답을 암기할 것

송전계통의 절연레벨(BIL)

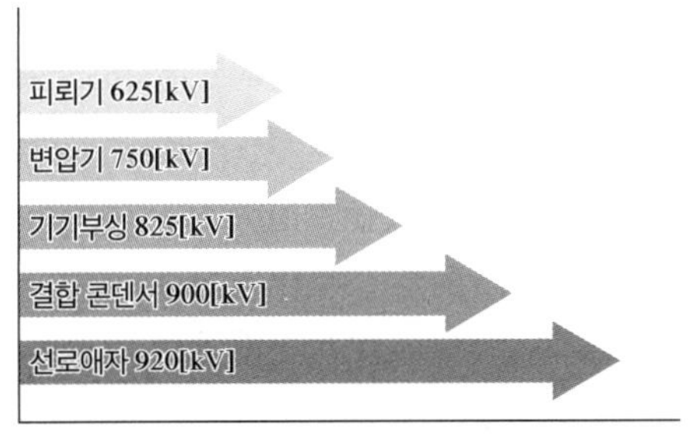

033 ★★

ANSWER ② 급수펌프 → 보일러 → 과열기 → 터빈 → 복수기 → 급수펌프

화력발전소의 기본적인 사이클은 다음과 같다.

급수펌프 → 절탄기 → 보일러 → 과열기 → 터빈 → 복수기 → 급수펌프

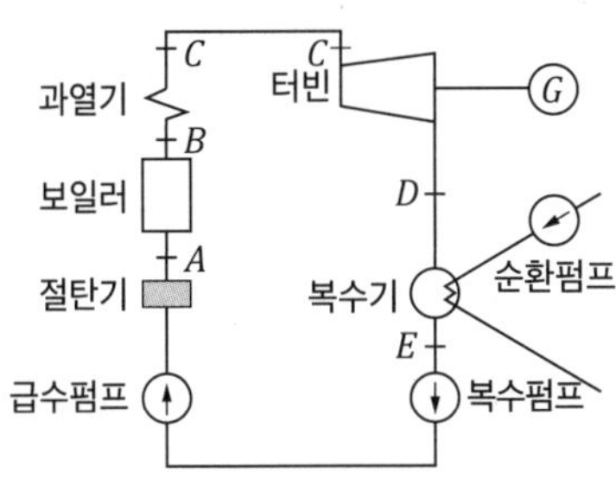

여기서, $B-C-D$ 구간 : 증기

$E-A$ 구간 : 물

034 ★★

ANSWER ② 증기 1[kg]의 기화 열량

증기의 엔탈피 : 증기 1[kg]의 내부에 축적되어진 내부에너지와 증기의 유동에 의한 기계적 일에 상당하는 열량의 합, 즉 증기 1[kg]의 보유열량

035 ★★★

ANSWER ③ 부등률

부등률 : $\dfrac{\text{수용설비 개개의 최대수용전력의 합계}}{\text{합성최대수용전력}}$

으로 항상 1보다 크다. 부등률은 부하의 동시 사용 정도를 나타내는 척도가 된다.

- 부하율 : 값이 클수록 설비가 효율적으로 사용되며, 1보다 작다.
- 수용률 : 1보다 크면 과부하로 여기며, 1보다 작다.

036 ★★★

ANSWER ③ 선로정수의 평형

연가의 목적

㉠ 선로 정수 평형

㉡ 근접 통신선에 대한 유도장해 감소

㉢ 소호리액터 접지계통에서 중성점의 잔류전압으로인한 직렬 공진의 방지

㉣ 대지 정전용량, 임피던스 평형

037 ★★★

ANSWER ② 1.25

STEP1 인덕턴스 공식

$$L = 0.05 + 0.4605\log\frac{D}{r}[\text{mH/km}]$$

STEP2 등가선간거리, 반지름

$$D = \sqrt[3]{D_1 \times D_2 \times D_3} = \sqrt[3]{1 \times 1 \times 1} = \sqrt[3]{1^3} = 1[\text{m}]$$

반지름

$$r = \frac{\text{지름}}{2} = \frac{5}{2} = 2.5[\text{mm}] = 2.5 \times 10^{-3}[\text{m}]$$

STEP3

인덕턴스 공식에 등가선간거리와 반지름을 대입시켜보면,

$$L = 0.05 + 0.4605\log\frac{D}{r} = 0.05 + 0.4605\log\frac{1}{2.5 \times 10^{-3}} = 1.25[\text{mH/km}]$$

038 ★★★

ANSWER ③ 80

STEP1 역률 개선 전

– 부하의 유효전력

$P = P_a\cos\theta = 10000 \times 0.8 = 8000[\text{kW}]$

– 부하의 무효전력

$$Q_L = P_a \sin\theta = P_a(\sqrt{1-\cos^2\theta})$$
$$= 10000 \times \sqrt{1-0.8^2} = 6000[\text{kVar}]$$

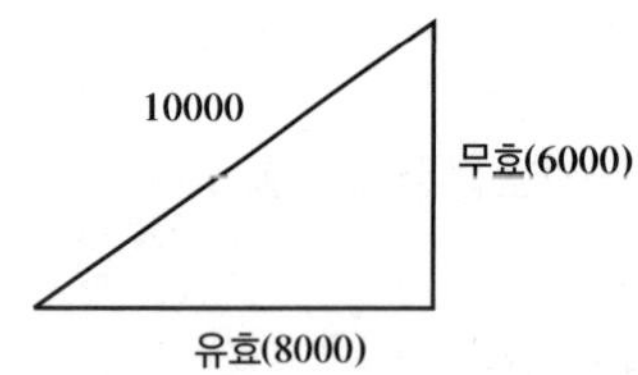

STEP2 역률 개선 후

– 6000[kVA]의 콘덴서용량을 설치하게 되면 아래 그림과 같이 된다

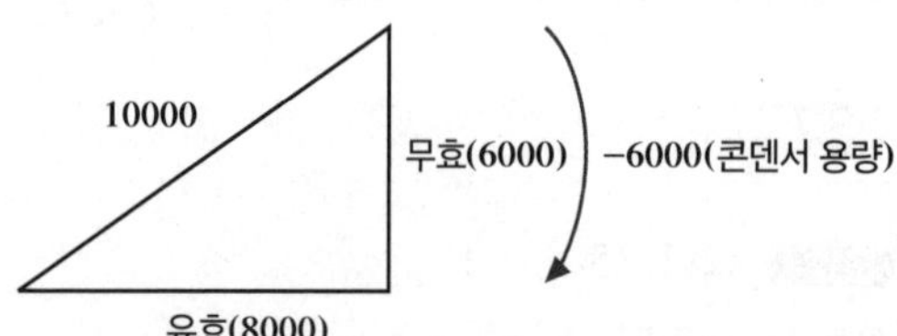

– 역률 개선 후 피상전력

$$P_a' = \sqrt{P^2 + (Q_L - Q_C)^2}$$
$$= \sqrt{8000^2 + (6000-6000)^2}$$
$$= 8000[\text{kVA}]$$

(여기서, P : 유효전력, Q_L : 무효전력,

Q_C : 콘덴서 용량)

STEP3 역률 개선 전·후 비교

$$\frac{8000}{10000} \times 100 = 80[\%]$$

039 ★

ANSWER ④ 후비 보호 계전기의 정정값은 주 보호 계전기와 동일하다.

STEP1 후비 보호

후비 보호는 주 보호가 실패했을 경우 또는 보호할 수 없을 경우에 일정한 시간을 두고 동작하는 백업 계전 방식으로 보호구간은 다음과 같다.

㉠ 주보호 계전기가 그 어떤 이유로 정지해 있는 구간의 사고

㉡ 주보호 계전기에 결함이 있어 정상 동작을 할 수 없는 상태에 있는 구간의 사고

㉢ 차단기 사고 등 주보호 계전기로 보호할 수 없는 장소의 사고

STEP2 캐스케이드 차단 방식

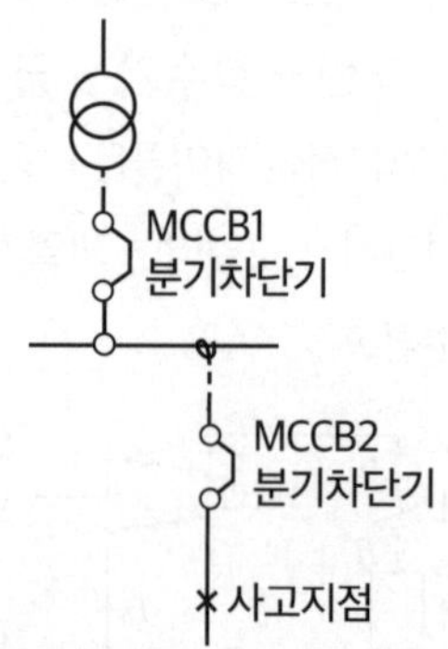

㉠ 주 차단기 : 후비 보호

분기 차단기 : 주 보호

㉡ 22[kV]에서 많이 사용

㉢ 분기 차단기(주) 보다 큰 단락전류 발생 시 주 차단기(후비)가 개극 되기 시작하여 억제 된 단락 전류를 분기 차단기(주)에 전달한다.

040 ★★★

ANSWER ② 0.8749

3상 1회선의 작용정전 용량

$C = C_s + 3C_m = 0.5038 + 3 \times 0.1237$

$= 0.8749[\mu F/km]$

(C : 작용정전용량, C_s : 대지정전용량,

C_m : 선간정전용량)

TIP !

단상 1회선의 작용정전 용량

$C = C_s + 2C_m$

제3과목 | 전기기기

041 ★

ANSWER ② Y –Y결선에 비해 상전압이 선간전압의 $\frac{1}{\sqrt{3}}$ 배이므로 절연이 용이하다.

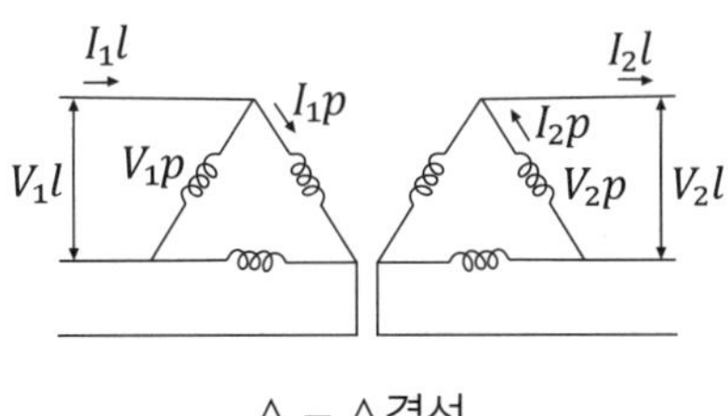

△ – △결선

△ – △결선은 선간전압과 상전압의 크기가 같고 동상이 된다. 선지 ②의 상전압이 선간전압의 $\frac{1}{\sqrt{3}}$ 배이므로 절연이 용이는 Y –Y결선의 장점이다. 절연은 Y –Y결선에 비해 불리하다.

TIP !

△ – △결선 장, 단점

ⓐ 장점

- 1대 고장 시 나머지 2대로 V –V 결선으로 운전이 가능하다.
- 제 3고조파 전류가 △결선 내를 순환하므로 정현파 교류전압을 유기하여 기전력의 파형이 왜곡되지 않는다.
- 각 변압기의 상전류가 선전류의 $\frac{1}{\sqrt{3}}$ 배가 되어 대전류에 적당하다.

ⓑ 단점

- 중성점을 접지할 수 없으므로 지락 사고의 검출이 어렵다.
- 권수비가 다른 변압기를 결선할 경우 순환 전류가 흐른다.
- 각 상의 임피던스가 다를 경우 3상 부하가 평형이 되어도 변압기의 부하전류는 불평형이 된다.

042 ★

ANSWER ① 수하특성

누설 변압기(Leakage Transformer)

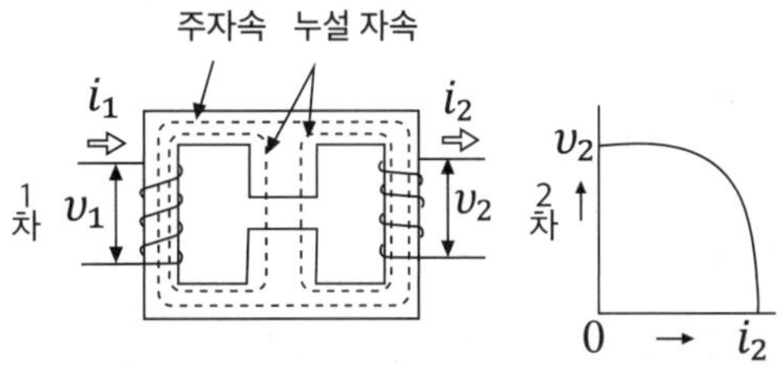

철심과 코일 사이에 공극을 두어 부하 임피던스가 변동해도 2차 전압이 급격히 변동하여 2차 전류를 일정하게 유지(수하특성)시킨다.

043 ★

ANSWER ③ 구조가 간단하며, 제어조작이 용이하다.

STEP1 권선형 유도전동기 저항제어법

2차측 저항을 변화하여 슬립을 변경하는 방법(비례추이의 원리) 특징은 다음과 같다.

- 최대 토크는 불변이며, 최대 토크가 발생하는 슬립이 변화
- 구조가 간단하고 조작이 용이하다.
- 부하에 대한 속도 변동이 크다.
- 효율($\eta = 1 - s$)이 나쁘다.
- 저항을 이용하므로 열이 발생하여 온도변화가 크다.

TIP !

비례추이

권선형 유도 전동기의 회전자 외부에 접속시킨 2차 외부회로 저항의 크기를 조정하면 최대 토크의 크기는 그대로 유지하면서 slip(속도)이 2차 회로의 저항에 비례하여 이동하게 되는 현상

최대 토크가 발생하는 슬립 :

$$s_m = \frac{r_2'}{\sqrt{r_1^2 + (x_1 + x_2')^2}} \fallingdotseq \frac{r_2}{x_2}$$

044 ★★★

ANSWER ② 출력

STEP1 비례추이가 가능한 특성과 불가능한 특성

① 비례추이 가능한 특성 : 1차 전류, 2차 전류, 역률, 동기 와트 등

② 비례추이 불가능한 특성 : 출력, 2차 동손, 효율 등

045 ★★★

ANSWER ④ 전기자 반작용

- 무부하 시험 : 철손, 기계손
- 단락시험 : 동기임피던스, 동기리액턴스
- 단락비 : 무부하(포화)시험, 단락시험 모두 필요

전기자 반작용은 단락시험이나 무부하시험으로 구할 수 없다.

046 ★

ANSWER ② $K\frac{2\theta}{\pi}$ 　　**답을 암기할 것**

STEP1 전기자 반작용(중성축 이동)

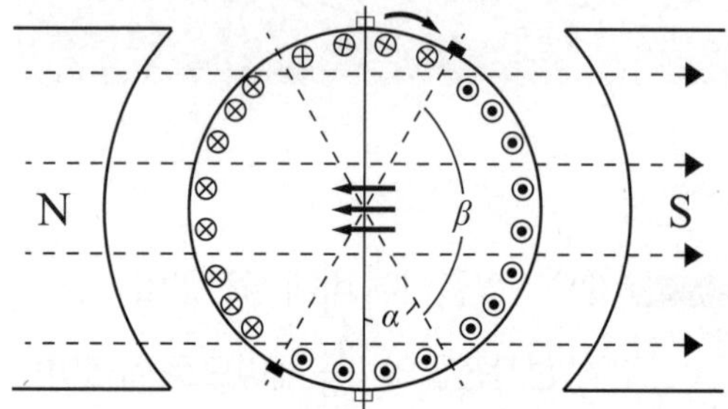

그림처럼 중성축이 시계방향으로 $\alpha°$ 만큼 이동하여 $4\alpha°$ 에 해당하는 기자력이 감자작용을 한다.

STEP2 기자력

㉠ 감자 기자력

$$AT_a = \frac{I_a}{2a} \cdot \frac{Z}{p} \cdot \frac{4\alpha}{2\pi} = \frac{I_a Z}{2pa} \times \frac{2\theta}{\pi}$$

$$= K\frac{2\alpha}{\pi} \text{[AT/극]} \; (\because K = \frac{I_a Z}{2Pa})$$

㉡ 교차 기자력

TIP !

감자기자력

주자속과 반대 방향으로 발생하여 이에 상당하는 만큼의 유도기전력이 감소한다.

047 ★★

ANSWER ② ⓑ

ⓐ 직선정류 : 가장 이상적인 정류

ⓒ 과정류 : 정류 초기에 브러시 앞면에 불꽃 발생

ⓑ 정현파정류 : 양호한 정류

ⓓ 부족정류 : 정류 말기에 브러시 뒷면에 불꽃 발생

048 ★

ANSWER ② 5

STEP1 속도 변동률

속도변동률 $= \dfrac{N' - N}{N} \times 100[\%]$

STEP2 부하시 회전속도

부하시 역기전력(E_c) =

$V - I_a R_a = 105 - 50 \times 0.1 = 100[\text{V}]$

역 기전력 $E_c = \dfrac{pZ}{a}\Phi\dfrac{N}{60}[\text{V}]$

회전속도(N) =

$$\frac{aE_c \times 60}{pZ\Phi} = \frac{4 \times 100 \times 60}{4 \times 50 \times 0.05} = 2400[\text{rpm}]$$

(∵ 중권 $a = p$)

STEP3 무부하 시 역기전력

$N' = V' - I_a{}' R_a = 106 - 10 \times 0.1 = 105[\text{V}]$

회전속도(N) =

$$\frac{aE_c \times 60}{pZ\Phi} = \frac{4 \times 105 \times 60}{4 \times 50 \times 0.05} = 2520[\text{rpm}]$$

STEP4 속도변동률에 대입한다.

$$\frac{N' - N}{N} \times 100[\%]$$

$$= \frac{2520 - 2400}{2400} \times 100 = 5[\%]$$

049 ★

ANSWER ③ $\dfrac{f_1}{f_2} = \dfrac{P_1}{P_2}$

STEP1 동기 주파수 변환기

동기 주파수 변환기는 동기 발전기와 동기 전동기를 연결한 조합으로 교류 전력을 어떤 주파수에서 다른 주파수로 변환한다. 따라서 전동기와 발전기의 회전속도 N_s 가 같아야 하므로

$N_s = \dfrac{120f_1}{P_1} = \dfrac{120f_2}{P_2}$ 의 관계가 있다.

따라서, $\dfrac{f_1}{P_1} = \dfrac{f_2}{P_2}$ 에서 $\dfrac{f_1}{f_2} = \dfrac{P_1}{P_2}$ 이다.

050 ★★

ANSWER ① 초퍼

STEP1 정류기에 따른 전력변환

㉠ 초퍼 : 직류 전동기의 속도 제어

㉡ 컨버터 : 직류 전동기의 속도제어

㉢ 인버터 : 교류 전동기의 속도제어

㉣ 사이클로컨버터 : 가변 주파수, 가변 출력 전압 발생

051 ★

ANSWER ① 30°

STEP1 전기각

전기각(δ) = 기하각(α) $\times \frac{P}{2}$ [rad]

STEP2 기하각

기하각(α) $= \frac{360}{\text{슬롯홈수}} = \frac{360}{36} = 10°$

STEP3 대입한다.

전기각(δ) $= \frac{6 \times 10°}{2} = 30°$

052 ★★★

ANSWER ③ 전압변동률이 크다.

단락비가 큰 기기의 특징(철기계)

㉠ 동기 임피던스가 작아 단락 시 단락전류가 크다.

㉡ 계자 기자력이 크다 → 전기자 반작용, 전압변동률이 작다.

㉢ 기계가 크고 무겁다. → 기계손(풍손)이 크다, 가격이 높다. 공극이 크다.

㉣ 철손이 크다. → 효율이 낮다.

㉤ 송전선의 충전용량이 크고 안정도가 높다. → 과부하 내량이 크다.

053 ★★

ANSWER ④ 3상 전파

맥동률

구분	단상 반파	단상 전파	3상 반파	3상 전파
직류 전압	$E_d = 0.45E$	$E_d = 0.9E$	$E_d = 1.17E$	$E_d = 1.35E$
정류 효율	40.6[%]	81.2[%]	96.5[%]	99.8[%]
맥동률	121[%]	48[%]	17[%]	4[%]

따라서 가장 작은 정류회로는 3상 전파

TIP !

$$\text{맥동률} = \frac{\text{교류분}}{\text{직류분}} \times 10 = \sqrt{\frac{\text{실효값}^2 - \text{평균값}^2}{\text{평균값}^2}} \times 100[\%]$$

054 ★★★

ANSWER ④ 작은 단락전류가 흐른다.

분권 발전기의 특징

- 잔류 자기가 없으면 발전 불가능
- 운전 중 회전 방향 반대 ▶ 잔류자기가 소멸 ▶ 발전 불가능
- 운전 중 서서히 단락 ▶ 작은 전류가 발생한다.

055 ★★

ANSWER ② 전압제어

직류 전동기의 속도 제어법 비교

구분	제어 특성	특징
계자 제어법	• 정출력 제어	• 속도제어 범위가 좁다
전압 제어법	• 정토크 제어 • 워드 레오나드 방식, 일그너 방식	• 제어 범위가 넓다 • 손실이 매우 적다 • 설비비가 많이 든다
직렬 저항법		• 효율이 나쁘다

056 ★★★

ANSWER ② 파형이 좋아진다

전기자권선을 분포권으로 하면 집중권에 비해 유기기전력의 파형을 개선하고 권선의 누설리액턴스가 감소하고 전기자동손에 의한 열이 골고루 분포되어 과열을 방지시키는 이점이 있다.

고난도

057 ★★

ANSWER ③ 4.8

STEP1 전압변동률

$\epsilon = p\cos\theta + q\sin\theta[\%]$

STEP2 저항 강하, 리액턴스 강하 구하기

역률이 100[%]일 때, 3 = p × 1.0 + q × 0에서

p = 3[%]

최대 전압변동률 시 역률

$$\cos\theta = \frac{3}{\sqrt{3^2 + q^2}} = 0.6$$

$$q = \sqrt{(\frac{3}{0.6})^2 - 3^2} = 4[\%]$$

STEP3 전압변동률에 대입한다.

부하역률이 80%일 때 전압변동률

$\epsilon = p\cos\theta + q\sin\theta = 3 \times 0.8 + 4 \times 0.6$

$= 4.8[\%]$

058 ★

ANSWER ① A

A : 과복권

B : 평복권

C : 부족복권

D : 차동복권

059 ★★

ANSWER ① 2.73

STEP1 승압용 단권변압기의 자기용량

$$\frac{\text{자기용량}}{\text{부하용량}} = \frac{V_h - V_l}{V_h}\text{자기용량}$$

$$= \frac{V_h - V_l}{V_h} \times \text{부하용량}$$

STEP2 대입한다.

$$\text{자기용량} = \frac{V_h - V_l}{V_h} \times \text{부하용량}$$

$$= \frac{220 - 200}{220} \times 30 = 2.73[\text{kVA}]$$

060 ★★

ANSWER ① 항상 동상으로 회전한다.

풀이

- 고정자에 의한 회전자계 : N_s(동기속도)[rpm]
- 회전자(전동기) 속도 : $N = (1-s)N_s$[rpm]
- 고정자의 회전 자계와 회전자 사이에 상대 속도 : sN_s[rpm]
- 회전자에 의한 회전자계 = 회전자속도 + 상대 속도 = $(1-s)N_s + sN_s = N_s$ = [rpm]

따라서, 회전자에 의한 회전자계는 고정자가 만드는 회전자계와 같은 방향, 동상으로 회전한다.

제4과목 | 회로이론

061 ★

ANSWER ② $\frac{1}{s+1} + \frac{6}{s^3} + \frac{3s}{s^2+4} + \frac{5}{s}$

STEP1 선형 시스템

$F(s) = \pounds[f(t)] = \pounds[e^{-t} + 3t^2 + 3\cos 2t + 5]$

$= \pounds[e^{-t}] + \pounds[3t^2] + \pounds[3\cos 2t] + \pounds[5]$

STEP2 라플라스 변환

$$\pounds[e^{-t}] = \frac{1}{s+1}$$

$$\pounds[3t^2] = 3 \times \frac{2!}{s^{2+1}} = \frac{6}{s^3}$$

$$\pounds[3\cos 2t] = \frac{3s}{s^2 + 2^2} = \frac{3s}{s^2+4}$$

$$\pounds[5] = \frac{5}{s}$$

$$\therefore F(s) = \frac{1}{s+1} + \frac{6}{s^3} + \frac{3s}{s^2+4} + \frac{5}{s}$$

2019년 2회

062 ★★

ANSWER ③ ㉠ 1, ㉡ 1 답을 암기할 것

파형		파형률	파고율
구형파		1	1
반원파		1.040	1.225
정현파		1.109	1.414
삼각파		1.155	1.732

사각파(구형파), 삼각파(톱니파)

063 ★★

ANSWER ② 1

$$\text{왜형률} = \frac{\text{각 고조파의 실효값의 합}}{\text{기본파의 실효값}} = \frac{\sqrt{V_3^2 + V_5^2}}{V_1} = \sqrt{\left(\frac{V_3}{V_1}\right)^2 + \left(\frac{V_5}{V_1}\right)^2} = \sqrt{0.6^2 + 0.8^2} = 1$$

064 ★★★

ANSWER ③ 임계제동이다.

진동 여부의 판별식

조건	특성
$R^2 - 4\frac{L}{C} > 0$	과제동(비진동)
$R^2 - 4\frac{L}{C} = 0$	임계제동(임계진동)
$R^2 - 4\frac{L}{C} < 0$	부족제동(진동)

$$R^2 = 100^2 = 10^4, 4\frac{L}{C} = 4 \times \frac{5 \times 10^{-3}}{2 \times 10^{-6}} = 10^4$$

$\therefore R^2 - 4\frac{L}{C} = 0$ 이므로 임계제동이다.

> $1[mH] = 1 \times 10^{-3}[H]$
> $1[\mu F] = 1 \times 10^{-6}[F]$

065 ★★

ANSWER ④ $\frac{1}{RCs+1}$

STEP1 회로의 라플라스 변환

$V_1(s) = \pounds[v_1(t)]$

$v_1(t) = Ri(t) + \frac{1}{C}\int i(t)dt$

$V_2(s) = \pounds[v_2(t)]$

$v_2(s) = \frac{1}{C}\int i(t)dt$

$V_1(s)\left(R + \frac{1}{Cs}\right)I(s)$

$V_2(s) = \frac{1}{Cs}I(s)$

STEP2 전달함수 계산

$$\therefore G(s) = \frac{V_1(s)}{V_1(s)} = \frac{\frac{1}{Cs}I(s)}{\left(R + \frac{1}{Cs}\right)I(s)} = \frac{\frac{1}{Cs}}{R + \frac{1}{Cs}} = \frac{1}{RCs+1}$$

066 ★

ANSWER ③ 길어진다.

시정수가 클수록 과도기가 오래 지속되고, 적을수록 지속시간이 짧아진다.

067 ★★★

ANSWER ① 3.3

STEP1 Y결선 특징

선간전압 $V_l = \sqrt{3}\,V_{p\angle}30°$

선전류 $I_l = I_p$

$I_l = I_p = 20[A]$

STEP2 3상 부하 전력

유효전력 $P = 3I_p^2 \rightarrow R = \frac{P}{3I_p^2}$

$$\therefore R = \frac{P}{3I_p^2} = \frac{4 \times 10^3}{3 \times 20^2} = 3.33[\Omega]$$

> $1[kW] = 1 \times 10^3[W]$

068 ★★

ANSWER ② $6, \frac{10}{3}$

MATH 33단원 행렬 기초

STEP1 특성 임피던스

$Z_{01} = \sqrt{\frac{AB}{CD}}, Z_{02} = \sqrt{\frac{BD}{AC}}$ 에서

$$\begin{bmatrix} A & B \\ C & D \end{bmatrix} = \begin{bmatrix} 1 & 4 \\ 0 & 1 \end{bmatrix}\begin{bmatrix} 1 & 0 \\ \frac{1}{5} & 1 \end{bmatrix} = \begin{bmatrix} 1+\frac{4}{5} & 4 \\ \frac{1}{5} & 1 \end{bmatrix}$$

$$A = 1 + \frac{4}{5} = \frac{9}{5}, B = 4, C = \frac{1}{5}, D = 1$$

이므로

$$Z_{01} = \sqrt{\frac{AB}{CD}} = \sqrt{\frac{\frac{9}{5} \times 4}{\frac{1}{5} \times 1}} = 6[\Omega]$$

$$Z_{02} = \sqrt{\frac{BD}{AC}} = \sqrt{\frac{4 \times 1}{\frac{9}{5} \times \frac{1}{5}}} = \frac{10}{3}[\Omega]$$

069 ★

ANSWER ③ $2\sqrt{7}$

MATH 15단원 절대값,

30단원 직교좌표와 극좌표

STEP1 페이저 변환(직교 좌표계)

$E_1 = 6\angle 0° = 6[V]$

$E_2 = 4(\cos 60° - j\sin 60°) = 2 - j2\sqrt{3}$

STEP2 정현파의 합성

$e_1 - e_2$의 실효값은 $E_1 - E_2$이므로

$$\begin{aligned} \therefore E_1 - E_2 &= 6 - (2 - j2\sqrt{3}) \\ &= 6 - 2 + j2\sqrt{3} \\ &= 4 + j2\sqrt{3} \\ &\fallingdotseq 2\sqrt{7}\angle 40.89° [V] \end{aligned}$$

070 ★★★

ANSWER ③ 1536

STEP1 Y결선 특징

선간전압 $V_l = \sqrt{3}\, V_{p\angle} 30°$

선전류 $I_l = I_p$

$$\therefore \text{상전류 } I_p = \frac{V_p}{Z} = \frac{\frac{V_l}{\sqrt{3}}}{Z} = \frac{\frac{200}{\sqrt{3}}}{\sqrt{24^2 + 7^2}} = \frac{\frac{200}{\sqrt{3}}}{25} = \frac{8}{\sqrt{3}}[A]$$

STEP2 3상 부하 전력

$$\therefore P = 3I_p^2 R = 3 \times \left(\frac{8}{\sqrt{3}}\right)^2 \times 24 = 1536[W]$$

071 ★★

ANSWER ④ 150

STEP1

$$I_l = 2I_p \sin\frac{\pi}{n} = 2 \times 150 \times \sin\frac{\pi}{6} = 150[A]$$

TIP !

- 성형 결선(Y결선)

  전압: $E_l = 2\sin\frac{\pi}{n} E_{p\angle} \frac{\pi}{2}\left(1 - \frac{2}{n}\right)$

  전류: $I_l = I_p$

- 환형 결선(△결선)

  전압: $E_l = E_p$

  전류: $I_l = 2\sin\frac{\pi}{n} I_{p\angle} - \frac{\pi}{2}\left(1 - \frac{2}{n}\right)$

072 ★★★

ANSWER ① $\dfrac{1}{s-a}$

STEP1 시간추이 정리

$$e^{at} \xrightarrow{\pounds} \frac{1}{s-a}$$

TIP !

라플라스 변환 표

$f(t)$	$F(s)$
$e^{\mp at}$	$\dfrac{1}{s \pm a}$
$te^{\mp at}$	$\dfrac{1}{(s \pm a)^2}$
$t^n e^{\mp at}$	$\dfrac{n!}{(s \pm a)^{n+1}}$

073 ★

ANSWER ② 60

STEP1 정현파 표현

순시값 $i(t) = I_m \sin(\omega t + \theta°)$[A]

최대값 $I_m = \sqrt{2}\, I$

실효값 I

각주파수 $\omega = 2\pi f$, 위상 θ

STEP2 주파수 계산

$\omega = 377$이므로

$$\therefore f = \frac{377}{2\pi} = 60\,[\text{Hz}]$$

074 ★★

ANSWER ④ $10\sqrt{3}$

STEP1 △결선 특징

선간전압 $V_l = V_p$

선전류 $V_l = \sqrt{3}\, I_{p\angle} - 30°$

STEP2 선전류 계산

$$\therefore I_l = \sqrt{3}\, I_p = \sqrt{3}\frac{V_p}{Z}$$

$$= \sqrt{3}\frac{V_l}{Z} = \frac{\sqrt{3}\, V_l}{\sqrt{R^2 + X^2}}$$

$$= \frac{100\sqrt{3}}{\sqrt{6^2 + 8^2}} = 10\sqrt{3}\,[\text{A}]$$

075 ★★★

ANSWER ② 1.29

STEP1 밀만의 정리

$$V_{ab} - \frac{\dfrac{E_1}{R_1} + \dfrac{E_2}{R_2} + \dfrac{E_3}{R_3}}{\dfrac{1}{R_1} + \dfrac{1}{R_2} + \dfrac{1}{R_3} + \dfrac{1}{R_4}}$$

$$= \frac{\dfrac{2}{1} + \dfrac{4}{2} + \dfrac{6}{3}}{\dfrac{1}{1} + \dfrac{1}{2} + \dfrac{1}{3} + \dfrac{1}{2}} = 2.57\,[\text{V}]$$

STEP2 옴의 법칙

$$\therefore I = \frac{2.57}{2} = 1.29\,[\text{A}]$$

076 ★

ANSWER ① $2[\Omega]$ $\frac{1}{3}$[F]

STEP1 식 정리

$$Z(s) = \frac{2s + 3}{s} = 2 + \frac{3}{s} = 2 + \frac{1}{\frac{1}{3}s}$$

STEP2 회로의 라플라스 변환

소자	라플라스계
R	R
L	Ls
C	$\dfrac{1}{Cs}$

$\therefore 2 = R,\ \dfrac{1}{\frac{1}{3}s} = \dfrac{1}{Cs}$이므로

저항 $2[\Omega]$과 정전용량 $\frac{1}{3}$[F]의 직렬회로가 된다.

077 ★★

ANSWER ③ $4-j3$

MATH 27단원 복소수, 28단원 복소수의 연산

STEP1 테브낭 등가회로

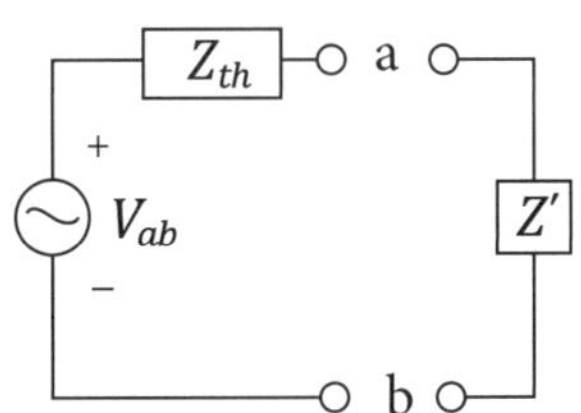

전체 임피던스 $Z_T = Z_{th} + Z'$에서

$Z_{th} = 6 + j8[\Omega]$, $Z' = 2 - j2[\Omega]$이므로

$$Z_T = Z_{th} + Z' = (6 + j8) + (2 - j2) = 6 + 2 + j(8-2) = 8 + j6[\Omega]$$

STEP2 옴의 법칙

$$\therefore I = \frac{V_{ab}}{R_T} = \frac{50}{8+j6} = \frac{50(8-j6)}{(8+j6)(8-j6)} = \frac{400-j300}{8^2+6^2} \ (\because \text{분모의 유리화}) = 4-j3[\text{A}]$$

078 ★★★

ANSWER ① $e^{-t} - e^{-3t}$

MATH 24단원 헤비사이드 부분분수

STEP1 헤비사이드 부분분수

$$F(s) = \frac{2}{(s+1)(s+3)} = \frac{A}{s+1} + \frac{B}{s+3}$$

$$A = \left.\frac{2}{s+3}\right|_{s=-1} = \frac{2}{2} = 1$$

$$B = \left.\frac{2}{s+1}\right|_{s=-3} = \frac{2}{-2} = -1 \text{이므로}$$

$$F(s) = \frac{1}{s+1} - \frac{1}{s+3}$$

STEP2 역 라플라스 변환

$\pounds^{-1}\left[\frac{1}{s+a}\right] = e^{-at}$이므로

$$\therefore \pounds^{-1}[F(s)] = e^{-t} - e^{-3t}$$

079 ★★

ANSWER ② 10

STEP1 Y결선 특징

선간전압 $V_l = \sqrt{3}V_p \angle 30°$

선전류 $I_l = I_p$

$$\therefore \text{상전류 } I_p = \frac{V_p}{Z} = \frac{\frac{V_l}{\sqrt{3}}}{Z} = \frac{\frac{100\sqrt{3}}{\sqrt{3}}}{\sqrt{8^2+6^2}} = \frac{100}{10} = 10[\text{A}]$$

080 ★★

ANSWER ① 3.5

STEP1 합성 인덕턴스

가동 결합: $L_T = L_1 + L_2 + 2M$

차동 결합: $L_T = L_1 + L_2 - 2M$

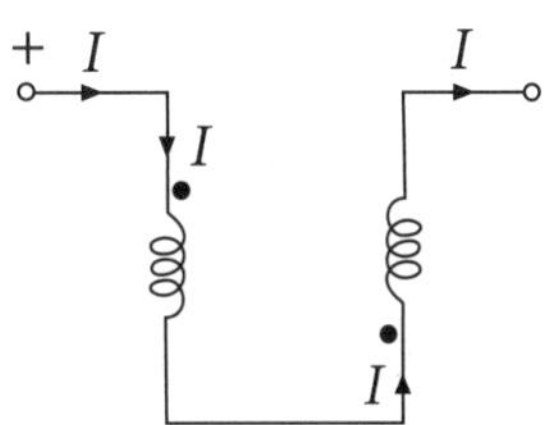

두 코일 모두 dot 방향으로 전류가 흐르므로 가동 결합

$\therefore L_T = L_1 + L_2 + 2M = 15[\text{H}]$

STEP2 상호 인덕턴스

$$\therefore M = \frac{L_T - L_1 - L_2}{2} = \frac{15-5-3}{2} = 3.5[\text{H}]$$

제5과목 | 전기설비기술기준 및 한국전기설비규정

081 ★

ANSWER ④ 16

접지도체(한국전기설비규정 142.3.1)

중성점 접지용 접지도체는 공칭 단면적 $16[\text{mm}^2]$ 이상의 연동선이어야 한다.

082 ★★★

ANSWER ① 내장형철탑

특고압 가공 전선로의 철주·철근콘크리트주 또는 철탑의 종류(한국전기설비규정 333.11)

① 내장형철탑 : 전선로 지지물 양측의 경간차가 큰 곳에 사용하는 것
② 인류형철탑 : 전가섭선을 인류하는 곳에 사용하는 것
③ 각도형철탑 : 전선로 중 수평각도 3°를 넘는 곳에 사용되는 것
④ 보강형철탑 : 전선로 직선부분을 보강하기 위하여 사용하는 것

083 ★★★

ANSWER ② 2.2

고압 가공전선의 안전율(한국전기설비규정 332.4)

고압 가공전선은 케이블인 경우 이외에는 안전율이 경동선 또는 내열 동합금선은 2.2 이상, 그 밖의 전선은 2.5 이상 되는 이도로 시설하여야 한다.

084 ★

ANSWER ② 40

특고압 가공전선과 지지물 등의 이격거리 (한국전기설비규정 333.5)

사용전압	이격거리[cm]
15[kV] 미만	15
15[kV] 이상 25[kV] 미만	20
25[kV] 이상 35[kV] 미만	25
60[kV] 이상 70[kV] 미만	40
130[kV] 이상 160[kV] 미만	90

60000[V] → 60[kV]

085 ★

ANSWER ④ 특고압용 제1종 보안장치,
특고압용 제2종 보안 장치

전력보안통신설비의 보안장치 (한국전기설비규정 362.10)

특고압 가공전선로의 지지물에 시설하는 통신선 또는 이에 직접 접속하는 통신선에 접속하는 휴대전화기를 접속하는 곳 및 옥외 전화기를 시설하는 곳에는 표준에 적합한 특고압용 제1종 보안장치, 특고압용 제2종 보안장치 또는 이에 준하는 보안장치를 시설하여야 한다.

086 ★

ANSWER ① 3.5

유도장해 방지(기술기준 제17조)

특고압 가공전선로에서 발생하는 극저주파 전자계는 지표상 1[m]에서 전계가 3.5[kV/m] 이하, 자계가 83.3[μT] 이하가 되도록 시설하는 등 상시 정전유도 및 전자유도 작용에 의하여 사람에게 위험을 줄 우려가 없도록 시설하여야 한다.

087 ★

ANSWER ① 좌굴하중

이상 시 상정하중(한국전기설비규정 333.14)

철탑의 강도계산에 사용하는 이상 시 상정하중은 풍압이 전선로에 직각방향으로 가하여지는 경우의 하중과 전선로의 방향으로 가하여지는 경우의 수직하중, 수평 횡하중, 수평 종하중을 계산하여 각 부재에 대한 이들의 하중 중 그 부재에 큰 응력이 생기는 쪽의 하중을 채택한다.

088 ★★

ANSWER ② 2

고압 옥내배선 등의 시설(한국전기설비규정 342.1)

전압	전선과 조영재와의 이격거리	전선 상호 간격	전선 지지점간의 거리	
			조영재의 면을 따라 붙이는 경우	조영재에 따라 시설하지 않는 경우
고압	5[cm] 이상	8[cm] 이상	2[m]이하	6[m]이하

089 ★★

ANSWER ③ 수소의 유량을 계측하는 장치

수소냉각식 발전기 등의 시설

(한국전기설비규정 351.10)

수소냉각식의 발전기·조상기 또는 이에 부속하는 수소냉각 장치는 다음 각 호에 따라 시설하여야 한다.

㉠ 발전기 내부 또는 조상기 내부의 수소의 순도가 85[%] 이하로 저하한 경우에 이를 경보하는 장치를 시설할 것

㉡ 발전기 내부 또는 조상기 내부의 수소의 압력을 계측하는 장치 및 그 압력이 현저히 변동한 경우에 이를 경보하는 장치를 시설할 것

㉢ 발전기 내부 또는 조상기 내부의 수소의 온도를 계측하는 장치를 시설할 것

090 ★★★

ANSWER ③ 고압 가공전선의 아래로 하고 별개의 완금류에 시설

고압 가공전선 등의 병행설치

(한국전기설비규정 332.8)

저압 가공전선(다중 접지된 중성선은 제외)과 고압 가공전선을 동일 지지물에 시설하는 경우에는 다음에 따라야 한다.

㉠ 저압 가공전선을 고압 가공전선의 아래로 하고 별개의 완금류에 시설할 것

㉡ 저압 가공전선과 고압 가공전선 사이의 이격거리는 0.5[m] 이상일 것

091 ★★★

ANSWER ④ 조명용 전원코드로 0.55[mm^2]의 켑타이어케이블을 사용하였다.

저압 옥내배선의 사용전선

(한국전기설비규정 231.3)

㉠ 저압 옥내배선의 전선 : 단면적 2.5[mm^2] 이상의 연동선

㉡ 옥내 배선의 사용전압이 400[V] 이하인 경우는 다음에 의하여 시설할 수 있다.

- 단면적 1.5[mm^2] 이상의 연동선
- 단면적 0.75[mm^2] 이상인 다심 케이블 또는 다심 캡타이어케이블

2019년 2회

092 ★

ANSWER ① 30

25[kV] 이하인 특고압 가공전선로의 시설 (한국전기설비규정 333.32)

각 접지도체를 중성선으로부터 분리하였을 경우의 각 접지점의 대지 전기저항 값과 1[km] 마다 중성선과 대지 사이의 합성전기 저항 값은 표에서 정한 값 이하일 것

사용전압	각 접지점의 대지 전기저항치	1[km] 마다의 합성 전기저항치
15[kV]이하	300[Ω]	30[Ω]
15[kV]초과 25[kV]이하	300[Ω]	15[Ω]

093 ★★★

ANSWER ② 횡단 보도교 위에 시설하는 경우 저압 가공전선은 노면 상에서 3[m] 이상이다.

저압 가공전선의 높이(한국전기설비규정 222.7), 고압 가공전선의 높이(한국전기설비규정 332.5)

저·고압 가공전선의 높이는 다음에 따라야 한다.

설치장소		가공전선의 높이
도로횡단 (번잡하지 않은 도로 제외)		지표상 6[m] 이상
철도 또는 궤도 횡단		레일면상 6.5[m] 이상
횡단 보도교 위	저압	노면상 3.5[m] 이상 (단, 절연전선의 경우 3[m]이상)
	고압	노면상 3.5[m] 이상
일반장소		지표상 5[m] 이상 단, 저압의 경우 절연전선 또는 케이블을 사용하여 교통에 지장이 없도록 하여 옥외조명용에 공급하는 경우 4[m]까지 감할 수 있다.
다리의 하부 기타 이와 유사한 장소		저압의 전기철도용 급전선은 지표상 3.5[m] 까지로 감할 수 있다.

094 ★★

ANSWER ② 지중 레일 선로

용어정의(한국전기설비규정 112)

"지중관로"란 지중전선로·지중 약전류전선로 ·지중광섬유케이블선로·지중에 시설하는 수관 및 가스관과 이와 유사한 것 및 이들에 부속하는 지중함 등을 말한다.

095 ★★★

ANSWER ③ 30

가공 전선로 지지물의 기초의 안전율 (한국전기설비규정 331.7)

가공 전선로의 지지물에 하중이 가하여지는 경우에 그 하중을 받는 지지물의 기초의 안전율은 2 (이상 시 상정하중에 대한 철탑의 기초에 대하여는 1.33) 이상 이어야 한다. 다만, 다음에 따라 시설하는 경우에는 적용하지 않는다.

설계하중 / 전장	6.8[kN] 이하	6.8[KN] 초과~ 9.8[kN] 이하	9.8[KN] 초과~ 14.72[kN] 이하
15[m]이하	전장× 1/6[m] 이상	전장×1/6 +0.3[m] 이상	전장×1/6+ 0.5[m]이상
15[m]초과	2.5[m] 이상	2.8[m] 이상	-
16[m]초과 20[m]이하	2.8[m] 이상	-	-
15[m]초과 18[m]이하	-	-	3[m]이상
18[m]초과	-	-	3.2[m]이상

따라서, 30[cm] 가산하여 2.8[m] 이상 깊게 시설한다.

096 ★★

ANSWER ② 2

발전소 등의 울타리·담 등의 시설

(한국전기설비규정 351.1)

울타리·담 등의 높이는 2[m] 이상으로 하고 지표면과 울타리·담 등의 하단사이의 간격은 0.15[m] 이하로 할 것

097 ★★★

ANSWER ④ 660

회전기 및 정류기의 절연내력

(한국전기설비규정 133)

<table>
<tr><th colspan="3">종류</th><th>시험 전압</th><th>시험 방법</th></tr>
<tr><td rowspan="3">회
전
기</td><td rowspan="2">발전기·
전동기·
조상기·
기타
회전기</td><td>7[kV]
이하</td><td>1.5배
(최저 500[V])</td><td rowspan="3">권선과
대지 사이에
연속하여
10분간</td></tr>
<tr><td>7[kV]
초과</td><td>1.25배
(최저 10.5[kV])</td></tr>
<tr><td colspan="2">회전 변류기</td><td>직류측의 최대
사용 전압의 1
배의 교류 전압
(최저 500[V])</td></tr>
</table>

따라서, 시험전압 $= 440 \times 15 = 660[V]$

출제기준 변경 및 개정된 관계 법규에 따라 삭제된 문제가 있어 20문항이 안됩니다.

2019년 3회

제1과목 | 전기자기학

001 ★

ANSWER ① 0.6

MATH 38단원 미분 기초

자기유도 작용에 의해서 발생한 기전력

$$e = -L\frac{dI}{dt} = (-20\times10^{-3})\times\frac{6}{0.2} = -0.6[\text{V}]$$

002 ★

ANSWER ① $F_3 = -3\boldsymbol{i} - 7\boldsymbol{j} + 7\boldsymbol{k}$

MATH 44단원 벡터의 성질

STEP1 힘의 평형

$F_1 + F_2 + F_3 = 0$이므로

$\therefore F_3 = -(F_1 + F_2)$

STEP2 F_3 계산

$$\begin{aligned} F_3 &= -(F_1 + F_2) \\ &= -[(-3\boldsymbol{i} + 4\boldsymbol{j} - 5\boldsymbol{k}) + (6\boldsymbol{i} + 3\boldsymbol{j} - 2\boldsymbol{k})] \\ &= -[(-3) + (6)\boldsymbol{i} + (4) + (3)\boldsymbol{j} \\ &\quad + (-5) + (-2)\boldsymbol{k}] \\ &= -[3\boldsymbol{i} + 7\boldsymbol{j} - 7\boldsymbol{k}] = -3\boldsymbol{i} - 7\boldsymbol{j} + 7\boldsymbol{k} \end{aligned}$$

고난도

003 ★

ANSWER ④ $\frac{Q}{4\pi\epsilon_0}(\frac{1}{a} - \frac{1}{b} + \frac{1}{c})$ 답을 암기할 것

STEP1 동심구도체

그림과 같이 내구도체에 $+Q$의 전하로 대전 시 도체 B의 안쪽은 $-Q$, 바깥쪽은 $+Q$의 전하가 유도된다.

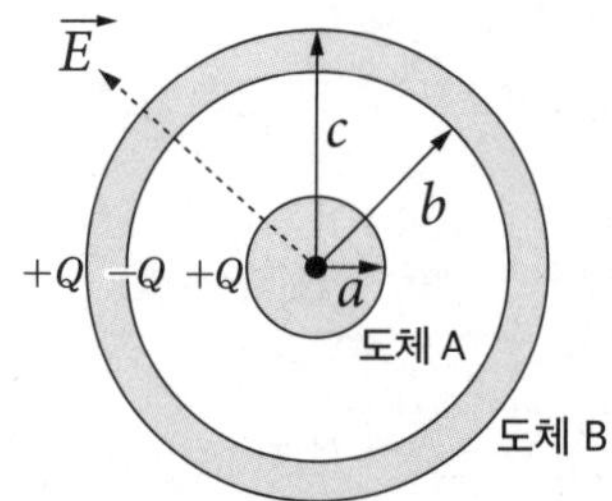

STEP2 거리에 따른 전위

$V = -\int_{\infty}^{0} E\cdot dr$ 에서

㉠ 도체 B의 표면전위($c \le r$)

$$V = -\int_{\infty}^{c} E\cdot dr = \frac{Q}{4\pi\epsilon_0 c}[\text{V}]$$

㉡ 도체 B내부 전위($b \le r \le c$)

$$V = -\int_{c}^{b} E\cdot dr = -\int_{c}^{b} 0\cdot dr = 0$$

($\because$ 도체 내부의 전계는 0)

㉢ 도체 B와 도체 A사이의 전위 ($a \le r \le b$)

$$V = -\int_{b}^{a} E\cdot dr = \frac{Q}{4\pi\epsilon_0}\left(\frac{1}{a} - \frac{1}{b}\right)[\text{V}]$$

STEP3 도체 A의 표면전위($a = r$)

도체 A의 표면전위 = ㉢ + ㉡ + ㉠ 이므로

$$\begin{aligned} \therefore V &= \frac{Q}{4\pi\epsilon_0}\left(\frac{1}{a} - \frac{1}{b}\right) + 0 + \frac{Q}{4\pi\epsilon_0 c} \\ &= \frac{Q}{4\pi\epsilon_0}\left(\frac{1}{a} - \frac{1}{b} + \frac{1}{c}\right)[\text{V}] \end{aligned}$$

004 ★★★

ANSWER ② 250

STEP1 누설전류

$$I = \frac{V}{R} = \frac{500}{2 \times 10^6} = 250[\mu A]$$

005 ★★

ANSWER ③ 자계

STEP1 맥스웰 방정식(암페어의 주회 법칙)

$$\text{rot}H = \nabla \times H = i + \frac{\partial D}{\partial t}$$

회전자계는 전도전류 i 와 변위전류 $\frac{\partial D}{\partial t}$ 의 합으로 나타낼 수 있다.

006 ★

ANSWER ③ 8.855×10^{-12}[F/m]

ϵ_0 : 진공상태에서 유전율,

$$8.855 \times 10^{-12} = \frac{1}{4\pi \times 9 \times 10^9}[F/m]$$

007 ★★

ANSWER ① 1[A]의 전류에 대한 자속이 1[Wb]인 경우이다.

STEP1 인덕턴스

자기 인덕턴스 : 자신의 회로에 단위 전류(1[A])가 흐를 때의 자속 쇄교수(1[Wb])

$$L = \frac{N\phi}{I}[Wb/A] \text{ 또는 } [H]$$

008 ★★

ANSWER ① r 에 반비례

평행 도선 사이의 힘

$$F = \frac{\mu I_1 I_2}{2\pi r}[N/m]$$

즉, r 에 반비례한다.

009 ★★★

ANSWER ① $\frac{\epsilon\omega E_m \cos\omega t}{d}$

MATH 39단원 삼각함수,

e^x그리고 지수함수의 미분

STEP1 변위 전류

변위 전류 $i_d = \frac{\partial D}{\partial t} = \epsilon\frac{\partial E}{\partial t}[A/m^2]$

STEP2 평행 평판 도체의 전계의 세기

$$E = \frac{e}{d}[V/m]$$

STEP3 변위 전류 대입

$$i_d = \frac{\partial D}{\partial t} = \epsilon\frac{\partial E}{\partial t} = \epsilon\frac{\partial}{\partial t}\left(\frac{e}{d}\right)$$
$$= \frac{\partial}{\partial t}\left(\frac{\epsilon E_m \sin wt}{d}\right)$$
$$= \frac{\epsilon w E_m \cos wt}{d}[A/m^2]$$

010 ★

ANSWER ② 1.16

STEP1 전력량

일정 시간 동안 소비된 전력의 양

$$1[kWh] = 860[kcal], 10^6[cal] = 10^3[kcal]$$
$$= \frac{10^3}{860} = 1.16[kWh]$$

011 ★★★

ANSWER ③ 히스테리시스손을 줄이기 위해

전기기기의 철손 대책

㉠ 철심 재료로 규소 사용 : 히스테리시스손 감소

㉡ 강판의 두께를 얇게 하고 성층 : 와류손 감소

2019년 3회

012 ★★★

ANSWER ② 항상 흡인력이다.

STEP1 접지 구도체와 영상전하

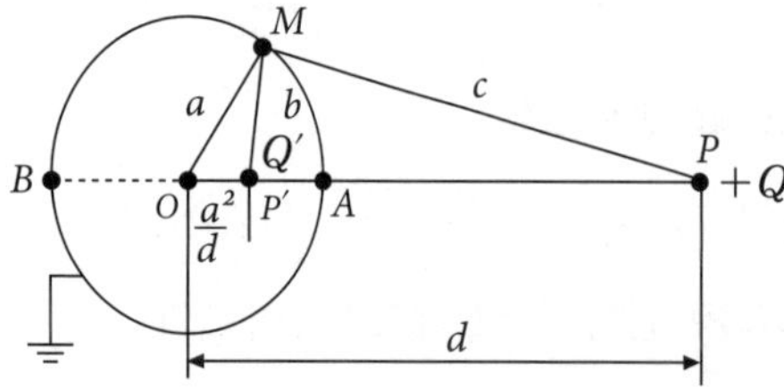

점전하 Q[C]와 영상전하(Q') $= -\dfrac{a}{d}Q$[C]사이에는 항상 흡인력이 작용한다.

013 ★

ANSWER ① 전압

플레밍의 왼손 법칙(엄지 – 힘, 검지 – 자속밀도, 중지 – 전류)

자계 $\vec{H}$ 에 의해 전류 도체가 받는 자기력 방향이 결정

$F = (\vec{B} \times \vec{I}) \cdot l = BIl\sin\theta$[N]

($\vec{F}$: 전자력, $\vec{B}$: 자속밀도)

014 ★★

ANSWER ② 6×10^{-6}

STEP1 정의

일 W[J] : 물체에 힘 F [N]을 가했을 때 힘과 힘이 가해진 방향으로 움직인 거리 r [m]를 곱한 물리량

힘 F [N] = 전하량 Q[C]와 전계 E[V/m]의 곱으로 정의한다.

$\therefore W = \vec{F} \cdot \vec{r}, \vec{F} = Q \times \vec{E}$

STEP2 계산

$$\begin{aligned} W &= \vec{F} \cdot \vec{r}, = Q \times \vec{E} \cdot \vec{r} \\ &= (0.02 \times 10^{-6}) \times \{(\boldsymbol{i} + 2\boldsymbol{j} + 3\boldsymbol{k}) \times 10^2\} \cdot 3\boldsymbol{i} \\ &= (0.06 \times 10^{-4}) \times (\boldsymbol{i} + 2\boldsymbol{j} + 3\boldsymbol{k}) \cdot \boldsymbol{i} \\ &= (6 \times 10^{-6}) \times (\boldsymbol{i} \cdot \boldsymbol{i}) \\ &= 6 \times 10^{-6}[\text{J}] \end{aligned}$$

$(x\boldsymbol{i} + y\boldsymbol{j} + z\boldsymbol{k}) \times 10^2$[V/m] $= (x\boldsymbol{i} + y\boldsymbol{j} + z\boldsymbol{k})$[V/cm]

TIP !

내적의 성질

$\boldsymbol{i} \cdot \boldsymbol{i} = 1, \boldsymbol{j} \cdot \boldsymbol{i} = \boldsymbol{i} \cdot \boldsymbol{j} = 0, \boldsymbol{k} \cdot \boldsymbol{i} = \boldsymbol{i} \cdot \boldsymbol{k} = 0$

015 ★★

ANSWER ① 도선의 길이에 비례한다.

STEP1 플레밍의 왼손 법칙

자계 $\vec{H}$ 에 의해 전류 도체가 받는 자기력 방향이 결정(전동기의 원리)

$F = (\vec{B} \times \vec{I}) \cdot l = BIl\sin\theta$[N]

($\vec{F}$: 전자력, $\vec{B}$: 자속밀도)

즉, 힘은 직선 도선의 길이(l)에 비례하고,
전류의 세기(I)에 비례하고,
자계의세기(B)에 비례하고,
전류와 자계 사이의 각에 대한
정현($\sin\theta$)에 비례한다.

016 ★★★

ANSWER ② $\dfrac{1}{2}$

STEP1 원형 코일의 중심 자계의 세기

$$H_0 = \frac{I}{2a} = \frac{1}{2 \times 1} = \frac{1}{2}[\text{A/m}]$$

017 ★★

ANSWER ② nC

STEP1 커패시터의 접속

직렬 접속: $C_T = \left(\frac{1}{C_1} + \frac{1}{C_2} \cdots + \frac{1}{C_n}\right)^{-1}$

병렬 접속: $C_T = C_1 + C_2 + \cdots + C_n$

STEP2 합성 정전용량

$$C_T = C_1 + C_2 + \cdots + C_n$$
$$= C + C + C + \cdots + C$$
$$= nC$$

018 ★

ANSWER ② n배가 된다.

STEP1 전위

전위 $V_i = \sum_{j=1}^{n} P_{ij} Q_j \, (P_{ij}$: 전위계수)

즉, 전하 Q_j를 각각 n 배 한다면, 전위는 다음과 같다.

$$V_i' = \sum_{j=1}^{n} P_{ij}(nQ_j) = nV_i$$

즉, 전위는 n 배가 된다.

019 ★★★

ANSWER ② $\frac{\lambda}{2\pi\epsilon_0 r}$ 답을 암기할 것

STEP1 무한장 직선 도체

무한장 직선 도체의 전계의 세기

$$E = \frac{\lambda}{2\pi\epsilon_0 r} [\mathrm{V/m}]$$

020 ★★

ANSWER ③ $\frac{\mu_0}{2}$

STEP1 자속밀도

$\vec{B} = \mu \vec{H}\,[\mathrm{Wb/m^2}]$

STEP2 무한 직선 도체에서의 자계의 세기

$$H = \frac{I}{2\pi r}[\mathrm{A/m}]$$

STEP3 대입

$$\vec{B} = \mu \vec{H} = \mu_0 \frac{I}{2\pi r} = \mu_0 \frac{2\pi}{2\pi \times 2}$$
$$= \frac{\mu_0}{2}[\mathrm{Wb/m^2}]$$

제2과목 | 전력공학

021 ★★★

ANSWER ③ 차단기의 차단용량을 증대시킨다.

중성점 접지목적

㉠ 이상전압의 경감 및 발생 방지

㉡ 전선로 및 기기의 절연레벨 경감(단절연·저감 절연)

㉢ 보호 계전기의 신속·확실한 동작

㉣ 소호리액터 접지계통에서 1선 지락 시 아크 소멸 및 안정도 증진

022 ★★

ANSWER ④ $0.05 + 0.4605\log_{10}\frac{2D}{d}$

㉠ 단도체의 인덕턴스

$$L = 0.05 + 0.4605\log\frac{D}{r}\,[\text{mH/km}]$$

지름이 d이기 때문에 반지름 r 은 $\frac{d}{2}$

$$\therefore L = 0.05 + 0.4605\log\frac{D}{r} = 0.05 + 0.4605\log\frac{D}{\frac{d}{2}} = 0.05 + 0.4605\log\frac{2D}{d}\,[\text{mH/km}]$$

㉡ 복도체(n)의 인덕턴스

$$L_n = \frac{0.05}{n} + 0.4605\log\frac{d}{\sqrt[s]{rs^{n-1}}}\,[\text{mH/km}]$$

023 ★

ANSWER ① 저주파 반송전류를 중첩시켜 사용하므로 계통의 신뢰도가 높아진다.

㉠ 반송계전방식(Carrier Relaying)

- 송전선에 단락이나 접지의 사고가 일어났을 때 고장점의 양끝에서 신속히 선로를 차단하도록 차단기에 지령을 전하여 동시에 고속도 차단.
- 전력선 반송계전방식, 통신선 반송계전방식, 마이크로파 반송계전방식 등이 있다.

㉡ 전력선 반송계전방식(Power Line Carrier Relaying)

- 반송파의 전송통로로 가공송전선을 이용하여 반송파(30~300[kHz]의 높은 주파수)를 전송하는 계전방식
- 설비비가 송전선 긍장에 무관하여 지중선을 제외한 설비에 이용
- 별도의 통신선을 설치 할 필요가 없다.
- 유도장해 문제가 있어 최근에는 거의 사용을 하지 않는다.

024 ★★

ANSWER ③ 9

부하의 유효전력:

$P = P_a\cos\theta = 10 \times 0.8 = 8[\text{kW}]$

부하의 무효전력:

$Q_L = P_a\sin\theta = 10 \times 0.6 = 6[\text{kVar}]$

콘덴서 설치 후 무효전력:

$Q = Q_L - Q_C = 6 - 2 = 4[\text{kVar}]$

콘덴서 설치 후 피상전력:

$P_a' = \sqrt{P^2 + Q^2} = \sqrt{8^2 + 4^2} \fallingdotseq 8.94[\text{kVA}]$

TIP !

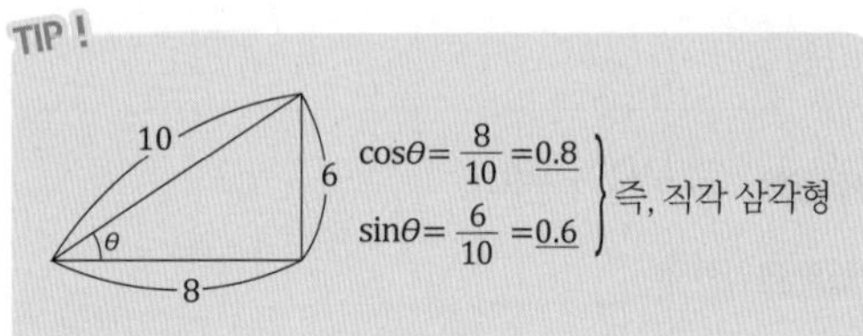

025 ★

ANSWER ① 6.6 **답을 암기할 것**

발전기 정격전압

380, 600, 3.3, 6.6, 11, 13.8, 18, 20, 22[kV]

TIP !

6.6[kV]은 2회 출제된 적이 있다.

026 ★★★

ANSWER ③ 선로정수의 평형

연가의 목적

㉠ 선로 정수 평형

㉡ 근접 통신선에 대한 유도장해 감소

㉢ 소호리액터 접지계통에서 중성점의 잔류전압으로 인한 직렬 공진의 방지

㉣ 대지 정전용량, 임피던스 평형

027 ★★★

ANSWER ② 차단기 **답을 암기할 것**

개폐장치 능력

	회로분리		사고차단	
	무부하	부하	과부하	단락
퓨즈	○			○
차단기	○	○	○	○
개폐기	○	○	○	
단로기	○			
전자 접촉기	○	○	○	

028 ★★

ANSWER ③ 연간 발전비용을 줄이기 위하여

- 양수발전 : 심야 또는 경부하시 발전 단가가 낮은 잉여 전력을 사용하여 낮은 곳에 있는 물을 높은 곳으로 퍼올렸다가 첨두부하시에 양수된 물로 발전하는 것
- 양수발전 목적 : 연간 발전 비용을 감소

029 ★★★

ANSWER ③ 가공지선

가공지선의 설치효과

㉠ 직격뢰로부터 선로 및 기기 차폐

㉡ 유도뢰에 의한 정전차폐효과

㉢ 통신선의 전자유도장해를 경감시킬 수 있는 전자차폐효과

030 ★★

ANSWER ③ $\dfrac{E_S E_R}{B}$ **답을 암기할 것**

원선도의 반지름 산출식

$$\rho = \frac{E_S E_R}{B}$$

031 ★★

ANSWER ③ $\dfrac{1}{2}, \dfrac{1}{4}, \dfrac{1}{4}$ **답을 암기할 것**

전압강하

$$e = \sqrt{3}\,I(R\cos\theta + X\sin\theta) = \frac{P}{V\cos\theta}(R\cos\theta + X\sin\theta) = \frac{P}{V}(R + X\tan\theta) \propto \frac{1}{V}$$

전압강하율

$$\delta = \frac{e}{V} \times 100 = \frac{P}{V^2}(R + X\tan\theta) \times 100\,[\%] \propto \frac{1}{V^2}$$

전력손실률

$$K = \frac{P_l}{P} \times 100 = \frac{3I^2R}{P} \times 100 = \frac{\dfrac{P^2R}{V^2\cos^2\theta}}{P} \times 100 = \frac{PR}{V^2\cos^2\theta} \times 100\,[\%] \propto \frac{1}{V^2}$$

따라서, 전압을 2배로 승압하면 전압강하는 $\dfrac{1}{2}$, 전압강하율과 전력손실률은 $\dfrac{1}{4}$로 감소한다.

032 ★★★

ANSWER ④ 영상전류

전자유도장해

- 지락 사고 시 흐르는 큰 영상전류에 의해 전자유도전압이 상승하여 유도장해가 발생한다.
- 전자유도전압 $E_m = j\omega M l I_g = j\omega M l(3I_0)$ 이므로 영상전류 I_0[A] 및 선로길이(l)에 비례한다.

033 ★

ANSWER ② 22

완전 공진 상태에서는 리액턴스분이 없고 저항성분만 있으므로

전류는 $I = \dfrac{E}{R} = \dfrac{4400}{200} = 22\,[\mathrm{A}]$

2019년 3회

034 ★★★

ANSWER ① 2차측 절연 보호

변류기의 2차측을 개방하면 1차 부하전류가 모두 여자전류로 변화하여 2차 코일에 과전압이 발생하여 절연이 파괴되고, 권선이 손상될 위험이 있다.

035 ★★

ANSWER ② 23[%]

퍼센트 리액턴스

$$\%X = \frac{PX}{10V^2} = \frac{(100\times10^3)\times10}{10\times66^2} = 22.96[\%]$$

(여기서, V: 전압[kV], P: 용량[kVA])

036 ★

ANSWER ③ 260

V결선 시 출력

$$P_V = \sqrt{3}P_1 = \sqrt{3}\times150 = 259.81[\text{kVA}]$$

(여기서, P_1: 변압기 1개의 출력)

037 ★★

ANSWER ④ 10[Hz]

차단기의 정격차단시간

정격전압하에서 규정된 표준 동작책무 및 동작상태에 따라 차단할 때의 차단시간한도로서 트립코일여자로부터 아크소호까지의 시간(개극시간 + 아크시간)

정격전압[kV]	7.2	25.8	72.5	170	362
정격차단시간 (cycle)	5~8	5	5	3	3

038 ★★

ANSWER ② 선로절연에 요하는 비용 절감

전력용 콘덴서 설치(역률 개선)시 효과

㉠ 설비용량의 여유 증가

㉡ 선로의 전압강하 감소

㉢ 전력손실 감소

㉣ 설비의 이용률 향상

㉤ 전력 요금의 절약

㉥ 선로전류의 감소

선로절연에 요하는 비용은 선로의 역률과 무관하며, 선로전압의 크기에 좌우된다.

039 ★

ANSWER ③ 관의 길이 **답을 암기할 것**

토리첼리의 정리

유속 $v = c_v\sqrt{2gh}[\text{m/s}]$

(c_v: 유속계수, g: 중력 가속도[m/s^2], h: 유효 낙차[m])

040 ★

ANSWER ② 322 **답을 암기할 것**

송전전력

$$P = \frac{V_s V_r}{X}\sin\delta = \frac{161\times155}{49.8}\times\sin40^\circ = 322.1[\text{MW}]$$

041 ★★

ANSWER ① 기전력의 파형을 개선한다.

동기기 분류

STEP1 회전계자형

㉠ 고용량 설비(고전압, 대전류)에 적합하다.

㉡ 고전압이 걸리는 전기자권선을 절연하기 용이하다.

㉢ 계자극은 슬립링과 브러시를 통에 직류전원으로 공급한다.

㉣ ㉢에서 저전압만을 필요로 하므로 기계적으로 튼튼하게 하기 용이하다.

STEP2 회전전기자형

㉠ 전기자권선을 절연하기 어렵다.

㉡ ㉠의 이유로 저전압, 소전류용으로 사용한다.

※ 기전력의 파형을 개선하기 위해서는 전기자 권선을 분포권 및 단절권으로 하여야 한다.

042 ★★

ANSWER ④ 63

STEP1 전기자 주변속도

$$v = \pi Dn = \pi D\frac{N_s}{60}[\text{m/sec}]$$

STEP2 동기속도

$$N_s = \frac{120f}{p} = \frac{120 \times 60}{12} = 600[\text{rpm}]$$

STEP3 주변속도 공식에 대입한다.

$$v = \pi D\frac{N_s}{60} = \pi \times 2 \times \frac{600}{60} = 62.8[\text{m/s}]$$

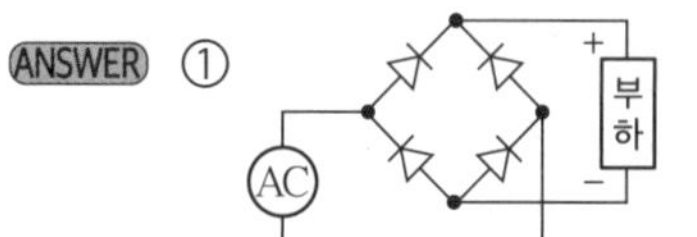

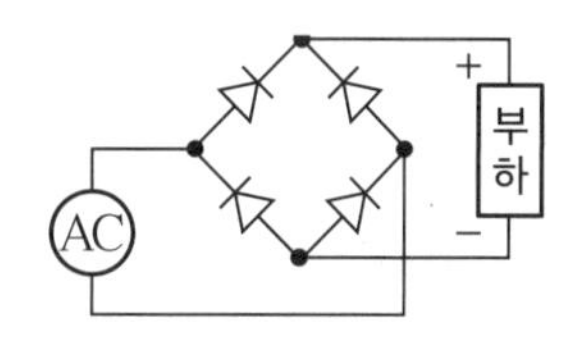

043 ★

ANSWER ①

브리지 정류 회로

044 ★★

ANSWER ② 감자작용

STEP1 전기자 반작용

㉠ 횡축 반작용(교차자화작용) : 전기자 전류와 유기기전력 (무부하 전압)과 동위상이 되는 경우이며, 이때, 전류의 크기는 $I\cos\theta$이다.

㉡ 직축 반작용 : 전기자 전류와 유기기전력(무부하 전압)과 위상차가 있는 경우이며, 감자 작용과 증자 작용이 있다.

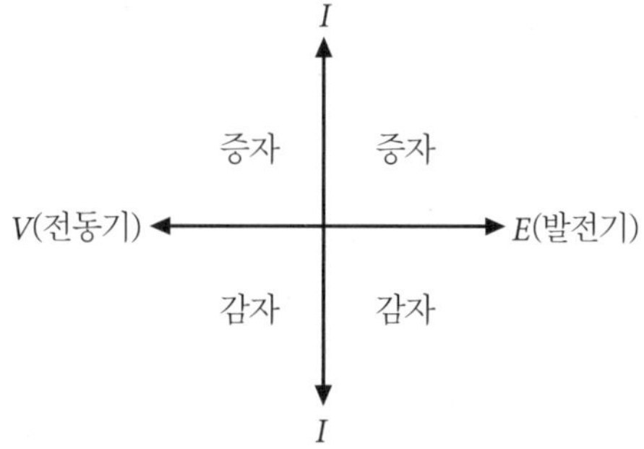

	동기 발전기	동기 전동기
전압과 동상	횡축 반작용	횡축 반작용
진상 전류	증자 작용	감자 작용
지상 전류	감자 작용	증자 작용

045 ★★

ANSWER ③ 단상 직권 정류자 전동기에서는 보극권선을 사용하지 않는다.

STEP1 단상 직권 정류자 전동기

직류 직권 전동기에 전원을 직류 대신 교류로 공급해도 항상 같은 방향의 토크를 발생하므로 운전이 가능하다.

직류, 교류 모두 가능하여 만능 전동기(유니버셜 모터, Universal motor)라 불린다.

STEP2 종류 및 구조

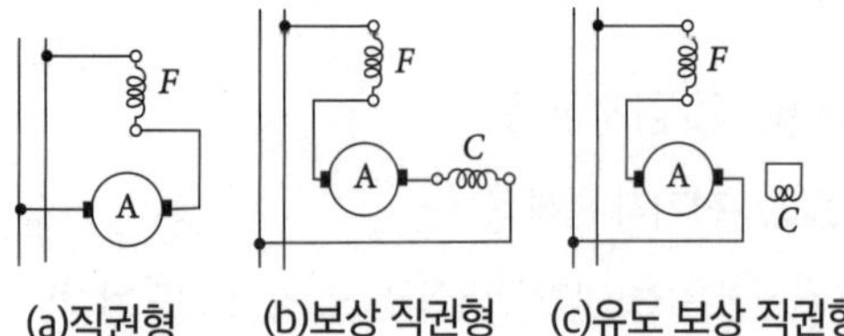

(a)직권형 (b)보상 직권형 (c)유도 보상 직권형

STEP3 특징

㉠ 철손이 크다 : 계자의 자속이 정현적으로 교번하므로 전기자, 계자 모두 성층철심으로 한다.

㉡ 역률이 낮다 : 전기자 및 계자 권선의 리액턴스 강하가 크므로 계자 인덕턴스를 작게(권수를 적게)한다.

㉢ 정류가 곤란하다 : 전기자 권선수를 증가하면 전기자 반작용이 크므로 보상권선과 보극을 설치한다.

㉣ 단락전류가 크다 : 전기자 코일과 정류자편 사이에 고저항의 도선을 사용한다.

㉤ 정출력 특성 : 진공청소기, 전동드릴, 영사기, 치과의료용 등의 소형에 사용한다.

046 ★★

ANSWER ② 슬립 측정

STEP1 원선도 작성에 필요한 시험

㉠ 무부하 시험 → 정격 전압 V_0, 무부하 전류 I_0, 무부하 입력 P_0

㉡ 구속 시험(단락) → 단락 전압 V_{sc}, 단락 전류 I_{sc}, 단락 입력 P_{sc}

㉢ 고정자 저항 측정 → 고정자 저항 R_1, 위상 θ_1
(여기서, I_{sc}는 측정값이 아닌 계산값)

STEP2 원선도에서 알 수 있는 사항

㉠ 총 전동기 입력, 전체 손실, 고정손(철손), 고정자(1차) 동손, 회전자(2차) 동손

㉡ 고정자 입력, 고정자 출력

㉢ 슬립, 역률, 효율, 기동 토크

047 ★

ANSWER ④ $\dfrac{E}{x}$에 비례

원선도 반지름 $r = \dfrac{E_1}{2(x_1 + x_2{}')}$

(여기서, E_1 : 1차 전압, x_1 : 고정자 리액턴스, $x_2{}'$: 회전자 등가 리액턴스)

따라서, 원선도 지름 $d = \dfrac{E_1}{x_1 + x_2{}'}$ 이므로

전압에 비례하고 누설 리액턴스에 반비례한다.

048 ★

ANSWER ② 다이오드

IGBT, MOSFET, 사이리스터는 모두 GATE가 있고 GATE에 의해서 사용자가 임의로 ON, OFF 시킬 수 있다. 하지만 다이오드는 회로의 주변 상황에 따라 순방향으로 전압이 가해지면 도통하고 역방향으로 전압이 가해지면 도통하지 않는 수동적인 소자이다.

049 ★

ANSWER ③ 부하가 가해지면 슬립의 발생 소요 토크는 직류전동기와 같다.

STEP1 3상 분권 정류자 전동기

㉠ 정류자 권선은 구조상 저전압, 대전류에 적합하기 때문에 변압기를 사용하여 전원 전압을 낮추고 동시에 이 전압을 제어하기 위해 탭을 설치한다.

㉡ 시라게 전동기의 특성이 가장 뛰어나고 가장 널리 사용되고 있다.

050 ★

ANSWER ② 2차 여자법

2차 여자법

유도전동기의 회전자 권선에 회전자 기전력 $E_{2s}=sE_2$와 같은 주파수의 전압 E_c을 인가하여 속도제어 방식이며 효율이 우수하며 광범위한 속도제어가 가능하다.

$I_2 = \dfrac{sE_2 \pm E_c}{r_2}$ 으로 여기서, I_2, r_2가 일정하다고 하면 $sE_2 \pm E_c$도 일정하며 이때 E_c의 변화에 따라 속도를 제어할 수 있다.

051 ★★

ANSWER ④ 2차 저항

STEP1 비례추이

2차 저항의 크기를 변화시키면 최대 토크의 크기는 변하지 않으나 최대 토크를 발생하는 슬립점(속도)이 2차 회로의 저항에 비례하여 이동하는 것을 비례추이라 한다.

052 ★★

ANSWER ② 1081

STEP1 전압과 회전속도의 관계

$E=k\phi N$이므로 $E \propto N$이다.

STEP2 역기전력

$I_a=100[A]$일 때의 역기전력

$E_c = V - I_aR_a = 200-(100\times 0.15)=185[V]$

$I_a = 0$일 때의 역기전력 $E_{c0}=200[V]$ ($\because I_a = 0$)

STEP3 비례식으로 회전속도 구하기

$E \propto N$으로 비례식을 세운다.

$E_{c0} : E_c = N_0 : N$

$200 : 185 = N_0 : 1000$

$\therefore N_0 = \dfrac{200}{185}\times 1000 = 1081.08[rpm]$

053 ★

ANSWER ② 입력 전압, 1차 유도기전력

STEP1 이상적인 변압기

㉠ 자속과 여자전류는 동상이다.

㉡ 자속은 인가전압보다 90° 뒤진다.

㉢ 공급전압과 1차 유도기전력은 크기는 같고, 방향은 반대이다.

㉣ 1차 유기기전력과 2차 유기기전력은 동상이다.

054 ★★

ANSWER ① 62.5

STEP1 수수전력

$$P_G = \frac{E^2}{2x_s}\sin\delta[W]$$

STEP2 대입한다.

$$P_G = \frac{1000^2}{2\times 4}\times \sin 30° = 62500[W] = 62.5[kW]$$

055 ★★★

ANSWER ③ 4.35

STEP1 전압변동률

$$\%V \cdot R = \frac{V_{NL} - V_{FL}}{V_{FL}} \times 100$$

(여기서, $\%V \cdot R$(Voltage Regulation) : 전압변동률

V_{NL}(No Load Voltage) : 무부하 단자전압

V_{FL}(Full Load Voltage) : 전부하 단자 전압)

STEP2 전압변동률 식에 대입한다.

$$\%V \cdot R = \frac{V_{NL} - V_{FL}}{V_{FL}} \times 100 = \frac{240 - 230}{200} \times 100 = 4.35[\%]$$

056 ★★★

ANSWER ③ 1.25

STEP1 단락비

단락비 $K_s = \frac{I_f}{I_f'}$

$I_f = 200[A]$

STEP2 정격전류

$$I_n = \frac{P}{\sqrt{3}\,V} = \frac{5000 \times 10^3}{\sqrt{3} \times 6000} = 481.13[A]$$

정격 전류와 같은 단락 전류를 통하는 데 요하는 여자전류 I_f'

$$I_f' = 200 \times \frac{481.13}{600} = 160.38[A]$$

STEP3 단락비 계산

$$\therefore \text{단락비}(K_s) = \frac{I_f}{I_f'} = \frac{200}{160.38} = 1.25$$

057 ★★

ANSWER ① 95

STEP1 임피던스 전압

$$z = \frac{V_s}{V_{1n}} \times 100,\ V_s = \frac{zV_{1n}}{100}$$

STEP2 %임피던스 구하기

%저항(p) = 2.4[%], %리액턴스(q) = 1.6[%]

%임피던스

$$z = \sqrt{p^2 + q^2} = \sqrt{2.4^2 + 1.6^2} = 2.88[\%]$$

STEP3 대입한다.

$$V_s = \frac{zV_{1n}}{100} = \frac{2.88 \times 3300}{100} = 95.04[V]$$

058 ★★

ANSWER ③ ⓒ

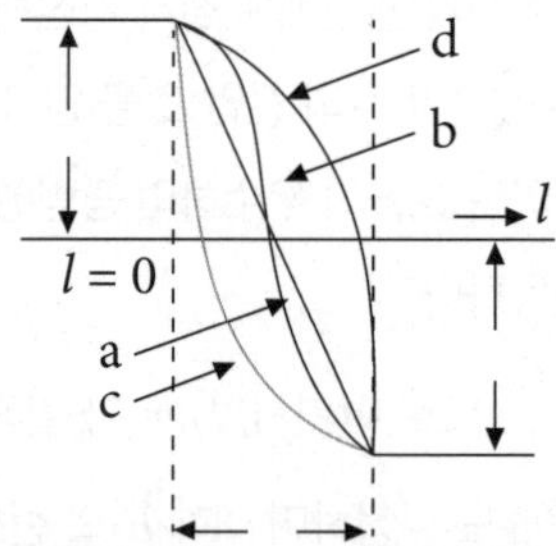

ⓐ 직선정류 : 가장 이상적인 정류

ⓒ 과정류 : 정류 초기에 브러시 앞면에 불꽃 발생

ⓑ 정현파정류 : 양호한 정류

ⓓ 부족정류 : 정류 말기에 브러시 뒷면에 불꽃 발생

059 ★★★

ANSWER ① 57.8 답을 암기할 것

STEP1 V결선의 이용률

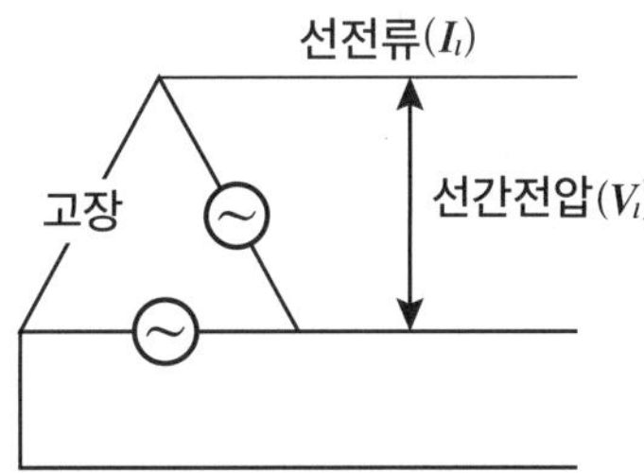

$$\text{이용률} = \frac{V\text{결선}}{2\text{대}} = \frac{\sqrt{3}P}{2P} = \frac{\sqrt{3}}{2} = 86.6[\%]$$

TIP !

출력비

$$= \frac{\text{V결선}}{\triangle\text{ 결선}} = \frac{\sqrt{3}P}{3P} = \frac{\sqrt{3}}{3} = 57.7[\%]$$

060 ★

ANSWER ① 2층권

STEP1 직류기 권선법

일반적으로 사용되는 직류기 권선법은 고상권, 폐로권, 이층권이다.

㉠ 고상권 : 도체를 전기자의 표면에만 감는 권선법

㉡ 폐로권 : 권선의 시종점이 없이 폐회로를 이루고 있는 권선법

㉢ 이층권 : 1개의 슬롯에 2개의 코일변을 넣는 권선법이며 코일의 제작, 작업이 용이하므로 직류기는 2층권만을 사용

제4과목 | 회로이론

061 ★

ANSWER ④ $C(s) = G(s)$

STEP1 임펄스 함수의 라플라스 변환

$\delta(t) \xrightarrow{\mathcal{L}} 1$

$\therefore R(s) = 1$

STEP2 전달함수

$C(s) = G(s)R(s)$에서 $R(s) = 1$이므로

$\therefore C(s) = G(s)$

062 ★★

ANSWER ③ 15

MATH 23단원 유리식

STEP1 합성 저항 계산

합성 저항

$$R = r \parallel (r+r) = r \parallel 2r = \frac{r \times 2r}{r + 2r} = \frac{2}{3}r$$

STEP2 옴의 법칙

$$R = \frac{V}{I} = \frac{30}{3} = 10 = \frac{2}{3}r$$

$$\therefore r = 10 \times \frac{3}{2} = 15[\Omega]$$

063 ★★★

ANSWER ② $\frac{\text{역상전압}}{\text{정상전압}} \times 100[\%]$ 답을 암기할 것

$$\text{불평형률} = \frac{\text{역상분}}{\text{정상분}} \times 100[\%]$$

064 ★★

ANSWER ② 173

STEP1 실효값

실효값 전압 $V = \frac{V_m}{\sqrt{2}} = \frac{141.4}{\sqrt{2}} = 100[\text{V}]$

실효값 전류 $I = \frac{I_m}{\sqrt{2}} = \frac{\sqrt{8}}{\sqrt{2}} = 2[\text{A}]$

(여기서, V_m, I_m : 정현파 전압, 전류의 최대값)

STEP2 유효전력

유효전력 $P = VI\cos\theta$에서

전압과 전류의 위상차

$\theta = \frac{\pi}{3} - \frac{\pi}{6} = -\frac{\pi}{6}[\text{rad}]$

$\cos\left(-\frac{\pi}{6}\right) = \cos\frac{\pi}{6}$

$\therefore P = VI\cos\theta = 100 \times 2 \times \cos\frac{\pi}{6}$

$\fallingdotseq 173[\text{W}]$

065 ★★

ANSWER ④ 600

STEP1 대칭 T 형 회로의 영상 파라미터

$Z_{01} = \sqrt{\frac{AB}{CD}}, Z_{02} = \sqrt{\frac{DB}{CA}}$

대칭 T 형 회로 $A = D$ 이므로

$\therefore Z_{01} = \sqrt{\frac{B}{C}}$

STEP2 대칭 T 형 회로의 4단자 정수

$C = \frac{1}{R_3} = \frac{1}{450}$

$B = \frac{R_1R_3 + R_1R_2 + R_2R_3}{R_3}$

$= \frac{300 \times 450 + 300 \times 300 + 300 \times 450}{450}$

$= 800$

$\therefore Z_{01} = \sqrt{\frac{B}{C}} = \sqrt{\frac{800}{1/450}} = 600[\Omega]$

066 ★

ANSWER ① 뒤지지만 90° 이하이다.

STEP1 임피던스 극좌표 표현

$Z = R + jX_L = Z\angle\theta$에서

$Z = \sqrt{R^2 + X_L^2}, \theta = \tan^{-1}\frac{X_L}{R}$

이때, 유도성 부하이므로 $0° < \theta < 90°$ 이다.

STEP2 옴의 법칙

$I = \frac{V}{Z} = \frac{100\angle 0°}{Z\angle\theta}$

$= \frac{100}{Z}\angle -\theta, 0° > -\theta > -90°$

따라서, 전류의 위상 $-\theta$는 뒤지지만($0° > -\theta$) 90° 이하($-\theta > -90°$) 이다.

067 ★★

ANSWER ② $2W$

STEP1 Y결선 특징

선간전압 $V_l = \sqrt{3}\, V_p\angle 30°$

선전류 $I_l = I_p\angle 0°$

(여기서, V_p : 상전압, I_p : 상전류)

문제의 전력계는 두 전원선 사이를 측정하므로

$\therefore W = V_lI_l = \sqrt{3}\, V_pI_p\cos 30°$

$= \sqrt{3}\, V_pI_p \times \frac{\sqrt{3}}{2} = \frac{3V_pI_p}{2}[\text{W}]$

STEP2 3상 전력

3상 유효전력 $P = \sqrt{3}\, V_lI_l\cos\theta = 3V_pI_p\cos\theta$

순저항 부하($\cos\theta = 1$)이므로 $P = 3V_pI_p$

$\therefore P = 3V_pI_p = 2 \times \left(\frac{3V_pI_p}{2}\right) = 2 \times W$

$= 2W[\text{W}]$

068 ★★★

ANSWER ② 283

STEP1 각 파형의 실효값, 평균값

파형	정현파	정현반파	삼각파	구형반파	구형파
실효값	$\frac{V_m}{\sqrt{2}}$	$\frac{V_m}{2}$	$\frac{V_m}{\sqrt{3}}$	$\frac{V_m}{\sqrt{2}}$	V_m
평균값	$\frac{2V_m}{\pi}$	$\frac{V_m}{\pi}$	$\frac{V_m}{2}$	$\frac{V_m}{2}$	V_m

STEP2 계산

정현파의 실효값 $V = \frac{V_m}{\sqrt{2}} = 314[\text{V}]$이므로

∴ 평균값

$$V_{av} = \frac{2V_m}{\pi} = \frac{2\sqrt{2}}{\pi} \times \frac{V_m}{\sqrt{2}} = \frac{2\sqrt{2}}{\pi} \times V$$

$$= \frac{2\sqrt{2}}{\pi} \times 314 \fallingdotseq 283[\text{V}]$$

069 ★

ANSWER ④ $R_2 = R_3,\ R_1 = R_4 = 0$

MATH 33단원 행렬 기초

STEP1 4단자 정수

㉠

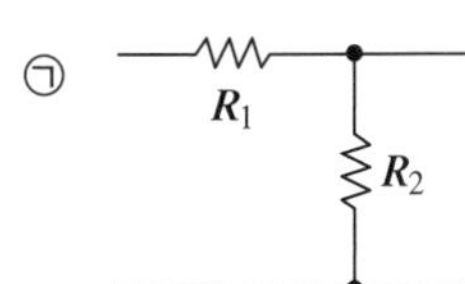

$$\begin{bmatrix} A & B \\ C & D \end{bmatrix} = \begin{bmatrix} 1 & R_1 \\ 0 & 1 \end{bmatrix}\begin{bmatrix} 1 & 0 \\ \frac{1}{R_2} & 1 \end{bmatrix} = \begin{bmatrix} 1+\frac{R_1}{R_2} & R_1 \\ \frac{1}{R_2} & 1 \end{bmatrix}$$

㉡

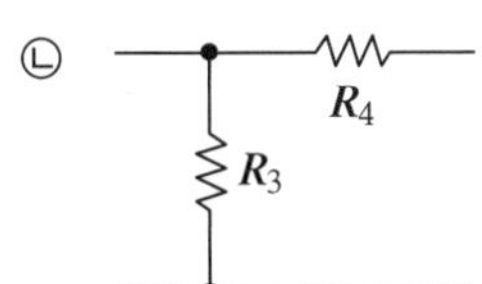

$$\begin{bmatrix} A & B \\ C & D \end{bmatrix} = \begin{bmatrix} 1 & 0 \\ \frac{1}{R_3} & 1 \end{bmatrix}\begin{bmatrix} 1 & R_4 \\ 0 & 1 \end{bmatrix} = \begin{bmatrix} 1 & R_4 \\ \frac{1}{R_3} & 1+\frac{R_4}{R_3} \end{bmatrix}$$

$\therefore R_2 = R_3,\ R_1 = R_4 = 0$

070 ★★★

ANSWER ③ 380

STEP1 정현파의 실효값

실효값 $V = \frac{V_m}{\sqrt{2}} = \frac{220\sqrt{2}}{\sqrt{2}} = 220[\text{V}]$

∴ 상전압 $V_p = 220[\text{V}]$

STEP2 Y결선 특징

선간전압 $V_l = \sqrt{3}\,V_p$

선전류 $I_l = I_p$

(여기서, V_p : 상전압, I_p : 상전류)

$\therefore V_l = \sqrt{3}\,V_p = \sqrt{3} \times 220 = 381.05[\text{V}]$

071 ★

ANSWER ① $10(1-e^{-t})$

STEP1 RC 과도현상

RC 직렬 회로에서 직류 전압 인가 시 전하는 다음과 같다.

$$\therefore q(t) = CE\left(1 - e^{-\frac{1}{RC}t}\right)$$

$$= 0.1 \times 100\left(1 - e^{-\frac{1}{10 \times 0.1}t}\right)$$

$$= 10(1 - e^{-t})[\text{C}]$$

072 ★★

ANSWER ② -1

MATH 3단원 등식 방정식,

30단원 직교좌표와 극좌표

STEP1

$a=-\frac{1}{2}+j\frac{\sqrt{3}}{2},\ a^2=-\frac{1}{2}-j\frac{\sqrt{3}}{2}$ 이므로

$a+a^2=-\frac{1}{2}+j\frac{\sqrt{3}}{2}-\frac{1}{2}-j\frac{\sqrt{3}}{2}=-1$

다른풀이

$1+a+a^2=0$ 이므로 $a+a^2=-1$

TIP !

벡터연산자 a

$a=-\frac{1}{2}+j\frac{\sqrt{3}}{2}$

$a^2=-\frac{1}{2}-j\frac{\sqrt{3}}{2}$

$a^3=1$

$1+a+a^2=0$

073 ★★

ANSWER ④ $P=\sqrt{3}\,V_pI_p\cos\theta$

STEP1 3상 결선과 관계

결선	Y결선	△결선
전압	$V_l=\sqrt{3}\,V_p\angle 30°$	$V_l=V_p\angle 0°$
전류	$I_l=I_p\angle 0°$	$I_l=\sqrt{3}\,I_p\angle -30°$

(여기서, V_l : 선간 전압, I_l : 선로 전류, V_p : 상전압, I_p : 상전류)

STEP2 3상 전력

유효전력 $P=\sqrt{3}\,V_lI_l\cos\theta=3V_pI_p\cos\theta$

074 ★★★

ANSWER ③ 200

STEP1 실효값 계산

$V=\frac{V_m}{\sqrt{2}},\ I=\frac{I_m}{\sqrt{2}}$ 이므로

실효값 전압 : $V_1=\frac{10}{\sqrt{2}},\ V_2=\frac{20}{\sqrt{2}}[\mathrm{V}]$

실효값 전류 : $I_1=\frac{20}{\sqrt{2}},\ I_2=\frac{10}{\sqrt{2}}[\mathrm{A}]$

STEP2 비정현파의 유효전력

비정현파의 유효전력은 같은 주파수의 전압과 전류 사이에서 존재한다.

$$\begin{aligned}\therefore P&=\sum_{n=1}^{\infty}V_nI_n\cos\theta\\&=V_1I_1\cos\theta_1+V_2I_2\cos\theta_2\\&=\frac{10}{\sqrt{2}}\times\frac{20}{\sqrt{2}}\times\cos 0°+\frac{20}{\sqrt{2}}\times\frac{10}{\sqrt{2}}\times\cos 0°\\&=200[\mathrm{W}]\end{aligned}$$

075 ★★★

ANSWER ① 0.3

STEP1 코일의 인덕턴스

코일의 인덕턴스 L은

$$L=\frac{N\phi}{I}=\frac{1000\times(3\times10^{-2})}{10}=3[\mathrm{H}]$$

STEP2 시정수

RL회로의 시정수 $\tau=\frac{L}{R}$ 이므로

$\therefore \tau=\frac{L}{R}=\frac{3}{10}=0.3[s]$

076 ★★★

ANSWER ② 2

MATH 49단원 라플라스 기초

STEP1 최종값 정리

최종값 정리 $f(\infty) = \lim_{t \to \infty} f(t) = \lim_{s \to 0} sF(s)$에 의해서

$$\lim_{t \to \infty} f(t) = \lim_{s \to 0} sF(s) = \lim_{s \to 0} s \times \frac{5s+8}{5s^2+4s}$$
$$= \lim_{s \to 0} s \times \frac{5s+8}{s(5s+4)} = \lim_{s \to 0} \frac{5s+8}{5s+4}$$
$$= \frac{8}{4} = 2$$

TIP !

초기값 정리 $f(0) = \lim_{t \to 0} f(t) = \lim_{s \to \infty} sF(s)$

최종값 정리 $f(\infty) = \lim_{t \to \infty} f(t) = \lim_{s \to 0} sF(s)$

077 ★★

ANSWER ③ $10\angle\frac{\pi}{3}$

MATH 30단원 직교좌표와 극좌표

STEP1 정현파의 표현

순시값 : $i(t) = I_m \sin(\omega t + \theta) = I\sqrt{2}\sin(\omega t + \theta)$

실효값 $I = 10[A]$, 위상 $\theta = \frac{\pi}{3}[rad]$

STEP2 페이저

$I\sqrt{2}\sin(\omega t + \theta) = I\angle\theta$ 이므로

$\therefore 10\angle\frac{\pi}{3}$

078 ★★

ANSWER ② $\frac{s^2}{s^2+1}$

MATH 23단원 유리식

STEP1 임피던스의 라플라스 변환

㉠ 저항 : $R \xrightarrow{\pounds} R$

㉡ 용량성 리액턴스 : $\omega L \xrightarrow{\pounds} Ls$

㉢ 유도성 리액턴스 : $\frac{1}{\omega C} \xrightarrow{\pounds} \frac{1}{Cs}$

∴ 회로의 임피던스 $Z = \frac{1}{Cs} + Ls$

STEP2 옴의법칙

$$V_1(s) = Z \times I(s) = \left(\frac{1}{Cs} + Ls\right) \times I(s)$$
$$V_2(s) = Ls \times I(s)$$

STEP3 전달함수

$$G(s) = \frac{\text{출력}}{\text{입력}} = \frac{V_2(s)}{V_1(s)} = \frac{Ls \times I(s)}{\left(\frac{1}{Cs} + Ls\right) \times I(s)}$$
$$= \frac{Ls}{\frac{1}{Cs} + Ls} = \frac{Ls^2}{\frac{1}{C} + Ls^2}$$

$C = 1[F]$, $L = 1[H]$이므로

$$\therefore G(s) = \frac{s^2}{1+s^2}$$

079 ★

ANSWER ③ 3 답을 암기할 것

STEP1 단상 등가 회로와 전력

다음 그림과 같이 1상의 회로를 가정한다.

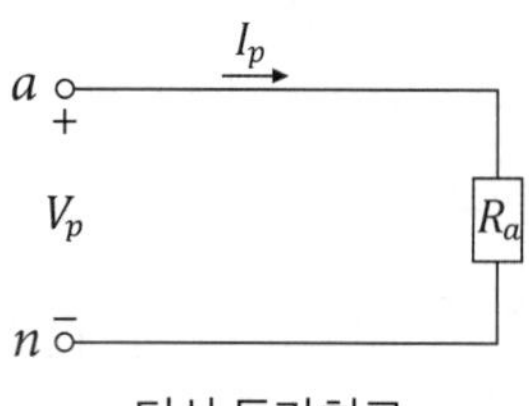

단상 등가회로

1상의 소비전력 $I_p^2 R_a = \dfrac{V_p^2}{R_a}$ 이므로

결선일 때의 유효전력 P_Y는 다음과 같다.

$$P_Y = 3I_p^2 R_a = 3\frac{V_p^2}{R_a} \text{ (}\because\text{ 평형부하)}$$

STEP2 Y-△변환

저항을 Y결선에서 △결선으로 변경하면 1상의 저항은 $\dfrac{1}{3}$로 감소한다.

즉, $R_a \rightarrow \dfrac{R_a}{3}$ 으로 감소하므로 △결선일 때의 전력 $P_\triangle$은 다음과 같다.

$$P_\triangle = 3\frac{V_p^2}{\frac{R_a}{3}} = 9\frac{V_p^2}{R_a} = 3\times\left(3\frac{V_p^2}{R_a}\right) = 3P_Y$$

∴ △결선으로 바꾸면 소비전력이 3배 증가한다.

080 ★★

ANSWER ④ $X(s) = \dfrac{5}{s(s+3)}$

MATH **3단원 등식 방정식, 50단원 라플라스 심화**

STEP1 라플라스 변환

$\pounds\left[\dfrac{dx(t)}{dt}\right] = \{sX(s) - x(0)\} = sX(s)$ 이므로

양변을 라플라스 변환하면 다음과 같다.

$$\frac{dx(t)}{dt} + 3x(t) = 5 \rightarrow sX(s) + 3X(s) = \frac{5}{s}$$

$$\therefore X(s) = \frac{5}{s(s+3)}$$

제5과목 | 전기설비기술기준 및 한국전기설비규정

081 ★

ANSWER ③ 직접 접지계통에 설치한 변압기의 접지선

과전류 차단기의 시설제한

(한국전기설비규정 341.11)

접지공사의 접지도체, 다선식 전로의 중성선 및 전로의 일부에 접지공사를 한 저압 가공전선로의 접지측 전선(접지선)에는 과전류 차단기를 시설하여서는 안 된다.

082 ★★★

ANSWER ③ 11.44

시가지 등에서 특고압 가공전선로의 시설

(한국전기설비규정 333.1)

사용전압의 구분	지표상의 높이
35[kV]이하	10[m] (전선이 특고압 절연전선인 경우에는 8[m])
35[kV]초과	10[m]에 35[kV]를 초과하는 10[kV] 또는 그 단수마다 12[cm]를 더한 값

- 단수 $= \dfrac{154-35}{10} = 11.9 \rightarrow 12$단
- 지표상의 높이 $= 10 + 12\times 0.12 = 11.44$[m]

083 ★

ANSWER ③ 3.5

가공통신인입선 시설(한국전기설비규정 362.12)

조영물의 붙임점에서의 지표상의 높이 : 3.5[m] 이상(교통에 지장을 줄 우려가 없을 때에 한한다.)

084 ★★

ANSWER ③ 원자력발전소에 시설하는 비상용 예비발전기에 있어서 비상용 노심냉각장치가 작동한 경우

발전기 등의 보호장치(한국전기설비규정 351.3)

발전기에는 다음의 경우에 자동적으로 이를 전로로부터 차단하는 장치를 시설하여야 한다.

㉠ 발전기에 과전류나 과전압이 생긴 경우

㉡ 용량이 100[kVA] 이상의 발전기를 구동하는 풍차의 압유장치의 유압이 현저히 저하한 경우

㉢ 용량이 500[kVA] 이상의 발전기를 구동하는 수차의 압유 장치의 유압이 현저히 저하한 경우

㉣ 용량이 2,000[kVA] 이상인 수차발전기의 스러스트 베어링의 온도가 현저히 상승한 경우

㉤ 용량이 10,000[kVA] 이상인 발전기의 내부에 고장이 생긴 경우

㉥ 정격출력이 10,000[kW]를 초과하는 증기터빈은 그 스러스트 베어링이 현저하게 마모되거나 그의 온도가 현저히 상승한 경우

085 ★★

ANSWER ② 60

전기부식방지 시설(한국전기설비규정 241.16)

전기부식방지 회로(전기부식 방지용 전원장치로부터 양극 및 피방식체까지의 전로를 말한다. 이하 같다)의 사용전압은 직류 60[V] 이하일 것

086 ★★

ANSWER ④ 1039

풍압하중의 종별과 적용(한국전기설비규정 331.6)

풍압을 받는 구분	구성재의 수직 투영면적 1[m^2]에 대한 풍압
목주	588[Pa]
애자장치 (특고압 전선용의 것에 한한다.)	1,039[Pa]
목주·철주(원형의 것에 한한다) 및 철근 콘크리트주의 완금류 (특고압 전선로용의 것에 한한다)	단일재로서 사용하는 경우에는 1,196[Pa], 기타의 경우에는 1,627[Pa]

087 ★★★

ANSWER ③ 600

특고압 가공전선로의 경간 제한
(한국전기설비규정 333.21)

특고압 가공전선로의 경간은 표에서 정한 값 이하이어야 한다.

지지물의 종류	경간
목주·A종 철주 또는 A종 철근 콘크리트주	150[m]
B종 철주 또는 B종 철근 콘크리트주	250[m]
철탑	600[m]이하 (단주인 경우에는 400[m]이하

2019년 3회

088 ★★★

ANSWER ③ 30

지중전선과 지중 약전류전선 등 또는 관과의 접근 또는 교차(한국전기설비규정 334.6)

지중전선이 다음 조건의 이격거리 이하로 설치되는 경우에는 상호 간에 내화성의 격벽을 설치하여야 한다.

조건	전압	이격거리
지중 약전류 전선과 접근 또는 교차하는 경우	저압 또는 고압	0.3[m]
	특고압	0.6[m]
가연성, 유독성의 유체를 내포하는 관과 접근 또는 교차	특고압	1[m]
	25[kV]이하, 다중접지방식	0.5[m]
기타의 관과 접근 또는 교차	특고압	0.3[m]

0.3[m] → 30[cm]

089 ★★★

ANSWER ④ 안전율은 2.5 이상,
허용 인장하중 최저값은 4.31[kN]

지선의 시설(한국전기설비규정 331.11)

㉠ 가공전선로의 지지물로 사용하는 철탑은 지선을 사용하여 그 강도를 분담시켜서는 안 된다.

㉡ 지선의 안전율은 2.5 이상일 것. 이 경우에 허용 인장하중의 최저는 4.31[kN]으로 한다.

㉢ 지선에 연선을 사용할 경우에는 다음에 의할 것

- 소선 3가닥 이상의 연선일 것
- 소선의 지름이 2.6[mm] 이상의 금속선을 사용한 것일 것

090 ★★★

ANSWER ① 1.0

지중전선로의 시설(한국전기설비규정 334.1)

㉠ 지중 전선로는 전선에 케이블을 사용하고 또한 관로식·암거식 또는 직접 매설식에 의하여 시설하여야 한다.

㉡ 지중 전선로를 직접 매설식에 의하여 시설하는 경우에는 매설 깊이는

① 차량 기타 중량물의 압력을 받을 우려가 있는 장소 : 1.0[m] 이상

② 기타 장소 : 0.6[m] 이상

091 ★★

ANSWER ③ 고압 가공전선로로부터 수전하는 차단기 2차측

피뢰기의 시설(한국전기설비규정 341.13)

고압 및 특고압의 전로 중 다음에 열거하는 곳 또는 이에 근접한 곳에는 피뢰기를 시설하여야 한다.

㉠ 발전소·변전소 또는 이에 준하는 장소의 가공전선 인입구 및 인출구

㉡ 가공 전선로와 지중 전선로가 접속되는 곳

㉢ 특고압 가공전선로에 접속하는 배전용 변압기의 고압측 및 특고압 측

㉣ 고압 및 특고압 가공 전선로로부터 공급을 받는 수용장소의 인입구

092 ★★★

ANSWER ② 애자사용공사

고압 옥내배선 등의 시설

(한국전기설비규정 342.1)

고압 옥내배선은 다음 중 하나에 의하여 시설할 것

㉠ 애자공사(건조한 장소로서 전개된 장소에 한 한다)

㉡ 케이블공사

㉢ 케이블트레이공사

093 ★★★

ANSWER ② 300

옥내전로의 대지 전압의 제한

(한국전기설비규정 231.6)

백열전등 또는 방전등에 전기를 공급하는 옥내의 전로의 대지 전압은 300[V] 이하여야 한다.

094 ★★

ANSWER ④ 뱅크용량 1000[kVA]인 전력용 커패시터

조상설비의 보호장치(한국전기설비규정 351.5)

조상설비에는 그 내부에 고장이 생긴 경우에 보호하는 장치를 표와 같이 시설하여야 한다.

설비 종별	뱅크 용량의 구분	자동적으로 전로로부터 차단하는 장치
전력용 커패시터 및 분로리액터	500[kVA]초과 15,000[kVA]미만	• 내부에 고장이 생긴 경우 • 과전류가 생긴 경우
	15,000[kVA]미만	• 내부에 고장이 생긴 경우 • 과전류가 생긴 경우 • 과전압이 생긴 경우
조상기	15,000[kVA]이상	내부에 고장이 생긴 경우

095 ★★★

ANSWER ④ 5

특고압 가공전선로의 가공지선

(한국전기설비규정 333.8)

특고압 가공전선로에 사용하는 가공지선은 지름 5[mm] 이상의 나경동선이다.

096 ★★

ANSWER ① 1

접지극의 시설 및 접지저항

(한국전기설비규정 142.2)

접지극의 매설은 다음에 의한다.

㉠ 접지극은 지표면으로부터 지하 0.75[m]이상으로 하되 동결 깊이를 감안하여 매설깊이를 정해야 한다.

㉡ 접지도체를 철주 기타의 금속체를 따라서 시설하는 경우에는 접지극을 철주의 밑면으로부터 0.3[m] 이상의 깊이에 매설하는 경우 이외에는 접지극을 지중에서 그 금속체로부터 1[m] 이상 떼어 매설하여야 한다.

출제기준 변경 및 개정된 관계 법규에 따라 삭제된 문제가 있어 20문항이 안됩니다.

엔지니오 과년도 기출문제집

2018

2018년 1회

제1과목 | 전기자기학

001 ★★

ANSWER ① 0

STEP1 원주형(원통) 도체의 자계

외부: $H = \frac{I}{2\pi r}$[AT/m]

내부: $\begin{cases} H = \frac{Ir}{2\pi a^2}[\text{AT/m}] \text{ 균일전류} \\ H = 0[\text{AT/m}] \text{ 도체 표면전류} \end{cases}$

002 ★★

ANSWER ② 20

STEP1 두 점전하 간의 작용하는 힘

$$F = \frac{Q_1 Q_2}{4\pi\epsilon r^2} = \frac{Q_1 Q_2}{4\pi\epsilon_0\epsilon_s r^2}$$

$$= \frac{(1\times10^{-6})\times(2\times10^{-6})}{4\pi\times(8.855\times10^{-12})\times9\times(1\times10^{-2})^2}$$

$\fallingdotseq 20$[N]

여기서, ϵ_0 : 진공중의 유전률(dielectric constant)

(8.855×10^{-12}[F/m])

ϵ_s : 비유전율

003 ★★★

ANSWER ① $\frac{Bm}{\mu_0\mu_s}$ 답을 암기할 것

STEP1 자계에 작용하는 힘과 자계의 세기의 관계

자계의 세기는 다음과 같이 정의 된다.

자계의 세기 : 자계 내에서 자하(m[Wb])가 단위 정사하(m = 1[Wb])에 작용하는 힘

$$H = \frac{F}{m}[\text{N/Wb}]$$

따라서, 자계에서 작용하는 힘을 정의하면 다음과 같다.

$$F = Hm = \frac{m^2}{4\pi\mu r^2}$$

STEP2 자속밀도

$$\vec{B} = \mu\vec{H} = \mu_0\mu_s\vec{H}[\text{Wb/m}^2]$$

STEP3 대입

$\vec{H} = \frac{\vec{B}}{\mu} = \frac{\vec{B}}{\mu_0\mu_s}$ 이므로,

힘은 다음과 같다.

$$F = Hm = \frac{B}{\mu}m = \frac{B}{\mu_0\mu_s}m[\text{N}]$$

004 ★★

ANSWER ③ 파이로(Pyro) 전기

① 강유전성 : 외부 전기장의 영향 없이 스스로 분극

② 압전기 현상 : 기계적 응력이 가해 졌을 때 분극

③ 파이로 전기 : 열을 가할 때 분극

④ 톰슨 효과 : 온도차가 있는 같은 도체에 전류를 흘리면 흡수 및 발열이 발생

005 ★★

ANSWER ③ 3000

STEP1 도체구에서의 전위

외부와 표면에서의 도체구의 전위

$$V = \frac{Q}{4\mu\epsilon_0 r}[\text{V}]$$

STEP2 절연 내력

절연 내력이란, 도체구 표면의 전위 경도를 뜻한다.

즉, 절연 내력

$$= E = \frac{Q}{4\pi\epsilon_0 a^2} = 3 \times 10^6[\text{V/m}]$$

STEP3 대입

$$V = \frac{Q}{4\pi\epsilon_0 r} = E \times r = 3 \times 10^6 \times 1$$

$$= 3 \times 10^6[\text{V}] = 3 \times 10^3 = 3000[\text{kV}]$$

006 ★★

ANSWER ② $\mu N^2 lS$ 답을 암기할 것

MATH 1단원 SI접두어 단위

STEP1 환상 철심(솔레노이드)의 자기 인덕턴스

$$L = \frac{\mu SN^2}{l}[\text{H}]$$

(여기서, N[회]: 권선수)

STEP2 총 권선수

l [m]의 길이에 1[m]당 N[회] 감으므로

총 권선수 $N' = N \times l = Nl$

$$\therefore L = \frac{\mu S(N')^2}{l} = \frac{\mu S(Nl)^2}{l} = \mu SN^2 l[\text{H}]$$

007 ★★

ANSWER ④ $\frac{1+2\epsilon_s}{3}C_0$

STEP1 평행 평판 도체의 정전용량

기존 콘덴서의 정전용량: $C_0 = \frac{\epsilon S}{d}[\text{F}]$

㉠ 공기: $C_1 = \frac{\epsilon \frac{1}{3} S}{d} = \frac{1}{3}C_0[\text{F}]$

㉡ 유전체: $C_2 = \frac{\epsilon_0 \epsilon_s \frac{2}{3} S}{d} = \frac{2}{3}\epsilon_s C_0[\text{F}]$

STEP2 콘덴서의 병렬 접속

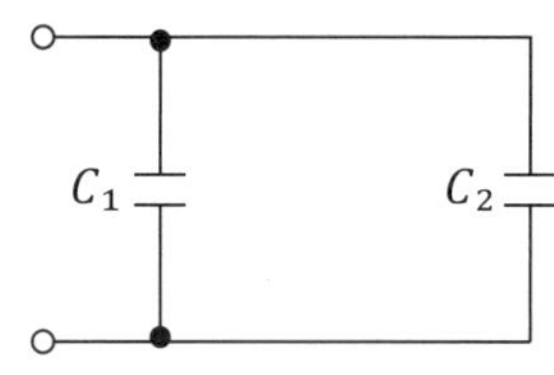

$$C_T = C_1 + C_2 = \frac{1}{3}C_0 + \frac{2}{3}\epsilon_s C_0$$

$$= \frac{1+2\epsilon_s}{3}C_0[\text{F}]$$

008 ★★

ANSWER ③ $-\frac{a}{r}Q$ 답을 암기할 것

STEP1 영상전하법-접지구도체와 점전하

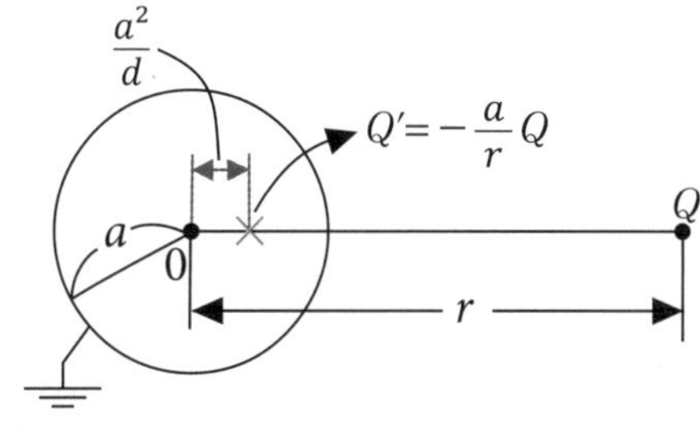

점전하로 인하여 접지구도체에 유도되는 총 전하

(영상전하)는 $Q' = -\frac{a}{r}Q[\text{C}]$

009 ★★

ANSWER ④ $(P_{11}-2P_{12}+P_{22})Q$

STEP1 전위계수와 전위의 관계

$$V_i = \sum_{j=1}^{n} P_{ij}Q_j$$

이때, 각각의 전위를 구하면 다음과 같다.

$V_1 = P_{11}Q_1 + P_{12}Q_2,\ V_2 = P_{21}Q_1 + P_{22}Q_2$

STEP2 전하량, $P_{21}=P_{12}$ 대입

$P_{12}=P_{21}$이고, $Q_1 = Q,\ Q_2 = -Q$이므로

$V_1 = P_{11}Q - P_{12}Q,\ V_2 = P_{12}Q - P_{22}Q$

STEP3 전개

$$\begin{aligned}\therefore V &= V_1 - V_2 \\ &= (P_{11}Q - P_{12}Q) - (P_{12}Q - P_{22}Q) \\ &= P_{11}Q - 2P_{12}Q + P_{22}Q \\ &= (P_{11}-2P_{12}+P_{22})Q\end{aligned}$$

010 ★★

ANSWER ① 5.77×10^{-9} 답을 암기할 것

STEP1 전기영상법

점전하 Q가 점$(0, 0, h)$에 위치할 때, $z<0$의 도체를 공기로 대체

점$(0, 0, -h)$에 점전하 $-Q$를 추가한다.

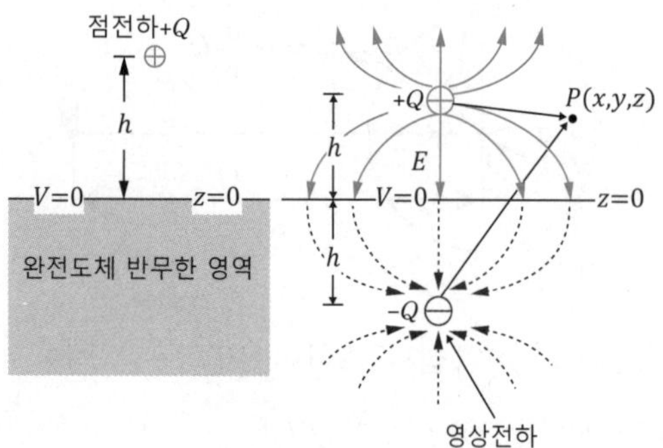

따라서, $-Q$[C]와 같다.

STEP2 쿨롱의 법칙

$$\begin{aligned}F &= \frac{Q \times (-Q)}{4\pi\epsilon_0 (2d)^2} \\ &= \frac{-Q^2}{(2d)^2} \times (9 \times 10^9)\left(\because \frac{1}{4\pi\epsilon_0} = 9 \times 10^9\right) \\ &= \frac{-(1.602 \times 10^{-19})^2}{(2 \times 10^{-10})^2} \times (9 \times 10^9) \\ &\fallingdotseq -5.77 \times 10^{-9}[\text{N}]\end{aligned}$$

011 ★★★

ANSWER ② 항상 흡인력이다.

STEP1 영상전하법 - 접지구도체와 점전하

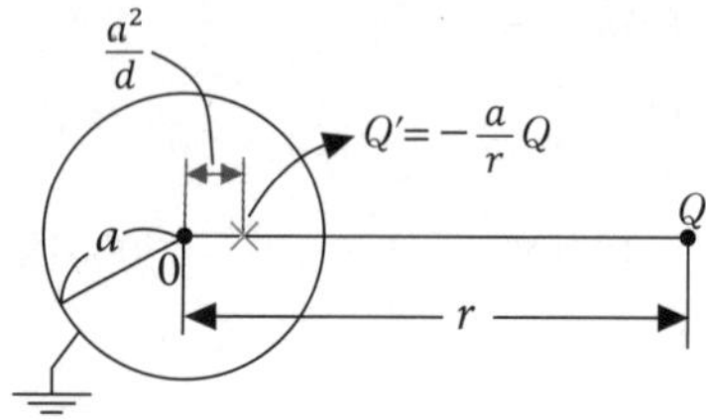

점전하로 인하여 접지구도체에 유도되는 총 전하(영상전하)는 $Q' = -\frac{a}{r}Q[\text{C}]$

따라서, $+Q[\text{C}]$와 $-\frac{a}{r}Q[\text{C}]$는 반대 극성이므로 항상 흡인력이 작용한다.

012 ★★

ANSWER ① $e \propto Bf$

STEP1 페러데이 법칙

유도 기전력의 크기는 폐회로에 쇄교하는 자속의 시간적 변화율에 비례한다.

$$e = -\frac{d\Phi}{dt} = -N\frac{d\phi}{dt}[\text{V}] \ (N: \text{감은 코일 수})$$

STEP2 자속밀도와 주파수

자속 $\phi = \phi_m \sin\omega t = B_m \sin\omega t = B_m \sin 2\pi ft$

STEP3 대입

$$\begin{aligned}e &= -N\frac{d\phi}{dt} = -N\frac{d}{dt}(B_m \sin(2\pi ft)) \\ &= -NB_m \times 2\pi f \times \cos(2\pi ft)[\text{V}]\end{aligned}$$

$\therefore e \propto Bf$

013 ★

ANSWER ③ $\frac{1}{\sqrt{\epsilon\mu}}$

STEP1 전파속도

$$v = \frac{1}{\sqrt{\epsilon\mu}}[\mathrm{m/s}]$$

014 ★

ANSWER ① ϵE 답을 암기할 것

STEP1 전기장(Electric Field)

- 전기장 = 전계 E

전하를 띤 물체에 대하여 단위 시험 전하에 가해주는 전기력을 나타내는 공간

STEP2 전기변위장(Electric Displacement Field)

- 전기변위 = 전속밀도 $D = \epsilon_0 E + P$

유전체 등의 매질 속에서 전기장에 대한 분극의 효과를 나타내는 공간

여기서, 분극의 세기 $P = \chi E$와

분극율 $\chi = \epsilon - \epsilon_0$을 이용하여 정리하면 다음과 같다.

$$D = \epsilon_0 E + P = \epsilon_0 E + \chi E$$
$$= \epsilon_0 E + (\epsilon - \epsilon_0)E$$
$$= \epsilon_0 E + \epsilon E - \epsilon_0 E$$
$$= \epsilon E[\mathrm{C/m^2}]$$

015 ★★

ANSWER ② $\mathrm{div}\ D = \rho$

STEP1 맥스웰 방정식(미분형)

① 가우스 법칙(정자계)

$\mathrm{div}\ B = \nabla \cdot B = \mu \nabla \cdot H = 0$

(N극과 S극이 반드시 공존하며 고립된 자하는 없다.)

② 가우스 법칙(정전계)

$\mathrm{div}\ D = \nabla \cdot D = \epsilon \nabla \cdot E = \rho$

(단위 체적에서 발산하는 전속밀도는 그 체적 내의 전하밀도와 같다.)

③ 페러데이 – 노이만의 전자유도법칙

$$\mathrm{rot}\ E = \nabla \times E = -\frac{\partial B}{\partial t} = -\mu\frac{\partial H}{\partial t}$$

(전기 회로에서 발생하는 유도 기전력은 폐회로를 통과하는 자속의 변화를 방해하는 방향으로 발생한다.)

④ 앙페르(암페어)의 주회 적분 법칙

$$\mathrm{rot} H = \nabla \times H = i_c + \frac{\partial D}{\partial t}$$

(전류는 주위에 회전하는 자계를 발생 시킨다.)

여기서, i_c : 전류밀도, $\frac{\partial D}{\partial t}$: 변위전류밀도

016 ★

ANSWER ② $\frac{\epsilon_0 E}{V}$

MATH 23단원 유리식

STEP1 평행 평판 도체의 정전용량

$$C = \frac{\epsilon S}{d}[\mathrm{F}]$$

STEP2 평행 평판 도체의 전위

$$V = Ed = \frac{\sigma}{\epsilon_0}d[\mathrm{V}]$$

즉, 간격 $d = \frac{V}{E} = V\frac{\epsilon_0}{\sigma}[\mathrm{m}]$이다.

STEP3 대입

$$C = \frac{\epsilon S}{d} = \frac{\epsilon_0 S}{\frac{V}{E}} = \frac{\epsilon_0 ES}{V} = \frac{\epsilon_0 E \times 1}{V} = \frac{\epsilon_0 E}{V}[\mathrm{F}]$$

2018년 1회

고난도

017 ★

ANSWER ② $(2-\sqrt{2})a$ 답을 암기할 것

MATH 3단원 등식 방정식

STEP1 점전하와 전계

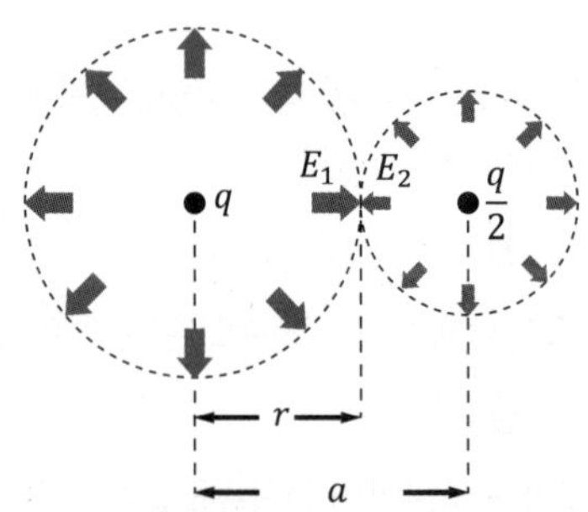

그림과 같이 전계가 상쇄되어 $E_1-E_2=0$이 되는 점은 두 전하 사이에 존재한다. 이때의 지점을 r 로 가정한다.

STEP2 전계의 세기

㉠ $E_1=\dfrac{q}{4\pi\epsilon_0 r^2}$

㉡ $E_2=\dfrac{\frac{q}{2}}{4\pi\epsilon_0(a-r)^2}=\dfrac{q}{4\pi\epsilon_0(a-r)^2\times 2}$

STEP3 비교

$E_1-E_2=0 \rightarrow E_1=E_2$이므로

$$\frac{q}{4\pi\epsilon_0 r^2}=\frac{q}{4\pi\epsilon_0(a-r)^2\times 2}\rightarrow$$

$$\frac{1}{r^2}=\frac{1}{2(a-r)^2}\rightarrow 2=\frac{r^2}{(a-r)^2}\rightarrow$$

$$\sqrt{2}=\frac{r}{a-r}\rightarrow \sqrt{2}a=r+\sqrt{2}r$$

$$\therefore r=\frac{\sqrt{2}}{1+\sqrt{2}}a=\frac{\sqrt{2}\times(1-\sqrt{2})}{(1+\sqrt{2})\times(1-\sqrt{2})}a$$
$$=(2-\sqrt{2})a$$

018 ★★★

ANSWER ② $\dfrac{I}{2a}$

STEP1 원형 전류에서의 자계의 세기

전류 중심에서의 자계 세기 : $H_0=\dfrac{I}{2a}$[AT/m]

019 ★

ANSWER ③ $J=\sigma E$ 답을 암기할 것

STEP1 전류밀도

$\vec{J}=\sigma\vec{E}$ [A/m^2]

STEP2 도전율

σ [S/m, ℧/m]

물질에서 전기가 잘 흐르는 정도

- $\sigma=nq\mu=\rho\mu$[℧/m]

여기서, n : 단위 체적당 전하의 수

q : 전하 하나의 전하량[C]

μ : 전하의 이동도(mobility)

ρ : 체적 전하밀도[C/m^3]

020 ★★

ANSWER ① 힘은 자장의 세기에 비례한다.

MATH 21단원 삼각함수의 그래프

유기 기전력

$e=Bl l\sin\theta$[V]

(I : 전류의 세기, l : 도체의 길이,

θ : 도체와 자장간의 각도)

이때, 자장에 수직이므로,

$\theta=90° \rightarrow \sin\theta=\sin 90°=1$이다.

따라서,

기전력 $e=BIl\sin\theta=BIl=\mu HIl$[V]이다.

즉, 힘은 자장의 세기(H)에 비례하고,

전류의 세기에 비례하고,

도선의 길이에 비례하고,

자장의 방향에 영향을 받는 것을 알 수 있다.

제2과목 | 전력공학

021 ★★

ANSWER ② 최대값

차단기의 정격투입전류 : 성능에 지장 없이 투입할 수 있는 전류의 한도를 말하며, 투입전류의 최초 주파수에서 최대값으로 나타낸다. 크기는 정격 차단전류(실효값)의 2.5배를 표준으로 한다.

022 ★★

ANSWER ① 사고 시 모선을 통합한다.

단락용량의 경감 대책

㉠ 고임피던스 기기(변압기, 발전기 등)의 채용

㉡ 한류리액터의 채용(직렬리액터 방식, 분로리액터 방식)

㉢ 계통분할방식 채용(상시 분할방식, 사고 시 분할 방식)

㉣ 계통전압의 격상

㉤ 직류연계

㉥ 고장전류 제한기 채용

023 ★

ANSWER ④ 선택접지계전기

비접지 계통의 지락 사고 검출

㉠ 지락 계전기(GR)+영상 전류 검출(ZCT)

㉡ 선택 접지 계전기(SGR)+영상 전류 검출(ZCT)+영상 전압 검출(GPT)

024 ★★

ANSWER ② 직렬리액턴스를 크게 한다.

안정도 향상 대책

㉠ 직렬리액턴스를 작게 한다.

- 발전기나 변압기 리액턴스를 작게 한다.
- 선로에 복도체를 사용하거나 병행회선수를 늘린다.
- 선로에 직렬콘덴서를 설치한다.

㉡ 전압변동을 적게 한다.

- 단락비를 크게 한다.
- 속응여자방식을 채용한다.

㉢ 계통을 연계시킨다.

㉣ 중간조상방식을 채용한다.

㉤ 고장구간을 신속히 차단시키고 재폐로방식을 채택한다.

㉥ 소호리액터 접지방식을 채용한다.

㉦ 고장 시에 발전기 입·출력의 불평형을 작게 한다.

025 ★★

ANSWER ① 탈기기

탈기기 목적 : 용해 산소의 분리

026 ★★★

ANSWER ④ 6 답을 암기할 것

직렬리액터를 이용하여 제5고조파 제거 시에는 다음과 같다.

$$2\pi(5f)L = \frac{1}{2\pi(5f)C}$$

$$2\pi fL = \frac{1}{2\pi 5^2 fC} = \frac{1}{2\pi fC} \times \frac{1}{25} = \frac{1}{2\pi fC} \times 0.04$$

즉, 직렬리액터의 용량은 콘덴서 용량의 4[%]이상이 되면 되는데 주파수 변동 등의 여유를 봐서 실제로는 약 5 ~ 6[%]인 것이 사용된다

027 ★★★

ANSWER ① 부등률

$$\text{부등률} = \frac{\text{수용설비 개개의 최대수용전력의 합계}}{\text{합성 최대 수용 전력}}$$

부등률은 항상 1보다 크거나 같다.

028 ★★

ANSWER ② 복수기의 방열손

복수기 : 진공상태를 만들어 증기터빈에서 일을 한 증기를 배기단에서 냉각응축시킴과 동시에 복수로서 회수하는 장치로 열손실이 가장 크게 나타난다.

029 ★★★

ANSWER ③ $\log_{10}\frac{D}{r}$에 반비례한다.

선로의 정전용량 $C = \dfrac{0.02413}{\log_{10}\dfrac{D}{r}}[\mu F/km]$

(r : 반지름[m], D : 선간거리[m])

따라서, 정전용량 C는 $\log_{10}\frac{D}{r}$에 반비례한다.

030 ★

ANSWER ③ 탈조보호계전기

① 한시계전기

계전기에 입력을 가했을 때 또는 입력을 제거하였을 때 계전기의 동작시간을 지연(遲延)시키는 계전기

② 선택 단락 계전기

(Selective Short circuit relay ; SS)

병행 2회선 송전 선로에서 한 쪽의 1회선에 단락 고장이 발생하였을 경우 고장 회선을 선택 차단할 수 있는 계전기

③ 탈조 보호 계전기

(Step - Out protective relay ; SO)

송전 계통에 발생한 고장 때문에 일부 계통의 위상각이 커져서 동기를 벗어나려고 할 경우 이것을 검출하고 그 계통을 분리하기 위해서 사용하는 계전기

④ 방향 거리 계전기

(Directive Distance relay ; DZ)

거리 계전기에 방향성을 가지게 한 것으로서 복잡한 계통에서 방향 단락 계전기의 대용으로 쓰인다.

031 ★

ANSWER ① 궤전점 : 간선과 분기선의 접속점

궤전점 : 급전선과 분기선(또는 간선)과의 접속점

032 ★★

ANSWER ③ 전선에 제일 가까운 애자

애자의 전압부담

- 전압부담이 가장 작은 애자 : 철탑에서 $\frac{1}{3}$ 지점
  (전선으로부터는 $\frac{2}{3}$에 위치)
- 전압부담이 가장 큰 애자 : 전선에서 가장 가까운 애자

033 ★★★

ANSWER ④ 코로나 발생의 방지

복도체나 다도체를 사용할 때 장점

- 인덕턴스는 감소하고 정전용량은 증가한다.
- 같은 단면적의 단도체에 비해 전류용량 및 송전용량이 증가한다.
- 코로나 임계전압의 상승으로 코로나 현상을 방지할 수 있다.

고난도

034 ★

ANSWER ④ $\frac{\sqrt{3}}{2}$ 답을 암기할 것

MATH 10단원 비례, 반비례, 비례식

STEP1 전선의 무게와 저항

단상 2선식 $W_1 = 2 \times A_1 L$

3상 3선식 $W_3 = 3 \times A_3 L$

중량이 같고 전선의 저항은 단면적에 반비례하므로

$$\therefore W_1 = W_3 \rightarrow 2A_1L = 3A_3L \rightarrow \frac{A_3}{A_1} = \frac{2}{3} = \frac{R_1}{R_3}$$

STEP2 선로손실

단상 2선식 $P_{l1} = 2I_1^2 R_1$

3상 3선식 $P_{l3} = 2I_3^2 R_3$

$P_{l1} = P_{l3} \rightarrow 2I_1^2 R_1 = 2I_3^2 R_3$ 이므로

$$\therefore \left(\frac{I_1}{I_3}\right)^2 = \frac{3R_3}{2R_1} = \frac{3}{2} \times \frac{3}{2} = \left(\frac{3}{2}\right)^2$$

$$\rightarrow \frac{I_1}{I_3} = \frac{3}{2} \quad \therefore \frac{I_1}{I_3} = \frac{3}{2}$$

STEP3 공급전력

∴ 공급전력의 비

$$\frac{P_1}{P_3} = \frac{VI_1}{\sqrt{3}\,VI_3} = \frac{1}{\sqrt{3}} \times \frac{3}{2} = \frac{\sqrt{3}}{2}$$

TIP !

방식	소요전선량	1선당 공급전력
단상 2선식	$1 = 100[\%]$	$\frac{1}{2}P$
단상 4선식	$\frac{3}{8} = 37.5[\%]$	$\frac{2}{3}P$
3상 3선식	$\frac{3}{4} = 75[\%]$	$\frac{\sqrt{3}}{3}P$
3상 4선식	$\frac{4}{12} = \frac{1}{3} ≒ 33.33[\%]$	$\frac{3}{4}P$

$$\therefore \frac{\text{단상 2선식}}{\text{3상 3선식}} = \frac{\frac{1}{2}P}{\frac{\sqrt{3}}{3}P} = \frac{\sqrt{3}}{2}$$

035 ★★★

ANSWER ④ 이상전압의 발생방지

중심점 접지목적

㉠ 이상전압의 경감 및 발생 방지

㉡ 전선로 및 기기의 절연 레벨 경감(단절연·저감 절연)

㉢ 보호 계전기의 신속·확실한 동작

㉣ 소호리액터 접지계통에서 1선 지락 시 아크 소멸 및 안정도 증진

036 ★★

ANSWER ③ 370

이도 $D = \frac{WS^2}{8T}$ 에서

수평장력

$$T = \frac{WS^2}{8D} = \frac{0.37 \times 80^2}{8 \times 0.8} = 370\,[\text{kg}]$$

(W : 전선의 자중[kg/m], S : 경간[m])

037 ★★

ANSWER ① $N_s = \frac{NP^{\frac{1}{2}}}{H^{\frac{5}{4}}}$ 답을 암기할 것

특유속도(Specific Speed)

기준 수차의 정격 회전속도와 비교하여 실제 수차가 유효낙차 1[m]에서 단위출력 1[kW]을 발생시키는데 필요한 속도

$$N_s = \frac{NP^{\frac{1}{2}}}{H^{\frac{5}{4}}} = \frac{N\sqrt{P}}{H\sqrt{\sqrt{H}}}\,[\text{rpm}]$$

특유속도가 높으면 동일한 출력을 내기위해 더 많은 회전수를 요구함을 의미한다.

2018년 1회

038 ★★

ANSWER ① $\frac{E}{Z}$

단락전류 $I_s = \frac{\text{상전압}}{\text{1상의임피던스}} = \frac{E}{Z}[A]$

039 ★★★

ANSWER ④ 약 9.52[%]

MATH **20단원 삼각비**

STEP1 **전압강하**

$$e = \begin{cases} I(R\cos\theta + X\sin\theta) & \text{단상} \\ \sqrt{3}\,I(R\cos\theta + X\sin\theta) & \text{3상} \end{cases}$$

STEP2 **전압 강하율**

$$\epsilon = \frac{e}{V_r} \times 100$$
$$= \frac{\sqrt{3}\,I(R\cos\theta + X\sin\theta)}{V_r} \times 100$$
$$= \frac{\sqrt{3} \times 250 \times (7.61 \times 0.8 + 11.85 \times 0.6)}{60,000} \times 100 \fallingdotseq 9.52[\%]$$

TIP !

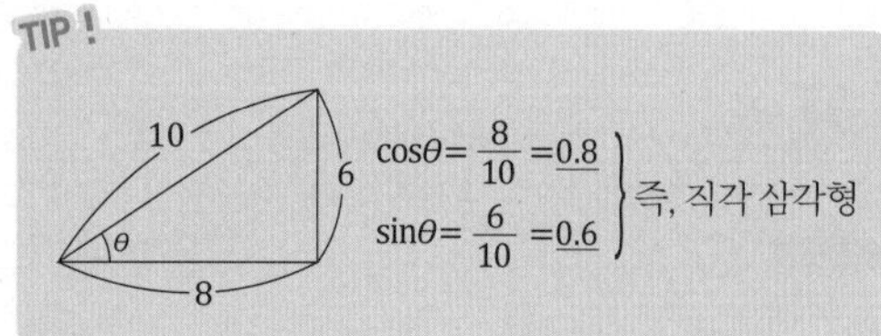

040 ★

ANSWER ② 충격 방전 개시 전압이 높을 것

피뢰기의 구비조건

㉠ 상용 주파 방전 개시 전압이 높을 것

㉡ 충격 방전 개시 전압이 낮을 것

㉢ 제한 전압이 낮을 것

㉣ 속류 차단 능력이 클 것

㉤ 방전 내량이 크며 장시간 사용하여도 열화가 적을 것

제3과목 | 전기기기

041 ★

ANSWER ③ 출력 = 2차입력 – 2차 저항손

유도전동기의 출력 전력 변환

㉠ 기계적 출력 = 2차입력 – 2차 저항손 – 기계손 (미미하므로 무시가능)

㉡ 전체 출력 = 기계적 출력 – 기계손

※ 전항정답 문제였지만, 학습을 위해 문제를 임의로 수정함

042 ★

ANSWER ④ 단상 직권 정류자전동기

답을 암기할 것

STEP1 **단상 직권 정류자 전동기**

- 직류 직권 전동기에 전원을 직류 대신 교류로 공급해도 항상 같은 방향의 토크를 발생하므로 운전이 가능하다.
- 직류, 교류 모두 가능하여 만능 전동기(유니버셜 모터, Universal motor)라 불린다.
- 소형 공구 및 가전제품에 일반적으로 널리 이용되는 전동기이다.
- 용도 예시 : 믹서기, 재봉틀, 진공소제기, 휴대용 드릴, 영사기, 치과의료용 등

043 ★★★

ANSWER ③ 직권발전기, 복권발전기

STEP1

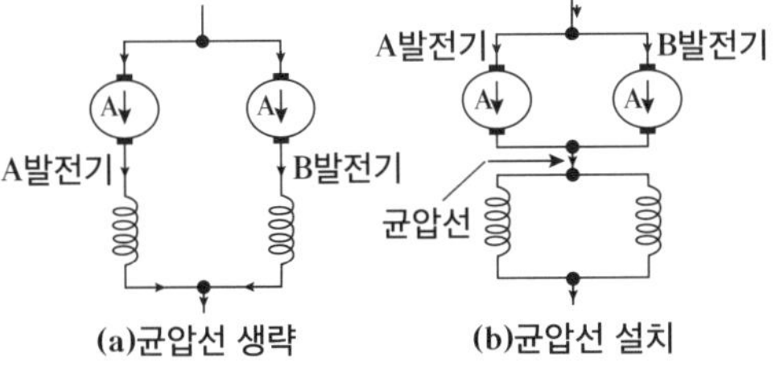

(a)균압선 생략 (b)균압선 설치

직류 발전기(복권발전기, 직권발전기) 병렬 운전 시 안정 운전을 위해서 균압선(균압모선)을 설치한다.

> **TIP !**
>
> 기출문제에서 보기가 다른 직류 복권발전기의 병렬운전에 필요한 것을 고르는 문제가 나온 적이 있다.
>
> ① 균압모선 ② 보상권선
>
> ③ 균압선 접속 ④ 브러시의 이동
>
> 정답은 ③이었다. 균압선과 균압모선을 구분하는 처음이자 마지막 문제였고, 논란이 있었지만 정답은 균압모선이 아닌 균압선 접속이었다.
>
> 사실 균압선과 균압모선은 같은 의미로 쓰인다.

044 ★★★

ANSWER ③ 여자전류의 변화

STEP1 동기발전기 병렬운전조건

병렬 운전 조건	불만족시 현상
기전력의 크기가 같을 것	무효순환전류(무효횡류)
기전력의 위상이 같을 것	동기화 전류(유효횡류)
기전력의 주파수가 같을 것	동기화 전류(난조)
기전력의 파형이 같을 것	고조파 무효순환전류
(3상) 상회전 방향이 같을 것	

STEP2 여자전류의 변화시 현상

A, B 두 대의 발전기로 병렬 운전 중 A 발전기의 여자전류(=계자전류)를 증가 시키면 다음과 같다.

- A 발전기의 기전력의 크기가 증가한다.
- A 발전기의 무효전력이 증가 한다.(역률 감소)
- 두 발전기 사이에 무효순환전류(무효횡류)가 흐른다.
- B 발전기의 무효전력이 감소 한다.(역률 증가)

045 ★

ANSWER ④ Diode

IGBT, GTO, SCR는 모두 GATE가 있고 GATE에 의해서 사용자가 임의로 ON, OFF 시킬 수 있다. 하지만 다이오드는 회로의 주변 상황에 따라 순방향으로 전압이 가해지면 도통하고 역방향으로 전압이 가해지면 도통하지 않는 수동적인 소자이다.

046 ★★★

ANSWER ① 57.7

STEP1 V결선의 이용률

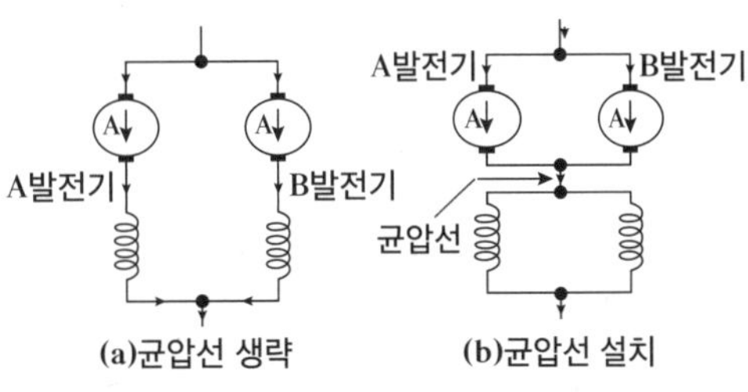

(a)균압선 생략 (b)균압선 설치

$$출력비 = \frac{\text{V결선}}{\triangle\text{ 결선}} = \frac{\sqrt{3}P}{3P} = \frac{\sqrt{3}}{3} = 57.7[\%]$$

> **TIP !**
>
> 이용률
>
> $$= \frac{\text{V결선}}{2대} = \frac{\sqrt{3}P}{2P} = \frac{\sqrt{3}}{2} = 86.6[\%]$$

047 ★★★

ANSWER ② $I_A = 90, I_B = 45$

STEP1 병렬운전

병렬운전에서 두 분권발전기의 단자전압은 같다.

$V = E_A - I_A R_A = E_B - I_B R_B$

$= E_A - 0.1 I_A = E_B - 0.2 I_B$

이 식에 의해서 $E_A = E_B$이므로 $0.1 I_A = 0.2 I_B$

그러므로 $I_A = 2 I_B$

STEP2 부하전류

$I = I_A + I_B = 2I_B + I_B = 3I_B = 135[A]$

$I_B - \frac{135}{3} - 45[\Lambda]$

$\therefore I_A = I - I_B = 135 - 45 = 90[A]$

048 ★

ANSWER ④ 다이오드의 허용전류 증가

- 다이오드 직렬 연결 : 과전압로부터 보호한다.
- 다이오드 병렬 연결 : 과전류로부터 보호한다.

049 ★★

ANSWER ① $I_{s1} = \dfrac{V_1}{Z_1 + a^2 Z_2}$ 답을 암기할 것

STEP1 임피던스 환산

- 1차측에서 2차측으로 환산 : $Z_1' = \frac{1}{a^2} Z_1$
- 2차측에서 1차측으로 환산 :

$Z_2' = a^2(Z_2 + Z)$

2차 단락이므로 부하 임피던스 $Z = 0$

$\therefore Z_2' = a^2 Z_2$

STEP2 1차 단락전류 I_{s1}계산

$$I_{s1} = \frac{V_1}{Z_1 + Z_2'} = \frac{V_1}{Z_1 + a^2 Z_2}$$

050 ★★

ANSWER ② 26.4

MATH 23단원 유리식

STEP1 발생 토크

$$T = \frac{P}{\omega} = \frac{E_c I_a}{2\pi n} = \frac{E_c I_a}{2\pi \frac{N}{60}}$$

(T : 발생토크, N : 전동기 속도)

STEP2 역 기전력

$E_c = V - I_a R_a = 210 - (20 \times 0.15) = 207[V]$

(V : 단자전압, I_a : 전기자 전류, E_c : 역기전력

R_a : 전기지 저항)

STEP3 발생토크 식에 대입한다.

$$T = \frac{P}{\omega} = \frac{E_c I_a}{2\pi n} = \frac{E_c I_a}{2\pi \frac{N}{60}} = \frac{207 \times 20}{2\pi \times \frac{1500}{60}}$$

$= 26.36[N \cdot m]$

051 ★

ANSWER ④ 19.6

STEP1 역기전력

$E_c = V - (R_a + R_s)I = 220 - 0.05 \times 100$

$= 215[V]$

STEP2 전동기 출력

$P = E_c I = 215 \times 100 = 21500[W] = 21.5[kW]$

STEP3 손실 감안하기

$P' = 21.5 - 1.7 - (21.5 \times 0.01) = 19.6[kW]$

($\because$ 기계 전 손실 : 1.7[kW],

표유손 : $21.5 \times 0.01 = 0.215$)

052 ★

ANSWER ① 권선저항측정, 무부하시험, 단락시험 답을 암기할 것

변압기 등가회로 작성을 위해 필요한 시험

㉠ 권선저항측정

㉡ 무부하(개방) 시험

- 여자 전류, 여자 어드미턴스, 철손 계산

㉢ 단락시험(동손 측정)

- 임피던스 강하, 임피던스 와트(동손), 전압변동률

053 ★★

ANSWER ② 62.8

STEP1 **동기속도**

$$(N_s) = \frac{120f}{p} = \frac{120 \times 60}{12} = 600\,[\text{rpm}]$$

STEP2 **주변속도**

$$(v) = \pi D \cdot \frac{N_s}{60} = \pi \times 2 \times \frac{600}{60} = 62.8\,[\text{m/s}]$$

054 ★

ANSWER ① 전기자전류와 부하전류가 같다.

STEP1 **타여자 발전기**

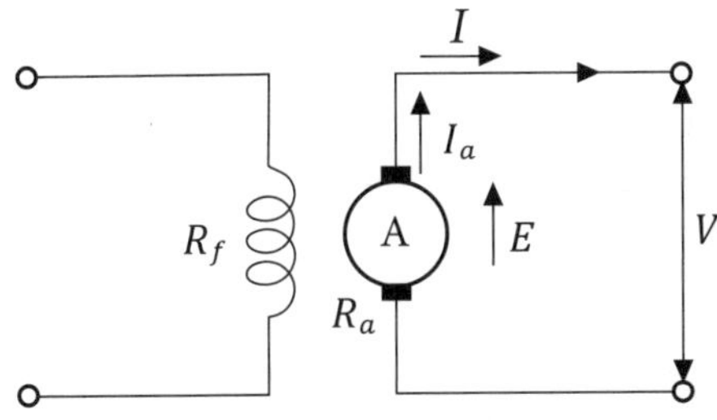

타여자 발전기는 외부에서 자속 공급하므로 잔류자기가 없어도 발전 가능하다. 여기서 타여자 발전기는 $I_a = I$ 이므로 유기기전력은 $E = V + I_aR_a$ 으로 표현가능하다.

055 ★★

ANSWER ③ 토크는 2차 입력에 비례하고, 동기속도에 반비례한다. 답을 암기할 것

MATH **10단원 비례, 반비례, 비례식**

STEP1 **관계식**

㉠ 기계적 출력 $P_0 = P_2(1-s)$

(여기서, P_2 : 2차 입력)

㉡ 동기 속도 $N_s = \dfrac{120f}{p}$ (여기서, p : 극수)

㉢ 토크 $T = \dfrac{P_0}{\omega} = \dfrac{P_2}{\omega_s} = \dfrac{60P_2}{2\pi N_s}$

(여기서, ω_s : 동기 각속도)

따라서, 토크(T)는 2차 입력(P_2)에 비례하고 동기속도(N_s)에 반비례한다.

056 ★★

ANSWER ② 1차 저항변환

STEP1 **유도전동기의 속도 제어법**

㉠ 농형 유도 전동기

- 주파수 변환법 : 전원주파수를 변환하여 속도를 제어함
- 극수 변환법 : $N_s = \dfrac{120f}{p}$ 에서 극수를 변화시켜 속도를 제어함
- 전압 제어법 : 토크가 전압의 제곱에 비례하므로 전원전압을 조정하여 속도를 제어한다.

㉡ 권선형 유도 전동기

- 2차 저항법 : 비례추이를 이용한 것으로 2차 회로에 저항을 삽입 토크에 대한 슬립 s를 바꾸어 속도제어 하는 방식
- 2차 여자법 : 유도전동기의 회전자 권선에 회전자 기전력 $E_{2s} = sE_2$와 같은 주파수의 전압 E_c을 인가하여 속도제어 방식이다.

057 ★★★

ANSWER ③ 625

MATH 23단원 유리식

STEP1 2차 동손

$$P_{c2} = sP_2 = s \times \frac{P_0}{1-s}$$

STEP2 동기속도 N_s, 슬립 s

$$N_s = \frac{120f}{p} = \frac{120 \times 60}{8} = 900[\text{rpm}]$$

$$s = \frac{N_s - N}{N_s} = \frac{900 - 864}{900} = 0.04$$

STEP3 2차 동손 식에 대입한다.

$$P_{c2} = sP_2 = s \times \frac{P_0}{1-s}$$

$$= 0.04 \times \frac{15000}{1-0.04} = 625[\text{W}]$$

058 ★★★

ANSWER ③ 기전력의 위상에 차가 있을 때

답을 암기할 것

STEP1 동기발전기 병렬운전조건

병렬 운전 조건	불만족시 현상
기전력의 크기가 같을 것	무효순환전류(무효횡류)
기전력의 위상이 같을 것	동기화 전류(유효횡류)
기전력의 주파수가 같을 것	동기화 전류(난조)
기전력의 파형이 같을 것	고조파 무효순환전류
(3상) 상회전 방향이 같을 것	

059 ★★

ANSWER ④ 전원주파수에 의한 제어

STEP1 유도전동기의 속도제어

㉠ 1차 주파수 제어

- 선박 추진용, 인견(섬유)용 포트 모터, 전기자동차

㉡ 극수 변환

- 공작기계, 송풍기

㉢ 1차 전압 제어

- 소형 선풍기, 펌프

㉣ 2차 저항 제어(슬립 제어)

- 간단하나 효율이 나쁘다

㉤ 2차 여자 제어

- 크레머(Kramer) 방식, 셀비우스(Scherbius) 방식
- 대용량 펌프, 송풍기

060 ★

ANSWER ② 2

변압기의 유기기전력

$E_1 = 4.44fN_1\phi_m[\text{V}]$에서 $E_1 \propto N_1$이므로

따라서, 권수가 2배($N_1 \to 2N_1$)가 되면 유기기전력도 2배($E_1 \to 2E_1$)가 된다.

제4과목 | 회로이론

061 ★★★

ANSWER ④ $A = \frac{11}{3}, B = 11, C = \frac{11}{2}$

STEP1 Y → △ 등가변환

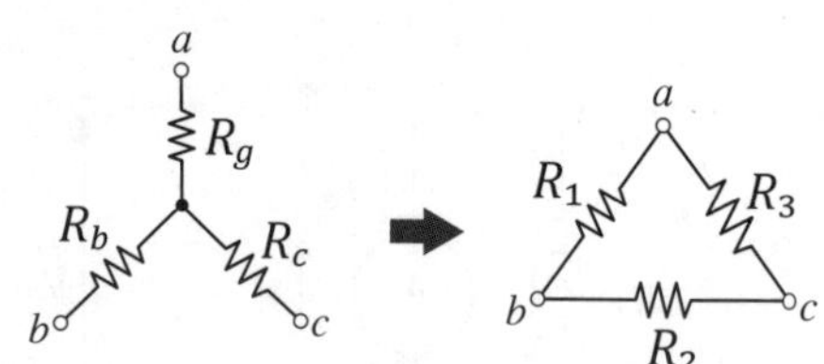

$$A = R_3 = \frac{1 \times 3 + 3 \times 2 + 2 \times 1}{3} = \frac{11}{3}$$

$$B = R_2 = \frac{1 \times 3 + 3 \times 2 + 2 \times 1}{1} = 11$$

$$C = R_1 = \frac{1 \times 3 + 3 \times 2 + 2 \times 1}{2} = \frac{11}{2}$$

062 ★

ANSWER ③ 배율기

- 배율기 : 전압계의 측정범위를 확대하기 위하여 내부저항 $r_a[\Omega]$인 전압계에 직렬로 접속하는 저항
- 분류기 : 전류계의 측정범위를 확대하기 위하여 내부저항 $r_a[\Omega]$인 전류계에 병렬로 접속하는 저항

063 ★★

ANSWER ② 6.67

MATH 42단원 정적분

STEP1 실효값 계산

실효값 $V = \sqrt{\frac{1}{T}\int_0^T v^2 dt}$ 에서

주기 $T = 3$,

$$v(t) = \begin{cases} 10t & (0 \le t < 1) \\ 10 & (1 \le t < 2) \\ 0 & (2 \le t < 3) \end{cases}$$ 이므로

$$\therefore V = \sqrt{\frac{1}{T}\int_0^T v^2 dt}$$
$$= \sqrt{\frac{1}{3}\left\{\int_0^1 (10t)^2 dt + \int_1^2 10^2 dt\right\}}$$
$$= \sqrt{\frac{1}{3}\left\{\left[\frac{100}{3}t^3\right]_0^1 + [100t]_1^2\right\}}$$
$$\fallingdotseq 6.67[\text{V}]$$

TIP !

각 파형의 실효값, 평균값을 암기하면 계산과정을 줄일 수 있다.

다른풀이

$$v(t) = \begin{cases} 10t & (0 \le t < 1)\text{삼각파} \\ 10 & (1 \le t < 2)\text{구형파} \\ 0 & (2 \le t < 3) \end{cases}$$ 이므로

㉠ 삼각파의 실효값 $V = \frac{V_m}{\sqrt{3}} = \frac{10}{\sqrt{3}}$

㉡ 구형파의 실효값 $V = V_m = 10$

$$\therefore V = \sqrt{\frac{1}{T}\int_0^T v^2 dt}$$
$$= \sqrt{\frac{1}{3}\left\{\left(\frac{10}{\sqrt{3}}\right)^2 + (10)^2 + (0)^2\right\}}$$
$$\fallingdotseq 6.67[\text{V}]$$

064 ★

ANSWER ① 40

MATH 35단원 로그

이득 $G = 20\log\frac{100}{1} = 20\log 10^2 = 40[\text{dB}]$

065 ★★

ANSWER ③ E 답을 암기할 것

MATH 38단원 미분 기초

직류전원 인가 시 인덕터는 초기상태에서 개방회로로 동작한다.

따라서, 그림과 같은 회로에서는 입력전압과 같다.

$v_L(0^+) = E$

다른풀이

인덕턴스 L에 걸리는 전압 $v_L(t) = L\frac{d}{dt}i(t)$

RL 직렬회로의 전류 $i(t) = \frac{E}{R}\left(1 - e^{-\frac{R}{L}t}\right)$

$$\therefore v_L(t) = L\frac{d}{dt}i(t)$$
$$= L\frac{d}{dt}\left\{\frac{E}{R}\left(1 - e^{-\frac{R}{L}t}\right)\right\}$$
$$= L\frac{d}{dt}\left(\frac{E}{R} - \frac{E}{R}e^{-\frac{R}{L}t}\right)$$
$$= L\left(\frac{E}{L}e^{-\frac{R}{L}t}\right)$$
$$= Ee^{-\frac{R}{L}t}$$

$t = 0$, 일 때 $v_L(0) = E$

2018년 1회

066 ★★

ANSWER ③ $\frac{5s+3}{s(s+1)}$

MATH 23단원 유리식, 49단원 라플라스 기초

STEP1

$$\begin{aligned} F(s) &= \pounds\,[f(t)] \\ &= \pounds\,[3u(t)+2e^{-t}] \\ &= \pounds\,[3u(t)]+\pounds\,[2e^{-t}] \\ &= \frac{3}{s}+\frac{2}{s+1} \\ &= \frac{5s+3}{s(s+1)} \end{aligned}$$

067 ★★

ANSWER ③ $f(-x)=-f(x)$,
$-f(x+\pi)=f(x)$

MATH 12단원 평행이동과 우함수 기함수

정현대칭 $f(t)=-f(x)$

반파대칭 $f(t)=-f\left(t+\frac{T}{2}\right)$
$=-f(t+\pi)\quad (\because\ T=2\pi)$

068 ★★

ANSWER ③ $2e^{-t}\cos 2t$

MATH 8단원 인수분해, 9단원 완전제곱식,
50단원 라플라스 심화

STEP1

분자에 s + 1 꼴이 있으므로 분모 쪽에도 만들어 준다.

$$F(s)=\frac{2(s+1)}{s^2+2s+5}=\frac{2(s+1)}{(s+1)^2+2^2}$$

STEP2 라플라스 변환

㉠ 시간추이 정리 : $\pounds^{-1}[F(s+1)]=e^{-t}f(t)$

㉡ 삼각함수 : $\pounds^{-1}\left[\frac{s}{s^2+2^2}\right]=\cos 2t$ 이므로

$$\therefore\ \pounds^{-1}\left[\frac{2(s+1)}{s^2+2s+5}\right]$$
$$=\pounds^{-1}\left[\frac{2(s+1)}{(s+1)^2+2^2}\right]=2e^{-t}\cos 2t$$

069 ★★★

ANSWER ④ 5×10^{-4}

STEP1 과도현상

	RL 직렬	RC 직렬
전압 v_R	$E\left(1-e^{-\frac{R}{L}t}\right)$	$Ee^{-\frac{1}{RC}t}$
전류 $i(t)$	$\frac{E}{R}\left(1-e^{-\frac{R}{L}t}\right)$	$\frac{E}{R}e^{-\frac{1}{RC}t}$
시정수	$\tau=\frac{L}{R}$	$\tau=RC$

STEP2 시정수 계산

$$\tau=\frac{L}{R}=\frac{10\times10^{-3}}{20}$$
$$=5\times10^{-4}[\mathrm{s}]$$

070 ★★

ANSWER ① 161.8

MATH 23단원 유리식

STEP1 n상 성형 결선

$V_l=2\sin\frac{\pi}{n}V_{p\angle}\frac{\pi}{2}\left(1-\frac{2}{n}\right)$에서

상수 $n=10$이고, $\frac{\pi}{10}[\mathrm{rad}]=18^\circ$이므로

$E_l=2\sin\frac{\pi}{10}E_p$ ($\because$ 크기만 계산)

STEP2 식 정리

$\rightarrow 100=2\times0.309\times E_p$

$\therefore\ E_p=\frac{100}{2\times0.309}\fallingdotseq 161.8[\mathrm{V}]$

TIP !

대칭 n상 회로 관계

	성형 결선 (Y, ┼, ✻)	환형 결선 (△, □, ⬡)
전압	$V_l = 2\sin\frac{\pi}{n} V_{p\angle} \frac{\pi}{2}\left(1-\frac{2}{n}\right)$	$V_l = V_p$
전류	$I_l = I_p$	$I_l = 2\sin\frac{\pi}{n} I_{p\angle} -\frac{\pi}{2}\left(1-\frac{2}{n}\right)$

여기서, V_l : 선간전압, V_p : 상전압

I_l : 선전류, I_p : 상전류

071 ★★★

ANSWER ② 8

MATH 23단원 유리식

STEP1 임피던스 파라미터

Z_{11} : 개방 구동점 임피던스(I_1만 흐르는 경우)

$$Z_{11} = \frac{V_1}{I_1}\bigg|_{I_2=0}$$

2차측을 개방($I_2 = 0$)하여 I_1만 흐르는 경우를 계산한다.

$\therefore V_1 = (3[\Omega] + 5[\Omega]) \times I_1 = 8I_1$

STEP2 계산

$$\therefore Z_{11} = \frac{V_1}{I_1}\bigg|_{I_2=0} = \frac{8I_1}{I_1} = 8[\Omega]$$

072 ★★

ANSWER ① 8.66

MATH 23단원 유리식

STEP1 $\Delta - \mathrm{Y}$ 변환

다음 그림과 같이 Y결선으로 바꾼다.

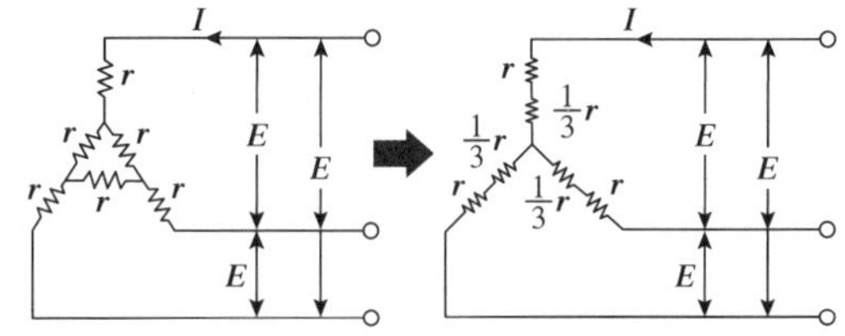

$\therefore$ 1상의 저항 $R = r + \frac{1}{3}r = \frac{4}{3}r$

STEP2 Y결선 특징

상전류 $I_p = \frac{E_p}{R}$ 에서

Y결선에서 상전압 E_p는 선간전압 E의 $\frac{1}{\sqrt{3}}$배이므로 $E_p = \frac{E}{\sqrt{3}}$

STEP3 옴의 법칙

$$\therefore I_p = \frac{E_p}{R} = \frac{\frac{E}{\sqrt{3}}}{\frac{4}{3}r} = \frac{\sqrt{3}E}{4r}$$

$$= \frac{\sqrt{3} \times 60}{4 \times 3} \fallingdotseq 8.66[\mathrm{A}]$$

073 ★★★

ANSWER ④ $\frac{1}{RCs+1}$

MATH 23단원 유리식

$$V_1(s) = R + \frac{1}{Cs}$$

$$V_2(s) = \frac{1}{Cs}$$

$$\therefore G(s) = \frac{V_2(s)}{V_1(s)} = \frac{\frac{1}{Cs}}{R + \frac{1}{Cs}}$$

$$= \frac{1}{RCs+1} \quad (\because \text{분모 쪽 분수 정리})$$

2018년

1회

074 ★

ANSWER ④ $\frac{C}{V}$

정전 용량 $C[\mathrm{F}] = \frac{Q}{V}$에서

Q : [C], V : [V]

$\therefore C[\mathrm{F}] = \frac{Q}{V}$ [C/V]

075 ★★

ANSWER ① $\frac{3s+4}{(s+1)(s+2)}$

MATH 23단원 유리식, 49단원 라플라스 기초

STEP1 식을 두 부분으로 나눈다

$$\begin{aligned}\pounds\,[h(t)] &= \pounds\left[(e^{-t} + 2e^{-2})\,u(t)\right] \\ &= \pounds\left[(e^{-t}u(t) + 2e^{-2}u(t)\right] \\ &= \pounds\left[(e^{-t}u(t)\right] + \pounds\left[2e^{-2}u(t)\right]\end{aligned}$$

STEP2 시간추이 정리

$e^{-\alpha t}f(t) \xrightarrow{\pounds} F(s+\alpha)$,

$e^{-\alpha t}u(t) \xrightarrow{\pounds} \frac{1}{s+\alpha}$ 이므로

$$\begin{aligned}\therefore \pounds\,[h(t)] &= \pounds\left[e^{-t}u(t)\right] + \pounds\left[2e^{-2}u(t)\right] \\ &= \frac{1}{s+1} + \frac{2}{s+2} \\ &= \frac{3s+4}{(s+1)(s+2)}\end{aligned}$$

076 ★★★

ANSWER ③ $\frac{E_m}{2}$ 답을 암기할 것

STEP1 정현반파의 실효값

파형	정현파	정현반파	삼각파	구형반파	구형파
실효값	$\frac{E_m}{\sqrt{2}}$	$\frac{E_m}{2}$	$\frac{E_m}{\sqrt{3}}$	$\frac{E_m}{\sqrt{2}}$	E_m
평균값	$\frac{2E_m}{\pi}$	$\frac{E_m}{\pi}$	$\frac{E_m}{2}$	$\frac{E_m}{2}$	E_m

TIP !

실효값 $E = \sqrt{\frac{1}{T}\int_0^T e^2 dt}$ 를 통하여 계산 가능하나 시간상 권장하지 않는다.

077 ★★★

ANSWER ③ 600

STEP1 유효전력

$$P = VI\cos\theta = \frac{V_M I_M}{2}\cos\theta$$

STEP2 비정현파의 유효전력

비정현파의 유효전력은 같은 주파수의 전압과 전류사이에서 발생한다.

$$\begin{aligned}\therefore P &= \sum_{n=1}^{\infty} \frac{V_{nM} I_{nM}}{2}\cos\theta \\ &= \frac{100 \times 20}{2} \times \cos 60° \\ &\quad + \frac{20 \times 10}{2} \times \cos 0° \\ &= 600\,[\mathrm{W}]\end{aligned}$$

(여기서, V_{nM}, I_{nM} 제 n고조파의 최대값 전압, 전류)

078 ★★★

ANSWER ③ 62.3

STEP1 역률

$$\cos\theta = \frac{R}{Z} \times 100\,[\%]$$

STEP2 임피던스 계산

$$\begin{aligned}Z &= \sqrt{R^2 + X_L^2} = \sqrt{R^2 + \{\omega L\}^2} \\ &= \sqrt{50^2 + \{(2\pi \times 50) \times (200 \times 10^{-3})\}^2} \\ &\fallingdotseq 80.30\,[\Omega]\end{aligned}$$

$$\therefore \cos\theta = \frac{R}{Z} \times 100 = \frac{50}{80.30} \times 100 \fallingdotseq 62.3\,[\%]$$

079 ★★★

ANSWER ① 0 답을 암기할 것

MATH 30단원 직교좌표와 극좌표

대칭 전압의 합은 0이다.

$$v_a + v_b + v_c = v_a + a^2 v_a + a v_a$$
$$= (1 + a^2 + a) v_a$$
$$= 0\ (\because 1 + a + a^2 = 0)$$

(여기서, $a = 1\angle 120°$)

TIP !

벡터 연산자 a

$$1 + a + a^2 = 0$$
$$a = -\frac{1}{2} + j\frac{\sqrt{3}}{2} = 1\angle 120°$$

080 ★★

ANSWER ① 0° 답을 암기할 것

STEP1 *RLC* 직렬 회로

전류 $I = \frac{V}{Z}\angle\theta$, 위상차 $\theta = \tan^{-1}\frac{X_L - X_C}{R}$

STEP2 *RLC* **직렬 공진**

공진 : 유도성 리액턴스와 용량성 리액턴스의 크기가 같다.

$X_L = X_C \rightarrow X_L - X_C = 0$ 이므로

∴ 위상차

$$\theta = \tan^{-1}\frac{X_L - X_C}{R} = \tan^{-1}0 = 0°$$

이때의 회로는 순저항 부하이며 전류의 값이 최대가 된다.(병렬 공진에서는 합성전류가 최소가 된다.)

제5과목 | 전기설비기술기준 및 한국전기설비규정

081 ★

ANSWER ③ 내장형

상시 상정하중(한국전기설비규정 333.13)

인류형·내장형 또는 보강형·직선형·각도형의 철주·철근 콘크리트주 또는 철탑의 경우에는 다음에 따라 가섭선 불평균 장력에 의한 수평 종하중을 가산한다.

㉠ 인류형의 경우에는 전가섭선에 관하여 각 가섭선의 상정 최대 장력과 같은 불평균 장력의 수평 종분력에 의한 하중

㉡ 내장형·보강형의 경우에는 전가섭선에 관하여 각 가섭선의 상정 최대장력의 33[%]와 같은 불평균 장력의 수평 종분력에 의한 하중

㉢ 직선형의 경우에는 전가섭선에 관하여 각 가섭선의 상정최대 장력의 3[%]와 같은 불평균 장력의 수평 종분력에 의한 하중.(단, 내장형은 제외한다)

㉣ 각도형의 경우에는 전가섭선에 관하여 각 가섭선의 상정 최대 장력의 10[%]와 같은 불평균 장력의 수평 종분력에 의한 하중

082 ★★★

ANSWER ② 30

가공전선로 지지물의 기초의 안전율

(한국전기설비규정 331.7)

가공전선로의 지지물에 하중이 가하여지는 경우에 그 하중을 받는 지지물의 기초의 안전율은 2(이상 시 상정 하중에 대한 철탑의 기초에 대하여는 1.33) 이상이어야 한다. 다만, 다음에 따라 시설하는 경우에는 적용하지 않는다.

설계하중 / 전장	6.8[kN] 이하	6.8[KN] 초과~ 9.8[kN] 이하	9.8[KN] 초과~ 14.72[kN] 이하
15[m]이하	전장× 1/6[m] 이상	전장×1/6 +0.3[m] 이상	전장×1/6+ 0.5[m]이상
15[m]초과	2.5[m] 이상	2.8[m] 이상	-
16[m]초과 20[m]이하	2.8[m] 이상	-	-
15[m]초과 18[m]이하	-	-	3[m]이상
18[m]초과	-	-	3.2[m]이상

083 ★

ANSWER ④ 1.5

케이블트레이공사(한국전기설비규정 232.41)

㉠ 케이블 트레이의 안전율은 1.5 이상으로 하여야 한다.

㉡ 금속재의 것은 적절한 방식처리를 한 것이거나 내식성 재료의 것이어야 한다.

㉢ 비금속제 케이블 트레이는 난연성 재료의 것이어야 한다.

㉣ 금속제 케이블 트레이 계통은 기계적 및 전기적으로 완전하게 접속하여야 하며 금속제 트레이는 접지공사를 하여야 한다.

㉤ 전선의 피복 등을 손상시킬 돌기 등이 없이 매끈하여야 한다.

084 ★★★

ANSWER ② 옥외용 비닐절연전선을 사용했다.

금속관공사(한국전기설비규정 232.12)

㉠ 전선은 절연 전선(옥외용 비닐 절연전선을 제외한다)일 것

㉡ 전선은 연선일 것. 다만, 다음의 것은 적용하지 않는다.

① 짧고 가는 금속관에 넣은 것

② 단면적 10[mm^2](알루미늄선은 단면적 16[mm^2]) 이하의 것

㉢ 관의 두께는 다음에 의할 것

① 콘크리트에 매설 하는 것은 1.2[mm] 이상

② 콘크리트 매설 이외의 것은 1[mm] 이상

㉣ 관에는 접지공사 할 것

085 ★

ANSWER ④ 전선을 조영재의 옆면에 따라 붙이는 경우 전선의 지지점 간의 거리를 케이블은 3[m] 이하로 한다.

케이블공사(한국전기설비규정 232.51)

케이블 배선에 의한 저압 옥내배선은 다음에 따라 시설하여야 한다.

㉠ 전선은 케이블 및 캡타이어 케이블일 것

㉡ 전선을 조영재의 아랫면 또는 옆면에 따라 붙이는 경우 전선의 지지점 간의 거리

① 케이블 : 2[m](사람이 접촉할 우려가 없는 곳에서 수직으로 붙이는 경우에는 6[m]) 이하

② 캡타이어 케이블 : 1[m] 이하

086 ★★

ANSWER ① 50

가공케이블의 시설(한국전기설비규정 332.2)

저압 가공전선 또는 고압 가공전선에 케이블을 사용하는 경우에는 다음에 따라 시설하여야 한다.

㉠ 케이블은 조가용선에 행거로 시설할 것. 이 경우에는 사용 전압이 고압인 때에는 행거의 간격은 0.5[m] 이하로 하는 것이 좋다.

㉡ 조가용선은 인장강도 5.93[kN] 이상의 것 또는 단면적 22[mm^2] 이상인 아연도강연선일 것

㉢ 조가용선 및 케이블의 피복에 사용하는 금속체에는 접지 공사를 할 것

㉣ 조가용선을 케이블에 접촉시켜 금속테이프를 감는 경우에는 20[cm] 이하의 간격으로 나선상으로 한다.

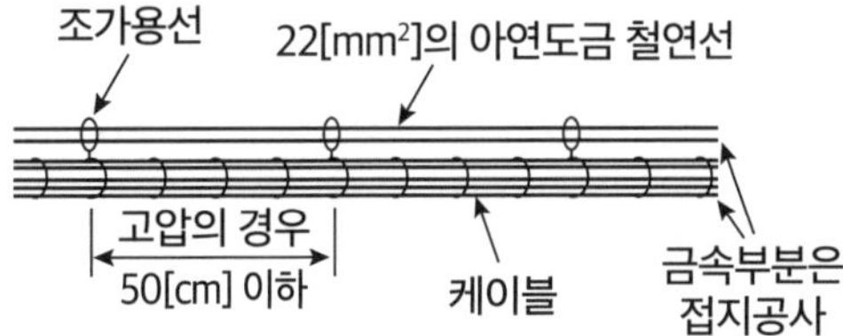

087 ★★

ANSWER ② 2.5

태양광설비의 시설(한국전기설비규정 522)

㉠ 전선은 공칭단면적 2.5[mm^2] 이상의 연동선 또는 이와 동등 이상의 세기 및 굵기의 것일 것

㉡ 배선설비 공사는 옥내에 시설할 경우에는 합성수지관 공사, 금속관공사, 금속제 가요전선관 공사, 케이블공사의 규정에 준하여 시설할 것

088 ★★★

ANSWER ② 2

특고압 가공전선과 저고압 가공전선 등의 병행설치(한국전기설비규정 333.17)

전압	표준	특고합에 케이블 사용 및 저·고압에 절연전선 또는 케이블 사용
35[kV]이하	1.2[m]이상	0.5[m]이상
35[kV]초과 100[kV]미만	2[m]이상	1[m]이상

089 ★

ANSWER ④ 20

변압기 중성점 접지(한국전기설비규정 142.5)

변압기의 고압측 또는 사용전압이 35[kV] 이하의 특고압전로가 저압측 전로와 혼촉하고 저압 전로의 대지전압이 150[V]를 초과하는 경우 1초 이내에 고압·특고압 전로를 자동으로 차단하는 장치를 설치할 경우 접지저항 값

$$R = \frac{600}{\text{고압측 또는 특고압측의 1선 지락전류}}[\Omega]$$

즉, 1초 이내에 자동적으로 차단하는 장치가 설치되어 있으므로

접지 저항값 $R = \frac{600}{30} = 20[\Omega]$

090 ★

ANSWER ③ 1.5

저압 옥내배선의 사용전선

(한국전기설비규정 231.3.1)

㉠ 저압 옥내배선의 전선 : 단면적 2.5[mm^2] 이상의 연동선

㉡ 옥내배선의 사용전압이 400[V] 이하인 경우는 다음에 의하여 시설할 수 있다.

① 전광표시 장치 또는 제어 회로

- 단면적1.5[mm^2] 이상의 연동선
- 단면적 0.75[mm^2] 이상인 다심케이블 또는 다심캡타이어 케이블을 사용하고 또한 과전류가 생겼을 때에 자동적으로 전로에서 차단하는 장치를 시설

② 진열장 또는 이와 유사한 것의 내부배선 : 단면적 0.75[mm^2] 이상인 코드 또는 캡타이어 케이블

091 ★★★

ANSWER ③ 4.0

고압 가공전선로의 가공지선

(한국전기설비규정 332.6)

고압 가공전선로에 사용하는 가공지선은 인장강도 5.26[kN] 이상의 것 또는 지름 4[mm] 이상의 나경동선을 사용한다.

092 ★

ANSWER ④ 발전소로서 전기 공급에 지장을 미치지 않고, 휴대용 전력보안통신 전화설비에 의하여 연락이 확보된 경우

전력보안통신 설비의 시설요구사항

(한국전기설비규정 362.1)

발전소·변전소 및 개폐소와 기술원 주재소 간에는 전력보안통신 설비의 시설이 요구 된다.

다만, 다음 어느 항목에 적합하고 또한 휴대용 또는 이동용 전력 보안통신전화 설비에 의하여 연락이 확보된 경우에는 그러하지 아니하다.

㉠ 발전소로서 전기의 공급에 지장을 미치지 않는 것

㉡ 상주감시를 하지 않는 변전소(사용전압이 35[kV] 이하의 것에 한한다.)로서 그 변전소에 접속되는 전선로가 동일기술원 주재소에 의하여 운용 되는 곳

093 ★★★

ANSWER ① 조명 및 세척이 가능한 장치를 하도록 할 것

지중함의 시설(한국전기설비규정 334.2)

지중전선로에 사용하는 지중함은 다음에 따라 시설하여야 한다.

㉠ 지중함은 견고하고 차량 기타 중량물의 압력에 견디는 구조일 것

㉡ 지중함은 그 안의 고인 물을 제거할 수 있는 구조로 되어 있을 것

㉢ 폭발성 또는 연소성의 가스가 침입할 우려가 있는 것에 시설하는 지중함으로서 그 크기가 1[m^3] 이상인 것에는 통풍장치 기타 가스를 방산시키기 위한 적당한 장치를 시설할 것

㉣ 지중함의 뚜껑은 시설자 이외의 자가 쉽게 열 수 없도록 시설할 것

094 ★

ANSWER ③ 22

특고압 가공전선의 굵기 및 종류
(한국전기설비규정 333.4)

특고압 가공전선은 케이블인 경우 이외에는 인장 강도 8.71[kN] 이상의 연선 또는 단면적이 22[mm^2] 이상의 경동연선 또는 동등 이상의 인장 강도를 갖는 알루미늄 전선이나 절연전선이어야 한다.

095 ★★

ANSWER ② 2.28

발전소 등의 울타리·담 등의 시설
(한국전기설비규정 351.1)

㉠ 울타리·담 등의 높이는 2[m] 이상으로 하고 지표면과 울타리·담 등의 하단 사이의 간격은 0.15[m] 이하로 할 것

㉡ 울타리·담 등의 높이와 울타리·담 등으로부터 충전 부분까지 거리의 합계는 표에서 정한 값 이상으로 할 것

사용전압의 구분	울타리·담 등의 높이와 울타리·담 등으로부터 충전 부분까지의 거리의 합계
35[kV]이하	5[m]
35[kV]초과 160[kV]이하	6[m]
160[kV]초과	• 거리의 합계 = 6 + 단수 × 0.12[m] • 단수 = $\frac{전압[kV] - 160}{10}$ 단수 계산에서 소수점 이하는 절상

- 단수 $= \frac{345 - 160}{10} = 18.5 \rightarrow$ 19단
- 이격거리 + 울타리 높이
  $= 6 + 19 \times 0.12 = 8.28$[m]
- 울타리 높이 = 8.28 − 이격거리
  $= 8.28 - 6 = 2.28$[m]

096 ★★★

ANSWER ② 압착식

지중전선로의 시설(한국전기설비규정 334.1)

㉠ 지중 전선로는 전선에 케이블을 사용하고 또한 관로식·암거식 또는 직접매설식에 의하여 시설하여야 한다.

㉡ 지중 전선로를 직접매설식에 의하여 시설하는 경우에는 매설깊이는
  ① 차량 기타 중량물의 압력을 받을 우려가 있는 장소 : 1.0[m] 이상
  ② 기타장소 : 0.6[m] 이상

097 ★★★

ANSWER ④ 28750

전로의 절연 저항 및 절연내력
(한국전기설비규정 132)

전로의 종류	접지 방식	시험전압 (최대사용 전압의 배수)	최저 시험전압
1. 7[kV]이하		1.5배	
2. 7[kV]초과 25[kV]이하	다중 접지	0.92배	
3. 7[kV]초과 60[kV] 이하(2란의 것 제외)		1.25배	10.5[kV]
4. 60[kV]초과	비접지	1.25배	
5. 60[kV]초과(6란과 7란의 것 제외)	접지식	1.1배	75[kV]
6. 60[kV]초과 (7란의 것 제외)	직접 접지	0.72배	
7. 170[kV]초과(발전소 또는 변전소 혹은 이에 준하는 장소에 시설하는 것)	직접 접지	0.64배	

∴ 시험 전압 $= 23.00 \times 1.25 = 28{,}750$[V]

출제기준 변경 및 개정된 관계 법규에 따라 삭제된 문제가 있어 20문항이 안됩니다.

2018년 2회

제1과목 | 전기자기학

001 ★★★

ANSWER ② $P = \epsilon_0(\epsilon_s - 1)E$

분극의 세기

$$P - (\epsilon - \epsilon_0)E$$
$$= \epsilon E - \epsilon_0 E$$
$$= \epsilon_0(\epsilon_s - 1)E$$

여기서, P: 분극의 세기

ϵ_0: 진공상태에서 유전율, 8.855×10^{-12}[F/m]

ϵ_s: 비유전율

$\epsilon = \epsilon_0 \epsilon_s$: 유전율

002 ★★★

ANSWER ③ 377 　　　　답을 암기할 것

MATH 25단원 무리식

• 고유 임피던스

$$\eta = \frac{E_x}{H_y} = \sqrt{\frac{\mu}{\epsilon}}[\Omega]$$

• 진공의 고유 임피던스

$$\eta_0 = \frac{E}{H} = \sqrt{\frac{\mu_0}{\epsilon_0}} = \sqrt{\frac{4\pi \times 10^{-7}}{\frac{1}{36\pi \times 10^9}}}$$
$$= \sqrt{144\pi^2 \times 10^2} = 377[\Omega]$$

003 ★★★

ANSWER ① 1

STEP1 쿨롱의 법칙

$$F = k\frac{Q_1 Q_2}{r^2} = \frac{Q_1 Q_2}{4\pi\epsilon_0 r^2}[\text{N}]$$

여기서, F: 쿨롱의 힘[N]

Q: 전하량[C]

r: 양 전하간의 거리[m]

ϵ_0: 진공중의 유전률(dielectric constant)

$(\epsilon_0 = 8.855 \times 10^{-12}[\text{F/m}])$

$$\left(\frac{1}{4\pi\epsilon_0} \approx 9 \times 10^9\right)$$

STEP2 대입

$$F = \frac{Q_1 Q_2}{4\pi\epsilon_0 r^2} \rightarrow 9 \times 10^9$$
$$= 9 \times 10^9 \frac{1 \times 1}{r^2}[\text{N}]$$
$$\rightarrow r = 1[\text{m}]$$

고난도

004 ★

ANSWER ③ $\frac{10^7 B}{4\pi N}(\frac{l}{\mu_r} + \delta)$ 　　　　답을 암기할 것

MATH 23단원 유리식

STEP1 자기회로의 옴의 법칙

$$\Psi = \frac{F}{R_m} = \frac{NI}{R_m} = BA, I = \frac{\Phi R_m}{N}$$

STEP2 자기 저항

환상 솔레노이드의 자기 저항은 다음과 같다.

$$R_m = R_i + R_g = \frac{1}{\mu_0 \mu_r A} + \frac{\delta}{\mu_0 A}$$
$$= \frac{1}{\mu_0 A}\left(\frac{1}{\mu_r} + \delta\right)[\Omega]$$

STEP3 대입

$$I = \frac{\Phi R_m}{N} = \frac{BA}{N}\frac{1}{\mu_0 A}\left(\frac{1}{\mu_r} + \delta\right)$$
$$= \frac{B}{N\mu_0}\left(\frac{1}{\mu_r} + \delta\right) = \frac{10^7 B}{4\pi N}\left(\frac{1}{\mu_r} + \delta\right)$$

005 ★★

ANSWER ③ $\frac{mv}{\mu HQ}$

전하 Q가 원을 그린다는 것은 전하에 작용되는 힘이 평형을 이룬다는 것을 의미한다.

이때, 전하 Q에 작용하는 힘은 전자력에 의한 구심력과 원심력이다.

구심력 $\frac{mv^2}{r}$ = 원심력$BQv \rightarrow r = \frac{mv^2}{BQ} = \frac{mv^2}{\mu HQ}$

006 ★★

ANSWER ④ $\frac{\sigma d}{\epsilon_0}$

STEP1 평행 평판 도체의 전위

$$V = Ed = \frac{\sigma}{\epsilon_0}d[\mathrm{V}]$$

007 ★

ANSWER ② 정전차폐

정전차폐 : 임의의 도체를 일정 전위(영전위)의 도체로 완전 포위하여 내외 공간의 전계를 완전히 차단하는 현상

008 ★★★

ANSWER ③ $E = \sqrt{\frac{\mu}{\epsilon}}H$

STEP1 고유 임피던스

$$\eta = \frac{E}{H} = \sqrt{\frac{\mu}{\epsilon}}[\Omega] \rightarrow \mathrm{E} = \eta H = \sqrt{\frac{\mu}{\epsilon}}\mathrm{H}$$

009 ★

ANSWER ① $\frac{I}{2}(1 - \frac{x}{\sqrt{a^2 + x^2}})$ 답을 암기할 것

자위

점 P에서의 자위는 다음과 같다.

$$U_m = \frac{I}{4\pi}w = \frac{I}{4\pi}2\pi(1 - \cos\theta)$$
$$= \frac{I}{2}\left(1 - \frac{x}{\sqrt{a^2 + x^2}}\right)[\mathrm{AT}]$$

010 ★★

ANSWER ④ $\frac{L_1L_2}{L_1 + L_2}$

STEP1 인덕턴스의 병렬접속

$$L^+ = \frac{L_1L_2 - M^2}{L_1 + L_2 - 2M}$$
$$L^- = \frac{L_1L_2 - M^2}{L_1 + L_2 + 2M}$$

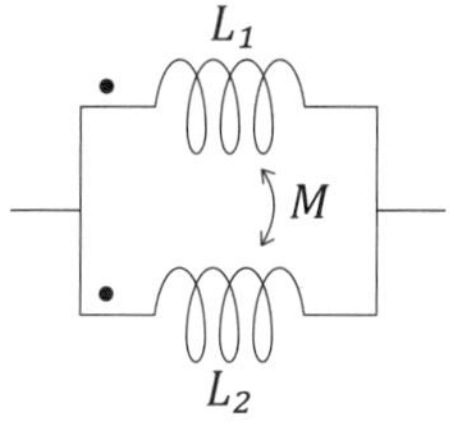

STEP2 상호 인덕턴스

서로 다른 회로에 있는 인덕터가 유도 자기장에 의하여 영향을 미치는 정도 즉, 간섭이 없다는 것은 상호 인덕턴스 M = 0 라는 것이다.

이때 자기 인덕턴스는 $\frac{L_1L_2}{L_1 + L_2}$ 이다.

2018년 2회

011 ★★★

ANSWER ④ 도체 표면의 전하밀도는 표면의 곡률이 큰 부분일수록 작다.

STEP1 도체의 성질

㉠ 도체 내부의 전계의 세기는 0이다.
㉡ 전하는 도체 내부에는 존재하지 않고, 도체 표면에만 분포한다.
㉢ 도체 표면과 내부의 전위는 동일하다.(등전위)
㉣ 도체 표면에서의 전하 밀도는 곡률이 클수록(뾰족할수록) 높다. 즉, 곡률 반경이 작을수록 높다.
㉤ 도체 면에서의 전계의 세기는 도체 표면에 항상 수직이다.

012 ★★

ANSWER ② 전기저항은 온도의 변화에 대해 정특성을 갖는다.

STEP1 온도계수와 저항간의 관계

- 온도계수 α : 온도 변화에 따른 저항의 변화율 (어떤 온도에서 1[℃] 상승할 때 저항 증가율)

$R_2 = R_1\{1 + \alpha(t_2 - t_1)\}$

여기서, $\alpha : t_1$에서의 온도계수

$\alpha_0 : 0$[℃]에서의 온도계수

즉, 전기 저항은 온도계수에 비례하는 정특성을 가진다.

013 ★★★

ANSWER ④ 암페어의 오른나사 법칙

STEP1

- **암페어의 오른나사의 법칙**

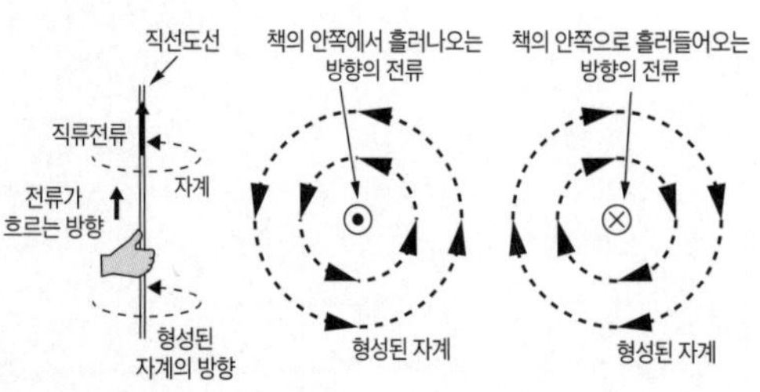

전류가 흐르는 도체에 전류와 수직인 오른손의 방향으로 자계가 발생

- **렌츠의 법칙(Lenz's law)**

자석이 움직이는 것을 방해하는 방향으로 유도전류가 흐른다.

- **플레밍의 왼손 법칙**

자계 $\vec{H}$ 에 의해 전류 도체가 받는 자기력 방향이 결정(전동기의 원리)

$F = (\vec{B} \times \vec{I}) \cdot l = BIl \sin\theta$[N]

($\vec{F}$: 전자력, $\vec{B}$: 자속밀도)

- **플레밍의 오른손 법칙**

자계 내의 도체 운동에 의해 유도 기전력의 방향이 결정(발전기의 원리)

$e = (\vec{v} \times \vec{B}) \cdot l = Blv \sin\theta$[V]

(e : 기전력, $\vec{v}$: 도체 운동속도)

014 ★

ANSWER ② $\dfrac{\pi\epsilon_0}{\ln\dfrac{d}{a}}$ 답을 암기할 것

STEP1 평행 원통 도체의 정전용량

정전용량 $C = \dfrac{\lambda}{V} = \dfrac{\pi\epsilon_0}{\ln\dfrac{d-a}{a}}$[F/m]

$(d \gg a) \fallingdotseq \dfrac{\pi\epsilon_0}{\ln\dfrac{d}{a}}$[F/m]

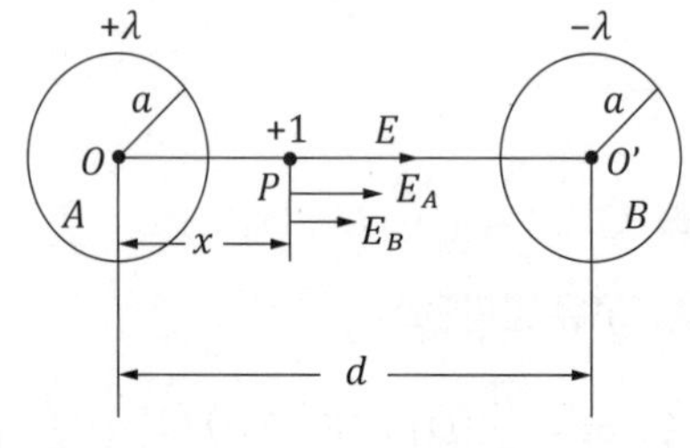

015 ★★★

ANSWER ① 1.06×10^{-13}

STEP1 정전 에너지 밀도

유전체에서 정전 에너지 밀도

$$w = \frac{1}{2}E \cdot D = \frac{\epsilon E^2}{2} = \frac{\epsilon_0 \epsilon_s E^2}{2}$$

$$= \frac{(8.855 \times 10^{-12}) \times 2.4 \times (100 \times 10^{-3})^2}{2}$$

$$\approx 1.06 \times 10^{-13}[\mathrm{J/m^3}]$$

016 ★★★

ANSWER ② 0.6

STEP1 결합계수

한 코일의 자속이 반대쪽 코일의 전류를 만드는데, 얼마나 실질적으로 사용되는지의 척도

$$k = \frac{M}{\sqrt{L_1 L_2}} (0 \le k \le 1)$$

$k = 0$: 자기적 결합이 전혀 되지 않음($M = 0$)

$0 < k < 1$: 일반적인 자기 결합 상태

$(M = k\sqrt{L_1 L_2})$

$k = 1$: 완전한 자기 결합($M = \sqrt{L_1 L_2}$)

STEP2 대입

$$k = \frac{M}{\sqrt{L_1 L_2}} = \frac{0.36}{\sqrt{0.4 \times 0.9}} = 0.6$$

고난도

017 ★

ANSWER ③ 50

STEP1 정전용량과 전하량의 관계

진공 중에 고립된 도체의 전하량

$Q = CV[\mathrm{C}]$

STEP2 동심구의 정전용량

$$C = \frac{4\pi\epsilon}{\frac{1}{a} - \frac{1}{b}}[\mathrm{F}]$$

STEP3 절연내력

절연내력은 전계의 세기를 의미한다.

$V =$ 절연내력 $\times d = E \times d$

STEP4 공기 중의 전하량

$$Q = CV = \frac{4\pi\epsilon_0}{\frac{1}{a} - \frac{1}{b}} E_0 d[\mathrm{C}]$$

STEP5 절연유에서의 전하량

$$Q' = CV = \frac{4\pi\epsilon_0\epsilon_s}{\frac{1}{a} - \frac{1}{b}} E'd = \frac{\epsilon_s}{E_0} E'Q$$

$$= \frac{3 \times 50}{3} Q = 50Q[\mathrm{C}]$$

즉, 절연유에서 진공 중 전하의 50배만큼 저장할 수 있다.

018 ★★★

ANSWER ④ $E = -\frac{\partial A}{\partial t}$

STEP1

먼저 자계의 변화에 대한 전계의 관계식을 생각해 본다.

패러데이의 전자유도 법칙

자계의 시간적 변화를 방해하는 방향으로 전계를 회전시킨다.

$$\mathrm{rot}E = \nabla \times E = -\frac{\partial B}{\partial t}$$

STEP2 자계의 벡터 포텐셜

$B = \nabla \times A$ 이므로 위의 패러데이의 전자유도 법칙을 이용한다.

$$\mathrm{rot}E = \nabla \times E = -\frac{\partial B}{\partial t} = -\frac{\partial}{\partial t}(\nabla \times A)$$

$$= \nabla \times \left(-\frac{\partial A}{\partial t}\right)$$

즉, $E = -\frac{\partial A}{\partial t}$ 이다.

019 ★★★

ANSWER ① $E_1 > E_2$

MATH **10단원 비례, 반비례, 비례식**

STEP1 **경계조건**

1) 완전경계 조건

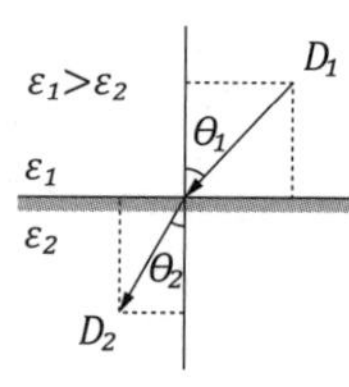

자속의 굴절

ε1>ε2
E1
θ1
ε1
ε2
θ2
E2

자력선의 굴절

$E_1 \sin\theta_1 = E_2 \sin\theta_2$

- 전계는 접선성분(평행성분)이 같다.

즉, $\epsilon_1 < \epsilon_2$인 경우, $E_1 > E_2$ 이다.

020 ★

ANSWER ② $\frac{1}{3}$ 답을 암기할 것

STEP1 **감자현상**

자성체를 어떠한 자계(H_o)에 놓으면 자화되어, 자성체 내부에 외부 자계(H_o)를 감소시키는 방향으로 자기 감자계(H')가 발생하는 현상

- 자계와 평행한 막대 자성체의 감자율: 0에 근접한 값
- 자계와 수직인 막대 자성체의 감자율: 1에 근접한 값
- 구 자성체의 감자율: $\frac{1}{3}$
- 원통 자성체의 감자율: $\frac{1}{2}$

제2과목 | 전력공학

021 ★★★

ANSWER ③ 직접접지방식

접지방식별 특징

구분	비접지 방식	직접 접지방식	소호리액터 접지방식
1선 지락 시 건전상 전압상승	$\sqrt{3}$ 배 상승	최소	-
기기절연 수준	최고	최소 (저감, 단절연)	중간
과도안정도	크다	최소	최대
1선 지락전류	매우 작다	최대	최소
전자유도장해	매우 작다	최대	최소
보호계전기 동작	불확실	확실	-

022 ★★★

ANSWER ② 110

– 전압강하 $e = V_s - V_r = 2I(R\cos\theta + X\sin\theta)$

– 급전점의 전압$(V_s) = V_r + 2I(R\cos\theta + X\sin\theta)$

(부하는 무유도성이므로

역률 $\cos\theta = 1, \sin\theta = 0$)

$$\therefore\ V_s = 100 + 2 \times \frac{3000}{100} \times (0.15 \times 1 + 0.25 \times 0) = 109[V]$$

023 ★

ANSWER ③ 345[kV]

- 우리나라 송전전압의 종류

765[kV], 345[kV],154[kV]

024 ★★★

ANSWER ② 5 ~ 6

직렬리액터를 이용하여 제5고조파 제거 시에는 다음과 같다.

$$2\pi(5f)L = \frac{1}{2\pi(5f)C}$$

$$2\pi fL = \frac{1}{2\pi 5^2 fC} = \frac{1}{2\pi fC} \times \frac{1}{25}$$

$$= \frac{1}{2\pi fC} \times 0.04$$

즉, 직렬리액터의 용량은 콘덴서 용량의 4[%] 이상이 되면 되는데 주파수 변동 등의 여유를 봐서 실제로는 약 5 ~ 6[%]인 것이 사용된다.

025 ★★★

ANSWER ① 분로 리액터

조상설비의 비교

항목	동기 조상기	전력용 콘덴서	분로 리액터
전력 손실	많음 (1.5~2.5[%])	적음 (0.3[%] 이하)	적음 (0.6[%] 이하)
무효 전력	진상, 지상 양용	진상 전용	지상 전용
조정	연속적	계단적	계단적
사고 시 전압 유지	큼	작음	작음
시송 전	가능	불가능	불가능

026 ★★★

ANSWER ② 정한시계전기

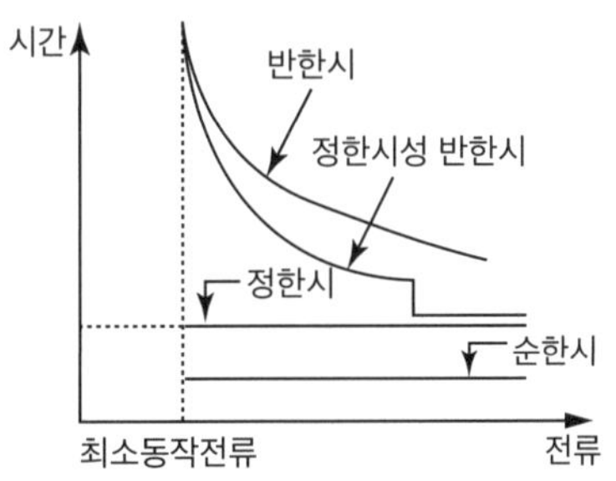

계전기의 한시특성에 의한 분류

- 순한시 계전기 : 최소 동작전류 이상의 전류가 흐르면 즉시 동작하는 것
- 반한시 계전기 : 동작전류가 커질수록 동작시간이 짧게 되는 특성을 가진 것
- 정한시 계전기 : 동작전류의 크기에 관계없이 일정한 시간에서 동작하는 것
- 반한시성 정한시 계전기 : 동작전류가 적은 동안에는 반한시 특성으로 되고 그 이상에서는 정한시 특성이 되는 것

027 ★★

ANSWER ④ 부하 밀집지역

저압 뱅킹 방식 : 부하 밀집도가 높은 지역의 배전선에 2대 이상의 변압기를 저압측에 병렬 접속하여 공급하는 배전방식

028 ★★

ANSWER ① 37.2

STEP1

유량 $Q = \sqrt{2gH}$ 에서 $Q \propto H^{\frac{1}{2}}$

출력 $P = 9.8QH\eta$ 에서

$P \propto QH\eta = H^{\frac{1}{2}} \times H \times \eta = H^{\frac{3}{2}} \times \eta$

(P : 출력, H : 낙차, η : 효율)

STEP2

문제내용에서 저하된 유효낙차와 수차의 효율을 수식(P')으로 표현하면, $P' = (0.6H)^{\frac{3}{2}}(0.8\eta)$

STEP3

출력과 저하된 출력을 비례식으로 나타내면,

$P : P' = H^{\frac{3}{2}}\eta : (0.6H)^{\frac{3}{2}}(0.8\eta)$

$P' \times H^{\frac{3}{2}}\eta = P \times (0.6H)^{\frac{3}{2}}(0.8\eta)$

$\therefore P' = P \times (0.6H)^{\frac{3}{2}}(0.8\eta) \div H^{\frac{3}{2}}\eta$

$= (0.6^{\frac{3}{2}} \times 0.8)P$

$= 0.3718P$

029 ★★

ANSWER ② 단락전류

전력용 퓨즈(PF) : 단락 보호용

030 ★

ANSWER ③ $C = \sqrt{\frac{Z}{Y}}\sinh\sqrt{ZY}$

회로의 종류		
4단자 정수	A	$\cosh\sqrt{ZY}$
	B	$\sqrt{\frac{Z}{Y}}\sinh\sqrt{ZY}$
	C	$\sqrt{\frac{Y}{Z}}\sinh\sqrt{ZY}$
	D	$\cosh\sqrt{ZY}$

031 ★★

ANSWER ③ $C_s + 3C_m$

3상 1회선인 경우 작용정전 용량 $C_\omega = C_s + 3C_m$

032 ★★

ANSWER ① 댐퍼

① 댐퍼 : 전선로의 진동 방지

② 피뢰기 : 이상전압 내습 시 대지로 방전하여 기기 보호

③ 매설지선 : 뇌 침입 시 역섬락 방지

④ 가공지선 : 직격뢰, 유도뢰로부터 보호

033 ★★★

ANSWER ④ 선택지락계전기의 작동이 쉽다.

접지방식별 특징

구분	비접지 방식	직접 접지방식	소호리액터 접지방식
1선 지락 시 건전상 전압상승	$\sqrt{3}$ 배 상승	최소	-
기기절연 수준	최고	최소 (저감, 단절연)	중간
과도안정도	크다	최소	최대
1선 지락전류	매우 작다	최대	최소
전자유도장해	매우 작다	최대	최소
보호계전기 동작	불확실	확실	-

034 ★★★

ANSWER ③ 4

MATH 23단원 유리식

STEP1 전압강하

전압 강하 $e = \sqrt{3}\,I(R\cos\theta + X\sin\theta)$ 에서

$$= \frac{P}{V}(R + X\tan\theta)$$

리액턴스를 무시하므로 $X = 0$

$$\therefore e = \frac{P}{V} \times R = \frac{40 \times 10^3}{200} \times 0.02 = 4[\mathrm{V}]$$

035 ★★

ANSWER ④ 배선용차단기

배선용 차단기 : 간선 분기회로의 전원차단 개폐기로서 수동조작되고, 과전류를 검출하고 자동으로 차단하는 과전류차단기로서 개폐기 및 자동차단기의 2가지 역할을 수행

036 ★★

ANSWER ② 단상 3선식

밸런서는 권선비가 1 : 1인 단권변압기로 단상 3선식 배전선로 말단에 시설한다.

037 ★

ANSWER ① 수냉벽

항목	가열 면적[%]	흡수 열량[%]
수냉벽	10~15	40~50
과열기	10~15	15~20
절탄기	15	10~15
보일러수관	5~10	10~15
공기예열기	50	5~10

038 ★★

ANSWER ③ $E_2 = E_1 + \frac{e_2}{e_1}E_1$

MATH 23단원 유리식

STEP1 단권변압기

$$E_2 = e_1 + e_2 = E_1 + \frac{E_1}{a} = E_1\left(1 + \frac{1}{a}\right)$$

$$= E_1\left(1 + \frac{e_2}{e_1}\right) = E_1 + \frac{e_2}{e_1}E_1$$

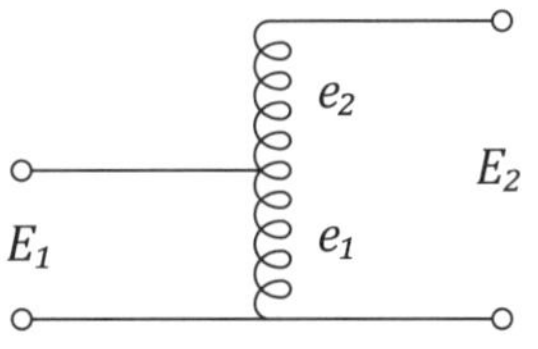

039 ★★★

ANSWER ③ $\sqrt{3}$ × 정격전압 × 정격차단전류

차단기의 정격 차단 용량

$P_s = \sqrt{3}\,VI_s = \sqrt{3}$ × 정격전압 × 정격차단전류

040 ★★★

ANSWER ② 2차측 절연 보호

변류기의 2차측을 개방하면 1차 부하전류가 모두 여자전류로 변화하여 2차 코일에 과전압이 발생하여 절연이 파괴되고, 권선이 손상될 위험이 있다.

제3과목 | 전기기기

041 ★★

ANSWER ④ 부하와 기어를 연결한다.

직권 전동기는 $I_a = I = I_f$ 이며 회전속도는

$n = k\frac{V - I_aR_a}{\phi}$ 이다. 무부하 상태가 되면 속도가 급격히 상승하므로 전동기가 파괴될 위험이 있다. 그러므로 전동기를 위험속도를 방지하지 위해서는 부하와 기어를 연결하여 사용한다.

2018년 2회

042 ★★

ANSWER ④ 전동기 속도가 상승함에 따라 외부저항을 점점 감소시키고 최후에는 슬립링을 개방한다.

STEP1 권선형 유도전동기의 2차 저항법

권선형 유도전동기가 기동 시 2차 회로에 적당한 저항을 갖게 하여 필요한 기동토크를 얻음으로서 기동전류를 억제하며 외부저항을 점차 감소시킨다. 최후에는 슬립링에서 단락하여 저항손의 증대를 막는다.

043 ★★

ANSWER ② T

STEP1 상수변환

㉠ 3상 - 2상간의 상수변환

- Scott(스코트) 결선(T결선)
- Meyer(메이어) 결선
- Wood bridge(우드 브리지) 결선

㉡ 3상 - 6상간의 상수변환

- 2중 △결선
- 2중 성형 결선
- 대각 결선
- Fork(포크) 결선
- 환상 결선

044 ★★

ANSWER ② 478

STEP1 단상 반파 정류

$$E_d = \frac{\sqrt{2}}{\pi}E - e$$

$$\therefore E = \frac{E_d + e}{0.45} = \frac{200 + 15}{0.45} = 477.78[\text{V}]$$

045 ★★★

ANSWER ② $0 < s < 1$

STEP1 슬립의 범위

㉠ 유도전동기 : $0 < s < 1$

㉡ 유도발전기($N_s < N$) : $s < 0$

㉢ 유도제동기(역회전) : $1 < s < 2$

046 ★★

ANSWER ② 35

STEP1 토크와 속도와의 관계

$T = K_1\phi I_a$, $T = K_2 I^2$

(∵ 직권전동기에서 $I_a = I_f = I \propto \phi$)

STEP2 비례식 세우기

토크와 속도와의 관계로 비례식을 세우면

$$T : \frac{1}{2}T = 50^2 : I^2$$

$$\therefore I^2 = \frac{1}{2} \times 50^2$$

$$I = \frac{1}{\sqrt{2}} \times 50 = 35.36[\text{A}]$$

047 ★★

ANSWER ③ 누설임피던스에 반비례한다.

STEP1

무부하 전압이 같다면, 전류에 의한 내부 전압강하가 같아야 한다.

즉, $V = I_a Z_a = I_b Z_b$이므로

분담전류는 정격전류에 비례하고 누설 임피던스에 반비례한다.

048 ★★★

ANSWER ④ 난조 방지

STEP1 난조방지대책

㉠ 제동권선을 설치

㉡ 관성 모멘트를 크게 한다.

049 ★★

ANSWER ③ 단상 단권변압기

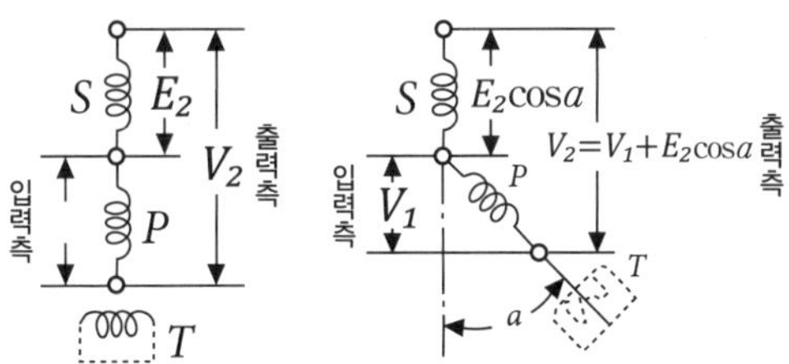

단상 유도 전압조정기는 단권변압기의 원리를 이용하며 전압을 조정하는 기기이며 전압조정 범위는 $V_2 = V_1 + E_2\cos\theta$[V]이다.

TIP !

단상 유도 전압조정기의 특징

- 교번자계를 이용한다.
- 입력과 출력의 위상차가 없다
- 누설 리액턴스에 의한 전압 강하를 방지하기 위하여 단락권선을 시설한다.

050 ★★

ANSWER ② 일그너 방식

STEP1 유도전동기 속도제어방식

㉠ 농형 유도 전동기

ⓐ 주파수 변환법

ⓑ 극수 변환법

ⓒ 전압 제어법

㉡ 권선형 유도전동기

ⓐ 2차 저항법

ⓑ 2차 여자법

크레머 방식은 2차 여자법의 한 종류를 말한다. 하지만 일그너 방식은 직류전동기의 속도제어 방식이다.

051 ★★

ANSWER ③ 12

MATH **23단원 유리식**

STEP1 동기속도

슬립 s를 구하기 위해 동기속도를 구한다.

$$N_s = \frac{120f}{p} = \frac{120 \times 60}{4} = 1800[\text{rpm}]$$

STEP2 슬립 s

2차 주파수를 위한 슬립을 구한다.

$$s = \frac{N_s - N}{N_s} = \frac{1800 - 1440}{1800} = 0.2$$

STEP3 2차 주파수

$f_2 = sf_1 = 0.2 \times 60 = 12[\text{Hz}]$

052 ★★★

ANSWER ② 전압 제어법

STEP1 직류전동기의 속도 제어법 비교

구분	제어 특성	특징
계자 제어법	• 정출력 제어	• 속도제어 범위가 좁다
전압 제어법	• 정토크 제어 • 워드 레오나드 방식, 일그너 방식	• 제어 범위가 넓다 • 손실이 매우 적다 • 설비비가 많이 든다
직렬 저항법		• 효율이 나쁘다

053 ★★

ANSWER ④ 여자 어드미턴스

STEP1 변압기의 시험

- 무부하(개방시험) : 여자어드미턴스, 철손, 무부하전류
- 단락시험 : 임피던스와트, 임피던스전압, 동손, 전압변동률

054 ★

ANSWER ① 역률 및 정류개선을 위해 약계자 강전기자형으로 한다.

단상 직권 정류자전동기의 특성

㉠ 전기자, 계자 모두 성층철심을 사용한다.

㉡ 역률 및 토크 감소를 해결하기 위해 계자권선의 권수를 감소하고 전기자권선수를 증가한다.

㉢ 보상권선을 설치하여 전기자반작용을 감소시킨다.

㉣ 브러시와 정류자 사이에서 단락전류가 커져 정류작용이 어려워지므로 고저항의 도선을 전기자코일과 정류자편 사이에 접속하여 단락전류를 억제한다.

㉤ 역률과 정류 효율 개선을 위해 약계자, 강전기자형을 적용한다.

055 ★★★

ANSWER ③ 580

STEP1 분권 발전기

분권발전기의 전기자 전류는 $I_a = I + I_f$ 인데 문제에서 계자전류는 무시라는 언급이 있기 때문에 $I_a = I = 100[A]$이다.

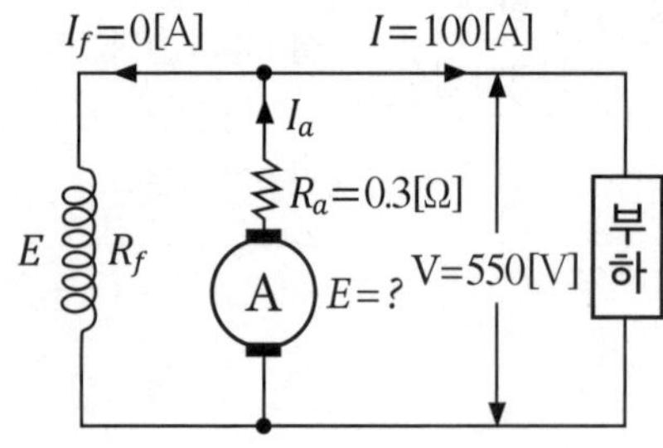

STEP2 유기기전력

유기기전력(E)

$= V + I_aR_a = 500 + 100 \times 0.3 = 580[V]$

056 ★★

ANSWER ④ 90° 지상 전류가 흐른다.

발전기의 여자를 증가시키면 곧 기전력이 증가하기 때문에 두 발전기 간에 기전력의 차이가 발생한다. 이 기전력의 차와 발전기의 동기 리액턴스에 의한 전류가 흐르게 된다. 이 전류는 리액턴스에 흐르는 전류이므로 90° 늦은 전류이다.

057 ★★

ANSWER ③ 동기 임피던스

STEP1 단락전류 I_s

$$I_s = \frac{E}{Z_s} \fallingdotseq \frac{E}{x_s}[A]$$

㉠ 누설리액턴스 : 순간(돌발) 단락전류 제한

㉡ 동기리액턴스 : 지속단락전류 제한

058 ★★

ANSWER ③ $\dot{I}_0 = \dfrac{3\dot{E}_a}{\dot{Z}_0 + \dot{Z}_1 + \dot{Z}_2}$

1선지락전류 $\dot{I}_0 = \dfrac{3\dot{E}_a}{\dot{Z}_0 + \dot{Z}_1 + \dot{Z}_2}$

059 ★

ANSWER ② 동기속도에서 2차 입력

동기와트란 슬립 s, 토크 T를 발생하며 회전하는 유도 전동기가 같은 토크 T를 발생하며 동기 속도로 회전하는 것으로 가정하는 때의 입력 P_2이다.

$$T = \frac{P}{\omega} = \frac{P_2(1-s)}{\omega_s(1-s)} = \frac{P_2}{\omega_s}$$

$\therefore P_2 = \omega_2 T$(동기와트)

060 ★★★

ANSWER ③ 25

STEP1 단락전류(I_s)

$$I_{1s} = I_{1n}\frac{100}{\%Z}$$

STEP2 임피던스 전압강하 대입하기

$$I_{1s} = I_{1n}\frac{100}{\%Z} = I_{1n} \times \frac{100}{4} = 25I_{1n}$$

제4과목 | 회로이론

061 ★★★

ANSWER ③ 25

$$불평형률 = \frac{역상전압}{정상전압} \times 100 = \frac{50}{200} \times 100 = 25[\%]$$

062 ★★

ANSWER ④ 12

합성 인덕턴스 L은 다음과 같다.

$$\begin{aligned} L &= (L_1 + L_2) \parallel L_3 \parallel L_4 \\ &= (4+4) \parallel 2 \parallel 2 \\ &= 8 \parallel 1 \\ &= \frac{8 \times 1}{8+1} = \frac{8}{9}[\mathrm{H}] \end{aligned}$$

TIP !

두 저항의 병렬 연결

$$A \parallel B = \frac{A \times B}{A + B}$$

063 ★★★

ANSWER ① 짧아진다.

시정수란 과도현상에서 전류가 흐르기 시작하고 정상상태의 값의 63.2[%]에 도달하기 까지 걸리는 시간을 말한다.

즉, 시정수가 작을수록 도달시간이 짧아진다(과도현상이 짧게 지속된다).

064 ★★★

ANSWER ④ 영상분

- 정상분 : 상의 회전 방향이 전원과 동일한 평형 3상 교류
- 역상분 : 상의 회전 방향이 전원과 반대인 평형 3상 교류
- 영상분 : 같은 크기와 동일한 위상각을 가진 3상의 공통 선분, 평형 단상 교류

065 ★★★

ANSWER ① 271.2

MATH 19단원 호도법과 육십분법
23단원 유리식

비정현파의 유효전력 $P = \sum_{n=1}^{\infty} V_n I_n \cos\theta$ 에서 주파수가 같은 정현파 전압, 전류만 전력이 발생하므로

$$\begin{aligned} P &= \sum_{n=1}^{\infty} V_n I_n \cos\theta \\ &= V_1 I_1 \cos\{0 - (-60)\} \\ &\quad + V_3 I_3 \cos(105 - 60) \\ &= \frac{100}{\sqrt{2}} \times \frac{10}{\sqrt{2}} \times \cos 60^\circ + \frac{30}{\sqrt{2}} \\ &\quad \times \frac{2}{\sqrt{2}} \times \cos 45^\circ \\ &= 271.2[\mathrm{W}] \end{aligned}$$

(여기서, V_n, I_n : 제n고조파의 실효값 전압, 전류, θ : 전압과 전류의 위상차)

066 ★★★

ANSWER ② $I_0 + a^2 I_1 + aI_2$

MATH 30단원 직교좌표와 극좌표

STEP1 대칭 좌표법

$$I_a = I_0 + I_1 + I_2$$
$$I_b = I_0 + a^2 I_1 + aI_2$$
$$I_c = I_0 + aI_1 + a^2 I_2$$

067 ★★★

ANSWER ④ 866

MATH 30단원 직교좌표와 극좌표

교류회로의 피상전력 $P_a = P + jQ$에서

$P_a = V\overline{I}$ 이므로

$P_a = V\overline{I} = (100\angle 30°) \times (10\angle -60°)$

$= 1000\angle -30°$

$= 866 - j500[VA]$

$\therefore P = 866[W]$

(여기서, Q : 무효전력, $\overline{I}$: I 의 켤레복소수)

068 ★★

ANSWER ④ 0.4

STEP1 V_{ab} 계산

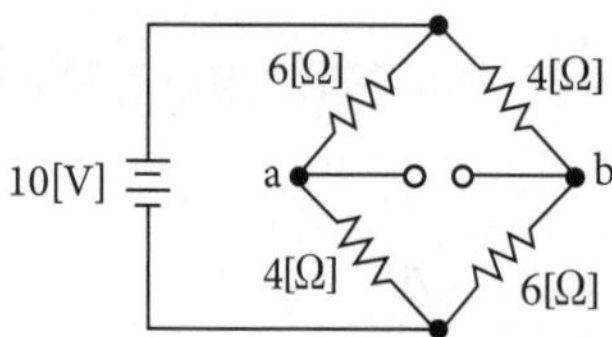

$$V_{ab} = V_a - V_b$$

$$V_a = \frac{10}{6+4} \times 6 = 6[V]$$

$$V_a = \frac{10}{4+6} \times 4 = 4[V]$$

$$\therefore V_{ab} = V_a - V_b = 6 - 4 = 2[V]$$

STEP2 R_{th}계산

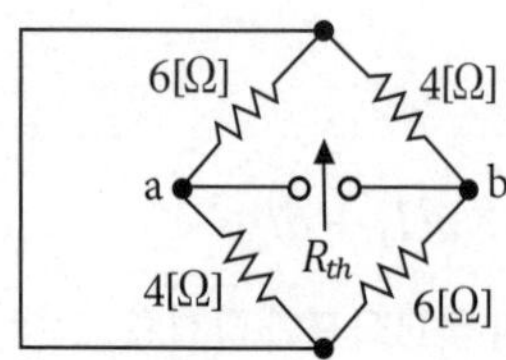

$$R_{th} = (6 \parallel 4) + (4 \parallel 6) = \frac{6 \times 4}{6+4} + \frac{4 \times 6}{4+6} = 4.8[\Omega]$$

STEP3 테브낭 등가회로

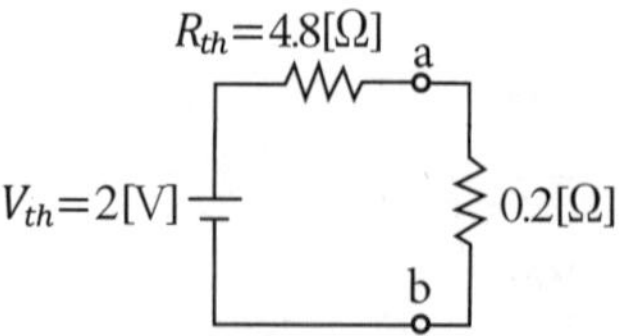

등가회로의 전류

$$I = \frac{V_{th}}{R_{th} + 0.2} = \frac{2}{4.8 + 0.2} = 0.4[A]$$

TIP !

두 저항의 병렬 연결

$$A \parallel B = \frac{A \times B}{A + B}$$

069 ★★★

ANSWER ③ $\frac{1}{2}e^{-t}\sin 2t$

MATH 8단원 인수분해, 9단원 완전제곱식

49단원 라플라스 기초

STEP1 인수분해

$$\frac{1}{s^2 + 2s + 5} = \frac{1}{2} \times \frac{2}{(s+1)^2 + 2^2}$$

($\because$ 완전제곱식)

STEP2 역라플라스 변환

㉠ 시간추이 정리 : $\pounds^{-1}[F(s+1)] = e^{-t}$

㉡ 삼각함수 : $\pounds^{-1}\left[\frac{2}{s^2 + 2^2}\right] = \sin 2t$ 이므로

$$\therefore \pounds^{-1}\left[\frac{1}{s^2 + 2s + 5}\right] = \frac{1}{2}e^{-t}\sin 2t$$

070 ★★★

ANSWER ④ $\frac{e^{-as}}{s}$

MATH 49단원 라플라스 기초

시간추이 정리

$$\pounds[f(t-a)] = e^{-as} \times F(s)$$

$$\therefore \pounds[u(t-a)] = e^{-as} \times \frac{1}{s}$$

071 ★

ANSWER ④ $-4,\ -5$

극점 : 분모가 0이 되는 조건

따라서, $-4,\ -5$

072 ★★★

ANSWER ② $\dfrac{G_1}{G_1+G_2}E$

STEP1 컨덕턴스의 전압분배법칙

$$E_2 = \frac{G_1}{G_1+G_2}E$$

073 ★

ANSWER ① 0 답을 암기할 것

MATH 23단원 유리식

STEP1 영상 전달정수

$\theta = \tanh^{-1}\dfrac{\sqrt{BC}}{\sqrt{AD}}$ 에서

$$A = 1+\frac{Z_1}{Z_3} = 1+\frac{j600}{-j300} = -1$$

$$B = \frac{Z_1Z_2+Z_2Z_3+Z_3Z_1}{Z_3}$$

$$= \frac{j\begin{Bmatrix}600\times600+600\times \\ (-300)+(-300)\times600\end{Bmatrix}}{-j300} = 0$$

$$C = \frac{1}{Z_3} = -\frac{1}{-j300} = j\frac{1}{300}$$

$$D = 1+\frac{Z_2}{Z_3} = 1+\frac{j600}{-j300} = -1$$

$\dfrac{\sqrt{BC}}{\sqrt{AD}} = 0$ 이므로 $\therefore\ \theta = \tanh^{-1}\dfrac{\sqrt{BC}}{\sqrt{AD}} = 0$

074 ★★

ANSWER ② $3-j4$

MATH 23단원 유리식

STEP1

R –L 병렬회로의 합성 어드미턴스 $Y=G-jB_L$에서

㉠ 컨덕턴스 $G=\dfrac{1}{R}=\dfrac{1}{\frac{1}{3}}=3[℧]$

㉡ 유도성 서셉턴스 $B_L=\dfrac{1}{X_L}=\dfrac{1}{\frac{1}{4}}=4[℧]$

$\therefore Y=G-jB_L=3-j4$

(여기서, R : 저항, X_L : 유도성 리액턴스)

TIP !

$Y=\dfrac{1}{Z}=\dfrac{1}{\left(\dfrac{1}{R}+\dfrac{1}{jX_L}\right)}$ 로 계산가능하다.

075 ★★★

ANSWER ② $100\sqrt{3}$

MATH 25단원 무리식

STEP1 1상 임피던스의 크기

$$Z=\sqrt{16^2+12^2}=20[\Omega]$$

상전압 $V_p=I_p\times Z=5\times20=100[V]$

STEP2 Y결선 특징

선간전압 $V_l=\sqrt{3}\,V_p$ 이므로

$\therefore\ V_l=\sqrt{3}\,V_p=100\sqrt{3}[V]$

076 ★★

ANSWER ② 1.414

	구형파	3각파	정현파	정류파 (전파)	정류파 (반파)
파형률	1.0	1.15	1.11	1.11	1.57
파고율	1.0	1.732	1.414	1.414	2.0

TIP !

각 파형의 실효값, 최대값을 이용하여 계산가능하다.

고난도

077 ★

ANSWER ④ $\frac{1}{sC}$ 답을 암기할 것

MATH 41단원 부정적분

49단원 라플라스 기초

STEP1 콘덴서의 특징

임피던스 $Z = \frac{v(t)}{i(t)}$ 에서

$$v(t) = \frac{1}{C}\int i(t)dt = \frac{1}{C}\int I_0 e^{st}dt$$
$$= \frac{I_0}{C}\int e^{st}dt = \frac{I_0}{C} \times \frac{1}{s}e^{st}$$
$$= \frac{I_0}{sC}e^{st}$$

$$\therefore Z = \frac{v(t)}{i(t)} = \frac{\frac{I_0 e^{st}}{sC}}{I_0 e^{st}} = \frac{1}{sC}$$

TIP !

자연로그 적분, 연쇄법칙을 이해해야하는 문제로 배보다 배꼽이 크다. 답을 외울 것

078 ★

ANSWER ③ Ke^{-Ls} 답을 암기할 것

MATH 49단원 라플라스 기초

전달함수 $G(s) = \frac{Y(s)}{X(s)}$,

부동작 시간함수 $y(t) = Kx(t-L)$에서

$$£[y(t)] = Y(s) = £[Kx(t-L)]$$
$$= Ke^{-Ls} \times X(s) \ (\because \text{시간추이})$$

$$G(s) = \frac{Y(s)}{X(s)} = Ke^{-Ls}$$

079 ★★★

ANSWER ③ $\dfrac{j\omega}{j\omega + \frac{1}{RC}}$

MATH 23단원 유리식

49단원 라플라스 기초

STEP1 라플라스계의 회로

$V_2 = R$

$V_1 = R + \frac{1}{sC}$

STEP2 전달함수 정리

전달함수 $G(s) = \frac{V_2}{V_1}$ 이므로

$$\therefore G(s) = \frac{V_2}{V_1} = \frac{R}{R + \frac{1}{sC}}$$
$$= \frac{R \times \frac{s}{R}}{\left(R + \frac{1}{sC}\right) \times \frac{s}{R}} = \frac{s}{s + \frac{1}{RC}}$$
$$= \frac{s}{s + \frac{1}{RC}} = \frac{j\omega}{j\omega + \frac{1}{RC}}$$
$$(\because s = j\omega)$$

080 ★★

ANSWER ② 0.58

MATH 25단원 무리식

$$\text{왜형률} = \frac{\text{전 고조파의 실효값}}{\text{기본파의 실효값}}$$
$$= \frac{\sqrt{V_2^2 + V_3^2}}{V_1} = \frac{\sqrt{50^2 + 30^2}}{100}$$
$$= 0.58$$

(여기서, V_1 : 기본파, V_2 : 제2고조파, V_3 : 제3고조파)

제5과목 | 전기설비기술기준 및 한국전기설비규정

081 ★

ANSWER ③ 300

1[kV] 이하방전등(한국전기설비규정 234.11)

관등회로의 사용전압이 1[kV] 이하인 방전등을 옥내에 시설 할 경우 방전등에 전기를 공급하는 전로의 대지 전압은 300[V] 이하로 하여야 한다.

082 ★★

ANSWER ④ 내장형

특고압 가공전선로의 철주·철근 콘크리트주 또는 철탑의 종류(한국전기설비규정 333.11)

특고압 가공전선로의 지지물로 사용하는 B종 철근·B종 콘크리트주 또는 철탑의 종류는 다음과 같다.

㉠ 직선형 : 전선로의 직선부분 (3° 이하의 수평각도 이루는 곳 포함)에 사용 되는 것

㉡ 각도형 : 전선로 중 수평각도 3°를 넘는 곳에 사용되는 것

㉢ 인류형 : 전 가섭선을 인류하는 곳에 사용하는 것

㉣ 내장형 : 전선로 지지물 양측의 경간차가 큰 곳에 사용하는 것

㉤ 보강형 : 전선로 직선부분을 보강하기 위하여 사용하는 것

083 ★★

ANSWER ③ 60

고압 가공전선과 가공약전류 전선 등의 접근 또는 교차(한국전기설비규정 332.13)

저압 가공전선과 가공약전류 전선 등의 접근 또는 교차(한국전기설비규정 222.13)

<table>
<tr><th rowspan="2">가공
약전류
전선</th><th colspan="2">저압 가공전선</th><th colspan="2">고압 가공전선</th></tr>
<tr><th>저압
절연
전선</th><th>고압
절연전선
또는
케이블</th><th>절연
전선</th><th>케이블</th></tr>
<tr><td>일반</td><td>0.6[m]</td><td>0.3[m]</td><td>0.8[m]</td><td>0.4[m]</td></tr>
<tr><td>절연전선
또는 통신용
케이블인
경우</td><td>0.3[m]</td><td>0.15[m]</td><td></td><td></td></tr>
</table>

084 ★★★

ANSWER ③ 8.28

특고압 가공전선의 높이(한국전기설비규정 333.7)

<table>
<tr><th>전압의
범위</th><th>일반
장소</th><th>도로
횡단</th><th>철도 또는
궤도횡단</th><th>횡단보도교</th></tr>
<tr><td>35[kV]
이하</td><td>5[m]</td><td>6[m]</td><td>6.5[m]</td><td>4[m](특고
압절연전선
또는 케이블
사용)</td></tr>
<tr><td rowspan="2">35[kV]
초과
160[kV]
이하</td><td>6[m]</td><td>6[m]</td><td>6.5[m]</td><td>5[m](케이
블 사용)</td></tr>
<tr><td colspan="4">산지 등에서 사람이 쉽게 들어갈 수 없는 장소 : 5[m]이상</td></tr>
<tr><td rowspan="3">160[kV]
초과</td><td>일반
장소</td><td colspan="3">가공전선의 높이
=6+단수×0.12[m]</td></tr>
<tr><td>철도
또는
궤도
횡단</td><td colspan="3">가공전선의 높이
=6.5+단수×0.12[m]</td></tr>
<tr><td>산지</td><td colspan="3">가공전선의 높이
=5+단수×0.12[m]</td></tr>
</table>

※ 단수 $= \dfrac{\{\text{전압}[\text{kV}] - 160\}}{10}$ … 단수계산에서 소수점 이하는 절상

단수 $= \dfrac{345 - 160}{10} = 18.5 \rightarrow 19$단

∴ 전선의 지표상 높이 $= 6 + 19 \times 0.12 = 8.28[\text{m}]$

085 ★★

ANSWER ④ 사용전압이 400[V] 미만의 전광표시장치 배선 시 단면적 0.5[mm²] 이상의 다심케이블

저압 옥내배선의 사용전선(한국전기설비규정 231.3)

㉠ 저압 옥내배선의 전선 : 단면적 2.5[mm²] 이상의 연동선

㉡ 옥내배선의 사용 전압이 400[V] 이하인 경우는 다음에 의하여 시설할 수 있다.

① 전광표시 장치 또는 제어회로

- 단면적 1.5[mm²] 이상의 연동선
- 단면적 0.75[mm²]이상인 다심 케이블 또는 다심 캡타이어 케이블을 사용하고 또한 과전류가 생겼을 때에 자동적으로 전로에서 차단하는 장치를 시설

② 진열장 또는 이와 유사한 것의 내부배선 : 단면적0.75[mm²] 이상인 코드 또는 캡타이어케이블

086 ★★★

ANSWER ① 철탑

지선의 시설(한국전기설비규정 331.11)

㉠ 가공전선로의 지지물로 사용하는 철탑은 지선을 사용하여 그 강도를 분담시켜서는 안 된다.

㉡ 가공전선로의 지지물로 사용하는 철주 또는 철근콘크리트주는 지선을 사용하지 않는 상태에서 2분의 1이상의 풍압하중에 견디는 강도를 가지는 경우 이외에는 지선을 사용하여 그 강도를 분담시켜서는 안 된다.

087 ★★

ANSWER ④ 옥내배선의 사용전압이 400[V] 이하인 경우에는 접지공사를 하지 않아도 된다.

금속제가요전선관공사(한국전기설비규정 232.13)

㉠ 전선은 절연전선(옥외용 비닐 절연전선을 제외한다)일 것

㉡ 전선은 연선일 것. 다만, 단면적 10[mm²] (알루미늄선은 단면적 16[mm²]) 이하인 것은 그러하지 아니 하다.

㉢ 가요전선관 안에는 전선에 접속점이 없도록 할 것

㉣ 가요전선관은 2종 금속제가요전선관일 것

㉤ 가요전선관 배선에는 접지공사를 할 것

088 ★★★

ANSWER ① 21.16

변압기 전로의 절연내력(한국전기설비규정 135)

권선의 종류 (최대사용전압)	접지 방식	시험전압 (최대사용 전압의 배수)	최저 시험 전압
1. 7[kV]이하		1.5배	500[V]
	다중 접지	0.92배	500[V]
2. 7[kV]초과 25[kV]이하	다중 접지	0.92배	
3. 7[kV]초과 60[kV]이하 (2란의 것 제외)		1.25배	10.5[kV]
4. 60[kV]초과 (8란의 것 제외)	비접지	1.25배	
5. 60[kV]초과 (6란 및 8란의 것 제외)	접지식	1.1배	75[kV]
6. 60[kV]초과	직접 접지	0.72배	
7. 170[kV]초과	직접 접지	0.64배	

089 ★★

ANSWER ④ 250

고압 가공전선로 경간의 제한 (한국전기설비규정 332.9)

고압 가공전선로의 경간은 표에서 정한 값 이하 이어야 한다.

지지물의 종류	경간
목주·A종 철주 또는 A종 철근 콘크리트주	150[m]
B종 철주 또는 B종 철근 콘크리트주	250[m]
철탑	600[m]

090 ★★

ANSWER ② 제1종 특고압 보안공사

특고압 보안공사(한국전기설비규정 333.22)

제1종 특고압 보안공사에서 전선로의 지지물로는 B종 철주·B종 철근콘크리트주 또는 철탑을 사용할 것(목주나 A종은 사용불가)

091 ★

ANSWER ② 2.5

애자공사(한국전기설비규정 232.56)

㉠ 전선은 절연전선(옥외용 비닐 절연전선 및 인입용 비닐 절연 전선을 제외한다)일 것

㉡ 이격거리

전압		전선과 조영재와의 이격거리	
저압	400[V] 이하	2.5[cm]이상	
	400[V] 초과	건조한 장소	2.5[cm]이상
		기타의 장소	4.5[cm]이상

전선 상호 간격	전선 지지점간의 거리	
	조영재의 윗면 또는 옆면에 따라 시설	조영재에 따라 시설하지 않는 경우
6[cm] 이상	2[m]이하	-
		6[m]이하

092 ★★

ANSWER ③ 600

특고압 가공전선로의 경간 제한 (한국전기설비규정 333.21)

특고압 가공전선로의 경간은 표에서 정한 값 이하이어야 한다.

지지물의 종류	경간
목주·A종 철주 또는 A종 철근 콘크리트주	150[m]
B종 철주 또는 B종 철근 콘크리트주	250[m]
철탑	600[m] (단주인 경우에는 400[m]이하)

093 ★

ANSWER ③ 1.5

무선용 안테나 등을 지지하는 철탑 등의 시설 (한국전기설비규정 364.1)

전력보안통신설비인 무선통신용 안테나 또는 반사판을 지지하는 목주·철주·철근 콘크리트주 또는 철탑은 다음에 따라 시설하여야 한다. 다만, 무선용 안테나 등이 전선로의 주위 상태를 감세할 목적으로 시설되는 것 일 경우에는 그러하지 아니하다.

㉠ 목주는 풍압하중에 대한 안전율은 1.5 이상이어야 한다.

㉡ 철주·철근 콘크리트주 또는 철탑의 기초 안전율은 1.5 이상이어야 한다.

094 ★★

ANSWER ② 1.25

보호장치의 특성(한국전기설비규정 232.3)

1. 과전류 보호장치는 KS C 또는 KS C IEC 관련 표준(배선차단기, 누전차단기, 퓨즈 등의 표준)의 동작 특성에 적합하여야 한다.
2. 과전류차단기로 저압 전로에 사용하는 범용의 퓨즈는 표에 적합한 것이어야 한다.

정격전압의 구분	시간	정격전류의 배수	
		불용단 전류	용단 전류
4[A] 이하	60분	1.5배	2.1배
4[A] 초과 16[A]미만	60분	1.5배	1.9배
16[A] 이상 63[A] 이하	60분	1.25배	1.6배
63[A] 초과 160[A] 이하	120분	1.25배	1.6배
160[A] 초과 400[A] 이하	180분	1.25배	1.6배
400[A] 초과	240분	1.25배	1.6배

095 ★

ANSWER ④ 무효전력을 조정하는 전기기계기구를 말한다.

조상설비 : 무효 전력을 조정하는 전기 기계 기구를 말한다.

출제기준 변경 및 개정된 관계 법규에 따라 삭제된 문제가 있어 20문항이 안됩니다.

2018년 3회

제1과목 | 전기자기학

001 ★★

ANSWER ② $J = \chi B$

자화율과 투자율을 이용한 표현

자속밀도

$$\vec{B} = \mu\vec{H} = \mu_0\mu_s\vec{H} = \mu_0(1+\chi_s)\vec{H}$$
$$= \mu_0\vec{H} + \vec{J}\,[\mathrm{Wb/m^2}]$$

여기서,

$\mu = \mu_0(1+\chi_s) = \mu_0\mu_s = \mu_0 + \chi\,[\mathrm{H/m}]$: 투자율

$\mu_s = (1+\chi_s) = \dfrac{\mu}{\mu_0}$: 비투자율

$\chi = \mu - \mu_0 = \mu_0(\mu_s - 1) = \mu_0\chi_s$: 자화율

χ_s : 비자화율

이를 이용하면, 1번과 3번이 성립함을 알 수 있고, 4번은 비투자율의 식을 변형하면 알 수 있다.

$$\mu_s = 1 + \frac{\chi}{\mu_0} = 1 + \frac{\mu - \mu_0}{\mu_0}$$
$$= 1 + (\mu_s - 1)$$

따라서, 4번은 성립한다. $J = \chi B$

5번의 전류 밀도는 다음과 같이 정의된다.

$$\vec{J} = \chi\vec{H} = (\mu - \mu_0)\vec{H} = \mu_0(\mu_s - 1)\vec{H}$$
$$= \mu_0\chi_s\vec{H}\,[\mathrm{C/m^2}]$$

002 ★★★

ANSWER ② 전계의 접선성분이 같다.

STEP1 두 유전체의 경계 조건(굴절 법칙)

1) 완전경계 조건

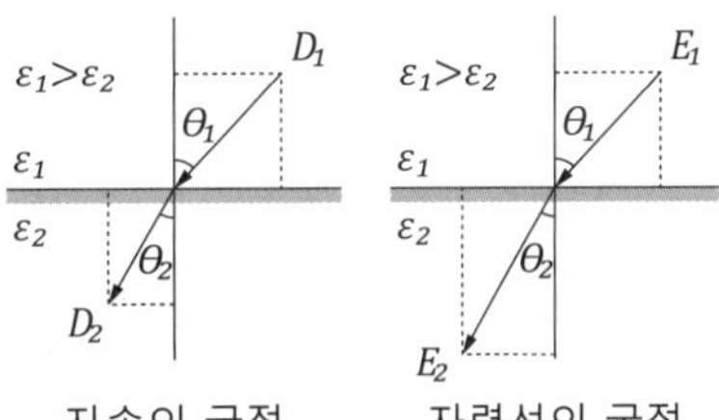

자속의 굴절 자력선의 굴절

$E_1\sin\theta_1 = E_2\sin\theta_2$

- 전계는 접선성분(평행성분)이 같다.

$D_1\cos\theta_1 = D_2\cos\theta_2$

- 전속밀도의 법선성분(수직성분)이 같다.
- 두 경계면에서의 전위는 서로 같다.($V_1 = V_2$)

$$\frac{E_1\sin\theta_1}{E_2\sin\theta_2} = \frac{D_1\cos\theta_1}{D_2\cos\theta_2}$$
$$\Rightarrow \frac{E_1\sin\theta_1}{D_2\cos\theta_2} = \frac{E_2\sin\theta_2}{D_2\cos\theta_2}$$
$$(D_1 = \epsilon_1E_1,\ D_2 = \epsilon_2E_2)$$
$$= \frac{1}{\epsilon_1}\tan\theta_1 = \frac{1}{\epsilon_2}\tan\theta_2$$
$$\Rightarrow \frac{\tan\theta_1}{\tan\theta_2} = \frac{\epsilon_1}{\epsilon_2}$$

이때, 4번의 분극의 세기는 다음과 같이 정의된다.

$P = D - \epsilon_0E\,[\mathrm{C/m^2}]\,(D = \epsilon E)$

003 ★

ANSWER ④ r^3 에 반비례한다. **답을 암기할 것**

MATH **10단원 비례, 반비례, 비례식**

자기 쌍극자에 의한 자계

$$\therefore H = \frac{M\sqrt{1+3\cos^2\theta}}{4\pi\mu_0 r^3}\,[\mathrm{A/m}]$$

즉, r^3에 반비례한다.

004 ★★

ANSWER ① 1.1×10^{-7}

STEP1 전속

전속(Electric flux) : 전하에서 나오는 선속

전속 Φ는 매질과 무관하게 전하가 Q[C]일 때 Q개의 전속선이 나온다.

따라서, 전체 전속은 구면 내부의 총 전하량 Q와 같다.

이때, 전하량 Q는 ρ(체적 전하밀도 [C/m^3])와 체적 V의 곱으로 표현할 수 있다.

STEP2 전하밀도 구하기

전하밀도와 전계 강도의 관계식은 가우스 정리를 통해서 알 수 있다.

$$\text{div}E = \nabla \cdot E = \frac{\rho}{\epsilon_0}$$

(임의 점에서 전기력선의 발산량은 그 점에서의 체적 전하밀도의 $\frac{1}{\epsilon_0}$ 배와 같다.)

따라서,

$$\rho = \epsilon_0(\nabla \cdot E) = \epsilon_0\left(\frac{\partial}{\partial x}x + \frac{\partial}{\partial y}y + \frac{\partial}{\partial z}z\right) = 3\epsilon_0[\text{C/m}^3]$$

STEP3 전하량 구하기

$$Q = \rho \times V = 3\epsilon_0 \times \frac{4}{3}\pi r^3 = 4\pi\epsilon_0 r^3 = 4\pi \times (8.855 \times 10^{-12}) \times 10^3 \approx 1.1 \times 10^{-7}[\text{C}]$$

TIP !

체적 $V = \frac{4}{3}\pi r^3$

공기중의 유전율 $\epsilon_0 = 8.855 \times 10^{-12}$

$4\pi\epsilon_0 = \frac{1}{9 \times 10^9}$

$\epsilon_0 = \frac{1}{4\pi \times 9 \times 10^9}$

005 ★★★

ANSWER ① $\frac{1}{\sqrt{\epsilon\mu}}$

전파속도

$$v = f\lambda = \frac{1}{\sqrt{\epsilon\mu}}[\text{m/s}]$$

여기서, 매질 중 전파의 파장 $-\lambda$[m]

주파수 $-f$[Hz]

006 ★★

ANSWER ② $\frac{\mu}{8\pi}$

원주 도체의 내부 인덕턴스

$$L = \frac{\mu}{8\pi}\text{(내부인덕턴스)[H/m]}$$

007 ★★

ANSWER ② H

STEP1

R[Ω]과 t[sec]의 관계를 생각하면 다음과 같다.

$$t = \frac{L}{R}$$

따라서, [Ω · sec]는 $t \cdot R = L$[H]의 경우에 해당한다.

C[F]는 t =RC의 관계식에 의해서 $\frac{t}{R}$ [Ω/sec]과 같게 된다.

008 ★★★

ANSWER ④ $\frac{\mu SN^2}{l}$

MATH 23단원 유리식

STEP1 환상 솔레노이드의 자기 인덕턴스

$N\phi = LI$ 에서

자속$\phi = BS = \mu HS = \mu\frac{MI}{l}S = \frac{\mu SNI}{l}$[Wb]

이므로, $L = \frac{\mu SN^2}{l}$[H]

009 ★★★

ANSWER ④ 콘덴서를 직렬 연결할 때 각 콘덴서에 분포되는 전하량은 콘덴서 크기에 비례한다.

STEP1 정전용량

얼마나 큰 정전에너지를 보유할 수 있는가를 나타내는 물리량 $C = \frac{Q}{V}[\mathrm{F}]$를 통해서 도체 전위 1[V]에 필요한 전하량임을 알 수 있다.

STEP2 콘덴서의 직렬 접속

콘덴서가 직렬 접속될 경우, 각 콘덴서의 전하량은 동일하기 때문에, 정전용량이 동일하면 각 콘덴서의 전압은 동일하고, 전압의 직렬 연결을 통해서 전체 전압(내압)은 각 콘덴서의 n배가 된다. 또한, $C = \frac{Q}{V}[\mathrm{F}]$전체 정전용량 또한 에 의해서, 1/n배가 된다.

STEP3 콘덴서의 병렬연결

콘덴서가 병렬 접속될 경우, 각 콘덴서의 전압은 동일하기 때문에, 정전용량이 동일하면 각 콘덴서의 전하량은 동일하고, 전체 전하량은 각 콘덴서의 n배가 된다. 또한, 전체 정전용량은 $C = \frac{Q}{V}[\mathrm{F}]$에 의해서, n배가 된다.

010 ★★★

ANSWER ④ 7

STEP1 정전용량

$$C = \frac{Q}{V} = \frac{700}{100} = 7[\mu\mathrm{F}]$$

011 ★

ANSWER ① $-\frac{1}{a^2}$ 답을 암기할 것

STEP1 최대 전하 밀도

$$\sigma = \epsilon_0 E = \frac{Qd}{2\pi(h^2+z^2)^{3/2}}[\mathrm{C/m^2}]$$

$$\Rightarrow |\sigma|_{max} = \frac{Q}{2\pi h^2}[\mathrm{C/m^2}]$$

$$|\sigma|_{max} = \frac{Q}{2\pi h^2} = \frac{2\pi}{2\pi a^2} = \frac{1}{a^2}[\mathrm{C/m^2}]$$

전하밀도의 크기가 다음과 같을 때, 전하밀도는 유도되기 때문에 부호는 (−)가 된다.

012 ★

ANSWER ③ 백금(Pt)

백금은 상자성체이다.

> **TIP !**
> 강자성체
> 철, 니켈, 코발트만 외우면 유사문제는 거의 풀 수 있다.

013 ★

ANSWER ② $\frac{\alpha_1 R_1 + \alpha_2 R_2}{R_1 + R_2}$

STEP1 온도계수와 저항의 관계

- 온도계수 α

온도 변화에 따른 저항의 변화율 (어떤 온도에서 1[℃] 상승할 때 저항 증가율)

- 저항이 직렬 접속일 때

$$\alpha_1 R_1 + \alpha_2 R_2 \rightarrow \alpha = \frac{\alpha_1 R_1 + \alpha_2 R_2}{R_1 + R_2}[\%]$$

014 ★★

ANSWER ② $\dfrac{\epsilon_0 E}{V}$

MATH 23단원 유리식

STEP1 평행 평판 도체의 정전용량

정전용량 $C = \dfrac{\epsilon S}{d}[\mathrm{F}]$

이때, 단위면적이므로 $\mathrm{S}:1[\mathrm{m}^2]$

STEP2 평행 평판 도체의 전위

$$V = Ed[\mathrm{V}] \rightarrow \mathrm{d} = \frac{\mathrm{V}}{\mathrm{E}}[\mathrm{m}]$$

STEP3 대입

$$C = \frac{\epsilon S}{d} = \frac{\epsilon_0 \times 1}{\dfrac{V}{E}} = \frac{\epsilon_0 E}{V}[\mathrm{F/m^2}]$$

고난도

015 ★

ANSWER ④ $\dfrac{\pi\epsilon_0}{\ln\dfrac{d}{a}}$ 답을 암기할 것

STEP1 평행 원통 도체의 정전용량

$$C = \frac{\lambda}{V} = \frac{\pi\epsilon_0}{\ln\dfrac{d-a}{a}}[\mathrm{F/m}]$$

$(d \gg a)$인 경우,

$$\fallingdotseq \frac{\pi\epsilon_0}{\ln\dfrac{d}{a}}[\mathrm{F/m}]$$

여기서, λ: 선전하 밀도 [C/m]

고난도

016 ★

ANSWER ② $-5a_r$

MATH 40단원 합성함수와 편미분
48단원 ▽(델)

STEP1 원통 좌표계의 회전

$$\nabla \times H = \frac{1}{r}\begin{vmatrix} a_r & a_\varnothing & a_z \\ \dfrac{\partial}{\partial r} & \dfrac{\partial}{\partial \varnothing} & \dfrac{\partial}{\partial z} \\ H_r & rH_\varnothing & H_z \end{vmatrix}$$

$$= \left(\frac{1}{r}\frac{\partial H_z}{\partial \varnothing} - \frac{\partial H_\varnothing}{\partial z}\right)a_r - \left(\frac{\partial H_z}{\partial r} - \frac{\partial H_r}{\partial z}\right)a_\varnothing + \frac{1}{r}\left(\frac{\partial (rH_\varnothing)}{\partial r} - \frac{\partial H_r}{\partial \varnothing}\right)a_z$$

STEP2 대입

$$\left(\frac{1}{r}\frac{\partial H_z}{\partial \phi} - \frac{\partial H_\phi}{\partial z}\right)a_r - \left(\frac{\partial H_z}{\partial r} - \frac{\partial H_r}{\partial z}\right)a_\phi + \frac{1}{r}\left(\frac{\partial (rH_\phi)}{\partial r} - \frac{\partial H_r}{\partial \phi}\right)a_z$$

$$= \frac{1}{r}\frac{\partial H_z}{\partial \phi}a_r - \frac{\partial H_z}{\partial r}a_\phi = \frac{1}{r}\frac{\partial (5r\sin\phi)}{\partial \phi}a_r - \frac{\partial (5r\sin\phi)}{\partial r}a_\phi$$

$$= \frac{1}{r} \times 5r\cos\phi a_r - 5\sin\phi a_\phi$$

$$= \frac{1}{2} \times 5 \times 2 \times \cos\pi a_r - 5\sin\pi a_\phi$$

$$= -5a_r$$

017 ★★

ANSWER ③ 펠티에(Peltier) 효과

• 열전 효과

서로 다른 두 금속의 만나는 지점을 전자들이 지날 때 운동에너지가 달라지면서 열이 발생하거나 흡수되는 효과

• 지벡 효과 (Seebeck effect)

두 개의 다른 금속을 접합하여 폐회로를 만들고, 두 접합점 사이의 온도차로 인해 열기전력이 생겨 전기가 흐르는 현상

• 펠티에 효과 (Peltier effect)

두 개의 다른 금속을 접합하여 폐회로를 만들고 전류를 흘려주면, 접합점에서 열이 흡수되거나 발생하는 현상

• 톰슨 효과 (Thomson effect)

같은 도체를 접합하여 폐회로를 만들고, 두 접합점 사이의 온도차로 인해 열기전력이 생겨 전기가 흐르는 현상

• 볼타 효과(Volta effect)

도체와 도체 사이에서 접촉 전기 발생시 도체 사이의 전위차(접촉 전위차)가 발생한다.

018 ★★★

ANSWER ③ $-\frac{\partial A}{\partial t}$

MATH **40단원 합성함수와 편미분**

48단원 ▽(델)

STEP1 **패러데이의 전자유도 법칙**

- 먼저 자계의 변화에 대한 전계의 관계식을 생각해본다.
- 자계의 시간적 변화를 방해하는 방향으로 전계를 회전시킨다.

$$\mathrm{rot}E = \nabla \times E = -\frac{\partial B}{\partial t}$$

STEP2 **자계의 벡터 포텐셜**

$B = \nabla \times A$ 이므로 위의 패러데이의 전자유도 법칙을 이용한다.

$$\mathrm{rot}E = \nabla \times E = -\frac{\partial B}{\partial t} = -\frac{\partial}{\partial t}(\nabla \times A) = \nabla \times \left(-\frac{\partial A}{\partial t}\right)$$

즉, $E = -\frac{\partial A}{\partial t}$ 이다.

019 ★★

ANSWER ② $\frac{mB}{\mu_0 \mu_s}$

자계에 작용하는 힘 $F = mH$[N]을 이용할 때,

자속밀도 $\vec{B} = \mu \vec{H} = \mu_0 \mu_s \vec{H}$ [Wb/m^2]

이므로 $F = mH = m\frac{B}{\mu_0 \mu_s}$[N] 이다.

020 ★★

ANSWER ④ 지구의 용량이 커서 전위가 거의 일정하기 때문에

정전용량

얼마나 큰 정전에너지를 보유할 수 있는가를 나타내는 물리량 $C = \frac{Q}{V}$[F]

이때, 전위 $V = \frac{Q}{C}$[V]이므로, 지구의 용량 C가 매우 크기 때문에, 전위 V는 일정해진다.

제2과목 | 전력공학

021 ★

ANSWER ③ 110[V]부하 외에 220[V]부하의 사용이 가능하다.

단상 3선식의 특징 및 단상 2선식과의 비교

① 소요 전선량이 감소한다.

② 중성선에서 퓨즈를 설치하지 않는다.

③ 중성선을 이용하여 110/220[V]와 같이 2개의 전압을 사용할 수 있다.

④ 전압 불평형이 생기기 쉽다. 그래서 전압 불평형을 줄이기 위하여 저압선의 말단에 밸런서(Balancer)를 설치한다.

⑤ 단상 3선식의 경우 단상 2선식에 비해 전압 강하가 감소하고 배전 효율은 상승한다.

022 ★

ANSWER ③ 역조정지식

취수방법에 의한 분류

㉠ 수로식 발전소

㉡ 댐식 발전소

㉢ 댐 수로식 발전소

㉣ 유역 변경식 발전소

(역)조정지식은 운용방법에 의한 분류에 속한다.

023 ★★

ANSWER ① 0.008

작용정전용량

$$C = \frac{0.02413}{\log_{10}\frac{D}{r}} = \frac{0.02413}{\log_{10}\frac{D}{\frac{d}{2}}}$$

$$= \frac{0.02413}{\log_{10}\frac{5}{\frac{1}{2}\times 10^{-2}}} = 0.008\,[\mu\text{F/km}]$$

(D : 선간거리[m], r : 전선의 반지름[m])

024 ★★★

ANSWER ① 선로의 길이에 관계없이 일정하다.

특성임피던스

$$Z_0 = \sqrt{\frac{Z}{Y}} = \sqrt{\frac{R+jwL}{G+jwC}} \fallingdotseq \sqrt{\frac{L}{C}}\,[\Omega]$$

특성임피던스 Z_0는 선로의 길이와 무관하다.

025 ★★★

ANSWER ③ 정전 반발력에 의한 전선의 진동이 감소된다.

복도체나 다도체를 사용할 때 장점

① 코로나 임계전압의 상승으로 코로나현상이 방지된다.

② 같은 단면적의 단도체에 비해 전류용량 및 송전용량이 증가한다.

③ 복도체에서 단락시는 모든 소도체에는 동일 방향으로 전류가 흐르므로 흡입력이 생긴다

④ 인덕턴스는 감소하고 정전용량은 증가한다.

026 ★★

ANSWER ③ $2\pi fCV^2 \times 10^{-3}$ **답을 암기할 것**

STEP1

소호리액터 접지방식은 선로의 대지정전용량과 공진하는 리액터를 통하여 접지하는 방식이므로 대지정전용량에 의한 충전용량과 소호리액터의 용량은 같다.

STEP2 3상 1회선 소호 리액터 용량

충전용량

$Q_c = 3EI_c = 3\omega CE^2 = 3(2\pi f)CE^2 = 6\pi f CE^2$

$C[\mu\text{F}]$와 $V[\text{kV}]$의 단위를 고려하면

$$Q_c = 6\pi f \times (C \times 10^{-6}) \times \left(\frac{V}{\sqrt{3}} \times 10^3\right)^2$$

$$= 2\pi fCV^2\,[\text{VA}]$$

$$= 2\pi fCV^2 \times 10^{-3}\,[\text{kVA}]$$

027 ★★

ANSWER ③ 절탄기 → 보일러 → 과열기 → 터빈 → 복수기

실제 화력 발전소에 쓰이는 기본 사이클은 다음과 같다.

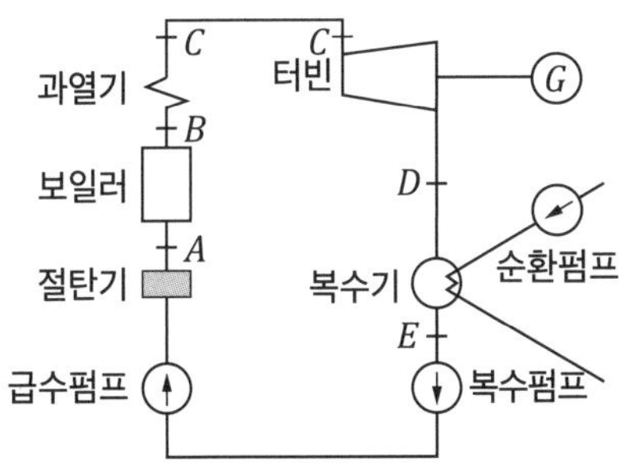

028 ★

ANSWER ④ 저전압 단거리

중성점 비접지방식은 저전압(33[kV]정도 이하)의 단거리 송전선 계통에 적용한다.

비접지방식을 고전압 장거리 계통에 채용하게 되면 대지 정전 용량이 증가하게 되어 1선 지락 고장 시 충전 전류에 의한 간헐 아크 지락을 일으켜서 이상 전압이 발생한다.

029 ★★★

ANSWER ② 3432

전압 강하율 $\delta = \dfrac{V_s - V_r}{V_r} \times 100[\%]$에서

송전단 전압

$$V_s - V_r = \frac{\delta}{100} V_r$$

$$\rightarrow V_s = V_r + \frac{\delta}{100} V_r = V_r\left(1 + \frac{\delta}{100}\right)$$

$$= 3300\left(1 + \frac{4}{100}\right) = 3432[\mathrm{V}]$$

030 ★★

ANSWER ① 0.83×10^{-9}

STEP1 현수 애자 1련의 저항(직렬 접속)

$$r = 1500[\mathrm{M\Omega}] \times 4 = 6000[\mathrm{M\Omega}]$$

$$= 6 \times 10^3 \times 10^6 = 6 \times 10^9[\Omega]$$

STEP2

표준 경간이 200[m]이고 1[km]당 현수 애자는 5련이 병렬접속으로 설치되므로

$$R = \frac{r}{n} = \frac{5}{6} \times 10^9[\Omega]$$

STEP3 누설 컨덕턴스

$$G = \frac{1}{R} = \frac{5}{6} \times 10^{-9}[\mho] = 0.83 \times 10^{-9}[\mho]$$

031 ★★

ANSWER ② 권선의 단면적 증가

변압기의 철손은 무부하손으로 권선의 단면적이 증가하면 손실이 더 증가한다.

032 ★★

ANSWER ② 66.7

STEP1 단락점까지의 합성

$$\%X = \%X_g + \%X_t + (\%X_{l1} \parallel \%X_{l2})$$

$$= \%X_g + \%X_t + \frac{\%X_{l1} \times \%X_{l2}}{\%X_{l1} + \%X_{l2}}$$

$$= 10 + 3 + \frac{4 \times 4}{4 + 4} = 15[\%]$$

($\%X_g$: 발전기 %리액턴스,

$\%X_t$: 변압기 %리액턴스,

$\%X_l$: 선로의 %리액턴스)

STEP2 단락용량

$$P_s = \frac{100}{\%X} P_n = \frac{100}{15} \times 10000$$

$$= 66666.67[\mathrm{kVA}] = 66.67[\mathrm{MVA}]$$

2018년 3회

033 ★★★

ANSWER ③ 비율차동 계전기

계전기 종류

㉠ 역상 계전기 : 역상분의 접압 또는 전류를 검출하는 계전기, 전력설비의 불평형 운전 또는 결상 운전 방지를 위해 설치

㉡ 과전압 계전기 : 전압의 크기가 일정치 이상으로 되었을 때 동작

㉢ 과전류 계전기 : 전류의 크기가 일정치 이상으로 되었을 때 동작

㉣ 비율차동 계전기 : 발전기 내부 단락 검출용

034 ★★★

ANSWER ① 지락계전기

비접지 계통의 지락 사고 검출

㉠ 지락 계전기(GR) + 영상 전류 검출(ZCT)

㉡ 선택 접지 계전기(SGR) + 영상 전류 검출(ZCT) + 영상 전압 검출(GPT)

(ZCT : 영상변류기, GPT : 접지 변압기)

035 ★★

ANSWER ① 25.0

전선의 평균 높이

$$h = H - \frac{2}{3}D = 31 - \frac{2}{3} \times 9 = 25[\mathrm{m}]$$

(h' : 지지점의 높이[m], D : 이도[m])

036 ★

ANSWER ② 이상전압 감쇄

차단기의 개폐시에 재점호로 인하여 개폐 서지 이상 전압이 발생된다. 개폐 저항기는 차단기 접촉자 간에 병렬 임피던스로서 삽입하여 개폐 이상 전압을 낮추고 절연 내력을 높일 수 있다.

037 ★★

ANSWER ① 과도안정도

안정도의 종류

- 정태 안정도(static stability) : 송전 계통이 불변부하 또는 극히 서서히 증가하는 부하에 대하여 계속적으로 송전할 수 있는 능력을 정태 안정도로 하고, 안정도를 유지할 수 있는 극한의 송전 전력을 정태 안정 극한 전력이라고 한다.
- 과도 안정도(transient stability) : 계통에 갑자기 고장 사고와 같은 급격한 외란이 발생하였을 때에도 탈조하지 않고 새로운 평형 상태를 회복하여 송전을 계속할 수 있는 능력을 과도 안정도라 하고 이 경우의 극한 전력을 과도 안정 극한 전력이라고 한다.
- 동태 안정도(dynamic stability) : 고속 자동 전압 조정기로 동기기의 여자 전류를 제어할 경우의 정태 안정도를 특히 동태 안정도라 한다.

038 ★★★

ANSWER ④ 전선의 표피효과 감소

전력용 콘덴서 설치(역률 개선)시 효과

㉠ 설비용량의 여유 증가

㉡ 선로의 전압강하 감소

㉢ 전력손실 감소

㉣ 설비의 이용률 향상

㉤ 전기 요금의 절약

㉥ 선로전류의 감소

선로절연에 요하는 비용은 선로의 역률과 무관하며, 선로전압의 크기에 좌우된다

039 ★★

ANSWER ① 건설비와 연료비가 높다.

원자력 발전의 장점

- 건설비는 높지만 연료비가 적다.
- 설비는 국내 관련 사업을 발전시킨다.
- 발전 원가가 낮다.
- 공해를 배출하지 않는다.
- 핵연료의 수송 저장이 용이하다.

여기서, ③번항은 무엇에 대한 수송 및 저장인지 주어지지 않은 관계로 정답 처리됨

040 ★★★

ANSWER ① 부등률

- 부등률 : 최대 전력의 발생시각 또는 발생 시기의 분산을 나타내는 지표로 사용
- 부하율 : 일정 기간 중 부하 변동의 정도를 나타내는 것으로서 전기설비가 얼마만큼 유효하게 이용되고 있는가 하는 정도를 파악하는 데 사용
- 수용률 : 수요를 상정할 경우 사용

제3과목 | 전기기기

041 ★

ANSWER ① 102

MATH 23단원 유리식

STEP1 권선의 저항 측정

유도전동기 직류 전압 인가후 무부하 시험

$$I = \frac{E}{2R}$$

1상당 저항 $R = \frac{E}{2I} = \frac{12}{2 \times 60} = 0.1\,[\Omega]$

1상당 동손 $P_c = I^2R = 32^2 \times 0.1 = 102.4[\mathrm{W}]$

042 ★★

ANSWER ② 1차 여자제어

STEP1 유도전동기 속도제어방식

㉠ 농형 유도 전동기

ⓐ 주파수 변환법

ⓑ 극수 변환법

ⓒ 전압 제어법

㉡ 권선형 유도전동기

ⓐ 2차 저항법

ⓑ 2차 여자법

043 ★★★

ANSWER ③ 25

STEP1 단락전류(I_s)

$$I_{1s} = I_{1n}\frac{100}{\%Z}$$

STEP2 임피던스 전압강하 대입하기

$$I_{1s} = I_{1n}\frac{100}{\%Z} = I_{1n} \times \frac{100}{4} = 25I_{1n}$$

044 ★★★

ANSWER ② 기동토크는 전압의 2승에 비례한다.

MATH **10단원 비례, 반비례, 비례식**

토크 T는 2차 입력 P_2에 비례하기 때문에

$T \fallingdotseq T_0$이다.

$$T_0 = \frac{P}{4\pi f}\frac{\frac{r_s}{s}V_1^2}{(r_1 + \frac{r_2}{s})^2 + (x_1 + x_2)^2}[\mathrm{N \cdot m}]$$

따라서, 토크 T는 주파수 f에 반비례하고, 극수 및 전압의 2승에 비례한다.

2018년 3회

045 ★★

ANSWER ③ 고전압 소전류

STEP1 전기자권선법의 중권과 파권

구분	중권(병렬권)	파권(직렬권)
병렬회로수	$P_{극수}$	2
브러시수	$P_{극수}$	2
용도	저전압, 대전류	고전압, 소전류
균압환	4극 이상	

046 ★★★

ANSWER ② 0.526

MATH 10단원 비례, 반비례, 비례식

STEP1 2차 입력

$$P_2 = \frac{P}{1-s} = \frac{10}{1-0.05} = 10.526[\text{kW}]$$

STEP2 2차 입력, 2차 동손, 출력과 슬립의 관계

$P_2 : P_{c2} : P_0 = 1 : s : 1-s$

$P_2 : P_{c2} = 1 : s$

$P_{c2} = sP_2 = 0.05 \times 10.526 = 0.0526[\text{kW}]$

047 ★★

ANSWER ③ 93

MATH 23단원 유리식

STEP1 2차측 전압

$$V_2 = V_1 + \frac{100}{3000}V_1 = 3000 + \frac{100}{3000} \times 3000$$

STEP2 부하용량

$$\frac{\text{자기용량}}{\text{부하용량}} = \frac{V_2 - V_1}{V_2}$$

$$\text{부하용량} = \frac{V_2}{V_2 - V_1} \times \text{자기용량} = \frac{3100}{3100-3000} \times 3 = 93[\text{kVA}]$$

048 ★★

ANSWER ③ 소형의 전력을 다루고 고주파 스위칭을 요구하는 응용분야에 주로 사용된다.

SCR (Silicon Controlled Rectifier]

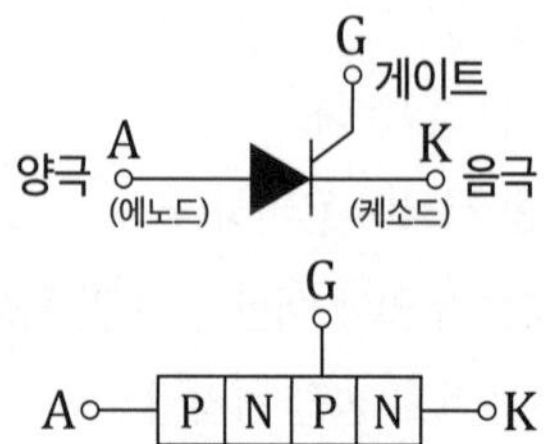

대표적인 사이리스터 소자로서 애노드(+), 캐소드(−), 게이트(+)로 구성되어 전압을 인가한다.

※ SCR의 특징

- 효율이 높고 고속 동작이 용이하다.
- 소형으로 고전압 대전류에 적합한 정류기이다.
- 게이트 신호의 인가에 따라 도통할 때까지의 시간이 짧다.
- PNPN구조로 부성 (-) 저항 특성이 있다.
- 열용량이 적어 고온에 약하다.
- 정류기능을 갖는 단일 방향성 3단자 소자이다.
- 과전압에 약하고 고온에 약하다.

049 ★

ANSWER ④ 6상 2중 성형

용량이 큰 수은정류기용 변압기 2차측 결선방법

㉠ 6상 2중 성형

㉡ 포크 결선

050 ★★

ANSWER ③ 0(영)으로 해 둔다.

직류 분권전동기에서 토크 $T=K\phi I_a$,

회전속도 $N=K\dfrac{V-I_aR_a}{\phi}$ 이다.

기동시 계자저항을 최소로 하여, 계자 전류를 크게 (자속 ϕ을 크게)하여 기동토크가 크게 하고 속도는 저속이 된다.

051 ★★★

ANSWER ④ 역률은 앞서고 전기자 전류는 증가한다.

STEP1 위상 특성 곡선

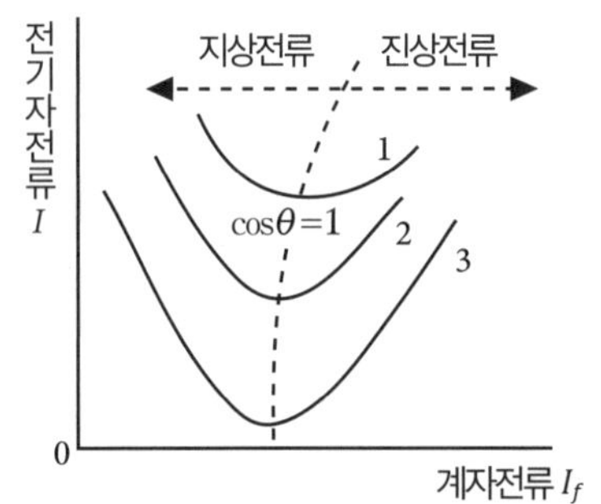

동기전동기의 위상 특성 곡선은 부하를 일정하게 하고, 계자전류의 변화에 대한 전기자 전류의 변화를 나타낸 곡선이다.

그림과 같이 여자 전류가 증가하면 역률은 앞서고 전기자전류는 증가한다.

TIP !

㉠ 역률을 1로 조정이 가능하며 역률이 1인 경우에 전기자 전류가 최소이다.

㉡ 계자전류를 변화시키면 전기자 전류와 역률의 변화가 발생한다.

㉢ 과여자를 취하면 진상이 되며 부족여자를 취하면 지상이 된다.

㉣ $P_1 > P_2 > P_3$

052 ★★

ANSWER ③ 무부하 포화곡선과 3상 단락곡선

- 무부하 시험 : 철손, 기계손
- 단락시험 : 동기임피던스, 동기리액턴스
- 단락비 : 무부하(포화)시험, 단락시험

이므로 동기발전기의 단락비나 동기임피던스를 산출할 때 무부하 포화곡선과 3상 단락곡선을 필요한 특성곡선이다.

053 ★★★

ANSWER ④ 비율차동계전기

변압기 내부고장 검출용 보호계전기

① 유온계	② 유면계
③ 방압안전장치	④ 부흐홀츠계전기
⑤ 비율차동계전기	⑥ 충격압력계전기

054 ★★

ANSWER ③ 증가한다

회전속도 $N=K\dfrac{V-I_aR_a}{\phi}$ 에서 자속 ϕ가 감소하면 N은 증가하게 된다.

055 ★★

ANSWER ③ 회전부의 관성을 작게 한다.

STEP1 동기기의 안정도를 증진시키는 방법

㉠ 정상 리액턴스는 작게 하고 단락비를 크게 한다.

㉡ 자동전압조정기의 속응도를 크게 한다. (속응여자방식을 채용)

㉢ 회전자의 관성력을 크게 한다.

㉣ 영상 및 역상 임피던스를 크게 한다.

㉤ 관성을 크게 하거나 플라이휠 효과를 크게 한다.

056 ★★

ANSWER ④ 속도의 변화는 반발기동형보다 크다.

단상 반발 유도전동기

① 기동토크는 반발 기동형보다 작다.

② 최대 토크는 반발 기동형보다 크다.

③ 부하에 의한 속도 변화는 반발 기동형보다 크다.

④ 역률은 반발 기동형보다 좋다.

⑤ 효율은 반발 기동형이 좋다.

057 ★

ANSWER ③ 기동전류는 적고, 기동토크는 크다.

STEP1 **2중 농형 유도전동기**

㉠ 회전자의 농형권선을 내외 이중으로 설치한 전동기이며 기동시에는 저항이 높은 외측 도체로 흐르는 전류에 의해 큰 기동 토크를 얻고 기동 완류 후에는 저항이 적은 내측 도체로 전류가 흘러 우수한 운전 특성을 얻는 전동기이다.

㉡ 도체

- 외측 도체 : 저항이 높은 황동 또는 동니켈 합금의 도체를 사용
- 내측 도체 : 저항이 낮은 전기동 사용

058 ★★★

ANSWER ② $N = k\dfrac{V - I_aR_a}{\phi}$

MATH **23단원 유리식**

STEP1 **역기전력**

$$E_c = V - I_aR_a = p\phi N\frac{Z}{a}[\mathrm{V}]$$

STEP2 **회전속도**

STEP1 에서 얻은 공식으로 회전속도를 구한다

$$N = \frac{a}{pZ} \times \frac{V - I_aR_a}{\phi}$$

여기서 $\dfrac{a}{pZ}$ 은 일정하므로 상수 K로 하면

$N = K\dfrac{V - I_aR_a}{\phi}$ [rpm]이 된다.

059 ★★

ANSWER ② 열화 방지

변압기 절연유 절연 열화(aging)

변압기 절연 열화 방지대책

㉠ 콘서베이터(Conservator)설치

㉡ 질소 봉입 방식

㉢ 흡착제 방식

TIP !

변압기의 절연유의 열화?

변압기 절연유의 절연열화(aging)의 원인은 외기의 온도변화, 부하의 변화에 따라 내부기름의 온도가 변화하여 기름과 대기압 사이에 차가 생겨 공기가 출입하는 작용으로 호흡작용이라한다. 이에 따라 변압기의 호흡 작용으로 절연유의 절연내력이 저하하고 냉각효과가 감소하는 현상을 절연열화(aging)라 한다.

060 ★

ANSWER ③ 3

STEP1 정류회로 정리

정류 종류	단상 반파	단상 전파	3상 반파	3상 전파
맥동률 [%]	121	48	17.7	4.04
정류 효율	40.5	81.1	96.7	99.8
맥동 주파수	f	$2f$	$3f$	$6f$

제4과목 | 회로이론

061 ★★

ANSWER ③ $-\frac{1}{2}+j\frac{\sqrt{3}}{2}$

MATH 43단원 e 총정리

$$e^{j\frac{2}{3}\pi} = \cos\frac{2}{3}\pi + j\sin\frac{2}{3}\pi = -\frac{1}{2}+j\frac{\sqrt{3}}{2}$$

062 ★

ANSWER ② 6

STEP1 어드미턴스 파라미터

$Y_{22} = \left.\frac{I_2}{V_2}\right|_{V_1=0}$ 에서

$V_1 = 0$은 입력 측 단자(V_1)가 단락된 상태이므로

Y_b, Y_c의 병렬회로로 남게 된다.

$$I_2 = (Y_b + Y_c) \times V_2$$

$$\therefore Y_{22} = \left.\frac{I_2}{V_2}\right|_{V_1=0} = \frac{(Y_b+Y_c)\times V_2}{V_2} = Y_b + Y_c = 3 + 6 = 9[℧]$$

063 ★★★

ANSWER ① 6

MATH 22단원 삼각함수 특수공식

리액턴스 $X = Z\sin\theta$에서

역률 $\cos\theta = 80[\%] = 0.8$

$\sin\theta = \sqrt{1-\cos\theta} = 0.6$

임피던스 $Z = \frac{V}{I} = \frac{100}{10}[\Omega]$

$\therefore X = Z\sin\theta = 10 \times 0.6 = 6[\Omega]$

064 ★★★

ANSWER ④ $-2.67-j0.67$

MATH 28단원 복소수의 연산

$$\begin{aligned} I_0 &= \frac{1}{3}(I_a + I_b + I_c) \\ &= \frac{1}{3}\{(15+j2)+(-20-j14) \\ &\quad +(-3+j10)\} \\ &= \frac{1}{3}\{(15-20-3)+j(2-14+10)\} \\ &\fallingdotseq -2.67-j0.67[\mathrm{A}] \end{aligned}$$

065 ★★★

ANSWER ① $\frac{1}{s+2}$

MATH 49단원 라플라스 기초

전달함수 $G(s) = \frac{C(s)}{R(s)}$ 에서

입력 $R(s) = \pounds[\delta(t)] = 1$

출력 $C(s) = \pounds[e^{-2t}] = \frac{1}{s+2}$

$$\therefore G(s) = \frac{C(s)}{R(s)} = \frac{\frac{1}{s+2}}{1} = \frac{1}{s+2}$$

066 ★★

ANSWER ③ 257.6

MATH 23단원 유리식

25단원 무리식

STEP1 전류계산

$I = \frac{V}{Z}$ 에서

상용 주파수 60[Hz]이므로 유도성 리액턴스

$X_L = 2\pi f L = 2\pi \times 60 \times 0.2 \fallingdotseq 75.4[\Omega]$

RL 직렬 임피던스의 크기

$$Z = \sqrt{R^2 + X_L^2}$$
$$= \sqrt{150^2 + 75.4^2} \fallingdotseq 167.88[\Omega]$$

STEP2 전력량계산

전력량 $W = P \times t$ 에서

시간 $t = 1[\text{h}]$이므로 $W = P$

전력 $P = I^2 R = \left(\frac{V}{Z}\right)^2 R = \left(\frac{220}{167.88}\right)^2 \times 150$

$\fallingdotseq 257.6[\text{W}]$

$\therefore\ W = 257.6[\text{Wh}]$

067 ★★★

ANSWER ④ $\frac{5}{2}$

MATH 49단원 라플라스 기초

$$\lim_{t \to \infty} c(t) = \lim_{s \to 0} sC(s) \ (\because \text{ 최종값 정리})$$
$$= \lim_{s \to 0} \frac{5}{s^2 + s + 2} = \frac{5}{2}$$

068 ★★

ANSWER ③ $\frac{V}{4r}$

MATH 23단원 유리식

STEP1 △−Y 변환

△결선 된 부분을 Y결선으로 변환하면 다음과 같다.

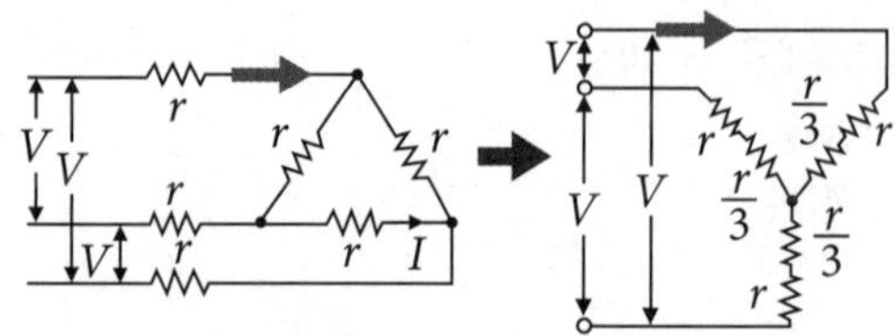

STEP2 △결선 특징

△결선에서 선전류 $I = \sqrt{3}\, I_p$ 에서

상전압 $V_p = \frac{V}{\sqrt{3}}[\text{V}]$

이 때의 상전류 $I_p = \frac{V_p}{r + \frac{r}{3}} = \frac{\frac{V}{\sqrt{3}}}{\frac{4}{3}r} = \frac{\sqrt{3}\, V}{4r}$

$$\therefore\ I = \sqrt{3}\, I_p = \sqrt{3} \times \frac{\sqrt{3}\, V}{4r} = \frac{V}{4r}$$

069 ★★★

ANSWER ④ 160

MATH 22단원 삼각함수 특수공식

무효전력 $Q = P_a \sin\theta$에서

역률 $\cos\theta = 0.6$이므로

피상전력 $P_a = \frac{P}{\cos\theta} = \frac{120}{0.6} = 200[\text{kVA}]$

$$\sin\theta = \sqrt{1 - 0.6^2} = 0.8$$
$$\therefore\ Q = P_a \sin\theta = 200 \times 0.8 = 160[\text{kVar}]$$

070 ★★

ANSWER ④ 8.33×10^{-4}

MATH 22단원 삼각함수 특수공식

시간 $t = \dfrac{\theta}{\omega}$ 에서

$\omega = 100\pi$이고

$$e = E_m \cos\left(100\pi t - \frac{\pi}{3}\right)$$
$$= E_m \sin\left(100\pi t - \frac{\pi}{3} + \frac{\pi}{2}\right)$$
$$= E_m \sin\left(100\pi t + \frac{\pi}{6}\right)$$

전압, 전류의 위상차 $\theta = \dfrac{\pi}{4} - \dfrac{\pi}{6} = \dfrac{\pi}{12}$

$$\therefore t = \frac{\theta}{\omega} = \frac{\frac{\pi}{12}}{100\pi}$$
$$= \frac{1}{1200} \fallingdotseq 8.33 \times 10^{-4}[\text{sec}]$$

071 ★★★

ANSWER ② 64

MATH 25단원 무리식

STEP1 Y결선과 고조파의 관계

상전압 $E_p = \sqrt{E_1^2 + E_3^2 + E_5^2}$
$= \sqrt{1000^2 + 500^2 + 100^2}$
$\fallingdotseq 1122.5[\text{V}]$

선간전압은 상전압의 $\sqrt{3}$ 배이고 제 3고조파분이 나타나지 않으므로

선간전압 $E_l = \sqrt{3} \times \sqrt{E_1^2 + E_5^2}$
$= \sqrt{3} \times \sqrt{1000^2 + 100^2}$
$\fallingdotseq 1740.69[\text{V}]$

$$\therefore \frac{E_p}{E_l} = \frac{1122.5}{1740.69} \times 100 = 64.49[\%]$$

072 ★★★

ANSWER ① 영상분

- 정상분 : 상의 회전 방향이 전원과 동일한 평형 3상 교류
- 역상분 : 상의 회전 방향이 전원과 반대인 평형 3상 교류
- 영상분 : 크기와 위상이 같은 평형 단상 교류

073 ★★

ANSWER ② $\sin(\omega t + \theta)$

MATH 22단원 삼각함수 특수공식
50단원 라플라스 심화

STEP1 인수분해

$$\frac{s\sin\theta + \omega\cos\theta}{s^2 + \omega^2} = \frac{\omega}{s^2 + \omega^2}\cos\theta + \frac{s}{s^2 + \omega^2}\sin\theta$$

STEP2 삼각함수의 라플라스 변환

$$\pounds^{-1}\left[\frac{\omega}{s^2 + \omega^2}\right] = \sin\omega t$$
$$\pounds^{-1}\left[\frac{s}{s^2 + \omega^2}\right] = \cos\omega t$$
$$\therefore \pounds^{-1}\left[\frac{s\sin\theta + \omega\cos\theta}{s^2 + \omega^2}\right]$$
$$= \sin\omega t\cos\theta + \cos\omega t\sin\theta = \sin(\omega t + \theta)$$

074 ★

ANSWER ④ v_1과 v_2의 위상관계는 의미가 없다.

주파수가 서로 다른 전압, 전류 사이에서는 전력이 발생하지 않는다.

075 ★★

ANSWER ① R의 비중이 작을수록 Q가 높다.

MATH **10단원 비례, 반비례, 비례식**

공진 조건 $\omega L = \frac{1}{\omega C}$, 리액턴스 합 = 0에서

① R과 관계 없다.

② 리액턴스가 없으므로 어드미턴스는 작아진다.

③ 주파수가 적어지면 $\omega L < \frac{1}{\omega C}$로 유도성 회로가 되므로 진상전류가 흐른다.

④ 전류 확대비 $Q = \frac{I_C}{I_R} = \frac{\omega CV}{\frac{V}{R}} = \omega CR$

$$= \frac{I_L}{I_R} = \frac{\frac{V}{\omega L}}{\frac{V}{R}} = \frac{R}{\omega L}$$

즉, R이 클수록 Q는 커진다.

076 ★★

ANSWER ③ 54° **답을 암기할 것**

대칭 n상 회로 관계

성형 결선

전압 : $E_l = 2\sin\frac{\pi}{n}E_{p\angle}\frac{\pi}{2}\left(1-\frac{2}{n}\right)$

$\therefore \theta = \frac{\pi}{2}\left(1-\frac{2}{5}\right) = \frac{180}{2}\times\frac{3}{5} = 54^\circ$

(여기서, E_l : 선간전압, E_p : 상전압)

077 ★★★

ANSWER ② V_a

MATH **30단원 직교좌표와 극좌표**

$$V_1 = \frac{1}{3}(V_a + aV_b + a^2V_c)$$
$$= \frac{1}{3}(V_a + a^3V_a + a^3V_b)$$
$$= \frac{V_a}{3}(1 + a^3 + a^3)$$

$a^3 = 1$이므로 $1 + a^3 + a^3 = 3$

$\therefore V_1 = V_a$

TIP !

벡터연산자 a

$a = -\frac{1}{2} + j\frac{\sqrt{3}}{2} = 1_{\angle}120^\circ$

$a^3 = 1^3{}_{\angle}360^\circ = 1$

078 ★★

ANSWER ② 4

STEP1 **테브낭 등가회로**

등가회로의 전압 $V_{th} = 100$[V]

등가회로의 저항 $R_{th} = 15[\Omega]$이므로

테브낭 등가회로는 다음 그림과 같다.

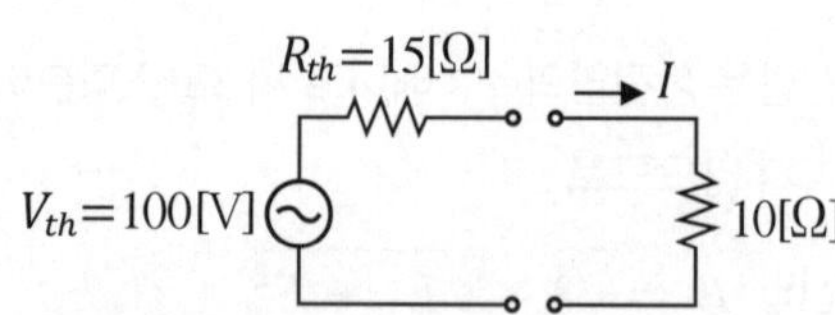

STEP2 **옴의 법칙**

$\therefore I = \frac{V_{th}}{R_{th}+10} = \frac{100}{15+10} = 4[\mathrm{A}]$

079 ★★

ANSWER ④ $\frac{5}{s(s+3)}$

MATH 3단원 등식 방정식

50단원 라플라스 심화

초기값 $x(0)=0$으로 하고 라플라스 변환하면 다음과 같다.

$$£\left[\frac{dx(t)}{dt}+3x(t)\right]= £[5]$$

$$\rightarrow \{sX(s)-x(0)\}+3X(s)=\frac{5}{s}$$

$$\rightarrow (s+3)X(s)=\frac{5}{s}$$

$$\rightarrow X(s)=\frac{5}{s(s+3)}$$

080 ★★

ANSWER ④ 66

MATH 23단원 유리식

STEP1 단상 등가 회로

다음 그림과 같이 1상의 회로를 가정한다.

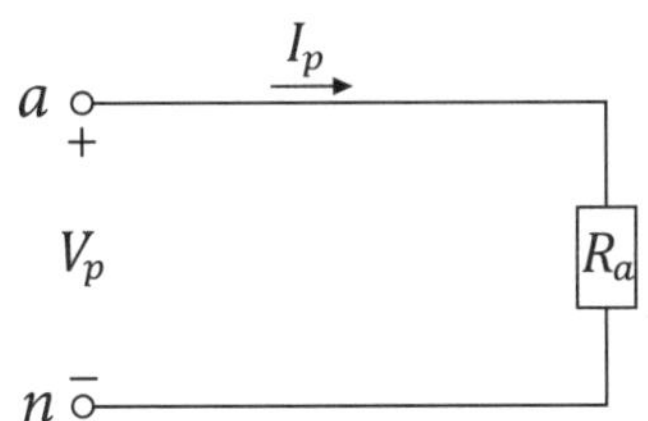

단상 등가회로

STEP2 Y−Δ결선의 특징

㉠ 부하의 상전압 = 전원의 선간전압

$\rightarrow V_p=220\sqrt{3}$

㉡ 부하의 상전류 =

전원의 상전류 × $\frac{1}{\sqrt{3}} \rightarrow I_p=\frac{10}{\sqrt{3}}$

$$\therefore Z=\frac{V_p}{I_p}=\frac{220\sqrt{3}}{\frac{10}{\sqrt{3}}}=66[\Omega]$$

제5과목 | 전기설비기술기준 및 한국전기설비규정

081 ★

ANSWER ④ 20

특고압 가공전선과 지지물 등의 이격거리 (한국전기설비규정 333.5)

특고압 가공전선과 그 지지물·완금류·지주 또는 지선사이의 이격거리는 표에서 정한 값 이상이어야 한다. 다만, 기술상 부득이한 경우에 위험의 우려가 없도록 시설한 때에는 표에서 정한 값의 0.8배까지 감할 수 있다.

사용전압	이격거리[cm]
15[kV] 미만	15
15[kV] 이상 25[kV] 미만	20
25[kV] 이상 35[kV] 미만	25
60[kV] 이상 70[kV] 미만	40
130[kV] 이상 160[kV] 미만	90

082 ★

ANSWER ③ 저압 가공전선의 지표상 높이는 5[m] 이상일 것

농사용 저압가공전선로의 시설 (한국전기설비규정 222.22)

㉠ 사용전압은 저압일 것

㉡ 저압 가공전선은 인장강도 1.381[kN] 이상의 것 또는 지름 2[mm] 이상의 경동선일 것

㉢ 저압 가공전선의 지표상의 높이는 3.5[m] 이상일 것. 다만, 저압 가공전선을 사람이 쉽게 출입하지 못하는 곳에 시설하는 경우에는 3[m]까지로 감할 수 있다.

㉣ 목주의 굵기는 말구지름이 0.09[m] 이상일 것

㉤ 전선로의 지지점 간거리는 30[m] 이하일 것

083 ★★★

ANSWER ① 발전기안 또는 조상기안의 수소의 순도가 70[%] 이하로 저하한 경우에 경보장치를 시설할 것

수소냉각식 발전기 등의 시설
(한국전기설비규정 351.10)

수소냉각식의발전기·조상기 또는 이에 부속하는 수소 냉각 장치는 발전기 내부 또는 조상기 내부의 수소의 순도가 85[%]이하로 저하한 경우에 이를 경보하는 장치를 시설할 것

084 ★★★

ANSWER ① 금속관공사

폭연성 분진 위험장소(한국전기설비규정 242.2.1)

폭연성 분진(마그네슘·알루미늄·티탄·지르코늄) 또는 화약류의 분말이 전기설비가 발화원이 되어 폭발할 우려가 있는 곳에 시설하는 저압 옥내배선, 저압관등회로 배선, 소세력 회로의 전선은 금속관공사 또는 케이블공사(캡타이어 케이블을 사용하는 것을 제외한다)에 의할 것

085 ★★

ANSWER ① 급전소

㉠ 급전소 : 전력계통의 운용에 관한 지시 및 급전조작을 하는 곳

㉡ 개폐소 : 개폐소 안에 시설한 개폐기 및 기타 장치에 의하여 전로를 개폐하는 곳으로서 발전소·변전소 및 수용장소 이외의 곳

㉢ 변전소 : 변전소의 밖으로부터 전송받은 전기를 변전소 안에 시설한 변압기·전동발전기·회전변류기·정류기 그 밖의 기계기구에 의하여 변성하는 곳으로서 변성한 전기를 다시 변전소 밖으로 전송하는 곳

㉣ 발전소 : 발전기·원동기·연료전지·태양전지·해양에너지 발전설비·전기저장장치 그 밖의 기계기구를 시설하여 전기를 생산하는 곳

086 ★★

ANSWER ③ 1.8

가공전선로 지지물의 철탑오름 및 전주오름 방지
(한국전기설비규정 331.4)

가공전선로의 지지물에 취급자가 오르고 내리는데 사용하는 발판 볼트 등을 지표상 1.8[m] 미만에 시설하여서는 아니 된다.

087 ★★

ANSWER ① 몰드에는 접지공사를 하지 말 것

[한국전기설비규정 232.22] 금속몰드공사

가. 전선은 절연전선(옥외용 비닐 절연전선을 제외한다)일 것

나. 금속몰드 안에는 전선에 접속점이 없도록 할 것

다. 황동제 또는 동제의 몰드는 폭이 50[mm] 이하, 두께 0.5[mm] 이상

라. 몰드에는 규정에 준하여 접지공사를 할 것

088 ★

ANSWER ③ 50

의료장소내의 비상전원

(한국전기설비규정 242.10.5)

상용전원 공급이 중단 될 경우 의료행위에 중대한 지장을 초래할 우려가 있는 전기설비 및 의료용 전기기기에는 다음에 따라 비상 전원을 공급하여야 한다.

㉠ 절환시간 0.5초 이내에 비상전원을 공급하는 장치 또는 기기
① 0.5초 이내에 전력공급이 필요한 생명 유지 장치
② 그룹1 또는 그룹 2의 의료장소의 수술 등, 내시경, 수술실 테이블 기타 필수 조명

㉡ 절환시간 15초 이내에 비상전원을 공급하는 장치 또는 기기
① 15초 이내에 전력공급이 필요한 생명유지 장치
② 그룹 2의 의료장소에 최소 50[%]의 조명, 그룹 1의 의료 장소에 최소 1개의 조명

㉢ 절환시간 15초를 초과하여 비상전원을 공급하는 장치 또는 기기
① 병원기능을 유지하기 위한 기본 작업에 필요한 조명
② 그 밖의 병원기능을 유지하기 위하여 중요한 기기 또는 설비

089 ★★

ANSWER ② 100

고압보안공사(한국전기설비규정 332.10)

고압 보안공사는 다음에 따라야 한다.

㉠ 전선은 케이블인 경우 이외에는 인장강도 8.01[kN] 이상의 것 또는 지름 5[mm] 이상의 경동선일 것
㉡ 목주의 풍압하중에 대한 안전율은 1.5 이상일 것
㉢ 경간은 표에서 정한 값 이하일 것

지지물의 종류	경간
목주·A종 철주 또는 A종 철근 콘크리트주	100[m]이하
B종 철주 또는 B종 철근 콘크리트주	150[m]이하
철탑	400[m]이하

090 ★★★

ANSWER ③ 20

전선의 접속(한국전기설비규정 123)

전선을 접속하는 경우에는 전선의 전기저항을 증가시키지 아니하도록 접속하여야 하며, 또한 다음에 따라야 한다.

㉠ 전선의 세기를 20[%] 이상 감소시키지 아니할 것
㉡ 접속부분은 접속관 기타의 기구를 사용할 것
㉢ 접속부분의 절연전선에 절연전선의 절연물과 동등 이상의 절연 효력이 있는 것으로 충분히 피복할 것

091 ★★★

ANSWER ① 5.0

특고압 가공전선의 높이(한국전기설비규정 333.7)

<table>
<tr><th>전압의 범위</th><th>일반 장소</th><th>도로 횡단</th><th>철도 또는 궤도횡단</th><th>횡단보도교</th></tr>
<tr><td>35[kV] 이하</td><td>5[m]</td><td>6[m]</td><td>6.5[m]</td><td>4[m](특고압절연전선 또는 케이블 사용)</td></tr>
<tr><td rowspan="2">35[kV] 초과 60[kV] 이하</td><td>6[m]</td><td>6[m]</td><td>6.5[m]</td><td>5[m](케이블 사용)</td></tr>
<tr><td colspan="4">산지 등에서 사람이 쉽게 들어갈 수 없는 장소 : 5[m]이상</td></tr>
<tr><td rowspan="3">60[kV] 초과</td><td>일반 장소</td><td colspan="3">가공전선의 높이 =6+단수×0.12[m]</td></tr>
<tr><td>철도 또는 궤도 횡단</td><td colspan="3">가공전선의 높이 =6.5+단수×0.12[m]</td></tr>
<tr><td>산지</td><td colspan="3">가공전선의 높이 =5+단수×0.12[m]</td></tr>
</table>

※ 단수 $= \dfrac{\{전압[kV]-160\}}{10}$ ⋯ 단수계산에서 소수점 이하는 절상

092 ★★★

ANSWER ④ 15000

조상설비의 보호 장치(한국전기설비규정 351.5)

조상설비에는 그 내부에 고장이 생긴 경우에 보호하는 장치를 표와 같이 시설하여야 한다.

<table>
<tr><th>설비 종별</th><th>뱅크 용량의 구분</th><th>자동적으로 전로로부터 차단하는 장치</th></tr>
<tr><td rowspan="2">전력용 커패시터 및 분로리액터</td><td>500[kVA]초과 15,000[kVA]미만</td><td>• 내부에 고장이 생긴 경우
• 과전류가 생긴 경우</td></tr>
<tr><td>15,000[kVA]미만</td><td>• 내부에 고장이 생긴 경우
• 과전류가 생긴 경우
• 과전압이 생긴 경우</td></tr>
<tr><td>조상기</td><td>15,000[kVA]이상</td><td>• 내부에 고장이 생긴 경우</td></tr>
</table>

093 ★★

ANSWER ④ 150

특고압보안 공사(한국전기설비규정 333.22)

저1종 특고압 보안공사 시 전선의 단면적

사용전압	전선
100[kV]미만	인장강도 21.67[kN]이상의 연선 또는 단면적 55[mm²]이상의 경동연선
100[kV]이상 300[kV]미만	인장강도 58.84[kN]이상의 연선 또는 단면적 150[mm²]이상의 경동연선
300[kV]이상	인장강도 77.47[kN]이상의 연선 또는 단면적 200[mm²]이상의 경동연선

094 ★★

ANSWER ③ 사용전압이 35[kV] 이상의 전선에 특고압 가공 전선로에 사용하는 케이블 및 지지물

풍압 하중의 종별과 적용 (한국전기설비규정 331.6)

인가가 많이 연접되어 있는 장소에 시설하는 가공전선로의 구성재 중 다음의 풍압하중에 대하여는 규정에 불구하고 갑종 풍압하중 또는 을종 풍압하중 대신에 병종 풍압하중을 적용할 수 있다.

㉠ 저압 또는 고압 가공전선로의 지지물 또는 가섭선

㉡ 사용전압이 35[kV] 이하의 전선에 특고압 절연전선 또는 케이블을 사용하는 특고압 가공전선로의 지지물 가섭선 및 특고압 가공전선을 지지하는 애자장치 및 완금류

095 ★★★

ANSWER ② 철탑은 지선을 사용하여 그 강도를 분담시켜야 한다.

㉠ 가공전선로의 지지물로 사용하는 철탑은 지선을 사용하여 그 강도를 분담시켜서는 안 된다.

㉡ 지선의 안전율은 2.5 이상일 것. 이 경우에 허용 인장하중의 최저는 4.31[kN]으로 한다.

㉢ 지선에 연선을 사용할 경우에는 다음에 의할 것

① 소선 3가닥 이상의 연선일 것

② 소선의 지름이 2.6[mm] 이상의 금속선을 사용한 것 일 것

㉣ 지중 부분 및 지표상 0.3[m]까지의 부분에는 내식성이 있는 것 또는 아연도금을 한 철봉을 사용하고 쉽게 부식되지 않는 근가에 견고하게 붙일 것

096 ★★★

ANSWER ① 3

전력 보안통신선의 시설 높이와 이격거리 (한국전기설비규정 362.2)

1. 전력보안 가공통신선(이하"가공통신선"이라 한다)의 높이는 다음을 따른다.

구분		지상고	비고
도로(차도)	일반적인 경우	5.0m]이상	
	교통에 지장을 안주는 경우	4.5m]이상	
철도 또는 궤도 횡단 시		6.5m]이상	레일면상
횡단보도교 위		3.0m]이상	그 노면상
기타		3.5[m]이상	

097 ★

ANSWER ④ 전격격자와 다른 시설물 사이의 이격거리는 50[cm] 이상으로 한다.

전격살충기(한국전기설비규정 241.7)

전격살충기는 다음에 의하여 시설하여야 한다.

㉠ 전격살충기의 전격격자는 지표 또는 바닥에서 3.5[m] 이상의 높은 곳에 시설할 것. 다만, 2차측 개방전압이 7[kV] 이하의 절연 변압기를 사용하고 보호격자에 사람이 접촉될 경우 절연변압기의 1차측 전로를 자동적으로 차단하는 보호 장치를 시설한 것은 지표 또는 바닥에서 1.8[m]까지 감할 수 있다.

㉡ 전격살충기의 전격격자와 다른 시설물(가공전선은 제외한다) 또는 식물과의 이격거리는 0.3[m] 이상일 것

098 ★

ANSWER ① 면절연전선

코드 및 이동전선(한국전기설비규정 234.3)

㉠ 조명용 전원코드 또는 이동전선은 단면적 0.75[mm^2] 이상의 코드 또는 캡타이어 케이블을 용도에 따라서 선정하여야 한다.

㉡ 옥내에서 조명용 전원코드 또는 이동전선을 습기가 많은 장소에 시설 할 경우에는 고무코드(사용전압이 400[V] 이하인 경우에 한함) 또는 0.6/1[kV] EP 고무 절연 클로로프렌캡타이어케이블로서 단면적이 0.75[mm^2] 이상인 것이어야 한다.

출제기준 변경 및 개정된 관계 법규에 따라 삭제된 문제가 있어 20문항이 안됩니다.

엔지니오 과년도 기출문제집

2017

2017년 1회

제1과목 | 전기자기학

001 ★★

ANSWER ③ $J_m = \left(1 - \frac{1}{\mu_r}\right)B$

자화의 세기

$$\vec{J} = (\mu - \mu_0)\vec{H} = \mu_0(\mu_s - 1)\vec{H}$$
$$= \vec{B} - \frac{\vec{B}}{\mu_s} = \left(1 - \frac{1}{\mu_s}\right)\vec{B}\,[\mathrm{Wb/m^2}]$$

002 ★★★

ANSWER ④ 9

STEP1 평행 평판 도체의 정전용량

$$C = \frac{\epsilon S}{d}[\mathrm{F}]$$

STEP2 비교

$$C' = \frac{\epsilon 3S}{\frac{d}{3}} = 9\frac{\epsilon S}{d} = 9C[\mathrm{F}]$$

즉, 원래 정전용량의 9배가 된다.

003 ★★★

ANSWER ① F/m

STEP1 유전율

$\epsilon = \epsilon_0\epsilon_s[\mathrm{F/m}]$: 유전율

ϵ_0 : 진공상태에서 유전율, $8.855 \times 10^{-12}[\mathrm{F/m}]$

ϵ_s : 비유전율

STEP2 그 외의 단위

E : 전계의 세기 [V/m]

F : 단위 힘[N/m]

D : 전속밀도$[\mathrm{C/m^2}]$

004 ★★

ANSWER ① 0.71

유전체에서 전속밀도

$$D = \epsilon E = \epsilon_0\epsilon_s E$$
$$= (8.855 \times 10^{-12}) \times 4 \times (20 \times 10^3)$$
$$= 0.71 \times 10^{-6}[\mathrm{C/m^2}] = 0.71[\mu\mathrm{C/m^2}]$$

005 ★★

ANSWER ② 20

MATH 38단원 미분 기초

STEP1 옴의 법칙

$$I = \frac{V}{R}[\mathrm{A}]$$

STEP2 유기 기전력

$$e = \frac{d\phi}{dt} = \frac{d}{dt}(0.6\cos 800t) = -480\sin 800t\,[\mathrm{V}]$$

즉, 최대기전력은 480[V]이다.

STEP3 대입

$$I = \frac{V}{R} = \frac{480}{24} = 20[\mathrm{A}]$$

006 ★★

ANSWER ④ 40

MATH **47단원 평면벡터의 외적**

STEP1 자기력에서의 힘

$$\vec{F} = q(\vec{v} \times \vec{B}) = (-1.2)(5a_x + 2a_y - 3a_z) \times (-4a_x + 4a_y + 3a_z)$$

$$= (-1.2)\begin{vmatrix} a_x & a_y & a_z \\ 5 & 2 & -3 \\ -4 & 4 & 3 \end{vmatrix} = (-1.2)(18a_x - 3a_y + 28a_z)$$

$$= -21.6a_x + 3.6a_y - 33.6a_z$$

이때, 힘의 크기는 다음과 같다.

$$\vec{F} = \sqrt{(21.6)^2 + (3.6)^2 + (33.6)^2} \approx 40[\mathrm{N}]$$

007 ★★★

ANSWER ② 패러데이 법칙

STEP1 패러데이의 전자유도 법칙

$$rotE = \nabla \times E = -\frac{\partial B}{\partial t} = -\mu\frac{\partial H}{\partial t}$$

(자계의 시간적 변화를 방해하는 방향으로 전계를 회전시킨다.)

STEP2 그 외의 법칙

쿨롱의 법칙

균일 매질내에서 사이의 거리가 r 인 점전하에 가해지는 힘

- 작용하는 힘은 두 전하의 곱에 비례한다.
- 두 전하의 거리 제곱에 반비례한다.

$$F = k\frac{Q_1Q_2}{r^2} = \frac{Q_1Q_2}{4\pi\epsilon_0 r^2}[\mathrm{N}]$$

F: 쿨롱의 힘[N]

Q: 전하량[C]

r: 양 전하간의 거리[m]

ϵ_0: 진공중의 유전률(dielectric constant)

($\epsilon_0 = 8.855 \times 10^{-12}$[F/m])

플레밍의 오른손 법칙

자계 내의 도체 운동에 의해 유도 기전력의 방향이 결정

(발전기의 원리)

$e = (\vec{v} \times \vec{B}) \cdot l = vBl\sin\theta$[V]

(e: 기전력, $\vec{v}$: 도체 운동속도)

암페어의 주회 법칙

$$\mathrm{rot}H = \nabla \times H = i + \frac{\partial D}{\partial t}$$

(전류나 전계의 시간적 변화는 계를 회전시킨다.)

008 ★★

ANSWER ① 199

MATH **23단원 유리식**

전계가 경계면에 평행인 경우의 힘

($\epsilon_1 > \epsilon_2$인 경우)

$$f = \frac{E^2}{2}(\epsilon_1 - \epsilon_2) = \frac{E^2}{2}(\epsilon_0\epsilon_{1,s} - \epsilon_0)$$

$$= \frac{E^2}{2}(6\epsilon_0 - \epsilon_0) = \frac{5E^2}{2}\epsilon_0$$

$$= \frac{5}{2} \times \left(30 \times \frac{10^3}{10^{-2}}\right)^2 \times (8.855 \times 10^{-12})$$

$$\fallingdotseq 199[\mathrm{N/m^2}]$$

2017년 1회

009 ★★★

ANSWER ① 1.32×10^{-7}

MATH 23단원 유리식

STEP1 정전에너지

콘덴서에 전하를 축적시키는 데 필요한 에너지

$$W = \frac{1}{2}QV = \frac{1}{2}CV^2[\mathrm{J}]$$

STEP2 평행 평판 도체의 정전용량

$$C = \frac{\epsilon S}{d} = \frac{\epsilon_0 \epsilon_s S}{d}$$
$$= \frac{8.855 \times 10^{-12} \times 3 \times 10 \times 10^{-4}}{1 \times 10^{-3}}$$
$$= 26.55 \times 10^{-12}[\mathrm{F}]$$

STEP3 대입

$$W = \frac{1}{2}QV = \frac{1}{2}CV^2$$
$$= \frac{1}{2}(26.55 \times 10^{-12}) \times 100^2$$
$$\approx 1.33 \times 10^{-7}[\mathrm{J}]$$

010 ★★★

ANSWER ② 0.9

STEP1 유기 기전력

$$e = \frac{d\phi}{dt} = Blv\sin\theta = 0.2 \times (30 \times 10^{-2}) \times 30 \times \sin 30^\circ = 0.9[\mathrm{V}]$$

011 ★★

ANSWER ② E는 r^3에 반비례 　　답을 암기할 것

MATH 10단원 비례, 반비례, 비례식

STEP1 전기 쌍극자의 전계의 세기

$$E = \frac{M\sqrt{1 + 3\cos^2\theta}}{4\pi\epsilon_0 r^3}[\mathrm{V/m}]$$

즉, 전계의 세기 E는 r^3에 반비례한다.

012 ★

ANSWER ④ σ^2 에 비례

MATH 10단원 비례, 반비례, 비례식

STEP1 정전응력

정전응력은 정전에너지를 대전 도체의 간격에 대해서 편미분하여 구할 수 있다.

정전에너지

$$W = \frac{1}{2}QV = \frac{1}{2}CV^2 = \frac{Q^2}{2C} = \frac{Q^2}{2\left(\frac{\epsilon_0 S}{d}\right)}$$
$$= \frac{Q^2 d}{2\epsilon_0 S} = \frac{\sigma^2 d}{2\epsilon_0}S[\mathrm{J}]$$

정전응력

$$F = -\frac{\partial}{\partial d}\left(\frac{\sigma^2 d}{2\epsilon_0}S\right) = -\frac{\sigma^2}{2\epsilon_0}S[\mathrm{N}]$$

즉, 정전응력은 σ^2 에 비례한다.

고난도

013 ★★

ANSWER ② $1 + \frac{\mu l_0}{\mu_0 l}$ 　　답을 암기할 것

STEP1 자기저항

자기저항(리액턴스)

$$R_m = \frac{F}{\Psi} = \frac{Hl}{\mu Hs} = \frac{l}{\mu S}[\mathrm{AT/Wb}]$$

이때, 자기저항은 공극 부분과 철심 부분의 저항의 합으로 나타난다.

공극 부분의 자기저항 $R_1 = \frac{l_0}{\mu_0 S}[\mathrm{AT/Wb}]$

철심 부분의 자기저항 $R_2 = \frac{l}{\mu S}[\mathrm{AT/Wb}]$

즉, 자기저항

$$R_m = \frac{l_0}{\mu_0 S} + \frac{l}{\mu S} = \left(\frac{\mu_s l_0}{l} + 1\right)R_2$$
$$= \left(\frac{\mu l_0}{\mu_0 l} + 1\right)R_2[\mathrm{AT/Wb}]$$

따라서, 철심 부분의 자기저항의

$\left(\frac{\mu l_0}{\mu_0 l} + 1\right)$배이다.

014 ★★

ANSWER ③ AT

자위

어떠한 자계에 대하여 단위 정자하를 무한히 먼 곳에서 임의의 점까지 자계와 반대 방향으로 이동시키는데 필요한 자계 에너지

- 점 P 에 대한 자위:

$$U = -\int_{\infty}^{P} \overrightarrow{H}\ \overrightarrow{dr} = \int_{P}^{\infty} \overrightarrow{H}\ \overrightarrow{dr}\ [A]$$

- m인 자하에서 r 거리인 점의 자위:

$$U = \frac{m}{4\pi\mu r}[A]$$

015 ★★★

ANSWER ② $\frac{Q}{\epsilon_0}$

STEP1 전기력선의 성질

단위전하(1[C])에서는 $\frac{1}{\epsilon_0} = 36\pi \times 10^9$ 개의 전기력선이 발생한다.

(Q[C]의 전하에서 $N = \frac{Q}{\epsilon_0}$ 개의 전기력선이 발생한다.)

고난도

016 ★

ANSWER ③ $y = \frac{12}{x}$ 답을 암기할 것

MATH 42단원 정적분

STEP1 전기력선 방정식

전기력선 방정식:

$$\frac{dx}{E_x} = \frac{dy}{E_y} = \frac{dz}{E_z} \Rightarrow \frac{dx}{x} = \frac{dy}{-y}$$

$$\Rightarrow \int \frac{dx}{x} = \int \frac{dy}{-y} \Rightarrow \ln x = -\ln y + C$$

STEP2 대입

x = 3, y = 4를 위 식에 대입한다.

$\ln x + \ln y = C = \ln(xy) = \ln(12)$

따라서, $xy = 12$, $y = \frac{12}{x}$ 이다.

017 ★★★

ANSWER ③ $\sqrt{\mu}H = \sqrt{\epsilon}E$

STEP1 고유 임피던스

- 고유 임피던스 $\eta = \frac{E}{H} = \sqrt{\frac{\mu}{\epsilon}}[\Omega]$

즉, $\sqrt{\mu}H = \sqrt{\epsilon}E$

018 ★★

ANSWER ② 0.3

STEP1 자하와 자계의 세기 관계식

$H = \frac{F}{m}[A/m]$에서

자하 m의 세기는 다음과 같다.

$$m = \frac{F}{H} = \frac{3 \times 10^2}{1000} = 0.3[Wb]$$

019 ★★★

ANSWER ④ P의 방향은 전자계의 에너지 흐름의 진행방향과 다르다.

STEP1 포인팅 벡터

포인팅벡터(Poynting vector) $\overrightarrow{P}$

전자계 내의 한 점을 통과하는 에너지 흐름의 단위 면적당 전력 또는 전력 밀도를 표시하는 벡터

$\overrightarrow{P} = \overrightarrow{E} \times \overrightarrow{H}[W/m^2]$(진행 방향과 평행이다.)

020 ★★★

ANSWER ④ $\frac{1}{2}LI^2$

STEP1 자기에너지

자기에너지 $W = \frac{1}{2}LI^2[J]$

제2과목 | 전력공학

021 ★

ANSWER ③ 9

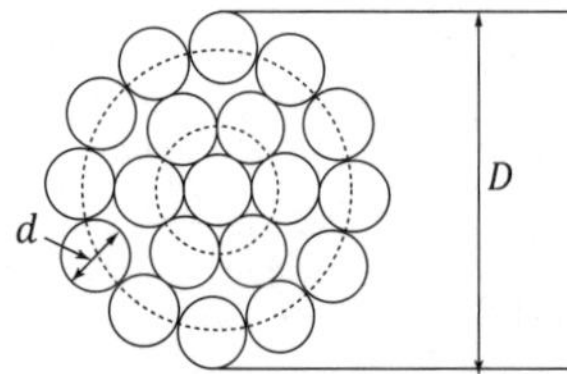

19/1.8[mm]는 직경이 1.8[mm]인 소선 19가닥으로 구성된 연선을 의미

$N = 3n(n+1)+1$에서

$19 = 3n(n+1)+1$

$19 = 3n^2+3n+1 \rightarrow 3n^2+3n-18$

$= 3(n-2)(n+3) = 0$

$\therefore n = 2$

2층권이므로 바깥지름

$D = (2n+1)d$

$D = (2\times 2+1)\times 1.8 = 9[\text{mm}]$

022 ★★

ANSWER ① 선간거리

r: 전선의 반지름, D: 등가선간 거리

023 ★★★

ANSWER ① $\sqrt{\dfrac{Z}{Y}}$

특성 임피던스

$$Z_0 = \sqrt{\frac{Z}{Y}} = \sqrt{\frac{(R+j\omega L)}{(G+j\omega C)}}[\Omega]$$

선로의 특성임피던스는 선로의 저항(R)과 누설콘덕턴스(G)를 무시하면 $Z_0 \fallingdotseq \sqrt{\dfrac{L}{C}}$ 로 표현된다.

- 어드미턴스 Y: 개방시험
- 임피던스 Z: 단락시험에서 측정한다.

024 ★★★

ANSWER ① 고조파 제거

전력용 콘덴서 설치(역률 개선)시 효과

㉠ 설비용량의 여유 증가

㉡ 선로의 전압강하 감소

㉢ 전력손실 감소

㉣ 설비의 이용률 향상

㉤ 전력 요금의 절약

㉥ 선로전류의 감소

㉦ 전압 강하의 경감

025 ★★

ANSWER ④ $\dfrac{8D^2}{3S}$

전선의 실제길이 $L = S + \dfrac{8D^2}{3S}[\text{m}]$이므로

실제길이(L) − 경간(S)

$$L - S = \frac{8D^2}{3S}[\text{m}]$$

026 ★★★

ANSWER ② 1.33

전압변동률

$$\epsilon = \frac{V_{r0} - V_r}{V_r} \times 100 = \frac{152 - 150}{150} \times 100$$
$$= 1.33[\%]$$

(V_{r0}: 무부하시의 수전단 전압,

V_r: 전부하시의 수전단 전압)

027 ★★★

ANSWER ③ 고진공에서 전자의 고속도 확산에 의해 차단

소호 원리에 따른 차단기의 종류

종류	약어	소호원리
유입 차단기	OCB	소호실에서 아크에 의한 절연유 분해 가스의 흡부력을 이용해서 차단
기중 차단기	ACB	대기 중에서 아크를 길게 하여 소호실에서 냉각 차단
자기 차단기	MBB	대기 중에서 전자력을 이용하여 아크를 소호실내로 유도해서 냉각 차단
공기 차단기	ABB	압축된 공기를 아크에 불어 넣어서 차단
진공 차단기	VCB	고진공 중에서 전자의 고속도 확산에 의해 차단
가스 차단기	GCB	고성능 절연 특성을 가진 특수 가스(SF_6)를 흡수해서 차단

028 ★★★

ANSWER ③ 정상 임피던스, 역상 임피던스

- 1선 지락고장 : 정상분, 역상분, 영상분
- 선간단락고장 : 정상분, 역상분
- 3상 단락고장 : 정상분

029 ★★★

ANSWER ② 피뢰기 동작 중 단자전압의 파고값

- 피뢰기 : 선로에 내습하는 이상전압의 파고값을 저감시켜서 기기 및 선로를 보호하기 위한 설비
- 피뢰기 제한전압 : 피뢰기 동작 중 나타나는 단자전압의 파고값
- 피뢰기 정격전압 : 속류를 차단하는 최고의 교류전압

030 ★★

ANSWER ① 상태 안정도

안정도의 종류

- 정태 안정도(static stability) : 송전 계통이 불변 부하 또는 극히 서서히 증가하는 부하에 대하여 계속적으로 송전할 수 있는 능력을 정태 안정도로 하고, 안정도를 유지할 수 있는 극한의 송전 전력을 정태 안정 극한 전력이라고 한다.
- 과도 안정도(transient stability) : 계통에 갑자기 고장 사고와 같은 급격한 외란이 발생하였을 때에도 탈조하지 않고 새로운 평형 상태를 회복하여 송전을 계속할 수 있는 능력을 과도 안정도라 하고 이 경우의 극한 전력을 과도 안정 극한 전력이라고 한다.
- 동태 안정도(dynamic stability) : 고속 자동 전압 조정기로 동기기의 여자 전류를 제어할 경우의 정태 안정도를 특히 동태 안정도라 한다.

031 ★★★

ANSWER ③ 400

MATH **22단원 삼각함수 특수공식**

STEP1

콘덴서 용량(Q_c)

$$=P\tan\theta_1 - P\tan\theta_2 = P(\tan\theta_1 - \tan\theta_2)$$

$$=P\left(\frac{\sin\theta_1}{\cos\theta_1} - \frac{\sin\theta_2}{\cos\theta_2}\right)$$

$$=P\left(\frac{\sqrt{1-\cos^2\theta_1}}{\cos\theta_1} - \frac{\sqrt{1-\cos^2\theta_2}}{\cos\theta_2}\right)[\text{kVA}]$$

(여기서, $\cos\theta_1$: 개선 전 역률, $\cos\theta_2$: 개선 후 역률)

STEP2 설비용량

$$Q_c = 300\left(\frac{\sqrt{1-0.6^2}}{0.6} - \frac{\sqrt{1-1^2}}{1}\right) = 400[\text{kVA}]$$

2017년 1회

032 ★

ANSWER ④ 유량을 조절한다.

제수문은 취수량을 조절하고 물의 유입을 단절하는 역할을 한다.

033 ★

ANSWER ④ 정전용량 형

㉠ Mho형

㉡ 임피던스형

㉢ 리액턴스형

㉣ Ohm형

㉤ off-set Mho형

034 ★★

ANSWER ④ 과도 전류에 의해 쉽게 용단되지 않는다.

전력용 퓨즈의 장점

㉠ 소형, 경량이다.

㉡ 과도전류를 고속도 차단할 수 있다.

㉢ 소형으로 큰 차단 용량을 가진다.

㉣ 유지 보수가 간단하다.

㉤ 가격이 저렴하다.

㉥ 밀폐형 퓨즈는 차단시에 소음이 없다.

035 ★★

ANSWER ④ 1년 365일 중 355일간은 이보다 낮아지지 않는 유량

- 갈수량 : 1년 365일 중 355일은 이것보다 내려가지 않는 유량
- 저수량 : 1년 365일 중 275일은 이것보다 내려가지 않는 유량
- 평수량 : 1년 365일 중 185일은 이것보다 내려가지 않는 유량
- 풍수량 : 1년 365일 중 95일은 이것보다 내려가지 않는 유량
- 고수량 : 매년 1~2회 생기는 출수의 유량
- 홍수량 : 3~4년에 한 번 생기는 출수의 유량

036 ★

ANSWER ② $\frac{q_1}{q_0}$

① 가공 지선의 보호율 $m = \frac{q_1}{q_0}$

② 보호율의 개략적인 값

	가공지선 1가닥	가공지선 2가닥
3상 1회선	0.5	0.3~0.4
3상 2회선	0.45~0.6	0.35~0.5

037 ★★★

ANSWER ③ 612.5

변압기 용량[kVA]

$$\geq \frac{\text{부하 설비 합계[kW]} \times \text{수용률}}{\text{부등률} \times \text{역률}}$$

$$= \frac{700 \times 0.7}{1 \times 0.8} = 612.5[\text{kVA}]$$

038 ★

ANSWER ② ㉠ 유효전력, ㉡ 무효전력

- 전력 원선도의 가로축 : 유효 전력
- 전력 원선도의 세로축 : 무효 전력

039 ★★★

ANSWER ① 반한시 계전기

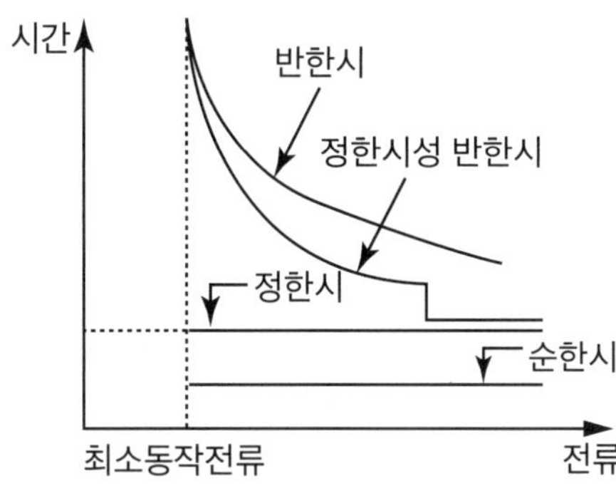

계전기의 한시특성에 의한 분류

- 순한시 계전기 : 최소 동작전류 이상의 전류가 흐르면 즉시 동작하는 것
- 반한시 계전기 : 동작전류가 커질수록 동작시간이 짧게 되는 특성을 가진 것
- 정한시 계전기 : 동작전류의 크기에 관계없이 일정한 시간에서 동작하는 것
- 반한시성 정한시 계전기 : 동작전류가 적은 동안에는 반한시 특성으로 되고 그 이상에서는 정한시 특성이 되는 것

040 ★★★

ANSWER ① 과도안정도가 좋다.

접지방식별 특징

구분	비접지 방식	직접 접지방식	소호리액터 접지방식
1선 지락 시 건전상 전압상승	$\sqrt{3}$ 배 상승	최소	-
기기절연 수준	최고	최소 (저감, 단절연)	중간
과도안정도	크다	최소	최대
1선 지락전류	매우 작다	최대	최소
전자유도장해	매우 작다	최대	최소
보호계전기 동작	불확실	확실	-

제3과목 | 전기기기

041 ★★

ANSWER ② 전기 저항이 작을 것

STEP1 변압기 철심의 특성

- 투자율이 클 것
- 전기저항이 클 것
- 히스테리시스 계수가 작을 것(히스테리시스손 감소)
- 규소강판 성층철심 (히스테리시스손 및 와류손 감소)

042 ★★

ANSWER ① $P \propto f$

출력

$$P = 2\pi nT = 2\pi(1-s)n_sT = 2\pi(1-s)\frac{2f}{P}T$$

에서 $P \propto f$의 관계가 있다.

2017년 1회

043 ★★★

ANSWER ③ 0.85

$$동기발전기의\ 입력 = \frac{출력}{효율} = \frac{P \times \cos\theta}{\eta} = \frac{450 \times 0.85}{0.9} = 425[\text{kW}]$$

동기발전기의 입력은 원동기의 출력이므로

$$원동기의\ 효율 = \frac{원동기\ 출력}{원동기\ 입력} = \frac{425}{500} = 0.85$$

044 ★★★

ANSWER ③ 자극면에 제동권선을 설치한다.

STEP1 제동권선의 역할

㉠ 난조 방지

㉡ 기동토크 발생

㉢ 불평형 부하시의 전류, 전압 파형 개선

㉣ 송전선의 불평형 단락시의 이상 전압 방지

045 ★

ANSWER ② 속도가 감소한다.

2차 여자법

유도전동기의 회전자 권선에 회전자 기전력 $E_{2s} = sE_2$와 같은 주파수의 전압 E_c을 인가하여 속도제어 방식이다.

046 ★

ANSWER ② 2차측의 전압을 측정할 수 있다.

농형 유도 전동기의 특징

㉠ 농형유도전동기의 2차측은 단락환으로 단락된 구조로 2차측을 개방할 수 없다.

㉡ 구조가 간단하고 튼튼하다.

㉢ 취급이 간단하고 효율이 양호하다.

㉣ 대형일 때 기동토크가 작아 기동이 곤란하여 소형으로 사용한다.

㉤ 1차측에서 유도된 2차측 전압을 측정 불가능하다.

047 ★

ANSWER ① 전류가 증가하고 회전은 계속한다.

경부하로 운전하고 있는 3상 유도전동기는 1차의 3단자 중 하나를 전원에서 개방하여도 전동기는 그대로 회전이 계속된다. 기동토크를 발생하는 장치가 없는 단상유도전동기에서도 그 1차를 전원에 접속하고 회전자에 외력을 가하여 어느 한쪽 방향으로 돌려주면 그 방향으로 토크가 발생하여 운전을 계속한다.

048 ★★

ANSWER ① 45.0

정류회로정리

구분	단상 반파	단상 전파	3상 반파	3상 전파
직류전압	$E_d = 0.45E$	$E_d = 0.9E$	$E_d = 1.17E$	$E_d = 1.35E$
정류효율	40.6[%]	81.2[%]	96.5[%]	99.8[%]
맥동률	121[%]	48[%]	17[%]	4[%]

단상 반파 정류 : $E_d = 0.45E$ 이므로 45%

049 ★★

ANSWER ① 플레밍의 왼손 법칙, 시계 방향

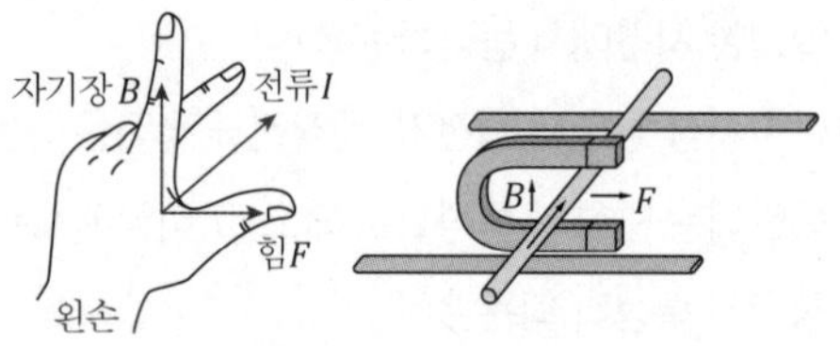

전동기의 원리는 플레밍의 왼손법칙에 의해 자장이 있는 공간에 전류가 흐르고 있는 힘으로 회전력을 발생시킨다.

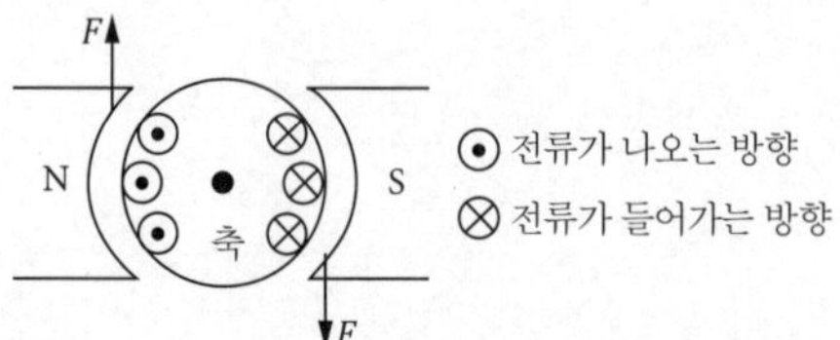

그러므로 전동기의 회전자는 시계방향으로 회전하게 된다.

050 ★★★

ANSWER ③ 67

STEP1 권수비를 구한다.

권수비: $a = \frac{N_1}{N_2} = \frac{I_2}{I_1} = \frac{V_1}{V_2} = \sqrt{\frac{R_1}{R_2}}$

$a = \sqrt{\frac{R_1}{R_2}} = \sqrt{\frac{8000}{16}} = 22.36$

STEP2 권수비를 이용해 2차측 권수를 구한다.

$N_2 = \frac{N_1}{a} = \frac{1500}{22.36} = 67.08$[회]

051 ★★★

ANSWER ④ 전기자 전류의 위상이 앞선다.

위상 특성 곡선(V곡선)의 특성

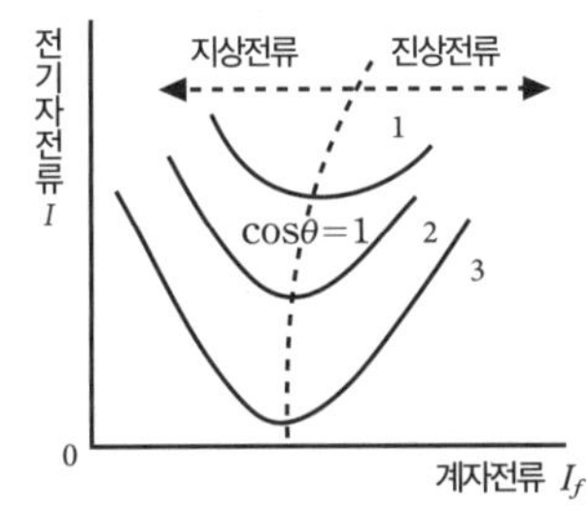

㉠ 역률을 1로 조정이 가능하며 역률이 1인 경우에 전기자가 최소이다.

㉡ 계자전류를 변화시키면 전기자전류와 역률의 변화가 발생한다.

㉢ 과여자를 취하면 진상이 되며 부족여자를 취하면 지상이 된다.

그래프에 따라서 여자 전류를 증가시키면 역률은 앞서고 전기자 전류는 증가한다.

052 ★★

ANSWER ③ A, D

STEP1 앙페르의 오른 나사법칙

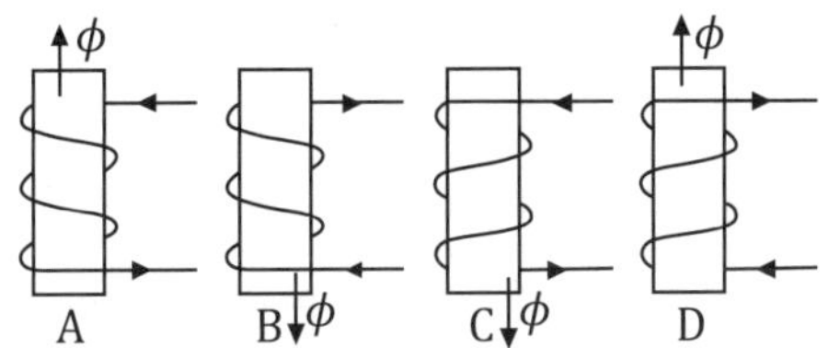

053 ★★

ANSWER ② 기전력의 파형이 좋아진다.

㉠ 매극 매상당 슬롯 수가 증가하여 코일에서의 열 발산을 고르게 분산시킬 수 있다.

㉡ 누설 리액턴스가 작다.

㉢ 고조파가 제거되어 기전력의 파형이 개선된다.

㉣ 집중권에 비해 기전력의 크기가 저하한다.

054 ★★

ANSWER ① 1.5

단상 유도 전압 조정기의 용량

$P = \text{부하용량} \times \frac{\text{승압전압}}{\text{고압측 전압}}$

$= 130 \times 50 \times \frac{30}{130} \times 10^{-3} = 1.5[\text{kVA}]$

055 ★★

ANSWER ④ 41

MATH 23단원 유리식

STEP1 와류손

와류손$(P_e) = \sigma_e(tfk_fB_m)^2 = K(f \cdot \frac{V}{f})^2 = KV^2$

와류손은 주파수와 무관하고 전압의 제곱에 비례한다.

STEP2

와류손과 전압과의 관계를 확인 후 변압기의 와류손을 계산한다.

$P_e' = P_e \times (\frac{V'}{V})^2 = 50 \times (\frac{3000}{3300})^2$

$= 41.32[W]$

056 ★★★

ANSWER ④ 기전력의 크기에 차가 있을 때

STEP1 동기 발전기의 병렬운전조건

병렬운전 조건	병렬 운전 조건이 다른 경우
기전력의 크기가 같을 것	무효 순환 전류가 흐른다.
기전력의 위상이 같을 것	유효 전류로 동기화 전류가 흐른다.
기전력의 주파수가같을것	동기화 전류가 주기적으로 흐른다.
기전력의 파형이 같을 것	고조파 무효 순환 전류가 흐른다.

057 ★★★

ANSWER ③ 2배로 증가시킨다.

회전수와 자속과의 관계

$E = k\phi N$ 에서 회전수(N)와 자속(ϕ)의 관계는 반비례 관계이기 때문에 회전수(N)가 $\frac{1}{2}$ 배가 되면 ϕ는 2배가 되어야 E는 일정하다.

058 ★

ANSWER ② 시라게 전동기

시라게 전동기는 3상 분권 정류자 전동기이며 브러시를 이동하여 속도제어가 가능한 전동기이다.

059 ★★★

ANSWER ② 각 변압기의 정격출력이 같을 것

변압기의 병렬운전 조건

㉠ 극성 및 권수비가 같을 것

㉡ 1, 2차 정격전압이 같을 것(용량, 출력 무관)

㉢ %임피던스 강하가 같을 것

㉣ 변압기 내부저항과 리액턴스의 비가 같을 것

㉤ 상회전 방향과 각 변위가 같을 것(3상 변압기)

변압기의 정격출력은 같지 않아도 병렬운전에 상관없다.

060 ★★

ANSWER ③ $I/2$

비교항목	단중 중권	단중 파권
전기자의 병렬회로 수	$a = P(mP)$	$a = 2(2m)$
브러시 수	$a = P = b$	$b = 2$
용도	저전압, 대전류	고전압, 소전류
균압접속	균압환 필요	불필요

파권에서 전기자 병렬 회로수 $a = 2$

$$\therefore i_a = \frac{I_a}{2}[\text{A}] = \frac{I}{2}[\text{A}]$$

제4과목 | 회로이론

고난도

061 ★

ANSWER ② $\frac{r}{2}$ 답을 암기할 것

MATH 38단원 미분기초

STEP1 저항의 연결

전체저항 R_T는 $R_T = r_1 + r = r_1 + r_2 \parallel (r - r_2)$이므로 $r_2 \parallel (r - r_2)$의 저항이 최소가 될수록 전류가 작아진다.

r_2와 $r - r_2$의 합성저항 R_T는 다음과 같다.

$$R_T = r_2 \parallel (r - r_2) = \frac{r_2 \times (r - r_2)}{r_2 + (r - r_2)} = \frac{rr_2 - r_2^2}{r}$$

$$\rightarrow r_2^2 - rr_2 + rR_T = 0$$

STEP2 최소값

$r_2^2 - rr_2 + rR_T$은 이차방정식이므로 최소값이 되기 위한 r_2는

$$\frac{d}{dr_2}(r_2^2 - rr_2 + rR_T) = 2r_2 - r = 0$$

$$\therefore r_2 = \frac{r}{2}$$

수식 풀이 과정이 복잡하므로 r_2의 값이 r의 중간값 즉, $r_2 = \frac{r}{2}$일 때 최소가 되는 점을 암기할 것

062 ★★

ANSWER ① 7[V], 9.1[Ω]

STEP1 테브낭 등가전압

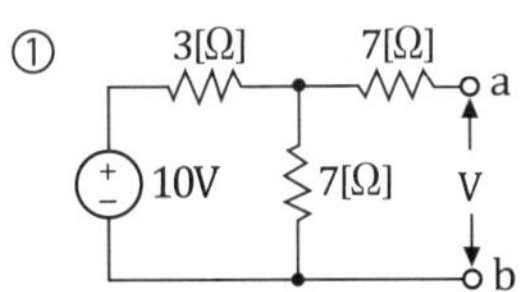

오른쪽 저항 7[Ω]에는 전위차가 없으므로 왼쪽 저항 7[Ω]의 양단 전압을 계산한다.

∴ 테브낭 등가전압 $V = \frac{7}{3+7} \times 10 = 7[\text{V}]$

STEP2 테브낭 등가저항

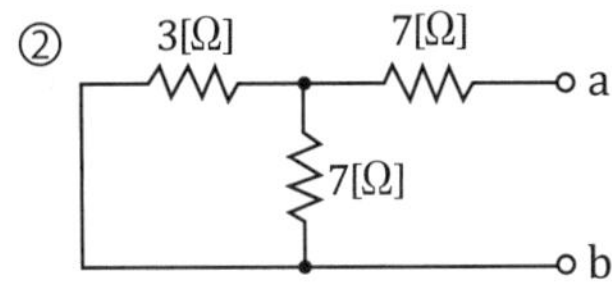

전압원은 단락, 전류원은 개방하여 해석한다.

∴ 테브낭 등가저항

$$R = 7 + (3 \parallel 7) = 7 + \frac{3 \times 7}{3+7}$$
$$= 9.1[\Omega]$$

TIP !

두 저항의 병렬 연결

$$A \parallel B = \frac{A \times B}{A + B}$$

063 ★★

ANSWER ③ 0.44

MATH 23단원 유리식

STEP1 자기에너지

$$W_L = \frac{LI^2}{2} = \frac{L}{2}\left(\frac{V}{2\pi fL}\right)^2 = \frac{V^2}{8\pi^2 f^2 L}$$
$$= \frac{50^2}{8\pi^2 \times 60^2 \times (20 \times 10^{-3})} = 0.44[\text{J}]$$

$1[\text{mH}] = 1 \times 10^{-3}[\text{H}]$

064 ★★★

ANSWER ③ 1.41

파고율 $= \frac{\text{최대값}}{\text{실효값}} = \frac{V_m}{V}$ 에서

실효값 $V = \frac{V_m}{\sqrt{2}}$ 이므로

파고율 $= \frac{V_m}{\frac{V_m}{\sqrt{2}}} = \sqrt{2} \fallingdotseq 1.41$

065 ★★

ANSWER ④ $\frac{B}{A-1}$

4단자망의 4단자 정수 $A = 1 + \frac{Z_2}{Z_3}$,

$B = Z_2$이므로

$$\therefore Z_3 = \frac{Z_2}{A-1} = \frac{B}{A-1}$$

066 ★★★

ANSWER ① $1.91 + j6.24$

MATH 30단원 직교좌표와 극좌표
31단원 극좌표 계산

역상분 $I_2 = \frac{1}{3}(I_a + a^2 I_b + aI_c)$ 에서

$$a = 1\angle 120° = -\frac{1}{2} + j\frac{\sqrt{3}}{2}$$

$a^2 = 1\angle 240° = -\frac{1}{2} - j\frac{\sqrt{3}}{2}$ 이므로

$$\therefore I_2 = \frac{1}{3}(I_a + a^2 I_b + aI_c)$$
$$= \frac{1}{3}\begin{Bmatrix} (15 + j2) + \left(-\frac{1}{2} - j\frac{\sqrt{3}}{2}\right) \\ (-20 - j14) + \left(-\frac{1}{2} + j\frac{\sqrt{3}}{2}\right) \\ (-3 - j10) \end{Bmatrix}$$
$$= 1.91 + j6.24[\text{A}]$$

067 ★★

ANSWER ③ $3+j4$

Z_{11}은 2차측 개방($I_2=0$)이므로

$$Z_{11}=\left.\frac{V_1}{I_1}\right|_{I_2=0} \text{ 이고 } I_1=\frac{V_1}{3+j4}$$

$$\therefore Z_{11}=\left.\frac{V_1}{I_1}\right|_{I_2=0}=\frac{V_1}{\frac{V_1}{3+j4}}=3+j4[\Omega]$$

068 ★★

ANSWER ① 0

밀만의 정리

$$E_0=\frac{\frac{E_1}{Z}+\frac{E_2}{Z}+\frac{E_3}{Z}}{\frac{1}{Z}+\frac{1}{Z}+\frac{1}{Z}}=\frac{\frac{1}{Z}(E_1+E_2+E_3)}{\frac{1}{Z}+\frac{1}{Z}+\frac{1}{Z}}$$

에서 대칭 3상 전압 $E_1+E_2+E_3=0$ 이므로

$E_0=0$

069 ★★★

ANSWER ② 173

V결선시 출력

$P_V=\sqrt{3}\,P=\sqrt{3}\times 100 \fallingdotseq 173[\text{kVA}]$

070 ★★★

ANSWER ③ $\sqrt{\frac{2}{3}}$

역률 $\cos\theta=\frac{R}{|Z|}$ 이고

$\frac{X}{R}=\frac{1}{\sqrt{2}} \rightarrow R=\sqrt{2}\,X$ 이므로

$$\begin{aligned}|Z|&=|R+jX|\\&=\sqrt{(\sqrt{2}\,X)^2+X^2}\\&=\sqrt{3X^2}\\&=\sqrt{3}\,X\end{aligned}$$

$$\therefore \cos\theta=\frac{R}{|Z|}=\frac{\sqrt{2}\,X}{\sqrt{3}\,X}=\sqrt{\frac{2}{3}}$$

071 ★★★

ANSWER ① 전압에 비례한다.

전류는 전압에 비례하고, 저항에 반비례한다.

072 ★★

ANSWER ① 565

비정현파의 유효전력

$$P=V_0I_0+\sum_{n=1}^{\infty}V_nI_n\cos\theta_n \text{ 에서}$$

주파수가 서로 다른 전압, 전류 사이에서는 전력이 발생하지 않는다.

$$\begin{aligned}\therefore P&=V_1I_1\cos\theta_1+V_3I_3\cos\theta_3\\&=\frac{100}{\sqrt{2}}\frac{20}{\sqrt{2}}\cos 60^\circ+\frac{50}{\sqrt{2}}\frac{10}{\sqrt{2}}\cos(75^\circ)\\&\fallingdotseq 564.7[\text{W}]\end{aligned}$$

여기서, V_1, I_1 : 기본파의 실효값 전압, 전류

θ_1 : 기본파 전압과 전류의 위상차

V_3, I_3 : 제3고조파의 실효값 전압, 전류

θ_3 : 제3고조파 전압과 전류의 위상차

073 ★★

ANSWER ③ 6

컨덕턴스의 전류 분배법칙에 의해

G_L에 흐르는 전류

$$=\frac{G_L}{G+G_L}\times I=\frac{6}{4+6}\times 10=6[\text{A}]$$

074 ★★★

ANSWER ④ $\frac{1}{2}(1+e^{-2t})$

MATH **24단원 헤비사이드 부분분수**
49단원 라플라스 기초

$F(s) = \frac{s+1}{s(s+2)} = \frac{A}{s} + \frac{B}{s+2}$ 에서

$A = \frac{s+1}{s+2}\Big|_{s=0} = \frac{1}{2},\ B = \frac{s+1}{s}\Big|_{s=-2} = \frac{1}{2}$

$\therefore\ \pounds^{-1}[F(s)] = \pounds^{-1}\left[\frac{\frac{1}{2}}{s} + \frac{\frac{1}{2}}{s+2}\right]$

$= \pounds^{-1}\left[\frac{1}{2}\frac{1}{s}\right] + \pounds^{-1}\left[\frac{1}{2}\frac{1}{s+2}\right]$

$(\because$ 선형성$)$

$= \frac{1}{2}\pounds^{-1}\left[\frac{1}{s}\right] + \frac{1}{2}\pounds^{-1}\left[\frac{1}{s+2}\right]$

$(\because$ 선형성$)$

$= \frac{1}{2}\times 1 + \frac{1}{2}\times e^{-2t}$

$= \frac{1}{2}(1+e^{-2t})$

075 ★★★

ANSWER ④ e^{-t}

MATH **43단원 e 총정리**

R－C 직렬회로의 전류 $i(t) = \frac{E}{R}e^{-\frac{1}{RC}t}$ 이고

$t = 0^+$ 일 때, 전류 $i(0^+) = \frac{E}{R} = 1$이므로

$\therefore i(t) = e^{-t}[\text{A}]$

076 ★★★

ANSWER ④ 1

MATH **49단원 라플라스 기초**

$F(s) = \pounds[\delta(t)] = 1$

TIP !

	$f(t)$	$F(s)$
1	$\delta(t)$	1
2	$u(t)$	$\frac{1}{s}$

077 ★★★

ANSWER ③ 0.25

MATH **37단원 미분의 정의**

$R-L$ 직렬회로의 $V_L = L\frac{di}{dt}$ 이므로

$V_L = L\frac{di}{dt} \rightarrow 100 = L\times 400$

$\therefore L = 0.25[\text{H}]$

078 ★★

ANSWER ① 4

전류 $I = \frac{V}{Z}$ 에서

직류이므로 $s = 0$이므로 $Z(0) = \frac{50}{2} = 25[\Omega]$

$\therefore I = \frac{V}{Z} = \frac{100}{25} = 4[\Omega]$

TIP !

$Z(0) = R$

079 ★★★

ANSWER ② $\frac{1}{\omega}(1-\cos\omega t)$

MATH 24단원 헤비사이드 부분분수
49단원 라플라스 기초

STEP1 헤비사이드 부분분수

$\frac{\omega}{s(s^2+\omega^2)} = \frac{A}{s} + \frac{B}{s^2+\omega^2}$ 에서

$A = \left.\frac{\omega}{s^2+\omega^2}\right|_{s=0} = \frac{1}{\omega}$

$B = \left.\frac{\omega}{s}\right|_{s^2=-\omega^2} = \frac{\omega}{s} = \frac{\omega s}{\omega^2}$ 이므로

$= \frac{\omega s}{-\omega^2} = -\frac{s}{\omega}$

$\therefore \frac{\omega}{s(s^2+\omega^2)} = \frac{1}{\omega}\frac{1}{s} + \left(-\frac{s}{\omega}\frac{1}{s^2+\omega^2}\right)$

$= \frac{1}{\omega}\left(\frac{1}{s} - \frac{s}{s^2+\omega^2}\right)$

STEP2 라플라스 역 변환

$£^{-1}\left[\frac{\omega}{s(s^2+\omega^2)}\right] = £^{-1}\left[\frac{1}{\omega}\left(\frac{1}{s} - \frac{s}{s^2+\omega^2}\right)\right]$

$= \frac{1}{\omega}£^{-1}\left[\frac{1}{s} - \frac{s}{s^2+\omega^2}\right]$

$= \frac{1}{\omega}\left(£^{-1}\left[\frac{1}{s}\right] - £^{-1}\left[\frac{s}{s^2+\omega^2}\right]\right)$

$= \frac{1}{\omega}(1-\cos\omega t)$

080 ★★★

ANSWER ② 35.4

MATH 25단원 무리식

비정현파의 실효값 전류

$I = \sqrt{I_1^2 + I_2^2 + \cdots + I_n^2}$

$= \sqrt{I_1^2 + I_3^2}$

$= \sqrt{\left(\frac{30}{\sqrt{2}}\right)^2 + \left(\frac{40}{\sqrt{2}}\right)^2}$

$= \frac{50}{\sqrt{2}} \fallingdotseq 35.36[\mathrm{A}]$

(여기서, I_1 : 기본파의 실효값 $= \frac{30}{\sqrt{2}}$

I_3 : 제3고조파의 실효값 $= \frac{40}{\sqrt{2}}$)

제5과목 | 전기설비기술기준 및 한국전기설비규정

081 ★★

ANSWER ④ ① 누설전류 ② 유도작용

지중약전류전선의 유도장해 방지
(한국전기설비규정 334.5)

지중전선로는 기설 지중약전류 선로에 대하여 누설전류 또는 유도작용에 의하여 통신상의 장해를 주지 않도록 충분히 이격시키거나 기타 적당한 방법으로 시설하여야 하다.

082 ★★

ANSWER ① 조가용선

전력보안통신설비의 시설 요구사항
(한국전기설비규정 362.1)

가공 전선로의 지지물에 시설하는 가공통신선에 직접 접속하는 통신선은 절연전선, 일반 통신용 케이블 이외의 케이블 또는 광섬유 케이블이어야 한다.

083 ★★

ANSWER ④ 4

고압 가공전선로의 가공지선
(한국전기설비규정 332.6)

고압 가공전선로에 사용하는 가공 지선은 인장강도 5.26[kN] 이상의 것 또는 지름 4[mm] 이상의 나경동선을 사용한다.

084 ★★★

ANSWER ① 20

금속덕트 공사(한국전기설비규정 232.31)

금속덕트에 넣은 전선의 단면적(절연 피복의 단면적을 포함한다)의 합계는 덕트의 내부 단면적의 20[%](전광 표시장치, 기타 이와 유사한 장치 또는 제어회로 등의 배선만을 넣는 경우에는 50[%]) 이하일 것

085 ★★★

ANSWER ① 경보장치

특고압용 변압기의 보호장치 (한국전기설비규정 351.4)

특고압용의 변압기에는 그 내부에 고장이 생겼을 경우에 보호하는 장치를 표와 같이 시설하여야 한다.

뱅크 용량의 구분	동작조건	장치의 종류
5,000[kVA]이상 10,000[kVA]미만	변압기 내부 고장	자동차단장치 또는 경보장치
10,000[kVA]이상	변압기 내부 고장	자동차단장치
타냉식 변압기(변압기의 권선 및 철심을 직접 냉각시키기 위하여 봉입한 냉매를 강제 순환시키는 냉각 방식을 말한다.)	냉각 장치에 고장이 생긴 경우 또는 변압기의 온도가 현저히 상승한 경우	경보장치

086 ★★

ANSWER ② 250

특고압 가공 전선로의 경간 제한 (한국전기설비규정 333.21)

특고압 가공전선로의 경간은 표에서 정한 값 이하이어야 한다.

지지물의 종류	경간
목주·A종 철주 또는 A종 철근 콘크리트주	150[m]
B종 철주 또는 B종 철근 콘크리트주	250[m]
철탑	600[m] (단주인 경우에는 400[m]이하

087 ★★

ANSWER ② 관등회로의 배선은 애자사용 공사에 의할 것

네온방전등(한국전기설비규정 234.12)

① 전선 상호간의 이격거리는 60mm 이상일 것
② 관등회로의 배선은 애자사용 공사에 의할 것
③ 전선지지점간의 거리는 1m 이하로 할 것
④ 관등회로의 배선은 외상을 받을 우려가 없고 사람이 접촉될 우려가 없는 노출장소에 시설할 것

088 ★★★

ANSWER ④ 주파수

계측장치(한국전기설비규정 351.6)

변전소 또는 이에 준하는 곳에는 다음의 사항을 계측하는 장치를 시설하여야 한다.

㉠ 주요변압기의 전압 및 전류 또는 전력
㉡ 특고압용 변압기의 온도

089 ★

ANSWER ④ 400

전시회, 쇼 및 공연장의 전기설비
(한국전기설비규정 242.6)

무대·무대마루 밑·오케스트라박스·영사실 기타 사람이나 무대도구가 접촉할 우려가 있는 곳에 시설하는 저압 옥내배선, 전구선 또는 이동전선은 사용전압이 400[V] 이하이어야 한다.

090 ★★

ANSWER ② 2

가공약전류 전선로의 유도장해 방지
(한국전기설비규정 332.1)

저압 가공전선로 또는 고압 가공전선로와 기설 가공 약전류 전선로가 병행하는 경우에는 유도작용에 의하여 통신상의 장해가 생기지 않도록 전선과 기설 약전류 전선간의 이격거리는 2[m] 이상이어야 한다.

091 ★★★

ANSWER ② 옥외용 비닐절연전선을 사용하였다.

금속관공사(한국전기설비규정 232.12)

㉠ 전선은 절연전선(옥외용 비닐절연전선을 제외한다)일 것

㉡ 전선은 연선일 것. 다만, 다음의 것은 적용하지 않는다.

① 짧고 가는 금속관에 넣은 것

② 단면적 10[mm²](알루미늄선은 단면적 16[mm²]) 이하의 것

㉢ 관의 두께는 다음에 의할 것

① 콘크리트에 매설 하는 것은 1.2[mm] 이상

② 콘크리트 매설 이외의 것은 1[mm] 이상

㉣ 관에는 접지공사를 할 것

092 ★★

ANSWER ② 옥상전선로

특고압 옥상전선로의 시설
(한국전기설비규정 331.14.2)

특고압으로 옥상전선로를 시설하여서는 아니 된다.

093 ★★

ANSWER ② 55

특고압 보안공사(한국전기설비규정 333.22)

제1종 특고압 보안공사 시 전선의 단면적

사용전압	전선
100[kV]미만	단면적 55[mm²]이상의 경동연선
100[kV]이상 300[kV]미만	단면적 150[mm²]이상의 경동연선
300[kV]이상	단면적 200[mm²]이상의 경동연선

094 ★★★

ANSWER ① 1차측 4950[V], 2차측 500[V]

변압기 전로의 절연내력(한국전기설비규정 135)

권선의 종류 (최대사용전압)	접지 방식	시험전압 (최대사용 전압의 배수)	최저 시험 전압
1. 7[kV]이하		1.5배	500[V]
	다중 접지	0.92배	500[V]
2. 7[kV]초과 25[kV]이하	다중 접지	0.92배	
3. 7[kV]초과 60[kV]이하 (2란의 것 제외)		1.25배	10.5[kV]
4. 60[kV]초과 (8란의 것 제외)	비접지	1.25배	
5. 60[kV]초과 (6란 및 8란의 것 제외)	접지식	1.1배	75[kV]

권선의 종류 (최대사용전압)	접지 방식	시험전압 (최대사용 전압의 배수)	최저 시험 전압
6. 60[kV]초과	직접 접지	0.72배	
7. 170[kV]초과	직접 접지	0.64배	

① 1차측 시험전압 = 3300 × 1.5 = 4950[V]

② 2차측 시험전압 = 220 × 1.5 = 330[V]

(2차측 시험전압은 최저 시험 전압이 500[V]이 안되므로, 500[V]의 시험 전압을 가하여야 한다)

095 ★★★

ANSWER ③ 6

고압 가공전선의 높이(한국전기설비규정 332.5)

저압 가공전선의 높이(한국전기설비규정 222.7)

저·고압 가공전선의 높이는 다음에 따라야 한다.

설치장소		가공전선의 높이
도로횡단 (번잡하지 않은 도로 제외)		지표상 6[m] 이상
철도 또는 궤도 횡단		레일면상 6.5[m] 이상
횡단 보도교 위	저 압	노면상 3.5[m] 이상 (단, 절연전선의 경우 3[m]이상)
	고 압	노면상 3.5[m] 이상
일반장소		지표상 5[m] 이상 단, 저압의 경우 절연전선 또는 케이블을 사용하여 교통에 지장이 없도록 하여 옥외조명용에 공급하는 경우 4[m]까지 감할 수 있다.
다리의 하부 기타 이와 유사한 장소		저압의 전기철도용 급전선은 지표상 3.5[m] 까지로 감할 수 있다.

096 ★★

ANSWER ③ 1.8

가공 전선로 지지물의 철탑오름 및 전주오름 방지 (한국전기설비규정 331.4)

가공 전선로의 지지물에 취급자가 오르고 내리는 데 사용하는 발판 볼트 등을 지표상 1.8[m] 미만에 시설하여서는 아니 된다.

097 ★★

ANSWER ① 150

25[kV] 이하인 특고압 가공전선로의 시설 (한국전기설비규정 333.32)

사용전압이 15[kV]를 초과하고 25[kV] 이하인 특고압 가공전선로의 접지공사는 각각 접지한 곳 상호간의 거리는 전선로에 따라 150[m] 이하일 것

098 ★★★

ANSWER ② 10

변압기 중성점 접지(한국전기설비규정 142.5)

1초 초과 2초 이내에 고압·특고압 전로를 자동으로 차단하는 장치를 설치 할 때는 300을 나눈 값 이하

$$R = \frac{300}{\text{고압측 또는 특고압측의 1선 지락전류}}\ [\Omega]$$

$$\therefore R = \frac{300}{\text{1선 지락전류}} = \frac{300}{30} = 10[\Omega]$$

출제기준 변경 및 개정된 관계 법규에 따라 삭제된 문제가 있어 20문항이 안됩니다.

2017년 1회

2017년 2회

제1과목 | 전기자기학

001 ★★★

ANSWER ③ 전기력선은 그 자신만으로도 폐곡선을 만든다.

전기력선의 성질

㉠ 전기력선의 방향은 전계의 방향과 같다.

㉡ 전기력선은 전위가 높은 곳에서 낮은 곳으로 향한다.

㉢ 전기력선은 회전하지 않으므로($\nabla \times E = 0$) 자신만으로 폐곡선을 이루지 않는다.

㉣ 전기력선은 도체 표면에서 수직으로 출입하지만, 도체 내부에서 전기력선은 없다.(전기력선은 도체를 통과하지 못한다.)

002 ★★

ANSWER ② n배가 된다.

STEP1 전위와 전하의 관계

$$V_i = \sum_{j=1}^{n} P_{ij} Q_j$$

STEP2 전하의 변화에 대한 전위

$$V_i' = \sum_{j=1}^{n} P_{ij} \times nQ_j = nV_i$$

즉, 전위는 원래 전위의 n배가 된다.

003 ★★★

ANSWER ② nC

병렬 접속된 콘덴서

병렬 접속된 콘덴서의 합성정전용량은 각 콘덴서의 합이다.

따라서, 각 콘덴서의 정전용량이 같을 경우, 합성정전용량은 $nC[\mu\text{F}]$이다.

004 ★★

ANSWER ③ 40

MATH 01단원 SI 접두어, 단위
23단원 유리식

STEP1 구의 전하량

전하량 $Q = \sigma S$ 에서

표면 전하밀도 $\sigma = \dfrac{10^{-8}}{9\pi}[\text{C/m}^2]$

구의 면적 $S = 4\pi r^2 = 4\pi[\text{m}^2]$이므로

$$\therefore Q = \sigma S = \frac{10^{-8}}{9\pi} \times 4\pi = \frac{4}{9} \times 10^{-8}[\text{C}]$$

STEP2 도체구의 표면 전위

$$\begin{aligned} \therefore V &= \frac{Q}{4\pi\epsilon_0 r} = \frac{Q}{4\pi\epsilon_0} \\ &= \left(\frac{4}{9} \times 10^{-8}\right) \times \frac{1}{4\pi\epsilon_0} \\ &= \left(\frac{4}{9} \times 10^{-8}\right) \times (9 \times 10^9) \\ &= 40[\text{V}] \end{aligned}$$

TIP !

공기중의 유전율 $\epsilon_0 = 8.855 \times 10^{-12}$

$$4\pi\epsilon_0 = \frac{1}{9 \times 10^9}$$

$$\epsilon_0 = \frac{1}{4\pi \times 9 \times 10^9}$$

005 ★★★

ANSWER ④ ℧/m

MATH **01단원 SI 접두어, 단위**

도전율 σ [S/m, ℧/m]

물질에서 전기가 잘 흐르는 정도

여기서, $S = \Omega^{-1} =$ ℧ : 지멘스(simens)

℧ : mho

006 ★★

ANSWER ④ 수직

MATH **46단원 벡터의 내적**

STEP1 **벡터의 내적**

$$\vec{A} \cdot \vec{B} = \vec{A}\vec{B}\cos\theta$$
$$= A_iB_i + A_jB_j + A_kB_k$$
$$= 1 \times 4 + 4 \times 2 + 3 \times (-4)$$
$$= 4 + 8 - 12 = 0$$

즉, $\theta = \frac{\pi}{2}$(수직)이다.

007 ★★

ANSWER ① 도선의 길이에 비례한다.

MATH **10단원 비례, 반비례, 비례식**

STEP1 **플레밍의 왼손 법칙**

- 자계 $\vec{H}$ 에 의해 전류 도체가 받는 자기력 방향이 결정 (전동기의 원리)
- $F = (\vec{B} \times \vec{I}) \cdot l = BIl\sin\theta$[N]

($\vec{F}$: 전자력, $\vec{B}$: 자속밀도)

즉, 도선이 받는 힘은 도선의 길이에 비례하고,
전류의 세기에 비례하고,
자계의 세기에 비례하고,
전류와 자계 사이의 각에
대한 정현(sine)에비례한다.

008 ★★

ANSWER ③ 0.083

STEP1 **정전에너지**

콘덴서에 전하를 축적시키는데 필요한 에너지

$$W = \frac{1}{2}QV = \frac{1}{2}CV^2 = \frac{Q^2}{2C}[\mathrm{J}]$$

STEP2 **콘덴서의 병렬 접속**

콘덴서가 병렬 접속되면, 총 정전용량은 각 콘덴서의 합, 총 전하량도 각 콘덴서의 합이다.

$$C = C_1 + C_2 = 0.5 + 1 = 1.5[\mu\mathrm{F}]$$
$$Q = Q_1 + Q_2 = 2 \times 10^{-4} + 3 \times 10^{-4}$$
$$= 5 \times 10^{-4}[\mathrm{C}]$$

STEP3 **대입**

$$W = \frac{Q^2}{2C} = \frac{(5 \times 10^{-4})^2}{2 \times (1.5 \times 10^{-6})} = 0.083[\mathrm{J}]$$

고난도

009 ★

ANSWER ① -0.2

MATH **23단원 유리식, 25단원 무리식**

STEP1 **반사계수**

- 반사 계수: $R = \frac{E_r}{E_i} = \frac{\eta_2 - \eta_1}{\eta_1 + \eta_2}$

STEP2 **고유 임피던스**

$$\eta = \sqrt{\frac{\mu}{\epsilon}}[\Omega]$$

㉠ 영역 1의 고유 임피던스

$$\eta_1 = \sqrt{\frac{\mu_1}{\epsilon_1}} = \sqrt{\frac{\mu_0\mu_{r1}}{\epsilon_0\epsilon_{r1}}} = \sqrt{\frac{\mu_0}{\epsilon_0}}\sqrt{\frac{\mu_{r1}}{\epsilon_{r1}}}$$
$$= 377\sqrt{\frac{\mu_{r1}}{\epsilon_{r1}}} = 377\sqrt{\frac{1}{4}} = 188.5[\Omega]$$

㉡ 영역 2의 고유 임피던스

$$\eta_2 = \sqrt{\frac{\mu_2}{\epsilon_2}} = \sqrt{\frac{\mu_0\mu_{r2}}{\epsilon_0\epsilon_{r2}}} = \sqrt{\frac{\mu_0}{\epsilon_0}}\sqrt{\frac{\mu_{r2}}{\epsilon_{r2}}}$$
$$= 377\sqrt{\frac{\mu_{r2}}{\epsilon_{r2}}} = 377\sqrt{\frac{1}{9}} \approx 125.67[\Omega]$$

STEP3 **대입**

$$R = \frac{E_r}{E_i} = \frac{\eta_2 - \eta_1}{\eta_1 + \eta_2} = \frac{125.67 - 188.5}{188.5 + 125.67} = -0.2$$

010 ★★★

ANSWER ② 5[μF]

STEP1 축적 전하량

$Q_1 = C_1V_1 = (3 \times 10^{-6}) \times 1000 = 3 \times 10^{-3}$[C]

$Q_2 = C_2V_2 = (5 \times 10^{-6}) \times 500 = 2.5 \times 10^{-3}$[C]

$Q_3 = C_3V_3 = (12 \times 10^{-6}) \times 250 = 3 \times 10^{-3}$[C]

STEP2 콘덴서의 절연 파괴

직렬 연결 시 축적 전하량이 가장 작은 콘덴서가 먼저 파괴된다.

011 ★★★

ANSWER ③ 10배로 증가

MATH 23단원 유리식

STEP1 정전용량과 전하량

$Q = CV$[C]

STEP2 평행 평판 도체의 정전용량

$$C = \frac{\epsilon S}{d}[\text{F}]$$

STEP3 비교

$$Q = CV = \frac{\epsilon S}{d}V[\text{C}]$$

$$Q' = CV = \frac{\epsilon S}{\frac{d}{10}}V = 10\frac{\epsilon S}{d}V = 10Q[\text{C}]$$

즉, 기존의 전하량의 10배로 증가된다.

012 ★★

ANSWER ② 항상 흡인력이다.

STEP1 접지 도체구와 점전하

반지름 a의 접지 도체구의 중심으로부터 $d(>a)$인 점에 점전하 Q가 있는 경우

영상점(중심으로부터 $\frac{a^2}{d}$ 인 점)에 점전하 Q에 의해서 유도된 영상 전하($-\frac{a}{d}Q$[C]) 가 생성된다, 이때 점전하 Q와 영상 전하는 반대 극성을 가지므로, 항상 흡인력이 작용한다.

013 ★★★

ANSWER ④ 7.5×10^{-3}

STEP1 전기력에서의 힘

$F = qE = (5 \times 10^{-6}) \times 1500 = 7.5 \times 10^{-3}$[N]

014 ★★

ANSWER ④ 8

STEP1 자하와 자계의 세기 관계식

$$H = \frac{F}{m}[\text{A/m}] \rightarrow \text{m} = \frac{\text{F}}{\text{H}}$$

$$= \frac{4 \times 10^3}{500} = 8[\text{Wb}]$$

015 ★★★

ANSWER ① 1.44×10^{-4}

토크 : 자석과 자계의 상호작용에 의해서 자석에 가해지는 회전력

$T = Fl\sin\theta = mHl\sin\theta$

$= 8 \times 10^{-6} \times 120 \times 30 \times 10^{-2} \times \sin 30°$

$= 1.44 \times 10^{-4}$[N·m]

016 ★

ANSWER ① $\gamma = \alpha + j\beta$

평면파의 전송계수는 $\gamma = \alpha + j\beta$ 이다.

고난도

017 ★

ANSWER ② $\frac{(P_{11}-P_{12})Q}{P_{11}-2P_{12}+P_{22}}$

STEP1 전위계수

P_{ij}: 전위계수(Coefficient of potential)

$=\frac{1}{C}=\frac{V}{Q}[1/F]$

[엘라스턴스(Elastance)]

(도체 j 에만 단위 전하를 주었을 때 도체 i 의 전위를 의미)

STEP2 전위와 전위계수의 관계식

$$V_i = \sum_{j=1}^{n} P_{ij}Q_j$$

$$V_1 = P_{11}Q_1 + P_{12}Q_2$$

$$V_2 = P_{21}Q_1 + P_{22}Q_2$$

이때, 접촉에 의해서 각 도체의 전위는 동일해 진다. 또한, 도체 2의 전하량은 도체 1의 전하량의 일부를 얻게 된다.

$Q_2 = Q - Q_1,\ P_{12} = P_{21}$

즉, $V = P_{11}Q_1 + P_{12}Q_2 = P_{21}Q_1 + P_{22}Q_2$이다.

도체 2의 전하량은 다음과 같다.

$$(P_{12}-P_{22})Q_2 = (P_{21}-P_{11})Q_1$$

$$= (P_{21}-P_{11})(Q-Q_2)$$

$$(P_{12}-P_{22}+P_{21}-P_{11})Q_2$$

$$= (P_{21}-P_{11})Q = (2P_{12}-P_{11}-P_{22})Q_2$$

$$Q_2 = \frac{(P_{11}-P_{12})Q}{P_{11}-2P_{12}-P_{22}}$$

018 ★★

ANSWER ② 2.05×10^{-2}

MATH 23단원 유리식, 25단원 무리식

STEP1 자계 에너지

$$W = \frac{1}{2}LI^2 = \frac{1}{2}(L_1 + L_2 + 2M)I^2[J]$$

STEP2 상호 인덕턴스

$$M = k\sqrt{L_1L_2}$$

$$= 0.8 \times \sqrt{(20 \times 10^{-3} \times (80 \times 10^{-3})}$$

$$= 32 \times 10^{-3}$$

STEP3 자계 에너지 대입

$$W = \frac{1}{2}(L_1 + L_2 + 2M)I^2$$

$$= \frac{1}{2}(20 \times 10^{-3} + 80 \times 10^{-3}$$

$$+ 2 \times 32 \times 10^{-3}) \times 0.5^2$$

$$= 2.05 \times 10^{-2}[J]$$

019 ★

ANSWER ② 컨덕턴스(conductance)

STEP1 퍼미언스

퍼미언스(permeance): 자기저항의 역수

$$P = \frac{1}{R_m}[H]$$

STEP2 나머지 요소

컨덕턴스 G: 전기 저항의 역수

$$G = \frac{1}{R}[℧]$$

엘라스턴스(Elastance):

정전용량의 역수 $= \frac{1}{C}[1/F]$

2017년 2회

020 ★★

ANSWER ① 홀효과

STEP1 전류에 의한 자기효과

- **홀 효과(Hall effect)**

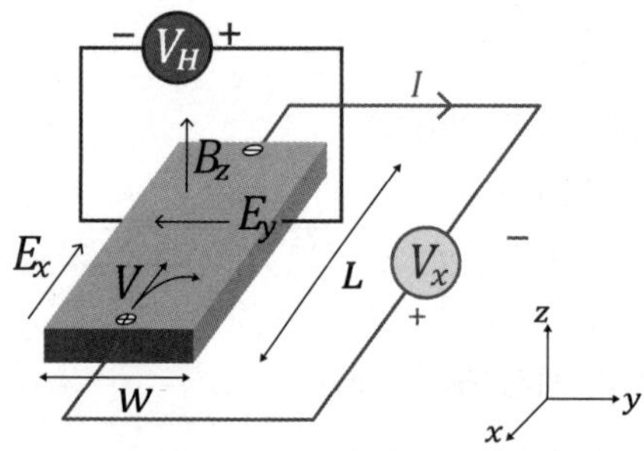

도체 및 반도체에 전류를 흘리고, 전류의 직각 방향으로 자계를 가하면, I, B가 이루는 면과 수직 방향으로 기전력(V_H)이 발생하는 현상

- **핀치 효과(Pinch effect)**

액체도체에 전류를 흘리면 전류와 수직방향으로 원형 자계가 생긴다.

구심력의 전자력 작용 → 액체 단면 수축, 저항 증가 → 전류 감소 → 수축력 감소 → 액체 단면 원상태로 복귀(액체도체가 수축을 반복)

STEP2 열전효과

- **열전 효과**

서로 다른 두 금속의 만나는 지점을 전자들이 지날 때 운동에너지가 달라지면서 열이 발생하거나 흡수되는 효과

- **지벡 효과 (Seebeck effect)**

두 개의 다른 금속을 접합하여 폐회로를 만들고, 두 접합점 사이의 온도차로 인해 열기전력이 생겨 전기가 흐르는 현상

- **톰슨 효과 (Thomson effect)**

같은 도체를 접합하여 폐회로를 만들고, 두 접합점 사이의 온도차로 인해 열기전력이 생겨 전기가 흐르는 현상

제2과목 | 전력공학

021 ★★

ANSWER ② SA

㉠ 계기용 변류기(CT) : 회로의 대전류를 소전류로 변성하여 계기나 계전에 공급

㉡ 서지 흡수기(SA) : 개폐 서지 등 이상전압으로부터 변압기, 발전기 등을 보호

㉢ 가스 절연 개폐기(GIS) : SF_6가스를 이용하여 정상상태 및 사고, 단락 등의 고장상태에서 선로를 안전하게 개폐하여 보호

㉣ 자동 절환 개폐기(ATS) : 주 전원이 정전되거나, 전압이 기준치 이하로 떨어질 경우 예비전원으로 자동 절환하는 개폐기

022 ★★

ANSWER ① 내선 철탑

철탑의 종류

㉠ 직선형 : 전선로의 직선부분(3° 이하인 수평각도를 이루는 곳을 포함한다.)에 사용하는 것

㉡ 각도형 : 전선로 중 3° 를 넘는 수평각도를 이루는 곳에 사용하는 것

㉢ 인류형 : 전 가섭선을 인류하는 곳에 사용하는 것

㉣ 내장형 : 전선로의 지지물 양쪽의 경간의 차가 큰 곳에 사용

㉤ 보강형 : 전선로의 직선부분에 그 보강을 위하여 사용하는 것

023 ★

ANSWER ① 가로축은 수전단 전압을,
세로축은 무효전력을 나타낸다.

P-V 곡선의 가로축은 유효전력을, 세로축은 수전단 전압을 나타낸다.

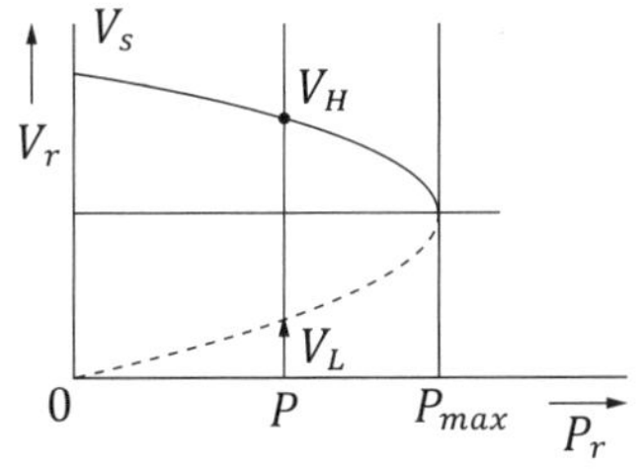

P_r-V_r 곡선

024 ★★

ANSWER ④ 40

MATH 23단원 유리식

STEP1 변류비

변류기 여유율 1.2를 고려한 변류비

$$= \frac{1\text{차 전류} \times 1.2}{5}$$

STEP2

1차 전류 구하는 법

$P = \sqrt{3}\,V_1 I_1 \cos\theta$에서

$$I_1 = \frac{P}{\sqrt{3}\,V_1 \cos\theta} = \frac{800 \times 10^3}{\sqrt{3} \times 3000 \times 0.9} = 171.07\,[\mathrm{A}]$$

STEP3

변류비 $= \dfrac{1\text{차 전류} \times 1.2}{5}$ 공식에 1차 전류를 대입시켜준다.

$$\therefore \text{변류비} = \frac{171.07 \times 1.2}{5} = 41.06$$

025 ★★

ANSWER ③ 600

MATH 23단원 유리식, 25단원 무리식

STEP1 특성임피던스

$$Z_0 = \sqrt{\frac{Z}{Y}}$$

STEP2

수전단을 단락한 경우 임피던스

$Z = 300[\Omega]$

수전단을 개방한 경우 어드미턴스

$$Y = \frac{1}{1200}[\mho]$$

$$\therefore Z_0 = \sqrt{\frac{Z}{Y}} = \sqrt{\frac{300}{1/1200}} = 600[\Omega]$$

026 ★★★

ANSWER ③ 800

MATH 22단원 삼각함수 특수공식

STEP1

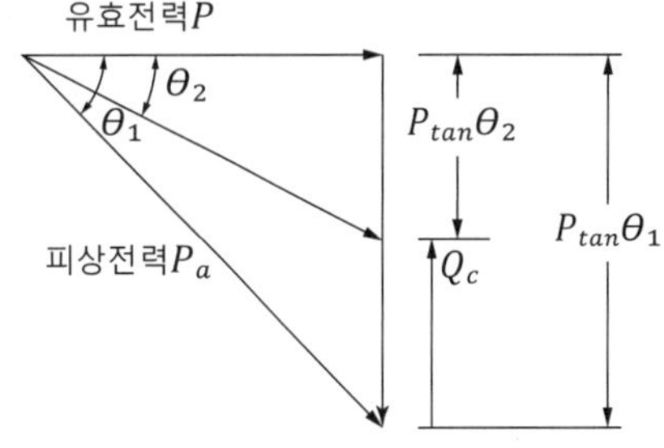

콘덴서 용량$(Q_c) = P\tan\theta_1 - P\tan\theta_2$

$= P(\tan\theta_1 - \tan\theta_2)$

$$= P\left(\frac{\sin\theta_1}{\cos\theta_1} - \frac{\sin\theta_2}{\cos\theta_2}\right)$$

$$= P\left(\frac{\sqrt{1-\cos^2\theta_1}}{\cos\theta_1} - \frac{\sqrt{1-\cos^2\theta_2}}{\cos\theta_2}\right)[\mathrm{kVA}]$$

$$= P\left(\frac{\sqrt{1-0.8^2}}{0.8} - \frac{\sqrt{1-0.9^2}}{0.9}\right)$$

$= 797.03\,[\mathrm{kVA}]$

(여기서, $\cos\theta_1$: 개선 전 역률,
$\cos\theta_2$: 개선 후 역률)

027 ★★★

ANSWER ④ 비율차동계전기

계전기 종류

㉠ 역상 계전기 : 역상분의 접압 또는 전류를 검출하는 계전기, 전력설비의 불평형 운전 또는 결상 운전 방지를 위해 설치

㉡ 과전압 계전기 : 전압의 크기가 일정치 이상으로 되었을 때 동작

㉢ 과전류 계전기 : 전류의 크기가 일정치 이상으로 되었을 때 동작

㉣ 비율차동 계전기 : 발전기 내부 단락 검출용

028 ★★★

ANSWER ③ 96

MATH **22단원 삼각함수 특수공식**

STEP1

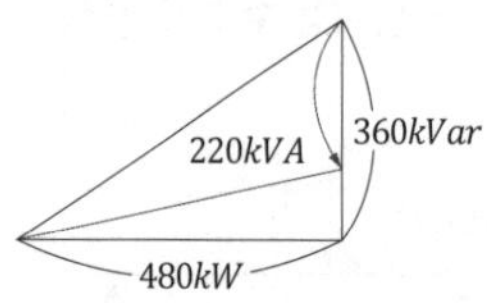

부하의 유효전력 : $P = 480[\mathrm{kW}]$

부하의 무효전력 :

$$Q_L = P \times \frac{\sin\theta}{\cos\theta} = 480 \times \frac{0.6}{0.8} = 360[\mathrm{kVar}]$$

콘덴서 설치 후 무효전력 :

$$Q = Q_L - Q_c = 360 - 220 = 140[\mathrm{kVar}]$$

콘덴서 설치 후 피상전력 :

$$P_a = \sqrt{P^2 + Q^2} = \sqrt{480^2 + 140^2} = 500[\mathrm{kVA}]$$

$\therefore$ 부하역률 $\cos\theta = \frac{480}{500} \times 100[\%] = 96[\%]$

TIP !

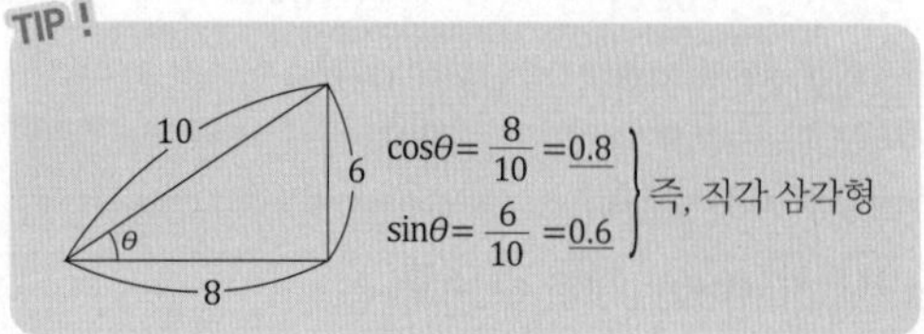

029 ★★★

ANSWER ③ 75.0

배전방식	단상 2선식	단상 3선식	3상 3선식	3상 4선식
소요 전선량 전력 손실비	24	9	18	8

표에 의해 $= \frac{3상3선식}{단상2선식} = \frac{18}{24} = 0.75$

$\therefore 0.75 \times 100[\%] = 75[\%]$

030 ★★★

ANSWER ④ 피뢰기

계통 내의 각 기기, 기구 및 애자 등의 상호간에 적정한 절연 강도를 지니게 함으로써 계통 설계를 합리적, 경제적으로 할 수 있게 한 것을 절연 협조라고 하며 피뢰기의 제한 전압이 기본이 된다.

031 ★★★

ANSWER ② 부등률

$$부등률 = \frac{수용설비\ 개개의\ 최대수용전력의\ 합계}{합성최대\ 수용\ 전력}$$

부등률은 항상 1보다 크거나 같다.

032 ★★

ANSWER ③ 3460

4대의 단상 변압기로 최대의 전력을 공급할 수 있는 방법은 V결선 2뱅크로 구성하는 방법이므로

$P_v = 2 \times \sqrt{3}\,P_1$

$= 2 \times \sqrt{3} \times 1000 = 3464.1[\mathrm{kVA}]$

(P_1 : 변압기 1대의 용량)

033 ★★★

ANSWER ④ 4

MATH 10단원 비례, 반비례, 비례식

- 전력손실률

$$k = \frac{P_l}{P} = \frac{3I^2R}{P} = \frac{\frac{P^2R}{V^2\cos^2\theta}}{P} = \frac{PR}{V^2\cos^2\theta}$$

$$\therefore k = \frac{PR}{V^2\cos\theta^2} \rightarrow P = \frac{hV^2\cos^2\theta}{R}(P \propto V^2)$$

- 송전전력P는 전압의 제곱에 비례하므로

$$\therefore P' = \left(\frac{V'}{V}\right)^2 P = \left(\frac{6600}{3300}\right)^2 \times P = 4P$$

034 ★★

ANSWER ① 영상전류

전자유도장해

- 지락 사고 시 흐르는 큰 영상전류에 의해 전자 유도 전압이 상승하여 유도장해가 발생한다.
- 전자유도전압 $E_m = j\omega MlI_g = j\omega Ml(3I_0)$ 이므로 영상전류 I_0 및 선로길이(l)에 비례한다.

035 ★★

ANSWER ③ $\frac{V_s(PR + QX)}{V_r} \times 100$

전압강하 $e = V_s - V_r = \sqrt{3}\, I(R\cos\theta + X\sin\theta]$ (3상의 경우)

전압강하율(전압강하의 정도)

$$\epsilon = \frac{e}{V_r} \times 100[\%] = \frac{V_s - V_r}{V_r} \times 100[\%]$$

$$= \frac{\sqrt{3}\,I}{V_r}(R\cos\theta + X\sin\theta) \times 100[\%]$$

$$= \frac{P(R + X\tan\theta)}{V_r^2} \times 100$$

$$= \frac{RP + QX}{V_r^2} \times 100[\%]$$

036 ★★

ANSWER ① 선택지락 계전기

비접지 계통의 지락 사고 검출

㉠ 선택 접지 계전기(SGR)+영상 전류 검출(ZCT)+영상 전압 검출(GPT)

㉡ 지락 계전기(GR)+영상 전류 검출(ZCT)

037 ★

ANSWER ③ 과열증기 → 습증기

- 보일러 : 등압 가열
- 복수기 : 등압 냉각
- 터빈 : 단열 팽창(과열증기→습증기)
- 급수펌프 : 단열 압축

038 ★

ANSWER ③ 비등수형 원자로

발전용 원자로의 종류에는 흑연감속 가스 냉각로, 경수감속 경수 냉각로, 중수감속 중수 냉각로 등이 있으며, 경수감속 경수 냉각로에는 가압수형 원자로(PWR), 비등수형 원자로(BWR)가 있다.

039 ★★

ANSWER ② 분포정수 회로

- 단거리 송전선로 : 집중정수 회로(R, L)
- 중거리 송전선로 : T 회로, π회로(R, L ,C)
- 장거리 송전선로 : 분포정수 회로(R, L, C, G)

040 ★★★

ANSWER ④ 1선 지락고장시 건전상의 대지전위 상승이 작다.

접지방식별 특징

구분	비접지 방식	직접 접지방식	소호리액터 접지방식
1선 지락 시 건전상 전압상승	$\sqrt{3}$ 배 상승	최소	-
기기절연 수준	최고	최소 (저감, 단절연)	중간
과도안정도	크다	최소	최대
1선 지락전류	매우 작다	최대	최소
전자유도장해	매우 작다	최대	최소
보호계전기 동작	불확실	확실	-

제3과목 | 전기기기

041 ★★★

ANSWER ④ 전기적 중성점이 전동기인 경우 회전방향으로 이동한다.

① 전기자 반작용 : 직류기에 부하를 걸어 전기자 권선에 전류를 흘리면 발생된 자속이 공극 내에 주계 자속에 영향을 미치면서 자속의 분포가 변화하는 현상이다.

② 전기자 반작용의 영향

㉠ 전기적 중성축이 이동한다.
- 발전기 : 회전방향으로 이동
- 전동기 : 회전 반대방향으로 이동

㉡ 감자 작용이 발생한다.

㉢ 국부적으로 섬락이 발생한다.

전기적 중성점이 전동기인 경우 회전 반대 방향으로 이동한다.

042 ★★★

ANSWER ② 2.86

MATH 23단원 유리식, 25단원 무리식

STEP1 백분율 임피던스

$$\%Z = \frac{I_n Z}{E} \times 100$$

STEP2 권수비 구하기

$$a = \frac{V_1}{V_2} = \frac{N_1}{N_2} = \frac{I_2}{I_1} \text{이므로 } a = \frac{6300}{210} = 30$$

STEP3 1차측 임피던스 환산

$$\begin{aligned} Z_1 &= \sqrt{(r_1 + a^2 r_2)^2 + (x_1 + a^2 x_2)^2} \\ &= \sqrt{(15.2 + 30^2 \times 0.019)^2 + (21.6 + 30^2 \times 0.028)^2} \\ &= 56.86[\Omega] \end{aligned}$$

STEP4 백분율 임피던스 공식에 대입한다.

$$\begin{aligned} \%Z &= \frac{I_n Z}{E} \times 100 \\ &= \frac{\frac{20000}{6300} \times 56.86}{6300} \times 100 = 2.865[\%] \end{aligned}$$

043 ★★

ANSWER ③ 구조가 간단하고 제어조작이 편리하다.

STEP1

권선형 유도전동기 저항제어법 - 비례추이의 원리

① 구조가 간단하고 조작이 용이하다.

② 최대 토크는 불변, 최대 토크의 발생 슬립은 변화

③ 저항을 이용하므로 열이 발생하여 온도변화가 크다.

④ $\dfrac{r_2}{s} = \dfrac{r_2 + R}{s'}$

TIP !

비례추이

권선형 유도 전동기의 회전자 외부에 접속시킨 2차 외부회로 저항의 크기를 조정하면 최대 토크의 크기는 그대로 유지하면서 slip(속도)이 2차 회로의 저항에 비례하여 이동하게 되는 현상. 2차측에 저항을 넣는 이유는 기동전류 감소와 기동토크 증대이다.

044 ★★

ANSWER ② 변하지 않는다.

분권전동기 특성

㉠ 정속도 특성의 전동기이다.

㉡ 위험 상태일 때, 정격 전압, 무여자 상태이다.

㉢ +, − 극성을 반대로 해도 회전 방향이 변하지 않는다.

㉣ $T \propto I \propto \frac{1}{N}$

045 ★★

ANSWER ④ TRIAC

반도체 소자 정리

(1) 단자별

- 2단자 : DIAC, SSS
- 3단자 : SCR, GTO, LASCR, TRIAC
- 4단자 : SCS

(2) 방향별

- 단방향 : SCR, GTO, LASCR, SCS
- 양방향 : DIAC, SSS, TRIAC

046 ★★

ANSWER ② 4667

MATH 23단원 유리식

STEP1 **단상 전파 정류회로 평균 전압 (E_d)**

$$E_d = \frac{2\sqrt{2}}{\pi}E - e \text{(여기서, e는 전압강하)}$$

$$= \frac{2\sqrt{2}}{\pi} \times 100 - 20 = 70\,[\mathrm{V}]$$

STEP2 **평균 부하 전류 (I_d)**

$$I_d = \frac{E_d - 50}{0.3} = \frac{70 - 50}{0.3} = 66.67\,[\mathrm{A}]$$

STEP3 **평균 출력 (P_0)**

$\therefore P_0 = E_d I_d = 70 \times 66.67 = 4667[\mathrm{W}]$

047 ★★

ANSWER ② 20

STEP1 **동기 임피던스**

$$Z_s = \frac{E_n}{I_s} = \frac{600}{30} = 20\,[\Omega]$$

048 ★★★

ANSWER ② 유도기의 농형 회전자

제동권선

제동권선은 유도기의 농형 권선과 같은 권선으로서 회전 자극 표면에 설치된 전동기이다. 제동권선의 주목적은 난조방지를 하는데 사용한다.

049 ★★

ANSWER ② 감소한다.

슬립 $s = \frac{N_s - N}{N_s}$ 에서 회전자의 속도 N이 증가하게 되면 슬립 s는 감소하게 된다.

여기서 $E_2' = sE_2$이므로 회전자에서 유기되는 전압 E_2'도 감소한다.

050 ★★

ANSWER ④ 고조파를 제거해서 기전력 파형 개선

단절권의 특징

㉠ 고조파를 제거하여 기전력의 파형이 개선한다.

㉡ 코일 단부가 짧게 되어 기계 길이가 축소하여 동의 양이 적게 되는 장점이 있다.

㉢ 전절권에 비해 합성 유기기전력이 축소한다.

㉣ 단절권 계수 K_p

$$K_p = \frac{\text{단절권일 때 기전력의 합}}{\text{전절권일 때 기전력의 합}} = \sin\frac{\beta\pi}{2}$$

051 ★

ANSWER ③ 전동기의 특성을 조정

STEP1 중간(직렬)변압기를 사용하는 이유

㉠ 전원에 관계없이 회전자의 전압을 정류작용으로 선정할 수 있다.

㉡ 중간변압기의 실효권수비를 조정하여 전동기의 특성을 조정할 수 있다.

㉢ 경부하 시에 속도의 급상승을 중간변압기를 이용하여 억제할 수 있다.

052 ★★★

ANSWER ② 역률을 조정할 수 없다.

동기전동기의 특성

㉠ 장점

- 속도가 일정하다.(동기속도 N_s 으로 운전)
- 역률을 조정할 수 있다.(역률 $\cos\theta = 1$로 운전 가능)
- 효율이 좋고 공극이 크고 기계적으로 튼튼하다.

㉡ 단점

- 기동토크가 작고(기동토크 Ts =0) 속도제어가 어렵다.
- 직류여자가 필요하고 난조가 일어나기 쉽다.

053 ★★

ANSWER ① 18.84

전기자 주변속도

$$v = \pi Dn = \pi D\frac{N_s}{60}[\text{m/sec}]$$

$$v = \pi \times 0.2 \times \frac{1800}{60} = 18.85[\text{m/sec}]$$

054 ★★

ANSWER ① 여자전류와 철손은 $\frac{5}{6}$ 감소, 리액턴스 강하 $\frac{6}{5}$ 증가

MATH 10단원 비례, 반비례, 비례식

STEP1 여자전류와 주파수의 관계

$$I_0 = \frac{V_1}{\omega L_1} = \frac{V_1}{2\pi f L_1} \propto \frac{1}{f}$$

여자전류는 주파수와 반비례한다.

STEP2 철손와 주파수의 관계

여기서 철손 중 와류손은 주파수와 관련없고 히스테리시스손은 주파수와 반비례하다.($P_h \propto \frac{1}{f}$)

STEP3 리액턴스

$X_L = \omega L = 2\pi f L \propto f$ 이므로

여자전류와 철손은 $\frac{5}{6}$ 감소,

리액턴스 강하 $\frac{6}{5}$ 증가한다.

055 ★★★

ANSWER ④ 평균 리액턴스 전압을 브러시 접촉면 전압강하보다 크게 한다.

양호한 정류를 위한 조건

㉠ 리액턴스 전압이 작을 것

㉡ 인덕턴스가 작을 것

㉢ 정류주기가 클 것

㉣ 전압정류 : 보극(리액턴스 전압 보상)

㉤ 저항정류 : 탄소브러시 → 접촉저항이 크다.

056 ★★★

ANSWER ② 1.56

MATH 23단원 유리식

STEP1 변압기의 m 부하일 때 최대효율조건

철손$(P_i) = m^2 \times$ 동손(P_c)

STEP2 주어진 조건을 대입한다.

$$P_i = m^2 P_c = (\frac{4}{5})^2 P_c$$

$$\therefore \frac{P_c}{P_i} = \frac{25}{16} = 1.56$$

057 ★★

ANSWER ① 풍손

<table>
<tr><td rowspan="6">총손실</td><td rowspan="3">무부하손</td><td rowspan="2">철손</td><td>히스테리시스손</td></tr>
<tr><td>와류손</td></tr>
<tr><td colspan="2">기계손: 풍손, 베어링 마찰손, 브러시 마찰손</td></tr>
<tr><td rowspan="3">부하손</td><td colspan="2">전기자 저항손 $P_c = I_a^2 R[W]$</td></tr>
<tr><td colspan="2">브러시 전기손</td></tr>
<tr><td colspan="2">포유부하손: 권선 이외 부분의 누설 자속에 의해 발생</td></tr>
</table>

058 ★

ANSWER ② 입력전압과 출력전압의 위상이 같다.

단상 유도전압 조정기	3상 유도전압조정기
- 교번자계를 이용한다. - 단락권선이 필요하다. - 1,2차 전압 사이에 위상차가 없다.	- 회전자계를 이용한다. - 단락권선이 필요없다. - 1,2차 전압 사이에 위상차가 있다.

059 ★★

ANSWER ① 1.2

1차 저항 r_1은 무시하므로 $r_1 = 0$

$$R_s' = \sqrt{r_1^2 + (x_1 + x_2')^2} - r_2'$$
$$= \sqrt{(x_1 + x_2')^2} - r_2'$$

여기서 리액턴스는

$x_1' + x_2 = 1.5[\Omega]$, $r_2 = 0.3[\Omega]$이므로

$$\therefore R_s = \sqrt{(x_1 + x_2')^2} - r_2 = 1.5 - 0.3$$
$$= 1.2[\Omega]$$

060 ★★★

ANSWER ③ 철손이 증가한다.

변압기의 손실

철손 : 부하의 크기와 무관하며 전압만 인가되면 발생하는 손실이다.

동손 : I^2r로 부하 전류의 제곱에 비례한다.

그러므로, 부하가 증가하면 동손이 증가하여 변압기의 온도가 상승한다.

제4과목 | 회로이론

061 ★★

ANSWER ④ $8 - j11.5$

MATH 28단원 복소수의 연산

4단자 회로망에서 $AD - BC = 1$ 이므로

$$\therefore C = \frac{AD - 1}{B} = \frac{8(3 + j2) - 1}{j2}$$
$$= \frac{23 + j16}{j2}$$
$$= 8 - j11.5 (\because \text{ 분모의 유리화})$$

2017년 2회

062 ★★★

ANSWER ② 10

회로의 전체 전력 $P_T = \dfrac{V^2}{R_T}$ 에서

최대 전력 전달 조건시 R_L과 R_i 에 공급된 전력의 크기는 같으므로 $P_T = 5 + 5 = 10[W]$

따라서, 회로의 전체 저항

$$R_T = \frac{V^2}{R_T} = \frac{10^2}{10} = 10[\Omega]$$

TIP !

최대 전력 전달 조건

$R_1 = R_2$

$Z_1 = \overline{Z_2}$ (¯는 켤레복소수)

각 소자에 공급된 전력의 크기가 동일하다.

063 ★

ANSWER ① $\omega MI_m \sin(\omega t - 90°)$

MATH **22단원 삼각함수 특수공식**
39단원 삼각함수,
e^x 그리고 지수함수의 미분

$$\begin{aligned} e_2 &= -M\frac{d}{dt}i_1 \\ &= -M(\omega I_m \cos\omega t) \\ &= -\omega MI_m \cos\omega t \\ &= \omega MI_m \sin(\omega t - 90°) \end{aligned}$$

064 ★

ANSWER ③ Ke^{-Ls}

비례 요소 : K

미분 요소 : Ks

적분 요소 : $\dfrac{K}{s}$

1차 지연 요소 : $\dfrac{K}{1+Ts}$

부동작 요소 : Ke^{-as}

(a는 다른 문자로 치환 가능하다.

문제에서는 Ke^{-Ls})

065 ★★★

ANSWER ① 60[V], 12[Ω]

STEP1 **테브난 등가전압 V_{ab}**

전압 분배 법칙에 의해

$$V_{ab} = \frac{30}{20+30} \times 100 = 60[V]$$

STEP2 **테브난 등가저항 R_{th}**

등가저항 해석시 전압원은 단락(전류원은 개방)시킨다.

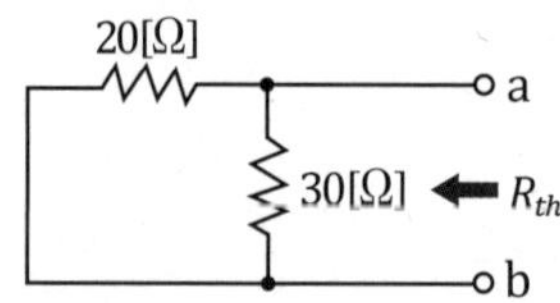

$$\therefore R_{th} = 20 \parallel 30 = \frac{20 \times 30}{20+30} = 12[\Omega]$$

TIP !

두 저항의 병렬 연결

$$A \parallel B = \frac{A \times B}{A+B}$$

066 ★★★

ANSWER ② $\dfrac{1}{1+s^2LC}$

MATH **23단원 유리식**

전달함수 $G(s) = \dfrac{V_2(s)}{V_1(s)}$ 에서

$$V_1(s) = \left(Ls + \frac{1}{Cs}\right)I(s)$$

$$V_2(s) = \left(\frac{1}{Cs}\right)I(s)$$

$$\therefore G(s) = \frac{\frac{1}{Cs}}{Ls + \frac{1}{Cs}} = \frac{1}{1+s^2LC} \ (\because \text{번분수 제거})$$

고난도

067 ★

ANSWER ① 원점을 지나는 원　답을 암기할 것

MATH 23단원 유리식

STEP1 어드미턴스 정리

$$Z = R + j\left(\omega L - \frac{1}{\omega C}\right) = R + jX \text{ 에서}$$

$$Y = \frac{1}{R + jX} = \frac{R}{R^2 + X^2} + j\frac{-X}{R^2 + X^2}$$

STEP2 원의 방정식

$P = \dfrac{R}{R^2 + X^2}$, $Q = \dfrac{-X}{R^2 + X^2}$ 라 할 때,

$$P^2 + Q^2 = \frac{R^2 + (-X)^2}{(R^2 + X^2)^2} = \frac{1}{R^2 + X^2} = \frac{P}{R}$$

$$\to P^2 - \frac{P}{R} + Q^2 = 0$$

$$\to P^2 - \frac{P}{R} + \frac{1}{4R^2} + Q^2 = \frac{1}{4R^2}$$

$$\to \left(P - \frac{1}{2R}\right)^2 + Q^2 = \left(\frac{1}{2R}\right)^2$$

R은 ω에 대하여 독립인 상수이므로

$\left(P(\omega) - \dfrac{1}{2R}\right)^2 + (Q(\omega))^2 = \left(\dfrac{1}{2R}\right)^2$ 인

원의 방정식이 된다.

즉, 중심이 $\left(\dfrac{1}{2R}, 0\right)$이고 $\omega = 0, \infty$ 일 때, $P = 0$, $Q = 0$인 원점을 지난다.

다른풀이

$\omega = 0$일 때 C는 오픈상태와 같으므로 어드미턴스는 0이다.

주파수가 조금씩 증가하면 L의 어드미턴스는 무한대에서 점점 작아지고 C의 어드미턴스는 0에서 점점 커지므로 어드미턴스 궤적은 4사분면에 위치한다.(RL직렬과 같다.)

$\omega = f_r$(공진주파수)일 때 L과 C는 서로 상쇄되어 R성분만 남게되고 이때의 어드미턴스는 $\dfrac{1}{R}$이다.

공진주파수보다 커지게 되면 C가 우세해지면서 어드미턴스 궤적은 1사분면으로 가게되고 크기는 점점 작아지다가 주파수가 무한대가 되면 L이 오픈이 되면서 어드미턴스가 다시 0이 된다.

068 ★

ANSWER ① 저항

① 저항 : 전압과 전류가 동상이다.

② 콘덴서 : 전압은 전류보다 90° 뒤진다.

③ 인덕턴스 : 전압은 전류보다 90° 앞선다.

④ 저항 + 콘덴서 : 전압은 전류보다 0°와 90° 사이 정도 뒤진다.

069 ★★★

ANSWER ③ $-2.67 - j\,0.67$

MATH 28단원 복소수의 연산

$$\text{영상분 } I_0 = \frac{1}{3}(I_a + I_b + I_c)$$
$$= \frac{1}{3}\{(15 + j2) + (-20 - j14) + (-3 + j10)\}$$
$$= \frac{1}{3}(-8 - j2)$$
$$\fallingdotseq -2.67 - j0.67$$

070 ★★

ANSWER ② 60°　답을 암기할 것

MATH 19단원 호도법과 육십분법

STEP1 대칭 n상 회로 관계

성형 결선

$$\text{전압} : E_l = 2\sin\frac{\pi}{n}E_{p\angle}\frac{\pi}{2}\left(1 - \frac{2}{n}\right)$$

$n = 6$이므로

$$\therefore \frac{\pi}{2}\left(1 - \frac{2}{6}\right) = \frac{180}{2}\left(\frac{4}{6}\right) = 60^\circ$$

2017년 2회

071 ★★★

ANSWER ③ $\dfrac{V^2R}{R^2+X^2}$

유효전력 $P=I^2R$에서

$I=\dfrac{V}{|Z|}$ 이고 $|Z|=\sqrt{R^2+X^2}$ 이므로

$$\therefore P=I^2R=\left(\frac{V}{\sqrt{R^2+X^2}}\right)^2R$$
$$=\frac{V^2R}{R^2+X^2}$$

072 ★★

ANSWER ① $\dfrac{E_m^2}{2R}$

MATH 23단원 유리식

STEP1 RL 병렬 회로

L에는 무효전력만 공급되므로 순저항 부하(R)로 계산한다.

$$\therefore P=\frac{E^2}{R}$$

STEP2 실효값, 최대값

전압의 실효값 $E=\dfrac{E_m}{\sqrt{2}}$ 이므로

$$\therefore P=\frac{E^2}{R}=\left(\frac{E_m}{\sqrt{2}}\right)^2\times\frac{1}{R}$$
$$=\frac{E_m^2}{2R}$$

073 ★★★

ANSWER ④ $Z_2Z_3=Z_1Z_4$ **답을 암기할 것**

브리지의 평형조건 $Z_1Z_4=Z_2Z_3$

(마주보는 임피던스의 곱이 서로 같다.)

074 ★★★

ANSWER ④ 2.5

R −L 직렬회로의 시정수

$$\tau=\frac{L}{R}=\frac{50\times10^{-3}}{20\times10^3}=2.5\times10^{-6}$$
$$=2.5[\mu s]$$

075 ★★★

ANSWER ① 3

MATH 36단원 극한

STEP1 최종값정리

$\lim\limits_{t\to\infty}f(t)=\lim\limits_{s\to0}sF(s)$ 이므로

$$\lim_{s\to0}sF(s)=s\frac{5s+3}{s(s+1)}\bigg|_{s=0}$$
$$=\frac{5s+3}{s+1}\bigg|_{s=0}$$
$$=\frac{3}{1}=3$$

076 ★★

ANSWER ① $\dfrac{s+1}{s^2+3s+2}$

MATH 3단원 등식 방정식

50단원 라플라스 심화

STEP1 미분 방정식 정리

문제의 미분 방정식을 라플라스 변환 하면 다음과 같다.

$$s^2Y(s)+3sY(s)+2Y(s)=X(s)+sX(s)$$
$$\to(s^2+3s+2)Y(s)=(1+s)X(s)$$
$$\to\frac{Y(s)}{X(s)}=\frac{1+s}{s^2+3s+2}$$

STEP2 전달함수

전달함수 $G(s)=\dfrac{Y(s)}{X(s)}$ 이므로

$$\therefore G(s)=\frac{s+1}{s^2+3s+2}$$

✎ 고난도

077 ★★

ANSWER ② 80.4

MATH 23단원 유리식

STEP1 비정현파의 유효전력

유효전력 $P = V_0 I_0 + \sum_{n=1}^{\infty} V_n I_n \cos\theta_n$ 에서

같은 주파수에서만 유효전력이 발생하므로

$$\begin{aligned}\therefore P &= V_1 I_1 \cos\theta_1 + V_3 I_3 \cos\theta_3 \\ &= \frac{220\sqrt{2}}{\sqrt{2}}\frac{2.2\sqrt{2}}{\sqrt{2}}\cos(36.87°) \\ &\quad + \frac{40\sqrt{2}}{\sqrt{2}}\frac{0.49\sqrt{2}}{\sqrt{2}}\cos(14.04°) \\ &\fallingdotseq 406.21[\mathrm{W}]\end{aligned}$$

STEP2 비정현파의 피상전력

피상전력 $P_a = VI$ 에서

비정현파 전압의 실효값

$$V = \sqrt{V_0^2 + V_1^2 + V_3^2} = \sqrt{20^2 + 220^2 + 40^2} \fallingdotseq 224.5[\mathrm{V}]$$

비정현파 전류의 실효값

$$I = \sqrt{I_1^2 + I_3^2} = \sqrt{2.2^2 + 0.49^2} \fallingdotseq 2.25[\mathrm{A}]$$

$$\therefore P_a = 224.5 \times 2.25 \fallingdotseq 505.13[\mathrm{VA}]$$

STEP3 역률

$$\therefore \text{역률} \cos\theta = \frac{P}{P_a} = \frac{406.21}{505.13} \times 100 \fallingdotseq 80.42[\%]$$

078 ★

ANSWER ④ 직류 성분, 기본파 성분, 무수히 많은 고조파 성분으로 구성된다.

푸리에 급수 : 주기적인 비정현파는 무수히 많은 주파수의 합으로 정의된다.

079 ★★

ANSWER ④ 비대칭 3상 회로의 접지식 회로에는 영상분이 존재하지 않는다.

중성점 접지 방식에서 접지선을 통하여 영상전류가 흐르기 때문에 영상분이 존재한다.

080 ★★★

ANSWER ③ 173

Y결선에서 선간전압 V_l은 상전압 V_p의 3배 이므로

$V_l = \sqrt{3}\,V_p = \sqrt{3} \times 100 \fallingdotseq 173.2[\mathrm{V}]$

제5과목 | 전기설비기술기준 및 한국전기설비규정

081 ★★

ANSWER ① 내장형 철탑

특고압 가공 전선로의 철주·철근콘크리트주 또는 철탑의 종류(한국전기설비규정 333.11)

특고압 가공 전선로의 지지물로 사용하는 B종 철근·B종 콘크리트주 또는 철탑의 종류는 다음과 같다.

㉠ 직선형 : 전선로의 직선 부분(3° 이하의 수평각도 이루는 곳 포함)에 사용 되는 것

㉡ 각도형 : 전선로 중 수평각도 3°를 넘는 곳에 사용되는 것

㉢ 인류형 : 전 가섭선을 인류하는 곳에 사용하는 것

㉣ 내장형 : 전선로 지지물 양측의 경간차가 큰 곳에 사용하는 것

㉤ 보강형 : 전선로 직선부분을 보강하기 위하여 사용하는 것

082 ★★

ANSWER ② 역률계

계측장치(한국전기설비규정 351.6)

변전소 또는 이에 준하는 곳에는 다음의 사항을 계측하는 장치를 시설하여야 한다.

㉠ 주요 변압기의 전압 및 전류 또는 전력

㉡ 특고압용 변압기의 온도

083 ★★

ANSWER ③ 5

고압 옥내배선 등의 시설
(한국전기설비규정 342.1)

전압	전선과 조영재와의 이격거리	전선 상호 간격	전선 지지점간의 거리	
			조영재의 윗면 또는 옆면에 따라 시설	조영재에 따라 시설하지 않는 경우
고압	5[cm] 이상	8[cm] 이상	2[m]이하	6[m]이하

084 ★★

ANSWER ① 1차 : 35[kV] 이하,
2차 : 저압 또는 고압

특고압 배전용 변압기의 시설
(한국전기설비규정 341.2)

특고압 전선로에 접속하는 배전용 변압기를 시설하는 경우에는 특고압 전선에 특고압 절연전선 또는 케이블을 사용하고 또한 다음에 따라야 한다.

㉠ 변압기의 1차 전압은 35[kV] 이하, 2차 전압은 저압 또는 고압일 것

㉡ 변압기의 특고압측에 개폐기 및 과전류 차단기를 시설할 것

㉢ 변압기의 2차 전압이 고압인 경우에는 고압측에 개폐기를 시설하고 또한 쉽게 개폐할 수 있도록 할 것

085 ★

ANSWER ① 미네럴인슈레이션

케이블폭연성 분진 위험 장소
(한국전기설비규정 242.2.1)

케이블공사에 의하는 때에는 전선은 개장된 케이블 또는 미네럴 인슈레이션 케이블을 사용하는 경우 이외에는 관 기타의 방호 장치에 넣어 사용할 것

086 ★★★

ANSWER ③ 철탑

지선의 시설(한국전기설비규정 331.11)

㉠ 가공전선로의 지지물로 사용하는 철탑은 지선을 사용하여 그 강도를 분담시켜서는 안 된다.

㉡ 가공 전선로의 지지물로 사용하는 철주 또는 철근콘크리트주는 지선을 사용하지 않는 상태에서 2분의 1이상의 풍압 하중에 견디는 강도를 가지는 경우 이외에는 지선을 사용하여 그 강도를 분담시켜서는 안 된다.

087 ★

ANSWER ① 30[V]

수중조명등(한국전기설비규정 234.14)

수중조명등의 절연변압기는 그 2차측 전로의 사용전압이 30[V] 이하인 경우는 1차권선과 2차권선 사이에 금속제의 혼촉 방지판을 설치하고, 규정에 준하여 접지공사를 하여야 한다.

088 ★★★

ANSWER ② 발전기 안의 수소의 순도가 70[%] 이하로 저하한 경우에 이를 경보하는 장치를 시설할 것

수소냉각식 발전기 등의 시설 (한국전기설비규정 351.10)

수소냉각식의 발전기·조상기 또는 이에 부속하는 수소 냉각장치는 발전기 내부 또는 조상기 내부의 수소의 순도가 85[%]이하로 저하한 경우에 이를 경보하는 장치를 시설할 것

089 ★★

ANSWER ② 철도 또는 궤도를 횡단하는 경우에는 레일면상 6[m] 이상으로 한다.

전력보안통신선의 시설높이와 이격거리 (한국전기설비규정 362.2)

가공전선로의 지지물에 시설하는 통신선 또는 이에 직접접속하는 가공통신선의 높이는 다음에 따라야 한다.

시설장소		가공전선로의 지지물에 시설	
		고·저압[m]	특고압[m]
도로 횡단	일반적인 경우	6[m]이상	6[m]이상
	교통에 지장을 안 주는 경우	5[m]이상	
철도 횡단(레일면상)		6.5[m]이상	6.5[m]이상
횡단 보도교 위	노면상	3.5[m]이상	5[m]이상
	절연전선 사용	3[m]이상	
	광섬유 케이블 사용		4[m]이상
기타의 장소	일반적인 경우 (절연전선 사용)	4[m]이상	5[m]이상
	광섬유 케이블 사용	3.5[m]이상	

090 ★★

ANSWER ① 정격출력이 0.75[kW]인 전동기

저압전로 중의 전동기 보호용과 전류보호 장치의 시설(한국전기설비규정 212.6.3)

옥내에 시설하는 전동기에는 전동기가 손상 될 우려가 있는 과전류가 생겼을 때에 자동적으로 이를 저지하거나 이를 경보하는 장치를 하여야 한다. 다만, 다음의 어느 하나에 해당하는 경우에는 그러하지 아니하다.

㉠ 전동기를 운전 중 상시 취급자가 감시할 수 있는 위치에 시설하는 경우
㉡ 전동기의 구조나 부하의 성질로 보아 전동기가 손상될 수 있는 과전류가 생길 우려가 없는 경우
㉢ 단상전동기로서 그 전원측 전로에 시설하는 과전류차단기의 정격전류가 16[A](배선용 차단기는 20[A]) 이하인 경우
㉣ 정격 출력이 0.2[kW] 이하의 전동기

091 ★

ANSWER ② 1

아크를 발생하는 기구의 시설 (한국전기설비규정 341.7)

고압용 또는 특고압용의 개폐기·차단기·피뢰기 기타 이와 유사한 기구로서 동작시에 아크가 생기는 것은 목재의 벽 또는 천장 기타의 가연성 물체로부터 표에서 정한 값 이상 이격하여 시설하여야 한다.

기구 등의 구분	이격거리
고압용의 것	1[m] 이상
특고압용의 것	2[m] 이상 (사용전압이 35[kV] 이하의 특고압용의 기구 등으로서 동작할 때에 생기는 아크의 방향과 길이를 화재가 발생할 우려가 없도록 제한하는 경우에는 1[m] 이상)

092 ★★★

ANSWER ② 588

풍압하중의 종별과 적용(한국전기설비규정 331.6)

풍압을 받는 구분			풍압 [Pa]
지지물	목주		588
	철주	원형의 것	588
		삼각형 또는 농형	1412
		강관에 의하여 구성되는 4각형의 것	1117
		기타의 것으로 복재가 전후면에 겹치는 경우	1627
		기타의 것으로 겹치지 않은 경우	1784
	철근 콘크리트주	원형의 것	588
		기타의 것	882
	철탑	강관으로 구성되는 것	1255
		기타의 것	2157

093 ★★★

ANSWER ② 1.0

지중 전선로의 시설(한국전기설비규정 334.1)

㉠ 지중 전선로는 전선에 케이블을 사용하고 또한 관로식·암거식 또는 직접 매설식에 의하여 시설하여야 한다.

㉡ 지중 전선로를 관로식 또는 암거식에 의하여 시설하는 경우에는 다음에 따라야 한다.

① 관로식에 의하여 시설하는 경우에는 매설 깊이를 1.0[m] 이상, 중량물의 압력을 받을 우려가 없는 곳은 0.6[m] 이상

② 암거식에 의하여 시설하는 경우에는 견고하고 차량 기타 중량물의 압력에 견디는 것을 사용할 것

㉢ 지중 전선로를 직접 매설식에 의하여 시설하는 경우에는 매설 깊이를 차량 기타 중량물의 압력을 받을 우려가 있는 장소에는 1.0[m] 이상, 기타 장소에는 0.6[m] 이상

094 ★★

ANSWER ② 55

시가지 등에서 특고압 가공 전선로의 시설 (한국전기설비규정 333.1)

사용전압	전선
100[kV]미만	인장강도 21.67[kN]이상의 연선 또는 단면적 55[mm²]이상의 경동연선
100[kV]이상	인장강도 58.84[kN]이상의 연선 또는 단면적 150[mm²]이상의 경동연선

095 ★

ANSWER ② 2.5

터널안전선로의 시설(한국전기설비규정 335.1)

철도·궤도 또는 자동차도 전용터널 안의 전선로

전압	전선의 굵기	시공방법	애자공사 시 높이
저압	인장강도 2.30[kN] 이상 또는 2.6[mm] 이상의 경동선의 절연전선	• 합성수지관 공사 • 금속관공사 • 금속제가요 전선관 공사 • 케이블공사 • 애자공사	노면상, 레일면상 2.5[m] 이상
고압	인장강도 5.26[kN] 이상 또는 4[mm] 이상의 경동선	• 케이블공사 • 애자공사	노면상, 레일면상 3[m]이상
특고압		• 케이블공사	

출제기준 변경 및 개정된 관계 법규에 따라 삭제된 문제가 있어 20문항이 안됩니다.

2017년 3회

제1과목 | 전기자기학

001 ★★★

ANSWER ② 20

MATH 01단원 SI 접두어, 단위

STEP1 정전에너지

콘덴서에 전하를 축적시키는 데 필요한 에너지

$$W = \frac{1}{2}QV = \frac{1}{2}CV^2$$
$$= \frac{1}{2} \times (8 \times 10^3 \times 10^{-12}) \times (100 \times 10^3)^2$$
$$= 40[J]$$

STEP2 전구의 전력

이때, 전구의 전력과 에너지(한 일)의 관계는 다음과 같다.

W = 전구의 전력 × t[sec] = 전구의 전력 × 2

= 40[J]

따라서, 전구의 전력은 20[W]이다.

002 ★★

ANSWER ② 열전대

열전 효과

서로 다른 두 금속의 만나는 지점을 전자들이 지날 때 운동에너지가 달라지면서 열이 발생하거나 흡수되는 효과

제벡 효과 (Seebeck effect)

두 개의 다른 금속을 접합하여 폐회로를 만들고, 두 접합점 사이의 온도차로 인해 열기전력이 생겨 전기가 흐르는 현상

이때, 두 개의 다른 금속을 접합하여 만든 폐회로를 열전대라 한다.

003 ★

ANSWER ② 진행 방향의 E, H 성분이 모두 존재하지 않는다.

전자파의 특징

㉠ 전계와 자계는 공존하면서 상호 직각 방향으로 진동을 한다.

㉡ 진공 또는 완전 유전체에서 전계와 자계의 파동의 위상차는 없다.

㉢ 전자파 전달 방향은 $E \times H$ 방향이다.

㉣ 전자파 전달 방향의 E, H 성분은 없다. (2번)

㉤ 자유 공간인 경우, 동일 전원에서 나오는 전파는 자파보다 377배($E = 377H = \eta_0 H$)로 매우 크기 때문에, 전자파를 간단히 전파(Electric wave)라고도 한다.

004 ★★★

ANSWER ② 45°

MATH 46단원 벡터의 내적

STEP1 벡터의 내적

두 벡터의 내적은 다음과 같다.

$$\vec{A} \cdot \vec{B} = \vec{A}\vec{B}\cos\theta$$

이때, 두 벡터가 이루는 각을 구할 수 있다.

$$\theta = \cos^{-1}\left(\frac{\vec{A} \cdot \vec{B}}{|\vec{A}||\vec{B}|}\right)$$
$$= \cos^{-1}\left(\frac{(-7) \times (-3) + (-1) \times (-4)}{\sqrt{(-7)^2 + (-1)^2} \times \sqrt{(-3)^2 + (-4)^2}}\right)$$
$$= \cos^{-1}\left(\frac{25}{25\sqrt{2}}\right) = \cos^{-1}\left(\frac{1}{\sqrt{2}}\right) = 45°$$

005 ★

ANSWER ① $\dfrac{\pi\epsilon_0}{\ln\dfrac{d}{a}}$ 답을 암기할 것

평행 원통 도체의 정전용량

$$C = \frac{\lambda}{V} = \frac{\pi\epsilon_0}{\ln\dfrac{d-a}{a}}[\mathrm{F/m}]$$

$(d \gg a)$인 경우,

$$\fallingdotseq \frac{\pi\epsilon_0}{\ln\dfrac{d}{a}}[\mathrm{F/m}]$$

006 ★

ANSWER ③ 니켈(Ni)

자성체의 종류	투자율	비투자율	비자하율	종류
강자성체	$\mu \gg \mu_0$	$\mu_s \gg 1$	$\chi_m \gg 1$	철(Fe) 니켈(Ni) 코발트(Co)
상자성체	$\mu > \mu_0$	$\mu_s > 1$	$\chi_m > 0$	백금(Pt) 알루미늄(Al) 산소
반자성체	$\mu < \mu_0$	$\mu_s < 1$	$\chi_m < 0$	은(Ag) 구리(Cu) 비스무트(Bi)

007 ★

ANSWER ④ 자유전자

마찰전기 : 서로 다른 두 물체를 마찰시킬 때, 마찰열에 의해서 전자가 열에너지를 얻게되고, 에너지를 얻은 전자가 다른 물체로 이동하여 생기는 전기를 마찰전기라 한다.

008 ★★★

ANSWER ④ $\mathrm{div}B = -\dfrac{\partial D}{\partial t}$

맥스웰 방정식

① 앙페르(암페어)의 주회 적분 법칙

$$\mathrm{rot}H = \nabla \times H = i_c + \frac{\partial D}{\partial t}$$

(전류는 주위에 회전하는 자계를 발생 시킨다.)

여기서, i_c : 전류밀도, $\dfrac{\partial D}{\partial t}$: 변위전류밀도

② 가우스 법칙(정전계)

$\mathrm{div}D = \nabla \cdot D = \epsilon \nabla \cdot E = \rho$

(단위 체적에서 발산하는 전속밀도는 그 체적 내의 전하밀도와 같다.)

③ 페러데이 – 노이만의 전자유도법칙

$$\mathrm{rot}E = \nabla \times E = -\frac{\partial B}{\partial t} = -\mu\frac{\partial H}{\partial t}$$

(전기 회로에서 발생하는 유도 기전력은 폐회로를 통과하는 자속의 변화를 방해하는 방향으로 발생한다.)

④ 가우스 법칙(정자계)

$\mathrm{div}B = \nabla \cdot B = \mu \nabla \cdot H = 0$

(N극과 S극이 반드시 공존하며 고립된 자하는 없다.)

009 ★★

ANSWER ① 0.1

STEP1 평행 도선 사이의 힘

$$F = \frac{\mu_0 I_1 I_2}{2\pi d} = \frac{\mu_0 I^2}{2\pi d}$$

$$= \frac{(4\pi \times 10^{-7}) \times 100^2}{2\pi \times (2 \times 10^{-2})} = 0.1[\mathrm{N/m}]$$

010 ★★

ANSWER ③ 25.4

MATH **44단원 벡터의 성질**

전기력에서의 힘

$$F = qE = (-1.2) \times (-18a_x + 5a_y - 10a_z)$$
$$= 21.6a_x + -6a_y + 12a_z[\text{N}]$$

이때, 힘의 크기는 다음과 같다.

$$F = \sqrt{(21.6)^2 + (6)^2 + (12)^2} \approx 25.4[\text{N}]$$

011 ★★

ANSWER ② $2.65 \times 10^{-3}E_e$

MATH **23단원 유리식**

STEP1 **자계의 세기와 전계의 세기 관계식**

$$\eta_0 = \frac{E}{H} = \sqrt{\frac{\mu_0}{\epsilon_0}} = 377[\Omega]$$

따라서, 자계의 세기는 다음과 같다.

$$H = \frac{E}{\eta_0} = \sqrt{\frac{\epsilon_0}{\mu_0}} \times E$$
$$= \frac{1}{377} \times \sqrt{2}E_c \sin wt\left(t - \frac{z}{v}\right)[\text{AT/m}]$$

이때, 자계의 세기의 실효값은 전계의 세기가 최대값일 때 존재한다.

$$H = \frac{1}{377} \times E_e \approx 2.65 \times 10^{-3}E_e[\text{AT/m}]$$

012 ★★

ANSWER ④ 잔류자기는 크고,
보자력은 작아야 한다.

STEP1 **자석 재료**

- 영구자석 재료 : 잔류 자속밀도(B_r)와 보자력(H_c)이 커야 한다.
- 전자석 재료 : 히스테리시스 곡선 면적과 보자력(H_c)이 작아야 한다.

히스테리시스 곡선

B_r: 잔류자기
H_c: 보자력

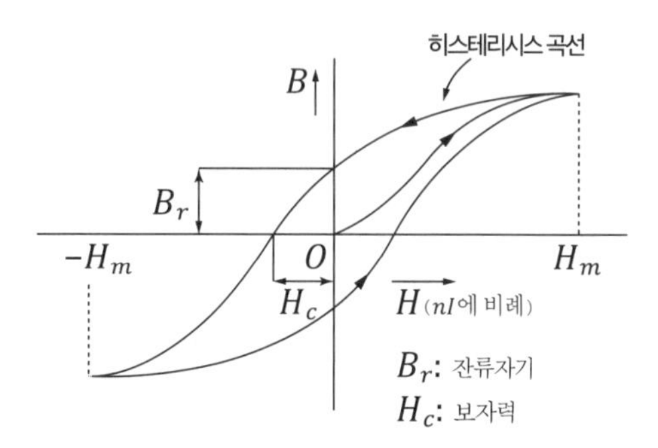

- 잔류 자속밀도(B_r) : 외부에서 가한 자계 세기를 0으로 해도 자성체에 남는 자속밀도 크기
- 보자력(H_c) : 자화된 자성체 내부 B를 0으로 만들기 위해서, 자화와 반대 방향으로 외부에서 가하는 자계의 세기

013 ★★★

ANSWER ② $\epsilon_0\dfrac{\partial E}{\partial t} + \dfrac{\partial P}{\partial t}$

변위 전류밀도

$$i_d = \frac{\partial D}{\partial t} = \epsilon\frac{\partial E}{\partial t} = \epsilon_0\frac{\partial E}{\partial t} + \frac{\partial P}{\partial t}[\text{A/m}^2]$$

014 ★★

ANSWER ② $-Q$[C]와 같다.

전기 영상법(Electric image method)

도체의 전하 분포 및 경계조건을 교란하지 않는 전하를 가상함으로써 간단히 도체 주위의 전계를 해석하는 방법

해석법

점전하 Q가 점(0, 0, h)에 위치할 때, $z < 0$의 도체를 공기로 대체점(0, 0, −h)에 점전하 −Q를 추가한다.

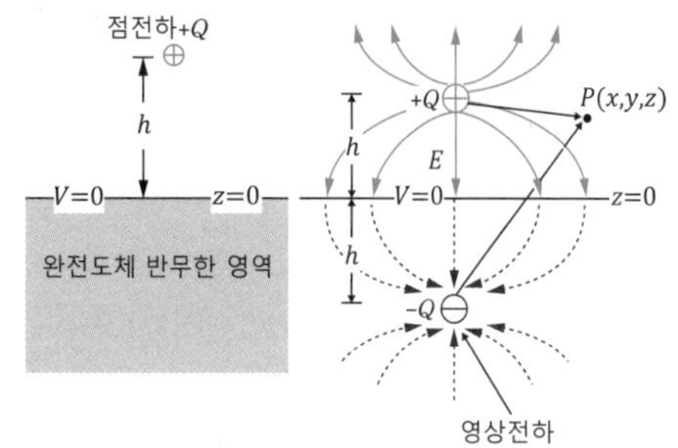

015 ★★

ANSWER ② 1

MATH 03단원 등식, 방정식

STEP1 인덕턴스 결선

㉠ 가동 결선

$L^+ = L_1 + L_2 + 2M = 3 + 5 + 2M$

㉡ 차동 결선

$L^- = L_1 + L_2 - 2M = 3 + 5 - 2M$

STEP2 상호 인덕턴스 계산

즉, 두 합성 인덕턴스의 관계식은 다음과 같다.

$$\frac{L^+}{L^-} = \frac{3+5+2M}{3+5-2M} = \frac{1}{0.6}$$

즉, 상호 인덕턴스를 구하면,

$0.6 \times (3 + 5 + 2M) = 1 \times (3 + 5 - 2M)$

$\rightarrow -3.2 = -3.2M$

$\rightarrow 1[\mathrm{mH}] = \mathrm{M}$

016 ★★★

ANSWER ② 길이를 1/4로 줄인다.

환상 솔레노이드의 자기 인덕턴스

$$L = \frac{\mu S N^2}{l}[\mathrm{H}]$$

STEP2 비교

$$L' = \frac{\mu S\left(\frac{N}{2}\right)^2}{l} = \frac{1}{4}\frac{\mu S N^2}{l} = \frac{1}{4}L[\mathrm{H}]$$

즉, 코일의 권수를 반으로 줄인 경우, 기존의 인덕턴스의 1/4배가 됨을 알 수 있다. 이 경우, 길이를 보정하여 일정한 인덕턴스를 만드는 방법은 길이를 1/4로 줄이는 것이다.

017 ★★★

ANSWER ③ 45

MATH 03단원 등식, 방정식

STEP1 도체구의 정전용량

$C = 4\pi\epsilon_0 a = 50[\mathrm{pF}]$

STEP2 반지름 a에 관한 식으로 변경

$$a = \frac{50 \times 10^{-12}}{4\pi\epsilon_0} = 50 \times 10^{-12} \times (9 \times 10^9)$$

$$= 450 \times 10^{-3}[\mathrm{m}] = 45[\mathrm{cm}]$$

TIP !

공기중의 유전율 $\epsilon_0 = 8.855 \times 10^{-12}$

$$4\pi\epsilon_0 = \frac{1}{9 \times 10^9}$$

$$\epsilon_0 = \frac{1}{4\pi \times 9 \times 10^9}$$

018 ★★

ANSWER ④ $\frac{\rho}{r}$

고유 저항과 전기 저항의 관계

$$R = \rho\frac{l}{S} = \rho\frac{r}{r^2} = \frac{\rho}{r}[\Omega]$$

019 ★

ANSWER ③ $\dfrac{2\pi\sigma l V}{\sigma \ln\frac{b}{a}}$ 답을 암기할 것

MATH 23단원 유리식

STEP1 옴의 법칙

$$R = \rho\frac{l}{S} = \frac{l}{\sigma S} = \frac{V}{I}[\Omega]$$

STEP2 전기 저항 구하기

$$RC = \epsilon\rho = \frac{\epsilon}{\sigma} \rightarrow R = \frac{\epsilon}{\sigma C}[\Omega]$$

STEP3 동축 케이블의 정전용량 구하기

$$C_{ab} = \frac{2\pi\epsilon l}{\ln\frac{b}{a}}[\mathrm{F}]$$

STEP4 대입

$$I = \frac{V}{R} = \frac{V}{\frac{\epsilon}{\sigma C}} = \frac{V}{\frac{\epsilon}{\sigma\left(\frac{2\pi\epsilon l}{\ln\frac{b}{a}}\right)}} = \frac{V}{\frac{\epsilon\ln\frac{b}{a}}{2\pi\epsilon l\sigma}}$$

$$= \frac{2\pi l\sigma V}{\ln\frac{b}{a}}[\mathrm{A}]$$

020 ★★★

ANSWER ① 0.5

STEP1 콘덴서의 접속

C_1, C_2는 직렬 접속이며, 이 두 콘덴서의 합성 정전용량은 C_x, C_3 와 함께 병렬 접속이다.

이때, 콘덴서가 직렬 접속일 경우, 합성 정전용량은 다음과 같다.

$$C' = \frac{1}{\frac{1}{C_1}+\frac{1}{C_2}} = \frac{C_1C_2}{C_1+C_2} = \frac{3\times 3}{3+3} = \frac{9}{6}$$

$$= \frac{3}{2}[\mu\mathrm{F}]$$

또한, 콘덴서가 병렬 접속일 경우, 합성 정전용량은 각 콘덴서의 정전용량의 합으로 표현한다.

즉, $C_0 = C' + C_x + C_3 = 5[\mu\mathrm{F}]$이다.

STEP2 C_x의 정전용량 구하기

따라서, C_x의 정전용량은 다음과 같다.

$$C_0 - C' - C_3 = C_x = 5 - \frac{3}{2} - 3 = \frac{1}{2}$$

$$= 0.5[\mu\mathrm{F}]$$

제2과목 | 전력공학

021 ★★★

ANSWER ③ 큰 임피던스의 변압기 사용

안정도 향상 대책

㉠ 직렬리액턴스를 작게 한다.

㉡ 발전기나 변압기 리액턴스를 작게 한다.

㉢ 선로에 복도체를 사용하거나 병행회선수를 늘린다.

㉣ 전압변동을 적게 한다.

㉤ 계통을 연계시킨다.

㉥ 고장구간을 신속히 차단시키고 재폐로방식을 채택한다.

022 ★★★

ANSWER ④ 부하를 차단하여 무부하가 되도록 한다.

- 페란티 현상 : 무부하의 경우 수전단 전압이 송전단 전압보다 높아지는 현상
- 원인 : 선로의 정전용량(진상전류)
- 방지 대책
  ㉠ 선로에 흐르는 전류가 지상이 되도록 한다.
  ㉡ 수전단에 분로 리액터를 설치한다.
  ㉢ 동기 조상기의 부족여자 운전

023 ★★

ANSWER ④ 접점의 소모가 크고, 열적 기계적 강도가 클 것

보호 계전 방식의 구비 조건

㉠ 고장 회선 및 고장 구간의 선택 차단을 신속 정확하게 할 수 있을 것

㉡ 조정 범위가 넓고 조정이 쉬울 것

㉢ 고장 개소를 정확히 선택하고 감도가 예민할 것

㉣ 적절한 후비 보호 능력이 있을 것

㉤ 접점의 소모가 작고, 열적 기계적 강도가 클 것

024 ★

ANSWER ③ 표면 복수기

- 복수기 기능 : 진공상태를 만들어 증기터빈에서 일을 한 증기를 그 배기단에서 냉각 응축시킴과 동시에 복수로서 회수하는 장치
- 복수기 종류 : 표면 복수기, 증발 복수기, 분사 복수기 , 에젝터 등. 이중 가장 많이 쓰이고 있는 것은 표면 복수기

025 ★★★

ANSWER ② 420

MATH 22단원 삼각함수 특수공식

STEP1

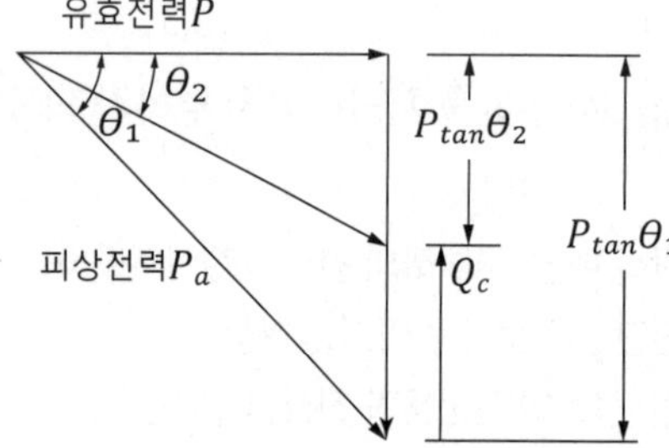

콘덴서 용량(Q_c)

$P\tan\theta_1 - P\tan\theta_2 = P(\tan\theta_1 - \tan\theta_2)$

$= P\left(\dfrac{\sin\theta_1}{\cos\theta_1} - \dfrac{\sin\theta_2}{\cos\theta_2}\right)$

$= P\left(\dfrac{\sqrt{1-\cos^2\theta_1}}{\cos\theta_1} - \dfrac{\sqrt{1-\cos^2\theta_2}}{\cos\theta_2}\right)$[kVA]

$= 1000 \times \left(\dfrac{\sqrt{1-0.8^2}}{0.8} - \dfrac{\sqrt{1-0.95^2}}{0.95}\right)$

$= 421.32\,[\mathrm{kVA}]$

(여기서, $\cos\theta_1$: 개선 전 역률,

$\cos\theta_2$: 개선 후 역률)

026 ★★

ANSWER ② 철탑에서 3번째에 있는 것

답을 암기할 것

애자의 전압부담

- 전압부담이 가장 작은 애자 : 철탑에서 $\frac{1}{3}$ 지점

  (전선으로부터는 $\frac{2}{3}$ 에 위치)

- 전압부담이 가장 큰 애자 : 전선에서 가장 가까운 애자

027 ★★

ANSWER ④ 선로의 유도성 리액턴스가 커지기 때문이다.

송전전력 $P = \dfrac{E_S E_R}{X}\sin\delta$

위의 식에서 송전 거리가 멀어질수록 선로의 유도 리액턴스가 커지기 때문에 송전 가능 전력는 감소한다.

028 ★★

ANSWER ④ DOCR

① 거리 계전기(ZR) : 계전기가 설치된 위치로부터 고장점까지의 전기적 거리에 비례하여 한시 동작하는 것으로 복잡한 계통의 단락 보호에 과전류 계전기의 대용으로 쓰인다.

② 저주파수 계전기(UFR) : 주파수가 일정값보다 낮을 경우 동작한다.

③ 과전압 계전기(OVR) : 일정값 이상의 전압이 걸렸을 때 동작한다.

④ 단락 방향 계전기(DOCR, DSR) : 어느 일정한 방향으로 일정값 이상의 단락 전류가 흘렀을 경우 동작하는 것

029 ★

ANSWER ④ $\sqrt{W_1^2 + W_2^2}$

MATH 25단원 무리식

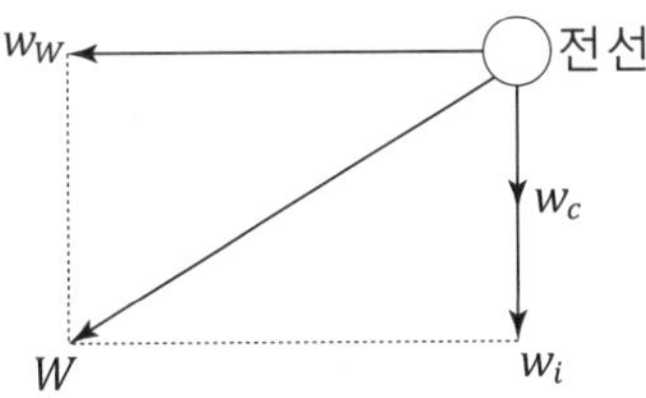

w_c : 전선의 자중

w_i : 빙설하중

w_w : 풍압하중

합성하중 $W = \sqrt{(w_c + w_i)^2 + w_w^2}$

∴ 합성 하중

$$W = \sqrt{(\text{빙설하중} + \text{전선자중})^2 + (\text{풍압하중})^2} = \sqrt{W_1^2 + W_2^2}$$

030 ★

ANSWER ② 콘덴서 트립방식

콘덴서 트립 방식(CTD)

충전기로 교류를 정류하여 콘덴서를 충전하고, 그 방전 에너지에 의해 트립 코일을 여자하여 트립시키는 방법으로 정류기와 콘덴서로 구성되어 있다.

031 ★★★

ANSWER ② 입력이 커질수록 짧은 한시에 동작하는 것

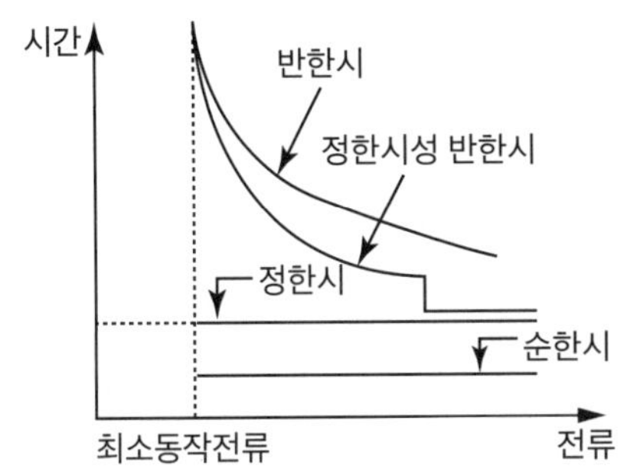

계전기의 한시특성에 의한 분류

- 순한시 계전기 : 최소 동작전류 이상의 전류가 흐르면 즉시 동작하는 것
- 반한시 계전기 : 동작전류가 커질수록 동작시간이 짧게 되는 특성을 가진 것
- 정한시 계전기 : 동작전류의 크기에 관계없이 일정한 시간에서 동작하는 것
- 반한시성 정한시 계전기 : 동작전류가 적은 동안에는 반한시 특성으로 되고 그 이상에서는 정한시 특성이 되는 것

032 ★★

ANSWER ④ $0 \leqq F^2 \leqq H \leqq F \leqq 1$

부하율 F 와 손실계수 H 와의 관계

㉠ $0 \leqq F^2 \leqq H \leqq F \leqq 1$

㉡ $H = \alpha F + (1 - \alpha)F^2$

(여기서, α : 정수로서 0.1 ~ 0.4)

033 ★★

ANSWER ② 아킹혼(arcing horn)

① 댐퍼 : 전선로의 진동 방지

② 아킹 혼 : 섬락으로부터 애자련의 보호, 애자련의 전압 분포 개선

③ 아모로드 : 전선로의 진동 방지

④ 가공지선 : 직격뢰, 유도뢰로부터 차폐 효과

034 ★★★

ANSWER ② 2.25

%리액턴스

$$\%X = \frac{IX}{E} \times 100 = \frac{200 \times 10}{\frac{154 \times 10^3}{\sqrt{3}}} \times 100 = 2.25[\%]$$

035 ★★

ANSWER ② 3상 4선식 답을 암기할 것

현재 우리나라에서 채택하여 사용되고 있는 전기 공급 방식은

- 송전 : 3상 3선식
- 배전 : 3상 4선식

TIP !

3상 4선식 배전방식의 특성

㉠ 다른 배전방식에 비해 큰 전력을 공급할 수 있다.

㉡ 선로사고 시 사고검출이 용이하다.

㉢ 3상 부하(380[V]) 및 단상 부하(220[V])에 동시 전력을 공급할 수 있다.

036 ★★★

ANSWER ① 단권변압기

조상설비 : 송전선을 일정한 전압으로 운전하기 위해 필요한 무효전력을 공급하는 장치

㉠ 동기 조상기

㉡ 분로 리액터

㉢ 전력용 콘덴서

037 ★

ANSWER ③ C

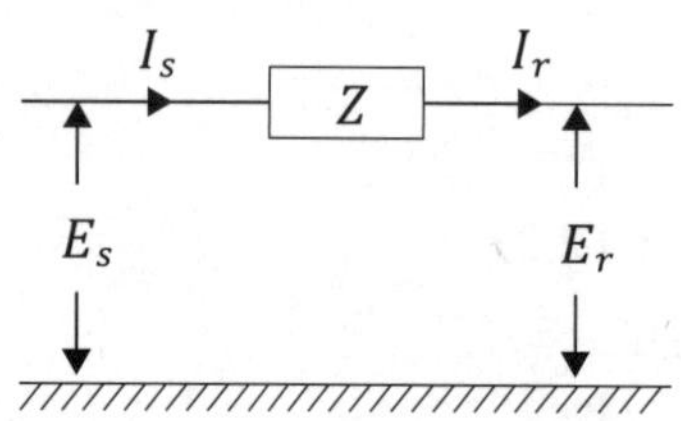

단거리 송전선로는 선로가 짧기 때문에 저항(R)과 인덕턴스(L)만 고려한다. 따라서, 임피던스만 존재하기 때문에 어드미턴스 성질을 가진 C = 0이다.

038 ★★

ANSWER ① 80

MATH 01단원 SI 접두어, 단위

STEP1 단락용량 공식

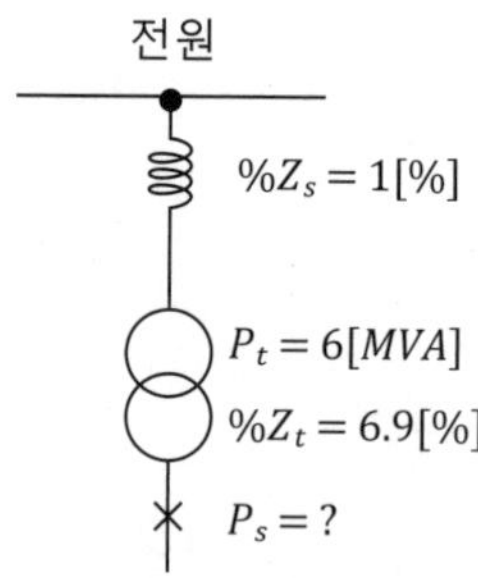

STEP2 %Z 값 구하기

기준용량 10[MVA]로 하면 전원 및 선로 임피던스

$Z_s = 1[\%]$

변압기 임피던스 $Z_t = 6.9 \times \dfrac{10}{6} = 11.5[\%]$

전원부터 변압기 2차측까지의 합성 임피던스

$Z = Z_s + Z_t = 1 + 11.5 = 12.5[\%]$

∴ 단락용량

$$P_s = \frac{100}{\%Z} \times P_n = \frac{100}{12.5} \times 10 = 80[\text{MVA}]$$

039 ★★

ANSWER ② 210

STEP1

B점의 전압 :

$V_B = V_A - 2IR$(단상 2선식이므로 e =2IR)

$= 220 - 2 \times (40 + 20) \times 0.05 = 214[V]$

STEP2

C점의 전압 :

$V_C = V_B - 2IR = 214 - 2 \times 20 \times 0.1 = 210[V]$

040 ★★

ANSWER ② 1

MATH 25단원 무리식

파동 임피던스

$$Z = \sqrt{\frac{L}{C}} = 138\log_{10}\frac{D}{r} = 300[\Omega]\text{에서}$$

$$\log_{10}\frac{D}{r} = \frac{300}{138}$$

$$\therefore L = 0.05 + 0.4605\log_{10}\frac{D}{r}$$

$$= 0.05 + 0.4605 \times \frac{300}{138}$$

$$= 1.05[\text{mH/km}]$$

다|른|풀|이

파동 임피던스 $Z_0 = \sqrt{\frac{L}{C}}$

전파 속도 $v = \frac{1}{\sqrt{LC}} = 3 \times 10^8[\text{m/s}]$

$$\frac{Z_0}{v} = \frac{\sqrt{\frac{L}{C}}}{\frac{1}{\sqrt{LC}}} = L$$

$$L = \frac{Z_0}{v} = \frac{300}{3 \times 10^8} = 1 \times 10^{-6}[\text{H/m}]$$

$$= 1[\text{mH/km}]$$

제3과목 | 전기기기

041 ★★★

ANSWER ④ 3429

부하의 무효전력 $Q_L = \sqrt{3}\, VI\sin\theta$

여기서 $\cos\theta^2 + \sin\theta^2 = 1$에 의해서 역률

$\cos\theta = 0.8$이므로 $\sin\theta = 0.6$이다.

부하전력은

$$Q_L = \sqrt{3} \times 3300 \times 1000 \times 0.6 \times 10^{-3}$$

$$= 3429.46[\text{kVar}]$$

역률이 1이 되기 위해서 무효전력은 $Q = 0[\text{kVar}]$이 되어야 하므로 진상 무효전력

$Q_c = 3429.45[\text{kVA}]$을 공급해야 한다.

042 ★

ANSWER ① 2중 농형

2중 농형 유도전동기

㉠ 회전자의 농형권선을 내외 이중으로 설치한 전동기이며 기동시에는 저항이 높은 외측 도체로 흐르는 전류에 의해 큰 기동 토크를 얻고 기동 완류 후에는 저항이 적은 내측 도체로 전류가 흘러 우수한 운전 특성을 얻는 전동기이다.

㉡ 도체

- 외측 도체 : 저항이 높은 황동 또는 동니켈 합금의 도체를 사용
- 내측 도체 : 저항이 낮은 전기동 사용

043 ★

ANSWER ② 순시정격

정격의 종류

㉠ 연속정격

㉡ 단시간 정격

㉢ 반복정격

㉣ 공칭정격

044 ★★★

ANSWER ② 전압제어

직류 전동기의 속도 제어법 비교

구분	제어 특성	특징
계자 제어법	정출력 제어	속도제어 범위가 좁다
전압 제어법	정토크 제어 • 워드 레오나드 방식 • 일그너 방식	제어 범위가 넓다 손실이 매우 적다 정역 운전이 가능하다 설비비가 많이 든다
직렬 저항법		효율이 나쁘다

045 ★

ANSWER ② 턴오프 시간이 SCR보다 짧으며 급격한 전압변동에 강하다.

TRIAC의 특징

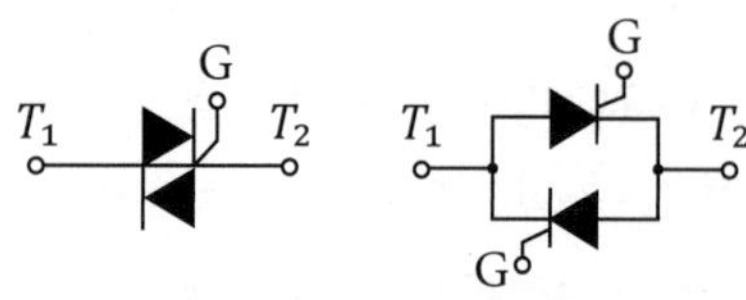

점호, 소호회로

㉠ 양방향 3단자 사이리스터이다.

㉡ TRIAC은 기능상 2개의 SCR을 역병렬 접속한 소자와 같은 소자이다.

㉢ TRIAC의 게이트에 전류를 흘리면 어느 방향에서나 전압이 높은 쪽에서 낮은 쪽으로 도통된다.

㉣ 교류 전력 제어용으로 TRIAC을 사용된다.

046 ★

ANSWER ② ONAN

변압기 냉각방식

㉠ 건식

ⓐ 공랭식 : AA

ⓑ 풍냉식 : AFA

㉡ 유입식(oil immersed self cooled type)

ⓐ 유입 자냉식(ONAN ,OA)

ⓑ 유입 풍냉식(ONAF, FA)

ⓒ 유입 수냉식(ONAW, OW)

ⓓ 송유 풍냉식(OFAF, FOA)

ⓔ 송유 수냉식(OFWF, FOW)

047 ★★

ANSWER ③ 수전점의 전압을 조정하기 위하여

탭 변압기(Tap transformer)

변압기의 변압비를 바꾸기 위해 변압기의 1차 혹은 2차 코일에 인출선을 설치하고 있는 변압기이다. 변압기 2차측의 전압변동을 보상하고 일정 전압으로 유지 시키기 위해 사용한다.

048 ★

ANSWER ① 10

스테핑전동기는 디지털 신호에 비례해 일정 각도 만큼 회전하는 전동기이다.

1초당 입력펄스 : 1200[pps]

1펄스당 회전각도 : 3°

1초당 회전각도 : $1200 \times 3° = 3600°$

전동기 1초당 회전속도는 $\dfrac{3600°}{360°} = 10$ [회전]

049 ★★★

ANSWER ① 주자속이 증가한다.

1) 전기자 반작용 : 직류기에 부하를 걸어 전기자 권선에 전류를 흘리면 발생된 자속이 공극 내에 주계 자속에 영향을 미치면서 자속의 분포가 변화하는 현상이다.

2) 전기자 반작용의 영향

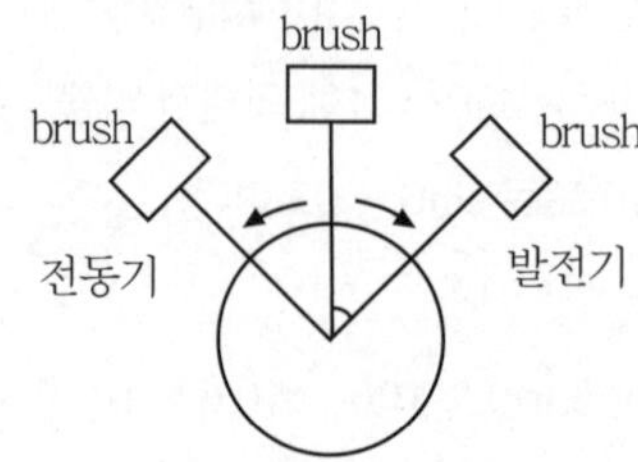

㉠ 전기적 중성축이 이동한다.

- 발전기 : 회전방향으로 이동
- 전동기 : 회전 반대방향으로 이동

㉡ 감자 작용이 발생한다.

㉢ 국부적으로 섬락이 발생한다.

㉣ 주자속이 감소한다.

050 ★★★

ANSWER ② 유도제동

유도 전동기의 제동법

㉠ 발전제동 : 1차측에 전원을 공급하여 발전기로 동작시킨 후 발생된 전력을 저항에서 열로 소비시키는 방법

㉡ 유도제동 : 역상제동의 상태를 크레인이나 권상기의 강하 시에 이용하고 속도제한을 목적으로 사용하는 제동방법

㉢ 회생제동 : 유도전동기를 유도 발전기로 동장시켜 그 발생 전력을 이용하는 제동방법. 크레인이나 언덕길을 운전하는 전기 기관차에 사용된다.

㉣ 단상제동 : 1차측을 단상교류로 여자하고 2차측에 적당한 크기의 저항을 넣어 전동기의 회전과 역방향의 토크가 발생으로 제동하는 방법이다.

051 ★★★

ANSWER ② 과부하 내량이 크다.

단락비가 큰 기기의 특징

㉠ 동기임피던스가 작아 단락 시 단락전류가 크다.

㉡ 전기자반작용이 작다.

㉢ 전압변동률이 작다.

㉣ 공극이 크다.

㉤ 과부하 내량이 크며 안정도가 높다.

㉥ 철손이 크다.

㉦ 효율이 낮다.

㉧ 가격이 높다.

㉨ 송전선의 충전용량이 크다.

052 ★★

ANSWER ④ 99

MATH 19단원 호도법과 육십분법

SCR(사이리스터) 위상 제어

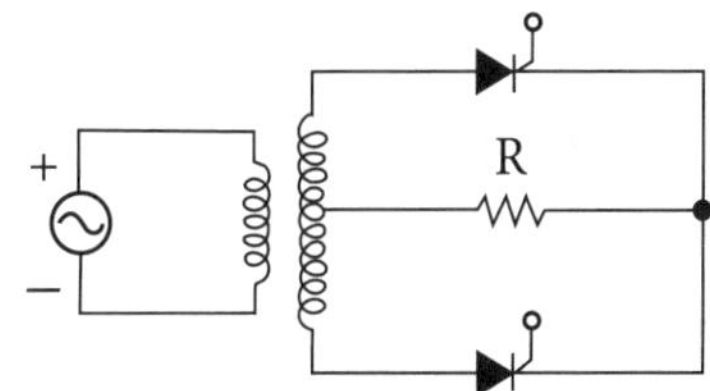

$$E_d = \frac{2\sqrt{2}E}{\pi}\left(\frac{1+\cos\alpha}{2}\right)$$

$$= 0.9E\left(\frac{1+\cos\alpha}{2}\right)[\mathrm{V}]$$ 에서

$$E_{d\alpha} = \frac{\sqrt{2}}{\pi} \times 220 \times (1+\cos 90°)$$

$$= 99.03[\mathrm{V}]$$

053 ★★

ANSWER ② 전압제어법

직류전동기의 속도 제어법 비교

구분	제어 특성	특징
계자 제어법	정출력 제어	속도제어 범위가 좁다
전압 제어법	• 정토크 제어 • 워드 레오나드, 일그너 방식	• 제어 범위가 넓다 • 손실이 매우 적다 • 설비비가 많이 든다
직렬 저항법		효율이 나쁘다

054 ★★

ANSWER ② 주좌 변압기

1차 3150[V], 2차 210[V]

T좌 변압기

1차 $3150 \times \frac{\sqrt{3}}{2}$[V], 2차 210[V]

STEP1 스코트 결선

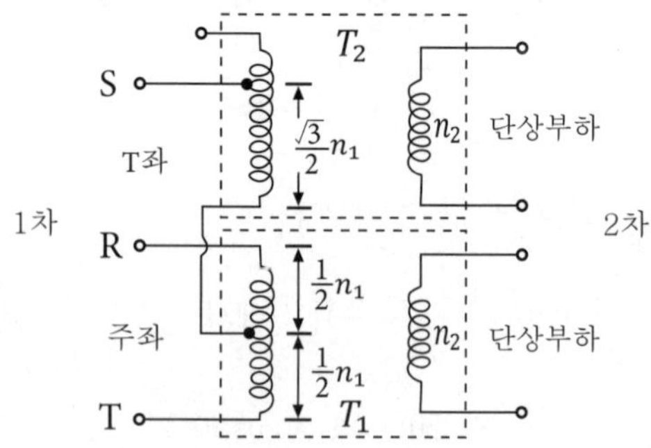

여기서 스코트 결선은 3상에서 2상으로 변환하는 방법으로 주변압기 T_1의 1차 권선의 $\frac{1}{2}$이 되는 점($\frac{1}{2}n_1$)에서 탭을 인출하여 T좌 변압기 T_2의 한단자에 접속하고 T좌 변압기의 $\frac{\sqrt{3}}{2}$ 되는 점 ($\frac{\sqrt{3}}{2}n_1$)에서 탭을 인출하여 전원 전압을 공급하는 방식이다.

STEP2 주좌 변압기, T좌 변압기

주좌 변압기 : 1차 3150[V], 2차 210[V]

T좌 변압기 : 1차 $3150 \times \frac{\sqrt{3}}{2}$[V], 2차 210[V]

055 ★★

ANSWER ① 농형 유도전동기에 이용된다.

STEP1 권선형 유도전동기 저항제어법

㉠ 구조가 간단하고 조작이 용이하다.

㉡ 비례추이 식 : $\frac{r_2}{s} = \frac{r_2 + R}{s'}$ 을 이용한 방법이다.

㉢ 권선형 유도전동기에서 사용하는 방법이다.

㉣ 최대 토크는 불변, 최대 토크의 발생 슬립은 변화

㉤ 저항을 이용하므로 열이 발생하여 온도변화가 크다.

TIP !

비례추이

권선형 유도 전동기의 회전자 외부에 접속시킨 2차 외부회로 저항의 크기를 조정하면 최대 토크의 크기는 그대로 유지하면서 slip(속도)이 2차 회로의 저항에 비례하여 이동하게 되는 현상. 2차측에 저항을 넣는 이유는 기동전류 감소와 기동토크 증대이다.

056 ★★

ANSWER ② 단자전압 – 계자전류

직류발전기의 특성곡선

구분	횡축	종축	조건
무부하 포화 곡선	I_f (계자전류)	$V(=E)$	$n=$ 일정, $I=0$
외부 특성 곡선	I (부하전류)	V (단자전압)	$n=$ 일정, $R_f=$ 일정
내부 특성 곡선	I	E (유도기전력)	$n=$ 일정, $R_f=$ 일정
부하 특성 곡선	I_f	V	$n=$ 일정, $I=$ 일정
계자 조정 곡선	I	I_f	$n=$ 일정, $V=$ 일정

057 ★★★

ANSWER ④ 기동보상기법은 최종속도 도달 후에도 기동보상기가 계속 필요하다.

기동 보상기법

㉠ 3상 단권 변압기를 이용하여 전동기에 인가되는 기동전압을 감소시킴으로써 기동전류를 감소시키는 기동방식을 용도에 따라 선택한다. 기동보상기의 탭전압은 보통 500[V], 30[HP]이 넘는 것에는 50%, 60%, 80%의 3종이 사용된다.

㉡ 기동보상기법은 최종속도에 도달 후 전동기에 전전압이 가해지고 동시에 기동보상기는 회로에서 끊긴다.

058 ★★★

ANSWER ② 35

STEP1 **변압기의 m 부하일 때 최대효율조건**

철손$(P_i) = m^2 \times$ **동손**(P_c)

STEP2 m

$m^2P_c = P_i$ 에서 $m = \sqrt{\dfrac{P_i}{P_c}} = \sqrt{\dfrac{1}{2}} = 0.707$

STEP3 **출력을 구한다.**

출력 $P = 0.707 \times 50 = 35.4[\text{kVA}]$

059 ★

ANSWER ④ 여자권선 없이 동기속도로 회전하는 전동기

반작용 전동기

여자권선은 없고 자극만 있는 회전자를 가진 동기 전동기이다. 출력이 작고, 역률이 낮지만 직류 전원을 필요하지 않아 구조가 간단하다.

060 ★★

ANSWER ② 314

MATH **23단원 유리식**

STEP1 **동기화력**

$P_s(\text{동기화력}) = \dfrac{E^2}{2x_s}\sin\delta\,[\text{W}]$

STEP2 **대입한다.**

$$P_s = \frac{E^2}{2x_s}\sin\delta = \frac{\left(\frac{3300}{\sqrt{3}}\right)^2}{2\times 5}\sin 60^\circ \times 10^{-3}$$
$$= 314.37\,[\text{kW}]$$

제4과목 | 회로이론

061 ★★★

ANSWER ① 4.2

MATH **22단원 삼각함수 특수공식**

STEP1 **역률 개선 콘덴서 용량**

$Q = P(\tan\theta_1 - \tan\theta_2)$에서 개선후 역률

$\cos\theta_2 = 1$이므로($\because 1 = 100[\%]$)

$$\tan\theta_2 = \frac{\sin\theta_2}{\cos\theta_2} = \frac{\sqrt{1^2 - \cos^2\theta_2}}{\cos\theta_2} = 0$$

따라서, 필요한 콘덴서 용량 $Q = P\tan\theta_1$

STEP2 **무효전력**

피상전력 $P_a = 100 \times 30 = 3000 = 3[\text{kVA}]$

유효전력 $P = 1.8[\text{kW}]$이므로

$Q_C = \sqrt{3^2 - 1.8^2} = 2.4[\text{kVar}]$

STEP3 **용량성 리액턴스**

$X_C = \dfrac{V^2}{Q_C}$ 이므로

$$\therefore X_C = \frac{100^2}{2.4\times 10^3} \fallingdotseq 4.2\,[\Omega]$$

$1[\text{kV}] = 1 \times 10^3[\text{V}]$

062 ★★★

ANSWER ③ $\frac{E}{R}e^{-\frac{1}{CR}t}$ 답을 암기할 것

STEP1 RC **직렬회로**

직류전원 인가시 RC 직렬회로의 전류

$$i(t) = \frac{E}{R}e^{-\frac{1}{CR}t}$$

TIP !

아래의 풀이가 정석이나 권장하지 않는다.

다른풀이 미분방정식

STEP1 키르히호프의 제2법칙(KVL)

$$Ri(t) + \frac{1}{C}\int i(t)dt = E$$

STEP2 미분방정식과 일반해

$i(t) = \frac{dq(t)}{dt}$ 이므로

전하량에 대한 미분방정식

$R\frac{dq(t)}{dt} + \frac{1}{C}q(t) = E$ 이고

$\therefore$ 미분방정식 $\frac{dq(t)}{dt} + \frac{1}{RC}q(t) = \frac{E}{R}$ 의

일반해 $q(t) = Ae^{-\frac{1}{RC}t} + CE$

STEP3 초기조건 대입

초기 전하를 $q(0) = 0$을 대입하면

$q(0) = A + CE = 0$이므로 $A = -CE$

$$\therefore q(t) = CE\left(1 - e^{-\frac{1}{RC}t}\right)$$

STEP4 $i(t) = \frac{dq(t)}{dt}$ **대입**

$$\therefore i(t) = \frac{dq(t)}{dt} = \frac{d}{dt}CE\left(1 - e^{-\frac{1}{RC}t}\right)$$
$$= \frac{E}{R}e^{-\frac{1}{RC}t}$$

063 ★

ANSWER ② $y = \frac{4A}{\pi}\left(\sin x + \frac{1}{3}\sin 3x + \frac{1}{5}\sin 5x + \cdots\right)$

그림의 파형이 기함수 이므로 sin파의 합으로 나타난다.

구형파

$$f(x) = \frac{4}{\pi}A\sum_{n=1,3,5,\cdots}^{\infty}\frac{1}{n}\sin(nx)$$
$$= \frac{4A}{\pi}\left(\sin x + \frac{1}{3}\sin 3x + \frac{1}{5}\sin 5x + \cdots\right)$$

064 ★★

ANSWER ④ 90°

MATH **22단원 삼각함수 특수공식**

$i_2 = I_m\cos\omega t = I_m\sin(\omega t + 90°)$이므로,

i_1과 위상차는 90°가 된다.

065 ★★★

ANSWER ③ 5

MATH **25단원 무리식**

$I_3 = \frac{V_3}{Z_3}$ 에서

제3고조파 임피던스

$$Z_3 = \sqrt{R^2 + (3\omega L)^2} = \sqrt{8^2 + 6^2} = 10[\Omega]$$

전압 $V_3 = \frac{50\sqrt{2}}{\sqrt{2}} = 50[V]$이므로

$$\therefore I_3 = \frac{50}{10} = 5[A]$$

066 ★★

ANSWER ③ $2\sin\frac{\pi}{n}$ 답을 암기할 것

대칭 n상 회로 관계

Y결선(성형 결선)

전압 : $E_l = 2\sin\frac{\pi}{n}E_p\angle\frac{\pi}{2}\left(1 - \frac{2}{n}\right)$

067 ★★

ANSWER ④ $r_1 = 24, r_2 = 12$

MATH 10단원 비례 반비례 비례식

$$I=\frac{E}{R_t}=\frac{48}{R_t}=4[\text{A}] \rightarrow R_t = \frac{48}{4} = 12[\Omega]$$

합성저항

$$R_t = 4 + r_1 \,|\, r_2$$

$$R_t = 4 + \frac{r_1 r_2}{r_1 + r_2} = 12[\Omega] \cdots\cdots\cdots ①$$

전류비가 1:2이므로

$r_1 : r_2 = 2:1 \rightarrow r_1 = 2r_2 \cdots\cdots ②$

②를 ①에 대입하여 정리하면

$$R_t = 4 + \frac{2r_2 \cdot r_2}{2r_2 + r_2} = 12 \rightarrow \frac{2}{3}r_2 = 8$$

$\therefore r_1 = 24[\Omega], r_2 = 12[\Omega]$

068 ★★★

ANSWER ③ $\dfrac{R_2(R_1 + Ls)}{R_1R_2 + R_1Ls + R_2Ls}$

MATH 23단원 유리식

STEP1 라플라스계의 회로

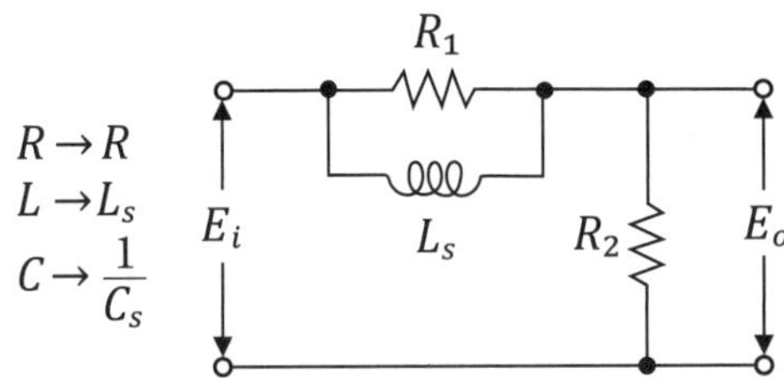

STEP2 전달함수

$$G(s) = \frac{E_o(s)}{E_i(s)} = \frac{R_2}{R_2 + \dfrac{R_1Ls}{R_1 + Ls}}$$

$$= \frac{R_2}{\dfrac{R_1R_2 + R_2Ls + R_1Ls}{R_1 + Ls}}$$

$$= \frac{R_1R_2 + R_2Ls}{R_1R_2 + R_1Ls + R_2Ls}$$

$$= \frac{R_2(R_1 + Ls)}{R_1R_2 + R_1Ls + R_2Ls}$$

069 ★★★

ANSWER ① 57.7

$$\text{출력비} = \frac{P_V}{P_\Delta} = \frac{\sqrt{3}P_1}{3P_1} = \frac{1}{\sqrt{3}} \fallingdotseq 0.577 = 57.7[\%]$$

070 ★★★

ANSWER ② $I_0 + a^2I_1 + aI_2$

$I_b = I_0 + a^2I_1 + aI_2$

071 ★★★

ANSWER ① 10.4

$V = \sqrt{V_0^2 + V_1^2 + V_2^2 + \cdots + V_n^2}$ 에서

직류분 $V_0 = 3[\text{V}]$

기본파 $V_1 = \dfrac{10\sqrt{2}}{\sqrt{2}} = 10[\text{V}]$

$\therefore V = \sqrt{3^2 + 10^2} \fallingdotseq 10.4[\text{V}]$

072 ★★

ANSWER ③ $\dfrac{3}{2}r$

해석을 위하여 회로를 변형하면 다음과 같다.

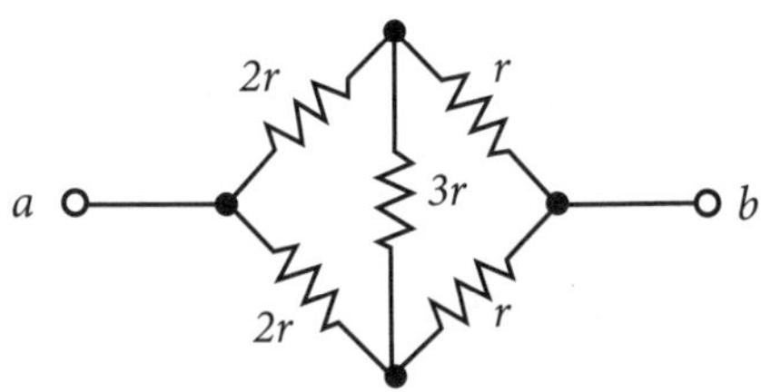

브리지 회로의 평형상태이므로 $3r$ 을 무시하면

$$R = \frac{(2r + r) \times (2r + r)}{(2r + r) + (2r + r)} = \frac{9r^2}{6r}$$

$$= \frac{3}{2}r[\Omega]$$

073 ★★

ANSWER ④ $AB - CD = 1$

$Z_{12} = Z_{21}$

$Y_{12} = Y_{21}$

$H_{12} = -H_{21}$

$AD - BC = 1$

074 ★★★

ANSWER ④ 60

MATH 23단원 유리식

STEP1 Y결선 특징

선간전압 : $V_l = \sqrt{3}\, V_p \angle 30°$

선전류 : $I_l = I_p$

결선 변환 전의 상전류 $I_{p1} = 20[A]$

STEP2 Y-△변환과 1상 저항의 크기

저항을 △접속 시 결선 변환 전 보다 저항 값이

$\frac{1}{3}$ 로 감소하므로 결선 변환 후의 상전류

$$I_{p2} = \frac{V_p}{\frac{1}{3}R} = 20[A]$$

즉, 전류가 3배 증가하므로

∴ 선전류 $I_{l2} = 60[A]$

TIP !

STEP2 에서 △접속한 회로를 Y결선의 등가회로로 보면 다음과 같다.

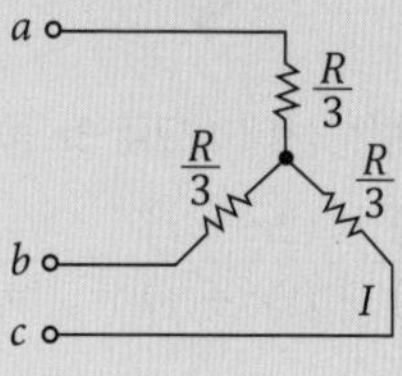

075 ★★

ANSWER ③ $A = 1, B = Z, C = 0, D = 1$

답을 암기할 것

STEP1 4단자 정수

$$A = \frac{V_1}{V_2}\bigg|_{I_2 = 0} = \frac{V_1}{V_1} = 1$$

$$B = \frac{V_1}{I_2}\bigg|_{V_2 = 0} = \frac{ZI_2}{I_2} = Z$$

$$C = \frac{I_1}{V_2}\bigg|_{I_2 = 0} = \frac{0}{V_2} = 0$$

$$D = \frac{I_1}{I_2}\bigg|_{V_2 = 0} \frac{I_2}{I_2} = 1$$

076 ★★

ANSWER ① $\frac{e^{-sT}}{s+1}$

MATH 8단원 인수분해

50단원 라플라스 심화

STEP1 라플라스 변환

$sY(s) + Y(s) = e^{-Ts}X(s)$

STEP2 전달함수

$sY(s) + Y(s) = e^{-Ts}X(s)$

$\rightarrow (s+1)Y(s) = e^{-Ts}X(s)$

∴ 전달함수 $\frac{Y(s)}{X(s)} = \frac{e^{-Ts}}{s+1}$

TIP !

시간추이 정리 $\pounds\,[x(t-T)] = e^{-Ts}X(s)$

077 ★★

ANSWER ③ 4

$X_L = \frac{12}{I_L}$ 에서

$$I_R = \frac{V}{R} = \frac{12}{3} = 4[A]$$

$I_L = \sqrt{I^2 - I_R^2} = \sqrt{5^2 - 4^2} = 3[A]$이므로

$$\therefore X_L = \frac{12}{3} = 4[\Omega]$$

078 ★★

ANSWER ① 18.4

MATH 43단원 e 총정리

RL 직렬회로의 전류(제거시)

$i(t) = \frac{E}{R}e^{-\frac{R}{L}t}$ 이므로

$$i(t) = \frac{200}{4000}e^{-\frac{4000}{5}\times\frac{1}{800}} \fallingdotseq 1.84 \times 10^{-2} = 18.4[\text{mA}]$$

079 ★★★

ANSWER ② $3 + 2e^{-t}$

MATH 24단원 헤비사이드 부분분수

STEP1 헤비사이드 부분분수

$$F(s) = \frac{5s+3}{s(s+1)} = \frac{A}{s} + \frac{B}{s+1}$$

$$A = \left.\frac{5s+3}{s+1}\right|_{s=0} = 3$$

$B = \left.\frac{5s+3}{s}\right|_{s=-1} = 2$ 이므로

$$\therefore F(s) = \frac{3}{s} + \frac{2}{s+1}$$

STEP2 역라플라스 변환

$$\therefore \pounds^{-1}\left[\frac{3}{s} + \frac{2}{s+1}\right] = \pounds^{-1}\left[\frac{3}{s}\right] + \pounds^{-1}\left[\frac{2}{s+1}\right] = 3 + 2e^{-t}$$

TIP !

시간추이 정리 $\pounds^{-1}[F(s+\alpha)] = e^{-\alpha s}f(t)$

고난도

080 ★★

ANSWER ② $\frac{CR}{L}$ 답을 암기할 것

MATH 23단원 유리식

28단원 복소수의 연산

STEP1 합성 어드미턴스

$$Y = Y_1 + Y_2 = \frac{1}{R + j\omega L} + j\omega C = \frac{R}{R^2 + \omega^2 L^2} + j\left(\omega C - \frac{\omega L}{R^2 + \omega^2 L^2}\right)$$

(∵ 분모의 유리화)

STEP2 공진

공진시 합성 어드미턴스의 허수부는 0이므로

㉠ $Y = \frac{R}{R^2 + \omega^2 L^2} + j\left(\omega C - \frac{\omega L}{R^2 + \omega^2 L^2}\right) = \frac{R}{R^2 + \omega^2 L^2}$

㉡ $\omega C - \frac{\omega L}{R^2 + \omega^2 L^2} = 0 \rightarrow$

$\omega C = \frac{\omega L}{R^2 + \omega^2 L^2} \rightarrow R^2 + \omega^2 L^2 = \frac{L}{C}$

STEP3 ㉠에 ㉡ 대입

$$\therefore Y = \frac{R}{R^2 + \omega^2 L^2} = \frac{R}{\frac{L}{C}} = \frac{RC}{L}$$

081 ★★

ANSWER ② 60

고압 가공전선과 안테나의 접근 또는 교차
(한국전기설비규정 332.14)

저압 가공전선 또는 고압 가공전선이 안테나와 접근 상태로 시설 되는 경우에는 다음에 따라야 한다.

㉠ 고압 가공전선로는 고압 보안공사에 의할 것
㉡ 가공 전선과 안테나 사이의 이격거리

사용 전압 부분 공작물의 종류		저압	고압
안테나	일반적인 경우	0.6[m]	0.8[m]
	전선이 고압절연전선	0.3[m]	0.8[m]
	전선이 케이블인 경우	0.3[m]	0.4[m]

082 ★★★

ANSWER ② 20

금속덕트에 넣은 전선의 단면적
(절연 피복의 단면적을 포함한다)의 합계

㉠ 일반적인 경우 : 덕트 내부 단면적의 20[%] 이하
㉡ 전광표시장치 또는 제어회로 만의 배선만을 넣는 경우 : 50[%] 이하

083 ★★★

ANSWER ③ 철탑

지선의 시설(한국전기설비규정 331.11)

㉠ 가공 전선로의 지지물로 사용하는 철탑은 지선을 사용하여 그 강도를 분담시켜서는 안 된다.
㉡ 가공전선로의 지지물로 사용하는 철주 또는 철근콘크리트 주는 지선을 사용하지 않는 상태에서 2분의 1 이상의 풍압하중에 견디는 강도를 가지는 경우 이외에는 지선을 사용하여 그 강도를 분담시켜서는 안 된다.

084 ★

ANSWER ④ 수중에 시설하는 양극(+)과 그 주위 1[m] 이내의 거리에 있는 임의점과의 사이의 전위차는 10[V]를 넘지 말 것

전기부식방지 시설(한국전기설비규정 241.16)

㉠ 전기부식방지용 전원장치에 전기를 공급하는 전로의 사용전압은 저압이어야 한다.
㉡ 전기부식방지용 변압기는 절연 변압기일 것
㉢ 전기부식 방지회로(전기부식방지용 전원장치로부터 양극 및 피방식체까지의 전로를 말한다.)의 사용전압은 직류 60[V] 이하일 것
㉣ 지중에 매설하는 양극의 매설 깊이는 0.75[m] 이상일 것
㉤ 수중에 시설하는 양극과 그 주위 1[m] 이내의 거리에 있는 임의점과의 사이의 전위차는 10[V]를 넘지 아니할 것
㉥ 지표 또는 수중에서 1[m] 간격의 임의의 2점 간의 전위차가 5[V]를 넘지 아니할 것

085 ★★★

ANSWER ③ 5

저압 인입선의 시설(한국전기설비규정 221.1.1)
저압 가공 인입선의 높이

㉠ 도로(차도와 보도의 구별이 있는 도로인 경우에는 차도)를 횡단하는 경우 : 노면상 5[m] (기술상 부득이한 경우에 교통에 지장이 없을 때에는 3[m]) 이상
㉡ 철도 또는 궤도를 횡단하는 경우 : 레일면상 6.5[m] 이상
㉢ 횡단보도교 위에 시설하는 경우 : 노면상 3[m] 이상

086 ★★★

ANSWER ① 2

특고압 가공 전선과 식물의 이격거리 (한국전기설비규정 333.30)

사용전압의 구분	이격거리
60[kV]이하	2[m]
60[kV]초과	• 이격거리 = 2 + 단수 × 0.12[m] • 단수 = $\frac{(\text{전압}[kV] - 60)}{10}$ 단수 계산에서 소수점 이하는 절상

087 ★★★

ANSWER ④ 출력 2000[kVA] 특고압용 변압기의 온도가 현저히 상승한 경우

상주감시를 하지 아니하는 변전소의 시설 (한국전기설비규정 351.9)

다음의 경우에는 변전제어소 또는 기술원이 상주하는 장소에 경보장치를 시설할 것

㉠ 운전조작에 필요한 차단기가 자동적으로 차단한 경우

㉡ 주요변압기의 전원측 전로가 무전압으로 된 경우

㉢ 제어회로의 전압이 현저히 저하한 경우

㉣ 출력 3,000[kVA]를 초과하는 특고압용 변압기는 그 온도가 현저히 상승한 경우

㉤ 특고압용 타냉식 변압기는 그 냉각장치가 고장난 경우

㉥ 조상기는 내부에 고장이 생긴 경우

㉦ 수소 냉각식 조상기는 그 조상기 안의 수소의 순도가 90[%] 이하로 저하한 경우, 수소의 압력이 현저히 변동한 경우 또는 수소의 온도가 현저히 상승한 경우

088 ★

ANSWER ③ 동기검정장치

계측장치(한국전기설비규정 351.6)

동기발전기를 시설하는 경우에는 동기검정장치를 시설하여야 한다. 다만, 동기발전기의 용량이 그 발전기를 연계하는 전력계통의 용량과 비교하여 현저히 적은 경우에는 그러하지 아니하다.

089 ★★★

ANSWER ② 2.3

발전소 등의 울타리·담 등의 시설 (한국전기설비규정 351.1)

사용전압의 구분	울타리·담 등의 높이와 울타리·담 등으로부터 충전 부분까지의 거리의 합계
35[kV]이하	3[m]
35[kV]초과 160[kV]이하	6[m]
160[kV]초과	• 거리의 합계 = 6 + 단수 × 0.12[m] • 단수 = $\frac{\text{전압}[kV] - 160}{10}$ 단수 계산에서 소수점 이하는 절상

• 단수 $= \frac{345 - 160}{10} = 18.5 \rightarrow 19$단

• 이격거리 + 울타리 높이
$= 6 + 19 \times 0.12 = 8.28[m]$

• 울타리높이 $= 8.28 -$ 이격거리
$= 8.28 - 5.98 = 2.3[m]$

090 ★★

ANSWER ② 케이블 트레이의 안전율은 1.25 이상이어야 한다.

케이블트레이 공사(한국전기설비규정 232.41)

㉠ 케이블트레이의 안전율은 1.5 이상으로 하여야 한다.

㉡ 금속재의 것은 적절한 방식 처리를 한 것이거나 내식성 재료의 것이어야 한다.

㉢ 비금속제 케이블 트레이는 난연성 재료의 것이어야 한다.

㉣ 금속제케이블 트레이계통은 기계적 및 전기적으로 완전하게 접속하여야 하며 금속제트레이는 접지공사를 하여야 한다.

㉤ 전선의 피복 등을 손상시킬 돌기 등이 없이 매끈하여야 한다.

091 ★★

ANSWER ④ 400

특고압 가공 전선로 첨가설치 통신선에 직접 접속하는 옥내 통신선의 시설 (한국전기설비규정 362.7)

특고압 가공 전선로의 지지물에 시설하는 통신선(광섬유케이블을 제외한다) 또는 이에 직접 접속하는 통신선 중 옥내에 시설하는 부분은 400[V] 초과의 저압옥내 배선시설에 준하여 시설하여야 한다.

092 ★★

ANSWER ② 200

특고압 보안공사(한국전기설비규정 333.22)

제2종 특고압 보안공사 시 경간은 표에서 정한 값 이하일 것

지지물의 종류	표준 경간	제2종 특고압 보안공사
목주·A종 철주 또는 A종 철근 콘크리트주	150[m]	100[m]
B종 철주 또는 B종 철근 콘크리트주	250[m]	200[m]
철탑	600[m]이하 (단주인 경우 400[m])	400[m] (단주인 경우 300[m])

093 ★★★

ANSWER ② 2.8

가공 전선로 지지물의 기초의 안전율 (한국전기설비규정 331.7)

가공전선로의 지지물에 하중이 가하여지는 경우에 그 하중을 받는 지지물의 기초의 안전율은 2(이상 시 상정하중에 대한 철탑의 기초에 대하여는 1.33) 이상이어야 한다. 다만, 다음에 따라 시설하는 경우에는 적용하지 않는다.

설계하중 / 전장	6.8[kN] 이하	6.8[KN] 초과~ 9.8[kN] 이하	9.8[KN] 초과~ 14.72[kN] 이하
15[m]이하	전장× 1/6[m] 이상	전장×1/6 +0.3[m] 이상	전장×1/6+ 0.5[m]이상
15[m]초과	2.5[m] 이상	2.8[m] 이상	-
16[m]초과 20[m]이하	2.8[m] 이상	-	-
15[m]초과 18[m]이하	-	-	3[m]이상
18[m]초과	-	-	3.2[m]이상

094 ★

ANSWER ④ 전원측에 강화절연을 한 의료용 절연변압기를 설치하고 그 2차측 전로는 접지한다.

의료장소의 안전을 위한 보호설비 (한국전기설비규정 242.10.3)

그룹 1 및 그룹 2의 의료 IT 계통은 다음과 같이 시설할 것

㉠ 전원측에 따라 이중 또는 강화 절연을 한 비단락 보증 절연 변압기를 설치하고 그 2차측 전로는 접지하지 말 것

㉡ 비단락 보증절연 변압기의 2차측 정격전압은 교류 250[V] 이하로 하며 공급방식 및 정격출력은 단상 2선식, 10[kVA] 이하로 할 것

㉢ 비단락보증 절연변압기의 과부하 및 온도를 지속적으로 감시하는 장치를 적절한 장소에 설치할 것

㉣ 의료 IT 계통의 절연저항을 계측지시 하는 절연감시 장치를 설치하여 절연저항이 50[kΩ]까지 감소하면 표시 설비 및 음향설비로 경보를 발하도록 할 것

095 ★

ANSWER ③ 300

1[kV] 이하 방전등(한국전기설비규정 234.11)

관등회로의 사용전압이 1[kV] 이하인 방전등에 전기를 공급하는 전로의 대지전압은 300[V] 이하로 하여야 한다.

096 ★

ANSWER ③ 인장강도 1.2[kN] 이상의 인입용 비닐절연전선

저압 인입선의 시설(한국전기설비규정 221.1.1)

저압 가공인입선은 다음에 따라 시설하여야 한다.

㉠ 전선은 절연 전선 또는 케이블일 것

㉡ 전선이 절연전선인 경우

① 경간이 15[m] 초과 : 인장강도 2.30[kN] 이상의 것 또는 지름 2.6[mm] 이상의 인입용 비닐 절연전선일 것

② 경간이 15[m] 이하 : 인장강도 1.25[kN] 이상의 것 또는 지름 2[mm] 이상의 인입용 비닐 절연전선일 것

㉢ 전선이 옥외용 비닐 절연 전선인 경우에는 사람이 접촉 할 우려가 없도록 시설할 것

097 ★★

ANSWER ② 4

고압 가공전선로의 가공지선 (한국전기설비규정 332.6)

고압 가공전선로에 사용하는 가공지선은 인장강도 5.26[kN] 이상의 것 또는 지름 4[mm] 이상의 나경동선을 사용한다.

출제기준 변경 및 개정된 관계 법규에 따라 삭제된 문제가 있어 20문항이 안됩니다.

2017년 3회

엔지니오 과년도 기출문제집

2016

2016년 1회

제1과목 | 전기자기학

001 ★★★

ANSWER ① $f=\frac{1}{2}\left(\frac{1}{\epsilon_2}-\frac{1}{\epsilon_1}\right)D^2$의 힘이 ϵ_1에서 ϵ_2로 작용 답을 암기할 것

STEP1 전계가 경계면에 수직일 때 유전체에 작용하는 힘($\epsilon_1>\epsilon_2$인 경우)

$$f=\frac{D^2}{2}\left(\frac{1}{\epsilon_2}-\frac{1}{\epsilon_1}\right)[\mathrm{N/m^2}]$$

이때, 힘의 방향은 유전율이 큰 쪽 → 작은 쪽

즉, ϵ_1에서 ϵ_2로 작용한다.

002 ★★

ANSWER ③ 29.6

MATH 1단원 SI 접두어 단위
21단원 삼각함수의 그래프

STEP1 옴의 법칙

$$I=\frac{V}{R}[\mathrm{A}]$$

이때, 전압 V는 코일의 유기 기전력의 최댓값으로 대체한다.

STEP2 유기 기전력

$$e=\omega NBS\sin(\omega t)[\mathrm{V}]$$

$$=2\pi f\times \mathrm{NB}\times \pi r^2\times \sin(\mathrm{wt})$$

⇒ 최대값 : $2\pi f\times NB\times \pi r^2$

$$=2\pi\times\frac{1800}{60}\times 1000\times 0.5\times\pi\times(10\times 10^{-2})^2$$

$$≒2960[\mathrm{V}]$$

STEP3 대입

$$I=\frac{V}{R}≒\frac{2960}{100}=29.6[\mathrm{A}]$$

TIP !
$\sin(\omega t)$의 최댓값은 1
($\because \sin 90°=1$)

003 ★

ANSWER ③ 16

MATH 1단원 SI 접두어 단위

STEP1 정전에너지의 단위

$$1[\mathrm{eV}]=1.6\times 10^{-19}[\mathrm{J}]$$

STEP2 대입

$$10^{20}[\mathrm{eV}]=10^{20}\times 1.6\times 10^{-19}=16[\mathrm{J}]$$

고난도

004 ★

ANSWER ④ 4배로 된다. 답을 암기할 것

MATH 10단원 비례, 반비례, 비례식

39단원 삼각함수,

e^x 그리고 지수함수의 미분

STEP1 페러데이 법칙

유도 기전력은 쇄교하는 자속의 시간적 변화율에 비례한다.

$$e = -N\frac{d\phi}{dt}$$

STEP2 자속정의 및 미분

자속을 정현파로 $\phi = \phi_m \sin\omega t$정의한다.

또한, 최대자속 $\phi_m = BS$ 이므로

$$\begin{aligned}\therefore e &= -N\frac{d\phi}{dt} = -N\frac{d}{dt}\{\phi_m \sin(\omega t)\}\\ &= -N\phi_m\frac{d}{dt}\{\sin(\omega t)\}\\ &= -N\phi_m\{\omega\cos(\omega t)\}\\ &= -\omega N\phi_m\cos(\omega t)\\ &= -2\pi fNBS\cos(\omega t)\end{aligned}$$

– 부호는 벡터의 방향이므로 크기만 비교하면 $2\pi f NBS\cos(\omega t)$로 정의할 수 있다.

STEP3 비례 관계

즉, $|e| = 2\pi f NBS\cos(\omega t)$[V]이므로

유기기전력은 주파수에 비례($e \propto f$)하고, 코일 면적에 비례($e \propto S$)한다.

따라서, $2 \times 2 = 4$배가 된다.

005 ★★

ANSWER ③ -35.4×10^{-12}

MATH 40단원 합성함수와 편미분

STEP1 전위와 전하 밀도의 관계식

포아송 방정식(Poisson's equation)

전하 밀도 ρ가 공간적으로 분포하고 있을 때, 그 내부의 임의의 점에서 전위를 결정하는 식

$$\begin{aligned}\nabla^2 V &= \frac{\partial^2 V}{\partial x^2} + \frac{\partial^2 V}{\partial y^2} + \frac{\partial^2 V}{\partial z^2}\\ &= \frac{\partial^2}{\partial x^2}(x^2+y^2) + \frac{\partial^2}{\partial y^2}(x^2+y^2)\\ &= 2+2 = 4 = \frac{\rho}{\epsilon_0}\end{aligned}$$

STEP2 전하밀도 구하기

$$\begin{aligned}\rho &= -4\epsilon_0 = -4 \times (8.855 \times 10^{-12})\\ &= -35.42 \times 10^{-12}\\ &= -35.4 \times 10^{-12}[\mathrm{C/m^3}]\end{aligned}$$

TIP!

공기중의 유전율 $\epsilon_0 = 8.855 \times 10^{-12}$

$$4\pi\epsilon_0 = \frac{1}{9 \times 10^9}$$

$$\epsilon_0 = \frac{1}{4\pi \times 9 \times 10^9}$$

006 ★★

ANSWER ② $\frac{I}{2a}\sin^3\theta$ 답을 암기할 것

STEP1 원형 전류에서의 자계의 세기

- 전류 중심: $H_0 = \frac{I}{2a}$[AT/m]
- 점 P 에서 자계의 세기:

$$H_x = \frac{I}{2a}\sin^3\theta = \frac{a^2 I}{2(a^2+x^2)^{3/2}}[\mathrm{AT/m}]$$

고난도

007 ★

ANSWER ④ $\frac{d}{2}$ 지점 답을 암기할 것

MATH 37단원 미분의 정의

STEP1 특정 위치에서의 전계의 세기

직선 도체에 대한 전계의 세기

$$E = \frac{q}{2\pi\epsilon_0 x}[\text{V/m}]$$

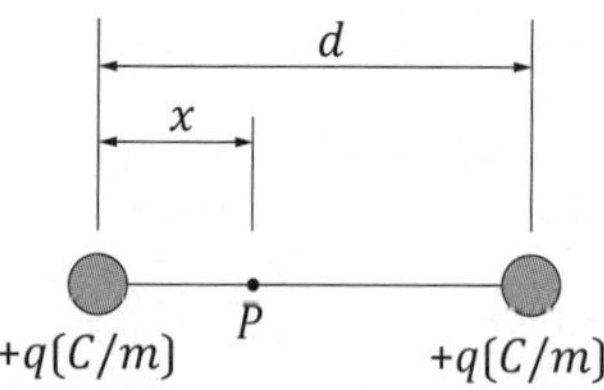

따라서, 임의의 점 P에서의 전계의 세기는 다음과 같다.

$$E = \frac{q}{2\pi\epsilon_0 x} - \frac{q}{2\pi\epsilon_0(d-x)}[\text{V/m}]$$

STEP2 최소가 되는 지점 구하기

전계의 세기의 미분을 통해서 최소가 되는 지점을 구한다.

$$\frac{dE}{dx} = \frac{d}{dx}\left(\frac{q}{2\pi\epsilon_0 x} - \frac{q}{2\pi\epsilon_0(d-x)}\right)$$
$$= \frac{q}{2\pi\epsilon_0}\frac{d}{dx}\left(\frac{1}{x} - \frac{1}{d-x}\right)$$
$$= \frac{q}{2\pi\epsilon_0}\left(-\frac{1}{x^2} + \frac{1}{(d-x)^2}\right)$$
$$= \frac{q}{2\pi\epsilon_0}\left(\frac{-d^2+2dx}{x^2(d-x)^2}\right) = 0$$

즉, $+2dx - d^2 = 0$이 되는 x를 찾는다.

$$2dx = d^2, x = \frac{d}{2}$$

008 ★★

ANSWER ③ $\sqrt{377P}$

STEP1 포인팅벡터

포인팅벡터(Poynting vector)

전자계 내의 한 점을 통과하는 에너지 흐름의 단위 면적당 전력 또는 전력 밀도를 표시하는 벡터

$$P = E_e \times H_e = \frac{E_e^2}{\eta_0}[\text{W/m}^2]$$

즉, 전계의 세기는 다음과 같다.

$$E_e = \sqrt{\eta_0 P} = \sqrt{\frac{\mu_0}{\epsilon_0}P} = \sqrt{377P}[\text{V/m}]$$

009 ★

ANSWER ② $-Q$

STEP1 전기영상법

전기 영상법(Electric image method)

도체의 전하 분포 및 경계조건을 교란하지 않는 전하를 가상함으로써 간단히 도체 주위의 전계를 해석하는 방법

해석법

점전하 Q가 점(0, 0, h)에 위치할 때, $z < 0$의 도체를 공기로 대체점(0, 0, −h)에 점전하 −Q를 추가한다.

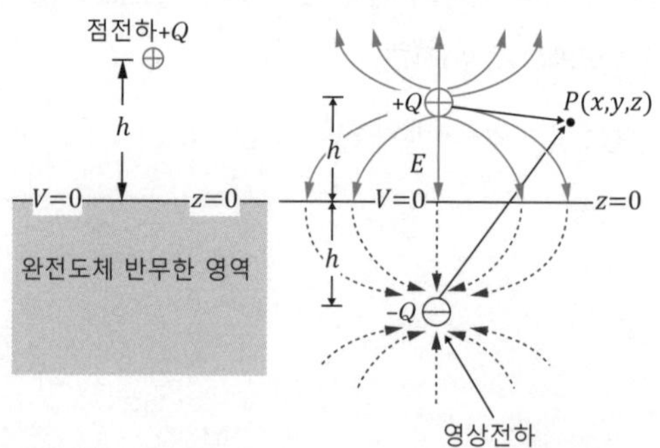

따라서, 해석법을 이용하면, 무한 평면도체를 기준으로 점전하 $+Q$, 반대편에 영상전하 $-Q$가 생성된다.

010 ★

ANSWER ④ $\frac{Pw}{4\pi\mu_0}$ 답을 암기할 것

STEP1 자기 이중층(판자석)에 대한 P점의 자위

$$U_P = \pm\frac{Pw}{4\pi\mu_0}[\mathrm{A}](+:\mathrm{N}\text{극 기준}, -:\mathrm{S}\text{극 기준})$$

이때, 자위는 기준 극을 설정하지 않았기 때문에, 자위의 크기가 답이다.

$$U_P = \frac{Pw}{4\pi\mu_0}[\mathrm{A}]$$

011 ★★

ANSWER ① $\mu_0 evH$

MATH 21단원 삼각함수의 그래프

STEP1 자기력에서의 힘

$F_H = evB\sin\theta = ev\mu H\sin\theta[\mathrm{N}]$

이때, 자계와 전자간의 각도가 수직이므로,

$\sin\theta = \sin\frac{\pi}{2} = 1$

$F = ev\mu H\sin\theta = ev\mu H = ev\mu_0 H[\mathrm{N}]$

012 ★

ANSWER ② 5

MATH 23단원 유리식

STEP1 판상 유전체의 전위와 두께 관계

전위 $V = Ed\,[\mathrm{V}]$

즉, 두께는 $\frac{V}{E} = d = \frac{150}{3\times10^4}$

$= 5\times10^{-3}[\mathrm{m}] = 5[\mathrm{mm}]$

고난도

013 ★★

ANSWER ② $l_0 = \frac{l}{\mu_r}$

MATH 23단원 유리식

STEP1 자기저항

자기저항(리액턴스)

$$R_m = \frac{F}{\Psi} = \frac{Hl}{\mu Hs} = \frac{l}{\mu S}[\mathrm{AT/Wb}]$$

이때, 자기저항은 공극 부분과 철심 부분의 저항의 합으로 나타난다.

공극 부분의 자기저항 $R_1 = \frac{l_0}{\mu_0 S}[\mathrm{AT/Wb}]$

철심 부분의 자기저항 $R_2 = \frac{l}{\mu S}[\mathrm{AT/Wb}]$

즉, 자기저항

$$R_m = \frac{l_0}{\mu_0 S} + \frac{l}{\mu S} = \left(\frac{\mu_r l_0}{l} + 1\right)R_2 = \left(\frac{\mu l_0}{\mu_0 l} + 1\right)R_2[\mathrm{AT/Wb}]$$

STEP2 비교

기존의 자기저항의 2배가 될 때의 공극의 길이를 구한다.

$$R_m = \left(\frac{\mu l_0}{\mu_0 l} + 1\right)R_2 = 2R_2[\mathrm{AT/Wb}]$$

$$\Rightarrow \frac{\mu l_0}{\mu_0 l} + 1 = 2,\ \mu l_0 = \mu l_0,\ l_0 = \frac{\mu_0 l}{\mu} = \frac{l}{\mu_r}$$

2016년 1회

014 ★★

ANSWER ② $\dfrac{Q^2}{32\pi^2\epsilon_0 a^4}$ 　　답을 암기할 것

MATH 유리식

STEP1 정전응력

정전응력: $f=\dfrac{1}{2}DE=\dfrac{1}{2}\epsilon E^2[\mathrm{N/m^2}]$

STEP2 구체 표면에서의 전계의 세기

$$E=\frac{Q}{4\pi\epsilon_0 a^2}[\mathrm{V/m}]$$

STEP3 대입

$$f=\frac{1}{2}DE=\frac{1}{2}\epsilon E^2=\frac{1}{2}\epsilon_0\left(\frac{Q}{4\pi\epsilon_0 a^2}\right)^2$$

$$=\frac{1}{2}\epsilon_0\frac{Q^2}{16\pi^2\epsilon_0^2 a^4}=\frac{Q^2}{32\pi^2\epsilon_0 a^4}[\mathrm{N/m^2}]$$

015 ★

ANSWER ② 3.14×10^{-10}

MATH 02단원 문자와 식

23단원 유리식

STEP1 옴의 법칙

$$I=\frac{V}{R}$$

STEP2 전기 저항

$$RC=\epsilon\rho,\ R=\frac{\epsilon\rho}{C}=[\Omega]$$

STEP3 동심구의 정전용량

$$C_{ab}=\frac{4\pi\epsilon}{\frac{1}{a}-\frac{1}{b}}=\frac{4\pi\epsilon_0\epsilon_s}{\frac{1}{0.2}-\frac{1}{0.5}}[\mathrm{F}]$$

STEP4 대입

$$RC=\epsilon\rho,\ R=\frac{\epsilon\rho}{C}=\frac{\epsilon_0\epsilon_s\rho}{\dfrac{4\pi\epsilon_0\epsilon_s}{\frac{1}{0.2}-\frac{1}{0.5}}}$$

$$=\frac{\rho}{4\pi}\left(\frac{1}{0.2}-\frac{1}{0.5}\right)[\Omega]$$

$$I=\frac{V}{R}=\frac{150}{\frac{\rho}{4\pi}\left(\frac{1}{0.2}-\frac{1}{0.5}\right)}=\frac{4\pi\times150}{\rho\left(\frac{1}{0.2}-\frac{1}{0.5}\right)}$$

$$=\frac{4\pi\times150}{2\times10^{12}\times\left(\frac{1}{0.2}-\frac{1}{0.5}\right)}=3.14\times10^{-10}[\mathrm{A}]$$

016 ★

ANSWER ① 진전하만이다.

가우스 정리

$\nabla\cdot D=\epsilon\nabla\cdot E=\rho$

(공간에 전하가 있을 때 전계는 발산한다. 고립된 전하는 존재한다.)

즉, 전속밀도의 발산은 진전하 밀도 ρ에 의해서 결정된다.

017 ★★★

ANSWER ① 위상이 서로 같다.

전자파의 특징

전계 E_x(전파, Eelectric wave)와 자계 H_y(자파, Magnetic wave)는 서로 90° 로서 직교하며, 같은 위상으로 진행하고 있는 것을 알 수 있다.

또한, 전파와 자파는 항상 공존하기 때문에 전자파(Electromagnetic wave)라고 한다.

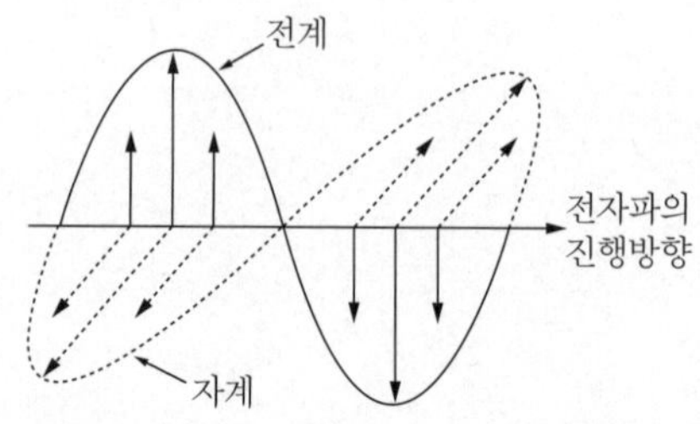

018 ★★★

ANSWER ④ 3000

일정 거리에서의 전계의 세기

진공 중에 점전하 Q[C]이 있고, 거리 r [m]떨어진, 구체 표면 위의 전계의 세기

$$E = \frac{Q}{4\pi\epsilon_0 r^2} = 9 \times 10^9 \times \frac{3 \times 10^{-6}}{3^2}$$
$$= 3000[\mathrm{V/m}]$$

TIP !

공기중의 유전율 $\epsilon_0 = 8.855 \times 10^{-12}$

$$4\pi\epsilon_0 = \frac{1}{9 \times 10^9}$$

$$\epsilon_0 = \frac{1}{4\pi \times 9 \times 10^9}$$

019 ★★

ANSWER ① 전계 에너지가 최소로 되는 전하 분포의 전계이다.

전계

① 전계(전기장, 전장) : 전기력이 미치는 공간을 말한다.

② 정전계 : 전계 에너지가 최소로 되는 전하 분포의 전계

정지된 전하에 의한 전계의 의미를 가진다.

020 ★★

ANSWER ① $Q_1 = Q_2$, 거리 1[m], 작용력 $F = 9 \times 10^9$[N]일 때이다.

STEP1 **쿨롱의 법칙**

$$F = k\frac{Q_1 Q_2}{r^2} = \frac{Q_1 Q_2}{4\pi\epsilon_0 r^2} = \frac{Q_1 Q_2}{r^2} \times 9 \times 10^9[\mathrm{N}]$$

따라서, 거리가 모두1[m]로 같고, 진공 중 전하량이 1[C]로 같은 경우,

$$F = \frac{1 \times 1}{1^2} \times 9 \times 10^9 = 9 \times 10^9[\mathrm{N}]\text{이다.}$$

TIP !

공기중의 유전율 $\epsilon_0 = 8.855 \times 10^{-12}$

$$4\pi\epsilon_0 = \frac{1}{9 \times 10^9}$$

$$\epsilon_0 = \frac{1}{4\pi \times 9 \times 10^9}$$

제2과목 | 전력공학

021 ★★★

ANSWER ③ 선로정수의 평형

연가의 목적

㉠ 선로 정수 평형

㉡ 근접 통신선에 대한 유도장해 감소

㉢ 소호리액터 접지계통에서 중성점의 잔류전압으로 인한 직렬 공진의 방지

㉣ 대지 정전용량, 임피던스 평형

022 ★★

ANSWER ④ 3상 4선식 다중접지

현재 우리나라에서 채택하여 사용되고 있는 전기 공급 방식

- 송전 : 3상 3선식
- 배전 : 3상 4선식

TIP !

3상 4선식 배전방식의 특성

㉠ 다른 배전방식에 비해 큰 전력을 공급할 수 있다.

㉡ 선로사고 시 사고검출이 용이하다.

㉢ 3상 부하(380[V]) 및 단상 부하(220[V])에 동시 전력을 공급할 수 있다.

22.9[kV − Y] 계통에서는 중성점 다중접지를 사용

023 ★★

ANSWER ④ 무부하 시 수전단 전압

전압변동률 ϵ =

$$\frac{\text{무부하시의 수전단 전압} - \text{전부하시의 수전단 전압}}{\text{전부하시의 수전단 전압}} \times 100[\%]$$

$$= \frac{V_{R1} - V_{R2}}{V_{R2}} \times 100[\%]$$

024 ★

ANSWER ② 2500

공칭방전 전류	설치 장소	적용조건
10000[A]	변전소	1. 154[kV] 이상의 계통 2. 66[kV] 및 그 이하의 계통에서 뱅크용량이 3000[kVA]를 초과하거나 특히 중요한 곳 3. 장거리 송전선 케이블(배전선로 인출용 단거리 케이블은 제외) 4. 배전선로 인출측(배전 간선 인출용 장거리 케이블은 제외)
5000[A]	변전소	66[kV] 및 그 이하 계통에서 뱅크 용량이 3000[kVA] 이하인 곳
2500[A]	선로	배전선로

025 ★★★

ANSWER ② 173

변압기 1대의 출력을 P_1라 하면

$V-V$ 결선 시 출력

$P_V = \sqrt{3}\,P_1 = \sqrt{3} \times 100 = 173.2[\text{kVA}]$

026 ★★★

ANSWER ① 직접 접지

구분	비접지 방식	직접 접지 방식	소호리액터 접지방식
1선 지락 시 건전상 전압상승	$\sqrt{3}$ 배 상승	최소	-
기기절연 수준	최고	최소(저감, 단절연)	중간
과도 안정도	크다	최소	최대
1선 지락전류	매우 작다	최대	최소
전자유도장해	매우 작다	최대	최소
보호계전기 동작	불확실	확실	-

027 ★★

ANSWER ② 9800

수력발전소의 출력 공식

$P = 9.8QH\,[\text{kW}]$

(여기서, H : 유효낙차[m], Q : 유량[m^3/s])

$\therefore P = 9.8QH = 9.8 \times 10 \times 100 = 9800[\text{kW}]$

028 ★★

ANSWER ③ 3000

차단기 용량 ≥ 단락용량

$$P_s = \frac{100}{\%Z}P_n = \frac{100}{0.5} \times 15000 \times 10^{-3}[\text{MVA}]$$
$$= 3000[\text{MVA}]$$

029 ★★★

ANSWER ① 역률을 개선한다.

직렬콘덴서의 장·단점

- 장점
  - ㉠ 유도 리액턴스를 보상하고 전압 강하를 감소시킨다.
  - ㉡ 수전단의 전압 변동률을 경감시킨다.
  - ㉢ 최대 송전 전력이 증대하고 정태 안정도가 증대한다.
  - ㉣ 부하 역률이 나쁠수록 효과가 크다.
  - ㉤ 용량이 작으므로 설비비가 저렴하다.
- 단점
  - ㉠ 단락 고장시 콘덴서 양단에 고전압이 걸린다.
  - ㉡ 무부하 변압기에 직렬 콘덴서를 투입하는 경우 선로 전류가 증대한다.
  - ㉢ 고압 배전선에 설치하는 경우 자기 여자 현상이 일어날 경우가 있다.
  - ㉣ 과보상이 되면 동기기에 난조가 생기거나 탈조하는 수가 있다.

역률을 개선하기 위해서는 병렬 콘덴서를 설치하여야 한다.

030 ★

ANSWER ④ 유도 전압조정기

부하 변동이 심한 경우 탭 절환 방식을 채용할 수 없기 때문에 유도 전압 조정기가 많이 채용된다.

031 ★★★

ANSWER ② 차단기

개폐장치 능력

	부하전류 차단	고장전류 차단
차단기	O	O
개폐기	O	X
리클로저	O	O
전력퓨즈	X	O

032 ★★

ANSWER ① 전자유도

전자유도장해

– 지락 사고 시 흐르는 큰 영상전류와 상호 인덕턴스(M)에 의해 전자 유도전압이 상승하여 유도장해가 발생한다.

– 전자유도전압 $E_m = j\omega Ml I_g = j\omega Ml(3I_0)$이므로 영상전류 I_0 및 선로길이(l)에 비례한다.

033 ★★★

ANSWER ① $\frac{1}{2}$

집중부하와 분산부하

구분	전력 손실	전압 강하
말단에 집중 부하	P	V
균등 분포 부하	$\frac{1}{3}P$	$\frac{1}{2}V$

034 ★★

ANSWER ② 2.3

화력 발전소 열효율

$$\eta = \frac{860W}{mH} \times 100[\%]$$

전력량 W로 식을 정리하면

$$W = \frac{mH\eta}{860 \times 100}$$

$$\therefore\ W = \frac{1 \times 5000 \times 40}{860 \times 100} = 2.33[\text{kWh}]$$

035 ★★

ANSWER ④ 전압의 제곱에 반비례한다.

MATH **10단원 비례, 반비례, 비례식**

23단원 유리식

- 전력손실

$$P_l = 3I^2R = 3 \times \left(\frac{P}{\sqrt{3}\,V\cos\theta}\right)^2 \times \rho\frac{l}{A}$$

$$= \frac{P^2\rho l}{V^2\cos^2\theta A}$$

- 전력손실률 $k = \frac{P_l}{P} = \frac{P\rho l}{V^2\cos^2\theta A}$

- 전선단면적 A로 식을 정리하면

$$A = \frac{P\rho l}{kV^2\cos^2\theta}$$

$A \propto \frac{1}{V^2}$ 이므로 전선의 단면적은 전압의 제곱에 반비례한다.

036 ★★★

ANSWER ③ 120

변압기 용량 ≥ 합성 최대 수용 전력

$$= \frac{\text{개별 최대 수용 전력의 합}}{\text{부등률}}$$

$$= \frac{\text{설비 용량}[\text{kW}] \times \text{수용률}}{\text{부등률} \times \text{역률}}$$

$$= \frac{160 \times 0.6}{1 \times 0.8} = 120[\text{kVA}]$$

037 ★★

ANSWER ③ 3선 일괄의 대지 충전 용량과 같다.

MATH **03단원 등식, 방정식**

STEP1

소호리액터 접지방식은 선로의 대지정전용량과 공진하는 리액터를 통하여 접지하는 방식이므로

$I = \frac{E}{2\pi fL} = 2\pi fCE$ 가 된다.

STEP2 **3상 1회선 소호 리액터 용량**

$$P = 3EI = 3E \times 2\pi fCE = 6\pi fCE^2$$

따라서, 소호리액터 용량은 3선 일괄의 대지 충전 용량과 같다.

038 ★★★

ANSWER ③ 400

단락용량

$$P_s = \frac{100}{\%Z}P_n = \frac{100}{25} \times 100 = 400[\text{MVA}]$$

039 ★

ANSWER ② 아크혼 설치

아킹 혼 : 섬락으로부터 애자련의 보호, 애자련의 전압 분포 개선

040 ★

ANSWER ③ 345

전압별 현수애자의 개수

22.9[kV]	66[kV]	154[kV]	345[kV]
2~3	4~6	10~11	18~20

제3과목 | 전기기기

041 ★

ANSWER ① 정류작용은 직류기와 같이 간단히 해결된다.

교류정류자 전동기는 교류로 운전하면서 직류전동기와 같은 특성을 갖는다. 토크의 변화에 대한 속도의 변화가 매우 작아 분권전동기의 특성인 정속도 특성을 가진다. 이 전동기는 정류 작용 문제가 직류기보다 더욱 곤란하다.

042 ★★

ANSWER ③ $100\sqrt{3}$

MATH 22단원 삼각함수 특수공식
25단원 무리식

STEP1 변압기 저압측 전류

변압기 출력식 $P = \sqrt{3}\,V_2 I_2$ 에서 전류를 구하면

$$I_2 = \frac{P}{\sqrt{3}\,V_2} = \frac{100 \times 10^3}{\sqrt{3} \times 200} = \frac{500}{\sqrt{3}}[\mathrm{A}]$$

STEP2 선전류의 무효분

선전류의 무효분

$$I_q = \frac{500}{\sqrt{3}} \times \sqrt{1 - 0.8^2} = \frac{300}{\sqrt{3}} = 100\sqrt{3}[\mathrm{A}]$$

043 ★★★

ANSWER ① 항상 일정하다.

최대토크는 $T_m = k\dfrac{E_2^2}{2x_2}[\mathrm{N \cdot m}]$이므로 2차 저항과 무관하다.

최대토크를 발생하는 슬립

$$s_{Tm} = \frac{r_2'}{\sqrt{r_1^2 + (x_1 + x_2')^2}} \fallingdotseq \frac{r_2}{x_2}$$ 이므로

2차 저항에 비례한다.

그러므로 3상 유도 전동기의 최대 토크의 크기는 2차 저항 r_2와 슬립 s에 관계없이 일정하다.

044 ★★

ANSWER ④ 속도는 증가

직류전동기의 회전수 : $N = K\dfrac{V - I_a R_a}{\phi}$

여기서 계자 저항이 증가한다는 것은 계자 코일과 직렬로 접속되어 있는 속도 조정기의 저항을 증가시킨다는 것이다. 그래서 여자 전류가 감소하고 계자자속 ϕ도 감소한다.

회전수 $N = K\dfrac{V - I_a R_a}{\phi}$ 에 의해서 속도는 증가하게 된다.

045 ★

ANSWER ② $0 < s < 1$

STEP1 슬립의 범위

- 유도 전동기 : $0 < s < 1$
- 유도 발전기($N_s < N$) : $s < 0$
- 제동기(역회전) : $1 < s < 2$

046 ★

ANSWER ② 위치제어를 할 때 각도 오차가 있고 누적된다.

스텝모터(스테핑 모터)의 특징

① 펄스 구동 방식 전동기이다.

- 펄스 입력으로 제어하므로 가·감속/ 정·역전 변속 용이
- 회전각도 = 스텝각 × 스텝 수(펄스 입력 신호수) : 스텝각 비례, 입력펄스 수 비례
- 속도 제어 범위가 넓어 고속응답, 고출력 가능
- 디지털 신호를 제어 (펄스 구동 방식)할 수 있어, 컴퓨터 등 다른 디지털 기기와 인터페이스가 쉬움

② 위치제어 시 각도 오차 작고 누적이 안됨 (위치제어에 주로 사용됨)

- 정지하고 있을 때 그 위치 유지하는 토크가 큼
- 피드백 루프가 필요 없이 쉽게 위치제어 가능 (오픈 루프 제어)
- 여러 위치에서 정지하거나 해당 위치로부터 기동이 가능

③ 브러시, 슬립링 등이 없고 부품 수가 적어 유지보수 필요성이 적음

047 ★

ANSWER ③ 수소봉입방식

변압기 절연유 절연 열화(aging)

변압기 절연 열화 방지대책

㉠ 콘서베이터(conservator)설치

㉡ 질소 봉입 방식

㉢ 흡착제 방식

TIP !

변압기의 절연유의 열화?

변압기 절연유의 절연열화(aging)의 원인은 외기의 온도변화, 부하의 변화에 따라 내부기름의 온도가 변화하여 기름과 대기압 사이에 차가 생겨 공기가 출입하는 작용으로 호흡작용이라한다. 이에 따라 변압기의 호흡 작용으로 절연유의 절연내력이 저하하고 냉각효과가 감소하는 현상을 절연열화(aging)라 한다.

048 ★★★

ANSWER ② 동기화 리액턴스를 크게 한다.

동기기의 과도 안정도 증가시키는 방법

㉠ 동기화 리액턴스를 작게 한다.

㉡ 회전자의 플라이휠 효과를 크게 한다.

㉢ 속응 여자 방식을 채용한다.

㉣ 발전기의 조속기 동작을 신속히 한다.

㉤ 동기 탈조 계전기를 사용한다.

049 ★★

ANSWER ① 비례한다.

동기속도 $N_s = \dfrac{120f}{p}[\text{rpm}]$이므로 동기속도 N_s는 주파수 f와 비례한다.

050 ★★★

ANSWER ③ 계자극에 영향을 주는 현상

① 전기자 반작용 : 직류기에 부하를 걸어 전기자 권선에 전류를 흘리면 발생된 자속이 공극 내에 주계(계자) 자속에 영향을 미치면서 자속의 분포가 변화하는 현상이다.

② 전기자 반작용의 영향

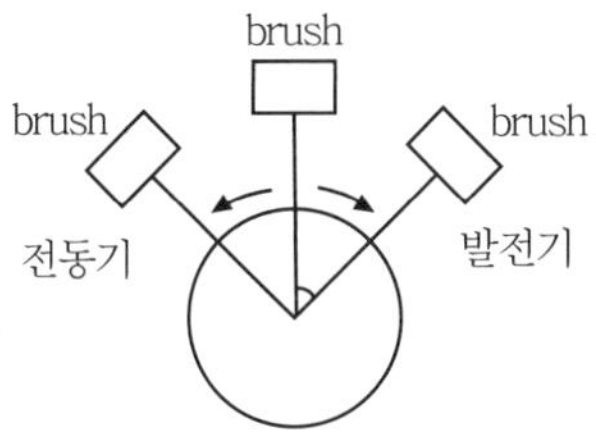

㉠ 전기적 중성축이 이동한다.
- 발전기 : 회전방향으로 이동
- 전동기 : 회전 반대방향으로 이동

㉡ 감자 작용이 발생한다.

㉢ 국부적으로 섬락이 발생한다.

전기적 중성점이 전동기인 경우 회전 반대 방향으로 이동한다.

051 ★★

ANSWER ③ SCS

반도체 소자 정리

(1) 단자별
- 2단자 : DIAC, SSS
- 3단자 : SCR, GTO, LASCR, TRIAC
- 4단자 : SCS

(2) 방향별
- 단방향 : SCR, GTO, LASCR, SCS
- 양방향 : DIAC, SSS, TRIAC

052 ★★★

ANSWER ④ 3상 권선형 유도전동기

비례추이

권선형 유도 전동기의 회전자 외부에 접속시킨 2차 외부회로 저항의 크기를 조정하면 최대 토크의 크기는 그대로 유지하면서 slip(속도)이 2차 회로의 저항에 비례하여 이동하게 되는 현상.

2차측에 저항을 넣는 이유는 기동전류 감소와 기동토크 증대이다.

즉, 비례추이는 권선형 유도 전동기에서만 사용가능하다.

053 ★★★

ANSWER ③ 97.5

전부하 시 효율

$$\eta = \frac{\text{출력}}{\text{출력} + \text{손실}} \times 100$$
$$= \frac{P_n \cos\theta}{P_n \cos\theta + P_i + P_c} \times 100\,[\%]$$에 주어진 값을 대입한다.

$$\eta_{0.8} = \frac{200 \times 0.8}{200 \times 0.8 + 1.6 + 2.5} \times 100 = 97.5\,[\%]$$

054 ★★★

ANSWER ① 1728

동기속도$(N_s) = \dfrac{120f}{P}$ 이므로

회전수

$$(N) = (1-s)N_s = (1-s)\frac{120f}{P}$$
$$= (1-0.04) \times \frac{120 \times 60}{4} = 1728\,[\text{rpm}]$$

055 ★★★

ANSWER ④ $T \propto \frac{1}{N^2}$

종류	직류 전동기의 특징
타여자	• +, -극성을 반대로 하면 ⇨ 회전 방향이 반대 • 정속도 전동기
분권	• 정속도 특성의 전동기 • 위험 상태 ⇨ 정격 전압, 무여자 상태 • +, -극성을 반대로 하면 ⇨ 회전 방향이 불변 • $T \propto I \propto \frac{1}{N}$
직권	• 변속도 전동기(전기철도용) • 부하에 따라 속도가 심하게 변한다. • +, -극성을 반대로 하면 ⇨ 회전 방향이 불변 • 위험 상태 ⇨ 정격 전압, 무부하 상태 • $T \propto I^2 \propto \frac{1}{N^2}$

056 ★★★

ANSWER ① 66.7

m부하 시 최대효율조건

m부하 시 $P_i = m^2 P_c$이므로

$$m = \sqrt{\frac{P_i}{P_c}} = \sqrt{\frac{120}{270}} = 0.667 = 66.7\,[\%]$$

66.7[%]에서 최대 효율이 발생한다.

057 ★★

ANSWER ④ 471

단상 반파 정류 (다이오드 1개)

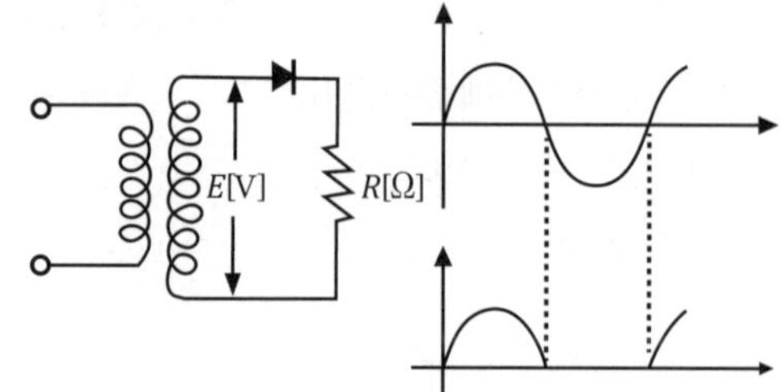

ⓐ $E_d = \frac{\sqrt{2}}{\pi}E - e = 0.45E - e\,[\text{V}]$

(여기서, e는 전압강하)

ⓑ $I_d = \frac{E_d}{R} = \frac{\sqrt{2}}{\pi}\frac{E}{R} = \frac{0.45E}{R} = 0.45I\,[\text{A}]$

ⓒ PIV(최대역전압) = $\sqrt{2}\,E\,[\text{V}]$

$$\therefore PIV = \sqrt{2}\,E = \sqrt{2}\frac{\pi}{\sqrt{2}}E_d = \pi E_d = \pi \times 150 = 471.2\,[\text{V}]$$

058 ★

ANSWER ③ 고전압의 유도를 방지한다.

동기전동기의 자기동법은 유도전동기의 2차 권선 역할을 하는 제동권선을 이용해 기동 토크를 발생시키는 방식이다. 기동 시 회전자계에 의해 계자 권선에 고압이 유도되어 절연파괴가 우려되어 계자 권선을 단락시킨다.

059 ★

ANSWER ③ 과복권발전기

가동복권 발전기는 분권 계자권선과 직권계자 권선이 만드는 기자력의 방향이 같아 서로 합해지도록 접속하는 발전기로 과복권은 $E_f > E_a + E_r$이다. 그러므로, 과복권 발전기는 부하전류가 증가하면 단자전압이 증가한다.

060 ★★★

ANSWER ② 감자작용을 한다.

전기자 반작용

① 횡축 반작용(교차자화작용) : 전기자 전류와 유기기전력 (무부하 전압)과 동위상이 되는 경우이며, 이때 전류의 크기는 $I\cos\theta$이다.

② 직축 반작용 : 전기자 전류와 유기기전력(무부하 전압)과 위상차가 있는 경우이며, 감자 작용과 증자 작용이 있다.

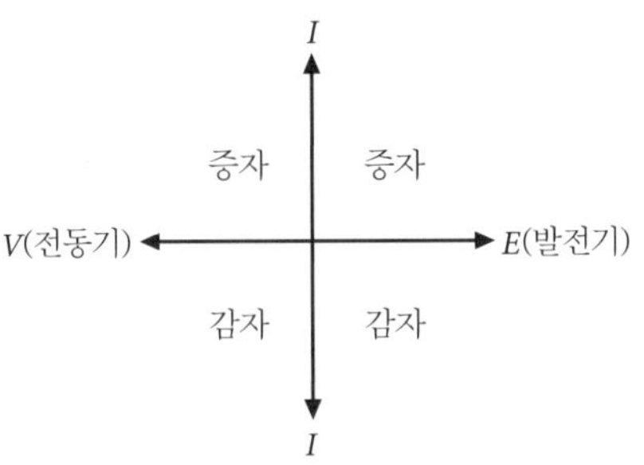

㉠ 감자작용 : 전기자 전류가 유기기전력(무부하 전압)보다 위상이 $\frac{\pi}{2}(90°)$ 뒤질 때

㉡ 증자작용 : 전기자 전류가 유기기전력(무부하 전압)보다 위상이 $\frac{\pi}{2}(90°)$ 앞설 때

제4과목 | 회로이론

061 ★★★

ANSWER ② 15

MATH **15단원 절대값**

제3고조파 전류 $I_3 = \frac{V_3}{|Z_3|}$에서

제3고조파 전압 $V_3 = \frac{75\sqrt{2}}{\sqrt{2}} = 75[\mathrm{V}]$

제3고조파 임피던스

$|Z_3| = \sqrt{R^2 + (3\omega L)^2} = \sqrt{4^2 + (3)^2} = 5$

$\therefore I_3 = \frac{V_3}{|Z_3|} = \frac{75}{5} = 15[\mathrm{A}]$

062 ★★

ANSWER ① $\frac{d^2}{dt^2}e_o(t) + 3\frac{d}{dt}e_o(t) + e_o(t) = e_i(t)$

MATH **3단원 등식 방정식**
50단원 라플라스 심화

미분방정식 $\frac{E_o(s)}{E_i(s)} = \frac{1}{s^2 + 3s + 1}$

→ $(s^2 + 3s + 1)E_o(s) = E_i(s)$에서

$£^{-1}[(s^2 + 3s + 1)E_o(s)]$

$= £^{-1}[s^2E_o(s) + 3sE_o(s) + 1E_o(s)]$

$= £^{-1}[s^2E_o(s)] + £^{-1}[3sE_o(s)] + £^{-1}[1E_o(s)]$

$= \frac{d^2}{dt^2}e_o(t) + 3\frac{d}{dt}e_o(t) + e_o(t)$

$= £^{-1}[E_i(s)] = e_i(t)$

$\therefore \frac{d^2}{dt^2}e_o(t) + 3\frac{d}{dt}e_o(t) + e_o(t) = e_i(t)$

063 ★★★

ANSWER ③ 43.7

소비전력 $P = \sqrt{3}\,V_l I_l \cos\theta$에서

$I_l = \frac{P}{\sqrt{3}\cos\theta} = \frac{10 \times 10^3}{\sqrt{3} \times 220 \times 0.6} \fallingdotseq 43.7[\mathrm{A}]$

고난도

064 ★

ANSWER ②

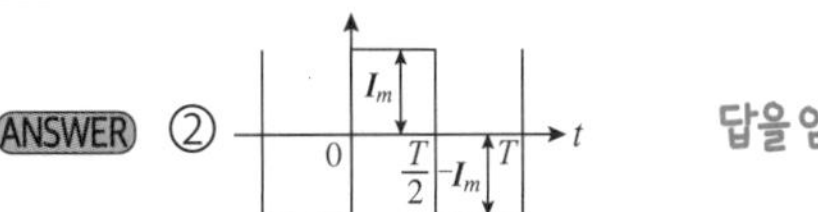

답을 암기할 것

sin함수는 원점 대칭인 기함수이며 기함수들의 합은 기함수로 표시된다. 따라서, 보기 중 우함수인 ① 제외. 또한 위상이 0°인 sin함수의 합이므로 $t = 0^+$에서 $i(0^+)$가 − 값인 ③ 제외.

기함수 ②, ④의 그래프는 다음과 같다.

② : 구형파 $= \frac{4}{\pi}I_m \sum_{n=1,3,5,\cdots}^{\infty} \frac{1}{n}\sin(nwt)$

④ : 삼각파 $= \frac{8}{\pi^2}I_m \sum_{n=1,3,5,\cdots}^{\infty} \frac{1}{n^2}\sin(nwt)$

065 ★★

ANSWER ③ 13

키르히호프의 제1법칙(KCL)에 따라 회로의 전류 I는 5[A]와 12[A]의 벡터합과 같다.

$\therefore I = \sqrt{5^2 + 12^2} = 13[\mathrm{A}]$

066 ★★★

ANSWER ③ 2

MATH 36단원 극한

최종값 정리 $\lim_{t \to \infty} f(t) = \lim_{s \to 0} sF(s)$ 이므로

$$\lim_{s \to 0} sF(s) = \frac{3s + 10}{s^2 + 2s + 5} = 2$$

067 ★★

ANSWER ③ $\frac{1}{2\pi n\sqrt{LC}}$

MATH 03단원 등식, 방정식

각주파수 $\omega = 2\pi f$ 이고

RLC 직렬회로의 제 n고조파의 공진조건

$n\omega L = \frac{1}{n\omega C}$ 에서

$$n\omega L = \frac{1}{n\omega C} \rightarrow \omega = \frac{1}{n\sqrt{LC}} = 2\pi f$$

$$\therefore f = \frac{1}{2\pi n\sqrt{LC}}$$

068 ★★★

ANSWER ② e^{-3t}

MATH 49단원 라플라스 기초

$\pounds[e^{-at}] = \frac{1}{s+a}$ 이므로

$$\pounds^{-1} = \left[\frac{1}{s+3}\right] = e^{-3t}$$

069 ★★★

ANSWER ③ 35

V결선 시 출력

$P_V = \sqrt{3}\,P_1 = \sqrt{3} \times 20 \fallingdotseq 34.6[\mathrm{kVA}]$

(여기서, P_1 : 변압기 1대의 출력)

070 ★★★

ANSWER ④ 3200

MATH 15단원 절대값

무효전력 $P_r = 3I^2X$에서

전류 $I = \frac{V_p}{|Z|} = \frac{V_p}{\sqrt{R^2 + X^2}} = \frac{\frac{200}{\sqrt{3}}}{\sqrt{6^2 + 8^2}}$

$= \frac{20}{\sqrt{3}}[\mathrm{A}]$

리액턴스 $X = 8[\Omega]$이므로

$$\therefore P_r = 3I^2X = 3 \times \left(\frac{20}{\sqrt{3}}\right)^2 \times 8 = 3200[\mathrm{Var}]$$

071 ★★

ANSWER ② $Z_2 + Z_3$

MATH 03단원 등식, 방정식

$Z_{22} = \left.\frac{V_2}{I_2}\right|_{I_1 = 0}$, ($I_1 = 0$: 1차측 개방을 의미)

이때의 $V_2 = I_2(Z_2 + Z_3)$

$$\therefore Z_{22} = \frac{V_2}{I_2} = \frac{I_2(Z_2 + Z_3)}{I_2} = Z_2 + Z_3$$

072 ★★

ANSWER ① $\frac{1}{3}$로 된다. 답을 암기할 것

MATH 23단원 유리식

△결선에서 상전압 $V_p = V_l$ 이고

소비전력 $P_\triangle = 3I_p^2 R = 3\left(\frac{V_p}{R}\right)^2 R = 3\frac{V_l^2}{R}$

Y결선에서 상전압 $V_p = \frac{V_l}{\sqrt{3}}$ 이므로

$$P_Y = 3I_p^2 R = 3\left(\frac{V_p}{R}\right)^2 = 3\left(\frac{\frac{V_l}{\sqrt{3}}}{R}\right)^2 R = \frac{V_l^2}{R}$$

$$P_Y = \frac{1}{3}P_\triangle$$

073 ★★★

ANSWER ④ 1.59

MATH 01단원 SI 접두어, 단위
23단원 유리식

$X_C = \frac{1}{\omega C}$ 에서 $C = \frac{1}{\omega X_c}$ 이고

각주파수 $\omega = 2\pi f = 2\pi \times 60 ≒ 377[\text{rad/s}]$

리액턴스

$$X_C = \frac{V}{I} = \frac{100}{60 \times 10^{-3}} ≒ 1666.67\,[\Omega]$$

$$\therefore C = \frac{1}{\omega X_c} = \frac{1}{377 \times 1666.67}$$
$$≒ 1.59 \times 10^{-6}[\text{F}] = 1.59\,[\mu\text{F}]$$

$1[\text{mA}] = 1 \times 10^{-3}[\text{A}]$
$1[\mu\text{F}] = 1 \times 10^{-6}[\text{F}]$

074 ★★★

ANSWER ④ $\frac{Cs}{LCs^2 + RCs + 1}$

MATH 50단원 라플라스 심화

전달함수 $\frac{i(t)}{e_i(t)}, \frac{I(s)}{E_i(s)}$ 에서

$e_i(t) = Ri(t) + L\frac{d}{dt}i(t) + \frac{1}{C}\int i(t)\,dt$ 이고

$$\pounds\,[e_i(t)] = E_i(s)$$
$$= RI(s) + LsI(s) + \frac{1}{C} \times \frac{1}{s}I(s)$$

$$\therefore \frac{I(s)}{E_i(s)} = \frac{Cs}{LCs^2 + RCs + 1}$$

075 ★★★

ANSWER ④ $I_0 e^{-\frac{R}{L}t}$

MATH 43단원 e 총정리

키르히호프의 제1법칙(KCL)에 의해

$I_0 = i_R(t) + i_L(t)$이고

직류 전원 인가시 L에 흐르는 전류

$$I_L(t) = I_0\left(1 - e^{-\frac{R}{L}t}\right)$$

$$\therefore i_R(t) = I_0 - i_L(t)$$
$$= I_0 - I_0\left(1 - e^{-\frac{R}{L}t}\right)$$
$$= I_0 e^{-\frac{R}{L}t}\,[\text{A}]$$

2016년 1회

076 ★★

ANSWER ④ 8.33×10^{-4}

MATH 22단원 삼각함수 특수공식

위상차 $\theta = \omega t$에서 $t = \dfrac{\theta}{\omega}$이고

$$e = E_m \cos\left(100\pi t - \frac{\pi}{3}\right) \text{이므로}$$
$$= E_m \sin\left(100\pi t - \frac{\pi}{3} + \frac{\pi}{2}\right)$$
$$= E_m \sin\left(100\pi t + \frac{\pi}{6}\right)$$

$\theta = \dfrac{\pi}{4} - \dfrac{\pi}{6} = \dfrac{\pi}{12}$이고

각주파수 $\omega = 100\pi$이므로

$$\therefore t = \frac{\theta}{\omega} = \frac{\frac{\pi}{12}}{100\pi} = \frac{1}{1200}$$
$$\fallingdotseq 8.33 \times 10^{-4}[\text{sec}]$$

077 ★★★

ANSWER ① 2

STEP1 중첩의 원리

① 전압원 계산(전류원 개방)

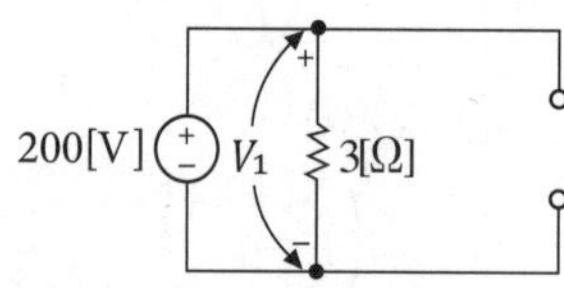

$V_1 = 2[\text{V}]$

② 전류원 계산(전압원 단락)

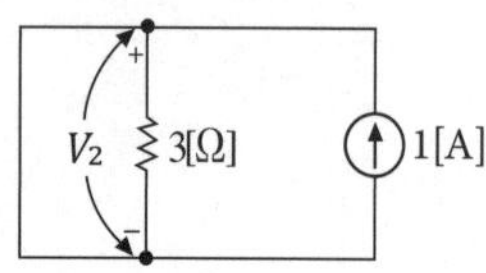

$V_2 = 0[\text{V}]$(3[Ω]으로 흐르지 않는다.)

$\therefore V = V_1 + V_2 = 2 + 0 = 2\ [\text{V}]$

078 ★★★

ANSWER ② V_a

MATH 28단원 복소수의 연산

정상분 $V_1 = \dfrac{1}{3}(V_a + aV_b + a^2 V_c)$에서

$V_b = a^2 V_a,\ V_c = aV_a$ 이므로

$$\frac{1}{3}(V_a + aV_b + a^2 V_c)$$
$$= \frac{1}{3}(V_a + a^3 V_a + a^3 V_a)$$
$$= \frac{1}{3}(V_a + V_a + V_a)(\because a^3 = 1)$$
$$= V_a$$

TIP !

벡터 연산자 a

$a = -\dfrac{1}{2} + j\dfrac{\sqrt{3}}{2}$

$1 + a + a^2 = 0$

$a^3 = 1$

079 ★★★

ANSWER ③ 1

$I = \dfrac{V}{X_L}$에서

유도성 리액턴스 $X_L = \omega L = 2\pi f \times L$
$= 120\pi \times (314 \times 10^{-3})$
$\fallingdotseq 118.38$

$\therefore I = \dfrac{V}{X_L} = \dfrac{120}{118.38} \fallingdotseq 1.01[\text{A}]$

$1[\text{mH}] = 1 \times 10^{-3}[\text{H}]$

080 ★★

ANSWER ④ $\dfrac{2\omega^2 + j4\omega}{4+\omega^2}$

구동점 임피던스

$$Z(j\omega) = jX_L \| R = j\omega L \| R$$
$$= \frac{j\omega L \times R}{j\omega L + R} = \frac{j\omega \times 2}{j\omega + 2}$$
$$= \frac{j2\omega}{j\omega + 2} = \frac{j2\omega(j\omega - 2)}{\omega^2 + 2^2}$$
$$= \frac{2\omega^2 + j4\omega}{4+\omega^2}$$

TIP !

두 저항의 병렬 연결

$$A \| B = \frac{A \times B}{A+B}$$

제5과목 | 전기설비기술기준 및 한국전기설비규정

081 ★★★

ANSWER ① 케이블

지중전선로의 시설(한국전기설비규정 334.1)

지중 전선로는 전선에 케이블을 사용하고 또한 관로식·암거식 또는 직접 매설식에 의하여 시설하여야 한다.

082 ★★

ANSWER ③ 직접 접지계통에 설치한 변압기의 접지선

과전류 차단기의 시설 제한

(한국전기설비규정 341.11)

접지공사의 접지도체, 다선식 전로의 중성선 및 전로의 일부에 접지공사를 한 저압 가공전선로의 접지측 전선에는 과전류 차단기를 시설 하여서는 안된다. 다만, 다음의 경우에는 예외로 한다.

㉠ 다선식 전로의 중성선에 시설한 과전류 차단기가 동작한 경우에 각 극이 동시에 차단될 때

㉡ 저항기 리액터 등을 사용하여 접지공사를 한 때에 과전류 차단기의 동작에 의하여 그 접지도체가 비접지 상태로 되지 아니할 때

083 ★★★

ANSWER ① 저압 옥내배선에 사용하는 전선으로 옥외용 비닐 절연전선을 사용하였다.

232.12 금속관공사(한국전기설비규정 232.12)

㉠ 전선은 절연전선(옥외용 비닐 절연전선을 제외한다)일 것

㉡ 전선은 연선일 것. 다만, 다음의 것은 적용하지 않는다.

① 짧고 가는 금속관에 넣은 것

② 단면적 10[mm^2](알루미늄선은 단면적 16[mm^2])이하의 것

㉢ 관의 두께는 다음에 의할 것

① 콘크리트에 매설하는 것은 1.2[mm] 이상

② 콘크리트 매설 이외의 것은 1[mm] 이상

㉣ 관에는 접지공사를 할 것

084 ★★

ANSWER ③ 6

특고압용 기계기구의 시설

(한국전기설비규정 341.4)

특고압용 기계기구 충전부분의 지표상 높이

사용전압의 구분	울타리·담 등의 높이와 울타리·담 등으로부터 충전 부분까지의 거리의 합계
35[kV]이하	3[m]
35[kV]초과 160[kV]이하	6[m]
160[kV]초과	• 거리의 합계=6+단수×0.12[m] • 단수= $\dfrac{\text{전압}[kV]-160}{10}$ 단수 계산에서 소수점 이하는 절상

085 ★★★

ANSWER ④ 덕트에 접지공사를 할 것

버스덕트 공사(한국전기설비규정 232.61)

㉠ 덕트 상호간 및 전선 상호간은 견고하고 또한 전기적으로 완전하게 접속할 것

㉡ 덕트를 조영재에 붙이는 경우에는 덕트의 지지점간의 거리를 3[m](수직으로 붙이는 경우에는 6[m]) 이하로 하고 또한 견고하게 붙일 것

㉢ 덕트(환기형의 것을 제외한다)의 끝부분은 막을 것

㉣ 덕트(환기형의 것을 제외한다)의 내부에 먼지가 침입하지 아니 하도록 할 것

㉤ 덕트는 접지공사를 할 것

086 ★★

ANSWER ② 2.5

저압 옥내배선의 사용전선

(한국전기설비규정 231.3)

㉠ 저압 옥내배선의 전선 : 단면적 2.5[mm^2] 이상의 연동선

㉡ 옥내배선의 사용전압이 400[V]이하인 경우는 다음에 의하여 시설할 수 있다.

① 전광 표시장치 또는 제어회로

- 단면적 1.5[mm^2] 이상의 연동선
- 단면적 0.75[mm^2] 이상인 다심 케이블 또는 다심 캡타이어 케이블을 사용하고 또한 과전류가 생겼을 때에 자동적으로 전로에서 차단하는 장치를 시설

② 진열장 또는 이와 유사한 것의 내부배선 : 단면적 0.75[mm^2] 이상인 코드 또는 캡타이어 케이블

087 ★★★

ANSWER ③ 전용의 개폐기 및 과전류 차단기가 시설된 전기 기계기구의 저압전선

나전선의 사용 제한(한국전기설비규정 231.4)

옥내에 시설하는 저압 전선에는 나전선을 사용하여서는 아니 된다. 다만, 다음 중 어느 하나에 해당하는 경우에는 그러하지 아니하다.

㉠ 애자공사에 의하여 전개된 곳에 다음의 전선을 시설하는 경우

① 전기로용 전선

② 전선의 피복 절연물이 부식하는 장소에 시설하는 전선

㉡ 버스덕트공사에 의하여 시설하는 경우

㉢ 라이팅덕트공사에 의하여 시설하는 경우

㉣ 접촉전선을시설하는 경우

088 ★

ANSWER ④ 사용전압이 170[kV] 이하인 전선로를 지지하는 애자장치는 50[%] 충격섬락전압 값이 그 전선의 근접한 다른 부분을 지지하는 애자장치 값의 100[%] 이상인 것을 사용한다.

시가지 등에서 특고압 가공전선로의 시설 (한국전기설비규정 333.1)

사용전압이 170[kV] 이하인 특고압 가공전선로를 시가지 그 밖에 인가가 밀집한 지역에 시설하기 위한 특고압 가공전선을 지지하는 애자장치는 다음 중 어느 하나에 의할 것

㉠ 50[%]충격섬락전압 값이 그 전선의 근접한 다른 부분을 지지하는 애자장치 값의 110[%] (사용전압이 130[kV]를 초과하는 경우는 105[%]) 이상인 것

㉡ 아크 혼을 붙인 현수애자·장간애자 또는 라인포스트 애자를 사용하는 것

㉢ 2련 이상의 현수애자 또는 장간애자를 사용하는 것

㉣ 2개 이상의 핀애자 또는 라인포스트애자를 사용하는 것

089 ★

ANSWER ② 1.5

무선용 안테나 등을 지지하는 철탑 등의 시설 (한국전기설비규정 364.1)

전력보안통신 설비인 무선통신용 안테나 또는 반사판을 지지하는 목주·철주·철근 콘크리트주 또는 철탑은 다음에 따라 시설하여야 한다. 다만, 무선용 안테나 등이 전선로의 주위 상태를 감시할 목적으로 시설되는 것일 경우에는 그러하지 아니하다.

㉠ 목주는 풍압하중에 대한 안전율은 1.5 이상이어야 한다.

㉡ 철주·철근 콘크리트주 또는 철탑의 기초 안전율은 1.5 이상이어야 한다.

090 ★★★

ANSWER ④ 200

특고압 보안공사(한국전기설비규정 333.22)

제1종 특고압 보안공사시 전선의 단면적

사용전압	전선
100[kV]미만	인장강도 21.67[kN]이상의 연선 또는 단면적 55[mm²]이상의 경동연선
100[kV]이상 300[kV]미만	인장강도 58.84[kN]이상의 연선 또는 단면적 150[mm²]이상의 경동연선
300[kV]이상	인장강도 77.47[kN]이상의 연선 또는 단면적 200[mm²]이상의 경동연선

091 ★

ANSWER ④ 공기탱크는 사용압력에서 공기의 보급이 없는 상태로 차단기의 투입 및 차단을 연속하여 3회 이상 할 수 있는 용량을 가질 것

압축공기 계통(한국전기설비규정 341.15)

발전소·변전소·개폐소 또는 이에 준하는 곳에서 개폐기 또는 차단기에 사용하는 압축 공기장치는 사용 압력에서 공기의 보급이 없는 상태로 개폐기 또는 차단기의 투입 및 차단을 연속하여 1회 이상할 수 있는 용량을 가지는 것일 것

092 ★★★

ANSWER ③ 제2종 특고압 보안공사

특고압 가공전선과 건조물의 접근 (한국전기설비규정 333.23)

㉠ 건조물과 제1차 접근상태 : 제3종 특고압 보안공사

㉡ 건조물과 제2차 접근상태

① 사용전압이 35[kV] 이하 : 제2종 특고압 보안공사

② 사용전압이 35[kV] 초과 400[kV] 미만 : 제1종 특고압 보안공사

093 ★★★

ANSWER ① 2

접지극의 시설 및 접지저항 (한국전기설비규정 142.2)

㉠ 지중에 매설되어 있고 대지와의 전기 저항값이 3[Ω] 이하의 값을 유지하고 있는 금속제 수도관로가 규정에 따르는 경우 접지극으로 사용이 가능하다.

㉡ 대지와의 사이에 전기 저항값이 2[Ω] 이하인 값을 유지하는 건축물·구조물의 철골 기타의 금속제는 접지공사의 접지극으로 사용할 수 있다.

094 ★

ANSWER ④ 클로로프렌 캡타이어 케이블

수상전선로의 시설(한국전기설비규정 335.3)

수상 전선로를 시설하는 경우 사용전압이 저압 또는 고압인 것에 한 하며 사용되는 전선은 다음과 같다.

㉠ 저압 : 클로로프렌 캡타이어 케이블

㉡ 고압 : 캡타이어 케이블

095 ★★

ANSWER ① 50

특고압 가공전선과 다른 시설물의 접근 또는 교차 (한국전기설비규정 333.28)

특고압 절연 전선 또는 케이블을 사용하는 사용전압이 35[kV]이하의 특고압 가공전선과 다른 시설물 사이의 이격거리

다른 시설물의 구분	접근형태	이격거리
조영물의 상부 조영재	위쪽	2[m](전선이 케이블인 경우는 1.2[m]
	앞쪽 또는 아래쪽	1[m](전선이 케이블인 경우는 0.5[m]
조영물의 상부 조영재 이외의 부분 또는 조영물 이외의 시설물		1[m](전선이 케이블인 경우는 0.5[m])

096 ★★★

ANSWER ④ 안전율은 2.5이상, 허용인장하중 최저값은 4.31[kN]

지선의 시설(한국전기설비규정 331.11)

㉠ 지선의 안전율은 2.5 이상일 것. 이 경우에 허용인장하중의 최저는 4.31[kN]으로 한다.

㉡ 지선에 연선을 사용할 경우에는 다음에 의할 것

① 소선 3가닥 이상의 연선일 것

② 소선의 지름이 2.6[mm] 이상의 금속선을 사용한 것 일것

097 ★★★

ANSWER ④ 접지선

발전기 등의 기계적 강도(기술 기준 제 23조)

발전기, 변압기, 조상기, 모선 또는 이를 지지하는 애자는 단락전류에 의하여 생긴 기계적 충격에 견디는 것이어야 한다.

출제기준 변경 및 개정된 관계 법규에 따라 삭제된 문제가 있어 20문항이 안됩니다.

2016년 2회

제1과목 | 전기자기학

001 ★★

ANSWER ① 1.9×10^{-2}

MATH 1단원 SI 접두어 단위
32단원 파이 유전율 투자율

쿨롱의 법칙

$$F = \frac{m_1 m_2}{4\pi\mu r^2} = \frac{10^{-5} \times 1.2 \times 10^{-5}}{4\pi\mu_0 \times (2 \times 10^{-2})^2} \approx 1.9 \times 10^{-2}[\text{N}]$$

TIP !

$1[\text{cm}] = 1 \times 10^{-2}[\text{m}]$

공기중의 투자율 $\mu_0 = 4\pi \times 10^{-7}$

002 ★★

ANSWER ③ $\frac{\sigma}{\epsilon_0}d$

평행 평판 도체의 전위차

$$V = Ed = \frac{\sigma}{\epsilon_0}d[\text{V}]$$

003 ★★★

ANSWER ③ ϵ_s는 유전체의 종류에 따라 다르다.

모든 유전체의 비유전율, ϵ_s는 물질의 종류에 따라 다르지만, 1보다 크다.

(진공, 공기의 $\epsilon_s = 1[\text{F/m}]$)

004 ★★★

ANSWER ④ 운동하는 전자는 자기장으로부터 힘을 받지 않는다.

STEP1 로렌츠의 힘

전하가 전자기장이 존재하는 공간에서 움직일 때 받는 힘(4번)

STEP2 맥스웰 방정식

암페어의 주회 법칙

$$\text{rot}H = \nabla \times H = i + \frac{\partial D}{\partial t}$$

(전류나 전계의 시간적 변화는 계를 회전시킨다.) (2번)

N극과 S극 공존

$$\nabla \cdot B = \mu \nabla \cdot H = 0$$

(자계는 발산하지 않고 주변을 돈다. 고립된 자극은 존재하지 않는다.)

005 ★★★

ANSWER ② 잔류자속밀도와 보자력이 모두 커야 한다.

STEP1 자석 재료

- 영구자석 재료 : 잔류 자속밀도(B_r)와 보자력(H_c)이 커야 한다.
- 전자석 재료 : 히스테리시스 곡선 면적과 보자력(H_c)이 작아야 한다.

STEP2 히스테리시스 곡선

- **잔류 자속밀도(B_r)**

외부에서 가한 자계 세기를 0으로 해도 자성체에 남는 자속밀도 크기

- **보자력(H_c)**

자화된 자성체 내부 B를 0으로 만들기 위해서, 자화와 반대 방향으로 외부에서 가하는 자계의 세기

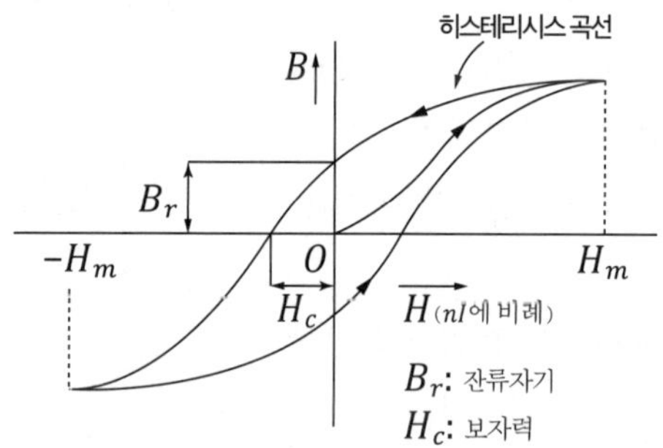

006 ★

ANSWER ④ 백금

저항률과 온도계수

- **고유 저항 ρ(저항률)**

  물질 자체의 고유한 저항 [Ω·m]

  $$\rho = \frac{1}{\sigma}[\Omega \cdot \mathrm{m}]$$

- **온도계수 α**

온도 변화에 따른 저항의 변화율 (어떤 온도에서 1[℃] 상승할 때 저항 증가율)

금속	저항온도계수(20° 일 때)
철	0.0050
알루미늄	0.0039
금	0.0034
백금	0.0030

007 ★★

ANSWER ② 도체 표면의 정전응력은

$$\frac{\sigma^2}{2\epsilon_0}[\mathrm{N/m^2}]\text{이다.}$$

정전응력: $f = \frac{1}{2}DE = \frac{1}{2}\epsilon E^2 = \frac{D^2}{2\epsilon}[\mathrm{N/m^2}]$

이때, 전속밀도 D는 도체 표면에서 표면 전하 σ [C/m²]밀도로 대체 가능하다.

따라서, 정전응력은 $f = \frac{\sigma^2}{2\epsilon_0}[\mathrm{N/m^2}]$이다.

008 ★★

ANSWER ② $36\pi a_y$

MATH 1단원 SI 접두어 단위

32단원 파이 유전율 투자율

무한 평면에서 전계의 세기

$$E = \frac{D}{\epsilon} = \frac{\rho_s}{\epsilon_0 \epsilon_s}$$

$$= 4\pi \times 9 \times 10^9 \times \frac{2 \times 10^{-9}}{2}$$

$$= 36\pi[\mathrm{V/m}]$$

이때, 전계는 y방향에 대해서 진행한다. 따라서 벡터 전계의 세기는 다음과 같다.

$E = 36\pi a_y$ [V/m]

TIP !

$1[\mathrm{nC/m^2}] = 1 \times 10^{-9}[\mathrm{C/m^2}]$

유전율 $\epsilon = \epsilon_s \epsilon_0$

공기중의 유전율 $\epsilon_0 = 8.855 \times 10^{-12}$

$4\pi\epsilon_0 = \frac{1}{9 \times 10^9}$

$\epsilon_0 = 4\pi \times 9 \times 10^9$

009 ★★★

ANSWER ② 5

자계 에너지

$$W = \frac{1}{2}LI^2 = \frac{1}{2} \times (100 \times 10^{-3}) \times 10^2 = 5[\mathrm{J}]$$

010 ★

ANSWER ④ 지구의 정전용량이 커서 전위가 거의 일정하기 때문이다.

정전용량

얼마나 큰 정전에너지를 보유할 수 있는가를 나타내는 물리량

$$C = \frac{Q}{V}[\mathrm{F}]$$

이때, 전위 $V = \frac{Q}{C}[\mathrm{V}]$이므로, 지구의 용량 C가 매우 크기 때문에, 전위 V는 일정해진다.

011 ★★

ANSWER ② 지면을 뚫고 들어가는 방향이다.

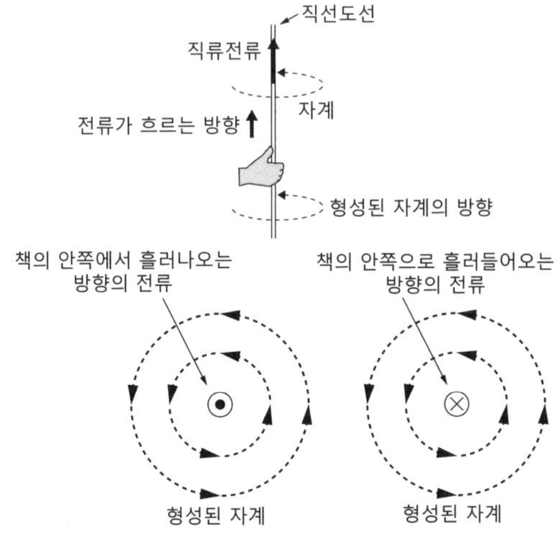

암페어(앙페르)의 오른나사 법칙

전류가 흐르는 도체에 전류와 수직인 오른손의 방향으로 자계가 발생

따라서, N극의 회전 방향은 자기장의 방향으로 지면을 뚫고 들어가는 방향이다.

012 ★★

ANSWER ③ $-Q$[C]와 같다.

전기 영상법(Electric image method)

도체의 전하 분포 및 경계조건을 교란하지 않는 전하를 가상함으로써 간단히 도체 주위의 전계를 해석하는 방법

해석법

점전하 Q가 점$(0, 0, h)$에 위치할 때, $z < 0$의 도체를 공기로 대체점$(0, 0, -h)$에 점전하 $-Q$를 추가한다.

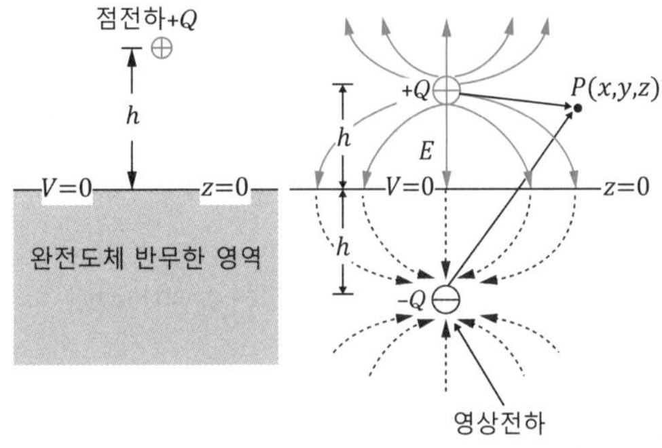

따라서, $-Q$[C]와 같다.

013 ★★★

ANSWER ④ 양측 경계면상의 두 점 간의 자위차가 같다.

경계조건

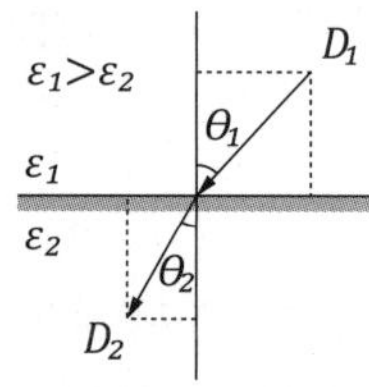

자속의 굴절

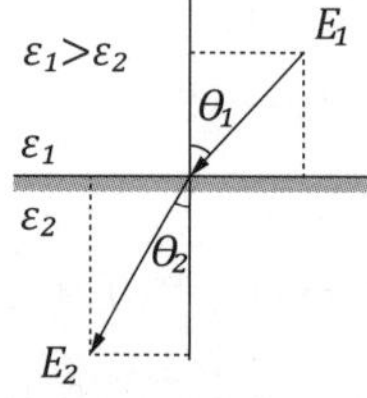

자력선의 굴절

1) 자속밀도는 경계면에서 법선성분이 같다.

$(B_{1n} = B_{2n})$

$(B_1 \cos\theta_1 = B_2 \cos\theta_2)$

$(B_1 = \mu_1 H_1, B_2 = \mu_2 H_2)$

(2번)

2) 자계의 세기는 경계면에서 접선 성분이 같다.

$(H_{1t} = H_{2t})$

$H_1 \sin\theta_1 = H_2 \sin\theta_2$

(1번)

경계면에서 자계의 세기의 접선 성분이 같기 때문에, 두점간의 자위차가 같다.

(4번)

3) 자성체의 굴절의 법칙

$$\frac{\tan\theta_1}{\tan\theta_2} = \frac{\mu_1}{\mu_2}$$

$(\mu_1 > \mu_2 \rightarrow \theta_1 > \theta_2)$

이때, 자속은 투자율이 큰쪽으로 모이려는 성질을 가진다.

(3번)

014 ★★★

ANSWER ② $\text{rot}E = -\frac{\partial B}{\partial t}$

페러데이의 전자유도 법칙

$$\text{rot}E = \nabla \times E = -\frac{\partial B}{\partial t} = -\mu \frac{\partial H}{\partial t}$$

(자계의 시간적 변화를 방해하는 방향으로 전계를 회전시킨다.)

015 ★★

ANSWER ② 1

원운동의 주기 $T = \frac{2\pi}{w}$

여기서, w는 구심 가속도

구심 가속도 $w = \frac{v}{r} = \frac{eBv}{mv} = \frac{eB}{m}$[rad/s]

따라서, 속도가 2배가 되어도 구심 가속도는 바뀌지 않으므로 주기는 1배, 그대로이다.

016 ★★

ANSWER ① 6×10^{-4}

전류밀도

• 전류밀도: $\vec{J} = \sigma\vec{E} = 10^{-4} \times 6$[A/cm^2]

017 ★★★

ANSWER ① 2.5

자기 인덕턴스

$$L = \frac{N\phi}{I} = \frac{500 \times (1 \times 10^{-2})}{2} = 2.5\text{[Wb/A]}$$

또는 [H]

018 ★★

ANSWER ① $L_1 = 0.75,\ M = 0.33$

MATH 38단원 미분 기초

STEP1 자기 인덕턴스

자기 유도로 발생하는 기전력과 자기 인덕턴스의 관계는 다음과 같다.

$$e = -L\frac{dI}{dt}$$

따라서, 자기 인덕턴스를 따로 정의하면 다음과 같다.

$$L_1 = -\frac{e}{\frac{dI}{dt}} = \frac{90}{120} = 0.75[\mathrm{H}]$$

STEP2 상호 인덕턴스

서로 다른 회로에 있는 인덕터가 유도 자기장에 의하여 영향을 미치는 정도

$$M(\text{상호 인덕턴스}) = \frac{\text{유기기전력}(V_L)}{\text{시간당 코일에 가해지는 전류}\left(\frac{di(t)}{dt}\right)}$$

따라서, 시간당 코일에 가해지는 전류는 코일 A와 같지만, 코일 A의 상호 인덕턴스에서 유기 기전력은 코일 B의 것으로 대입한다.

$$M = \frac{V_L}{\left(\frac{di(t)}{dt}\right)} = \frac{40}{120} \approx 0.33[\mathrm{H}]$$

019 ★★★

ANSWER ② 9

도체구의 정전용량

$$C = 4\pi\epsilon a = 4\pi\epsilon_0 a = \frac{1}{9\times10^9}\times a$$
$$= 1\times10^{-6}[\mathrm{F}]$$

따라서, 구의 반지름은 다음과 같다.

$$a = 1\times10^{-6}\times9\times10^9 = 9\times10^3[\mathrm{m}] = 9[\mathrm{km}]$$

020 ★★

ANSWER ③ 표피효과는 전계 혹은 전류가 도체내부로 들어갈수록 지수함수적으로 적어지는 현상이다.

표피효과

주파수가 증가할수록 도체 내부의 전류밀도가 감소하고 표면에 전류가 집중되는 현상

1) 침투 깊이(표피두께)(skin depth)

$$\delta = \sqrt{\frac{2}{w\sigma\mu}} = \sqrt{\frac{1}{\pi f\sigma\mu}}[\mathrm{m}]$$

여기서, $\sigma = \frac{1}{2\times10^{-8}}[\mho/\mathrm{m}]$: 도전율

$\mu = 4\pi\times10^{-7}[\mathrm{H/m}]$: 투자율

따라서, 주파수가 낮아질수록 침투 깊이는 늘어나고, 전도도가 낮을수록(도전율이 낮을수록) 침투 깊이는 늘어난다.

제2과목 | 전력공학

021 ★★

ANSWER ② 부족전압 계전기

부족 전압 계전기(UVR : Under Voltage Relay)

- 전압이 정정값 이하 시 동작

과전압 계전기(OVR : Over Voltage Relay)

- 전압이 정정값 초과 시 동작

022 ★★

ANSWER ② 단락전류

전력용 퓨즈(PF) : 단락 보호용

023 ★★★

ANSWER ② 진공 차단기

소호 원리에 따른 차단기의 종류

종류	약어	소호원리
유입 차단기	OCB	소호실에서 아크에 의한 절연유 분해 가스의 흡부력을 이용해서 차단
기중 차단기	ACB	대기 중에서 아크를 길게 하여 소호실에서 냉각 차단
자기 차단기	MBB	대기 중에서 전자력을 이용하여 아크를 소호실내로 유도해서 냉각 차단
공기 차단기	ABB	압축된 공기를 아크에 불어 넣어서 차단
진공 차단기	VCB	고진공 중에서 전자의 고속도 확산에 의해 차단
가스 차단기	GCB	고성능 절연 특성을 가진 특수 가스(SF_6)를 흡수해서 차단

024 ★★

ANSWER ① 102.9

수력발전소의 최대출력 공식

$P = 9.8QH\eta_t\eta_g$[kW]

(H : 유효낙차[m], Q : 유량[m^3/s],

$\eta_t\eta_g$: 합성효율)

$\therefore P = 9.8QH\eta_t\eta_g$

$= 9.8 \times 200 \times 75 \times 0.7 \times 10^{-3}$

$= 102.9$[MW]

025 ★

ANSWER ② 변전소의 수를 증가하고 배전거리를 감소한다.

부하 밀도가 큰 지역에서는 변전소의 수를 증가해서 담당 용량을 줄이고 배전 거리를 작게 해야 전력 손실도 줄어든다.

026 ★★★

ANSWER ④ 447

특성임피던스

$$Z_0 = \sqrt{\frac{Z}{Y}} = \sqrt{\frac{R+j\omega L}{G+j\omega C}} \fallingdotseq \sqrt{\frac{L}{C}}[\Omega]$$

(∴ R, G는 매우 작기 때문에 무시)

$$\therefore Z_0 = \sqrt{\frac{L}{C}} = \sqrt{\frac{1.6 \times 10^{-3}}{0.008 \times 10^{-6}}} \fallingdotseq 447[\Omega]$$

027 ★★★

ANSWER ③ 다중접지사고로의 확대 가능성이 대단히 크다.

구분	비접지 방식	직접 접지 방식	소호리액터 접지방식
1선 지락 시 건전상 전압상승	$\sqrt{3}$ 배 상승	최소	-
기기절연 수준	최고	최소 (저감, 단절연)	중간
과도 안정도	크다	최소	최대
1선 지락전류	매우 작다	최대	최소
전자유도장해	매우 작다	최대	최소
보호계전기 동작	불확실	확실	-

보호 계전기 동작이 확실하여 사고 확대 가능성은 적다.

028 ★

ANSWER ① $\frac{C_m}{C_0 + C_m}E_1$

STEP1

그림을 콘덴서 직렬접속 회로로 변경해서 생각해 보면 아래 그림과 같아진다.

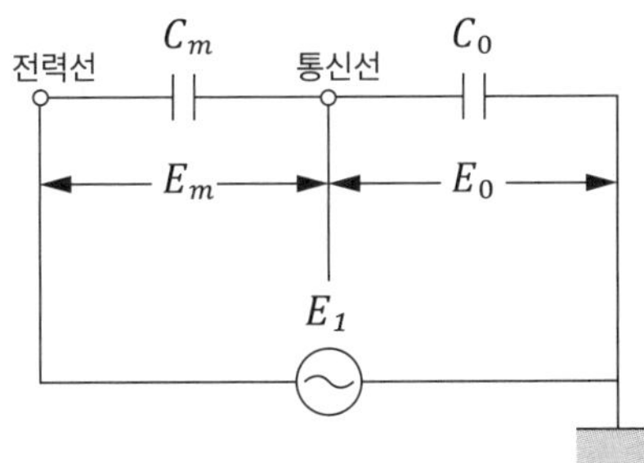

STEP2

전압 분배법칙을 이용하여

$$E_0 = \frac{\frac{1}{C_0}}{\frac{1}{C_m}+\frac{1}{C_0}} \times E_1 = \frac{\frac{1}{C_0}}{\frac{C_0+C_m}{C_mC_0}} \times E_1$$

$$= \frac{C_m}{C_0 + C_m}E_1$$

TIP !

항목	직렬접속	병렬접속
결선	C_1 C_2	C_1 C_2
합성정전용량	• 저항의 병렬접속과 동일 방법 • $C_0=\frac{1}{\frac{1}{C_1}+\frac{1}{C_2}}=\frac{C_1C_2}{C_1+C_2}$ • 접속되는 콘덴서가 증가할수록 합성 정전용량은 감소	• 저항의 직렬접속과 동일 방법 • $C_0 = C_1 + C_2$ • 접속되는 콘덴서가 증가할수록 합성 정전용량은 증가

029 ★★★

ANSWER ④ 전선의 인덕턴스는 감소하고, 정전용량은 증가한다.

복도체나 다도체를 사용할 때 장점

㉠ 인덕턴스는 감소하고 정전용량은 증가한다.

㉡ 같은 단면적의 단도체에 비해 전류용량 및 송전용량이 증가한다.

㉢ 코로나 임계전압의 상승으로 코로나현상이 방지된다.

030 ★★★

ANSWER ③ 115.5 **답을 암기할 것**

– 단상 2선식 전력 $P_1 = VI\cos\theta$이므로 1선당 전력 $\frac{VI\cos\theta}{2}$

– 3상 3선식 전력 $P_3 = \sqrt{3}\,VI\cos\theta$이므로 1선당 전력 $\frac{\sqrt{3}\,VI\cos\theta}{3}$

$\therefore$ 1선당의 전력비$=\frac{\text{3상 3선식 1선당 전력}}{\text{단상 2선식 1선당 전력}}\times 100$

$$= \frac{\frac{\sqrt{3}\,VI\cos\theta}{3}}{\frac{VI\cos\theta}{2}} \times 100 = \frac{2\times\sqrt{3}}{3}\times 100$$

$\fallingdotseq 115.5[\%]$

2016년 2회

031 ★★

ANSWER ① 재생사이클

① 재생 사이클 : 랭킨 사이클의 단열 팽창 중도에서 증기의 일부를 추기하여 보일러 급수를 가열함으로써 복수기에서의 열손실을 회수하는 사이클

② 재열 사이클 : 랭킨 사이클의 단열 팽창 중도에서 증기를 다시 과열시켜 과열 증기로 만들어 이것을 다시 단열 팽창시켜 열효율의 향상과 증기 습도 증가에 의한 장해를 적게 하는 사이클

③ 카르노 사이클 : 이상적인 사이클로서 2개의 등온변화와 2개의 단열변화로 이루어져 있으며 모든 사이클 중에서 최고의 열효율을 나타내는 사이클이다.

④ 재생 재열 사이클 : 재생 사이클과 재열 사이클을 겸용하여 전 사이클의 효율을 향상시킨 사이클

032 ★★★

ANSWER ③ 3

이 문제는 '전력손실률이 동일하다'는 가정으로 풀어야 하는 문제이다.

전력손실률이 동일한 경우

– 전력 손실률 $h_1 = \dfrac{P_{l1}}{P_1} = \dfrac{RP_1}{V_1^2 \cos^2\theta}$

– 전력 손실률 $h_2 = \dfrac{P_{l2}}{P_2} = \dfrac{RP_2}{V_2^2 \cos^2\theta}$

전력손실률이 동일하므로 $h_1 = h_2$

$$\frac{RP_1}{V_1^2 \cos^2\theta} = \frac{RP_2}{V_2^2 \cos^2\theta}$$

따라서,

$$P_2 = \left(\frac{V_2}{V_1}\right)^2 \times P_1 = \left(\frac{5700}{3300}\right)^2 \times P_1 = 2.98P_1$$

033 ★

ANSWER ④ 수소 부족 시 공기와 혼합사용이 가능하므로 경제적이다.

수소 냉각의 장·단점

1) 장점

㉠ 수소의 밀도는 공기의 약 7[%]이므로 풍손이 공기냉각에 비해 1/10로 감소

㉡ 냉각효과가 크다.

㉢ 수소는 열전도율이 커서 발전기 내 온도 상승이 저하한다.

㉣ 코로나 전압이 높아 코로나의 발생이 적다.

㉤ 수소 압력의 변화로 출력을 변화시킬 수 있다.

2) 단점

㉠ 수소와 공기가 적당히 혼합 시 폭발하게 된다.

㉡ 설비비가 많이 든다.

고난도

034 ★★★

ANSWER ② 24

STEP1 AB, BC, AC 사이 전선의 길이 구하기

AB 및 BC 사이의 전선의 길이를 L_1이라 하고 AC 사이의 전선의 길이를 L 이라고 하면

$$L_1 = S + \frac{8D_1^2}{3S},\ L = 2S + \frac{8D^2}{2 \times 2S}$$

STEP2 전선의 실제 길이

전선의 실제 길이는 떨어지기 전과 떨어진 후가 같으므로 $2L_1 = L$

$2\left(S + \dfrac{8D_1^2}{3S}\right) = 2S + \dfrac{8D^2}{3 \times 2S}$ 으로 식이 정리된다.

STEP3 이도(D)로 식 정리하기

$$\frac{8D^2}{3 \times 2S} = 2\left(S + \frac{8D_1^2}{3S}\right) - 2S = \frac{2 \times 8D_1^2}{3S}$$

$$\therefore D = \sqrt{4D_1^2} = 2D_1 = 2 \times 12 = 24\,[\text{cm}]$$

035 ★★

ANSWER ② 유도뢰에 의한 이상전압

내부 이상 전압 : 내부 이상전압은 계통 조작 시 또는 고장 발생 시 발생하며 그 종류는 다음과 같다.

㉠ 개폐 이상전압
㉡ 사고시의 과도 이상전압
㉢ 계통 조작과 고장시의 자속 이상전압

외부 이상 전압

㉠ 직격뢰에 의한 이상전압
㉡ 유도뢰에 의한 이상전압
㉢ 타선과의 혼촉 시 발생하는 이상전압

036 ★★★

ANSWER ① 450

변전 설비용량 = 변압기 용량

$$= \frac{설비용량 \times 수용률}{부등률 \times 역률}[kVA]$$

$$= \frac{800 \times 0.6}{1.2 \times 0.9} ≒ 444.44[kVA]$$

037 ★★★

ANSWER ④ 선택지락계전기의 동작이 용이하다.

접지방식별 특징

구분	비접지 방식	직접 접지 방식	소호리액터 접지방식
1선 지락 시 건전상 전압상승	$\sqrt{3}$ 배 상승	최소	-
기기절연 수준	최고	최소 (저감, 단절연)	중간
과도 안정도	크다	최소	최대
1선 지락전류	매우 작다	최대	최소
전자유도장해	매우 작다	최대	최소
보호계전기 동작	불확실	확실	-

지락 전류가 최소이므로 계전기 동작이 용이하지 않다.

038 ★★★

ANSWER ③ 송전단의 역률

전력원선도에서 알 수 있는 상황

㉠ 정태안정 극한전력
㉡ 송·수전할 수 있는 최대전력
㉢ 선로손실과 송전효율
㉣ 수전단의 역률
㉤ 조상용량
㉥ 필요한 전력을 보내기 위한 송·수전단 전압간의 상차각

원선도에서 구할 수 없는 것

㉠ 과도 안정 극한전력
㉡ 코로나 손실
㉢ 송전단의 역률

039 ★★★

ANSWER ③ 피뢰기 동작 중 단자전압의 파고치

- 피뢰기 : 선로에 내습하는 이상전압의 파고값을 저감시켜서 기기 및 선로를 보호하기 위한 설비
- 피뢰기 제한전압 : 피뢰기 동작 중 나타나는 단자전압의 파고값
- 피뢰기 정격전압 : 속류를 차단하는 최고의 교류전압

040 ★★★

ANSWER ④ 149

V결선 출력 $P_V = \sqrt{3}\,P_1 = \sqrt{3} \times 200[kVA]$

과부하율

$$= \frac{P_L}{P_V} \times 100 = \frac{516}{\sqrt{3} \times 200} \times 100 = 149[\%]$$

제3과목 | 전기기기

041 ★★★

ANSWER ① 99

STEP1 %임피던스 전압 강하

$\%Z = \frac{I_n x}{V_n} \times 100 = \frac{V_s}{V_n} \times 100[\%]$ 에서

임피던스 전압은 $V_s = \frac{\%Z \times V_n}{100}$ 이다.

STEP2 %임피던스 강하(%Z)

$\%Z = \sqrt{\%R^2 + \%X^2} = \sqrt{1.2^2 + 0.9^2} = 1.5[\%]$

STEP3 %임피던스 전압 강하 식에 대입한다.

$V_s = \frac{\%Z \times V_n}{100} = \frac{1.5 \times 6600}{100} = 99[V]$

042 ★

ANSWER ① 88.5

전원에서 흐르는 전류는 전손실 전류(기계손 + 철손)이므로

– 발전기의 손실 (2대)

$P_{l0} = VI_0 = 100 \times 22 = 2200[W] = 2.2[kW]$

– 발전기 1대당 계자저항손 $P_f = 200[W]$

그러므로 전체 손실은

$P_l = \frac{1}{2}P_{l0} + P_f = \frac{2.2}{2} + 0.2 = 1.3[kW]$

발전기의 효율

$\eta = \frac{출력}{출력 + 손실} \times 100 = \frac{10}{10 + 1.3} \times 100 = 88.5[\%]$

043 ★

ANSWER ② 누설리액턴스 = 16,

여자전류 = $\frac{1}{16}$, 최대자속 = $\frac{1}{4}$

㉠ 누설리액턴스

리액턴스는 인덕턴스에 비례한다. 인덕턴스는 $L = \frac{\mu S N^2}{l} \propto N^2$ 이다. 그러므로 누설 리액턴스는 권수에 제곱 비례한다. 그러므로 1차코일 권수를 4배로하면 누설리액턴스는 16배가 된다.

㉡ 여자전류

여자전류 $I_\phi = \frac{V}{\omega L}$ 이고 인덕턴스 $L = \frac{\mu S N^2}{l}$ 이므로 여자전류와 권선수의 관계는 제곱 반비례 관계임을 알 수 있다. ($I_\phi = \frac{1}{N^2}$)이므로 1차코일 권수를 4배로하면 여자전류는 $\frac{1}{16}$ 배가 된다.

㉢ 최대자속

$\phi_m = \sqrt{2}\phi = \frac{\sqrt{2}V_1}{\omega N_1}$ 이다.

그러므로 $\phi_m \propto \frac{1}{N}$ 이다.

그러므로 1차코일 권수를 4배로하면 최대자속 ϕ_m은 $\frac{1}{4}$ 배가 된다.

044 ★★★

ANSWER ② 전압 제어

직류 전동기의 속도 제어법 비교

구분	제어 특성	특징
계자 제어법	정출력 제어	속도제어 범위가 좁다
전압 제어법	정토크 제어 • 워드 레오나드 방식 • 일그너 방식	제어 범위가 넓다 손실이 매우 적다 정역 운전이 가능하다 설비비가 많이 든다
직렬 저항법		효율이 나쁘다

045 ★

ANSWER ③ 전력의 소비

발전제동 : 3상 유도전동기의 1차 권선을 전원에서 분리하여 직류여자전류를 통해 발전기로 동작시켜 제동하는 방식으로 발생전력은 저항에서 열로 소모시키는 제동방식이다.

046 ★

ANSWER ③ 기전력의 극성

STEP1 **동기발전기의 병렬운전**

병렬 운전 조건	다른 경우 흐르는 전류
기전력의 크기가 같을 것	무효 순환 전류
기전력의 위상이 같을 것	동기화 전류 (유효 횡류)
기전력의 주파수가 같을 것	동기화 전류
기전력의 파형이 같을 것	고조파 무효 순환 전류

047 ★★★

ANSWER ② 9623

단락전류

$\%Z = \dfrac{I_n}{I_s} \times 100[\%]$에서,

$$I_s = \frac{I_n}{\%Z} \times 100[\%] = \frac{100}{3} \times \frac{100 \times 10^3}{\sqrt{3} \times 200} = 9622.5[\text{A}]$$

048 ★★

ANSWER ① 동기 발전기

동기발전기는 회전계자형이 사용되며 동기속도로 운전되는 정속도 전동기이다.

049 ★★

ANSWER ① 2차 측의 절연보호

변류기의 2차측을 개방하면 1차 전류가 모두 여자전류가 되어 2차 권선에 높은 전압이 유기되어 절연이 파괴되고 소손될 수 있다. 그러므로 변류기를 개방할 때 2차측 단락하는 이유는 2차 측의 절연을 보호하기 위함이다.

050 ★

ANSWER ③ $\sin\dfrac{\beta\pi}{2}$

단절권 계수 : $K_p = \sin\dfrac{\beta\pi}{2}$

051 ★★★

ANSWER ② 50

MATH **23단원 유리식**

STEP1 **동기와트**

$P_2 = 2\pi n_s T\,[\text{W}]$

(여기서, 토크 $T\,[\text{N}\cdot\text{m}]) = 54.134[\text{kg}\cdot\text{m}] \times 9.8]$

STEP2 **동기속도**

$$N_s = \frac{120f}{p} = \frac{120 \times 60}{8} = 900\,[\text{rpm}]$$

$$n_s = \frac{900}{60}\,[\text{rps}]$$

STEP3 대입한다.

STEP1 의 동기와트 공식에 대입한다.

$$\begin{aligned} P_2 &= 2\pi n_s T \\ &= 2\pi \times \left(\frac{900}{60}\right) \times (54.134 \times 9.8) \\ &\fallingdotseq 50000[\text{W}] = 50[\text{kW}] \end{aligned}$$

052 ★★★

ANSWER ④ 앞선 역률이며 역률은 더욱 나빠진다.

동기조상기의 특징

㉠ 동기전동기를 무부하 상태로 운전하고 여자전류의 가감을 통해 전기자 반작용 현상을 이용하여 전력계통의 전압조정 및 역률 개선에 사용하는 기기이다.

㉡ 동기전동기의 위상특성곡선(V곡선)을 이용하는 설비이다.

㉢ 여자전류를 변화시켜 진상 또는 지상 전류를 공급함으로써 무효전력 조정장치로 사용한다.

㉣ 부족여자운전 → 리액터 작용

㉤ 과여자운전 → 콘덴서 작용

그러므로, 동기조상기를 과여자로 하면 콘덴서로 작용하게 되어 선로의 역률은 더 진상이 되고 역률은 더 나빠지게 된다.

053 ★★

ANSWER ④ 누설 리액턴스가 증가한다.

㉠ 철손(히스테리시스손 + 와전류손)

와전류손은 주파수와 관련없고 히스테리시스손이 주파수와 반비례하므로 히스테리시스손은 증가하고 전체적인 철손은 증가한다.

㉡ 효율은 철손이 증가하게 되면서 나빠지게 된다.

㉢ 동기속도(N_s) $= \dfrac{120f}{p}$[rpm]에서 주파수가 낮아지므로 동기속도는 감소한다.

㉣ 누설리액턴스 $X_L = 2\pi fL[\Omega]$이므로 주파수가 낮아지므로 누설리액턴스도 낮아지게 된다.

054 ★★★

ANSWER ② 1081

STEP1 전동기 회전속도의 관계

$E_c = K\phi N$이므로 $E_c \propto N$ 임을 확인한다.

STEP2 역기전력

무부하일 때의 역기전력

$E_{c0} = 200[\mathrm{V}]$

$I_a = 100[\mathrm{A}]$일 때의 역기전력

$E_c = V - I_a R_a = 200 - (100 \times 15) = 185[\mathrm{V}]$

STEP3 비례식 세우기

$E_c \propto N$ 이므로 비례식을 세우면

$E_{c0} : E_c = N_0 : N$

$200 : 185 = N_0 : 1000$

$\therefore N_0 = \dfrac{200}{185} \times 1000 \fallingdotseq 1081[\mathrm{rpm}]$

055 ★★★

ANSWER ③ 반발 기동형 → 반발 유도형 → 콘덴서 기동형 → 분상 기동형 → 모노사이클릭형

기동 토크는 반발 기동형 > 반발 유도형 > 콘덴서 기동형 > 분상기동형 > 셰이딩코일형 > 모노사이클릭형 순이다.

056 ★

ANSWER ① 커진다.

정격전류에 대한 여자전류의 비는 전동기의 용량이 적을수록 크고, 동일용량의 전동기에서는 극수가 많을수록 크다.

057 ★

ANSWER ① 반발 전동기

반발전동기는 브러시를 단락하여 기동하며 브러시를 이동하여 회전속도를 제어한다.

058 ★★★

ANSWER ③ 지상전류가 되고 증가한다.

STEP1 위상 특성 곡선

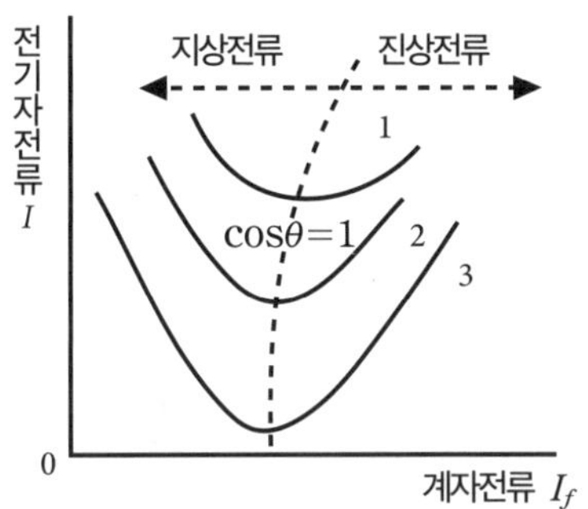

동기전동기의 위상 특성 곡선은 부하를 일정하게 하고, 계자전류의 변화에 대한 전기자 전류의 변화를 나타낸 곡선이다.

그림과 같이 여자 전류가 증가하면 역률은 앞서고 전기자전류는 증가한다.

TIP !

㉠ 역률을 1로 조정이 가능하며 역률이 1인 경우에 전기자 전류가 최소이다.

㉡ 계자전류를 변화시키면 전기자 전류와 역률의 변화가 발생한다.

㉢ 과여자를 취하면 진상이 되며 부족여자를 취하면 지상이 된다.

㉣ $P_1 > P_2 > P_3$

059 ★

ANSWER ① 진권

진권 : 뒤피치(후절)가 앞피치(전절)보다 큰 권선으로 진행방향은 시계방향의 방사형이다.

060 ★★★

ANSWER ③ 96

$P_2 = P_0 + P_{c2} + P_m$에서

$P_{c2} = P_2 - P_0 - P_m = 7950 - 7500 - 130$

$= 320[W]$

(P_0 : 2차 출력, P_{c2} : 2차동손, P_m : 기계손)

$P_{c2} = sP_2$에서 $s = \dfrac{P_{c2}}{P_2} = \dfrac{320}{7950} = 0.04$

$\eta_2 = 1 - s = 1 - 0.04 = 0.96 = 96[\%]$

제4과목 | 회로이론

061 ★★

ANSWER ③ $\frac{1}{s}(e^{-as} - e^{-bs})$

MATH 8단원 인수분해

49단원 라플라스 기초

그림의 함수 $f(t) = u(t-a) - u(t-b)$이므로

$$\begin{aligned} \pounds[f(t)] &= \pounds[u(t-a) - u(t-b)] \\ &= \pounds[u(t-a)] - \pounds[u(t-b)] \\ &\quad (\because \text{선형성}) \\ &= \frac{e^{-as}}{s} - \frac{e^{-bs}}{s} \\ &= \frac{1}{s}(e^{-as} - e^{-bs}) \end{aligned}$$

062 ★

ANSWER ② 타원형 회전자기장

회전자계

① 대칭 전류 : 원형 회전 자계 형성

② 비대칭 전류 : 타원 회전 자계 형성

063 ★★

ANSWER ① $\dfrac{s(2s^2+s-2)}{s-3}$

MATH **23단원 유리식**

50단원 라플라스 심화

$x_2(t)=\dfrac{d}{dt}x_1(t)$를 이용하여 x_2를 소거하면 다음과 같다.

$$x_3(t)=\left\{\frac{d}{dt}x_1(t)\right\}+3\int x_3(t)\,dt+2\frac{d}{dt}\left\{\frac{d}{dt}x_1(t)\right\}-2x_1(t)$$
$$=\frac{d}{dt}x_1(t)+3\int x_3(t)\,dt+2\frac{d^2}{dt^2}x_1(t)-2x_1(t)$$

양변에 라플라스 변환하면,

$$X_3(s)=sX_1(s)+3\frac{1}{s}X_3(s)+2s^2X_1(s)-2X_1(s)$$
$$\to X_3(s)-\frac{3}{s}X_3(s)=2s^2X_1(s)+sX_1(s)-2X_1(s)$$
$$\to \left(1-\frac{3}{s}\right)X_3(s)=(2s^2+s-2)X_1(s)$$
$$\to \frac{X_3(s)}{X_1(s)}=\frac{2s^2+s-2}{1-\frac{3}{s}}=\frac{s(2s^2+s-2)}{s-3}$$

064 ★★★

ANSWER ③ $\dfrac{R_2Cs+1}{R_2Cs+R_1Cs+1}$

MATH **23단원 유리식**

C를 대입할 때, 전달함수 이므로 라플라스 변환해서 넣어준다.

전달함수

$$G(s)=\frac{E_o(s)}{E_i(s)}=\frac{\left(R_2+\frac{1}{Cs}\right)I(s)}{\left(R_1+R_2+\frac{1}{Cs}\right)I(s)}=\frac{R_2Cs+1}{R_2Cs+R_1Cs+1}$$

TIP !

RLC **회로 라플라스 변환**

$R\to R$

$L\to Ls$

$C\to \dfrac{1}{Cs}$

065 ★★

ANSWER ④ $\dfrac{1}{2}I_m$

반파 정류파(정현반파)의 실효값 = $\dfrac{I_m}{2}$

TIP !

파형	정현파	정현 반파	삼각파	구형 반파	구형파
실효값	$\frac{V_m}{\sqrt{2}}$	$\frac{V_m}{2}$	$\frac{V_m}{\sqrt{3}}$	$\frac{V_m}{\sqrt{2}}$	V_m
평균값	$\frac{2V_m}{\pi}$	$\frac{V_m}{\pi}$	$\frac{V_m}{2}$	$\frac{V_m}{2}$	V_m

066 ★★★

ANSWER ① $\dfrac{1}{s(C_1+C_2)}$

MATH **23단원 유리식**

50단원 라플라스 심화

$$i(t) = C_1\frac{d}{dt}e_o(t) + C_2\frac{d}{dt}e_o(t)$$

초기값을 0으로 하고 라플라스 변환하면

$I(s) = C_1 sE_o(s) + C_2 sE_o(s)$

$= (C_1 s + C_2 s)E_o(s)$

$$\therefore G(s) = \frac{E_o(s)}{I(s)} = \frac{E_o(s)}{(C_1 s + C_2 s)E_o(s)}$$

$$= \frac{1}{C_1 s + C_2 s} = \frac{1}{s(C_1 + C_2)}$$

067 ★★

ANSWER ② $1 - \dfrac{1}{\omega^2 LC}$

MATH **33단원 행렬 기초**

$$\begin{bmatrix} A & B \\ C & D \end{bmatrix} = \begin{bmatrix} 1 & \frac{1}{j\omega C} \\ 0 & 1 \end{bmatrix}\begin{bmatrix} 1 & 0 \\ \frac{1}{j\omega L} & 1 \end{bmatrix}$$

$$= \begin{bmatrix} 1 - \frac{1}{\omega^2 LC} & \frac{1}{j\omega C} \\ \frac{1}{j\omega L} & 1 \end{bmatrix}$$

068 ★★★

ANSWER ② -2

중첩의 원리

① 전압원 계산(전류원 개방)

회로의 전체 전류 $= \dfrac{6}{2 + (2_{\parallel} 2)} = 2[\mathrm{A}]$이고

전류 분배 법칙에 의해 $I_1 = 1[\mathrm{A}]$

② 전류원 계산(전압원 단락)

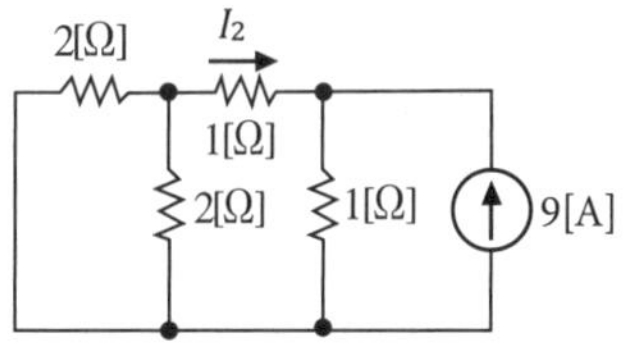

전류 분배 법칙에 의해

$$I_2 = \frac{1}{1 + (1 + 2_{\parallel} 2)} \times (-9) = -3[\mathrm{A}]$$

$\therefore I = I_1 + I_2 = 1 + (-3) = -2[\mathrm{A}]$

TIP !

방향에 주의할 것

069 ★★

ANSWER ② 200

정저항 회로 조건

$$R = \sqrt{\frac{L}{C}} = \sqrt{\frac{4 \times 10^{-3}}{0.1 \times 10^{-6}}} = 200[\Omega]$$

070 ★

ANSWER ③ 2

문제의 등가회로는 다음과 같다.

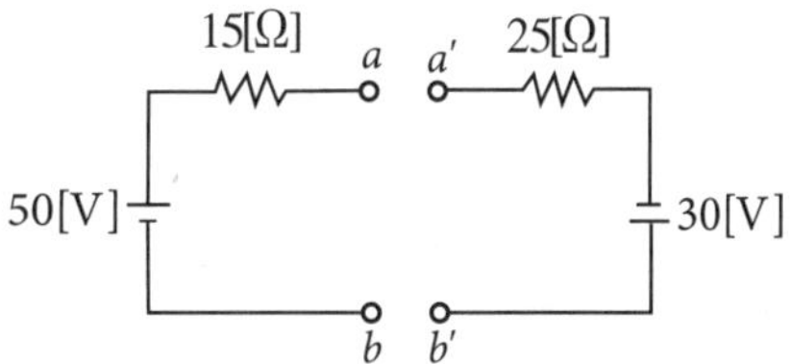

$I = \dfrac{V_T}{Z_T}$에서

합성 전압 $V_T = 50 + 30 = 80[\mathrm{V}]$

합성 임피던스 $Z_T = 15 + 25 = 40[\Omega]$

$$\therefore I = \frac{V_T}{Z_T} = \frac{80}{40} = 2[\mathrm{A}]$$

071 ★

ANSWER 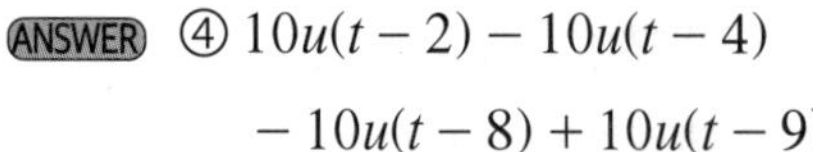

STEP1

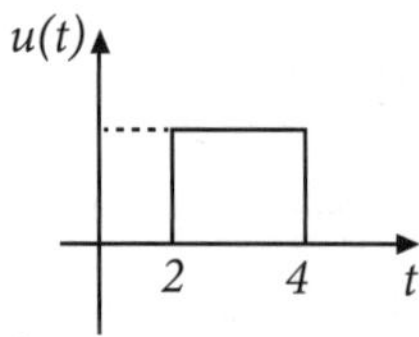

$f_1(t) = 10\{u(t-2) - u(t-4)\}$

STEP2

②

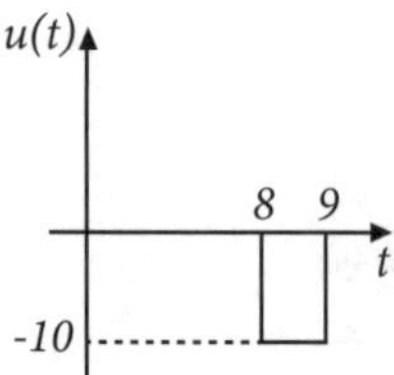

$f_2(t) = -10\{u(t-8) - u(t-9)\}$

$\therefore f(t) = f_1(t) + f_2(t)$

$= 10u(t-2) - 10u(t-4)$

$- 10u(t-8) + 10u(t-9)$

고난도

072 ★

ANSWER ① 39.6

MATH 30단원 직교좌표와 극좌표

31단원 극좌표 계산

불평형률 $= \dfrac{|E_2|}{|E_1|} \times 100[\%]$에서

정상분 : $E_1 = \dfrac{1}{3}(E_a + aE_b + a^2E_c)$

역상분 : $E_2 = \dfrac{1}{3}(E_a + a^2E_b + aE_c)$이고

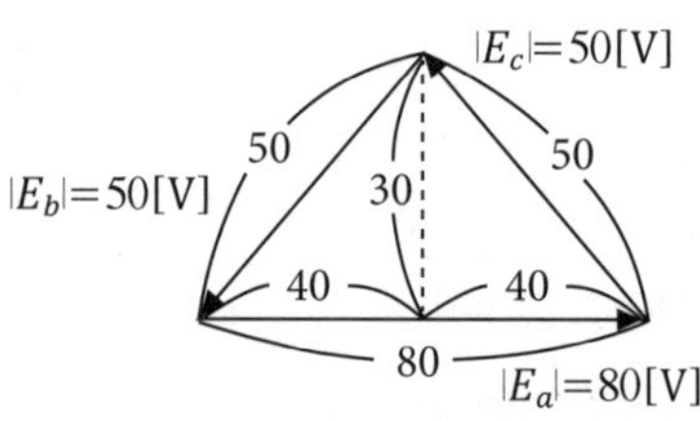

$E_a = 80[V]$이므로

$E_b = -40 - j30[V]$

$E_c = -40 + j30[V]$

$$E_1 = \frac{1}{3}(E_a + aE_b + a^2E_c)$$

$$= \frac{1}{3}\left\{80 + \left(-\frac{1}{2} + j\frac{\sqrt{3}}{2}\right)(-40 - j30) + \left(-\frac{1}{2} - j\frac{\sqrt{3}}{2}\right)(-40 + j30)\right\}$$

$$= \frac{1}{3}(80 + 40 + 30\sqrt{3}) = 57.32[V]$$

$$E_2 = \frac{1}{3}(E_a + a^2E_b + aE_c)$$

$$= \frac{1}{3}\left\{80 + \left(-\frac{1}{2} - j\frac{\sqrt{3}}{2}\right)(-40 - j30) + \left(-\frac{1}{2} + j\frac{\sqrt{3}}{2}\right)(-40 + j30)\right\}$$

$$= \frac{1}{3}(80 + 40 - 30\sqrt{3}) = 22.68[V]$$

$\therefore$ 불평형률 $= \dfrac{22.68}{57.32} \times 100$

$\fallingdotseq 39.6[\%]$

073 ★★

ANSWER ③ $\dfrac{R}{n-1}$

전 전류를 I, 검류계에 흐르는 전류를 I_G 라고 하면,

$I_G = \dfrac{1}{n}I = \dfrac{r_1}{R + r_1} \times I$ 이므로

$\therefore r_1 = \dfrac{R}{n-1}$

074 ★★★

ANSWER ③ 380

Y결선시 선간 전압(V_l)은 상전압(V_p)의 $\sqrt{3}$ 배이므로

$$\therefore\ V_l = \sqrt{3}\,V_p = \sqrt{3} \times 220 \fallingdotseq 380\,[\mathrm{V}]$$

075 ★★★

ANSWER ③ $100(1 - e^{-10t})$

직류 전압 인가 시 전류

$i(t) = \dfrac{E}{R}e^{-\frac{1}{RC}t}$ [A]이므로

콘덴서 양단의 전압 $v_c(t)$의 적분 구간을 $0 \sim t$ 로 잡으면

$$v_c(t) = \frac{1}{C}\int_0^t i(t)\,dt = \frac{1}{C}\int_0^t \frac{E}{R}\cdot e^{-\frac{1}{RC}t}\,dt$$

$$= E\left(1 - e^{-\frac{1}{RC}t}\right)[\mathrm{V}]$$

$$\therefore\ v_c(t) = 100\left(1 - e^{-\frac{1}{5000 \times 20 \times 10^{-6}}t}\right)$$

$$= 100\,(1 - e^{10t})\,[\mathrm{V}]$$

076 ★★

ANSWER ② 4.57

STEP1 테브난 등가전압 V_{th}

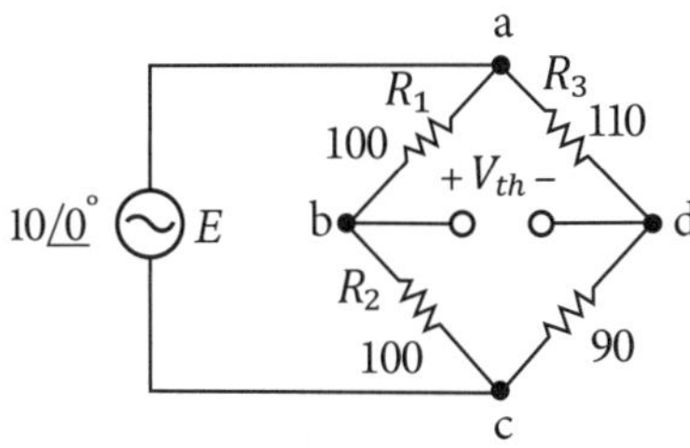

여기서 $V_{th} = V_{bd}$ 이므로

- b 점의 전압 $V_b = 5[\mathrm{V}]$
- d 점의 전압 $V_d = 10 \times \dfrac{90}{100} = 4.5\,[\mathrm{V}]$

$\therefore V_{bd} = V_b - V_d = 5 - 4.5 = 0.5[\mathrm{V}]$

STEP2 테브낭 등가저항 R_{th}(전압원 단락)

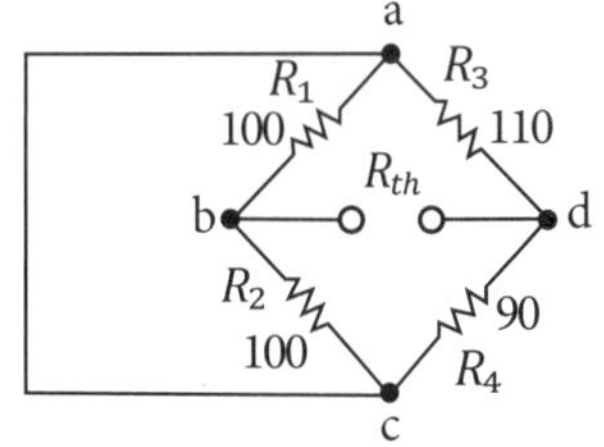

해석하기 쉽게 변형하면 다음과 같다.

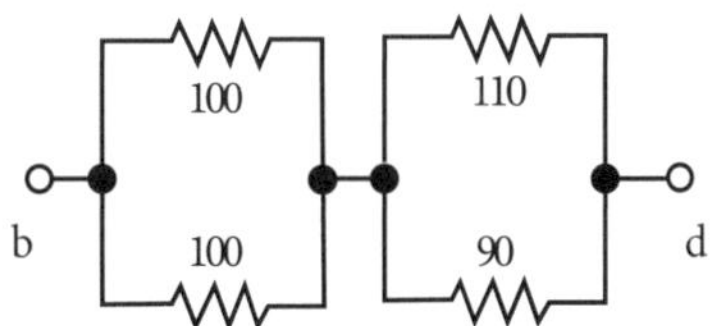

$$R_t = \frac{100 \times 100}{100 + 100} + \frac{110 \times 90}{110 + 90} = 99.5\,[\Omega]$$

STEP3 테브난 등가회로

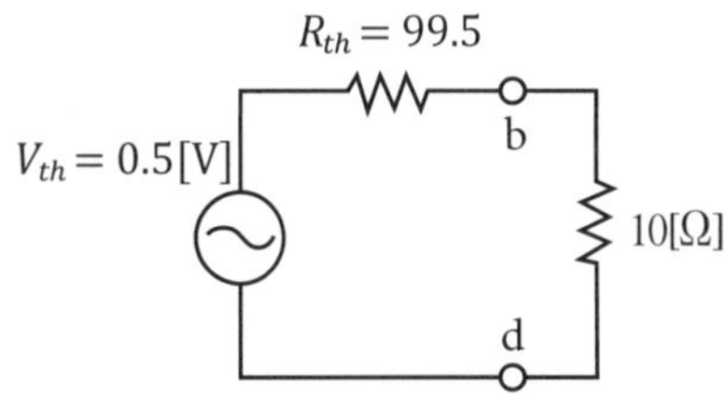

$$\therefore\ I = \frac{0.5}{99.5 + 10} = 4.57 \times 10^{-3}[\mathrm{A}]$$
$$= 4.57\,[\mathrm{mA}]$$

077 ★★

ANSWER ④ $\dfrac{Z_1Z_2 + Z_2Z_3 + Z_3Z_1}{Z_3}$

MATH 33단원 행렬 기초

$$\begin{bmatrix} A & B \\ C & D \end{bmatrix} = \begin{bmatrix} 1 & Z_1 \\ 0 & 1 \end{bmatrix}\begin{bmatrix} 1 & 0 \\ \frac{1}{Z_3} & 1 \end{bmatrix}\begin{bmatrix} 1 & Z_2 \\ 0 & 1 \end{bmatrix}$$

$$= \begin{bmatrix} \dfrac{Z_1 + Z_3}{Z_3} & \dfrac{Z_1Z_2 + Z_2Z_3 + Z_3Z_1}{Z_3} \\ \dfrac{1}{Z_3} & \dfrac{Z_2 + Z_3}{Z_3} \end{bmatrix}$$

078 ★★★

ANSWER ④ $\frac{1}{2}Ce^2$

콘덴서에 축적되는 에너지 $W = \frac{1}{2}QV$ 에서

전하량 $Q = CV$이고 전압 $V = e$이므로

$\therefore\ W = \frac{1}{2}QV = \frac{1}{2}CV^2$[J]

079 ★★

ANSWER ① 242

전력계지시값 $W_a = \frac{1}{2} \times$전체전력P

$= \frac{\sqrt{3}\,V_L I_L}{2} = \frac{\sqrt{3}}{2} \times 220 \times \frac{\frac{220}{\sqrt{3}}}{100}$

$= \frac{220^2}{200} = 242$[W]

080 ★★

ANSWER ④ $f(t) = -f(-t)$

기함수 : 정현 대칭, 원점 대칭, 기함수들의 합

(ex : sin파)

조건 $f(t) = -f(-t)$

$f(t) = f(T+t)$

제5과목 ㅣ 전기설비기술기준 및 한국전기설비규정

081 ★

ANSWER ① 역률 저하 상태

계통연계용 보호장치의 시설

(한국전기설비규정 503.2.3)

계통연계하는 분산형 전원설비를 설치하는 경우 다음에 해당하는 이상 또는 고장발생시 자동적으로 분산형 전원 설비를 전력계통으로부터 분리하기 위한 장치시설 및 해당 계통과의 보호협조를 실시하여야 한다.

㉠ 분산형 전원설비의 이상 또는 고장

㉡ 연계한 전력계통의 이상 또는 고장

㉢ 단독 운전상태

082 ★★

ANSWER ③ 300

고압 또는 특고압과 저압의 혼촉에 의한 위험

방지시설(한국전기설비규정 322.1)

가공공동지선과 대지 사이의 합성 전기저항 값은 1[km]를 지름으로 하는 지역 안마다 규정에 의해 접지 저항 값을 가지는 것으로 하고 또한 각 접지도체를 가공 공동지선으로부터 분리하였을 경우의 각 접지도체와 대지 사이의 전기 저항값은 300[Ω] 이하로 할 것

083 ★★

ANSWER ④ 상부 조영재와 위쪽으로 접근 시 특고압 절연전선을 사용하면 2.0[m] 이상 이격거리를 두어야 한다.

특고압 가공 전선과 건조물의 접근 (한국전기설비규정 333.23)

특고압 가공전선이 건조물과 제1차 접근상태로 시설되는 경우에는 다음에 따라야 한다.

㉠ 특고압 가공전선로는 제3종 특고압 보안공사에 의할 것

㉡ 사용전압이 35[kV] 이하인 특고압 가공전선과 건조물의 조영재 이격거리는 표에서 정한 값 이상일 것

건조물과 조영재의 구분	전선 종류	접근 형태	이격거리
상부 조영재	특고압 절연전선	위쪽	2.5[m]
		옆쪽 또는 아래쪽	1.5[m](전선에 사람이 쉽게 접촉할 우려가 없도록 시설한 경우는 1[m])
	케이블	위쪽	1.2[m]
		옆쪽 또는 아래쪽	0.5[m]
	기타전선		3[m]
기타 조영재	특고압 절연전선		1.5[m](전선에 사람이 쉽게 접촉할 우려가 없도록 시설한 경우는 1[m])
	케이블		0.5[m]
	기타 전선		3[m]

084 ★★

ANSWER ① 내장형 철탑

특고압 가공전선로의 철주·철근 콘크리트주 또는 철탑의 종류(한국전기설비규정 333.11)

특고압 가공전선로의 지지물로 사용하는 B종 철근 B종 콘크리트주 또는 철탑의 종류는 다음과 같다.

㉠ 직선형 : 전선로의 직선 부분(3° 이하의 수평각도 이루는 곳 포함)에 사용되는 것

㉡ 각도형 : 전선로 중 수평각도 3°를 넘는 곳에 사용되는 것

㉢ 인류형 : 전 가섭선을 인류하는 곳에 사용하는 것

㉣ 내장형 : 전선로 지지물 양측의 경간차가 큰 곳에 사용하는 것

㉤ 보강형 : 전선로 직선부분을 보강하기 위하여 사용하는 것

085 ★★

ANSWER ④ 80

고압 가공전선 상호 간의 접근 또는 교차 (한국전기설비규정 332.17)

고압 가공전선이 다른 고압 가공 전선과 접근상태로 시설 되거나 교차하여 시설되는 경우에는 다음에 따라 시설하여야 한다.

㉠ 고압 가공전선로는 고압 보안공사에 의할 것

㉡ 고압 가공전선과 다른 고압 가공전선과의 이격거리

구분	고압 가공전선	
	일반	케이블
고압 가공전선	0.8[m]	0.4[m]
고압가공전선의 지지물	0.6[m]	0.3[m]

086 ★★

ANSWER ④ 50

누전차단기의 시설(한국전기설비규정 211.2.3)

전원의 자동차단에 의한 저압 전로의 보호 대책으로 누전 차단기를 시설해야 할 대상은 다음과 같다.

㉠ 금속제 외함을 가지는 사용전압이 50[V]를 초과하는 저압의 기계기구로서 사람이 쉽게 접촉할 우려가 있는 곳에 시설하는 것에 전기를 공급하는 전로

㉡ 주택의 인입구 등 다른 절에서 누전차단기 설치를 요구하는 전로

㉢ 특고압 전로, 고압 전로 또는 저압 전로와 변압기에 의하여 결합되는 사용전압 400[V] 초과의 저압전로

087 ★★

ANSWER ② 1.8

가공 전선로 지지물의 철탑오름 및 전주오름 방지 (한국전기설비규정 331.4)

가공 전선로의 지지물에 취급자가 오르고 내리는데 사용하는 발판 볼트 등을 지표상 1.8[m] 미만에 시설하여서는 아니 된다.

088 ★

ANSWER ① 에너지 절약 등에 지장을 주지 아니하도록 할것

안전 원칙(기술기준 제2조)

① 전기설비는 감전, 화재 그 밖에 사람에게 위해(危害)를 주거나 물건에 손상을 줄 우려가 없도록 시설하여야 한다.

② 전기설비는 사용 목적에 적절하고 안전하게 작동 하여야 하며, 그 손상으로 인하여 전기 공급에 지장을 주지 않도록 시설하여야 한다.

③ 전기설비는 다른 전기설비, 그 밖의 물건의 기능에 전기적 또는 자기적인 장해를 주지 않도록 시설하여야 한다.

089 ★★

ANSWER ① 1.5

저압 옥내배선의 사용 전선 (한국전기설비규정 231.3)

㉠ 저압 옥내배선의 전선 : 단면적 2.5[mm^2] 이상의 연동선

㉡ 옥내 배선의 사용전압이 400[V] 이하인 경우는 다음에 의하여 시설할 수 있다.

① 전광표시 장치등 또는 제어회로
- 단면적 1.5[mm^2] 이상의 연동선
- 단면적 0.75[mm^2] 이상인 다심 케이블 또는 다심 캡타이어 케이블을 사용하고 또한 과전류가 생겼을 때에 자동적으로 전로에서 차단하는 장치를 시설

② 진열장 또는 이와 유사한 것의 내부배선 : 단면적 0.75[mm^2] 이상인 코드 또는 캡타이어 케이블

090 ★★★

ANSWER ③ 6.5

고압 가공전선의 높이(한국전기설비규정 332.5)
저압 가공전선의 높이(한국전기설비규정 222.7)

저·고압 가공전선의 높이는 다음에 따라야 한다.

설치장소		가공전선의 높이
도로횡단 (번잡하지 않은 도로 제외)		지표상 6[m] 이상
철도 또는 궤도 횡단		레일면상 6.5[m] 이상
횡단 보도교 위	저압	노면상 3.5[m] 이상 (단, 절연전선의 경우 3[m]이상)
	고압	노면상 3.5[m] 이상
일반장소		지표상 5[m] 이상 단, 저압의 경우 절연전선 또는 케이블을 사용하여 교통에 지장이 없도록 하여 옥외조명용에 공급하는 경우 4[m]까지 감할 수 있다.
다리의 하부 기타 이와 유사한 장소		저압의 전기철도용 급전선은 지표상 3.5[m] 까지로 감할 수 있다.

091 ★★

ANSWER ③ 1.2

합성수지관 공사(한국전기설비규정 232.11)

관 상호간 및 박스와는 관을 삽입하는 깊이를 관의 바깥지름의 1.2배(접착제를 사용하는 경우 0.8배) 이상으로 할 것

092 ★

ANSWER ① 1

점멸기의 시설(한국전기설비규정 234.6)

다음의 경우에는 센서등(타임 스위치포함)을 시설하여야 한다.

㉠ 관광숙박업 또는 숙박업(여인숙업을 제외한다)에 이용되는 객실의 입구등은 1분 이내에 소등되는 것

㉡ 일반주택 및 아파트 각 호실의 현관등은 3분 이내에 소등되는 것

093 ★

ANSWER ④ 전선로의 주위 상태를 감시할 목적으로 시설한다.

무선용 안테나 등의 시설 제한
(한국전기설비규정 364.2)

무선용 안테나 등은 전선로의 주위 상태를 감시하거나 배전자동화, 원격 검침등 지능형 전력망을 목적으로 시설하는 것 이외에는 가공 전선로의 지지물에 시설하여서는 아니 된다.

094 ★★

ANSWER ② 2.5

저압 옥내배선의 사용전선
(한국전기설비규정 231.3)

㉠ 저압 옥내배선의 전선 : 단면적 2.5[mm^2] 이상의 연동선

㉡ 옥내 배선의 사용전압이 400[V] 이하인 경우는 다음에 의하여 시설할 수 있다.

① 전광표시 장치 또는 제어회로
- 단면적 1.5[mm^2] 이상의 연동선
- 단면적 0.75[mm^2] 이상인 다심 케이블 또는 다심 캡타이어 케이블을 사용하고 또한 과전류가 생겼을 때에 자동적으로 전로에서 차단하는 장치를 시설

② 진열장 또는 이와 유사한 것의 내부배선 : 단면적 0.75[mm^2] 이상인 코드 또는 캡타이어 케이블

095 ★★★

ANSWER ① 경보장치

특고압용 변압기의 보호장치
(한국전기설비규정 351.4)

특고압용의 변압기에는 그 내부에 고장이 생겼을 경우에 보호하는 장치를 표와 같이 시설하여야 한다.

뱅크 용량의 구분	동작조건	장치의 종류
5,000[kVA]이상 10,000[kVA]미만	변압기 내부 고장	자동차단장치 또는 경보장치
10,000[kVA]이상	변압기 내부 고장	자동차단장치
타냉식 변압기(변압기의 권선 및 철심을 직접 냉각시키기 위하여 봉입한 냉매를 강제 순환시키는 냉각 방식을 말한다.)	냉각 장치에 고장이 생긴 경우 또는 변압기의 온도가 현저히 상승한 경우	경보장치

2016년 2회

096 ★★

ANSWER ③ 제2종 특고압 보안공사

특고압 가공전선과 삭도의 접근 또는 교차

(한국전기설비규정 333.25)

㉠ 특고압 가공전선이 삭도와 제1차 접근상태 : 제3종 특고압 보안공사

㉡ 특고압 가공 전선이 삭도와 제2차 접근상태 : 제2종 특고압 보안공사

097 ★

ANSWER ② 좌굴하중

이상 시 상정하중(한국전기설비규정 333.14)

철탑의 강도계산에 사용하는 이상 시 상정하중은 풍압이 전선로에 직각 방향으로 가하여지는 경우의 하중과 전선로의 방향으로 가하여지는 경우의 수직하중, 수평 횡하중, 수평 종하중을 계산하여 각 부재에 대한 이들의 하중 중 그 부재에 큰 응력이 생기는 쪽의 하중을 채택한다.

098 ★

ANSWER ② 300

아크 용접기(한국전기설비규정 241.10)

가반형의 용접 전극을 사용하는 아크 용접장치는 다음에 따라 시설하여야 한다.

㉠ 용접 변압기는 절연 변압기일 것

㉡ 용접 변압기의 1차측 전로의 대지전압은 300[V] 이하일 것

㉢ 용접 변압기의 1차측 전로에는 용접변압기에 가까운 곳에 쉽게 개폐할 수 있는 개폐기를 시설할 것

㉣ 용접기 외함 및 피용접재 또는 이와 전기적으로 접속되는 받침대, 정반 등의 금속체는 규정에 준하여 접지공사를 하여야 한다.

099 ★★★

ANSWER ③ 단상 3선식 전로의 저압측 전선

과전류 차단기의 시설제한

(한국전기설비규정 341.11)

접지공사의 접지도체, 다선식 전로의 중성선 및 전로의 일부에 접지공사를 한 저압 가공전선로의 접지측 전선에는 과전류 차단기를 시설하여서는 안된다.

다만, 다음의 경우에는 예외로 한다.

㉠ 다선식 전로의 중성선에 시설한 과전류 차단기가 동작한 경우에 각 극이 동시에 차단될 때

㉡ 저항기·리액터 등을 사용하여 접지공사를 한 때에 과전류 차단기의 동작에 의하여 그 접지도체가 비접지 상태로 되지 아니할 때

출제기준 변경 및 개정된 관계 법규에 따라 삭제된 문제가 있어 20문항이 안됩니다.

2016년 3회

제1과목 | 전기자기학

001 ★★

ANSWER ④ 400회

기자력과 권선수의 관계

$F = NI[\text{AT}]$

이때, 권수에 대해서 식을 정리하면 다음과 같다.

$$N = \frac{F}{I} = \frac{2000}{5} = 400[\text{회}]$$

002 ★★★

ANSWER ① $P = \epsilon_o(\epsilon_s - 1)E$

분극의 세기

$P = (\epsilon - \epsilon_0)E = \epsilon_0(\epsilon_s - 1)E$

여기서, $\epsilon = \epsilon_0\epsilon_s$: 유전율

ϵ_0 : 진공상태에서 유전율, $8.855 \times 10^{-12}[\text{F/m}]$

ϵ_s : 비유전율

003 ★★★

ANSWER ③ $\nabla \cdot E$

MATH 48단원 ∇(델)

벡터의 발산

$$\text{div}\vec{E} = \nabla \cdot \vec{E} = (\frac{\partial}{\partial x}\boldsymbol{i} + \frac{\partial}{\partial y}\boldsymbol{j} + \frac{a}{\partial z}\boldsymbol{k}) \cdot (\boldsymbol{i}E_x + \boldsymbol{j}E_y + \boldsymbol{k}E_z) = \frac{\partial E_x}{\partial x} + \frac{\partial E_y}{\partial y} + \frac{\partial E_z}{\partial z}$$

고난도

004 ★

ANSWER ④ 966

MATH 23단원 유리식

STEP1 **정전 에너지**

$$W = \frac{1}{2}QV[\text{J}]$$

이때, 각 점에서의 정전에너지는 합쳐져 총 정전에너지가 된다.

STEP2 **점전하와의 거리에 대한 전위**

$$V = \frac{Q}{4\pi\epsilon_0 r}[\text{V}]$$

각 점에서의 전위는 다음과 같다.

$$V_1 = \frac{Q}{4\pi\epsilon_0 r} = \frac{1}{4\pi\epsilon_0}\left(\frac{4}{1} + \frac{6}{2} + \frac{8}{3}\right) \times 10^{-9} \approx 9 \times 10^9 \times 9.67 \times 10^{-9} = 87.03[\text{V}]$$

$$V_2 = \frac{Q}{4\pi\epsilon_0 r} = \frac{1}{4\pi\epsilon_0}\left(\frac{2}{1} + \frac{6}{1} + \frac{8}{2}\right) \times 10^{-9} \approx 9 \times 10^9 \times 12 \times 10^{-9} = 108[\text{V}]$$

$$V_3 = \frac{Q}{4\pi\epsilon_0 r} = \frac{1}{4\pi\epsilon_0}\left(\frac{2}{2} + \frac{4}{1} + \frac{8}{1}\right) \times 10^{-9} \approx 9 \times 10^9 \times 13 \times 10^{-9} = 117[\text{V}]$$

$$V_4 = \frac{Q}{4\pi\epsilon_0 r} = \frac{1}{4\pi\epsilon_0}\left(\frac{2}{3} + \frac{4}{2} + \frac{6}{1}\right) \times 10^{-9} \approx 9 \times 10^9 \times 8.67 \times 10^{-9} = 78.03[\text{V}]$$

STEP3 **총 정전에너지**

$$W = \frac{1}{2}QV = \frac{1}{2}(Q_1V_1 + Q_2V_2 + Q_3V_3 + Q_4V_4)$$
$$= \frac{1}{2}(2 \times 87.03 + 4 \times 108 + 6 \times 117 + 8 \times 78.03) \times 10^{-9}$$
$$= \frac{1}{2} \times 1932.3 \times 10^{-9} \approx 966[\text{nJ}]$$

TIP !

공기중의 유전율 $\epsilon_0 = 8.855 \times 10^{-12}$

$$4\pi\epsilon_0 = \frac{1}{9 \times 10^9},\ \epsilon_0 = \frac{1}{4\pi \times 9 \times 10^9}$$

005 ★★

ANSWER ④ 온도가 올라가면 저항값이 증가한다.

MATH **10단원 비례, 반비례, 비례식**

STEP1 **저항**

$$R = \rho\frac{l}{S} = \frac{l}{\sigma S} = \frac{V}{I}[\Omega]$$

- 고유 저항 ρ (저항률) : 물질 자체의 고유한 저항 $[\Omega \cdot \text{m}]$

$$\rho = \frac{1}{\sigma}[\Omega \cdot \text{m}]$$

즉, 도체의 저항은 도체의 단면적에 반비례하고, 도체의 길이에 비례하고, 저항률에 비례한다.

STEP2 **온도와 저항의 관계**

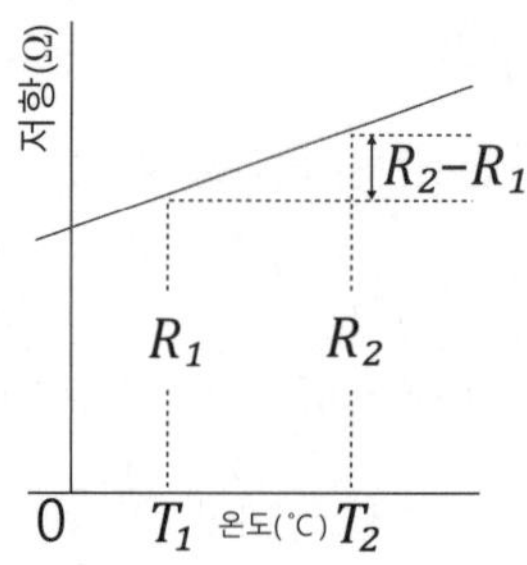

도체는 일반적으로 온도가 올라갈수록 저항 또한 올라가는 성질을 가지고 있다.

006 ★★★

ANSWER ① 2.25×10^{-1}

진공 중의 점전하와 거리에 대한 전계의 세기

$$E = \frac{Q}{4\pi\epsilon_0 r^2} \approx 9 \times 10^9 \times \frac{10^{-10}}{2^2}$$
$$= 2.25 \times 10^{-1}[\text{V/m}]$$

TIP !

공기중의 유전율 $\epsilon_0 = 8.855 \times 10^{-12}$

$$4\pi\epsilon_0 = \frac{1}{9 \times 10^9}$$

$$\epsilon_0 = \frac{1}{4\pi \times 9 \times 10^9}$$

007 ★★

ANSWER ③ 와전류

와전류

도체 주변의 자기장이 급격하게 바뀔 때, 자속 변화의 억제를 위한 역자속을 만드는 소용돌이 형태의 전류

$$\text{rot}i = -K\frac{\partial B}{\partial t}$$

008 ★

ANSWER ② 0.02

STEP1 **환상코일의 인덕턴스**

$L = \dfrac{\mu S N^2}{l}$ 이다.

두 코일이 현재 같은 철심을 공유하고 있기 때문에 길이, 투자율, 단면적은 같다. 따라서 $L \propto N^2$이다.

STEP2 **인덕턴스 구하기**

$L_1 = 0.01$이고 L_2의 권선수는 L_1의 2배이므로 인덕턴스는 4배이다.

$\therefore L_2 = 0.04[\text{H}]$

STEP3 **상호인덕턴스 구하기**

$$M = k\sqrt{L_1 L_2} = \sqrt{0.01 \times 0.04} = 0.02[\text{H}]$$

009 ★★★

ANSWER ① 200[V] 5[μF]

STEP1 **각 콘덴서의 축적 전하량**

$Q_1 = C_1V_1 = (5 \times 10^{-6}) \times 200 = 1 \times 10^{-3}[\text{C}]$

$Q_2 = C_2V_2 = (4 \times 10^{-6}) \times 300 = 1.2 \times 10^{-3}[\text{C}]$

$Q_3 = C_3V_3 = (3 \times 10^{-6}) \times 400 = 1.2 \times 10^{-3}[\text{C}]$

$Q_4 = C_4V_4 = (3 \times 10^{-6}) \times 500 = 1.5 \times 10^{-3}[\text{C}]$

STEP2 **콘덴서 내구성**

축적 전하량 이상의 전하량이 공급되면 절연파괴된다. 따라서, 1×10^{-3}[C]로 가장 작은 200[V] – 5[μF] 콘덴서가 먼저 파괴된다.

010 ★

ANSWER ② 500[Hz], 0.1[J]

MATH 01단원 SI 접두어, 단위

25단원 무리식

STEP1 정전에너지

$$W = \frac{1}{2}QV = \frac{1}{2}CV^2$$
$$= \frac{1}{2} \times 5 \times 10^{-6} \times 200^2 = 0.1[J]$$

STEP2 진동 주파수

$$f = \frac{1}{2\pi\sqrt{LC}} = \frac{1}{2\pi\sqrt{20 \times 10^{-3} \times 5 \times 10^{-6}}}$$
$$\approx 500[Hz]$$

011 ★★★

ANSWER ② $\frac{1}{2}\epsilon_0\left(\frac{V}{d}\right)^2$

평행 도체판 사이에 작용하는 힘

$$F = \frac{1}{2}E \cdot D = \frac{\epsilon E^2}{2} = \frac{\epsilon_0}{2}\left(\frac{V}{d}\right)^2[N/m^3]$$

012 ★

ANSWER ① $C = 4\pi\epsilon_0 \frac{b^2}{b-a}$ 답을 암기할 것

내구가 접지된 동심구의 정전용량

$$C = 4\pi\epsilon_0 \frac{b^2}{b-a}$$

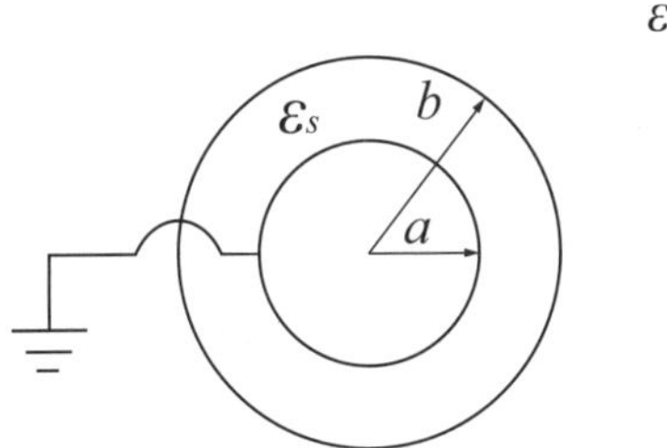

013 ★

ANSWER ② 250

누설전류

$$I = \frac{V}{R} = \frac{500}{2 \times 10^6} = 250 \times 10^{-6}[A]$$
$$= 250[\mu A]$$

014 ★★

ANSWER ③ 힘은 도선의 길이에 반비례한다.

플레밍의 왼손 법칙

자계 $\vec{H}$에 의해 전류 도체가 받는 자기력 방향이 결정(전동기의 원리)

$$F = (\vec{B} \times \vec{I}) \cdot l = BIl\sin\theta[N]$$

($\vec{F}$:전자력, $\vec{B}$:자속밀도)

즉, 힘은 전류에 비례하고,

자장의 세기에 비례하고,

도선의 길이에 비례하고,

전류의 방향과 자장의 방향과의 사이각의

정현(sine)에 관계되어있다.

015 ★

ANSWER ④ 318

N극과 S극 사이의 힘

$$F = \frac{B^2}{2\mu_0}S = \frac{2^2}{2 \times (4\pi \times 10^{-7})} \times 2 \times 10^{-4}$$
$$\approx 318[N]$$

016 ★★★

ANSWER ④ 16

무한 직선 도체에 의한 자계의 세기와 전류의 관계

$$H = \frac{I}{2\pi r}[AT/m] \rightarrow I = H \times 2\pi r$$
$$= \frac{4}{\pi} \times 2\pi \times 2 = 16[A]$$

017 ★★

ANSWER ③ 5×10^3

전위와 자계의 관계

$$V = Ed = \left(5 \times 10^3 \times \frac{1}{10^{-3}}\right) \times \frac{2}{2}$$
$$= 5 \times 10^6[\mathrm{V}] = 5 \times 10^3[\mathrm{kV}]$$

TIP !

공식에 반지름을 대입하기 때문에 2[m]를 2로 나눈다.

018 ★★★

ANSWER ④ 패러데이의 법칙

페러데이 법칙

유도 기전력의 크기는 폐회로에 쇄교하는 자속의 시간적 변화율에 비례한다.

$$e = -\frac{d\Phi}{dt} = -N\frac{d\phi}{dt}[\mathrm{V}](N\text{:감은 코일 수})$$

019 ★★

ANSWER ② ϵ_s배로 증가

MATH **10단원 비례, 반비례, 비례식**

23단원 유리식

STEP1 **전하량과 정전용량의 관계**

$Q = CV[\mathrm{C}]$

STEP2 **콘덴서의 정전용량**

$$C_0 = \frac{\epsilon_0 S}{d}[\mathrm{F}]$$

STEP3 **비교**

$$Q = C_0 V = \frac{\epsilon_0 S}{d} V[\mathrm{C}]$$

$$\rightarrow Q' = CV = \frac{\epsilon_0 \epsilon_s S}{d} V = \epsilon_s Q[\mathrm{C}]$$

즉, 기존 전하량의 ϵ_s배로 증가한다.

020 ★

ANSWER ③ $\frac{f_c}{f}$

MATH **23단원 유리식**

STEP1 **변위전류**

$$i_d = \epsilon\frac{\partial E}{\partial t} = w\epsilon E = 2\pi f E[\mathrm{A/m^2}]$$

STEP2 **전도전류**

$i_\sigma = \sigma E[\mathrm{A/m^2}]$

STEP3 **임계 주파수**

$$\sigma E = 2\pi f_c \epsilon E \rightarrow f_c = \frac{\sigma}{2\pi\epsilon}$$

STEP4 **유전손실**

유전손실 $\tan\delta$는 다음과 같이 정의한다.

$$\tan\delta = \frac{i_\sigma}{i_d} = \frac{\sigma E}{2\pi f \epsilon E} = \frac{\sigma}{2\pi f \epsilon} = \frac{f_c}{f}$$

제2과목 | 전력공학

021 ★★★

ANSWER ② 페란티 효과, 선로의 정전용량 때문

- 페란티 현상 : 무부하 또는 경부하 시 수전단 전압이 송전단 전압보다 높아지는 현상
- 원인 : 선로의 정전용량(진상전류)
- 방지 대책
  - ㉠ 선로에 흐르는 전류가 지상이 되도록 한다.
  - ㉡ 수전단에 분로 리액터를 설치한다.
  - ㉢ 동기 조상기의 부족여자 운전

022 ★★★

ANSWER ① 영상 전류가 흘러서

전자유도장해

- 지락 사고 시 흐르는 큰 영상전류에 의해 전자유도 전압이 상승하여 유도장해가 발생한다.
- 전자유도전압 $E_m = j\omega Ml\, I_g = j\omega Ml(3I_0)$ 이므로 영상전류 I_0 및 선로길이(l)에 비례한다.

023 ★

ANSWER ① 유량을 조정한다.

제수문은 취수량을 조절하고 물의 유입을 단절하는 역할을 한다.

024 ★★

ANSWER ④ $k\dfrac{QH}{\eta}$

- 발전기 출력

$P_G = 9.8QH\eta_t\eta_g$[kW]

- 양수펌프용 전동기 출력

$$P_M = \frac{9.8QH}{\eta} = k\frac{QH}{\eta}\,[\text{kW}]$$

025 ★★

ANSWER ④ 고저압 혼촉 시 수용가에 침입하는 상승전압을 억제하기 위함

변압기에서 고·저압 혼촉 시 저압측의 전위상승으로 수용가(선로 및 설비)에 절연파괴가 발생할 수 있는데 중성선을 전기적으로 연결하면 이를 억제할 수 있다.

026 ★★★

ANSWER ② 트립 코일 여자부터 소호까지의 시간

차단기의 정격차단시간

정격전압하에서 규정된 표준 동작책무 및 동작상태에 따라 차단할 때의 차단시간한도로서 트립코일여자로부터 아크소호까지의 시간(개극시간 + 아크시간)

정격전압[kV]	7.2	25.8	72.5	170	362
정격차단시간 (cycle)	5~8	5	5	3	3

027 ★★★

ANSWER ② 83

퍼센트 리액턴스

$$\%X = \frac{XP}{10V^2}$$

위의 식을 X 에 관해서 정리하면

$$X = \frac{\%X \times 10 \times V^2}{P}[\Omega]$$

(여기서, V : 정격전압[kV], P : 정격용량[kVA])

$$\therefore\ X = \frac{14 \times 10 \times 154^2}{40000} = 83\,[\Omega]$$

028 ★

ANSWER ③ 복수기

복수기 : 증기 터빈에서 배출되는 증기를 물로 냉각하여 복수하기 위한 장치로서 수전설비가 아니라 발전설비에 해당된다.

029 ★

ANSWER ③ 유동성

보호계전기는 전력계통의 구성요소를 항상 감시하여 이들에 고장이 발생하던가 계통의 운전에 이상이 있을 때는 즉시 이를 검출, 동작하여 고장부분을 분리시킴으로써 전력공급지장을 방지하고 고장기기나 시설의 손상을 최소한으로 억제하는 기능을 가져야 한다.

보호계전기에 요구되는 기본기능

㉠ 확실성
㉡ 선택성
㉢ 신속성
㉣ 경제성
㉤ 취급의 용이성

030 ★★

ANSWER ③ VCB

진공 차단기(VCB)는 공칭 전압 30[kV] 이하에서 소내 전력공급용 차단기로서 현재 가장 많이 사용된다.

031 ★★★

ANSWER ② 부등률에 비례하고 수용률에 반비례한다.

수용률, 부등률, 부하율의 관계

- 합성 최대 전력 $= \dfrac{\text{각 부하의 최대 수요 전력의 합[kW]}}{\text{부등률}}$

$= \dfrac{\text{부하 설비 합계[kW]} \times \text{수용률}}{\text{부등률}}$

- 부하율 $= \dfrac{\text{평균 수요전력[kW]}}{\text{최대 수요 전력(합성 최대 전력)[kW]}} \times 100$

$= \dfrac{\text{평균 수요 전력[kW]}}{\text{부하 설비합계[kW]}} \times \dfrac{\text{부등률}}{\text{수용률}}$

따라서 부하율은 부등률에 비례하고 수용률에 반비례한다.

032 ★★

ANSWER ② 0.023

3상 3선식의 작용정전 용량

$C = C_s + 3C_m = 0.002 + 3 \times 0.007$

$= 0.023[\mu\text{F/km}]$

(여기서, C : 작용정전용량, C_s : 대지정전용량, C_m : 선간정전용량)

033 ★★

ANSWER ④ 영상분 전류와 역상분 전류는 대칭성분 임피던스에 관계없이 항상 같다.

2선 지락 고장(b, c상 지락 시)

- 고장조건 : $V_b = V_c = 0,\ I_a = 0$
- 영상전류 $I_0 = \dfrac{-Z_2 E_a}{Z_0 Z_1 + Z_1 Z_2 + Z_2 Z_0}$
- 정상전류 $I_1 = \dfrac{(Z_0 + Z_2) E_a}{Z_0 Z_1 + Z_1 Z_2 + Z_2 Z_0}$
- 역상전류 $I_2 = \dfrac{-Z_0 E_a}{Z_0 Z_1 + Z_1 Z_2 + Z_2 Z_0}$

034 ★★

ANSWER ① 전선의 진동방지

댐퍼는 전선의 진동 억제 장치이며 지지점 가까운 곳에 설치한다.

035 ★★★

ANSWER ③ 다중접지방식 채용

전력손실 경감대책

㉠ 배전 전압을 높임(승압)
㉡ 역률개선
㉢ 전선교체
㉣ 배전선로 단축
㉤ 불평형 부하개선

TIP !

배전선로의 전력 손실 공식

$$P_l = 3I^2R = \frac{P^2R}{V^2\cos^2\theta}$$
$$= \frac{P^2}{V^2\cos^2\theta}\cdot\rho\frac{L}{A} = \frac{\rho W^2 L}{AV^2\cos^2\theta}$$

ρ : 고유저항 W : 부하 전력 L : 배전 거리
A : 전선의 단면적 V : 수전 전압
$\cos\theta$: 부하 역률

036 ★

ANSWER ② 36.1

$$\text{발전소 열효율} = \frac{\text{출력}}{\text{입력}}\times 100$$
$$= \frac{\text{발전전력에 해당하는 열량}}{\text{연료의 열량}}\times 100[\%]$$

화력 발전소 열효율

$$\eta = \frac{860W}{mH}\times 100$$
$$= \frac{860\times 350\times 10^6\times 0.8\times 24}{\frac{1.6\times 10^7}{10}\times 10000\times 10^3}\times 100$$
$$= 36.12[\%]$$

TIP !

1[kWh] = 860[kcal]

037 ★★★

ANSWER ② 41

MATH **10단원 비례, 반비례, 비례식**
23단원 유리식

STEP1 **P와 P_l의 관계**

전력 손실을 P_l, 전력을 P 라고 하면

$$P_l = 3I^2R = 3\times\left(\frac{P}{\sqrt{3}\,V\cos\theta}\right)^2\times R$$
$$= \frac{P^2R}{V^2\cos^2\theta}\text{에서}$$

$P_l \propto P^2$이므로 $P\propto\sqrt{P_l}$이다.

STEP2 **전력손실 P를 2배한 경우**

전력 손실을 2배로 한 경우의 전력 P'는

$$\frac{P'}{P} = \frac{\sqrt{2P_l}}{\sqrt{P_l}} = \sqrt{2}\text{에서 } P' = \sqrt{2}\,P = 1.414P$$

∴ (1 + 0.414)P에서, 0.414만큼 전력을 증가시키면 전력손실이 2배가 된다.

퍼센트화 시켜야 하기 때문에

0.414 × 100[%] = 41.4[%]

038 ★★★

ANSWER ④ 2500

차단기의 차단 용량 ≥ 단락 용량이기 때문에

$$P_s = \frac{100}{\%Z}P_n\text{에서}$$

$$P_s = \frac{100}{\%Z}P_n = \frac{100}{0.4}\times 10 = 2500[\text{MVA}]$$

2016년 3회

039 ★★★

ANSWER ③ 동손은 변하고, 철손은 일정하다.

- 철손(무부하손) : 히스테리시스손 + 와류손으로서 부하와 관계없이 1차 전압만 인가되면 발생되는 손실
- 동손(부하손) : $P_c = I^2R[W]$로 부하의 변화(I)에 따라 동손의 크기가 변한다.

따라서, 2차 부하가 증가하면 철손은 일정하고 동손은 증가한다.

040 ★★

ANSWER ③ T 결선

3상에서 2상을 얻는 방법

㉠ 스코트(T) 결선

㉡ 메이어 결선

㉢ 우드 브리지 결선

제3과목 | 전기기기

041 ★★★

ANSWER ① 회전수가 같다.

STEP1 **동기 발전기의 병렬운전조건**

㉠ 기전력의 주파수가 같을 것(난조 발생)

㉡ 기전력의 위상이 같을 것(유효 순환 전류가 흐름)

㉢ 기전력의 파형이 같을 것(고조파 무효 순환 전류가 흐름)

㉣ 기전력의 크기가 같을 것(무효 순환 전류가 흐름)

㉤ 기전력의 상회전 방향이 같을 것(두 발전기가 단락 되어 발전기 파손 초래)

042 ★

ANSWER ① $V_2 = V_1 + E_2\cos\alpha$

단상 유도 전압조정기는 단권변압기의 원리를 이용하며 전압을 조정하는 기기이며 전압조정 범위는 $V_2 = V_1 + E_2\cos\theta[V]$이다.

TIP !

단상 유도 전압조정기의 특징

- 교번자계를 이용한다.
- 입력과 출력의 위상차가 없다
- 누설 리액턴스에 의한 전압 강하를 방지하기 위하여 단락권선을 시설한다.

043 ★★★

ANSWER ② 절연저항 및 절연내력이 적을 것

변압기유

㉠ 변압기유의 사용목적 : 절연유지, 냉각작용

㉡ 변압기유가 갖추어야 할 조건

- 절연내력이 높을 것
- 점도가 낮을 것
- 인화점이 높고 응고점이 낮을 것
- 화학작용이 일어나지 않을 것
- 변질하지 말 것
- 비열이 커서 냉각효과가 클 것

고난도

044 ★★

ANSWER ① 0.19

MATH **03단원 등식, 방정식**

23단원 유리식

STEP1 **2차 삽입저항을 구하기 위한 비례추이**

$$\frac{r_2}{s} = \frac{r_2 + R}{s'}$$

STEP2 비례추이를 위한 슬립 구하기

– 동기속도(N_s)

$$= \frac{120f}{P} = \frac{120 \times 60}{6} = 1200\,[\text{rpm}]$$

– 정회전 시 슬립

$$s = \frac{N_s - N}{N_s} = \frac{1200 - 1140}{1200} = 0.05$$

– 역전 제동 시 슬립

$$s' = \frac{N_s - (-N)}{N_s} = \frac{1200 - (-1140)}{1200} = 1.95$$

STEP3 대입하기

2차 삽입저항을 구하기 위해 **STEP2**의 슬립을 STEP1식에 대입한다.

$$\frac{r^2}{s} = \frac{r^2 + R}{s'} \rightarrow \frac{0.005}{0.05} = \frac{0.005 + R}{1.95}$$

$$\therefore R = \frac{0.005}{0.05} \times 1.95 - 0.005 = 0.19\,[\Omega]$$

045 ★

ANSWER ① 홀(Hall) 소자

브러시리스(BLDC)모터의 회전자 위치를 검출하는 센서로 홀 소자, 엔코더, 리졸버가 있다. 그 중 가장 많이 쓰는 소자는 홀소자이다.

엔코더 또한 회전자의 회전각도를 더욱 정밀하게 검출할 수 있다. 그러므로 정답은 ① 홀소자, ③ 회전형 엔코더이다.

046 ★★★

ANSWER ④ 단층권

직류기 권선법

일반적으로 사용되는 직류기 권선법은 고상권, 폐로권, 이층권이다.

① 고상권 : 도체를 전기자의 표면에만 감는 권선법

② 폐로권 : 권선의 시종점이 없이 폐회로를 이루고 있는 권선법

③ 이층권 : 1개의 슬롯에 2개의 코일변을 넣는 권선법이며 코일의 제작, 작업이 용이하므로 직류기는 2층권만을 사용

047 ★★★

ANSWER ④ 961

– 발전기의 경우 유기기전력

$$E = V + I_aR_a = 100 + (50 \times 0.04) = 102[\text{V}]$$

$E = K\phi N$식에서 $K\phi = \frac{E}{N} = \frac{102}{1000} = 0.102$

– 여기서 전동기로 사용시 단자 전압 및 전기자 전류가 같으므로

역기전력 $E_c = V - I_aR_a = K\phi N$

$$N = \frac{V - I_aR_a}{K\phi} = \frac{100 - (50 \times 0.04)}{0.102} = 960.78\,[\text{rpm}]$$

048 ★

ANSWER ① 공극이 크고 역률이 동기기에 비해 좋다.

유도발전기는 동기기에 비해 공극이 매우 작으며, 효율, 역률이 나쁘다.

049 ★★

ANSWER ② 자화전류

여자전류(I_0) = $\sqrt{I_\phi^2 + I_i^2}$

자화전류(I_ϕ) : 자속을 유지하는 전류

철손전류(I_i) : 철손을 공급하는 전류

고난도

050 ★★

ANSWER ④ 1.21

MATH 23단원 유리식

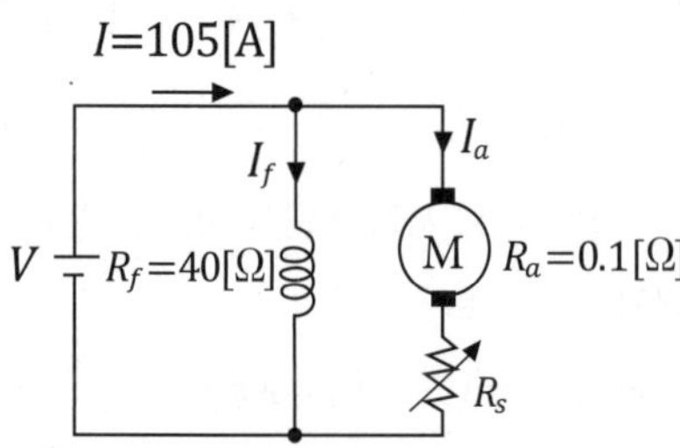

STEP1 전기자 전류

계자전류 $(I_f) = \dfrac{V}{R_f} = \dfrac{200}{40} = 5[A]$

기동전류는 정격의 150[%]이므로

기동전류(I) = 105 × 1.5 = 157.5[A]

전기자 전류$(I_a) = I - I_f = 157.5 - 5 = 152.5[A]$

STEP2 기동저항(R_s)

$$R_a + R_s = \frac{V}{I_a} = \frac{200}{152.5} = 1.31[\Omega]$$

기동저항(R_s)

$= 1.31 - R_a = 1.31 - 0.1 = 1.21[A]$

051 ★★★

ANSWER ③ 무부하 포화 시험, 3상 단락시험

- 무부하 시험 : 철손, 기계손
- 단락시험 : 동기임피던스, 동기리액턴스
- 단락비 : 무부하(포화)시험, 단락시험

052 ★★★

ANSWER ④ 규소강판을 성층하여 사용

와류손은 철판의 두께 t^2에 비례하는데 와전류손을 감소시키기 위해서 얇은 규소강판을 성층하여 사용한다.

053 ★★

ANSWER ② $V_{dc} = \dfrac{V_m}{\pi}(1 + \cos\alpha)$

SCR의 전파정류는

$$V_{dc} = \frac{\sqrt{2}\,E}{\pi}(1 + \cos\alpha) = \frac{V_m}{\pi}(1 + \cos\alpha)$$

054 ★★★

ANSWER ③ V곡선의 최저점에는 역률이 0[%]이다.

위상 특성 곡선

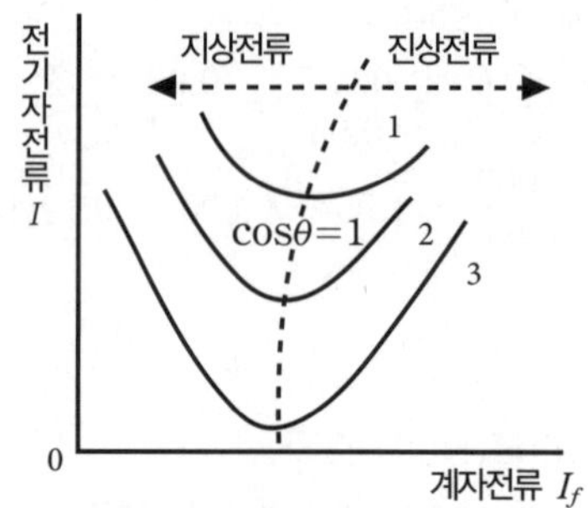

동기전동기의 위상 특성 곡선은 부하를 일정하게 하고, 계자전류의 변화에 대한 전기자 전류의 변화를 나타낸 곡선이다.

㉠ 역률을 1로 조정이 가능하며 역률이 1인 경우에 전기자 전류가 최소이다.

㉡ 계자전류를 변화시키면 전기자 전류와 역률의 변화가 발생한다.

㉢ 과여자를 취하면 진상이 되며 부족여자를 취하면 지상이 된다.

㉣ $P_1 > P_2 > P_3$

055 ★★

ANSWER ① 동기 발전기

회전 계자형은 전기자를 고정자로, 계자극은 회전자로 한 것으로 동기 발전기가 가장 많이 사용된다.

TIP !

동기발전기를 회전계자형으로 하는 이유

㉠ 전기자보다 계자극을 회전자로 하는 것이 기계적으로 튼튼하여 가장 많이 사용한다.

㉡ 전기자가 고정자이므로 고압 대전류용에 좋고 절연이 쉽다.

㉢ 계자회로는 직류의 저압회로이며 소요전력도 적다.

056 ★

ANSWER ② 정격 2차 전압은 명판에 기재되어 있는 2차권선의 단자 전압이다.

변압기의 정격 : 정격 이차 전압, 정격 이차 전류, 정격 주파수 및 정격 역률의 2차 단자에서 얻어지는 겉보기 전력. 이 경우 정격 역률은 특별히 지정하지 않는 한 100%로 본다. 단위는 VA 또는 kVA로 표시한다.

057 ★★★

ANSWER ③ 40

전동기의 동력(P) = $\sqrt{3}\, VI\cos\theta \cdot \eta\ [kW]$이므로,

전부하 전류(I) =

$$\frac{P}{\sqrt{3}\, V\cos\theta \cdot \eta} = \frac{10 \times 10^3}{\sqrt{3} \times 200 \times 0.85 \times 0.85}$$

$\fallingdotseq 39.96\,[\mathrm{A}]$

058 ★★★

ANSWER ① 반발 기동형

기동 토크의 크기는 반발 기동형 > 콘덴서 기동형 > 분상기동형 > 셰이딩 코일형 순이다.

059 ★

ANSWER ② 반환 부하법

변압기의 온도 시험

- 실부하법 : 전력손실이 크기 때문에 소용량 변압기 외에는 사용하지 않는다.
- 반환부하법 : 반환 부하법은 동일 정격의 변압기가 2대 이상 있을 경우에 채용되며, 전력 소비가 적고 철손과 동손을 따로 공급하는 것으로 현재 많이 사용한다.

060 ★

ANSWER ③ $I\sin\theta$

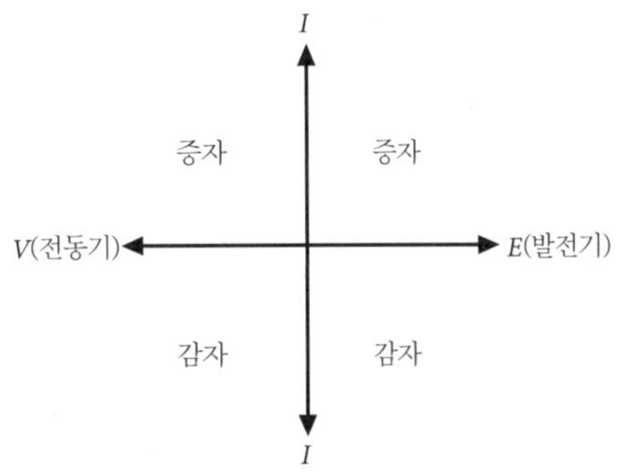

전기자 반작용

① 횡축 반작용(교차자화작용) : 전기자 전류와 유기기전력 (무부하 전압)과 동위상이 되는 경우이며, 이때 전류의 크기는 $I\cos\theta$이다.

② 직축 반작용 : 전기자 전류와 유기기전력(무부하 전압)과 위상차가 있는 경우이다. 이때의 전류의 크기는 $I\sin\theta$이다. 직축 반작용의 종류로는 감자 작용과 증자 작용이 있다.

㉠ 감자작용 : 전기자 전류가 유기기전력(무부하 전압)보다 위상이 $\frac{\pi}{2}$(90°) 뒤질 때

㉡ 증자작용 : 전기자 전류가 유기기전력(무부하 전압)보다 위상이 $\frac{\pi}{2}$(90°) 앞설 때

제4과목 | 회로이론

061 ★

ANSWER ③ 화살표

자동제어계의 각 요소를 Block 선도로 표시할 때에 각 요소를 전달함수로 표시하고, 신호의 전달 경로를 화살표로 표시한다.

062 ★★★

ANSWER ③ $0.01(1-e^{-100t})$

MATH 43단원 e 총정리

$R-L$ 직렬 회로에서 직류 기전력을 인가 시 전류 $i(t)$는

$$i(t)=\frac{E}{R}\left(1-e^{-\frac{R}{L}t}\right)$$
$$=\frac{10}{1\times10^3}\left(1-e^{-\frac{1\times10^3}{10}t}\right)$$
$$=0.01(1-e^{-100t})[\mathrm{A}]$$

$1[\mathrm{k\Omega}]=1\times10^3[\Omega]$

063 ★★★

ANSWER ③ $2\sqrt{7}$

MATH 15단원 절대값,
30단원 직교좌표와 극좌표

$e_1=6\angle0°,\ e_2=4\angle-60°$

$$\therefore e_1-e_2=6-4(\cos60°-j\sin60°)$$
$$=6-4\times\left(\frac{1}{2}-j\frac{\sqrt{3}}{2}\right)$$
$$=4+j2\sqrt{3}=\sqrt{4^2+(2\sqrt{3})^2}$$
$$=2\sqrt{7}[\mathrm{V}]$$

064 ★★

ANSWER ④ 무효전력

- 효율 : [%]
- 유효전력 : [W]
- 피상전력 : [VA]
- 무효전력 : [Var]

065 ★

ANSWER ④ 600

영상 임피던스 $Z_{01}=\sqrt{\frac{AB}{CD}}$ 에서

대칭 T형 회로에서는 $A=D$ 이므로,

$Z_{01}=\sqrt{\frac{B}{C}}$ 이다.

$$C=\frac{1}{R_3}=\frac{1}{450}$$
$$B=R_1+R_2+\frac{R_1R_2}{R_3}$$
$$=300+300+\frac{300^2}{450}$$
$$=800$$
$$\therefore Z_{01}=\sqrt{\frac{B}{C}}=\sqrt{800\times450}=600[\Omega]$$

066 ★★★

ANSWER ③ $5(26+j23)$

MATH 28단원 복소수의 연산

$$V=IZ=5(2+j)\times(15+j4)$$
$$=5(30+j8+j15-4)=5(26+j23)[\mathrm{V}]$$

067 ★★★

ANSWER ① $V_{30} = 60, V_{15} = 30$

STEP1 옴의 법칙

$V_{30} = iR = i \times 30, V_{15} = iR = i \times 15$에서

회로의 합성 전압 $V_T = 120 - 30 = 90[V]$

회로의 합성 저항 $R_T = 30 + 15 = 45[\Omega]$이고

회로의 전류 $i = \frac{V_T}{R_T} = \frac{90}{45} = 2[A]$이므로

$\therefore V_{30} = 2 \times 30 = 60[V], V_{15} = 2 \times 15 = 30[V]$

068 ★★

ANSWER ④ 홀수차의 정현항 계수는 0이다.

① 그림의 파형은 기함수이다.

② 기함수는 원점 대칭(반파 정현 대칭)이다.

③ 기함수는 기함수의 합으로 나타나므로 우함수인 직류성분이 존재하지 않는다.

④ 기함수는 푸리에 급수에서 홀수차의 합으로 나타난다(짝수차의 정현항 계수는 0이다).

069 ★★★

ANSWER ③ 15

중첩의 정리

① 전류원 (전압원 단락)

$I_1 = 10 + 2 + 3 = 15[A]$

② 전압원 기준(전류원 개방)

$I_2 = 0[A]$

(∵ 회로가 개방되어 전류가 흐르지 않는다.)

$\therefore I = I_1 + I_2 = 15 + 0 = 15[A]$

070 ★★

ANSWER ① 80

MATH 23단원 유리식

역률 $\cos\theta = \frac{P}{P_a} \times 100[\%]$에서

유효 전력

$P = W_1 + W_2 = 2360 + 5950 = 8310[W]$

피상 전력

$P_a = \sqrt{3}VI = \sqrt{3} \times 200 \times 30 = 10392.3[VA]$

$\therefore \cos\theta = \frac{8310}{10392.3} \times 100 \fallingdotseq 79.96[\%]$

071 ★★★

ANSWER ② $\frac{\text{역상전압}}{\text{정상전압}} \times 100[\%]$

불평형률 $= \frac{\text{역상분}}{\text{정상분}} \times 100[\%]$

072 ★★

ANSWER ③ $j\omega C$

$$C = \left.\frac{I_1}{V_2}\right|_{I_2=0} = \frac{I_1}{\frac{I_1}{j\omega C}} = j\omega C$$

(여기서, $I_2 = 0$은 2차측 개방을 의미)

073 ★★

ANSWER ③ 0.36

MATH 25단원 무리식

$$\text{왜형률} = \frac{\text{각 고조파의 실효값의 합}}{\text{기본파의 실효값}}$$

$$= \frac{\sqrt{V_3^2 + V_5^2}}{V_1} = \sqrt{\left(\frac{V_3}{V_1}\right)^2 + \left(\frac{V_5}{V_1}\right)^2}$$

$$= \sqrt{0.3^2 + 0.2^2} = 0.36$$

2016년 3회

074 ★★

ANSWER ① 0.3

MATH

시정수 $\tau = \dfrac{L}{R}$ 에서

코일의 인덕턴스

$$L = \frac{N\phi}{I} = \frac{1000 \times (3 \times 10^{-2})}{10} = 3[\text{H}]$$

저항 $R = 10[\Omega]$이므로

$$\therefore \tau = \frac{3}{10} = 0.3[\text{s}]$$

075 ★★

ANSWER ④ 200

전력량

$$W = Pt = 800 \times \frac{1}{4} = 200[\text{kWh}]$$

076 ★★★

ANSWER ① $\dfrac{1}{3}(V_a + aV_b + a^2 V_c)$

정상분: $V_1 = \dfrac{1}{3}(V_a + aV_b + a^2 V_c)$

077 ★★★

ANSWER ④ $P_y = \sqrt{3}\, V_p I_p \cos\theta$

결선법	선간 전압 (V_l)	선전류 (I_l)	출력[W]	
Y결선	$\sqrt{3}\,V_p$	I_p	$\sqrt{3}\,V_l I_l \cos\theta$	$3V_p I_p \cos\theta$
Δ결선	V_p	$\sqrt{3}\,I_p$		

(여기서, V_l: 선간 전압, I_l: 선로 전류, V_p: 상전압, I_p: 상전류)

078 ★★

ANSWER ④ $-\dfrac{\omega^2}{s^2+\omega^2}$

MATH 39단원 삼각함수,

e^x 그리고 지수함수의 미분

49단원 라플라스 기초

STEP1 삼각함수의 미분

$$\frac{d}{dt}\cos\omega t = -\omega\sin\omega t$$

STEP2 삼각함수의 라플라스 변환

$\pounds\,[\sin\omega t] = \dfrac{\omega}{s^2+\omega^2}$ 이므로

$$\therefore F(s) = \frac{-\omega^2}{s^2+\omega^2}$$

079 ★★★

ANSWER ④ $\dfrac{\sqrt{3}\,E}{4r}$

MATH 23단원 유리식

상전류 $I_1 = \dfrac{E_p}{R}$ 이고 상전압 $E_p = \dfrac{E}{\sqrt{3}}$

그림의 △결선을 Y결선으로 변환하면 다음과 같다.

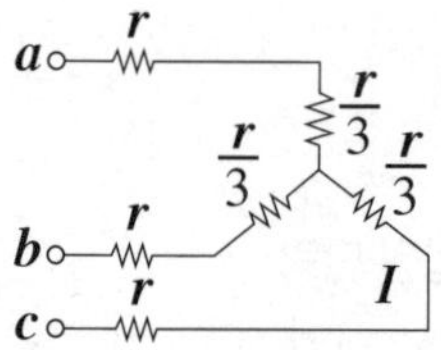

$$r + \frac{r}{3} = \frac{4r}{3}$$

따라서 $I_1 = \dfrac{\frac{E}{\sqrt{3}}}{\frac{4r}{3}} = \dfrac{\sqrt{3}\,E}{4r}$

080 ★

ANSWER ② $\overset{\frac{1}{Cs}}{\circ\!-\!\!\|\!\!-}\ \overset{V(0)}{+\!\bigcirc\!\!\!\sim\,-}\!\circ$

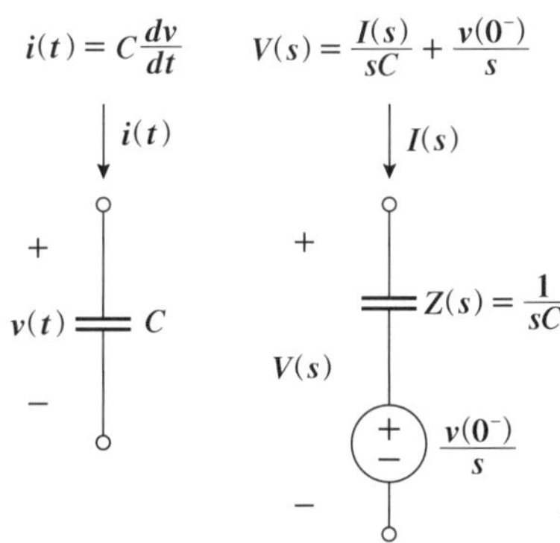

초기값은 다르게 표현될 수 있다.
캐퍼시터와 전압원이 직렬로 연결된 형태이고 전압원의 값이 분수인 것을 착안하여 답을 ②로 고른다.

제5과목 | 전기설비기술기준 및 한국전기설비규정

081 ★★★

ANSWER ① 금속관에는 접지공사를 하였다.

금속관공사(한국전기설비규정 232.12)

㉠ 전선은 절연전선(옥외용 비닐절연전선을 제외한다)일 것

㉡ 전선은 연선일 것. 다만, 다음의 것은 적용하지 않는다.

① 짧고 가는 금속관에 넣은 것

② 단면적 10[mm²](알루미늄선은 단면적 16[mm²]) 이하의 것

㉢ 관의 두께는 다음에 의할 것

① 콘크리트에 매설하는 것은 1.2[mm] 이상

② 콘크리트 매설 이외의 것은 1[mm] 이상

㉣ 관에는 접지공사를 할 것

㉤ 전선관과의 접속부분의 나사는 5턱 이상 완전히 나사결합이 될 수 있는 길이일 것

082 ★★

ANSWER ② 1.0

지중함의 시설(한국전기설비규정 334.2)

지중전선로에 사용하는 지중함은 다음에 따라 시설하여야 한다.

㉠ 지중함은 견고하고 차량 기타 중량물의 압력에 견디는 구조일 것

㉡ 지중함은 그 안의 고인 물을 제거할 수 있는 구조로 되어 있을 것

㉢ 폭발성 또는 연소성의 가스가 침입 할 우려가 있는 것에 시설하는 지중함으로서 그 크기가 1[m³] 이상인 것에는 통풍 장치 기타 가스를 방산시키기 위한 적당한 장치를 시설할 것

㉣ 지중함의 뚜껑은 시설자이외의 자가 쉽게 열 수 없도록 시설할 것

083 ★★★

ANSWER ② 60

지중전선로의 시설(한국전기설비규정 334.1)

㉠ 지중 전선로는 전선에 케이블을 사용하고 또한 관로식·암거식 또는 직접 매설식에 의하여 시설 하여야 한다.

㉡ 지중 전선로를 직접 매설식에 의하여 시설하는 경우에는 매설 깊이는

① 차량 기타 중량물의 압력을 받을 우려가 있는 장소 : 1.0[m] 이상

② 기타 장소 : 0.6[m] 이상

084 ★★

ANSWER ④ 절연유의 압력이 변화하는 경우

조상설비의 보호장치(한국전기설비규정 351.5)

조상 설비에는 그 내부에 고장이 생긴 경우에 보호하는 장치를 표와같이 시설하여야 한다.

설비 종별	뱅크 용량의 구분	자동적으로 전로로부터 차단하는 장치
전력용 커패시터 및 분로리액터	500[kVA]초과 15,000[kVA]미만	• 내부에 고장이 생긴 경우 • 과전류가 생긴 경우
	15,000[kVA]미만	• 내부에 고장이 생긴 경우 • 과전류가 생긴 경우 • 과전압이 생긴 경우
조상기	15,000[kVA]이상	내부에 고장이 생긴 경우

085 ★★

ANSWER ④ 600

고압 가공 전선로 경간의 제한

(한국전기설비규정 332.9)

고압 가공 전선로의 경간은 표에서 정한 값 이하이어야 한다.

지지물의 종류	경간
목주·A종 철주 또는 A종 철근 콘크리트주	150[m]
B종 철주 또는 B종 철근 콘크리트주	250[m]
철탑	600[m]

086 ★

ANSWER ② 1.5 이상

무선용 안테나 등을 지지하는 철탑 등의 시설

(한국전기설비규정 364.1)

전력보안통신설비인 무선통신용 안테나 또는 반사판을 지지하는 목주·철주·철근 콘크리트주 또는 철탑은 다음에 따라 시설하여야 한다. 다만, 무선용 안테나 등이 전선로의 주위 상태를 감시할 목적으로 시설되는 것일 경우에는 그러하지 아니하다.

㉠ 목주는 풍압하중에 대한 안전율은 1.5 이상이어야 한다.

㉡ 철주·철근콘크리트주 또는 철탑의 기초 안전율은 1.5 이상이어야 한다.

087 ★

ANSWER ② 제1종 특고압 보안공사

특고압 보안공사(한국전기설비규정 333.22)

제1종 특고압 보인공사에서 전선로의 지지물로는 B종 철주·B종 철근콘크리트주 또는 철탑을 사용할 것(목주나 A종은 사용 불가)

088 ★★

ANSWER ② 1.5

특고압 가공전선로의 목주 시설

(한국전기설비규정 333.10)

332.7 고압 가공전선로의 지지물의 강도

222.8 저압 가공전선로의 지지물의 강도

지지물이 목주인 경우 안전율 및 말구의 지름

전압의 종별	안전율	말구의 지름
저압	1.2	-
고압	1.3	0.12[m]이상
특고압	1.5	0.12[m]이상

089 ★★

ANSWER ① 단면적이 0.75[mm^2] 이상인 코드 또는 캡타이어 케이블

저압 옥내배선의 사용전선

(한국전기설비규정 231.3)

㉠ 저압 옥내배선의 전선 : 단면적 2.5[mm^2] 이상의 연동선

㉡ 옥내 배선의 사용전압이 400[V] 이하인 경우는 다음에 의하여 시설할 수 있다.

① 전광 표시장치 또는 제어회로

- 단면적 1.5[mm^2] 이상의 연동선
- 단면적 0.75[mm^2]이상인 다심케이블 또는 다심 캡타이어 케이블을 사용하고 또한 과전류가 생겼을 때에 자동적으로 전로에서 차단하는 장치를 시설

② 진열장 또는 이와 유사한 것의 내부배선 : 단면적 0.75[mm^2] 이상인 코드 또는 캡타이어케이블

090 ★★

ANSWER ④ 10

금속제가요전선관공사

(한국전기설비규정 232.13)

㉠ 전선은 절연전선(옥외용 비닐 절연전선을 제외한다)일 것

㉡ 전선은 연선일 것. 다만, 단면적 10[mm^2](알루미늄선은 단면적 16[mm^2]) 이하인 것은 그러하지 아니하다.

㉢ 가요전선관 안에는 전선에 접속점이 없도록 할 것

㉣ 가요전선관은 2종 금속제 가요전선관일 것

091 ★★

ANSWER ③ 2.5

고압 가공전선의 안전율

(한국전기설비규정 332.4)

고압 가공전선은 케이블인 경우 이외에는 그 안전율이 경동선 또는 내열 동합금선은 2.2 이상, 그 밖의 전선은 2.5 이상이 되는 이도로 시설하여야 한다.

092 ★★

ANSWER ② IT 계통

계통접지 구성(한국전기설비규정 203.1)

㉠ TN계통

① TN-S 계통은 계통전체에 대해 별도의 중성선 또는 PE 도체를 사용한다.

② TN-C 계통은 그 계통전체에 대해 중성선과 보호도체의 기능을 동일도체로 겸용한 PEN 도체를 사용한다.

③ TN-C-S 계통은 계통의 일부분에서 PEN 도체를 사용하거나, 중성선과 별도의 PE 도체를 사용하는 방식이 있다.

㉡ TT 계통

전원의 한 점을 직접 접지하고 설비의 노출도전부는 전원의 접지전극과 전기적으로 독립적인 접지극에 접속 시킨다.

㉢ IT 계통

충전부 전체를 대지로부터 절연, 한 점을 임피던스를 통해 대지에 접속시킨다. 전기설비의 노출도전부를 단독 또는 일괄적으로 계통의 PE 도체에 접속시킨다. 배전계통에서 추가 접지가 가능하다.

093 ★★★

ANSWER ④ 단락전류

발전기 등의 기계적 강도(기술기준 제23조)

발전기, 변압기, 조상기, 모선 또는 이를 지지하는 애자는 단락전류에 의하여 생기는 기계적 충격에 견디어야 한다.

094 ★★★

ANSWER ③ 37.5

변압기 중성점 접지(한국전기설비규정 142.5)

변압기의 중성점 접지저항 값은 다음에 의한다.

일반적으로 변압기의 고압·특고압측 전로 1선 지락전류로 150을 나눈 값과 같은 저항 값 이하

$$R = \frac{150}{\text{변압기의 고압측 또는 특고압의 1선 지락전류}}\ [\Omega]$$

$$= \frac{150}{4} = 37.5\,[\Omega]$$

095 ★★

ANSWER ① 전로의 대지전압이 400[V] 이하이어야 한다.

화약류 저장소 등의 위험장소
(한국전기설비규정 242.5)

화약류 저장소 안에는 전기설비를 시설해서는 안 된다. 다만, 조명기구에 전기를 공급하기 위한 전기설비(개폐기 및 과전류 차단기를 제외한다)는 다음에 따라 시설하는 경우에는 그러하지 아니하다.

㉠ 전로의 대지전압은 300[V] 이하일 것
㉡ 전기기계기구 전폐형의 것일 것
㉢ 전로에 지락이 생겼을 때에 자동적으로 전로를 차단하거나 경보하는 장치를 시설하여야 한다.
㉣ 금속관공사 또는 케이블공사(캡타이어 케이블을 사용하는 것을 제외한다)에 의할 것

출제기준 변경 및 개정된 관계 법규에 따라 삭제된 문제가 있어 20문항이 안됩니다.

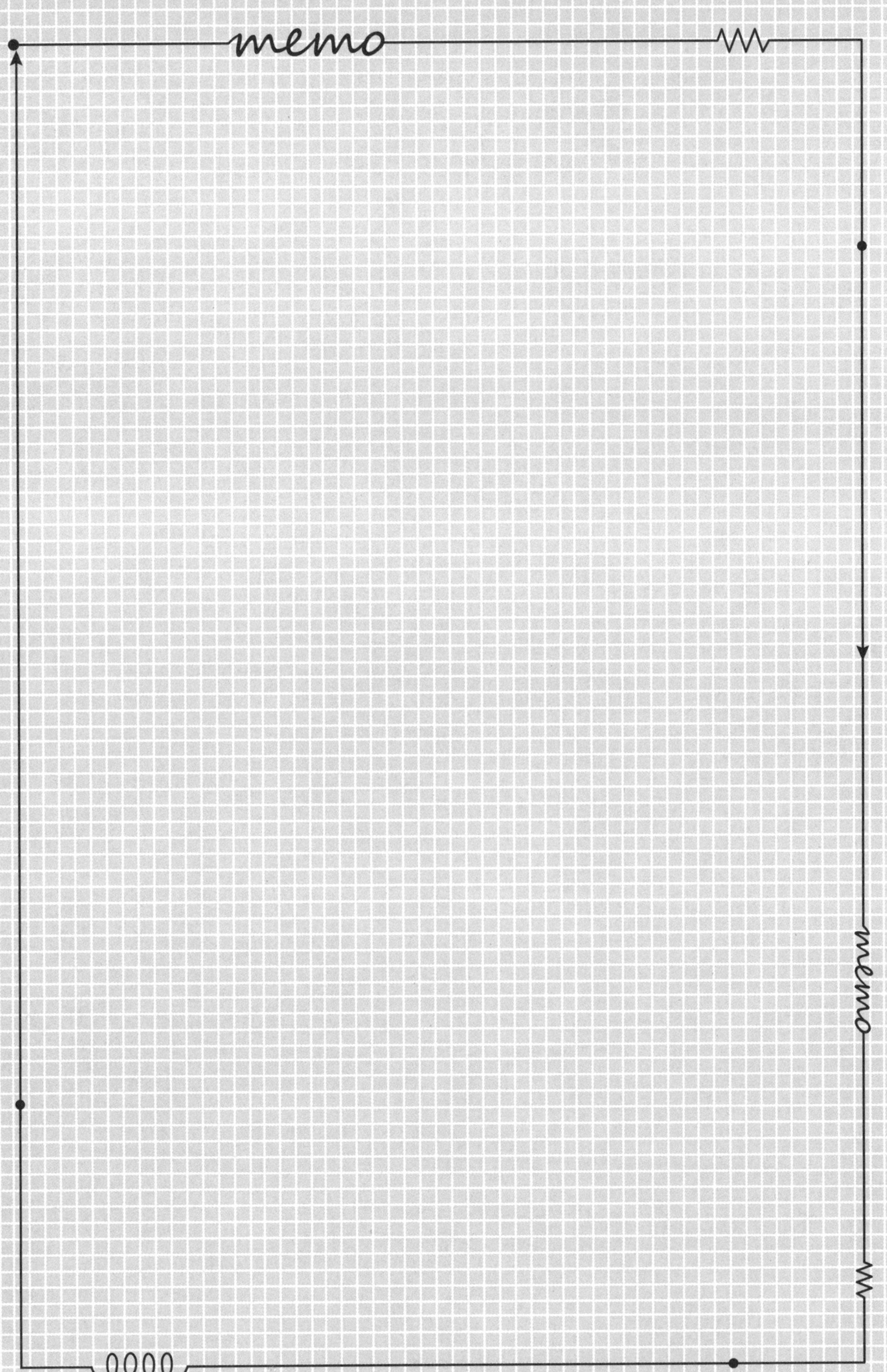
memo
memo

엔지니오 과년도 기출문제집

2015

2015년 1회

제1과목 | 전기자기학

001 ★★

ANSWER ② 4.55×10^2

MATH 23단원 유리식

STEP1 자기회로의 옴의 법칙

$$\phi = \frac{F}{R_m} = \frac{NI}{R}[\mathrm{Wb}]$$

STEP2 합성 저항

$$\begin{aligned} R &= R_1 + R_2 \,||\, R_3 \\ &= 0.1 + \frac{1}{\frac{1}{0.2} + \frac{1}{0.3}} \\ &= 0.1 + \frac{0.06}{0.5} = 0.1 + 0.12 \\ &= 0.22[\mathrm{AT/Wb}] \end{aligned}$$

STEP3 대입

$$\phi = \frac{NI}{R} = \frac{10 \times 10}{0.22} \approx 4.55 \times 10^2[\mathrm{Wb}]$$

002 ★★

ANSWER ② $\mathrm{div}\, i = 0$

STEP1 키르히호프의 전류 법칙

$$\sum I = 0 = \int_s \vec{i} \cdot d\vec{S} = \int_v \mathrm{div}\vec{i}\; dv$$

$$\therefore \mathrm{div}\, \vec{i} = \nabla \cdot \vec{i} = 0$$

→ 단위 체적당 전류의 발산이 없다.

003 ★★

ANSWER ③ 선전하에 의한 전계

MATH 10단원 비례 반비례 비례식

㉠ 구전하에 의한 전계의 세기

$$E = \frac{Q}{4\pi\epsilon_0 r^2}[\mathrm{V/m}]$$

(거리 r 의 제곱에 반비례)

㉡ 점전하에 의한 전계의 세기

$$E = \frac{Q}{4\pi\epsilon_0 r^2}[\mathrm{V/m}]$$

(거리 r 의 제곱에 반비례)

㉢ 선전하에 의한 전계의 세기

$$E = \frac{\lambda}{2\pi\epsilon_0 r}[\mathrm{V/m}]$$

(거리 r 에 반비례)

㉣ 전기 쌍극자에 의한 전계의 세기

$$E = \frac{M\sqrt{1 + 3\cos^2\theta}}{4\pi\epsilon_0 r^3}[\mathrm{V/m}]$$

(거리 r 의 세제곱에 반비례)

004 ★★

ANSWER ② l 에 반비례한다.

MATH 10단원 비례 반비례 비례식

선전하에 의한 전계의 세기

$$E = \frac{\lambda}{2\pi\epsilon_0 l}[\mathrm{V/m}]$$

(거리 l 에 반비례)

005 ★★★

ANSWER ② 1

무한장 직선도선 전류에 의한 자계의 세기

$$H = \frac{I}{2\pi r} = \frac{6.28}{2\pi \times 1} = 1[\text{A/m}]$$

006 ★★★

ANSWER ② $\frac{1}{f\sqrt{\epsilon\mu}}$

주파수와 파장의 관계

전파속도 $v = f\lambda = \frac{1}{\sqrt{\epsilon\mu}}[\text{m/s}]$

따라서 파장은 다음과 같다. $\lambda = \frac{1}{f\sqrt{\epsilon\mu}}[\text{m}]$

007 ★★★

ANSWER ① 25

STEP1 평행 평판 도체의 전계의 세기

$$E = \frac{V}{d}[\text{V/m}]$$

STEP2 전위

$$V = \frac{Q}{C} = \frac{300 \times 10^{-6}}{6 \times 10^{-6}} = 50[\text{V}]$$

STEP3 대입

$$E = \frac{V}{d} = \frac{50}{2} = 25[\text{V/mm}]$$

008 ★

ANSWER ① 잔류자속밀도가 크고, 보자력이 작아야 한다.

STEP1 자석 재료

- 영구자석 재료 : 잔류 자속밀도(B_r)와 보자력(H_c)이 커야 한다.
- 전자석 재료 : 히스테리시스 곡선 면적과 보자력(H_c)이 작아야 한다.

STEP2 히스테리시스 곡선

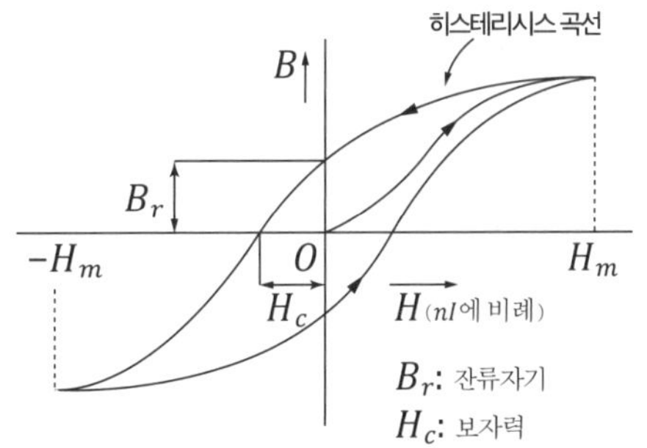

- 잔류 자속밀도 (B_r) : 외부에서 가한 자계 세기를 0으로 해도 자성체에 남는 자속밀도 크기
- 보자력 (H_c) : 자화된 자성체 내부 B를 0으로 만들기 위해서, 자화와 반대 방향으로 외부에서 가하는 자계의 세기

009 ★★

ANSWER ④ 50

MATH 37단원 미분의 정의

페러데이 법칙

$$e = -N\frac{d\phi}{dt}\bigg|_{N=1} = -\frac{d\phi}{dt}$$

$$= -\frac{d\phi}{5} = -10[\text{V}]$$

(N : 감은 코일 수, 언급이 없으므로 1)

따라서, 자속은 50[Wb]

010 ★★★

ANSWER ① $P = \epsilon_0(\epsilon_s - 1)E$

분극의 세기

$P = (\epsilon - \epsilon_0)E$

$= \epsilon E - \epsilon_0 E$

$= \epsilon_0(\epsilon_s - 1)E$

$= D - \epsilon_0 E$ [C/m^2]($D = \epsilon E$)

여기서, $\epsilon = \epsilon_0\epsilon_s$: 유전율

ϵ_0 : 진공상태에서 유전율, 8.855×10^{-12}[F/m]

ϵ_s : 비유전율

011 ★★

ANSWER ② $V = \dfrac{Q}{4\pi\epsilon_0 r_1}$ 로 일정하다.

답을 암기할 것

점전하 Q[C]에서 거리 r[m]인 점에 생기는 전위

$$V = \frac{Q}{4\pi\epsilon_0 r}$$

이때, 가상구의 표면에 $+Q$의 전하가 균일하게 분포되어 있기 때문에 전위는 일정하다.

012 ★★

ANSWER ④ $6x + 4xy + x^2y$

MATH 38단원 미분 기초,
40단원 합성함수와 편미분

벡터의 발산

$$\begin{aligned}\text{div}\ \vec{E} &= \nabla \cdot \vec{E}\\ &= \left(\frac{\partial}{\partial x}\boldsymbol{i} + \frac{\partial}{\partial y}\boldsymbol{j} + \frac{\partial}{\partial z}\boldsymbol{k}\right)\\ &\cdot (E_x\boldsymbol{i} + E_y\boldsymbol{j} + E_z\boldsymbol{k})\\ &= \frac{\partial E_x}{\partial x} + \frac{\partial E_y}{\partial y} + \frac{\partial E_z}{\partial z}\\ &= \frac{\partial}{\partial x}(3x^2) + \frac{\partial}{\partial y}(2xy^2) + \frac{\partial}{\partial z}(x^2yz)\\ &= 6x + 4xy + x^2y\end{aligned}$$

013 ★★

ANSWER ① 3배 증가

MATH 10단원 비례 반비례 비례식,
39단원 삼각함수,
e^x 그리고 지수함수의 미분

STEP1 유기 기전력

$$e = -N\frac{d\phi}{dt}[\text{V}](N: \text{감은 코일 수})$$

STEP2 자속

$$\phi = \phi_m \sin\omega t = \phi_m \sin 2\pi ft[\text{Wb}]$$

STEP3 대입

$$\begin{aligned}e &= -N\frac{d\phi}{dt} = -N\frac{d(\phi_m \sin 2\pi ft)}{dt}\\ &= -N\phi_m 2\pi f \cos 2\pi t[\text{V}]\end{aligned}$$

이때, 유기 기전력의 크기는 다음과 같다.

유기기전력 크기 $e_m = N\phi_m 2\pi f$ [V]

따라서, 주파수가 3배로 증가된다면, 유기 기전력의 크기 또한 3배로 증가한다.

014 ★★

ANSWER ① $W_1 + W_2 > W$ 답을 암기할 것

MATH 23단원 유리식

STEP1 정전에너지

콘덴서에 전하를 축적시키는 데 필요한 에너지

$$W = \frac{1}{2}QV[\text{J}]$$

STEP1 콘덴서의 병렬 접속

콘덴서가 병렬 접속되면 전위는 같아지고, 합성 정전용량은 각 콘덴서의 정전용량의 합으로 정해진다. 따라서, 전체 전하량 또한 각 콘덴서의 합으로 정해진다.

STEP3 비교

$$W_1 = \frac{Q_1V_1}{2}[\text{J}], W_2 = \frac{Q_2V_2}{2}[\text{J}],$$

$$W_1 + W_2 = \frac{Q_1V_1 + Q_2V_2}{2}[\text{J}]$$

$$W = \frac{(Q_1 + Q_2)V}{2}[\text{J}]$$

따라서, 각 콘덴서의 에너지 합이 전체 에너지보다 크게 된다.

015 ★

ANSWER ③ 경계면에 수직으로 입사한 전속은 굴절하지 않는다.

MATH 22단원 삼각함수 특수공식

23단원 유리식

경계조건(굴절법칙)

완전경계조건

$E_1\sin\theta_1 = E_2\sin\theta_2$

- 전계는 접선성분(평행성분)이 같다.

$D_1\cos\theta_1 = D_2\cos\theta_2$

- 전속밀도의 법선성분(수직성분)이 같다.

$$\frac{E_1\sin\theta_1}{E_2\sin\theta_2} = \frac{D_1\cos\theta_1}{D_2\cos\theta_2} \Rightarrow \frac{E_1\sin\theta_1}{D_1\cos\theta_1} = \frac{E_2\sin\theta_2}{D_2\cos\theta_2}$$

$(D_1 = \epsilon_1 E_1,\ D_2 = \epsilon_2 E_2)$

$$= \frac{1}{\epsilon_1}\tan\theta_1 = \frac{1}{\epsilon_2}\tan\theta_2 \Rightarrow \frac{\tan\theta_1}{\tan\theta_2} = \frac{\epsilon_1}{\epsilon_2}$$

- 두 경계면에서의 전위는 서로 같다. $(V_1 = V_2)$

수직입사 $(\theta_1 = 0°)$

① 전속 및 전기력선은 굴절하지 않고 직진한다.

$E_1\sin\theta_1 = E_2\sin\theta_2$ 에서 입사각 $\theta_1 = 0°$ 이므로 $0 = E_2\sin\theta_2$ 에서 $E_2 \neq 0$가 아닌 경우 $\sin\theta_2 = 0$가 되어야 하므로 $\theta_2 = 0$

즉, 굴절 없이 직진한다.

② 전속밀도는 연속(일정)한다.$(D_1 = D_2)$

$\theta_1 = \theta_2 = 0°$ 이므로 $D_1\cos\theta_1 = D_2\cos\theta_2$

$\Rightarrow D_1 = D_2$

016 ★★★

ANSWER ① 12.5

MATH 3단원 등식 방정식

STEP1 **합성 인덕턴스와 상호 인덕턴스**

$$M = \frac{L^+ - L^-}{4}[\mathrm{H}]$$

STEP2 **합성 인덕턴스**

$L^+ = L_1 + L_2 + 2M = 75[\mathrm{mH}]$

$L^- = L_1 + L_2 - 2M = 25[\mathrm{mH}]$

STEP3 **대입**

$$M = \frac{75 - 25}{4} = 12.5[\mathrm{mH}]$$

017 ★★★

ANSWER ④ $\dfrac{\tan\theta_1}{\tan\theta_2} = \dfrac{\mu_1}{\mu_2}$ 답을 암기할 것

MATH 22단원 삼각함수 특수공식

23단원 유리식

STEP1 **경계조건**

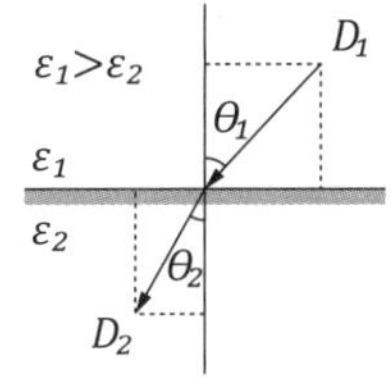

자속의 굴절

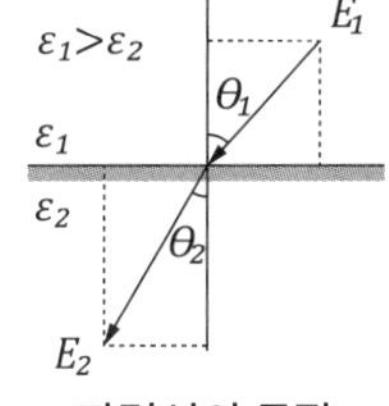

자력선의 굴절

1) 자속밀도는 경계면에서 법선성분이 같다.

$(B_{1n} = B_{2n})$

$B_1\cos\theta_1 = B_2\cos\theta_2$

$(B_1 = \mu_1 H_1,\ B_2 = \mu_2 H_2)$

2) 자계의 세기는 경계면에서 접선 성분이 같다.

$(H_{1t} = H_{2t})$

$H_1\sin\theta_1 = H_2\sin\theta_2$

3) 자성체의 굴절의 법칙

$$\frac{\tan\theta_1}{\tan\theta_2} = \frac{\mu_1}{\mu_2}$$

$(\mu_1 > \mu_2 \rightarrow \theta_1 > \theta_2)$

$B_1\cos\theta_1 = B_2\cos\theta_2$

$(B_1 = \mu_1 H_1,\ B_2 = \mu_2 H_2)$

$H_1\sin\theta_1 = H_2\sin\theta_2$ 의하여

$B_1 > B_2,\ H_1 < H_2$

자속은 투자율이 높은 쪽으로 모이려는 성질이 있다.

018 ★

ANSWER ① 0

STEP1 자계내 운동 도체에 대한 유기 기전력

$$e=\frac{d\phi}{dt}=\frac{BdS}{dt}=Bl\frac{dy}{dt}=Blv\sin\theta[\text{V}]$$

STEP2 무한 직선도선의 자계의 세기

$$H=\frac{I}{2\pi r}[\text{A/m}]$$

이때, 자계는 원운동을 하기 때문에 l_2와 자계의 사이각은 0° 또는 180° 로 형성되므로, 유기 기전력의 sinθ는 0이 된다.

따라서, 유기 기전력은 0[V]

019 ★★

ANSWER ④ 0

MATH **37단원 미분의 정의**

STEP1 가우스 정리

$\nabla\cdot D=\epsilon\nabla\cdot E=\rho$

(공간에 전하가 있을 때 전계는 발산한다.
고립된 전하는 존재한다.)

STEP2 대입

$$\begin{aligned}&\epsilon\nabla\cdot E\\&=\epsilon_0\left(\frac{\partial E_x}{\partial x}+\frac{\partial E_y}{\partial y}+\frac{\partial E_z}{\partial z}\right)\\&=\epsilon_0\left(\frac{\partial(\sin xe^{-y})}{\partial x}+\frac{\partial(\cos xe^{-y})}{\partial y}\right)\\&=\epsilon_0[\cos xe^{-y}+(-\cos xe^{-y})]=0\end{aligned}$$

020 ★★

ANSWER ④ 9.5×10^4

STEP1 쿨롱의 법칙

$$\begin{aligned}F&=k\frac{Q_1Q_2}{r^2}=\frac{Q_1Q_2}{4\pi\epsilon_0r^2}\\&=\frac{Q_1Q_2}{r^2}\times9\times10^9[\text{N}]\end{aligned}$$

따라서, 진공 중 전하량이 1[C]로 같은 경우,

$F=\frac{1\times1}{r^2}\times9\times10^9=1[\text{N}]$ 이다.

이 때, 두 대전체의 거리는 다음과 같다.

$r^2=9\times10^9\rightarrow r=\pm\sqrt{9\times10^9}$

(거리이므로 +만 고려)

$\therefore r\fallingdotseq9.5\times10^4[\text{m}]$

제2과목 | 전력공학

021 ★★★

ANSWER ② 캐스케이딩 현상에 의해 고장 확대가 축소된다.

저압뱅킹방식 : 부하 밀집도가 높은 지역의 배전선에 2대 이상의 변압기를 저압측에 병렬 접속하여 공급하는 배전방식으로 다음과 같은 특징이 있다.

㉠ 부하 증가에 대해 많은 변압기 전력을 공급할 수 있으므로 탄력성이 있다.

㉡ 플리커 현상이 감소된다.

㉢ 캐스케이딩 현상 : 저압뱅킹배전방식으로 운전 중 건전한 변압기 일부가 고장이 발생하면 부하가 다른 건전한 변압기에 걸려서 고장이 확대되는 현상이다.

022 ★★★

ANSWER ④ 댐퍼

① 매설지선 : 뇌 침입 시 역섬락 방지

② 가공지선 : 뇌의 차폐

③ 소호각(소호환) : 섬락 사고 시 애자련 보호

④ 댐퍼 : 선로의 진동 방지

023 ★★

ANSWER ③ $A=1, B=Z, C=0, D=1$

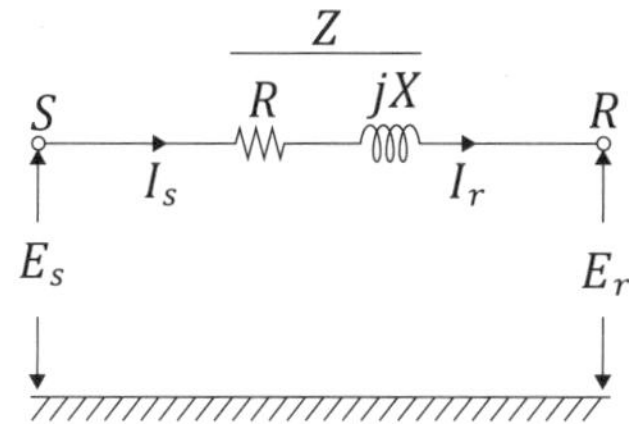

- $E_s = E_r + I_r Z$
- $I_s = I_r$

즉, $\begin{vmatrix} E_s \\ I_s \end{vmatrix} = \begin{vmatrix} 1 & Z \\ 0 & 1 \end{vmatrix} \begin{vmatrix} E_r \\ I_r \end{vmatrix}$ 이므로

$\begin{vmatrix} A & B \\ C & D \end{vmatrix} = \begin{vmatrix} 1 & Z \\ 0 & 1 \end{vmatrix}$ 이다.

024 ★★★

ANSWER ② 계통의 직렬리액턴스 증가

안정도 향상 대책

㉠ 직렬리액턴스를 작게 한다.

㉡ 선로에 복도체를 사용하거나 병행회선수를 늘린다.

㉢ 선로에 직렬콘덴서를 설치한다.

㉣ 속응여자방식을 채용한다.

㉤ 고장구간을 신속히 차단시키고 재폐로방식을 채택한다.

025 ★★★

ANSWER ④ 탑각 접지저항을 작게 한다.

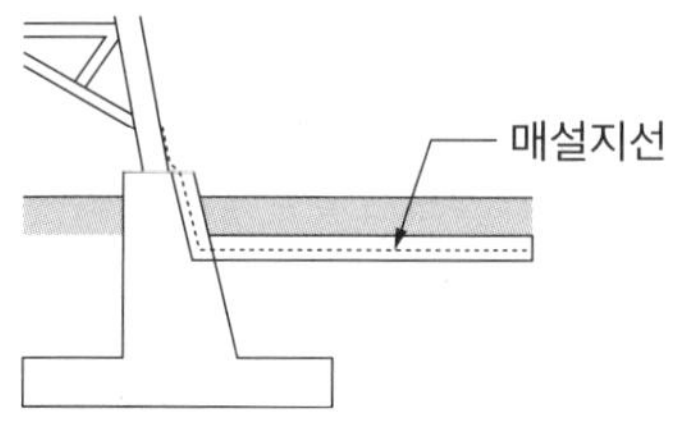

철탑의 하부

- 역섬락 : 철탑의 탑각 접지 저항이 커서 낙뢰로 인한 과전압을 대지로 방전하지 못하고 선로에 뇌격을 보내는 현상
- 방지대책 : 탑각 접지 저항의 감소를 통해 역섬락 방지, 이를 위해 매설지선을 설치

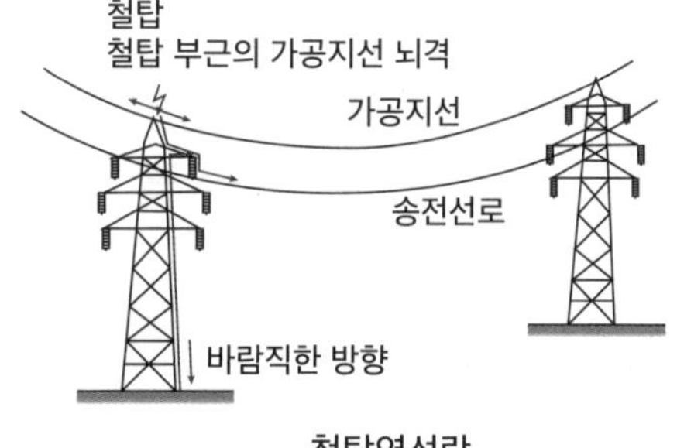

철탑역섬락

026 ★★

ANSWER ④ 배전선로의 고장구간을 고속 차단하고 재송전하는 조작을 자동적으로 시행하는 재폐로 차단장치를 장비한 자동차단기이다.

리클로저(recloser) : 배전 선로에서 지락 고장이나 단락 고장 사고가 발생하였을 때 고장을 검출하여 선로를 차단한 후 일정시간이 경과하면 자동적으로 재투입 동작을 반복함으로써 순간 고장을 제거한다.

027 ★

ANSWER ② 원자력 발전소의 건설비는 화력발전소에 비해 싸다.

화력 발전과 비교하여 원자력 발전은 출력 밀도(단위 체적당 출력)가 크므로 같은 출력이라면 소형화가 가능하며, 단위 출력당 건설비는 화력 발전소에 비하여 비싸다.

028 ★

ANSWER ④ 3상 4선식

현재 우리나라에서 채택하여 사용되고 있는 전기 공급 방식

- 송전 : 3상 3선식
- 배전 : 3상 4선식

TIP !

3상 4선식 배전방식의 특성

㉠ 다른 배전방식에 비해 큰 전력을 공급할 수 있다.

㉡ 선로사고 시 사고검출이 용이하다.

㉢ 3상 부하(380[V]) 및 단상 부하(220[V])에 동시 전력을 공급할 수 있다.

029 ★★★

ANSWER ① $D = \frac{WS^2}{8T}$ 답을 암기할 것!

이도 $D = \frac{WS^2}{8T}$ [m]

030 ★★★

ANSWER ② 선로 절연에 요하는 비용 절감

전력용 콘덴서 설치(역률 개선)시 효과

㉠ 설비용량의 여유 증가

㉡ 선로의 전압강하 감소

㉢ 전력손실 감소

㉣ 설비의 이용률 향상

㉤ 전력 요금의 절약

㉥ 선로전류의 감소

선로절연 비용은 선로의 역률과 무관하며, 선로전압의 크기에 좌우된다.

031 ★★

ANSWER ③ 5.49×10^6

MATH **01단원 SI 접두어, 단위**

STEP1 **연간 발전 전력량**

$\therefore P = 9.8QH\eta t$

STEP2 **연간 평균 유량 Q**

연간 평균 유량

$$Q = \frac{\text{유역면적} \times \text{연간강우량} \times \text{이용률}}{365 \times 24 \times 3600}$$

유역 면적 : $80[\text{km}^2] = 80 \times 10^6[\text{m}^2]$

연강 강우량 : $\frac{1500}{1000} = 1.5[\text{m}]$

$$\therefore Q = \frac{80 \times 10^6 \times 15 \times 0.7}{365 \times 24 \times 3600} = 2.664[\text{m}^3/\text{s}]$$

STEP3 **연간 발전 전력량 구하기**

$$P = 9.8QH\eta t = 9.8 \times 2.664 \times 30 \times 0.8 \times 365 \times 24 = 5.49 \times 10^6[\text{kWh}]$$

032 ★★

ANSWER ① 부하가 서서히 증가할 때의 극한 전력

안정도의 종류

- 정태 안정도(static stability) : 송전 계통이 불변 부하 또는 극히 서서히 증가하는 부하에 대하여 계속적으로 송전할 수 있는 능력을 정태 안정도로 하고, 안정도를 유지할 수 있는 극한의 송전 전력을 정태 안정 극한 전력이라고 한다.
- 과도 안정도(transient stability) : 계통에 갑자기 고장 사고와 같은 급격한 외란이 발생하였을 때에도 탈조하지 않고 새로운 평형 상태를 회복하여 송전을 계속할 수 있는 능력을 과도 안정도라 하고 이 경우의 극한 전력을 과도 안정 극한 전력이라고 한다.
- 동태 안정도(dynamic stability) : 고속 자동 전압 조정기로 동기기의 여자 전류를 제어할 경우의 정태 안정도를 특히 동태 안정도라 한다.

033 ★★

ANSWER ③ 580

회전수 N과 낙차 H와의 관계

$\frac{N_2}{N_1} = \left(\frac{H_2}{H_1}\right)^{\frac{1}{2}}$ 이므로

$$N_2 = \left(\frac{H_2}{H_1}\right)^{\frac{1}{2}} \times N_1 = \left(\frac{325}{350}\right)^{\frac{1}{2}} \times 600$$
$$= 578.17[\text{rpm}]$$

034 ★★

ANSWER ③ 21

파열극한 전위경도

- 직류(DC) : 30[kV/cm]
- 교류(AC) : 21[kV/cm]

035 ★★

ANSWER ③ 11.2

MATH **01단원 SI접두어, 단위**

$Ic = 2\pi f ClE$ 이므로

$$\therefore I_c = 2\pi \times 60 \times (0.008 \times 10^{-6}) \times 100 \times 37000$$
$$≒ 11.16[A]$$

036 ★

ANSWER ② 4배

개폐서지의 크기는 선로의 길이, 차단기의 성능 및 중성점 접지방식에 따라 차이는 있으나 대부분의 경우 상규 대지전압의 4배를 넘는 경우는 거의 없다.

037 ★★★

ANSWER ③ $\frac{3}{4}$ 　　답을 암기할 것

전력손실이 동일할 때 소요 전선량

	단상 2선식	단상 3선식	3상 3선식	3상 4선식
소요 전선량	24	9	18	8

표에 의해 $\frac{3상3선식}{단상2선식} = \frac{18}{24} = \frac{3}{4}$

038 ★★

ANSWER ④ 반한시성 정한시 특성

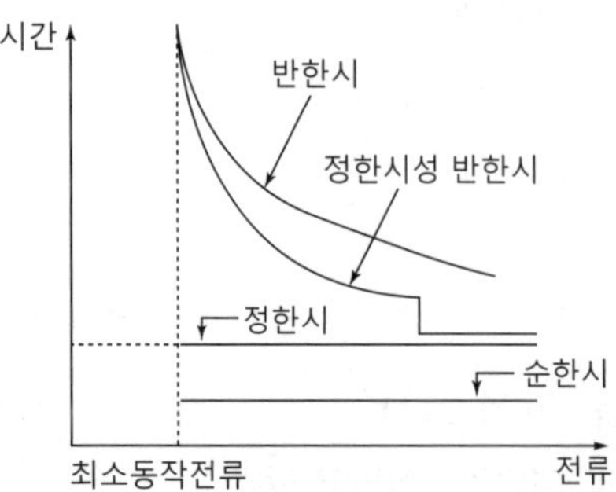

풀|이

계전기의 한시특성에 의한 분류

- 순한시 계전기 : 최소 동작전류 이상의 전류가 흐르면 즉시 동작하는 것
- 반한시 계전기 : 동작전류가 커질수록 동작시간이 짧게 되는 특성을 가진 것
- 정한시 계전기 : 동작전류의 크기에 관계없이 일정한 시간에서 동작하는 것
- 반한시성 정한시 계전기 : 동작전류가 적은 동안에는 반한시 특성으로 되고 그 이상에서는 정한시 특성이 되는 것

039 ★★★

ANSWER ② 680

변압기 용량[kVA]

$$= \frac{\text{설비용량[kW]} \times \text{수용률}}{\text{부등률} \times \text{역률}}$$

$$= \frac{850 \times 0.6}{1 \times 0.75} = 680[\text{kVA}]$$

040 ★★

ANSWER ④ 과전압 계전방식

과전압 계전기 : 일정값 이상의 전압이 걸렸을 때 동작하는 계전기이다. 일반적으로 발전기가 무부하로 되었을 경우의 과전압 보호용 및 비접지 계통의 배전선로 보호용으로 사용된다.

제3과목 | 전기기기

041 ★

ANSWER ④ 정류자형 주파수 변환기

정류자형 주파수변환기의 특성

㉠ 정류자형 주파수변환기는 유도전동기의 2차 여자를 위한 교류여자기로서 사용된다.

㉡ 회전변류기의 전기자와 거의 같은 구조로 되어 있고 정류자와 3개의 슬립링을 갖추고 있다.

㉢ 정류자상에는 한 쌍의 자극마다 전기각 $\frac{2\pi}{3}$의 간격으로 3조의 브러시가 있다.

㉣ 회전 방향은 유도전동기의 회전방향과 같다.

042 ★★

ANSWER ③ 역기전력은 회전방향에 따라 크기가 다르다.

㉠ 전기자전류$(I_a) = \frac{V - E_c}{R_a}$[A]로 역기전력이 증가할수록 전기자 전류는 감소한다.

㉡ 역기전력$(E_c) = p\phi n \frac{Z}{a}$[V]로 역기전력은 속도와 비례한다.

㉢ 역기전력$(E_c) = p\phi n \frac{Z}{a}$[V]이므로 회전방향은 역기전력과 관련있지 않다.

㉣ 역기전력$(E_c) = V = I_a R_a$[V]이므로 공급전압 V보다 작다.

043 ★★★

ANSWER ③ 13.2

1차 입력 = 2차 출력이므로

$P = V_1 I_1 = V_2 I_2 = 6600 \times 2 \times 10^{-3} = 13.2[\text{kVA}]$

044 ★★★

ANSWER ③ 230

STEP1 분권 발전기의 유기기전력[V]

분권 발전기의 회로를 그리면 다음과 같다.

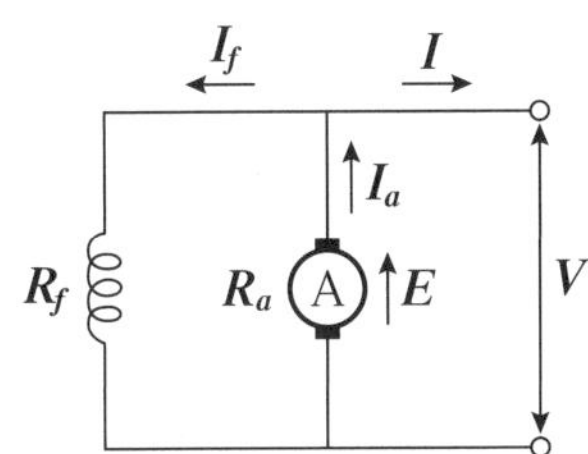

유기기전력$(E) = V + I_aR_a$이고 $I_a = I + I_f$

STEP2 주어진 값을 대입한다.

$$E = V + I_aR_a = V + (I + I_f)R_a$$
$$= 220 + 50 \times 0.2 = 230[\text{V}]$$

045 ★★★

ANSWER ② 12.5

STEP1 무부하 단자 전압 V_0

$$V_0 = V_n + I_aR_a$$
$$= 200 + 0.025 \times \frac{200 \times 10^3}{200} = 225[\text{V}]$$

STEP2 전압변동률 ϵ[%]

$$\epsilon = \frac{V_0 - V_n}{V_n} \times 100$$
$$= \frac{225 - 200}{200} \times 100 = 12.5$$

046 ★

ANSWER ③ 위상각

사이리스터는 정류 전압의 위상각을 제어한다.

047 ★★★

ANSWER ② 10

정류자 편간전압

$$e_{sa} = \frac{pE}{K} = \frac{6 \times 220}{132} = 10[\text{V}]$$

여기서 e_{sa} : 정류자 편간 전압

E : 유기기전력

K : 정류자 편수

P : 극수

048 ★★★

ANSWER ③ 120

MATH 03단원 등식, 방정식

$$\%R = \frac{I_nR}{E_n} \times 100 = \frac{I_n^2R}{E_nI_n} \times 100$$
$$= \frac{P_s}{P_n} \times 100[\%]\text{에서}$$

$$P_s = \frac{\%R \cdot P_n}{100} = \frac{2.4 \times 5 \times 10^3}{100}$$
$$= 120[\text{W}]$$

049 ★★★

ANSWER ② 인화점이 높을 것 답을 암기할 것

변압기유가 갖추어야 할 조건

- 절연내력이 높을 것
- 점도가 낮을 것
- 인화점이 높고 응고점이 낮을 것
- 화학작용이 일어나지 않을 것
- 변질하지 말 것
- 비열이 커서 냉각효과가 클 것

050 ★★

ANSWER ② 콘덴서기동형의 기동토크는 350[%] 이상이다.

종류	구조	기동 토크	적용 출력 [W]
반발 기동형	정류자, 브러시 단락장치 부착	300[%]↑	100~800
콘덴서 기동형	콘덴서 원심력 스위치 부착	200[%]↑	80~400
분상 기동형	원심력 스위치 부착	125[%]↑	40~200
셰이딩 코일형	셰이딩 코일 부착	40~80	극소~80 (효율 나쁨)

051 ★★★

ANSWER ① A : 90° 뒤질, B : 90° 앞설

답을 암기할 것

전기자 반작용

① 횡축 반작용(교차자화작용) : 전기자 전류와 유기기전력 (무부하 전압)과 동위상이 되는 경우이며, 이때 전류의 크기는 $I\cos\theta$이다.

② 직축 반작용 : 전기자 전류와 유기기전력(무부하 전압)과 위상차가 있는 경우이며, 감자 작용과 증자 작용이 있다.

㉠ 감자작용 : 전기자 전류가 유기기전력(무부하 전압)보다 위상이 $\frac{\pi}{2}$(90°) 뒤질 때

㉡ 증자작용 : 전기자 전류가 유기기전력(무부하 전압)보다 위상이 $\frac{\pi}{2}$(90°) 앞설 때

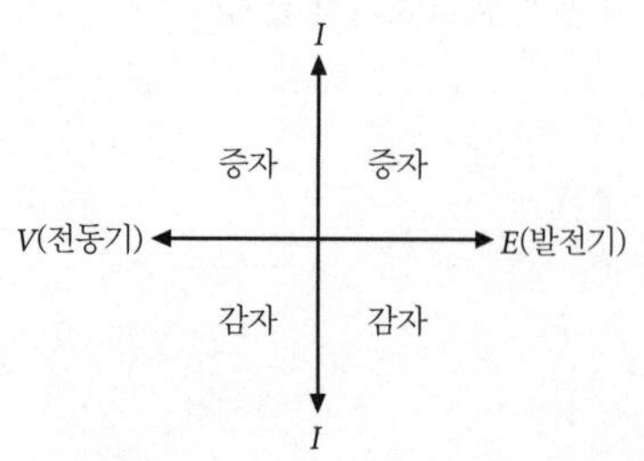

052 ★

ANSWER ① 동력계법

슬립 측정 방법

① DC밀리볼트계법

② 수화기법

③ 스트로보스코프법

동력계법은 전동기 토크 측정법

053 ★★

ANSWER ② 슬립 측정

STEP1 원선도 작성에 필요한 시험

㉠ 무부하 시험 → 정격 전압, 무부하 전류, 무부하 입력

㉡ 구속 시험(단락) → 단락 전압, 단락 전류, 단락 입력

㉢ 고정자 저항 측정 → 고정자 저항, 위상 (여기서, I_{SC}는 측정값이 아닌 계산값)

STEP2 원선도에서 알 수 있는 사항

㉠ 총 전동기 입력, 전체 손실, 고정손(철손), 고정자(1차) 동손, 회전자(2차) 동손

㉡ 고정자 입력, 고정자 출력

㉢ 슬립, 역률, 효율, 기동 토크

054 ★

ANSWER ① 2 ~ 4상 여자

스테핑모터의 여자방식

㉠ 1상 여자방식

㉡ 2상 여자방식

㉢ 1 – 2상 여자방식

055 ★★★

ANSWER ② 900

교류발전기의 병렬운전 조건으로 주파수가 같아야 한다. 동기속도 식 $N_s = \frac{120f}{P}$에서 극수 6인 발전기의 주파수를 구하게 되면,

$$\therefore f = \frac{N_s \times P}{120} = \frac{1200 \times 6}{120} = 60[\text{Hz}]$$

위와 같이 얻어낸 주파수로 극수 8인 발전기의 회전수는

$$\therefore N = \frac{120f}{P} = \frac{120 \times 60}{8} = 900[\text{rpm}]$$

056 ★★

ANSWER ④ $\frac{1}{6\sin\frac{\pi}{18}}$ 답을 암기할 것

MATH **19단원 호도법과 육십분법**

23단원 유리식

분포권 계수 $K_d = \frac{\sin\frac{n\pi}{2m}}{q\sin\frac{n\pi}{2mq}}$에서 문제에서 주어진 값을 대입하면,

$$K_d = \frac{\sin\frac{\pi}{2\times 3}}{3\sin\frac{\pi}{2\times 3\times 3}} = \frac{1}{6\sin\frac{\pi}{18}}$$

여기서, m : 상수 = 3,

q : 매극 매상의 슬롯 수 = 3

n : 고조파 차수(언급이 없으면 = 1)

057 ★

ANSWER ② 슈라게 전동기

단상 반발 전동기

㉠ 단상 반발 전동기는 브러시를 단락시켜 브러시 이동으로 기동하며 브러시를 이용하여 토크 및 속도 제어가 가능하다.

㉡ 종류

- 아트킨손형 전동기
- 톰슨형 전동기
- 데리형 전동기

058 ★★★

ANSWER ① 10

MATH **03단원 등식, 방정식**

23단원 유리식

$$a = \frac{V_1}{V_2} = \frac{E_1}{E_2} = \frac{N_1}{N_2} = \frac{I_2}{I_1}$$

권수비 공식을 활용하여

$$a_1 = \frac{E_1}{E_2} = \frac{V_1}{V_2/\sqrt{3}},\ a_2 = \frac{E_1'}{E_2'} = \frac{V_1/\sqrt{3}}{V_2}$$

$$\frac{a_2}{a_1} = \frac{\frac{V_1}{\sqrt{3}}/V_2}{V_1/\frac{V_2}{\sqrt{3}}} = \frac{1}{3}$$

$$\therefore a_2 = \frac{1}{3}a_1 = \frac{1}{3} \times 30 = 10$$

059 ★★★

ANSWER ④ 분포권

분포권의 특징

㉠ 매극 매상당 슬롯 수가 증가하여 코일에서의 열 발산을 고르게 분산시킬 수 있다.

㉡ 누설 리액턴스가 작다.

㉢ 고조파가 제거되어 기전력의 파형이 개선된다.

㉣ 집중권에 비해 기전력의 크기가 저하한다.

060 ★★★

ANSWER ④ 2.5

STEP1 회전자 주파수

$f_2 = sf_1$

STEP2 슬립 s를 구하기

동기속도

$$(N_s) = \frac{120f}{P} = \frac{120 \times 60}{6} = 1200[\text{rpm}]$$

다시 슬립 s를 구하면

$$s = \frac{N_s - N}{N_s} = \frac{1200 - 1150}{1200} = 0.0417$$

STEP3 대입하기

$f_2 = sf_1 = 0.0417 \times 60 = 2.5[\text{Hz}]$

제4과목 | 회로이론

061 ★★

ANSWER ② 5.07

MATH 01단원 SI 접두어, 단위

$\omega L = \dfrac{1}{\omega C}$ 이므로,

$$\therefore C = \frac{1}{\omega^2 L} = \frac{1}{(2 \times \pi \times 1000)^2 \times 5 \times 10^{-3}} = 5.07 \times 10^{-6} = 5.07[\mu\text{F}]$$

TIP !

$\omega = 2 \times \pi \times f$

$1[\mu\text{F}] = 1 \times 10^{-6}[\text{F}]$

062 ★★★

ANSWER ② 11.5

MATH 23단원 유리식

Y결선에서 선전류 $I_l = I_p$ 이므로 $I_l = I_p = \dfrac{V_p}{|Z|}$

Y결선에서 상전압 $V_p = \dfrac{V_l}{\sqrt{3}} = \dfrac{200}{\sqrt{3}}[\text{V}]$

임피던스의 크기$|Z| = \sqrt{8^2 + 6^2} = 10[\Omega]$

$$\therefore I_l = \frac{\frac{200}{\sqrt{3}}}{10} ≒ 11.5[\text{A}]$$

063 ★★

ANSWER ② $14 + j14$

MATH 30단원 직교좌표와 극좌표

43단원 e 총정리

STEP1

계산하기 위해 주어진 극좌표를 직교좌표로 변환한다.

$I_1 = 10(\cos\theta_1 + j\sin\theta_1)$

$I_2 = 10(\cos\theta_2 + j\sin\theta_2)$

$\theta_1 = \tan^{-1}\dfrac{4}{3}$, $\theta_2 = \tan^{-1}\dfrac{3}{4}$

STEP2 계산기에 입력

$\theta_1 = \tan^{-1}\dfrac{4}{3} = 53.13$

$\theta_2 = \tan^{-1}\dfrac{4}{3} = 36.87$

$\cos\theta_1 = 0.6$, $\sin\theta_1 = 0.8$

$\cos\theta_2 = 0.8$, $\sin\theta_2 = 0.6$

STEP3 복소수 계산

$$\begin{aligned}\therefore I &= I_1 + I_2 \\ &= 10(0.6 + j\,0.8) + 10(0.8 + j\,0.6) \\ &= 14 + j\,14[\text{A}]\end{aligned}$$

064 ★★

ANSWER ③ n

변압기에서의 4단자 정수

$\begin{bmatrix} A & B \\ C & D \end{bmatrix} = \begin{bmatrix} a & 0 \\ 0 & \frac{1}{a} \end{bmatrix}$에서 권수비 a =n 이므로

$\therefore A = n$

065 ★★★

ANSWER ① $\frac{1}{s}(e^{-as} - e^{-bs})$

MATH 49단원 라플라스 기초

$£[u(t-a) - u(t-b)]$

$= £[u(t-a) - £[u(t-b)]$

$= \frac{e^{-as}}{s} - \frac{e - bs}{s} = \frac{1}{s}(e^{-as} - e^{-bs})$

066 ★★★

ANSWER ③ $\frac{C_1}{C_1 + C_2}$

MATH 23단원 유리식

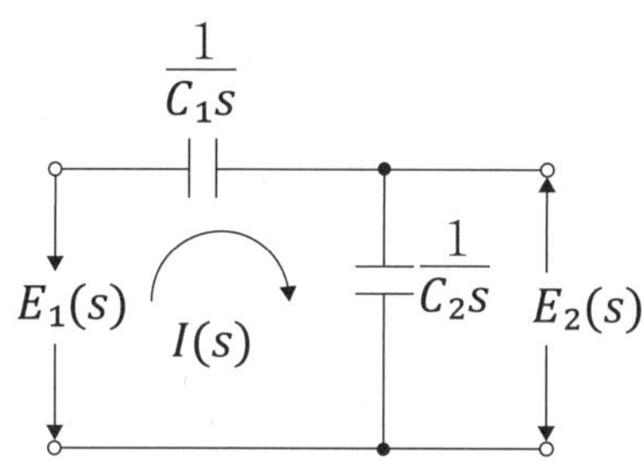

전달함수 $G(s) = \frac{E_2(s)}{E_1(s)}$에서

$E_1(s) = \left(\frac{1}{C_1 s} + \frac{1}{C_2 s}\right) I(s) = \frac{C_1 + C_2}{C_1 C_2 s} \times I(s)$

$E_2(s) = \frac{1}{C_2 s} \times I(s)$

$\therefore G(s) = \frac{E_2(s)}{E_1(s)} = \frac{\frac{1}{C_2 s}}{\frac{C_1 + C_2}{C_1 C_2 s}} = \frac{C_1}{C_1 + C_2}$

TIP !

유튜브 연고맨의 전투수학 유리식 강의를 들을 것

067 ★★

ANSWER ④ 150

MATH 03단원 등식, 방정식

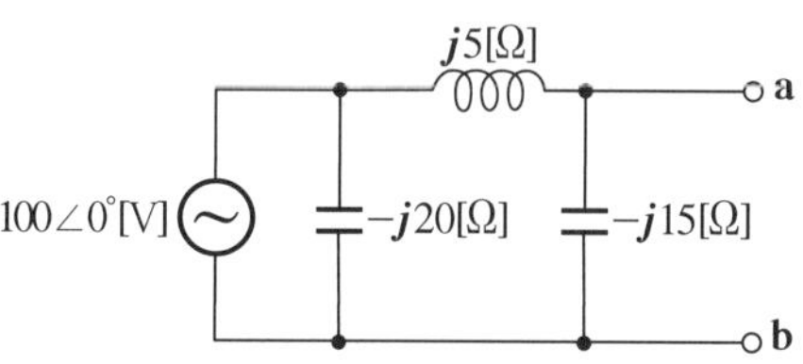

$j5[\Omega]$과 $-j20[\Omega]$을 합성하여 나타내면 위와 같이 된다.

등가회로에서 $V_b = 0[V]$이고,

$V_a = 100 - I(j5)$에서

$I = \frac{100}{j5 - j15} = \frac{100}{-j10} = j10[A]$

$\therefore V_a = 100 - (j10 \times j5) = 150[V]$

고난도

068 ★★

ANSWER ① 3200

MATH 23단원 유리식

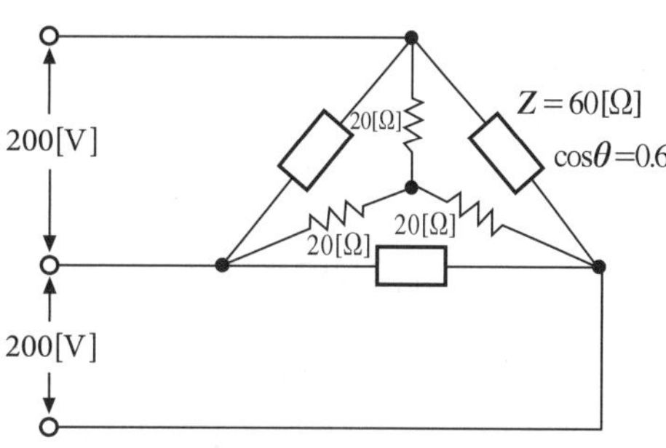

유효전력 $P = 3V_pI_p\cos\theta = 3\frac{V_p^2}{Z}\cos\theta$에서

상전압 $V_p = \frac{200}{\sqrt{3}}[V]$이고

① 저항회로

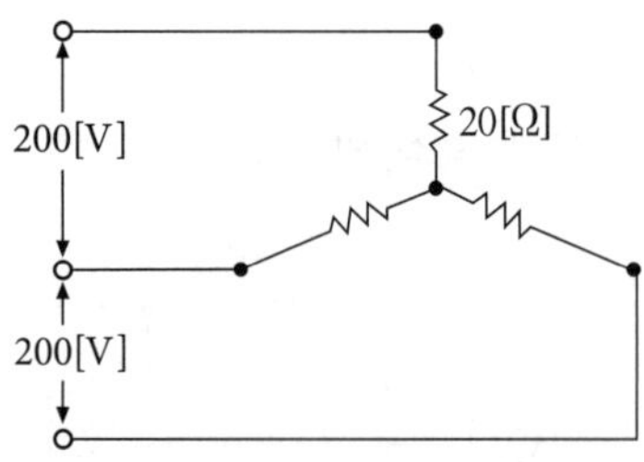

저항회로이므로 $\cos\theta = 1$, $Z = R = 20[\Omega]$

$$P_1 = 3 \times \frac{\left(\frac{200}{\sqrt{3}}\right)^2}{20} = 2000[\mathrm{W}]$$

② 임피던스회로(△ → Y변환)

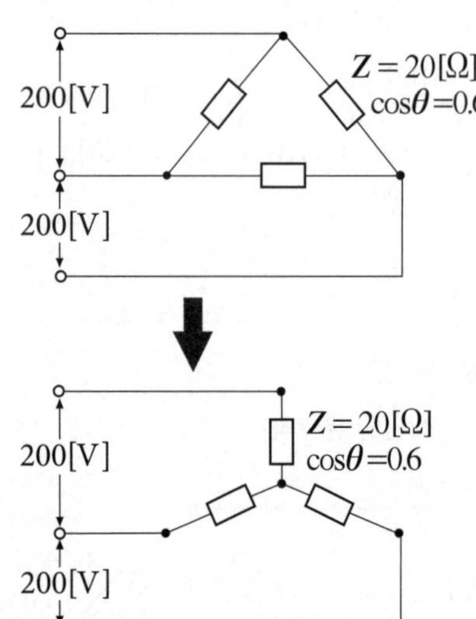

$\cos\theta = 0.6$, $Z = 20[\Omega]$이므로

$$P_2 = 3 \times \frac{\left(\frac{200}{\sqrt{3}}\right)^2}{20} \times 0.6 = 1200[\mathrm{W}]$$

$\therefore P = P_1 + P_2 = 2000 + 1200 = 3200[\mathrm{W}]$

069 ★

ANSWER ② $\log_e \sqrt{5}$

전달정수 $\theta = \log_e(\sqrt{AD} + \sqrt{BC})$에서

$$\begin{bmatrix} A & B \\ C & D \end{bmatrix} = \begin{bmatrix} 1 + \frac{4}{5} & 4 \\ \frac{1}{5} & 1 \end{bmatrix} = \begin{bmatrix} \frac{9}{5} & 4 \\ \frac{1}{5} & 1 \end{bmatrix}$$ 이므로

$$\sqrt{AD} + \sqrt{BC} = \sqrt{\frac{9}{5} \times 1} + \sqrt{4 \times \frac{1}{5}} = \frac{3}{\sqrt{5}} + \frac{2}{\sqrt{5}} = \frac{5}{\sqrt{5}} = \sqrt{5}$$

$\therefore \theta = \log_e \sqrt{5}$

070 ★★★

ANSWER ③ 9[V], 2[Ω]

① 전압 분배법칙을 적용하면,

$$V = \frac{3}{2+3} \times 15 = 9[\mathrm{V}]$$

② 단자 ab에서 바라본 등가저항은(전압원은 단락)

$$R = 0.8 + \frac{2 \times 3}{2+3} = 2[\Omega]$$

TIP !

두 저항의 병렬 연결

$$A \parallel B = \frac{A \times B}{A + B}$$

071 ★★

ANSWER ③ ㉠ 1, ㉡ 1 　　답을 암기할 것

	구형파	3각파	정현파	정류파(전파)	정류파(반파)
파형률	1.0	1.15	1.11	1.11	1.57
파고율	1.0	1.732	1.414	1.414	2.0

072 ★★

ANSWER ① 전달함수

전달 함수는 모든 초기값을 0으로 하였을 때 출력 신호의 라플라스 변환값과 입력 신호의 라플라스 변환값의 비이다.

073 ★★

ANSWER ④ $\dfrac{E}{Ts^2}(1-e^{-Ts}-Ts\cdot e^{-Ts})$

답을 암기할 것

MATH 49단원 라플라스 기초

그림의 파형을 시간함수로 표현하면

$$f(t)=\left[\frac{E}{T}tu(t)\right]+[-Eu(t-T)]+\left[-\frac{E}{T}(t-T)u(t-T)\right]$$

이것을 라플라스 변환하면,

$$F(s)=\left[\frac{E}{Ts^2}\right]+\left[-\frac{Ee^{-Ts}}{s}\right]+\left[-\frac{Ee^{-Ts}}{Ts^2}\right]=\frac{E}{Ts^2}(1-Ts\cdot e^{-Ts}-e^{-Ts})$$

074 ★★

ANSWER ④ 800

2전력계법의 전 유효전력 $P=P_1+P_2$

$\therefore P=500+300=800[\mathrm{W}]$

075 ★

ANSWER ③ 8[A]

키르히호프의 제1법칙(KCL)에 의하여 유입전류의 합과 유출되는 전류의 합은 같으므로

$\boldsymbol{i}_3+\boldsymbol{i}_5=\boldsymbol{i}_1+\boldsymbol{i}_2+\boldsymbol{i}_4$

$\therefore \boldsymbol{i}_5=\boldsymbol{i}_1+\boldsymbol{i}_2+\boldsymbol{i}_4-\boldsymbol{i}_3=5+3+2-2=8[\mathrm{A}]$

076 ★★★

ANSWER ④ $10\sqrt{3}$

선전류 $I_l=I_p\sqrt{3}$ 이고 상전류 $I_p=\dfrac{V_p}{|Z|}$ 에서

임피던스의 크기 $|Z|=\sqrt{6^2+8^2}=10[\Omega]$

△결선시 선간전압 V_l과 상전압 V_p은 같으므로

$\therefore I_l=\dfrac{100}{10}\times\sqrt{3}=10\sqrt{3}[\mathrm{A}]$

077 ★★

ANSWER ② 12

S를 닫을 때의 전류 $I_2=\dfrac{V}{R_2}$ 에서

공급전압

$V=I_1R_1=10\times\left(\dfrac{3\times6}{3+6}+4\right)=60[\mathrm{V}]$이고

S를 닫을 때의 합성저항

$R_2=3\|6+4\|12=\dfrac{3\times6}{3+6}+\dfrac{4\times12}{4+12}=5[\Omega]$

$\therefore I_2=\dfrac{V}{R_2}=\dfrac{60}{5}=12[\mathrm{A}]$

TIP !

두 저항의 병렬 연결

$A\|B=\dfrac{A\times B}{A+B}$

078 ★★★

ANSWER ④ 36

전력 $P=\sqrt{3}\,V_lI_l\cos\theta$에서

선전류

$$I_l=\frac{P}{\sqrt{3}\,V_l\cos\theta}=\frac{10\times10^3}{\sqrt{3}\times200\times0.8}\fallingdotseq36[\mathrm{A}]$$

079 ★★★

ANSWER ② $\frac{1}{2\pi}$

리액턴스 $X_L = \omega L$에서 $L = \frac{X_L}{\omega} = \frac{X_L}{2\pi f}$이고

무효전력 $P_r = \frac{V^2}{X_L} = \sqrt{P_a^2 - P}$에서

피상전력 $P_a = VI = 240 \times 5 = 1200[\text{VA}]$

유효전력 $P = 720[\text{W}]$이므로

$$P_r = \sqrt{1200^2 - 720^2} = 960[\text{Var}]$$

$$X_L = \frac{V^2}{P_r} = \frac{240^2}{960} = 60[\Omega]$$

$$\therefore L = \frac{X_L}{2\pi f} = \frac{60}{2\pi \times 60} = \frac{1}{2\pi}[\text{H}]$$

080 ★★★

ANSWER ① 이 회로의 시정수는 $\frac{L}{R_1 + R_2}$이다.

④ RL 직렬회로의 전류

$$i(t) = \frac{E}{R_1 + R_2}\left(1 - e^{-\frac{R_1 + R_2}{L}t}\right)$$에서

① 시정수 $\tau = \frac{L}{R_1 + R_2}$

② 특성근은 $-\frac{R_1 + R_2}{L}$

③ 정상 전류값은 $I = \frac{E}{R_1 + R_2}$이다.

제5과목 | 전기설비기술기준 및 한국전기설비규정

081 ★★

ANSWER ③ 6

애자공사(한국전기설비규정 232.56)

㉠ 전선은 절연전선(옥외용 비닐 절연전선 및 인입용 비닐 절연 전선을 제외한다)일 것

㉡ 이격거리

전압		전선과 조영재와의 이격거리	
저압	400[V] 이하	2.5[cm]이상	
	400[V] 초과	건조한 장소	2.5[cm]이상
		기타의 장소	4.5[cm]이상

전선 상호 간격	전선 지지점간의 거리	
	조영재의 윗면 또는 옆면에 따라 시설	조영재에 따라 시설하지 않는 경우
6[cm] 이상	2[m]이하	-
		6[m]이하

082 ★★

ANSWER ④ 지중 전선로, 지중 약전류 전선로, 지중 광섬유 케이블 선로, 지중에 시설하는 수관 및 가스관과 이와 유사한 것 및 이들에 부속하는 지중함 등을 말한다.

용어 정의(한국전기설비규정 112)

"지중 관로"란 지중 전선로·지중약전류 전선로·지중 광섬유 케이블 선로·지중에 시설하는 수관 및 가스관과 이와 유사한 것 및 이들에 부속하는 지중함 등을 말한다.

083 ★★

ANSWER ③ 관등회로

용어 정의(한국전기설비규정 112)

"관등회로"란 방전등용 안정기 또는 방전등용 변압기로부터 방전관까지의 전로를 말한다.

084 ★★★

ANSWER ① 7.28

특고압 가공전선의 높이(한국전기설비규정 333.7)

<table>
<tr><th>전압의 범위</th><th>일반 장소</th><th>도로 횡단</th><th>철도 또는 궤도횡단</th><th>횡단보도교</th></tr>
<tr><td>35[kV] 이하</td><td>5[m]</td><td>6[m]</td><td>6.5[m]</td><td>4[m](특고압절연전선 또는 케이블 사용)</td></tr>
<tr><td rowspan="2">35[kV] 초과 60[kV] 이하</td><td>6[m]</td><td>6[m]</td><td>6.5[m]</td><td>5[m](케이블 사용)</td></tr>
<tr><td colspan="4">산지 등에서 사람이 쉽게 들어갈 수 없는 장소 : 5[m]이상</td></tr>
<tr><td rowspan="3">60[kV] 초과</td><td>일반 장소</td><td colspan="3">가공전선의 높이 =6+단수×0.12[m]</td></tr>
<tr><td>철도 또는 궤도 횡단</td><td colspan="3">가공전선의 높이 =6.5+단수×0.12[m]</td></tr>
<tr><td>산지</td><td colspan="3">가공전선의 높이 =5+단수×0.12[m]</td></tr>
</table>

※ 단수 $= \dfrac{\{전압[kV]-160\}}{10}$ ··· 단수계산에서 소수점 이하는 절상

- 특고압 가공 전선의 지표상 높이는 산지 등에서는 5[m]에, 160[kV]를 넘는 10[kV] 또는 그 단수마다 12[cm]를 더한 값
- 단수 $= \dfrac{345-160}{10} = 18.5 \rightarrow 19$단

∴ 전선의 지표상 높이 $= 5 + 19 \times 0.12 = 7.28$[m]

085 ★

ANSWER ① 20

특고압 가공 전선과 지지물 등의 이격거리(한국전기설비규정 333.5)

특고압 가공전선과 그 지지물, 완금류, 지주 또는 지선사이의 이격거리는 표에서 정한 값 이상이어야 한다. 다만, 기술상 부득이한 경우에 위험의 우려가 없도록 시설한 때에는 표에서 정한 값의 0.8배까지 감할 수 있다.

사용전압	이격거리[cm]
15[kV] 미만	15
15[kV] 이상 25[kV] 미만	20
25[kV] 이상 35[kV] 미만	25
60[kV] 이상 70[kV] 미만	40
130[kV] 이상 160[kV] 미만	90

086 ★★★

ANSWER ④ 콤바인덕트케이블

지중전선로의 시설(한국전기설비규정 334.1)

지중전선로를 직접 매설식에 의하여 시설하는 경우에 지중전선을 견고한 트라프 기타 방호물에 넣어 시설하여야 한다.

단, 다음의 어느 하나에 해당하는 경우에는 지중전선을 견고한 트라프 기타 방호물에 넣지 아니하여도 된다.

① 저압 또는 고압의 지중전선을 차량 기타 중량물의 압력을 받을 우려가 없는 경우에 그 위를 견고한 판 또는 몰드로 덮어 시설하는 경우

② 저압 또는 고압의 지중전선에 콤바인덕트 케이블 또는 개장한 케이블을 사용하여 시설하는 경우

087 ★★

ANSWER ① 전원 장치에 전기를 공급하는 전로의 사용전압은 600[V] 이하이어야 한다.

전기울타리(한국전기설비규정 241.1)

㉠ 전기 울타리용 전원장치에 전원을 공급하는 전로의 사용 전압은 250[V] 이하이어야 한다.

㉡ 전기 울타리는 사람이 쉽게 출입하지 아니하는 곳에 시설할 것

㉢ 전선은 인장강도 1.38[kN] 이상의 것 또는 지름 2[mm]이상의 경동선일 것

㉣ 전선과 이를 지지하는 기둥사이의 이격거리는 25[mm]이상일 것

㉤ 전선과 다른 시설물(가공전선을 제외 한다) 또는 수목과의 이격거리는 0.3[m] 이상일 것

088 ★★★

ANSWER ① 전선의 세기를 30[%] 이상 감소시키지 않는다.

전선의 접속(한국전기설비규정 123)

전선을 접속하는 경우에는 전선의 전기 저항을 증가 시키지 아니하도록 접속하여야 하며, 또한 다음에 따라야 한다.

㉠ 절연 전선상호·절연 전선과 코드, 캡타이어 케이블과 접속하는 경우에는

① 전선의 세기를 20[%] 이상 감소시키지 아니할 것

② 접속부분은 접속관 기타의 기구를 사용할 것

③ 접속부분의 절연전선에 절연전선의 절연물과 동등 이상의 절연효력이 있는 것으로 충분히 피복할 것

㉡ 코드상호, 캡타이어 케이블 상호 또는 이들 상호를 접속하는 경우에는 코드 접속기·접속함 기타의 기구를 사용 할 것

다만, 공칭 단면적이 10[mm^2] 이상인 캡타이어 케이블 상호를 규정에 준하여 접속하는 경우에는 기구를 사용하지 않을 수 있다.

㉢ 도체에 알루미늄(알루미늄 합금을 포함 한다.)을 사용하는 전선과 동(동합금을 포함 한다.)을 사용하는 전선을 접속하는 등 전기 화학적 성질이 다른 도체를 접속하는 경우에는 접속 부분에 전기적 부식이 생기지 않도록 할 것

089 ★★★

ANSWER ④ 금속제가요전선관공사

가연성 분진 위험장소(한국전기설비규정 242.2.2)

가연성 분진에 전기설비가 발화원이 되어 폭발 할 우려가 있는 곳에 시설하는 저압 옥내전기설비는 다음에 따르고 또한 위험의 우려가 없도록 시설하여야 한다.

㉠ 합성수지관공사(두께 2[mm] 미만의 합성수지 전선관 및 난연성이 없는 콤바인 덕트관을 사용하는 것을 제외한다)

㉡ 금속관공사

㉢ 케이블공사

090 ★★★

ANSWER ② 30

가공 전선로 지지물의 기초의 안전율(한국전기설비규정 331.7)

가공 전선로의 지지물에 하중이 가하여 지는 경우에 그 하중을 받는 지지물의 기초의 안전율은 2(이상 시 상정하중에 대한 철탑의 기초에 대하여는 1.33) 이상 이어야 한다. 다만, 다음에 따라 시설하는 경우에는 적용하지 않는다.

전장 \ 설계하중	6.8[kN] 이하	6.8[KN] 초과 ~9.8[kN] 이하	9.8[KN] 초과~ 14.72[kN] 이하
15[m]이하	전장× 1/6[m] 이상	전장×1/6 +0.3[m] 이상	전장×1/6+ 0.5[m]이상
15[m]초과	2.5[m] 이상	2.8[m] 이상	-
16[m]초과 20[m]이하	2.8[m] 이상	-	-
15[m]초과 18[m]이하	-	-	3[m]이상
18[m]초과	-	-	3.2[m]이상

091 ★★★

ANSWER ④ 2

가공 전선로 지지물의 기초의 안전율(한국전기설비규정 331.7)

가공 전선로의 지지물에 하중이 가하여지는 경우에 그 하중을 받는 지지물의 기초의 안전율은 2이상(단, 이상 시 상정하중에 대한 철탑의 기초에 대하여는 1.33)이어야 한다.

092 ★

ANSWER ④ 300

도로 등의 전열장치(한국전기설비규정 241.12)

㉠ 발열선에 전기를 공급하는 전로의 대지전압은 300[V] 이하일 것

㉡ 발열선은 그 온도가 80[℃]를 넘지 아니하도록 시설할 것
다만, 도로 또는 옥외 주차장에 금속피복을 한 발열선을 시설할 경우에는 발열선의 온도를 120[℃] 이하로 할 수 있다.

㉢ 발열선은 다른 전기설비·약전류 전선 등 또는 수관·가스관이나 이와 유사한 것에 전기적·자기적 또는 열적인 장해를 주지 아니하도록 시설할 것

093 ★★★

ANSWER ② 6

특고압용 기계기구의 시설

(한국전기설비규정 341.4)

특고압용 기계기구 충전부분의 지표상 높이

사용전압의 구분	울타리·담 등의 높이와 울타리·담 등으로부터 충전 부분까지의 거리의 합계
35[kV]이하	5[m]
35[kV]초과 160[kV]이하	6[m]
160[kV]초과	• 거리의 합계 = 6 + 단수 × 0.12[m] • 단수 = $\frac{\text{사용전압[kV]}-160}{10}$ 단수 계산에서 소수점 이하는 절상

094 ★★★

ANSWER ② 50

풍압 하중의 종별과 적용

(한국전기설비규정 331.6)

가공 전선로에 사용하는 지지물의 강도계산에 적용하는 풍압하중은 다음의 3종으로 한다.

㉠ **갑종풍압하중**
구성재의 수직 투영면적 1[m^2]에 대한 풍압을 기초로 하여 계산한 것

㉡ **을종 풍압하중**
전선 기타의 가섭선 주위에 두께 6[mm], 비중 0.9의 빙설이 부착된 상태에서 수직 투영면적 372[Pa](다도체를 구성하는 전선은 333[Pa]), 그 이외의 것은 갑종 풍압하중의 2분의 1을 기초로 하여 계산한 것

㉢ **병종 풍압하중**
갑종풍압하중의 2분의 1을 기초로 하여 계산한 것

095 ★★

ANSWER ④ 사용전압이 440[V]인 금속관공사에서 금속관에는 접지공사를 하지 않았다.

금속관공사(한국전기설비규정 232.12)

㉠ 전선은 절연전선(옥외용 비닐절연전선을 제외한다)일 것

㉡ 전선은 연선일 것. 다만, 다음의 것은 적용하지 않는다.

① 짧고 가는 금속관에 넣은 것

② 단면적 10[mm^2](알루미늄선은 단면적 16[mm^2]) 이하의 것

㉢ 관의 두께는 다음에 의할 것

① 콘크리트에 매설 하는 것은 1.2[mm] 이상

② 콘크리트매설 이외의 것은 1[mm] 이상

㉣ 관에는 접지공사를 할 것

096 ★★

ANSWER ① 1.5

케이블트레이 공사(한국전기설비규정 232.41)

㉠ 케이블 트레이의 안전율은 1.5 이상으로 하여야 한다.

㉡ 금속재의 것은 적절한 방식처리를 한 것이거나 내식성재료의 것이어야 한다.

㉢ 비금속제 케이블트레이는 난연성 재료의 것이어야 한다.

㉣ 금속제 케이블트레이 계통은 기계적 및 전기적으로 완전하게 접속하여야 하며 금속제 트레이는 접지공사를 하여야 한다.

출제기준 변경 및 개정된 관계 법규에 따라 삭제된 문제가 있어 20문항이 안됩니다.

2015년 2회

제1과목 | 전기자기학

001 ★★★

ANSWER ③ 전하가 없는 곳에서도 전기력선의 발생, 소멸이 있다.

전기력선의 성질

전기력선은 전계 내에서 단위전하 $+1[C]$이 아무 저항 없이 전기력에 따라 이동할 때 그려지는 가상선을 의미하며, 다음과 같은 성질을 가지고 있다.

① 전기력선의 방향은 전계의 방향과 일치하며, 전기력선은 정전하(+ 전하)에서 출발하여 부전하(− 전하)에서 멈추거나 무한원까지 퍼진다.

② 전기력선 밀도는 전계의 세기와 같다. (가우스 정리)

③ 단위전하(1[C])에서는 $\dfrac{1}{\epsilon_0} = 36\pi \times 10^9$ 개의 전기력선이 발생한다.(Q[C]의 전하에서 $N = \dfrac{Q}{\epsilon_0}$ 개의 전기력선이 발생한다.)

④ 전하가 없는 곳에서는 전기력선의 발생과 소멸이 없고 연속적이다.($\nabla \cdot E = 0$)

⑤ 전기력선은 자신만으로 폐곡선이 되는 일은 없다. ($\nabla \times E = 0$)

⑥ 전기력선은 전위가 높은 곳에서 낮은 곳으로 향한다.($E = -\text{grad}\, V$)

⑦ 2개의 전기력선은 서로 교차하지 않는다.

⑧ 전기력선은 등전위면과 직교한다.

⑨ 전기력선은 도체 표면에서 수직으로 출입하지만, 도체 내부에서 전기력선은 없다.(전기력선은 도체를 통과하지 못한다.)

⑩ 전기력선은 무한원점에서 끝나거나, 무한원점에서 오는 것이 있다.

⑪ 무한원점에 있는 전하까지 합하면 전하의 총량은 0이다.

002 ★★

ANSWER ④ 자계 내 대전입자를 임의 방향의 운동 속도로 투입하면 $\cos\theta$에 비례한다.

대전입자가 자계 내에 투입되는 각도에 따라 운동의 유형은 달라진다.

1) 수직 투입 : 대전입자는 등속 원운동을 하게 된다.

2) 수직 투입이 아닌 경우 : 등속의 나선운동을 한다.
즉, 어떠한 경우에서도 대전입자는 자계 내에서 등속운동을 한다.

003 ★★★

ANSWER ② 42

MATH 46단원 벡터의 내적

STEP1 벡터의 내적

$$\cos\theta = \frac{\vec{A} \cdot \vec{B}}{|\vec{A}||\vec{B}|}$$

$$\vec{A} \cdot \vec{B} = A_xB_x + A_yB_y + A_zB_z$$
$$= 2 \times 0 + 4 \times 6 + 0 \times (-4) = 24$$

$$|\vec{A}||\vec{B}| = \sqrt{2^2 + 4^2} \times \sqrt{6^2 + (-4)^2}$$
$$= 2\sqrt{5} \times 2\sqrt{13}$$

STEP2 각도 (아크코사인)

따라서 위 식을 각도에 대해서 정리하면 다음과 같다.

$$\theta = \cos^{-1}\left(\frac{24}{4\sqrt{65}}\right) \approx 42^\circ$$

004 ★★★

ANSWER ② 10

MATH **23단원 유리식**

단위 길이 당 평행도선 사이의 힘

$$F = \frac{\mu I_1 I_2}{2\pi d} = \frac{\mu_0 I_1 I_2}{2\pi d}$$
$$= \frac{(4\pi \times 10^{-7}) \times 1000 \times 1000}{2\pi \times (2 \times 10^{-2})}$$
$$= 10[\mathrm{N/m}]$$

005 ★★

ANSWER ② 2.25

MATH **1단원 SI 접두어 단위**
3단원 등식 방정식

STEP1 **임계 주파수**

전도 전류밀도와 변위 전류 밀도의 크기가 같을 때의 주파수

STEP2 **전도전류**

$i_\sigma = \sigma E[\mathrm{A/m^2}]$

STEP3 **변위전류**

$$i_d = \epsilon \frac{\partial E}{\partial t} = w\epsilon E = 2\pi f E[\mathrm{A/m^2}]$$

STEP4 **대입**

$$\sigma E = 2\pi f_c \epsilon E \to f_c = \frac{\sigma}{2\pi\epsilon} = \frac{\sigma}{2\pi(n^2\epsilon_0)}$$
$$= \frac{0.5}{2\pi \times (2^2 \times 8.855 \times 10^{-12})}$$
$$\approx 2.25 \times 10^9[\mathrm{Hz}] = 2.25[\mathrm{GHz}]$$

TIP !

- $1[\mathrm{GHz}] = 1 \times 10^9[\mathrm{Hz}]$
- 공기중의 유전율 $\epsilon_0 = 8.855 \times 10^{-12}$
- 각주파수 $\omega = 2\pi f$
- 유전율 $\epsilon = n^2\epsilon_0$

여기서, n은 굴절률

006 ★★★

ANSWER ③ $\dfrac{2S\epsilon_1\epsilon_2}{d(\epsilon_1+\epsilon_2)}$ **답을 암기할 것**

MATH **23단원 유리식**

STEP1 **콘덴서의 직렬 접속**

$$C = \frac{Q}{V} = \frac{1}{\frac{1}{C_1} + \frac{1}{C_2}} = \frac{C_1 C_2}{C_1 + C_2}[\mathrm{F}]$$

STEP2 **평행 평판 도체의 정전용량**

$$C = \frac{\epsilon S}{d}[\mathrm{F}]$$
$$C_1 = \frac{\epsilon_1 S}{\frac{d}{2}} = \frac{2\epsilon_1 S}{d}[\mathrm{F}],$$
$$C_2 = \frac{\epsilon_2 S}{\frac{d}{2}} = \frac{2\epsilon_2 S}{d}[\mathrm{F}]$$

STEP3 **대입**

$$C = \frac{C_1 C_2}{C_1 + C_2} = \frac{\frac{2\epsilon_1 S}{d} \times \frac{2\epsilon_2 S}{d}}{\frac{2\epsilon_1 S}{d} + \frac{2\epsilon_2 S}{d}}$$
$$= \frac{\frac{4\epsilon_1\epsilon_2 S^2}{d^2}}{\frac{2(\epsilon_1+\epsilon_2)S}{d}} = \frac{2\epsilon_1\epsilon_2 S}{d(\epsilon_1+\epsilon_2)}[\mathrm{F}]$$

007 ★★

ANSWER ② $\dfrac{Q}{6\pi\epsilon_0 a}$

STEP1 **영상전하**

해석법

점전하 Q가 점$(0, 0, h)$에 위치할 때, $z < 0$의 도체를 공기로 대체점$(0, 0, -h)$에 점전하 $-Q$를 추가한다.

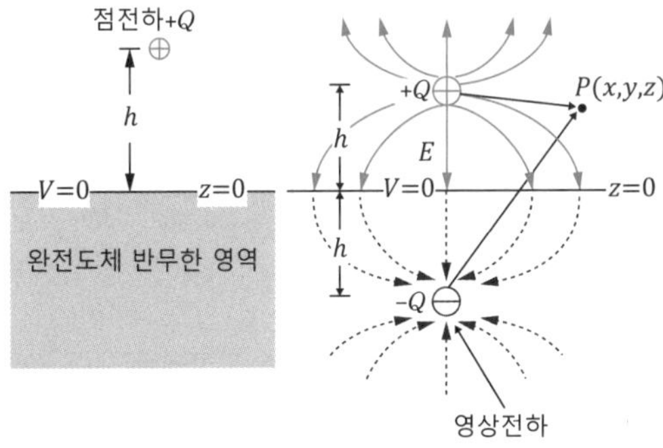

STEP2

점전하 Q[C]에서 거리 r[m]인 점에 생기는 전위

$$V = \frac{Q}{4\pi\epsilon_0 r}[\mathrm{V}]$$

이때, 총 전위는 각 전하에 대한 전위의 합으로 나타난다.

$$V = \frac{Q}{4\pi\epsilon_0 a} + \frac{-Q}{4\pi\epsilon_0(3a)}$$
$$= \frac{2Q}{4\pi\epsilon_0(3a)} = \frac{Q}{6\pi_0 a}[\mathrm{V}]$$

008 ★★

ANSWER ① 저항에 반비례하고 전압에 비례한다.

옴의 법칙

$$I = \frac{V}{R}[\mathrm{A}]$$

따라서, 전류는 저항에 반비례하고, 전압에 비례한다.

009 ★★

ANSWER ② 1.25

MATH 23단원 유리식

$$L = \frac{N\phi}{I} = \frac{250 \times 0.02}{4} = 1.25[\mathrm{Wb/A}]$$

또는 [H]

010 ★★★

ANSWER ④ 패러데이의 법칙:

$$\oint_c D \cdot dl = -\int_S \frac{dH}{dt} \cdot dS$$

맥스웰 방정식

1) 암페어의 주회 법칙

$\mathrm{rot}H = \nabla \times H = i + \frac{\partial D}{\partial t}$(미분형)

(전류나 전계의 시간적 변화는 계를 회전시킨다.)

$\oint_c H \cdot dl = I + \int_S \frac{\partial D}{\partial t} \cdot dS$(적분형)

2) 가우스의 정리 1

$\nabla \cdot D = \epsilon \nabla \cdot E = \rho$(미분형)

(공간에 전하가 있을 때 전계는 발산한다. 고립된 전하는 존재한다.)

$\oint_S D \cdot dS = \int_v \rho dv = Q$(적분형)

3) 패러데이의 전자유도 법칙

$\mathrm{rot}E = \nabla \times E = -\frac{\partial B}{\partial t} = -\mu\frac{\partial H}{\partial t}$(미분형)

(자계의 시간적 변화를 방해하는 방향으로 전계를 회전시킨다.)

$\oint_c E \cdot dl = -\int_S \frac{\partial B}{\partial t} \cdot dS$(적분형)

4) N극과 S극 공존

$\nabla \cdot B = \mu \nabla \cdot H = 0$(미분형)

(자계는 발산하지 않고 주변을 돈다. 고립된 자극은 존재하지 않는다.)

$\oint_S B \cdot dS = 0$(적분형)

011 ★

ANSWER ① 구리

강자성체	상자성체	반자성체
철, 니켈, 코발트	알루미늄, 백금, 산소	구리, 은

012 ★★

ANSWER ① 2×10^5

자기저항(리액턴스)

$$R_m = \frac{F}{\phi} = \frac{NI}{\phi} = \frac{250 \times 1.2}{1.5 \times 10^{-3}} = 2 \times 10^5 [\mathrm{AT/Wb}]$$

013 ★★★

ANSWER ③ 힘 $f = \frac{1}{2}\left(\frac{1}{\epsilon_2} - \frac{1}{\epsilon_1}\right)D^2$ 이 ϵ_1에서 ϵ_2으로 작용한다.

답을 암기할 것

전계가 경계면에 수직일 때 힘

$$f = \frac{D^2}{2}\left(\frac{1}{\epsilon_2} - \frac{1}{\epsilon_1}\right)[\mathrm{N/m^2}]$$

- 법선 성분만 존재한다.
- 전속밀도가 연속(일정)이다. ($D_1 = D_2 = D$)
- 힘의 방향 : 유전율이 큰 쪽 → 작은 쪽

014 ★★★

ANSWER ③ $\frac{Q}{20\pi\epsilon_0 a}$

구 대전체 외부에서의 전위($r > a$)

$$V = \frac{Q}{4\pi\epsilon_0 r} = \frac{Q}{4\pi\epsilon_0 (5a)} = \frac{Q}{20\pi\epsilon_0 a}[\mathrm{V}]$$

015 ★★

ANSWER ④ 쿨롱의 법칙

1) 암페어의 오른나사의 법칙

전류가 흐르는 도체에 전류와 수직인 오른손의 방향으로 자계가 발생

2) 비오 – 사바르 법칙

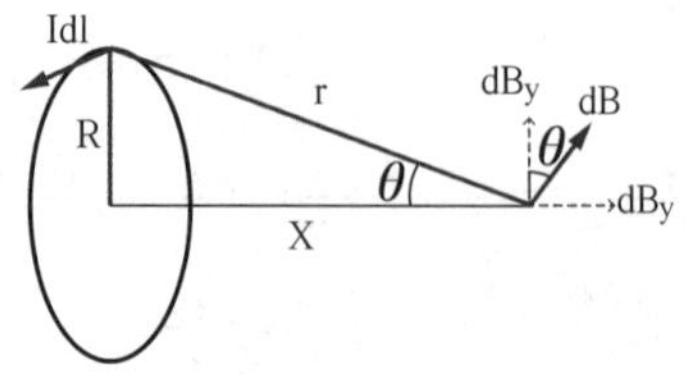

전류에 의해 생성된 자기장 사이의 관계를 나타내는 법칙

3) 플레밍의 왼손 법칙

자계 $\overrightarrow{H}$ 에 의해 전류 도체가 받는 자기력 방향이 결정(전동기의 원리)

4) 쿨롱의 법칙

균일 매질내에서 사이의 거리가 r 인 점전하에 가해지는 힘

고난도

016 ★★

ANSWER ④ $-20a_x - 46a_z$

MATH 40단원 합성함수와 편미분

47단원 평면벡터의 외적

STEP1 자속 밀도

$B = \mathrm{rot}\ A = \nabla \times A$

STEP2 벡터의 외적

$$\nabla \times A = \begin{vmatrix} a_x & a_y & a_z \\ \frac{\partial}{\partial x} & \frac{\partial}{\partial y} & \frac{\partial}{\partial z} \\ A_x & A_y & A_z \end{vmatrix}$$

$$= (\frac{\partial}{\partial y}A_z - \frac{\partial}{\partial z}A_y)a_x - (\frac{\partial}{\partial x}A_z - \frac{\partial}{\partial z}A_x)a_y + (\frac{a}{\partial x}A_y - \frac{\partial}{\partial y}A_x)a_z$$

$$= (\frac{\partial}{\partial y}(4xyz) - \frac{\partial}{\partial z}(y^2x))a_x - (\frac{\partial}{\partial x}(4xyz) - \frac{\partial}{\partial z}(2yz^2))a_y + (\frac{\partial}{\partial x}(y^2x) - \frac{\partial}{\partial y}2yz^2)a_z$$

$$= 4xza_x - (4yz - 4yz)a_y + (y^2 - 2z^2)a_z$$

$$= 4xza_x + (y^2 - 2z^2)a_z$$

$$= (4 \times (-1) \times 5)a_x + (2^2 - 2 \times 5^2)a_z$$

$$= -20a_x - 46a_z$$

017 ★★★

ANSWER ④ $\frac{\lambda}{2\pi\epsilon_0 r}$

원주 외부에서의 전계의 세기

$$E = \frac{\lambda}{2\pi\epsilon_0 r}[\text{V/m}]$$

고난도

018 ★★

ANSWER ③ 5.6

MATH 23단원 유리식

STEP1 전위

도체구를 연결하게 되면 전위는 같게 되고, 도체의 정전용량과 전위의 관계식은 다음과 같다.

$$V = \frac{Q}{C}[\text{V}]$$

이때, 총 전하량(Q)은 각 도체구의 전하량의 합으로 연결 전과 후가 같다.

따라서, 공통 전위는 다음과 같다.

$$Q_1 + Q_2 = C_1V_1 + C_2V_2 = Q_1' + Q_2'$$

$$= (C_1 + C_2)V \rightarrow$$

$$V = \frac{C_1V_1 + C_2V_2}{(C_1 + C_2)}[\text{V}]$$

STEP2 정전용량

도체구의 정전용량

$C = 4\pi\epsilon a[\text{F}]$

$C_1 = 4\pi\epsilon_0 \times 2 = 8\pi\epsilon_0[\text{F}]$,

$C_2 = 4\pi\epsilon_0 \times 3 = 12\pi\epsilon_0[\text{F}]$

STEP3 대입

$$V = \frac{C_1V_1 + C_2V_2}{(C_1 + C_2)} = \frac{8\pi\epsilon_0 \times 5 + 12\pi\epsilon_0 \times 6}{8\pi\epsilon_0 + 12\pi\epsilon_0}$$

$$= \frac{112\pi\epsilon_0}{20\pi\epsilon_0} = 5.6[\text{V}]$$

019 ★★

ANSWER ③ $\frac{1}{r^3}$에 비례 답을 암기할 것

MATH 10단원 비례 반비례 비례식

전기쌍극자에 의하 전계의 세기

$$E = \frac{M\sqrt{1 + 3\cos^2\theta}}{4\pi\epsilon_0 r^3}[\text{V/m}]$$

따라서, 전계의 세기는 $\frac{1}{r^3}$에 비례한다.

020 ★★

ANSWER ② $F_1 = F_2$

쿨롱의 법칙

균일 매질내에서 사이의 거리가 r 인 점전하에 가해지는 힘

- 작용하는 힘은 두 전하의 곱에 비례한다.
- 두 전하의 거리 제곱에 반비례한다.

$$F = \frac{Q_1Q_2}{4\pi\epsilon r^2}[\text{N}]$$

따라서, 쿨롱의 법칙에 의해서 두 전하 사이의 힘은 두 전하의 전하량과 거리에만 영향을 받기 때문에 또 다른 전하에 대해서 영향을 받지 않는다.

021 ★★

ANSWER ③ 89.8

MATH 23단원 유리식

STEP1 1선 충전 전류

$$I_c = wC_w El = 2\pi f C_w \frac{V}{\sqrt{3}} l$$

위 공식에서 작용정전용량(C_w)를 구한다.

STEP2 작용정전용량(C_w)

작용정전용량

$$C_w = C_s + 3C_m = 0.008 + 3 \times 0.0018 = 0.0134[\mu\text{F/km}]$$

STEP3 1선 충전 전류 공식 대입

$$I_c = wC_w lE = 2\pi f C_w l \frac{V}{\sqrt{3}} = 2\pi \times 60 \times 0.0134 \times 10^{-6} \times 200 \times \frac{154,000}{\sqrt{3}} = 89.8[\text{A}]$$

022 ★

22번 문제는 출제기준 변경 및 개정된 관계 법규에 따라 삭제되었습니다.

023 ★★

ANSWER ④ 3권선 변압기

1차 및 2차측 권선 그리고 조상설비 채용 및 제3고조파 제거용으로 사용되는 제3권선이 있는 3권선 변압기를 사용한다.

024 ★

ANSWER ④ 섬락사고 시 애자의 보호

아킹 혼 : 섬락으로부터 애자련의 보호, 애자련의 전압 분포 개선

025 ★★

ANSWER ④ 양수발전과 같이 첨두부하에 대한 기여도가 많음

소수력발전(small hydro power)은 소규모 수력발전을 의미

- 장점
  - ㉠ 국내 부존자원 활용
  - ㉡ 전력생산 외에 농업용수 공급, 홍수조절에 기여
  - ㉢ 일단 건설후에는 운영비가 저렴
- 단점
  - ㉠ 대수력이나 양수발전과 같이 첨두부하에 대한 기여도가 적음
  - ㉡ 초기 건설비 소요가 크고, 발전량이 강수량에 따라 변동이 많음

026 ★★

ANSWER ④ 84.1

토리첼리의 정리

유속 $v = c_v \sqrt{2gh}\,[\text{m/s}]$

(c_v : 유속계수, g : 중력 가속도[m/s^2], h : 유효 낙차[m])

$$\therefore v = c_v \sqrt{2gH} = 0.95 \times \sqrt{2 \times 9.8 \times 400} = 84.116[\text{m/s}]$$

027 ★★★

ANSWER ③ 탑각 접지저항을 적게 한다.

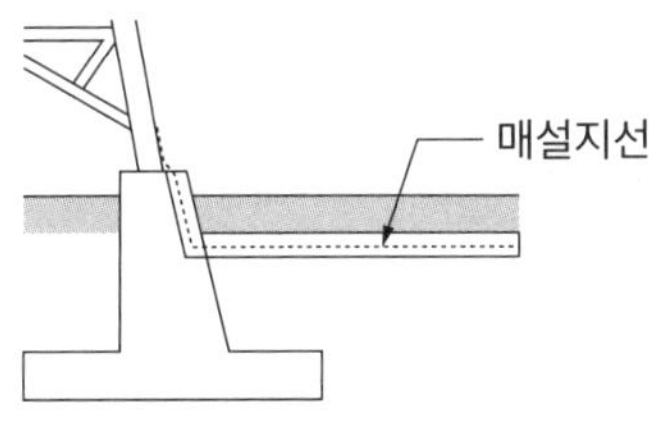

철탑의 하부

- 역섬락 : 철탑의 탑각 접지 저항이 커서 낙뢰로 인한 과전압을 대지로 방전하지 못하고 선로에 뇌격을 보내는 현상
- 방지대책 : 탑각 접지 저항의 감소를 통해 역섬락 방지, 이를 위해 매설지선을 설치

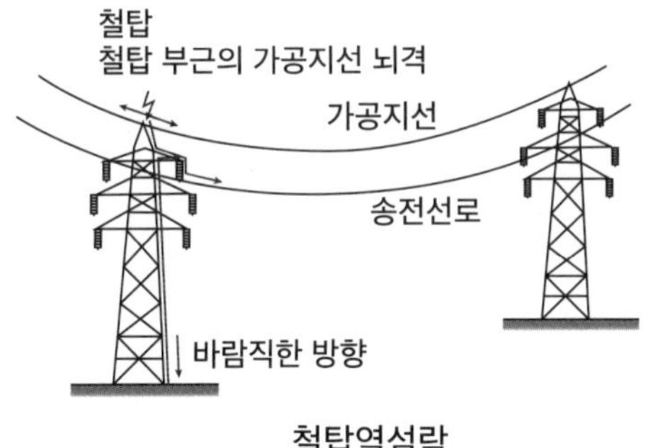

철탑역섬락

028 ★★

ANSWER ① 페란티 효과 방지

- 페란티 현상 : 무부하 또는 경부하 시 수전단 전압이 송전단 전압보다 높아지는 현상
- 원인 : 선로의 정전용량(진상전류)
- 방지 대책
  - ㉠ 선로에 흐르는 전류가 지상이 되도록 한다.
  - ㉡ 수전단에 분로 리액터를 설치한다.
  - ㉢ 동기 조상기의 부족여자 운전

029 ★★★

ANSWER ④ 아크에 의해 SF_6 가스는 분해되어 유독가스를 발생시킨다.

가스차단기(GCB)는 소호성능이 우수하고 안정도가 높은 SF_6(육불화황)가스를 이용한 차단기로서 특징은 다음과 같다.

㉠ SF_6 가스는 사용상태에서 불활성, 불연, 무미, 무취, 무독성이다.

㉡ 밀폐구조이므로 소음이 적다.

㉢ SF_6 가스는 절연내력이 공기보다 크다.

㉣ 근거리 고장 등 가혹한 재기 전압에 대해서 성능이 우수하다.

030 ★★★

ANSWER ④ 정류가 필요 없고 승압 및 강압이 쉽다.

직류 송전 방식의 장·단점

- 장점
  - ㉠ 선로의 리액턴스가 없으므로 안정도가 높다.
  - ㉡ 유전체손 및 충전 용량이 없고 절연 내력이 강하다.
  - ㉢ 비동기 연계가 가능하다.
  - ㉣ 단락전류가 적고 임의 크기의 교류계통을 연계시킬 수 있다.
  - ㉤ 코로나손 및 전력 손실이 적다.
  - ㉥ 역률이 항상 1로 되기 때문에 송전효율도 좋아진다.
- 단점
  - ㉠ 직교 변환 장치가 필요하다.
  - ㉡ 전압의 승압 및 강압이 불리하다.
  - ㉢ 고조파나 고주파 억제 대책이 필요하다.

031 ★★

ANSWER ② $\dfrac{3E_a}{Z_0+Z_1+Z_2}$ 답을 암기할 것

대칭 좌표법과 발전기의 기본식을 이용하여 풀면

$$I_0 = I_1 = I_2 = \frac{E_a}{Z_0+Z_1+Z_2}$$

지락전류

$$I_g = I_0 + I_1 + I_2 = 3I_0 = \frac{3E_a}{Z_0+Z_1+Z_2}$$

032 ★★★

ANSWER ② 병렬 콘덴서 설치

안정도 향상 대책

㉠ 선로에 직렬콘덴서를 설치한다.

㉡ 중간조상방식을 채용한다.

㉢ 고장구간을 신속히 차단시키고 재폐로방식을 채택한다.

㉣ 소호리액터 접지방식을 채용한다.

㉤ 직렬리액턴스를 작게 한다.

㉥ 선로에 복도체를 사용하거나 병행회선수를 늘린다.

㉦ 계통을 연계시킨다.

병렬콘덴서는 역률 개선에 적합하다.

033 ★★

ANSWER ③ 임피던스

$$E_s = AE_R + BI_R,\ I_s = CE_R + DI_r$$

A : 전압비, B : 임피던스, C : 어드미턴스, D : 전류비

034 ★★

ANSWER ② 방향단락 계전기

전원이 2군데 이상 환상 선로의 단락 보호

→ 방향 거리 계전기(DZ)

전원이 2군데 이상 방사 선로의 단락 보호

→ 방향 단락 계전기(DS)와 과전류 계전기(OC)를 조합

035 ★★

ANSWER ③ 500

최대전송 가능한 유효전력은 무효분이 0일 때이므로, 무효분 $(Q_s - 300)^2 = 0$이다.

$\therefore P_s^2 = 250000 \rightarrow P_s = 500$

036 ★★

ANSWER ④ 영상 전류

X점에는 a, b, c상의 모든 전류가 흐르게 되므로 영상전류이다.

037 ★★

ANSWER ① 2차측 절연 보호

변류기의 2차측을 개방하면 1차 부하전류가 모두 여자전류로 변화하여 2차 코일에 과전압이 발생하여 절연이 파괴되고, 권선이 손상될 위험이 있다.

038 ★★

ANSWER ③ 급전시는 DS, CB 순이고,
정전시는 CB, DS 순이다.

단로기 운용방법

㉠ 단로기는 부하전류 및 단락전류의 개폐 능력이 없으므로 오동작 시 아크에 의해 사고의 발생우려가 높다.

㉡ 차단기의 개방 유무를 확인

㉢ 단로기와 차단기 사이에 인터로크를 설정하여 차단기의 Open 시에만 단로기의 동작이 가능하도록 운용(차단기 Open = 부하회로를 끊음)

㉣ 정전시 CB - DS, 급전시 DS - CB가 되어야 한다.

039 ★★★

ANSWER ③ 제한전압

- 피뢰기 : 선로에 내습하는 이상전압의 파고값을 저감시켜서 기기 및 선로를 보호하기 위한 설비
- 피뢰기 제한전압 : 피뢰기 동작 중 나타나는 단자전압의 파고값
- 피뢰기 정격전압 : 속류를 차단하는 최고의 교류전압

040 ★

ANSWER ② 4.5

충전 전류 $I_c = 0.25[A/km] \times 18[km] = 4.5[A]$

제3과목 | 전기기기

041 ★★★

ANSWER ④ 66.9

MATH 23단원 유리식

STEP1 역기전력(E_c)

역기전력

$(E_c) = V - I_a R_a = 215 - (50 \times 0.1) = 210[V]$

STEP2 발생토크

$$T = \frac{P}{\omega} = \frac{E_c I_a}{2\pi n} = \frac{E_c I_a}{2\pi \frac{N}{60}}$$ 에서

$$T = \frac{210 \times 50}{2\pi \times \frac{1500}{60}} = 66.85[N \cdot m]$$

042 ★★★

ANSWER ④ 75

MATH 23단원 유리식

$$a = \frac{N_1}{N_2} = \frac{I_2}{I_1} = \frac{V_1}{V_2} = \sqrt{\frac{R_1}{R_2}}$$ 이므로

2차를 1차로 환산할 때 $R_1 = a^2 R_2$

권수비 $a = \sqrt{\frac{R_1}{R_2}} = \sqrt{\frac{8000}{20}} = 20$

$$\therefore N_2 = \frac{N_1}{a} = \frac{1500}{20} = 75$$ 회

043 ★★★

ANSWER ④ 과전압에 강하다.

SCR의 특징

- 효율이 높고 고속 동작이 용이하다.
- 소형으로 고전압 대전류에 적합한 정류기이다.
- 게이트 신호의 인가에 따라 도통할 때까지의 시간이 짧다.
- PNPN구조로 부성 (-) 저항 특성이 있다.
- 열용량이 적어 고온에 약하다.
- 정류기능을 갖는 단일 방향성 3단자 소자이다.
- 과전압에 약하고 고온에 약하다.

044 ★

ANSWER ① 600

STEP1

극수가 다른 전동기 2대를 이용하여 속도를 제어하는 방법

직렬종속 $N = \frac{120f}{P_1 + P_2}[rpm]$

여기서, N : 동기 속도

f : 전원주파수

P_1 : 1번 전동기의 극수

P_2 : 2번 전동기의 극수

STEP2

직렬종속법으로 속도제어하므로,

$$N = \frac{120f}{P_1 + P_2} = \frac{120 \times 60}{8 + 4} = 600[rpm]$$

045 ★★

ANSWER ② 8.63×10^{-3}

MATH 23단원 유리식

1차 유기기전력 $E_1 = 4.44f\phi_m N_1$에서

$$\phi_m = \frac{E_1}{4.44fN_1} = \frac{6900}{4.44 \times 60 \times 3000}$$
$$= 0.00863 = 8.63 \times 10^{-3}[\text{Wb}]$$

046 ★

ANSWER ② $\cos\delta$에 비례　　**답을 암기할 것**

동기화력 : 동기화전류에 의해 상차각 δ를 원상으로 복귀시키는 힘을 말한다.

$$\frac{dP}{d\delta} = \frac{E_0^2}{2Z_s}\cos\delta[\text{kW}]$$

그러므로 $P_s \propto \cos\delta$

고난도

047 ★★

ANSWER ③ 24

STEP1

3상 유도전동기의 입력을 계산하면

$$P_i = \frac{P}{\eta_m \cos\theta} = \frac{30}{0.86 \times 0.84}$$
$$= 41.53[\text{kVA}]$$

(η_m : 전동기의 효율, $\cos\theta$: 전동기의 역률)

STEP2

전동기의 입력은 변압기의 출력이므로 단상 변압기 2대로 V결선으로 출력했을 때

$$P_V = \sqrt{3}P_1 = 41.53[\text{kVA}]$$

STEP3 **단상 변압기 1대의 용량**

$$P_1 = \frac{P_V}{\sqrt{3}} = \frac{41.53}{\sqrt{3}}$$
$$= 23.98[\text{kVA}] \fallingdotseq 24[\text{kVA}]$$

048 ★★

ANSWER ④ $\frac{E}{x}$에 비례

유도전동기의 원선도는 1차 부하전류의 변화 궤적으로 $I_1 = \frac{E}{x}$를 지름으로 하는 원주로 나타난다. 즉, 원선도의 지름은 전압에 비례하고 리액턴스에 반비례한다.

049 ★★

ANSWER ① $\frac{f_1}{f_2} = \frac{P_1}{P_2}$

동기 주파수 변환기

동기 주파수 변환기는 동기 발전기와 동기 전동기를 연결한 조합으로 교류 전력을 어떤 주파수에서 다른 주파수로 변환한다. 전동기와 발전기의 회전 속도 N_s가 같아야 하므로

$N_s = \frac{120f_1}{P_1} = \frac{120f_2}{P_2}$의 관계가 있다.

따라서, $\frac{f_1}{P_1} = \frac{f_2}{P_2}$에서 $\frac{f_1}{f_2} = \frac{P_1}{P_2}$이다.

050 ★★★

ANSWER ① $s = \frac{P_c}{P_2}$

MATH 23단원 유리식

$$P_c = I_2^2 r = I_2 r_2 \cdot \frac{sE_2}{\sqrt{r_2^2 + (sx_2)^2}}$$
$$(\because I_2 = \frac{sE_2}{\sqrt{r_2^2 + (sx_2)^2}})$$
$$= sE_2 I_2 \frac{r_2}{\sqrt{r_2^2 + (sx_2)^2}} = sE_2 I_2 \cos\theta_2$$
$$= sP_2 \quad \therefore s = \frac{P_c}{P_2}$$

051 ★★

ANSWER ③ 3과 36

STEP1 매극 매상의 슬롯수

$$q(\text{매극매상의 슬롯수}) = \frac{\text{슬롯수}}{\text{극수} \times \text{상수}} = \frac{36}{3 \times 4} = 3$$

STEP2 총 코일수

$$N = \frac{\text{총도체수}}{2} = \frac{\text{슬롯수} \times \text{층수}}{2} = \frac{36 \times 2}{2} = 36$$

052 ★★

ANSWER ③ 297 　　답을 암기할 것

3상 전파정류 직류전압

$E_d = 1.35 \times V = 1.35 \times 220 = 297[\text{V}]$

053 ★★

ANSWER ② 2

MATH 비례, 반비례, 비례식

직류전동기의 회전수 :

$N = K\dfrac{V - I_a R_a}{\phi}$ 이므로 회전수 N 을 $\dfrac{1}{2}$ 로 줄이려면 자속 ϕ는 2배가 되어야 한다.

054 ★★

ANSWER ④ 180°

각변위는 1차 유기전압과 2차 유기전압을 비교하여 뒤진 각을 말한다.

각변위	전압벡터도	
	고압	저압
0도		

△ – △결선은 각변위는 0°인데, 유기기전력은 페러데이의 법칙에 의해서 $e = -N\dfrac{d\phi}{dt}$ 로 그 방향은 반대이므로 각변위는 180°이다.

055 ★★

ANSWER ③ 변압기 내부 임피던스와 정격전류와의 곱인 내부 전압강하이다.

변압기의 임피던스 전압은 변압기에서 저압측을 단락 후 고압측에 정격 전류가 흐를 때의 권선 임피던스에 의한 전압강하로 변압기의 임피던스와 정격 전류의 곱을 말한다. $(E_s = I_n \cdot Z)$

056 ★★★

ANSWER ③ 1584

MATH 23단원 유리식

STEP1 2차 회로의 회전수

2차 회로 회전수$(N_2) = (1 - s_2)N_s$

STEP2 슬립 s와 비례추이식

동기속도

$$(N_s) = \frac{120f}{P} = \frac{120 \times 60}{4} = 1800[\text{rpm}]$$

전동기의 부하 속도 1728[rpm]이므로 슬립 s는

$$s = \frac{1800 - 1728}{1800} = 0.04$$

비례추이식 $\dfrac{r_s}{s_1} = \dfrac{r_2 + R}{s_2}$ 에서 2차 회로의 저항을 3배로 할 때 $r_2 + R = 3r_2$이므로

$$\frac{r_2}{s_1} = \frac{3r_2}{s_2}$$

$$s_2 = \frac{3r_2}{r_2}s_1 = \frac{3 \times 0.02}{0.02} \times 0.04 = 0.12$$

STEP3 구한 값을 대입한다.

STEP2 에서 구한값을 STEP1 의 식에 대입하면

$$N_2 = (1 - s_2)N_s = (1 - 0.12) \times 1800 = 1584[\text{rpm}]$$

057 ★

ANSWER ④ 역상 제동법

역전제동법(역상제동법) : 전동기를 전원에 접속한 채로 전기자의 접속을 반대로 바꾸어 회전 방향과 반대의 토크를 발생시켜 급속하게 정지 또는 역전시키는 제동방법이다.

058 ★★★

ANSWER ④ 감자 작용

전기자 반작용

㉠ 횡축 반작용(교차자화작용) : 전기자 전류와 유기기전력 (무부하 전압)과 동위상이 되는 경우이며, 이때 전류의 크기는 $I\cos\theta$이다.

㉡ 직축 반작용 : 전기자 전류와 유기기전력(무부하 전압)과 위상차가 있는 경우이며, 감자 작용과 증자 작용이 있다.

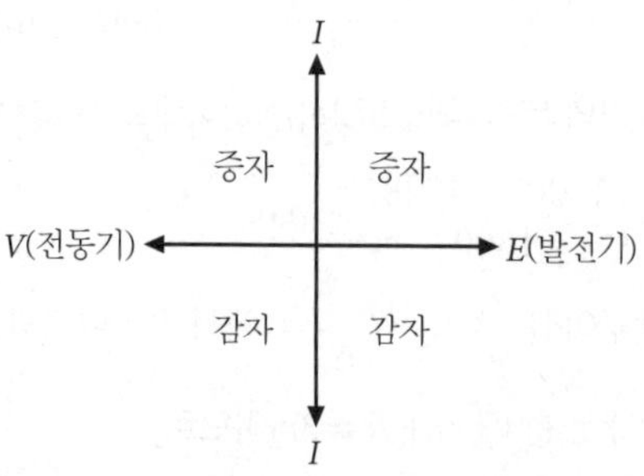

- 감자작용 : 전기자 전류가 유기기전력(무부하 전압)보다 위상이 $\frac{\pi}{2}$(90°) 뒤질 때
- 증자작용 : 전기자 전류가 유기기전력(무부하 전압)보다 위상이 $\frac{\pi}{2}$(90°) 앞설 때

059 ★★

ANSWER ③ 게르게스 현상

게르게스 현상

3상 권선형 유도전동기가 운전중 1선이 단선되는 경우에 단상 전류가 흘러서 전류가 증가하고 속도가 $s = 0.5 = 50[\%]$인 곳에 걸리며 그 이상 가속하지 않는 현상을 말한다.

060 ★

ANSWER ① 온도제어

2상 서보모터의 제어방식

㉠ 전압제어방식

㉡ 위상제어방식

㉢ 전압, 위상 혼합 제어방식

제4과목 | 회로이론

061 ★★★

ANSWER ④ $\frac{1}{s(s+1)}$

MATH **3단원 등식 방정식**

50단원 라플라스 심화

양변을 라플라스 변환하면,

$\{sX(s) - x(0)\} + X(s) = \frac{1}{s}$ 이고 $x(0) = 0$이므로

$\rightarrow (s+1)X(s) = \frac{1}{s}$

$\therefore X(s) = \frac{1}{s(s+1)}$

062 ★

ANSWER ③ $\ln(\sqrt{AD} + \sqrt{BC})$ **답을 암기할 것**

전달정수 $\theta = \ln(\sqrt{AD} + \sqrt{BC})$

063 ★★

ANSWER ① 1

전류원만 존재할 경우, 전류는 단락인 전압원으로만 흐르므로 10[Ω]에는 전류가 흐르지 않는다. 따라서, 전압원만 존재하는 경우, 10[Ω]에 흐르는 전류 I는 $I = \frac{V}{R} = \frac{10}{10} = 1[\mathrm{A}]$

064 ★★★

ANSWER ④ 30

부하 1상의 임피던스

$$= \frac{상전압}{상전류} = \frac{220}{7.33} = 30[\Omega]$$

065 ★★

ANSWER ② 25

△저항을 Y저항으로 변환하면

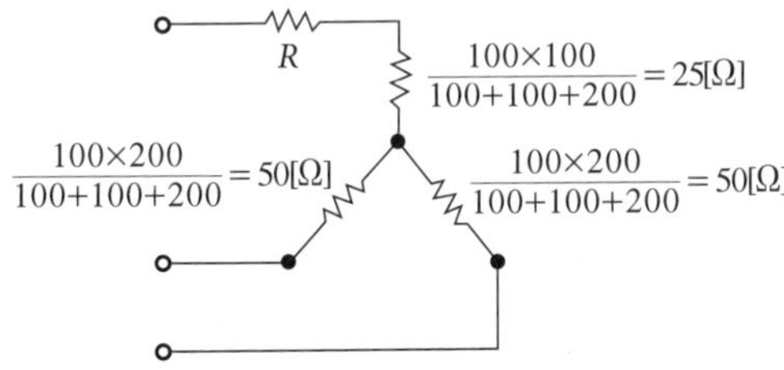

선전류가 평형을 이루려면 각 저항의 크기가 같아야 하므로 $\therefore R = 50 - 25 = 25[\Omega]$

066 ★★

ANSWER ④ 26.53[mH], 265.25[μF]

MATH 1단원 SI 접두어 단위

$\omega = 2\pi f = 2\pi \times 60 ≒ 377$이므로,

㉠ 용량성 리액턴스

$$X_L = \omega L = 377L = 10[\Omega]$$

$$\therefore L = \frac{10}{377} = 0.02653[\mathrm{H}] = 26.53[\mathrm{mH}]$$

㉡ 유도성 리액턴스

$$X_C = \frac{1}{\omega C} = \frac{1}{377C} = 10[\Omega]$$

$$\therefore C = \frac{1}{377 \times 10} = 0.00026525[\mathrm{F}] = 265.25[\mu\mathrm{F}]$$

- $1[\mathrm{mH}] = 1 \times 10^{-3}[\mathrm{H}]$
- $1[\mu\mathrm{F}] = 1 \times 10^{-6}[\mathrm{F}]$

067 ★

ANSWER ② 종속전원은 회로 내의 다른 변수에 종속되어 전압 또는 전류를 공급하는 전원이다.

종속전원은 회로 내의 다른 변수에 종속되어 전압 또는 전류를 공급하는 전원으로 회로 내의 다른 부분에는 영향을 미치지 못한다.

068 ★★★

ANSWER ② $\frac{R_2 + R_1 R_2 Cs}{R_1 + R_2 + R_1 R_2 Cs}$

MATH **23단원 유리식**

전달함수 $\frac{V_2(s)}{V_1(s)}$ 이고

문제의 R_1과 C의 합성 임피던스

$$Z(s) = \frac{\frac{1}{Cs} + R_1}{\frac{1}{Cs} \times R_1} = \frac{R_1}{1 + CsR_1} \text{ 에서}$$

$$V_1(s) = \left\{\left(\frac{R_1}{1 + CsR_1}\right) + R_2\right\} I(s)$$

$V_2(s) = R_2 I(s)$이므로

$$\therefore \frac{V_2(s)}{V_1(s)} = \frac{R_2}{\frac{R_1}{1 + CsR_1} + R_2}$$
$$= \frac{R_2 + R_1 R_2 Cs}{R_1 + R_2 + R_1 R_2 Cs}$$

069 ★★

ANSWER ① 2

MATH **01단원 SI접두어, 단위**
03단원 등식 방정식

유도전압 $v = L\frac{di(t)}{dt}$ 에서 $L = v\frac{dt}{di(t)}$

변화시간 dt = 0.5[ms], 전류 변화량 5[A]이므로

$$\frac{dt}{di(t)} = \frac{0.5 \times 10^{-3}}{5} = 1 \times 10^{-4}$$

$$\therefore L = 20 \times 10^{-4}[\text{H}] = 2[\text{mH}]$$

$1[\text{mH}] = 1 \times 10^{-3}[\text{H}]$

070 ★★

ANSWER ④ b_n의 기수항만 존재한다.

반파 및 정현 대칭의 경우 sin항의 홀수(기수)항만 존재한다.

071 ★★

ANSWER ② $1 + \frac{Z_2}{Z_1}$ 답을 암기할 것

π형 회로의 4단자 정수

$$A = 1 + \frac{Z_2}{Z_3}$$

$$B = Z_2$$

$$C = \frac{Z_1 + Z_2 + Z_3}{Z_1 Z_3}$$

$$D = 1 + \frac{Z_2}{Z_1}$$

072 ★

ANSWER ① [C]

① 전기량 $Q[C]$

② 전류 I[A]

③ 유효 전력 P[W]

④ 정전 용량 C[F]

073 ★★★

ANSWER ③ 53.13°

전압과 전류의 위상차는 임피던스의 위상이므로

따라서, 임피던스

$$Z = R + j\omega L = 60 + j80$$
$$= \sqrt{60^2 + 80^2} \angle \tan^{-1}\frac{80}{60}$$
$$= 100\angle 53.13°$$
$$\theta = 53.13°$$

TIP !

아크탄젠트($\tan^{-1}$, arctan)**은 계산기로 계산해야 한다.**

074 ★★

ANSWER ① $\dfrac{V}{R_1}, 0$

$t = 0_+$에서 직류전원 인가시 C는 단락, L은 개방이므로 $i_1 = \dfrac{V}{R_1}, i_2 = 0$

075 ★★

ANSWER ④ 2.4

회로가 병렬이므로 합성 어드미턴스

$$Y = \sqrt{\left(\frac{1}{R}\right)^2 + \left(\frac{1}{X_C}\right)^2} = \sqrt{\left(\frac{1}{3}\right)^2 + \left(\frac{1}{4}\right)^2} = \frac{5}{12}$$

$$\therefore Z = \frac{1}{Y} = \frac{12}{5} = 2.4[\Omega]$$

076 ★★★

ANSWER ③ 346.4

Y결선 선간 전압 $V_l = \sqrt{3}\,V_p$이고

상전압 $V_p = I_p|Z|$에서

상전류 = 부하전류 $I_p = 10[A]$

임피던스의 크기

$$|Z| = \sqrt{R^2 + X^2} = \sqrt{16^2 + 12^2} = 20[\Omega]$$

이므로

$V_p = 10 \times 20 = 200[V]$

$\therefore V_l = \sqrt{3} \times 200 = 200\sqrt{3}\,[V]$

077 ★★

ANSWER ③ 4

MATH 15단원 절대값

$g(j\omega) = \dfrac{20}{3 + 2j\omega}$에서

$$|g(j\omega)| = \left|\frac{20}{3 + 2j\omega}\right| = \frac{20}{|3 + 2j\omega|} = \frac{20}{\sqrt{3^2 + (2\omega)^2}}$$

$$\therefore |g(j2)| = \frac{20}{\sqrt{3^2 + (4)^2}} = 4$$

078 ★★

ANSWER ③ 86

MATH 43단원 e 총정리

RL 직렬회로의 전류 $i(t) = I_0\left(1 - e^{-\frac{t}{\tau}}\right)$에서

$$i(2\tau) = I_0\left(1 - e^{-\frac{2\tau}{\tau}}\right) = I_0(1 - e^{-2}) \fallingdotseq 0.864I_0$$ 이고

최종값 $i(\infty) = I_0(1 - e^{-\infty}) = I_0$이므로

$\therefore 0.864 = 86.4[\%]$

079 ★

ANSWER ④ $I_a + I_b + I_c = 0$

평형 3상의 중성선에는 전류가 흐르지 않는다.

080 ★★★

ANSWER ① $\dfrac{Cs}{LCs^2 + RCs + 1}E_i(s)$

MATH 23단원 유리식

양변을 라플라스 변환하면

$$E_i(s) = RI(s) + L\{sI(s) + i(0)\} + \frac{1}{Cs}I(s)$$
$$= \left(R + Ls + \frac{1}{Cs}\right)I(s)$$
$$(\because \text{초기값 } i(0) = 0)$$
$$\therefore I(s) = \frac{1}{R + Ls + \frac{1}{Cs}}E_i(s)$$
$$= \frac{Cs}{LCs^2 + RCs + 1}E_i(s)$$

TIP !

실미분, 실적분 정리(라플라스 변환)

- $\dfrac{d}{dt} \xrightarrow[\pounds]{} s$
- $\int dt \xrightarrow[\pounds]{} \dfrac{1}{s}$

제5과목 | 전기설비기술기준 및 한국전기설비규정

081 ★★

ANSWER ④ 사용 전압의 3배의 전압에서 방전하는 방전장치

특고압과 고압의 혼촉 등에 의한 위험방지 시설(한국전기설비규정 322.3)

변압기에 의하여 특고압 전로에 결합되는 고압전로에는 사용전압의 3배 이하인 전압이 가하여진 경우에 방전하는 장치를 그 변압기의 단자에 가까운 1극에 설치하여야 한다.

082 ★★

ANSWER ① 기계적 충격

발전기 등의 기계적 강도(기술기준 제23조)

발전기, 변압기, 조상기, 모선 또는 이를 지지하는 애자는 단락전류에 의하여 생기는 기계적 충격에 견디어야 한다.

083 ★★

ANSWER ③ 버스덕트공사

나전선의 사용 제한(한국전기설비규정 231.4)

옥내에 시설하는 저압 전선에는 나전선을 사용하여서는 아니 된다. 다만, 다음 중 어느 하나에 해당하는 경우에는 그러하지 아니하다.

㉠ 애자공사에 의하여 전개된 곳에 다음의 전선을 시설하는 경우
 ① 전기로용 전선
 ② 전선의 피복 절연물이 부식하는 장소에 시설하는 전선
㉡ 버스덕트공사에 의하여 시설하는 경우
㉢ 라이팅덕트공사에 의하여 시설하는 경우
㉣ 접촉전선을 시설하는 경우

084 ★★

ANSWER ① 내장형

특고압 가공 전선로의 철주 철근콘크리트주 또는 철탑의 종류(한국전기설비규정 333.11)

특고압 가공 전선로의 지지물로 사용하는 B종 철근, B종 콘크리트주 또는 철탑의 종류는 다음과 같다.

㉠ 직선형 : 전선로의 직선 부분 (3° 이하의 수평각도 이루는 곳 포함)에 사용되는 것
㉡ 각도형 : 전선로 중 수평각도 3°를 넘는 곳에 사용되는 것
㉢ 인류형 : 전 가섭선을 인류하는 곳에 사용하는 것
㉣ 내장형 : 전선로 지지물 양측의 경간차가 큰 곳에 사용하는 것
㉤ 보강형 : 전선로 직선부분을 보강하기 위하여 사용 하는 것

085 ★★★

ANSWER ④ 10

전로의 절연저항 및 절연내력

(한국전기설비규정 132)

㉠ 사용전압이 저압인 전로에서 정전이 어려운 경우 등 절연저항 측정이 곤란한 경우에는 누설 전류를 1[mA] 이하로 유지하여야 한다.

㉡ 고압 및 특고압의 전로는 규정된 시험전압을 전로와 대지 사이(다심 케이블은 심선 상호간 및 심선과 대지사이)에 연속하여 10분간 가하여 절연 내력을 시험 하였을 때에 이에 견디어야 한다.

086 ★★

ANSWER ① 2.5

애자공사(한국전기설비규정 232.56)

㉠ 전선은 절연전선(옥외용 비닐 절연전선 및 인입용 비닐 절연전선을 제외한다)일 것

㉡ 이격거리

전압		전선과 조영재와의 이격거리	
저압	400[V] 이하	2.5[cm]이상	
	400[V] 초과	건조한 장소	2.5[cm]이상
		기타의 장소	4.5[cm]이상

전선 상호 간격	전선 지지점간의 거리	
	조영재의 윗면 또는 옆면에 따라 시설	조영재에 따라 시설하지 않는 경우
6[cm] 이상	2[m]이하	-
		6[m]이하

087 ★★

ANSWER ② 케이블 트레이 내에서는 전선을 접속하여서는 아니 된다.

케이블트레이공사(한국전기설비규정 232.41)

㉠ 전선

① 연피케이블, 알루미늄피 케이블 등 난연성 케이블

② 기타 케이블(적당한 간격으로 연소방지 조치를 하여야 한다)

③ 금속관 혹은 합성수지관 등에 넣은 절연전선

㉡ 케이블트레이 안에서 전선을 접속하는 경우에는 전선 접속부분에사람이 접근할 수 있고 또한 그 부분이 측면 레일 위로 나오지 않도록 하고 그 부분을 절연 처리하여야 한다.

㉢ 저압 케이블과 고압 또는 특고압 케이블은 동일 케이블 트레이 안에 시설하여서는 아니 된다. 다만, 견고한 불연성의 격벽을 시설하는 경우 또는 금속 외장케이블인 경우에는 그러하지 아니하다.

088 ★

ANSWER ④ 교통신호등의 제어장치의 금속제 외함 및 신호등을 지지하는 철주는 접지공사를 하면 안 된다.

교통신호등(한국전기설비규정 234.15)

㉠ 교통신호등 제어장치의 2차측 배선의 최대 사용전압은 300[V] 이하이어야 한다.

㉡ 전선은 케이블인 경우 이외에는 공칭 단면적 2.5[mm^2] 연동선과 동등 이상의 세기 및 굵기의 450/750[V] 일반용 단심 비닐 절연전선 또는 450/750[V] 내열성에틸렌아세테이트 고무 절연전선일 것

㉢ 교통신호등의 전구에 접속하는 인하선은 다음에 의하여 시설 하여야 한다.

① 전선의 지표상의 높이는 2.5[m] 이상일 것

② 전선을 애자사용 배선에 의하여 시설하는 경우에는 전선을 적당한 간격마다 묶을 것

㉣ 교통신호등 회로의 사용전압이 150[V]를 넘는 경우는 전로에 지락이 생겼을 경우 자동적으로 전로를 차단하는 누전차단기를 시설할 것

㉤ 교통신호등의 제어장치의 금속제 외함 및 신호등을 지지하는 철주에는 규정에 준하여 접지공사를 하여야 한다.

089 ★★

ANSWER ④ 도로를 횡단하는 곳의 지선의 높이는 지표상 5[m]로 하였다.

지선의 시설(한국전기설비규정 331.11)

㉠ 지선의 안전율은 2.5 이상일 것. 이 경우에 허용 인장하중의 최저는 4.31[kN]으로 한다.

㉡ 지선에 연선을 사용할 경우에는 다음에 의할 것

① 소선 3가닥 이상의 연선일 것

② 소선의 지름이 2.6[mm] 이상의 금속선을 사용한 것일 것

㉢ 지중부분 및 지표상 0.3[m]까지의 부분에는 내식성이 있는것 또는 아연도금을 한 철봉을 사용하고 쉽게 부식되지 않는 근가에 견고하게 붙일 것

㉣ 도로를 횡단하여 시설하는 지선의 높이는 지표상 5[m] 이상으로 하여야 한다. 다만, 기술상 부득이한 경우로서 교통에 지장을 초래할 우려가 없는 경우에는 지표상 4.5[m] 이상.
보도의 경우에는 2.5[m] 이상으로 할 수 있다.

090 ★★★

ANSWER ③ 저압 가공전선로의 접지측 전선

전로의 절연 원칙(한국전기설비규정 131)

전로는 다음 이외에는 대지로부터 절연하여야 한다.

㉠ 저압전로에 접지공사를 하는 경우의 접지점

㉡ 전로의 중성점에 접지공사를 하는 경우의 접지점

㉢ 계기용변성기의 2차측 전로에 접지공사를 하는 경우의 접지점

㉣ 다중 접지를 하는 경우의 접지점

㉤ 변압기의 2차측 전로에 접지공사를 하는 경우의 접지점

㉥ 직류계통에 접지공사를 하는 경우의 접지점

㉦ 다음과 같이 절연할 수 없는 부분

① 시험용 변압기, 전력선 반송용 결합 리액터, 전기울타리용 전원장치, 엑스선발생장치, 전기부식방지용 양극, 단선식 전기철도의 귀선 등 전로의 일부를 대지로부터 절연하지 아니하고 전기를 사용하는 것이 부득이한 것

② 전기욕기·전기로·전기보일러·전해조 등 대지로부터 절연하는 것이 기술상 곤란한 것

091 ★★

ANSWER ② 30

구내에 시설하는 저압 가공전선로

(한국전기설비규정 222.23)

㉠ 전선은 지름 2[mm] 이상의 경동선의 절연 전선일 것

다만, 경간이 10[m] 이하인 경우에 한하여 공칭단면적 4[mm^2] 이상의 연동 절연 전선을 사용할 수 있다.

㉡ 전선로의 경간은 30[m] 이하일 것

㉢ 1구내에만 시설하는 사용전압이 400[V] 이하인 저압 가공전선로의 높이

① 도로(폭이 5[m]이하)를 횡단하는 경우 : 4[m] 이상

② 도로를 횡단하지 않는 경우 : 3[m] 이상의 높이일 것

092 ★★★

ANSWER ④ 금속관에는 접지공사를 하지 않아도 된다.

금속관공사(한국전기설비규정 232.12)

㉠ 전선은 절연전선(옥외용 비닐 절연전선을 제외한다)일 것

㉡ 전선은 연선일 것. 다만, 다음의 것은 적용하지 않는다.

① 짧고 가는 금속관에 넣은 것

② 단면적 10[mm^2](알루미늄선은 단면적 16[mm^2]) 이하의 것

㉢ 관의 두께는 다음에 의할 것

① 콘크리트에 매설하는 것은 1.2 [mm] 이상

② 콘크리트 매설 이외의 것은 1[mm] 이상

㉣ 관에는 접지공사를 할 것

093 ★★★

ANSWER ① 과전류 인입

발전기 등의 보호장치(한국전기설비규정 351.3)

발전기에는 다음의 경우에 자동적으로 이를 전로로부터 차단하는 장치를 시설하여야 한다.

㉠ 발전기에 과전류나 과전압이 생긴 경우

㉡ 용량이 500[kVA] 이상의 발전기를 구동하는 수차의 압유 장치의 유압이 현저히 저하한 경우

㉢ 용량이 100[kVA] 이상의 발전기를 구동하는 풍차의 압유 장치의 유압이 현저히 저하한 경우

㉣ 용량이 2.000[kVA] 이상인 수차 발전기의 스러스트 베어링의 온도가 현저히 상승한 경우

㉤ 용량이 10.000[kVA] 이상인 발전기의 내부에 고장이 생긴 경우

㉥ 정격출력이 10.000[kW]를 초과하는 증기터빈은 그 스러스트 베어링이 현저하게 마모되거나 그의 온도가 현저히 상승한 경우

094 ★★

ANSWER ③ 연접인입선

연접인입선(기술기준 제3조)

한 수용장소의 인입선에서 분기하여 지지물을 거치지 않고 다른 수용장소의 인입구에 이르는 부분의 전선

095 ★★

ANSWER ② 200

특고압 보안공사(한국전기설비규정 333.22)

제1종 특고압 보안공사 시 전선의 단면적

사용전압	전선
100[kV]미만	인장강도 21.67[kN]이상의 연선 또는 단면적 55[mm²]이상의 경동연선
100[kV]이상 300[kV]미만	인장강도 58.84[kN]이상의 연선 또는 단면적 150[mm²]이상의 경동연선
300[kV]이상	인장강도 77.47[kN]이상의 연선 또는 단면적 200[mm²]이상의 경동연선

096 ★★★

ANSWER ② 1.0

지중전선로의 시설(한국전기설비규정 334.1)

㉠ 지중 전선로는 전선에 케이블을 사용하고 또한 관로식·암거식 또는 직접 매설식에 의하여 시설하여야 한다.

㉡ 지중 전선로를 직접 매설식에 의하여 시설하는 경우에는 매설 깊이는

① 차량 기타 중량물의 압력을 받을 우려가 있는 장소 : 1.0[m] 이상

② 기타장소 : 0.6[m] 이상

097 ★★

ANSWER ③ 3종

특고압 가공전선 상호 간의 접근 또는 교차 (한국전기설비규정 333.27)

특고압 가공전선이 다른 특고압 가공전선과 접근상태로 시설되거나 교차하여 시설되는 경우 위쪽 또는 옆쪽에 시설되는 특고압 가공전선로는 제3종 특고압 보안공사에 의할 것

098 ★★

ANSWER ② 4

고압 또는 특고압과 저압의 혼촉에 의한 위험 방지 시설(한국전기설비규정 322.1)

접지공사는 변압기의 시설장소마다 시행 하여야 한다. 다만, 토지의 상황에 의하여 변압기의 시설장소에서 규정에 의한 접지 저항 값을 얻기 어려운 경우, 인장강도 5.26[kN] 이상 또는 지름 4[mm] 이상의 가공 접지도체를 저압 가공전선에 관한규정에 준하여 시설할 때에는 변압기의 시설장소로부터 200[m]까지 떼어 놓을 수 있다.

출제기준 변경 및 개정된 관계 법규에 따라 삭제된 문제가 있어 20문항이 안됩니다.

2015년 3회

제1과목 | 전기자기학

001 ★★

ANSWER ④ 보자력과 히스테리시스 곡선의 면적이 모두 작다.

STEP1 자석 재료

- 영구자석 재료 : 잔류 자속밀도(B_r)와 보자력(H_c)이 커야 한다.
- 전자석 재료 : 히스테리시스 곡선 면적과 보자력(H_c)이 작아야 한다.

STEP2 히스테리시스 곡선

- 잔류 자속밀도(B_r) : 외부에서 가한 자계 세기를 0으로 해도 자성체에 남는 자속밀도 크기
- 보자력(H_c) : 자화된 자성체 내부 B를 0으로 만들기 위해서, 자화와 반대 방향으로 외부에서 가하는 자계의 세기

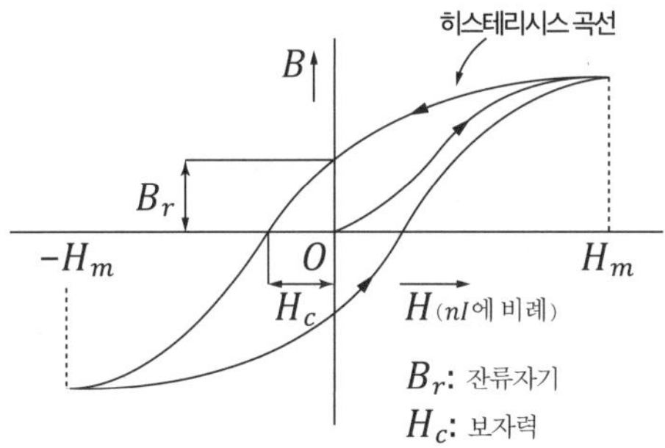

002 ★★★

ANSWER ② $\dfrac{\epsilon_0 \epsilon_s S}{d}$

평행 평판 도체

$$C = \frac{\epsilon S}{d} = \frac{\epsilon_0 \epsilon_s S}{d}[\mathrm{F}]$$

003 ★★★

ANSWER ① $RC = \rho\epsilon$

전기저항과 정전용량의 관계식

$$RC = \rho\frac{d}{S} \times \frac{\epsilon S}{d} = \epsilon\rho\,[\mathrm{s}]$$

004 ★★★

ANSWER ① $\nabla \times E = -\dfrac{\partial B}{\partial t}$

맥스웰 방정식

1) 패러데이 법칙 (1번)

$$\mathrm{rot}E = \nabla \times E = -\frac{\partial B}{\partial t} = -\mu\frac{\partial H}{\partial t}\text{(미분형)}$$

(자계의 시간적 변화를 방해하는 방향으로 전계를 회전시킨다.)

$$\oint_c E \cdot dl = -\int_S \frac{\partial B}{\partial t} \cdot dS\text{(적분형)}$$

2) 암페어의 주회 법칙 (2번)

$$\mathrm{rot}H = \nabla \times H = i_c + \frac{\partial D}{\partial t}\text{(미분형)}$$

(전류나 전계의 시간적 변화는 계를 회전시킨다.)

$$\oint_c H \cdot dl = I + \int_S \frac{\partial D}{\partial t} \cdot dS\text{(적분형)}$$

3) 가우스의 정리 1 (3번)

$\nabla \cdot D = \epsilon \nabla \cdot E = \rho$(미분형)

(공간에 전하가 있을 때 전계는 발산한다. 고립된 전하는 존재한다.)

$$\oint_S D \cdot dS = \int_v \rho dv = Q\text{(적분형)}$$

4) N극과 S극 공존

$\nabla \cdot B = \mu \nabla \cdot H = 0$(미분형)

(자계는 발산하지 않고 주변을 돈다. 고립된 자극은 존재하지 않는다.)

$$\oint_S B \cdot dS = 0\text{(적분형)}$$

005 ★★

ANSWER ① 0

중심에서의 전계의 세기는 크기가 같고 방향이 다른 전계 3쌍의 합이므로 0이 된다.

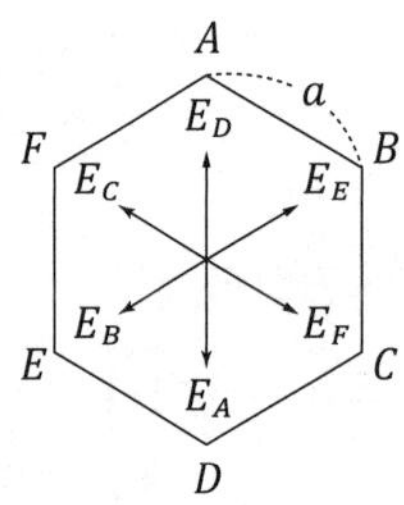

고난도

006 ★★

ANSWER ③ $\dfrac{11}{6}$

MATH 23단원 유리식

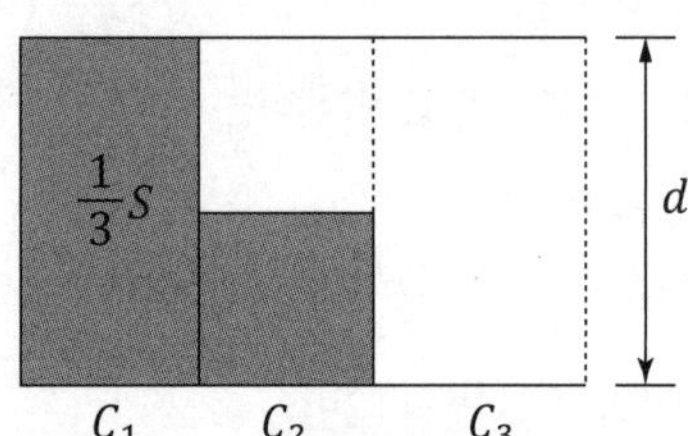

STEP1 평행 평판 도체의 정전용량

$$C = \frac{\epsilon S}{d}[\text{F}]$$

따라서, 처음의 정전용량은 $C_0 = \dfrac{\epsilon_0 S}{d}[\text{F}]$이다.

STEP2 콘덴서의 접속

위 그림에서 C_1, C_2, C_3는 각각 병렬 접속되어 있고, C_2는 유전체가 있는 부분과 없는 부분의 직렬 접속이 되어있다.

이때, 정전용량은 병렬 접속인 경우, 각 콘덴서의 정전용량의 합으로 나타내고, 직렬 접속인 경우, 각 콘덴서의 정전용량의 역수 합의 역수로 나타낸다.

STEP3 정전용량 구하기

$$C_1 = \frac{\epsilon_0 \times \epsilon_s \times \frac{S}{3}}{d} = \frac{\epsilon_0 \times 3 \times \frac{S}{3}}{d}$$

$$= \frac{\epsilon_0 S}{d} = C_0[\text{F}]$$

$$C_2 = \frac{1}{\dfrac{1}{\dfrac{\epsilon_0 \times \epsilon_s \times \frac{S}{3}}{\frac{d}{2}}} + \dfrac{1}{\dfrac{\epsilon_0 \times \frac{S}{3}}{\frac{d}{2}}}}$$

$$= \frac{1}{\dfrac{1}{\dfrac{\epsilon_0 \times 3 \times \frac{S}{3}}{\frac{d}{2}}} + \dfrac{1}{\frac{2}{3}\frac{\epsilon_0 S}{d}}}$$

$$= \frac{1}{\dfrac{1}{2\frac{\epsilon_0 S}{d}} + \dfrac{1}{\frac{2}{3}\frac{\epsilon_0 S}{d}}} = \frac{1}{\dfrac{d}{2\epsilon_0 S} + \dfrac{3d}{2\epsilon_0 S}}$$

$$= \frac{1}{\dfrac{4d}{2\epsilon_0 S}} = \frac{2\epsilon_0 S}{4d} = \frac{\epsilon_0 S}{2d} = \frac{1}{2}C_0[\text{F}]$$

$$C_3 = \frac{\epsilon \times \frac{S}{3}}{d} = \frac{1}{3}\frac{\epsilon S}{d} = \frac{1}{3}C_0[\text{F}]$$

$$C = C_1 + C_2 + C_3$$

$$= C_0 + \frac{1}{2}C_0 + \frac{1}{3}C_0 = \frac{11}{6}C_0[\text{F}]$$

즉, 처음 정전용량의 $\dfrac{11}{6}$배가 된다.

007 ★★★

ANSWER ④ $\dfrac{\epsilon_s}{9 \times 10^9} \cdot \dfrac{ab}{b-a}$ 답을 암기할 것

동심구의 정전용량

$$C = \frac{4\pi\epsilon}{\frac{1}{a} - \frac{1}{b}} = \frac{4\pi\epsilon_0\epsilon_s}{\frac{1}{a} - \frac{1}{b}}$$

$$= \frac{\epsilon_s}{9 \times 10^9}\frac{ab}{b-a}[\text{F}]$$

008 ★★

ANSWER ① 0.33×10^{-5}

MATH 1단원 SI 접두어 단위

STEP1 전하량

$Q = CV$ [C]

이때, 코로나 방전은 전계의 세기를 뜻한다.

STEP2 전위와 전계의 세기

$V = Er$ [V]

따라서, 방전이 일어날 때의 전위는 다음과 같다.

$V = 3 \times 10^6 \times (10 \times 10^{-2}) = 3 \times 10^5$[V]

STEP3 도체구의 정전용량

$$C = 4\pi\epsilon r = 4\pi\epsilon_0 \times (10 \times 10^{-2})$$
$$= \frac{1}{9 \times 10^9} \times 10^{-1}[\mathrm{F}]$$

STEP4 대입

$$Q = \frac{1}{9 \times 10^9} \times 10^{-1} \times 3 \times 10^5$$
$$\approx 0.33 \times 10^{-5}[\mathrm{C}]$$

TIP !

$1[\mathrm{cm}] = 1 \times 10^{-2}[\mathrm{m}]$

$$4\pi\epsilon_0 = \frac{1}{9 \times 10^9}$$

009 ★★

ANSWER ① 2.5

$$L = \frac{N\phi}{I} = \frac{500 \times 10^{-2}}{2} = 2.5[\mathrm{Wb/A}]$$

또는 [H]

010 ★★

ANSWER ② $W_1 + W_2 > W$

STEP1 정전에너지

$$W = \frac{1}{2}QV = \frac{1}{2}CV^2[\mathrm{J}]$$

이때, 병렬 연결에 따른 합성 정전용량은 각 도체의 정전용량의 합이며, 전압은 각 도체가 동일해진다.

STEP2 비교

$$W_1 = \frac{1}{2}C_1V_1^2 = \frac{1}{2}C_1V^2[\mathrm{J}],$$
$$W_2 = \frac{1}{2}C_2V_2^2 = \frac{1}{2}C_2V^2[\mathrm{J}]$$
$$W_1 + W_2 = \frac{1}{2}C_1V^2 + \frac{1}{2}C_2V^2$$
$$= \frac{1}{2}(C_1 + C_2)V^2[\mathrm{J}]$$
$$W = \frac{1}{2}C'V^2 = \frac{1}{2}(C_1 + C_2)V^2[\mathrm{J}]$$

따라서, $W_1 + W_2 > W$ 이다.

011 ★★★

ANSWER ③ $\frac{\mu_1}{\mu_2} = \frac{\tan\theta_1}{\tan\theta_2}$

MATH 22단원 삼각함수 특수공식

STEP1 경계조건

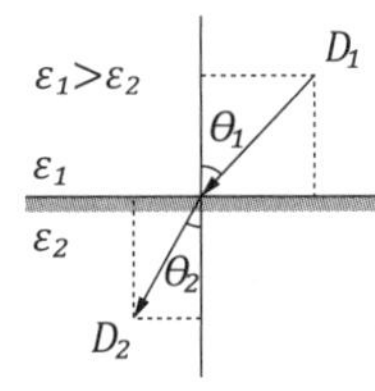

자속의 굴절

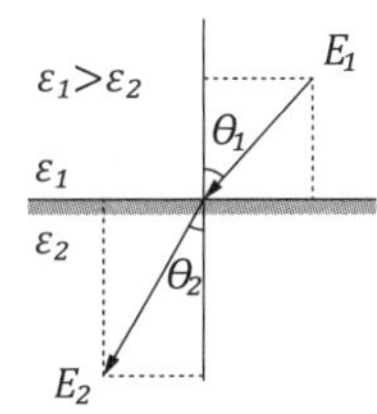

자력선의 굴절

1) 자속밀도는 경계면에서 법선성분이 같다.

$(B_{1n} = B_{2n})$

$B_1\cos\theta_1 = B_2\cos\theta_2$

$(B_1 = \mu_1H_1,\ B_2 = \mu_2H_2)$

2) 자계의 세기는 경계면에서 접선 성분이 같다.

$(H_{1t} = H_{2t})$

$H_1\sin\theta_1 = H_2\sin\theta_2$

3) 자성체의 굴절의 법칙

$$\frac{\tan\theta_1}{\tan\theta_2} = \frac{\mu_1}{\mu_2}$$

$(\mu_1 > \mu_2 \rightarrow \theta_1 > \theta_2)$

012 ★★

ANSWER ③ $\nabla \times H = 0$

보존장의 조건

폐회로를 일주할 때 전계, 자계가 하는 일은 0이 된다.(보존장에서는 경로와 무관)

$$\oint E \cdot dl = \oint H \cdot dl = 0(\text{rot}E = \text{rot}H = \nabla \times H = 0)$$

고난도

013 ★★

ANSWER ④ 6.71

MATH 23단원 유리식

STEP1 전위와 전하량의 관계

$Q = CV[\text{C}]$

이때, 연결될 때의 전하량과 연결 전의 전하량의 총량은 같다.

STEP2 도체구의 정전용량

$C = 4\pi\epsilon a[\text{F}]$

STEP3 공통전위 구하기

$$Q = Q_1 + Q_2 = 4\pi\epsilon r_1 V_1 + 4\pi\epsilon r_2 V_2 = Q_1' + Q_2' = 4\pi\epsilon r_1 V + 4\pi\epsilon r_2 V[\text{C}]$$

$$V = \frac{4\pi\epsilon r_1 V_1 + 4\pi\epsilon r_2 V_2}{4\pi\epsilon r_1 + 4\pi\epsilon r_2} = \frac{r_1 V_1 + r_2 V_2}{r_1 + r_2} = \frac{(3 \times 10^{-3}) \times 5 + (4 \times 10^{-3}) \times 8}{(3 \times 10^{-3}) + (4 \times 10^{-3})} = \frac{47}{7} \fallingdotseq 6.71[\text{V}]$$

014 ★★

ANSWER ② 전기저항은 온도의 변화에 대해 정특성을 갖는다.

STEP1 전기저항

전기저항 R : 전선의 고유 저항, 단면적 $S[\text{m}^2]$, 길이 $l[\text{m}]$를 고려한 실제 저항값

STEP2 저항과 온도계수의 관계

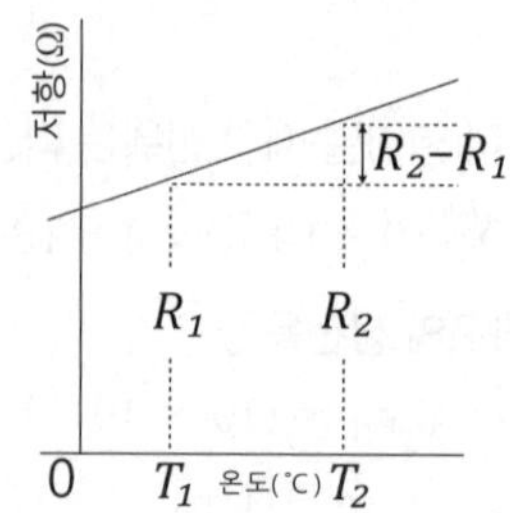

일반적으로 도체에서 온도가 올라갈수록 저항 또한 올라가는 성질을 가진다.

015 ★

ANSWER ③ 코일의 재질

k : 결합계수(Coupling factor)

1) 누설 자속이 없는 경우

$M = \sqrt{L_1 L_2}$

2) 누설 자속이 있는 경우

$M = k\sqrt{L_1 L_2}$

이때, 결합계수는 코일의 형상,
코일의 크기,
코일의 상대 위치 등에 영향을 받는다.

016 ★★

ANSWER ② 펠티에 효과

열전 효과

서로 다른 두 금속의 만나는 지점을 전자들이 지날 때 운동에너지가 달라지면서 열이 발생하거나 흡수되는 효과

펠티에 효과 (Peltier effect)

두 개의 다른 금속을 접합하여 폐회로를 만들고 전류를 흘려주면, 접합점에서 열이 흡수되거나 발생하는 현상

제벡 효과 (Seebeck effect)

두 개의 다른 금속을 접합하여 폐회로를 만들고, 두 접합점 사이의 온도차로 인해 열기전력이 생겨 전기가 흐르는 현상

톰슨 효과 (Thomson effect)

같은 도체를 접합하여 폐회로를 만들고, 두 접합점 사이의 온도차로 인해 열기전력이 생겨 전기가 흐르는 현상

파이로 전기 (Pyro - electricity)

수정, 전기석, 로셀염, 티탄산바륨 등의 압전 효과가 나타나는 유전체 결정에 가열, 냉각을 가하여 전기 분극을 발생시키는 것

017 ★

ANSWER ③ 3.5×10^{-2}

전류밀도 : $J = KE = 10^{-4} \times 3.5 \times \dfrac{1}{10^{-2}}$

$= 3.5 \times 10^{-2} [\mathrm{A/m^2}]$

018 ★★

ANSWER ① $\dfrac{\partial E_x}{\partial x} + \dfrac{\partial E_y}{\partial y} + \dfrac{\partial E_z}{\partial z}$

MATH **48단원 ∇(델)**

벡터의 발산 (Divergence)

$: \mathrm{div}\, \vec{E} = \nabla \cdot \vec{E}$

$= (\dfrac{\partial}{\partial x}\boldsymbol{i} + \dfrac{\partial}{\partial y}\boldsymbol{j} + \dfrac{\partial}{\partial z}\boldsymbol{k}) \cdot (E_x\boldsymbol{i} + E_y\boldsymbol{j} + E_z\boldsymbol{k})$

$= \dfrac{\partial E_x}{\partial x} + \dfrac{aE_y}{\partial y} + \dfrac{\partial E_z}{\partial z}$

019 ★★★

ANSWER ③ 3[m]

파장과 주파수의 관계

전파속도 $v = f\lambda = \dfrac{1}{\sqrt{\epsilon\mu}} [\mathrm{m/s}]$

따라서, 위 식을 파장에 관하여 정리하면 다음과 같다.

$$\lambda = \frac{v}{f} = \frac{v_0(\text{광속})}{f} = \frac{3 \times 10^8}{100 \times 10^6} = 3[\mathrm{m}]$$

TIP !

광속은 외워야 하는 값이다.

020 ★★★

ANSWER ④ $-2\pi f N \phi_m \cos 2\pi f t$

MATH **39단원 삼각함수, e^x그리고 지수함수의 미분**

기전력

$$e = -\frac{d\phi}{dt} = -N\frac{d\phi}{dt} = -N\frac{d}{dt}(\phi_m \sin 2\pi f t)$$
$$= -2\pi f N \phi_m \cos 2\pi f t [\mathrm{V}]$$

제2과목 | 전력공학

021 ★

ANSWER ② $R < X$

일반적으로 선로의 리액턴스는 저항의 약 6배가 되며, 간단한 고장계산시에는 저항분을 무시해도 좋다. 즉, $R < X$의 관계가 성립된다.

022 ★

ANSWER ④ 케이블 헤드

① 피뢰기(lightning arrester) : 뇌 서지 침입시 이상 전압을 대지로 방전시키고 그 속류를 차단하는 보호장치

② 컷 아웃 스위치(cut out switch) : 주상변압기의 고장이 배전선로에 파급되는 것을 방지하고 변압기의 과부하 소손을 예방하고자 변압기 1차측에 사용하는 보호장치

③ 캐치홀더(catch holders) : 변압기 2차측 및 인입선의 분기 개소에 설치하여 사용하는 변압기 보호장치

④ 케이블 헤드(cable head) : 케이블의 단말 처리재로서 보호장치가 아니다.

023 ★★★

ANSWER ③ $0.05 + 0.4605\log_{10}\dfrac{\sqrt[3]{2}D}{r}$

MATH 25단원 무리식

인덕턴스

$$L = 0.05 + 0.4605\log\frac{D_e}{r}[\text{mH/km}]$$

등가선간거리

$$D_e = \sqrt[3]{D \cdot D \cdot 2D} = \sqrt[3]{2}D$$

$$\therefore L = 0.05 + 0.4605\log_{10}\frac{\sqrt[3]{2}D}{r}[\text{mH/km}]$$

024 ★★

ANSWER ③ 8270

발전소 출력

$$P = 9.8QH\eta[\text{kW}]$$
$$= 9.8 \times 20 \times 50 \times 0.87 \times 0.97$$
$$= 8270.22[\text{kW}]$$

(Q : 유량[m^3/s], H : 유효낙차[m], η : 합성효율)

025 ★★★

ANSWER ① 동작전류가 커질수록 동작시간이 짧아진다.

계전기의 한시특성에 의한 분류

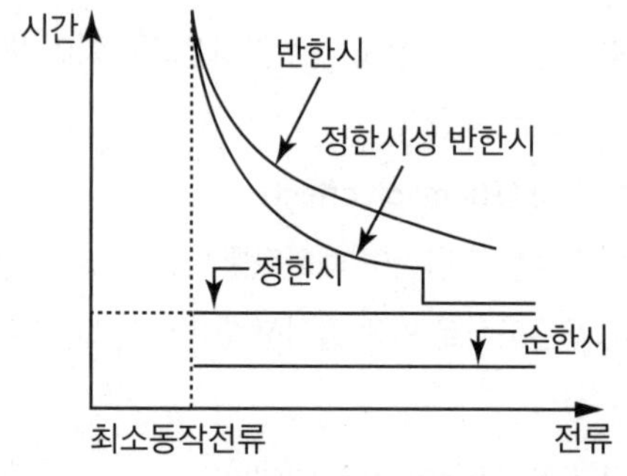

- 순한시 계전기 : 최소 동작전류 이상의 전류가 흐르면 즉시 동작하는 것
- 반한시 계전기 : 동작전류가 커질수록 동작시간이 짧게 되는 특성을 가진 것
- 정한시 계전기 : 동작전류의 크기에 관계없이 일정한 시간에서 동작하는 것
- 반한시성 정한시 계전기 : 동작전류가 적은 동안에는 반한시 특성으로 되고 그 이상에서는 정한시 특성이 되는 것

026 ★★★

ANSWER ① $\sqrt{\dfrac{L}{C}}$

MATH 25단원 무리식

특성임피던스

$$Z_0=\sqrt{\frac{Z}{Y}}=\sqrt{\frac{R+j\omega L}{G+j\omega C}}\fallingdotseq\sqrt{\frac{L}{C}}[\Omega]$$

$(\because R=G\approx 0)$

027 ★

ANSWER ① 권선형에 비해 오차가 적고 특성이 좋다.

콘덴서형 계기용 변압기(CPD)의 특징

㉠ 권선형에 비해 소형 경량이고 값이 싸다.

㉡ 절연의 신뢰도가 권선형에 비해 크다.

㉢ 전력선 반송용 결합 콘덴서와 공용할 수 있다.

㉣ 권선형에 비해 오차가 많고 특성이 나쁘다.

028 ★★

ANSWER ② 변압기, 개폐기 등의 소요 용량은 역률에 비례하여 감소한다.

전력 $P=\sqrt{3}\,VI\cos\theta$

공급전력이 동일할 경우 전류는 역률에 반비례한다.

즉, $I=\dfrac{P}{\sqrt{3}\,V\cos\theta}$ 에서 $I\propto\dfrac{1}{\cos\theta}$

따라서 소요 용량은 역률에 반비례하여 감소한다.

029 ★★★

ANSWER ④ $\dfrac{E_s+E_r}{E_s}\times 100[\%]$

STEP1 전압강하

$$e=E_s-E_r=I(R\cos\theta+X\sin\theta)\,(\text{단상})$$
$$=\sqrt{3}\,I(R\cos\theta+X\sin\theta)\,(3\text{상})$$

STEP2 전압강하율(전압강하의 정도)

$$\delta=\frac{e}{E_r}\times 100[\%]=\frac{E_s-E_r}{E_r}\times 100[\%]$$
$$=\frac{\sqrt{3}\,I}{E_r}(R\cos\theta+X\sin\theta)\times 100[\%]$$

030 ★★★

ANSWER ① 유입 차단기

소호 원리에 따른 차단기의 종류

종류	약어	소호원리
유입 차단기	OCB	소호실에서 아크에 의한 절연유 분해 가스의 흡부력을 이용해서 차단
기중 차단기	ACB	대기 중에서 아크를 길게 하여 소호실에서 냉각 차단
자기 차단기	MBB	대기 중에서 전자력을 이용하여 아크를 소호실내로 유도해서 냉각 차단
공기 차단기	ABB	압축된 공기를 아크에 불어 넣어서 차단
진공 차단기	VCB	고진공 중에서 전자의 고속도 확산에 의해 차단
가스 차단기	GCB	고성능 절연 특성을 가진 특수 가스(SF_6)를 흡수해서 차단

031 ★★

ANSWER ④ 고장 상의 전압보다 90° 빠른 전류이다.

지락전류 $I_g=j\,3wC_sE[\text{A}]$

따라서, 지락 전류는 전압보다 $+j(90°)$앞선 전류가 흐른다.

032 ★★★

ANSWER ② 4270

출력을 P, 사용수량을 Q, 유효낙차를 H 라고 하면

$P = 9.8QH\eta$ 이므로 $P \propto QH$

수차에 유입하는 물의 유속 $v = C\sqrt{2gH}$ 에서

$v \propto H^{\frac{1}{2}}$

$Q = Av$에서 안내 날개의 개도 A는 일정하므로

$Q \propto v \propto H^{\frac{1}{2}}$

그러므로, $Q \propto QH \propto H^{\frac{3}{2}}$ 가 된다

여기서, P_1 : 낙차 변화 전의 출력[kW]

P_2 : 낙차 변화 후의 출력[kW]

H_1 : 변화 전의 낙차[m]

H_2 : 변화 후의 낙차[m]

$$\therefore P_2 = P_1\left(\frac{H_2}{H_1}\right)^{3/2} = 5000 \times \left(\frac{50-5}{50}\right)^{3/2} = 5000 \times 0.854 = 4270[\text{kW}]$$

033 ★★★

ANSWER ② 전선의 연가

코로나 손실

$$P = \frac{241}{\delta}(f+25)\sqrt{\frac{d}{2D}}(E-E_0)^2 \times 10^{-5}[\text{kW/km/선}]$$

δ : 상대 공기 밀도,

D : 선간 거리

d : 전선의 지름,

f : 주파수

E : 전선에 걸리는 대지 전압,

E_0 : 코로나 임계 전압

전선의 연가는 코로나 손실과 무관하다.

034 ★★

ANSWER ③ 가공지선

가공지선의 설치효과

㉠ 직격뢰로부터 선로 및 기기 차폐

㉡ 유도뢰에 의한 정전차폐효과

㉢ 통신선의 전자유도장해를 경감시킬 수 있는 전자차폐효과

035 ★★

ANSWER ① 부하가 밀집되어 있는 시가지

네트워크 배전 방식의 특성

㉠ 무정전공급이 가능하고 신뢰도가 높다.

㉡ 부하 증가에 대해 융통성이 좋다.

㉢ 전력손실과 전압강하가 적고 기기의 이용률이 향상된다.

㉣ 인축에 대한 접지사고가 증가한다.

㉤ 대형 빌딩가와 같은 고밀도 부하밀집지역에 적합하다.

036 ★

ANSWER ③ C회로의 차단

재점호 : 충전전류를 차단할 때 전류파의 0의 위치에서 소거된 아크가 재기전압에 의하여 극간에 다시 발생하는 것

재점호 발생원인 : 콘덴서에 의한 진상전류

037 ★

ANSWER ④ 파두장과 파미장이 모두 다르다.

뇌서지와 개폐서지는 파두장과 파미장이 모두 다르다.

038 ★

ANSWER ② 애관

애자사용 배선의 절연전선이 조영재를 관통하는 경우는 그 부분의 모든 전선을 각각 별개의 애관 및 합성수지관 등에 넣어 시설하여야 한다.

039 ★★★

ANSWER ③ 54

MATH **23단원 유리식**

전력 손실

$$P_l = 3I^2R = \frac{P^2R}{V^2\cos^2\theta} \text{에서 } P_l \propto \frac{1}{\cos^2\theta}$$

$$\therefore \frac{P_l'}{P_l} = \frac{\frac{1}{0.95^2}}{\frac{1}{0.7^2}} = \left(\frac{0.7}{0.95}\right)^2$$

$P_l' = 0.543P_l$ 이므로 약 54[%]로 감소한다.

040 ★★

ANSWER ③ 3상 단락 전류는 정상분 전류의 3배가 흐른다.

고장별 대칭분 및 전류의 크기

고장의 종류	대칭분	전류의 크기
3상 단락	정상분	$I_1 \neq 0, I_2 = I_0 = 0$
선간 단락	정상분, 역상분	$I_1 = -I_2 \neq 0, I_0 = 0$
1선 지락	정상분, 역상분, 영상분	$I_0 = I_1 = I_2 \neq 0$

따라서, 3상 단락 고장시 정상분 임피던스에 반비례하는 정상분 전류만 흐르게 된다.

제3과목 | 전기기기

041 ★

ANSWER ③ 초동기 전동기

초동기 전동기

고정자와 회전자를 지지하는 두 축받이를 가지며 2중 베어링 구조를 가지고 있다. 또한, 고정자도 회전하는 구조이다. 부하를 연결한 그대로 기동이 되는 것이 특징이며, 이것은 동기전동기의 탈출 토크가 기동 토크보다도 크기 때문에 이용한다.

042 ★

ANSWER ④ 공극이 좁으면 누설리액턴스가 증가하여 순간 최대전력이 증가하고 철손이 증가한다.

공극이 넓을 경우 각 파라미터의 변화

㉠ 여자전류가 증가하고 역률이 나빠진다.

㉡ 지그재그 누설 리액턴스의 감소로 총 누설 리액턴스는 감소한다.

㉢ 누설 리액턴스의 감소로 과부하 용량이 증가한다.

㉣ 냉각(기계적) 성능이 좋아진다.

㉤ 진동과 소음이 감소한다.

㉥ 순간 최대 출력이 증가하고 철손이 감소한다.

따라서, 공극이 좁으면 누설 리액턴스는 증가하고 순간 최대 출력은 감소하며 철손이 증가한다.

043 ★

ANSWER ③ 0.48

정류 종류	단상 반파	단상 전파	3상 반파	3상 전파
맥동률[%]	121	48	17.7	4.04
정류 효율	40.5	81.1	96.7	99.8
맥동 주파수	f	$2f$	$3f$	$6f$

단산 전파 정류의 맥동률 48%

044 ★★★

ANSWER ④ 저전압 대전류 직류기에는 파권이 적당하며 고전압 직류기에는 중권이 적당하다.

전기자 권선법의 중권과 파권

구분	중권(병렬권)	파권(직렬권)
병렬회로수	$P_{극수}$	2
브러시수	$P_{극수}$	2
용도	저전압, 대전류	고전압, 소전류
균압환	4극 이상	

④번에서 저전압 대전류 직류기에는 중권이 적당하며, 고전압 직류기는 파권이 적당하다.

045 ★★★

ANSWER ④ 7500

단락전류

$$(I_s) = \frac{100}{\%Z} I_n = \frac{100}{4} \times 300 = 7500\,[\text{A}]$$

046 ★

ANSWER ② 기동 토크가 특히 큰 전동기이다.

반발전동기는 전부하의 400 ~ 500% 정도로 기동 토크가 큰 전동기이다.

047 ★★★

ANSWER ④ 64

MATH **10단원 비례, 반비례, 비례식**

유도전동기의 토크$(T) \propto V^2$이므로

$T : T' = V^2 : (0.8V)^2$

$T' = 0.64\,T$

048 ★

ANSWER ④ 역률개선

보상권선 : 주자극의 자극편에 슬롯을 만들어 전기자의 기전력을 상쇄한다. 보상권선을 설치하여 브러시를 기하학적 중성축에 놓으며 역률 개선을 할 수 있고 전기자 반작용에 대한 대책으로 활용할 수 있다.

049 ★

ANSWER ③ 변압기 기전력을 크게 하기 위하여

단상 정류자 전동기는 약계자, 강전기자형으로 역률 및 정류 개선을 하여 변압기 기전력을 작게한다.

050 ★★

ANSWER ③ 슬립 측정

원선도

(1) 원선도를 그리기 위한 시험

㉠ 저항측정

㉡ 무부하(개방) 시험 (no load test) : 철손, 여자전류

㉢ 구속(단락) 시험 : 동손, 임피던스 전압, 단락전류

(2) 원선도에서 구할 수 없는 것

㉠ 기계적 출력

㉡ 기계손

(3) 원선도에서 구할 수 있는 것

㉠ 1차 입력

㉡ 2차 입력(동기와트)

㉢ 철손

㉣ 1차 동손

㉤ 2차 동손

051 ★★

ANSWER ③ 5

MATH 25단원 무리식

28단원 복소수의 연산

STEP1 두 대의 변압기에 흐르는 전류

$Z_1 = 2 + j3 = \sqrt{2^2 + 3^2} = \sqrt{13}$,

$Z_2 = 3 + j2 = \sqrt{3^2 + 2^2} = \sqrt{13}$

두 대의 변압기의 누설 임피던스의 크기가 같고 병렬운전하기 때문에 각 회로에 25[A]씩 흐른다.

STEP2 순환전류

$$I_c = \frac{25(3 + j2) - 25(2 + j3)}{(2 + j3) + (3 + j2)}$$

$$= \frac{75 + j50 - 50 - j75}{5 + j5} = \frac{25 - j25}{5 + j5}$$

$$= \frac{(25 - j25)(5 - j5)}{(5 + j5)(5 - j5)}$$

$$= \frac{125 - j125 - j125 + j^2 125}{5^2 + 5^2} = \frac{-j250}{50}$$

$= -j5 = |-j5| = 5[A]$ (순환전류의 크기)

052 ★★★

ANSWER ② 45

출력$(P) = P\cos\theta = 1350 \times 0.8 = 1080[kW]$

효율 $\eta = \frac{출력}{출력 + 손실} = \frac{P}{P + P_l}$에서

$$0.96 = \frac{1080}{1080 + P_l}$$

$$\therefore P_l = \frac{1080}{0.96} = -1080 = 45[kW]$$

053 ★

ANSWER ② 14.3

STEP1 T좌 변압기

$$a_T = \frac{\frac{\sqrt{3}}{2}n_1}{n_2} = \frac{\sqrt{3}}{2}a_M$$

STEP2 대입한다.

$$a_T = a_M \times \frac{\sqrt{3}}{2} = \frac{3300}{200} \times \frac{\sqrt{3}}{2}$$

$$= 16.5 \times 0.86 = 14.29 \fallingdotseq 14.3$$

054 ★★

ANSWER ② SCS 답을 암기할 것

반도체 소자 정리

(1) 단자별

- 2단자 : DIAC, SSS
- 3단자 : SCR, GTO, LASCR, TRIAC
- 4단자 : SCS

(2) 방향별

- 단방향 : SCR, GTO, LASCR, SCS
- 양방향 : DIAC, SSS, TRIAC

055 ★★

ANSWER ① 무효전류가 증가한다.

동기발전기 병렬 운전시

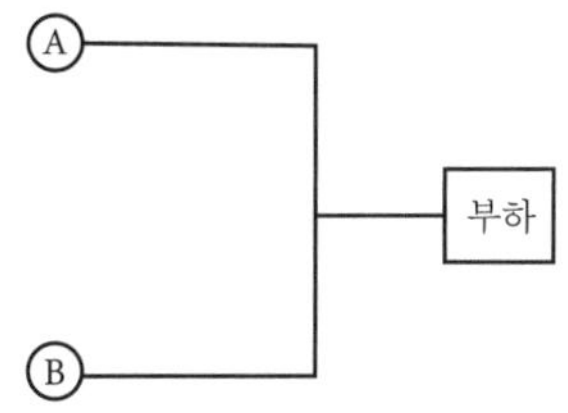

A발전기 여자전류 증가하게 되면 A발전기에는 지상전류가 흘러 A발전기의 역률이 저하되며, B발전기에는 진상전류가 흘러 B발전기의 역률은 좋아지게 된다.

그러므로, B발전기에 비해 여자전류를 증가시킨 A발전기는 역률이 낮아지게 되고 무효전류는 증가하게 된다.

056 ★

ANSWER ③ 전기자 전류와 부하 전류가 같다.

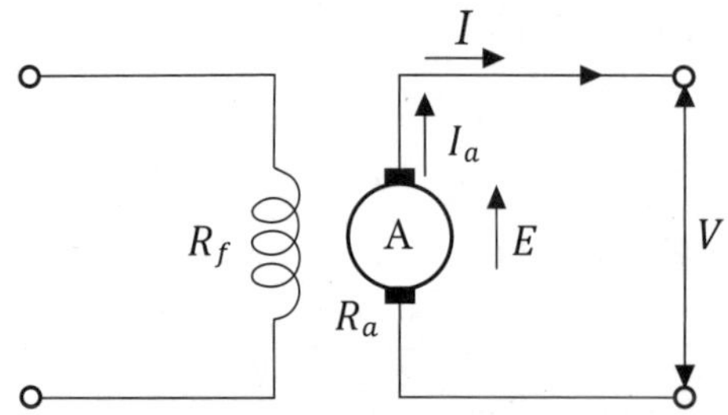

타여자 발전기는 외부에서 자속을 공급하므로 잔류자기가 없어도 발전이 가능하다. 여기서, 전기자 전류와 부하전류의 크기가 같다.($I_a = I$)

057 ★★

ANSWER ② 0(영)으로 해둔다.

직류 분권전동기에서 토크 $T = K\phi I_a$, 회전속도 $N = K\frac{V - I_a R_a}{\phi}$ 이다. 기동시 계자저항을 최소로 하여, 계자 전류를 크게(자속 ϕ을 크게)하여 기동토크가 크게 하고 속도는 저속이 된다.

058 ★

ANSWER ② 감소한다.

직류 발전기의 부하가 증가할수록 유도전동기의 부하가 증가하게 된다. 그러므로 유도전동기의 속도는 감소하게 된다.

059 ★★★

ANSWER ③ 2.6

MATH 23단원 유리식

STEP1 전압변동률

$\epsilon = p\cos\theta \pm q\sin\theta$

(여기서 + : 지상(뒤짐), − : 진상)

(p : %저항 강하, q : %리액턴스 강하)

STEP2 %저항강하, %리액턴스 강하

%저항강하(p) :

$$p = \frac{I_{2n} r_2}{V_{2n}} \times 100 = \frac{25 \times 0.14}{200} \times 100 = 1.75\,[\%]$$

%리액턴스 강하(q) :

$$q = \frac{I_{2n} x_2}{V_{2n}} \times 100 = \frac{25 \times 0.16}{200} \times 100 = 2\,[\%]$$

STEP3 전압변동률 식에 대입한다.

$\epsilon = p\cos\theta \pm q\sin\theta = 1.75 \times 0.8 + 2 \times 0.6$

$= 2.6[\%]$

($\because \cos\theta = 0.8,\ \sin\theta = 0.6$)

060 ★★★

ANSWER ④ 부족여자로 해서 운전하면 송전선로의 자기 여자작용에 의한 전압 상승을 방지한다.

위상 특성 곡선

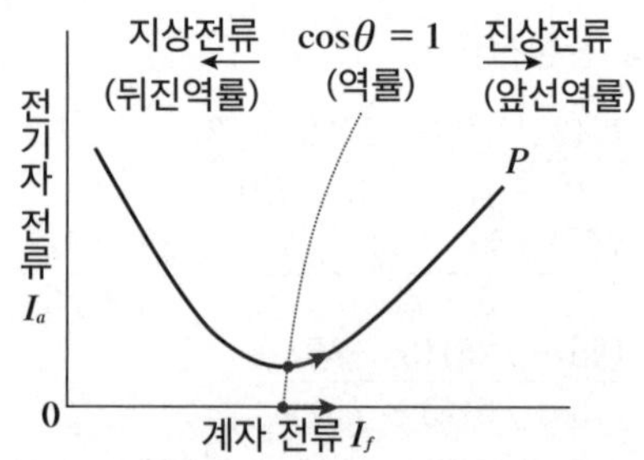

동기전동기의 위상 특성 곡선은 부하를 일정하게 하고, 계자전류의 변화에 대한 전기자 전류의 변화를 나타낸 곡선이다.

동기 조상기는 동기전동기의 위상 특성곡선을 이용한 설비이다.

동기조상기의 운전

- 과여자 운전 : 콘덴서 작용 - 역률 개선
- 부족 여자 운전 : 리액턴 작용 - 이상 전압의 상승억제

061 ★★★

ANSWER ③$15.7 - j\,3.57$

MATH 28단원 복소수의 연산

정상분

$$I_2 = \frac{1}{3}(I_a + aI_b + a^2 I_c)$$
$$= \frac{1}{3}\left\{\begin{aligned}&(15 + j\,2)\\&+\left(-\frac{1}{2} + j\frac{\sqrt{3}}{2}\right)(-20 - j\,14)\\&+\left(-\frac{1}{2} - j\frac{\sqrt{3}}{2}\right)(-3 + j\,10)\end{aligned}\right\}$$
$$= 15.7 - j\,3.57[\mathrm{A}]$$

TIP !

벡터 연산자 a

- $a = -\frac{1}{2} + j\frac{\sqrt{3}}{2}$
- $a^2 = -\frac{1}{2} - j\frac{\sqrt{3}}{2}$
- $1 + a + a^2 = 0$
- $a^3 = 1$

062 ★★

ANSWER ④ RC 값이 클수록 과도 전류값은 천천히 사라진다.

과도현상은 시정수가 크면 클수록 오래 지속된다. $R-C$ 회로의 시정수는 RC 이므로, RC 값이 클수록 과도 전류의 값은 천천히 사라진다.

063 ★★

ANSWER ①

$\frac{1}{5}$

$\frac{1}{3}$

MATH 23단원 유리식

STEP1 리액턴스의 전달함수 비교

L의 리액턴스 함수 $Z_L(s) = sL$

C의 리액턴스 함수 $Z_C(s) = \frac{1}{sC}$ 이므로

직렬 연결시 리액턴스 함수

$$Z_L(s) + Z_C(s) = sL + \frac{1}{sC} = \frac{s^2LC+1}{sC}$$

이므로 문제의 분자, 분모 차수가 전혀 다르다.

따라서, ③, ④ 제외

STEP2 전달함수와 구동점 임피던스

병렬 연결시 리액턴스 함수

$$Z_L(s) \parallel Z_C(s) = \frac{sL \times \frac{1}{sC}}{sL + \frac{1}{sC}} = \frac{sL}{s^2LC+1}$$
$$= \frac{\frac{1}{C}s}{s^2 + \frac{1}{LC}} \text{에서}$$

$\frac{1}{C} = 3,\ \frac{1}{LC} = 15$ 이므로

$\therefore C = \frac{1}{3},\ L = \frac{1}{5}$ 의 병렬연결

TIP !

두 저항의 병렬 연결

$$A \parallel B = \frac{A \times B}{A + B}$$

064 ★★★

ANSWER ① $\dfrac{j\omega}{(5-\omega^2)+j\omega}$

MATH 28단원 복소수의 연산

$j\omega L$, $V(j\omega)$, $\dfrac{1}{j\omega C}$, $1[\Omega]$, V_R

전달함수 $H(j\omega)=\dfrac{V_R}{V(j\omega)}$ 에서

입력

$$V(j\omega)=\left(j\omega+1+\frac{1}{j\omega\frac{1}{5}}\right)\times I(j\omega)\times I(j\omega)$$

출력 $V_R(j\omega)=I(j\omega)$

$$\therefore H(j\omega)=\frac{1}{j\omega+1+\frac{1}{j\omega\frac{1}{5}}}=\frac{j\omega}{(j\omega)^2+j\omega+5}$$

$$=\frac{j\omega}{-\omega^2+j\omega+5}=\frac{j\omega}{(5-\omega^2)+j\omega}$$

065 ★★

ANSWER ④ 8

크기가 같은 저항 2개를 병렬 연결시 합성저항은 $\dfrac{1}{2}$ 배이다.

①

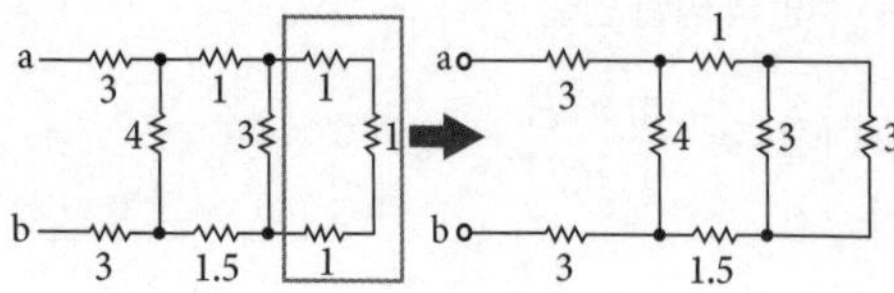

②

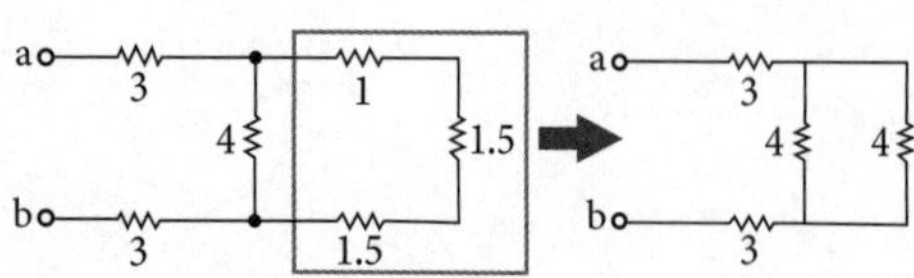

③

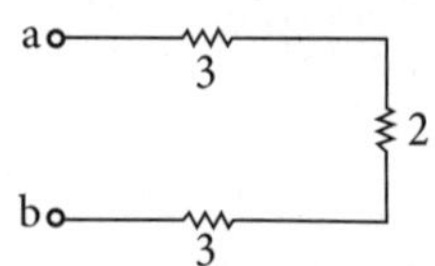

$\therefore$ 합성저항 $=3+2+3=8[\Omega]$

066 ★★★

ANSWER ② 173

소비전력 $P=EI\cos\theta$[W]에서

실효값 전압 $E=\dfrac{141.4}{\sqrt{2}}\fallingdotseq 100[\mathrm{V}]$

실효값 전압 $I=\dfrac{\sqrt{8}}{\sqrt{2}}\fallingdotseq 2[\mathrm{A}]$

위상차 $\theta=\dfrac{\pi}{3}-\dfrac{\pi}{6}=\dfrac{\pi}{6}$ 이므로 $\cos\dfrac{\pi}{6}=\dfrac{\sqrt{3}}{2}$

$\therefore P=100\times 2\times\dfrac{\sqrt{3}}{2}=100\sqrt{3}\fallingdotseq 173[\mathrm{W}]$

067 ★★★

ANSWER ② $100\sqrt{2}\sin(wt+\frac{\pi}{12})$

MATH 19단원 호도법과 육십분법

전압의 순시값 $v(t)=V_m\sin(\omega t+\theta)$[V]에서

전압의 최대값 $V_m=V\times\sqrt{2}=100\sqrt{2}$

위상 $\theta=-\dfrac{\pi}{6}+45°=-\dfrac{\pi}{6}+\dfrac{\pi}{4}=\dfrac{\pi}{12}$

$\therefore v(t)=100\sqrt{2}\sin\left(\omega t+\dfrac{\pi}{12}\right)$[V]

068 ★

ANSWER ③ Ke^{-Ls}

MATH 50단원 라플라스 심화

전달함수 $G(s)=\dfrac{Y(s)}{X(s)}$,

부동작 시간함수 $y(t)=Kx(t-L)$에서

$$\pounds[y(t)]=Y(s)=\pounds[Kx(t-L)]$$
$$=Ke^{-Ls}\times X(s)\quad (\because \text{시간추이})$$

$$G(s)=\frac{Y(s)}{X(s)}=Ke^{-Ls}$$

고난도

069 ★

ANSWER ② 12.3 답을 암기할 것

MATH 23단원 유리식

39단원 삼각함수,

e^x 그리고 지수함수의 미분

50단원 라플라스 심화

STEP1 회로 특성

$$R^2 = (6 \times 10^3)^2 = 36 \times 10^6$$

$$\frac{4L}{C} = \frac{4 \times (90 \times 10^{-3})}{0.01 \times 10^{-6}} = 36 \times 10^6$$

$R^2 = \frac{4L}{C}$ 이므로 임계진동 조건이 된다.

STEP2 라플라스 변환

$$I(s) = \frac{\frac{V}{s}}{R + Ls + \frac{1}{Cs}} = \frac{V}{L}\left(s^2 + \frac{R}{L}s + \frac{1}{LC}\right)^{-1}$$

STEP1 에서 임계진동이므로 $\left(\frac{1}{2}\frac{R}{L}\right)^2 = \frac{1}{LC}$

$$\therefore I(s) = \frac{V}{L}\left(s + \frac{R}{2L}\right)^{-2} = \frac{V}{L}\frac{1}{\left(s + \frac{R}{2L}\right)^2}$$

$$i(t) = \frac{V}{L}te^{-\frac{R}{2L}t}[\text{A}]$$

STEP3 전류의 최대값

최대가 되는 시간은 $t = \frac{2L}{R}$ 시정수이므로

따라서, 이때의 전류

$$i(t) = \frac{V}{L} \times \frac{2L}{R} \times e^{-1} = \frac{2V}{R} \times e^{-1}$$

$$= \frac{2 \times 100}{6 \times 10^3} \times e^{-1}$$

$$\fallingdotseq 1.23 \times 10^{-4} = 12.3[\text{mA}]$$

TIP !

풀이과정이 난해하고 복잡하므로 답만 암기할 것을 권장한다.

070 ★★★

ANSWER ① $-j160$

MATH 28단원 복소수의 연산

전류 분배 법칙에 따라

$$I_{ab} = \frac{-j8}{(j20 - j4) - j8} \times 8 = -8[\text{A}]$$

$$= V_{ab} = I_{ab}Z = -8 \times j20 = -j160[\text{V}]$$

071 ★★

ANSWER ④ $Z_{22} = 5[\Omega]$

$Z_{11} = Z_1 + Z_2 = 3 + 5 = 8[\Omega]$

$Z_{12} = Z_{21} = Z_2 = 3[\Omega]$

$Z_{22} = Z_2 = 3[\Omega]$

072 ★★★

ANSWER ④ $\frac{1}{3}$ 로 된다. 답을 암기할 것

MATH 23단원 유리식

소비전력 $P = 3I_p^2R$이고 상전류 $I_p = \frac{V_p}{R}$ 에서

㉠ △결선시 상전압 V_p는 선간 전압 V_l의 크기와 같으므로

$$P_\triangle = 3I_p^2R = 3\left(\frac{V_l}{R}\right)^2 R = 3 \times \frac{V_l^2}{R}$$

㉡ Y결선시 $V_p = \frac{V_l}{\sqrt{3}}$ = 이므로

$$P_Y = 3 \times \frac{\left(\frac{V_l}{\sqrt{3}}\right)^2}{R} = \frac{V_l^2}{R}$$ 이므로

$$\therefore \frac{P_Y}{P_\triangle} = \frac{\frac{V_l^2}{R}}{\frac{3V_l^2}{R}} = \frac{1}{3}$$

073 ★★

ANSWER ④ n^4로 된다.

MATH 13단원 원과 구

23단원 유리식

저항 $R = \rho \dfrac{l}{A}$ 이고 단면적 $A = \pi r^2$,

체적 = 단면적 × 길이에서 지름을 $\dfrac{1}{n}$ 로 줄이면

단면적 $\pi\left(\dfrac{r}{n}\right)^2 = \dfrac{A}{n^2}$ 이고 체적은 일정하므로

길이는 n^2배가 된다.

$$\therefore R' = \rho \frac{n^2 l}{\frac{A}{n^2}} = \rho n^4 \frac{l}{A}$$

074 ★★

ANSWER ① 15

합성 인덕턴스

$$L = \frac{L_1 \times L_2}{L_1 + L_2} = \frac{20 \times 60}{20 + 60} = 15\,[\text{mH}]$$

고난도

075 ★

ANSWER ② 약 65[%] 답을 암기할 것

상전압의 실효값 E_p는 다음과 같다.

$$E_p = \sqrt{E_1^2 + E_3^2 + E_5^2}$$
$$= \sqrt{1000^2 + 500^2 + 100^2} = 1122.5\,[\text{V}]$$

선간전압의 실효값 E_l 에서는 제3고조파분이 나타나지 않으며 $\sqrt{3}$ 배의 크기를 갖는다.

$$E_l = \sqrt{3} \cdot \sqrt{E_1^2 + E_5^2}$$
$$= \sqrt{3} \cdot \sqrt{1000^2 + 100^2} = 1740.7\,[\text{V}]$$

$$\therefore \frac{E_p}{E_l} \times 100 \fallingdotseq 65\,[\%]$$

076 ★★★

ANSWER ③ $\dfrac{\text{고조파만의 실효값}}{\text{기본파의 실효값}}$

$$\text{왜형률} = \frac{\text{전고조파의 실효값}}{\text{기본파의 실효값}}$$

077 ★★★

ANSWER ③ ㉠ $\dfrac{a}{s^2 + a^2}$ ㉡ $\dfrac{s}{s^2 + \omega^2}$

MATH 49단원 라플라스 기초

$$\pounds\,[\sin at] = \frac{a}{s^2 + a^2}$$

$$\pounds\,[\cos \omega t] = \frac{s}{s^2 + \omega^2}$$

078 ★★

ANSWER ② −1

STEP1 전원 변환

① 전압원을 전류원으로 변환

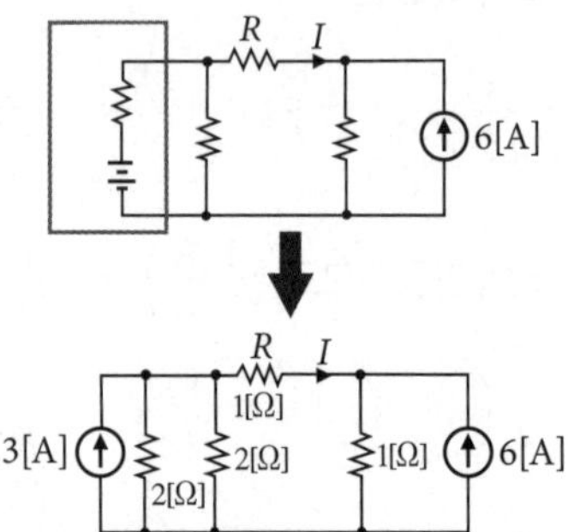

병렬 연결된 2[Ω]을 합성하여 1[Ω]으로 바꾼다.

② 병렬 연결된 전류원을 합성

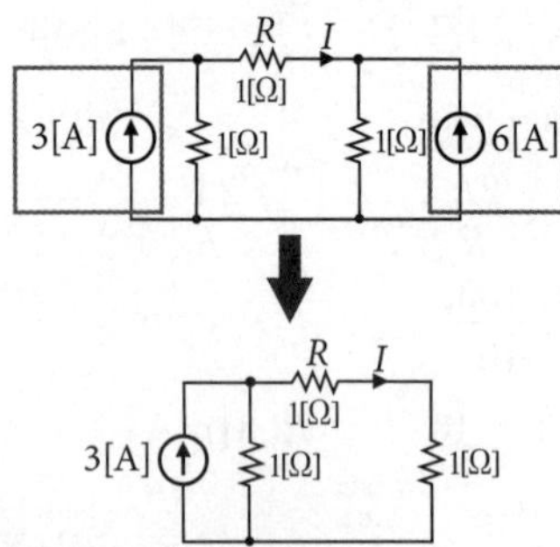

STEP2 전류 분배 법칙

전류 분배 법칙에 의해

$$I = \frac{1}{3} \times (-3) = -1\,[\text{A}]$$

079 ★★★

ANSWER ① 4

MATH **25단원 무리식**

리액턴스 $X = \frac{P_r}{I^2}$ 이고 무효전력

$P_r = \sqrt{P_a^2 - P^2}$ 에서

피상전력 $P_a = VI = 100 \times 15 = 1500[VA]$

$P_r = \sqrt{1500^2 - 1200^2} = 900[Var]$

$\therefore X = \frac{900}{15^2} = 4[\Omega]$

080 ★★

ANSWER ④ 38.1[A], 8721[W]

MATH **15단원 절대값**

STEP1 **선전류**

△결선에서 선전류 $I_l = \sqrt{3}\,I_p$ 이고 상전압 $V_p = V_l$ 이므로

상전류 $I_p = \frac{V_p}{|Z|} = \frac{V_l}{|Z|} = \frac{220}{\sqrt{6^2+8^2}} = 22[A]$

$\therefore I_l = \sqrt{3} \times 22 \fallingdotseq 38.1[A]$

STEP2 **전전력**

전력 $P = 3\,I_p^2 R = 3 \times 22^2 \times 6 = 8712[W]$

제5과목 | 전기설비기술기준 및 한국전기설비규정

081 ★★

ANSWER ② 전기기계 기구는 반폐형의 것을 사용한다.

화약류 저장소 등의 위험장소

(한국전기설비규정 242.5)

화약류 저장소 안에는 전기설비를 시설해서는 안 된다. 다만, 백열전등이나 형광등 또는 이들에 전기를 공급하기 위한 전기설비(개폐기 및 과전류 차단기를 제외한다)는 다음에 따라 시설하는 경우에는 그러하지 아니하다.

㉠ 전로에 대지 전압은 300[V] 이하일 것

㉡ 전기기계기구는 전폐형의 것일 것

㉢ 전로에 지락이 생겼을 때에 자동적으로 전로를 차단하거나 경보하는 장치를 시설하여야 한다.

082 ★★

ANSWER ② 콤바인덕트케이블

지중 전선로의 시설(한국전기설비규정 334.1)

지중 전선로를 직접 매설식에 의하여 시설하는 경우에 지중 전선을 견고한 트라프 기타 방호물에 넣어 시설하여야 한다.

단, 다음의 어느 하나에 해당하는 경우에는 지중 전선을 견고한 트라프 기타 방호물에 넣지 아니하여도 된다.

① 저압 또는 고압의 지중 전선을 차량 기타 중량물의 압력을 받을 우려가 없는 경우에 그 위를 견고한판 또는 몰드로 덮어 시설 하는 경우

② 저압 또는 고압의 지중전선에 콤바인덕트 케이블 또는 개장한 케이블을 사용하여 시설하는 경우

083 ★★

ANSWER ② 2.6

저압 가공전선의 굵기 및 종류

(한국전기설비규정 222.5)

전압	조건	전선의 굵기 및 인장강도
400[V] 이하	절연 전선	인장강도 2.3[kN]이상의 것 또는 지름 2.6[mm]이상의 경동선
	케이블 이외	인장강도 3.43[kN]이상의 것 또는 지름 3.2[mm]이상의 경동선
400[V] 초과인 저압 (케이블 이외)	시가지에 시설	인장강도 8.01[kN]이상의 것 또는 지름 5[mm]이상의 경동선
	시가지 외에 시설	인장강도 5.26[kN]이상의 것 또는 지름 4[mm]이상의 경동선

084 ★★★

ANSWER ④ 4950

회전기 및 정류기의 절연내력

(한국전기설비규정 133)

<table>
<tr><th colspan="3">종류</th><th>시험 전압</th><th>시험 방법</th></tr>
<tr><td rowspan="3">회
전
기</td><td rowspan="2">발전기·
전동기·
조상기·
기타
회전기</td><td>7[kV]
이하</td><td>1.5배
(최저 500[V])</td><td rowspan="3">권선과
대지 사이에
연속하여
10분간</td></tr>
<tr><td>7[kV]
초과</td><td>1.25배
(최저 10.5[kV])</td></tr>
<tr><td colspan="2">회전 변류기</td><td>직류측의 최대
사용 전압의 1
배의 교류 전압
(최저 500[V]</td></tr>
</table>

∴ 시험 전압 $= 3300 \times 1.5 = 4950$[V]

085 ★★★

ANSWER ② 가공전선로의 말구 부분

피뢰기의 시설(한국전기설비규정 341.13)

고압 및 특고압의 전로 중 다음에 열거하는 곳 또는 이에 근접한 곳에는 피뢰기를 시설하여야 한다.

㉠ 발전소·변전소 또는 이에 준하는 장소의 가공전선 인입구 및 인출구

㉡ 특고압 가공전선로에 접속하는 배전용 변압기의 고압측 및 특고압측

㉢ 고압 및 특고압 가공전선로로부터 공급을 받는 수용장소의 인입구

㉣ 가공 전선로와 지중 전선로가 접속되는 곳

086 ★★★

ANSWER ① 7.28

특고압 가공전선의 높이(한국전기설비규정 333.7)

<table>
<tr><th>전압의
범위</th><th>일반
장소</th><th>도로
횡단</th><th>철도 또는
궤도횡단</th><th>횡단보도교</th></tr>
<tr><td>35[kV]
이하</td><td>5[m]</td><td>6[m]</td><td>6.5[m]</td><td>4[m](특고
압절연전선
또는 케이블
사용)</td></tr>
<tr><td rowspan="2">35[kV]
초과
60[kV]
이하</td><td>6[m]</td><td>6[m]</td><td>6.5[m]</td><td>5[m](케이
블 사용)</td></tr>
<tr><td colspan="4">산지 등에서 사람이 쉽게 들어갈 수 없는 장소 : 5[m]이상</td></tr>
<tr><td rowspan="3">60[kV]
초과</td><td>일반
장소</td><td colspan="3">가공전선의 높이
=6+단수×0.12[m]</td></tr>
<tr><td>철도
또는
궤도
횡단</td><td colspan="3">가공전선의 높이
=6.5+단수×0.12[m]</td></tr>
<tr><td>산지</td><td colspan="3">가공전선의 높이
=5+단수×0.12[m]</td></tr>
</table>

※ 단수 $= \dfrac{\{\text{전압}[\text{kV}] - 160\}}{10}$ … 단수계산에서 소수점 이하는 절상

• 단수 $= \dfrac{345 - 160}{10} = 18.5 \rightarrow 19$단

∴ 전선의 지표상 높이 $= 5 + 19 \times 0.12 = 7.28$[m]

087 ★★★

ANSWER ② 4.8

특고압 가공전선과 도로 등의 접근 또는 교차

(한국전기설비규정 333.24)

특고압 가공 전선이 도로·횡단보도교·철도 또는 궤도와 제1차 접근 상태로 시설되는 경우에는 다음에 따라야 한다.

㉠ 특고압 가공 전선로는 제3종 특고압 보안공사에 의할 것

㉡ 특고압 가공전선과 도로 등 사이의 이격거리는 표에서 정한 값 이상일 것

다만, 특고압 절연전선을 사용하는 사용전압이 35[kV] 이하의 특고압 가공전선과 도로 등 사이의 수평 이격거리가 1.2[m] 이상인 경우에는 그러하지 아니하다.

사용전압의 구분	이격거리
35[kV]이하	3[m]
35[kV]초과	• 이격거리 = 3 + 단수 × 0.15[m] • 단수 = $\frac{(\text{전압}[kV]-35)}{10}$ 단수 계산에서 소수점 이하는 절상

• 단수 = $\frac{154-35}{10} = 11.9 \rightarrow 12$단

• 이격거리 = $3 + 12 \times 0.15 = 4.8$[m]

088 ★★

ANSWER ④ 조명 및 세척이 가능한 적당한 장치를 시설할 것

지중함의 시설(한국전기설비규정 334.2)

지중전선로에 사용하는 지중함은 다음에 따라 시설하여야 한다.

㉠ 지중함은 견고하고 차량 기타 중량물의 압력에 견디는 구조일 것

㉡ 지중함은 그 안의 고인 물을 제거할 수 있는 구조로 되어 있을 것

㉢ 폭발성 또는 연소성의 가스가 침입할 우려가 있는 것에 시설하는 지중함으로서 그 크기가 1[m^3] 이상인 것에는 통풍장치 기타 가스를 방산시키기 위한 적당한 장치를 시설할 것

㉣ 지중함의 뚜껑은 시설자이외의 자가 쉽게 열 수 없도록 시설할 것

089 ★

ANSWER ④ 아파트 현관

점멸기의 시설(한국전기설비규정 234.6)

다음의 경우에는 센서등(타임스위치 포함)을 시설하여야 한다.

㉠ 관광숙박업 또는 숙박업(여인숙업을 제외 한다)에 이용되는 객실의 입구등은 1분 이내에 소등되는 것

㉡ 일반주택 및 아파트 각 호실의 현관등은 3분 이내에 소등 되는 것

090 ★

ANSWER ② 60

전기부식방지 시설(한국전기설비규정 241.16)

㉠ 전기부식방지용 전원장치에 전기를 공급하는 전로의 사용 전압은 저압이어야 한다.

㉡ 전기부식방지용 변압기는 절연 변압기일 것

㉢ 전기부식방지 회로(전기부식방지용 전원장치로부터 양극 및 피방식체까지의 전로를 말한다.)의 사용전압은 직류 60[V] 이하일 것

㉣ 지중에 매설하는 양극의 매설 깊이는 0.75[m] 이상일 것

㉤ 수중에 시설하는 양극과 그 주위1[m] 이내의 거리에 있는 임의점과의 사이의 전위차는 10[V]를 넘지 아니할 것

㉥ 지표 또는 수중에서 1[m] 간격의 임의의 2점간의 전위차가 5[V]를 넘지 아니할 것

091 ★★★

ANSWER ④ 접지극은 공칭단면적 6[mm^2] 연동선에 연결하여, 지하 75[cm] 이상의 깊이에 매설

접지극의 시설 및 접지저항

(한국전기설비규정 142.2)

접지극은 지표면으로부터 지하 0.75[m] 이상으로 하되 동결 깊이를 감안하여 매설 깊이를 정해야 한다.

142.3.1 접지도체

중성점 접지용 접지도체는 공칭단면적16[mm^2] 이상의 연동선 또는 동등 이상의 단면적 및 세기를 가져야 한다. 다만, 다음의 경우에는 공칭 단면적 6[mm^2] 이상의 연동선 또는 동등 이상의 단면적 및 강도를 가져야 한다.

㉠ 7[kV] 이하의 전로

㉡ 사용전압이 25[kV] 이하인 특고압 가공 전선로 다만, 중성선 다중접지식의 것으로서 전로에 지락이 생겼을 때 2초 이내에 자동적으로 이를 전로로부터 차단하는 장치가 되어 있는 것

092 ★★

ANSWER ① 금속덕트 공사에 의하여 시설하는 경우

나전선의 사용제한(한국전기설비규정 231.4)

옥내에 시설하는 저압 전선에는 나전선을 사용하여서는 아니된다. 다만, 다음 중 어느 하나에 해당하는 경우에는 그러하지 아니하다.

㉠ 애자공사에 의하여 전개된 곳에 다음의 전선을 시설하는 경우

① 전기로용 전선

② 전선의 피복 절연물이 부식하는 장소에 시설하는 전선

㉡ 버스 덕트공사에 의하여 시설하는 경우

㉢ 라이팅 덕트공사에 의하여 시설하는 경우

㉣ 접촉전선을 시설하는 경우

093 ★★★

ANSWER ② 방전 장치를 시설한 고압측 전선

과전류차단기의 시설제한

(한국전기설비규정 341.11)

접지공사의 접지도체, 다선식 전로의 중성선 및 전로의 일부에 접지공사를 한 저압 가공전선로의 접지측 전선에는 과전류 차단기를 시설 하여서는 안 된다.

다만, 다음의 경우에는 예외로 한다.

㉠ 다선식 전로의 중성선에 시설한 과전류 차단기가 동작한 경우에 각 극이 동시에 차단될 때

㉡ 저항기·리액터 등을 사용하여 접지공사를 한 때에 과전류 차단기의 동작에 의하여 그 접지도체가 비접지 상태로 되지 아니할 때

094 ★★

ANSWER ② 1.5

가공 전선로 지지물의 기초의 안전율

(한국전기설비규정 331.7)

가공 전선로의 지지물에 하중이 가하여지는 경우에 그 하중을 받는 지지물의 기초의 안전율은 2(이상 시 상정하중에 대한 철탑의 기초에 대하여는 1.33) 이상이어야 한다. 다만, 다음에 따라 시설하는 경우에는 적용하지 않는다.

설계하중 / 전장	6.8[kN] 이하	6.8[KN] 초과 ~9.8[kN] 이하	9.8[KN] 초과~ 14.72[kN] 이하
15[m]이하	전장× 1/6[m] 이상	전장×1/6 +0.3[m] 이상	전장×1/6+ 0.5[m]이상
15[m]초과	2.5[m] 이상	2.8[m] 이상	-
16[m]초과 20[m]이하	2.8[m] 이상	-	-
15[m]초과 18[m]이하	-	-	3[m]이상
18[m]초과	-	-	3.2[m]이상

∴ 땅에 묻히는 깊이 $= 9[m] \times \frac{1}{6} = 1.5[m]$

095 ★★

ANSWER ② 제 1종 특고압 보안공사

특고압 보안공사(한국전기설비규정 333.22)

저1종 특고압 보안공사에서 전선로의 지지물에는 B종 철주·B종 철근 콘크리트주 또는 철탑을 사용할 것

(목주나 A종은 사용 불가)

출제기준 변경 및 개정된 관계 법규에 따라 삭제된 문제가 있어 20문항이 안됩니다.

엔지니오 과년도 기출문제집

정답표

2022년 1회

제1과목 전기자기학

001	④	002	③	003	③	004	④	005	②	006	①	007	④	008	③	009	①	010	①
011	③	012	①	013	④	014	②	015	④	016	③	017	④	018	①	019	②	020	④

제2과목 전력공학

021	①	022	④	023	②	024	③	025	④	026	③	027	③	028	①	029	④	030	②
031	②	032	①	033	③	034	④	035	③	036	①	037	④	038	②	039	①	040	②

제3과목 전기기기

041	③	042	②	043	②	044	④	045	③	046	②	047	①	048	③	049	①	050	①
051	③	052	③	053	①	054	②	055	③	056	④	057	①	058	①	059	①	060	④

제4과목 회로이론 및 제어공학

061	②	062	②	063	④	064	②	065	②	066	②	067	②	068	④	069	③	070	③
071	①	072	②	073	①	074	③	075	③	076	①	077	②	078	①	079	④	080	③

제5과목 전기설비기술기준 및 한국전기설비규정

081	④	082	③	083	③	084	②	085	①	086	③	087	③	088	②	089	④	090	①
091	③	092	①	093	③	094	③	095	②	096	①	097	④	098	③	099	②	100	①

2022년 2회(오전)

제1과목 전기자기학

001	①	002	①	003	①	004	①	005	①	006	③	007	①	008	④	009	②	010	③
011	②	012	①	013	④	014	①	015	④	016	②	017	①	018	①	019	④	020	②

제2과목 전력공학

021	①	022	①	023	②	024	③	025	②	026	①	027	③	028	①	029	①	030	②
031	①	032	②	033	③	034	①	035	③	036	②	037	②	038	①	039	①	040	③

제3과목 전기기기

041	②	042	①	043	④	044	③	045	④	046	①	047	③	048	④	049	④	050	④
051	④	052	③	053	④	054	①	055	③	056	②	057	④	058	①	059	①	060	③

제4과목 회로이론 및 제어공학

061	②	062	③	063	③	064	③	065	③	066	②	067	②	068	②	069	①	070	③
071	②	072	③	073	③	074	①	075	①	076	①	077	④	078	②	079	②	080	④

제5과목 전기설비기술기준 및 한국전기설비규정

081	④	082	④	083	②	084	④	085	③	086	②	087	①	088	④	089	③	090	③
091	④	092	②	093	③	094	②	095	③	096	③	097	①	098	①	099	④	100	①

2022년 2회(오후)

제1과목 전기자기학

001 ④	002 ①	003 ③	004 ④	005 ③	006 ③	007 ④	008 ②	009 ④	010 ④
011 ④	012 ②	013 ④	014 ④	015 ②	016 ②	017 ③	018 ④	019 ②	020 ②

제2과목 전력공학

021 ④	022 ②	023 ①	024 ④	025 ②	026 ④	027 ①	028 ②	029 ①	030 ②
031 ③	032 ③	033 ③	034 ③	035 ①	036 ④	037 ④	038 ③	039 ③	040 ①

제3과목 전기기기

041 ①	042 ②	043 ①	044 ①	045 ①	046 ④	047 ③	048 ②	049 ②	050 ②
051 ②	052 ①	053 ①	054 ③	055 ④	056 ②	057 ①	058 ②	059 ①	060 ①

제4과목 회로이론 및 제어공학

061 ④	062 ①	063 ②	064 ③	065 ①	066 ①	067 ④	068 ④	069 ④	070 ③
071 ①	072 ③	073 ①	074 ③	075 ④	076 ②	077 ①	078 ①	079 ④	080 ④

제5과목 전기설비기술기준 및 한국전기설비규정

081 ②	082 ④	083 ①	084 ①	085 ④	086 ③	087 ③	088 ①	089 ④	090 ②
091 ④	092 ④	093 ②	094 ④	095 ④	096 ③	097 ①	098 ②	099 ①	100 ②

2022년 3회(오전)

제1과목 전기자기학

001 ①	002 ①	003 ②	004 ③	005 ④	006 ②	007 ③	008 ②	009 ②	010 ①
011 ④	012 ②	013 ③	014 ②	015 ④	016 ①	017 ①	018 ④	019 ①	020 ①

제2과목 전력공학

021 ③	022 ③	023 ②	024 ②	025 ②	026 ①	027 ②	028 ②	029 ①	030 ①
031 ①	032 ②	033 ③	034 ②	035 ④	036 ④	037 ④	038 ④	039 ①	040 ③

제3과목 전기기기

041 ④	042 ③	043 ②	044 ④	045 ③	046 ①	047 ①	048 ④	049 ③	050 ③
051 ②	052 ①	053 ③	054 ③	055 ③	056 ①	057 ④	058 ④	059 ④	060 ③

제4과목 회로이론 및 제어공학

061 ③	062 ①	063 ②	064 ④	065 ①	066 ④	067 ④	068 ③	069 ④	070 ③
071 ①	072 ③	073 ④	074 ①	075 ②	076 ③	077 ④	078 ②	079 ④	080 ①

제5과목 전기설비기술기준 및 한국전기설비규정

081 ②	082 ②	083 ④	084 ④	085 ③	086 ②	087 ④	088 ①	089 ①	090 ③
091 ②	092 ①	093 ③	094 ④	095 ③	096 ③	097 ④	098 ②	099 ①	100 ④

2022년 3회(오후)

제1과목 전기자기학

001 ①	002 ④	003 ②	004 ④	005 ①	006 ④	007 ②	008 ④	009 ④	010 ④
011 ②	012 ④	013 ③	014 ③	015 ①	016 ③	017 ②	018 ①	019 ②	020 ④

제2과목 전력공학

021 ②	022 ①	023 ③	024 ①	025 ②	026 ③	027 ①	028 ②	029 ④	030 ①
031 ②	032 ④	033 ②	034 ③	035 ③	036 ②	037 ①	038 ①	039 ③	040 ④

제3과목 전기기기

041 ②	042 ④	043 ③	044 ①	045 ③	046 ①	047 ④	048 ④	049 ③	050 ①
051 ③	052 ④	053 ①	054 ④	055 ①	056 ②	057 ④	058 ②	059 ④	060 ②

제4과목 회로이론 및 제어공학

061 ①	062 ④	063 ④	064 ④	065 ①	066 ④	067 ④	068 ①	069 ①	070 ④
071 ②	072 ②	073 ④	074 ③	075 ①	076 ①	077 ④	078 ②	079 ①	080 ①

제5과목 전기설비기술기준 및 한국전기설비규정

081 ②	082 ②	083 ③	084 ③	085 ①	086 ①	087 ③	088 ③	089 ①	090 ①
091 ③	092 ①	093 ④	094 ②	095 ④	096 ②	097 ①	098 ①	099 ③	100 ③

2021년 1회

제1과목 전기자기학

001 ③	002 ④	003 ②	004 ④	005 ①	006 ②	007 ①	008 ②	009 ④	010 ②
011 ②	012 ①	013 ②	014 ②	015 ④	016 ②	017 ④	018 ③	019 ②	020 ④

제2과목 전력공학

021 ④	022 ②	023 ②	024 ②	025 ②	026 ②	027 ④	028 ③	029 ①	030 ④
031 ④	032 ②	033 ②	034 ④	035 ④	036 ③	037 ①	038 ①	039 ①	040 ③

제3과목 전기기기

041 ④	042 ②	043 ③	044 ③	045 ③	046 ①	047 ①	048 ③	049 ④	050 ②
051 ①	052 ④	053 ②	054 ④	055 ③	056 ④	057 ②	058 ③	059 ③	060 ③

제4과목 회로이론 및 제어공학

061 ③	062 ③	063 ②	064 ②	065 ②	066 ②	067 ③	068 ③	069 ③	070 ④
071 ②	072 ④	073 ②	074 ①	075 ②	076 ③	077 ④	078 ①	079 ②	080 ①

제5과목 전기설비기술기준 및 한국전기설비규정

081 ③	082 ③	083 ②	084 ④	085 ②	086 ④	087 ②	088 ②	089 ③	090 ①
091 ①	092 ④	093 ④	094 ④	095 ②	096 ③	097 ②	098 ②	099 ③	100 ④

2021년 2회

제1과목 전기자기학

001 ④	002 ①	003 ④	004 ③	005 ③	006 ②	007 ②	008 ④	009 ①	010 ①
011 ②	012 ③	013 ①	014 ②	015 ②	016 ①	017 ②	018 ②	019 ③	020 ①

제2과목 전력공학

021 ②	022 ①	023 ②	024 ①	025 ②	026 ②	027 ①	028 ②	029 ③	030 ④
031 ②	032 ②	033 ④	034 ④	035 ④	036 ②	037 ①	038 ④	039 ③	040 ④

제3과목 전기기기

041 ①	042 ②	043 ③	044 ②	045 ④	046 ②	047 ②	048 ②	049 ③	050 ③
051 ④	052 ①	053 ③	054 ③	055 ②	056 ①	057 ①	058 ③	059 ②	060 ②

제4과목 회로이론 및 제어공학

061 ①	062 ③	063 ①	064 ③	065 ①	066 ③	067 ②	068 ①	069 ③	070 ②
071 ①	072 ③	073 ①	074 ②	075 ②	076 ②	077 ②	078 ④	079 ②	080 ④

제5과목 전기설비기술기준 및 한국전기설비규정

081 ①	082 ①	083 ①	084 ④	085 ④	086 ③	087 ②	088 ③	089 ③	090 ④
091 ①	092 ②	093 ③	094 ③	095 ②	096 ①	097 ④	098 ①	099 ②	100 ③

2021년 3회

제1과목 전기자기학

001 ③	002 ②	003 ④	004 ②	005 ③	006 ④	007 ④	008 ③	009 ③	010 ②
011 ④	012 ③	013 ②	014 ④	015 ③	016 ①	017 ③	018 ①	019 ③	020 ②

제2과목 전력공학

021 ④	022 ①	023 ④	024 ③	025 ③	026 ③	027 ②	028 ③	029 ②	030 ②
031 ②	032 ③	033 ②	034 ③	035 ①	036 ④	037 ③	038 ③	039 ②	040 ④

제3과목 전기기기

041 ③	042 ④	043 ③	044 ③	045 ②	046 ②	047 ③	048 ②	049 ②	050 ①
051 ③	052 ④	053 ④	054 ②	055 ④	056 ②	057 ④	058 ④	059 ③	060 ③

제4과목 회로이론 및 제어공학

061 ④	062 ②	063 ④	064 ④	065 ④	066 ④	067 ②	068 ④	069 ③	070 ①
071 ③	072 ③	073 ④	074 ②	075 ③	076 ②	077 ④	078 ④	079 ③	080 ③

제5과목 전기설비기술기준 및 한국전기설비규정

081 ①	082 ②	083 ③	084 ②	085 ①	086 ①	087 ②	088 ②	089 ④	090 ②
091 ③	092 ③	093 ②	094 ①	095 ③	096 ①	097 ③	098 ②	099 ③	100 ②

2020년 1 · 2회

제1과목 전기자기학

001 ①	002 ②	003 ②	004 ④	005 ④	006 ④	007 ③	008 ④	009 ④	010 ②
011 ④	012 ①	013 ③	014 ①	015 ②	016 ②	017 ④	018 ②	019 ②	020 ②

제2과목 전력공학

021 ④	022 ②	023 ②	024 ②	025 ④	026 ②	027 ②	028 ④	029 ④	030 ①
031 ②	032 ③	033 ③	034 ②	035 ①	036 ①	037 ③	038 ③	039 ④	040 ①

제3과목 전기기기

041 ②	042 ①	043 ②	044 ④	045 ②	046 ③	047 ①	048 ③	049 ②	050 ④
051 ④	052 ①	053 ③	054 ④	055 ③	056 ②	057 ①	058 ①	059 ④	060 ②

제4과목 회로이론 및 제어공학

061 ③	062 ②	063 ②	064 ①	065 ③	066 ③	067 ③	068 ③	069 ②	070 ④
071 ④	072 ②	073 ②	074 ①	075 ③	076 ②	077 ④	078 ③	079 ④	080 ④

제5과목 전기설비기술기준 및 한국전기설비규정

081 ④	082 ①	083 ②	084 ②	085 ②	086 ④	087 ④	088 ③	089 ③	090 ①
091 ④	092 ①	093 ③	094 ③	095 ③	096 ④				

2020년 3회

제1과목 전기자기학

001 ①	002 ④	003 ④	004 ②	005 ③	006 ①	007 ④	008 ④	009 ②	010 ②
011 ④	012 ①	013 ③	014 ①	015 ①	016 ④	017 ②	018 ③	019 ①	020 ①

제2과목 전력공학

021 ③	022 ②	023 ④	024 ①	025 ④	026 ④	027 ③	028 ③	029 ①	030 ③
031 ③	032 ②	033 ④	034 ①	035 ④	036 ②	037 ④	038 ①	039 ④	040 ④

제3과목 전기기기

041 ②	042 ③	043 ③	044 ③	045 ④	046 ①	047 ②	048 ①	049 ②	050 ①
051 ③	052 ②	053 ①	054 ①	055 ①	056 ②	057 ②	058 ④	059 ④	060 ③

제4과목 회로이론 및 제어공학

061 ②	062 ①	063 ③	064 ④	065 ③	066 ③	067 ①	068 ③	069 ③	070 ④
071 ④	072 ②	073 ④	074 ④	075 ③	076 ④	077 ④	078 ③	079 ③	080 ②

제5과목 전기설비기술기준 및 한국전기설비규정

081 ①	082 ②	083 ③	084 ③	085 ③	086 ①	087 ①	088 ②	089 ④	090 ②
091 ③	092 ③	093 ④	094 ①	095 ①	096 ②	097 ②	098 ②		

2019년 1회

제1과목 전기자기학

001	②	002	④	003	②	004	①	005	④	006	①	007	③	008	④	009	③	010	③
011	③	012	②	013	①	014	②	015	①	016	③	017	③	018	②	019	②	020	②

제2과목 전력공학

021	④	022	④	023	②	024	④	025	③	026	①	027	④	028	③	029	③	030	③
031	①	032	②	033	④	034	③	035	④	036	②	037	①	038	③	039	②	040	②

제3과목 전기기기

041	④	042	②	043	④	044	④	045	③	046	②	047	③	048	④	049	①	050	③
051	①	052	③	053	④	054	①	055	③	056	③	057	③	058	②	059	①	060	④

제4과목 회로이론 및 제어공학

061	④	062	③	063	④	064	④	065	②	066	①	067	③	068	③	069	②	070	③
071	④	072	④	073	③	074	④	075	③	076	④	077	②	078	②	079	②	080	④

제5과목 전기설비기술기준 및 한국전기설비규정

081	②	082	③	083	③	084	③	085	①	086	④	087	④	088	②	089	④	090	②
091	②	092	④	093	③	094	④	095	④	096	②								

2019년 2회

제1과목 전기자기학

001	④	002	③	003	②	004	③	005	①	006	①	007	②	008	①	009	③	010	①
011	①	012	①	013	②	014	③	015	②	016	②	017	④	018	②	019	④	020	②

제2과목 전력공학

021	②	022	①	023	①	024	④	025	①	026	①	027	①	028	④	029	①	030	④
031	②	032	①	033	②	034	②	035	③	036	③	037	②	038	③	039	④	040	②

제3과목 전기기기

041	②	042	①	043	③	044	②	045	④	046	②	047	②	048	②	049	③	050	①
051	①	052	③	053	④	054	④	055	②	056	②	057	③	058	①	059	①	060	①

제4과목 회로이론 및 제어공학

061	②	062	③	063	②	064	③	065	④	066	③	067	①	068	②	069	③	070	③
071	④	072	①	073	②	074	④	075	②	076	①	077	③	078	①	079	②	080	①

제5과목 전기설비기술기준 및 한국전기설비규정

081	④	082	①	083	②	084	②	085	④	086	①	087	①	088	②	089	③	090	③
091	④	092	①	093	②	094	②	095	③	096	②	097	④						

2019년 3회

제1과목 전기자기학

001	①	002	①	003	④	004	②	005	③	006	③	007	①	008	①	009	①	010	②
011	③	012	②	013	①	014	②	015	①	016	②	017	②	018	②	019	②	020	③

제2과목 전력공학

021	③	022	④	023	①	024	③	025	①	026	③	027	②	028	③	029	③	030	③
031	③	032	④	033	②	034	①	035	②	036	③	037	④	038	②	039	③	040	②

제3과목 전기기기

041	①	042	④	043	①	044	②	045	③	046	②	047	④	048	②	049	③	050	②
051	④	052	②	053	②	054	①	055	③	056	③	057	①	058	③	059	①	060	①

제4과목 회로이론 및 제어공학

061	④	062	③	063	②	064	②	065	④	066	①	067	②	068	②	069	④	070	③
071	①	072	②	073	④	074	③	075	①	076	②	077	③	078	②	079	③	080	④

제5과목 전기설비기술기준 및 한국전기설비규정

081	③	082	③	083	③	084	③	085	②	086	④	087	③	088	③	089	④	090	①
091	③	092	②	093	②	094	④	095	④	096	①								

2018년 1회

제1과목 전기자기학

001	①	002	②	003	①	004	③	005	③	006	②	007	④	008	③	009	④	010	①
011	②	012	①	013	③	014	①	015	②	016	②	017	②	018	②	019	③	020	①

제2과목 전력공학

021	②	022	①	023	④	024	②	025	①	026	④	027	①	028	②	029	③	030	③
031	①	032	③	033	④	034	④	035	④	036	③	037	①	038	①	039	④	040	②

제3과목 전기기기

041	③	042	④	043	③	044	③	045	④	046	①	047	②	048	④	049	①	050	②
051	④	052	①	053	②	054	①	055	③	056	②	057	③	058	③	059	④	060	②

제4과목 회로이론 및 제어공학

061	④	062	③	063	②	064	①	065	③	066	③	067	③	068	③	069	④	070	①
071	②	072	①	073	④	074	④	075	①	076	③	077	③	078	③	079	①	080	①

제5과목 전기설비기술기준 및 한국전기설비규정

081	③	082	②	083	④	084	②	085	④	086	①	087	②	088	②	089	④	090	③
091	③	092	④	093	①	094	③	095	②	096	②	097	④						

2018년 2회

제1과목 전기자기학

001 ②	002 ③	003 ①	004 ③	005 ③	006 ④	007 ②	008 ③	009 ①	010 ④
011 ④	012 ②	013 ④	014 ②	015 ①	016 ②	017 ③	018 ④	019 ①	020 ②

제2과목 전력공학

021 ③	022 ②	023 ③	024 ②	025 ①	026 ②	027 ④	028 ①	029 ②	030 ③
031 ③	032 ①	033 ④	034 ③	035 ④	036 ②	037 ①	038 ③	039 ③	040 ②

제3과목 전기기기

041 ④	042 ④	043 ②	044 ②	045 ②	046 ②	047 ③	048 ④	049 ③	050 ②
051 ③	052 ②	053 ④	054 ①	055 ③	056 ④	057 ③	058 ③	059 ②	060 ③

제4과목 회로이론 및 제어공학

061 ③	062 ④	063 ①	064 ④	065 ①	066 ②	067 ④	068 ④	069 ③	070 ④
071 ④	072 ②	073 ①	074 ②	075 ②	076 ②	077 ④	078 ③	079 ③	080 ②

제5과목 전기설비기술기준 및 한국전기설비규정

081 ③	082 ④	083 ③	084 ③	085 ④	086 ①	087 ④	088 ①	089 ④	090 ②
091 ②	092 ③	093 ③	094 ②	095 ④					

2018년 3회

제1과목 전기자기학

001 ②	002 ②	003 ④	004 ①	005 ①	006 ②	007 ②	008 ④	009 ④	010 ④
011 ①	012 ③	013 ②	014 ②	015 ④	016 ②	017 ③	018 ③	019 ②	020 ④

제2과목 전력공학

021 ③	022 ③	023 ①	024 ①	025 ③	026 ③	027 ③	028 ④	029 ②	030 ①
031 ②	032 ②	033 ③	034 ①	035 ①	036 ②	037 ①	038 ④	039 ①	040 ①

제3과목 전기기기

041 ①	042 ②	043 ③	044 ②	045 ③	046 ②	047 ③	048 ③	049 ④	050 ③
051 ④	052 ③	053 ④	054 ③	055 ③	056 ④	057 ③	058 ②	059 ②	060 ③

제4과목 회로이론 및 제어공학

061 ③	062 ②	063 ①	064 ④	065 ①	066 ③	067 ④	068 ③	069 ④	070 ④
071 ②	072 ①	073 ②	074 ④	075 ①	076 ③	077 ②	078 ②	079 ④	080 ④

제5과목 전기설비기술기준 및 한국전기설비규정

081 ④	082 ③	083 ①	084 ①	085 ①	086 ③	087 ①	088 ③	089 ②	090 ③
091 ①	092 ④	093 ④	094 ③	095 ②	096 ①	097 ④	098 ①		

2017년 1회

제1과목 전기자기학

001 ③	002 ④	003 ①	004 ①	005 ②	006 ④	007 ②	008 ①	009 ①	010 ②
011 ②	012 ④	013 ②	014 ③	015 ②	016 ③	017 ③	018 ②	019 ④	020 ④

제2과목 전력공학

021 ③	022 ①	023 ①	024 ①	025 ④	026 ②	027 ③	028 ③	029 ②	030 ①
031 ③	032 ④	033 ④	034 ④	035 ④	036 ②	037 ③	038 ②	039 ①	040 ①

제3과목 전기기기

041 ②	042 ①	043 ③	044 ③	045 ②	046 ②	047 ①	048 ①	049 ①	050 ③
051 ④	052 ③	053 ②	054 ①	055 ④	056 ④	057 ③	058 ②	059 ②	060 ③

제4과목 회로이론 및 제어공학

061 ②	062 ①	063 ③	064 ③	065 ④	066 ①	067 ③	068 ①	069 ②	070 ③
071 ①	072 ①	073 ③	074 ④	075 ④	076 ④	077 ③	078 ①	079 ②	080 ②

제5과목 전기설비기술기준 및 한국전기설비규정

081 ④	082 ①	083 ④	084 ①	085 ①	086 ②	087 ②	088 ④	089 ④	090 ②
091 ②	092 ②	093 ②	094 ①	095 ③	096 ③	097 ①	098 ②		

2017년 2회

제1과목 전기자기학

001 ③	002 ②	003 ②	004 ③	005 ④	006 ④	007 ①	008 ③	009 ①	010 ②
011 ③	012 ②	013 ④	014 ④	015 ①	016 ①	017 ②	018 ②	019 ②	020 ①

제2과목 전력공학

021 ②	022 ①	023 ①	024 ④	025 ③	026 ③	027 ④	028 ③	029 ③	030 ④
031 ②	032 ③	033 ④	034 ①	035 ③	036 ①	037 ③	038 ③	039 ②	040 ④

제3과목 전기기기

041 ④	042 ②	043 ③	044 ②	045 ④	046 ②	047 ②	048 ②	049 ②	050 ④
051 ③	052 ②	053 ①	054 ①	055 ④	056 ②	057 ①	058 ②	059 ①	060 ③

제4과목 회로이론 및 제어공학

061 ④	062 ②	063 ①	064 ③	065 ①	066 ②	067 ①	068 ①	069 ③	070 ②
071 ③	072 ①	073 ④	074 ④	075 ①	076 ①	077 ②	078 ④	079 ④	080 ③

제5과목 전기설비기술기준 및 한국전기설비규정

081 ①	082 ②	083 ③	084 ①	085 ①	086 ③	087 ①	088 ②	089 ②	090 ①
091 ②	092 ②	093 ②	094 ②	095 ②					

2017년 3회

제1과목 전기자기학

001	②	002	②	003	②	004	②	005	①	006	③	007	④	008	④	009	①	010	③
011	②	012	④	013	②	014	②	015	②	016	②	017	③	018	④	019	③	020	①

제2과목 전력공학

021	③	022	④	023	④	024	③	025	②	026	②	027	④	028	④	029	④	030	②
031	②	032	④	033	②	034	②	035	②	036	①	037	③	038	①	039	②	040	②

제3과목 전기기기

041	④	042	①	043	②	044	②	045	②	046	②	047	③	048	①	049	①	050	②
051	②	052	④	053	②	054	②	055	①	056	②	057	④	058	②	059	④	060	②

제4과목 회로이론 및 제어공학

061	①	062	③	063	②	064	④	065	③	066	③	067	④	068	③	069	①	070	②
071	①	072	③	073	④	074	④	075	③	076	①	077	③	078	①	079	②	080	②

제5과목 전기설비기술기준 및 한국전기설비규정

081	②	082	②	083	③	084	④	085	③	086	①	087	④	088	③	089	②	090	②
091	④	092	②	093	②	094	④	095	③	096	③	097	②						

2016년 1회

제1과목 전기자기학

001	①	002	③	003	③	004	④	005	③	006	②	007	④	008	③	009	②	010	④
011	①	012	②	013	②	014	②	015	②	016	①	017	①	018	④	019	①	020	①

제2과목 전력공학

021	③	022	④	023	④	024	②	025	②	026	①	027	②	028	③	029	①	030	④
031	②	032	①	033	①	034	②	035	④	036	③	037	③	038	③	039	②	040	③

제3과목 전기기기

041	①	042	③	043	①	044	④	045	②	046	②	047	③	048	②	049	①	050	③
051	③	052	④	053	③	054	①	055	④	056	①	057	④	058	③	059	③	060	②

제4과목 회로이론 및 제어공학

061	②	062	①	063	③	064	②	065	③	066	③	067	③	068	②	069	③	070	④
071	②	072	①	073	④	074	④	075	④	076	④	077	①	078	②	079	③	080	④

제5과목 전기설비기술기준 및 한국전기설비규정

081	①	082	③	083	①	084	③	085	④	086	②	087	③	088	④	089	②	090	④
091	④	092	③	093	①	094	④	095	①	096	④	097	④						

2016년 2회

제1과목 전기자기학

001 ①	002 ③	003 ③	004 ④	005 ②	006 ④	007 ②	008 ②	009 ②	010 ④
011 ②	012 ③	013 ④	014 ②	015 ②	016 ①	017 ①	018 ①	019 ②	020 ③

제2과목 전력공학

021 ②	022 ②	023 ②	024 ①	025 ②	026 ④	027 ③	028 ①	029 ④	030 ③
031 ①	032 ③	033 ④	034 ②	035 ②	036 ①	037 ④	038 ③	039 ③	040 ④

제3과목 전기기기

041 ①	042 ①	043 ②	044 ②	045 ③	046 ③	047 ②	048 ①	049 ①	050 ③
051 ②	052 ④	053 ④	054 ②	055 ③	056 ①	057 ①	058 ③	059 ①	060 ③

제4과목 회로이론 및 제어공학

061 ③	062 ②	063 ①	064 ③	065 ④	066 ①	067 ②	068 ②	069 ②	070 ③
071 ④	072 ①	073 ③	074 ③	075 ③	076 ②	077 ④	078 ④	079 ①	080 ④

제5과목 전기설비기술기준 및 한국전기설비규정

081 ①	082 ③	083 ④	084 ①	085 ④	086 ④	087 ②	088 ①	089 ①	090 ③
091 ③	092 ①	093 ④	094 ②	095 ①	096 ③	097 ②	098 ②	099 ③	

2016년 3회

제1과목 전기자기학

001 ④	002 ①	003 ③	004 ④	005 ④	006 ①	007 ③	008 ②	009 ①	010 ②
011 ②	012 ①	013 ②	014 ③	015 ④	016 ④	017 ③	018 ④	019 ②	020 ③

제2과목 전력공학

021 ②	022 ①	023 ①	024 ④	025 ④	026 ②	027 ②	028 ③	029 ③	030 ③
031 ②	032 ②	033 ④	034 ①	035 ③	036 ②	037 ②	038 ④	039 ③	040 ③

제3과목 전기기기

041 ①	042 ①	043 ②	044 ①	045 ①	046 ④	047 ④	048 ①	049 ②	050 ④
051 ③	052 ④	053 ②	054 ③	055 ①	056 ②	057 ③	058 ①	059 ②	060 ③

제4과목 회로이론 및 제어공학

061 ③	062 ③	063 ③	064 ④	065 ④	066 ③	067 ①	068 ④	069 ③	070 ①
071 ②	072 ③	073 ③	074 ①	075 ④	076 ①	077 ④	078 ④	079 ④	080 ②

제5과목 전기설비기술기준 및 한국전기설비규정

081 ①	082 ②	083 ②	084 ④	085 ④	086 ②	087 ②	088 ②	089 ①	090 ④
091 ③	092 ②	093 ④	094 ③	095 ①					

2015년 1회

제1과목 전기자기학

001 ②	002 ②	003 ③	004 ②	005 ②	006 ②	007 ①	008 ①	009 ④	010 ①
011 ②	012 ④	013 ①	014 ①	015 ③	016 ①	017 ④	018 ①	019 ④	020 ④

제2과목 전력공학

021 ②	022 ④	023 ③	024 ②	025 ④	026 ④	027 ②	028 ④	029 ①	030 ②
031 ③	032 ①	033 ③	034 ③	035 ③	036 ②	037 ③	038 ④	039 ②	040 ④

제3과목 전기기기

041 ④	042 ③	043 ③	044 ③	045 ②	046 ③	047 ②	048 ③	049 ②	050 ②
051 ①	052 ①	053 ②	054 ①	055 ②	056 ④	057 ②	058 ①	059 ④	060 ④

제4과목 회로이론 및 제어공학

061 ②	062 ②	063 ②	064 ③	065 ①	066 ③	067 ④	068 ①	069 ②	070 ③
071 ③	072 ①	073 ④	074 ④	075 ③	076 ④	077 ②	078 ④	079 ②	080 ①

제5과목 전기설비기술기준 및 한국전기설비규정

081 ③	082 ④	083 ③	084 ①	085 ①	086 ④	087 ①	088 ①	089 ④	090 ②
091 ④	092 ④	093 ②	094 ②	095 ④	096 ①				

2015년 2회

제1과목 전기자기학

001 ③	002 ④	003 ②	004 ②	005 ②	006 ③	007 ②	008 ①	009 ②	010 ④
011 ①	012 ①	013 ③	014 ③	015 ④	016 ④	017 ④	018 ③	019 ③	020 ②

제2과목 전력공학

021 ③	022 -	023 ④	024 ④	025 ④	026 ④	027 ③	028 ①	029 ④	030 ④
031 ②	032 ②	033 ③	034 ②	035 ③	036 ④	037 ①	038 ③	039 ③	040 ②

제3과목 전기기기

041 ④	042 ④	043 ④	044 ①	045 ②	046 ②	047 ③	048 ④	049 ①	050 ①
051 ③	052 ③	053 ②	054 ④	055 ③	056 ③	057 ④	058 ④	059 ③	060 ①

제4과목 회로이론 및 제어공학

061 ④	062 ③	063 ①	064 ④	065 ②	066 ④	067 ②	068 ②	069 ①	070 ④
071 ②	072 ①	073 ③	074 ①	075 ④	076 ③	077 ③	078 ③	079 ④	080 ①

제5과목 전기설비기술기준 및 한국전기설비규정

081 ④	082 ①	083 ③	084 ①	085 ④	086 ①	087 ②	088 ④	089 ④	090 ③
091 ②	092 ④	093 ①	094 ③	095 ②	096 ②	097 ③	098 ②		

2015년 3회

제1과목 **전기자기학**

001 ④	002 ②	003 ①	004 ①	005 ①	006 ③	007 ④	008 ①	009 ①	010 ②
011 ③	012 ③	013 ④	014 ②	015 ③	016 ②	017 ③	018 ①	019 ③	020 ④

제2과목 **전력공학**

021 ②	022 ④	023 ③	024 ③	025 ①	026 ①	027 ①	028 ②	029 ④	030 ①
031 ④	032 ②	033 ②	034 ③	035 ①	036 ③	037 ④	038 ②	039 ③	040 ③

제3과목 **전기기기**

041 ③	042 ④	043 ③	044 ④	045 ④	046 ②	047 ④	048 ④	049 ③	050 ③
051 ③	052 ②	053 ②	054 ②	055 ①	056 ③	057 ②	058 ②	059 ③	060 ④

제4과목 **회로이론 및 제어공학**

061 ③	062 ④	063 ①	064 ①	065 ④	066 ②	067 ②	068 ③	069 ②	070 ①
071 ④	072 ④	073 ④	074 ①	075 ②	076 ③	077 ③	078 ②	079 ①	080 ④

제5과목 **전기설비기술기준 및 한국전기설비규정**

081 ②	082 ②	083 ②	084 ④	085 ②	086 ①	087 ②	088 ④	089 ④	090 ②
091 ④	092 ①	093 ②	094 ②	095 ②					

memo
memo

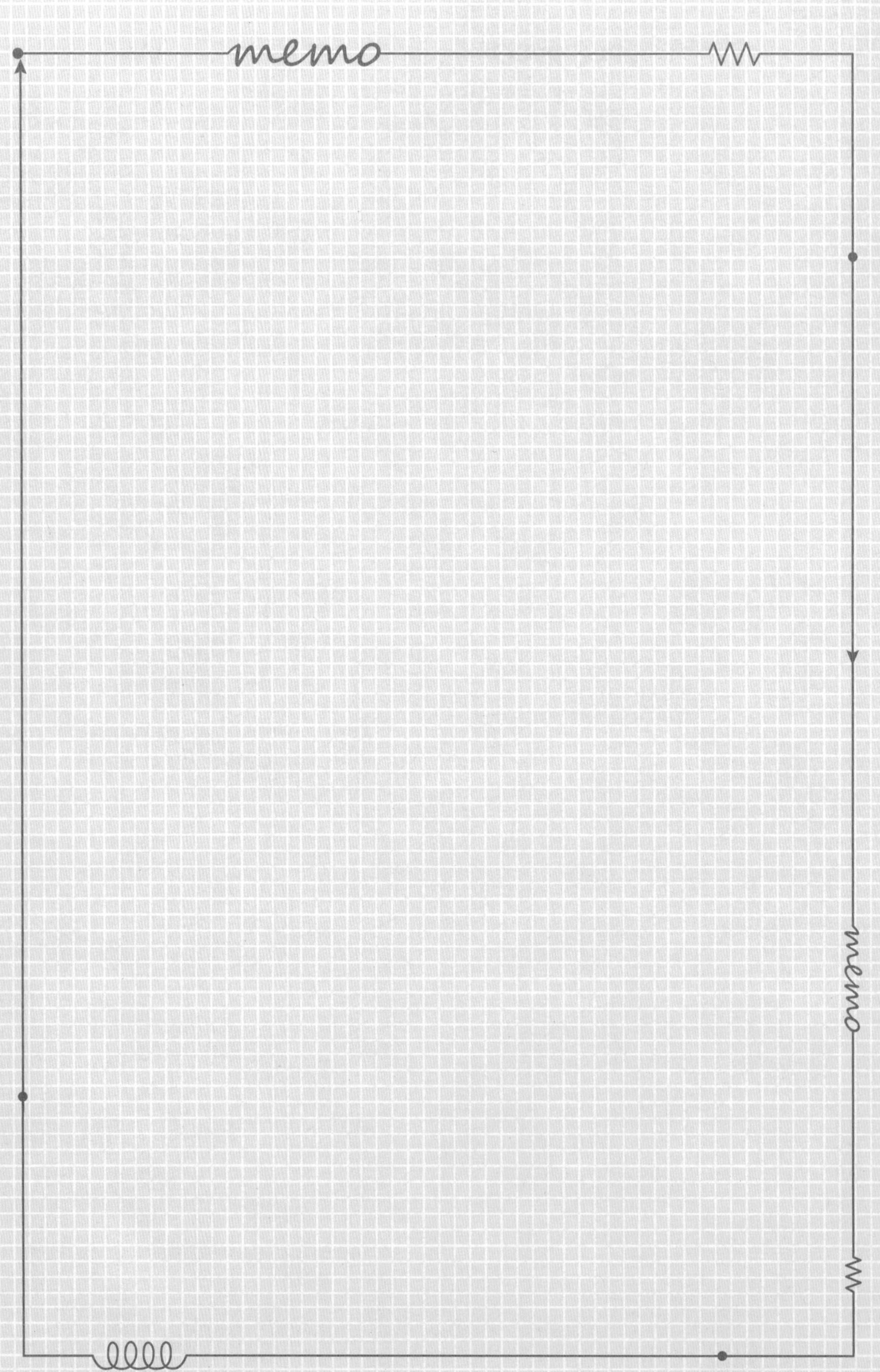
memo
memo

memo
memo

박상신

| 약력 및 경력

- 고려대학교 서울캠퍼스 전기전자공학부 학사
- 연세대학교 서울캠퍼스 전기전자공학부 석사
- 유튜브 채널 '엔지니오 by 연고맨' 운영
- 現 (주)이지일렉트릭 대표이사
- 現 엔지니오 운영자
- 前 대한민국 공군 대위

김학래

| 약력 및 경력

- 동국대학교 서울캠퍼스 전기공학과 학사
- 동국대학교 서울캠퍼스 전자전기공학과 석사
- 現 (주)이지일렉트릭 연구소장
- 現 엔지니오 연구소장

| 기획 및 연구

- **강길현** | 서울시립대학교 전자전기컴퓨터공학부, 엔지니오 연구소 연구위원
- **김성민** | 아주대학교 전자공학과, 엔지니오 연구소 연구위원
- **김석진** | 고려대학교 전기전자공학부, 엔지니오 연구소 기획위원
- **김우상** | 울산대학교 산업경영공학과, 엔지니오 연구소 연구위원
- **남궁찬** | 가천대학교 국제통상학과, 엔지니오 연구소 연구위원
- **박대현** | 건국대학교 전기전자공학부, 엔지니오 연구소 기획위원
- **심지훈** | 호서대학교 전기공학과, 엔지니오 연구소 기획위원
- **오정현** | 인천대학교 전기공학과, 엔지니오 연구소 기획위원
- **이인범** | 수원공고 전기전자제어과, 엔지니오 연구소 연구위원
- **전형민** | 상명대학교 전기공학과, 엔지니오 연구소 기획위원
- **정승현** | 인하대학교 전기공학과, 엔지니오 연구소 기획위원
- **정자연** | 전남대학교 광전자재료공학과, 엔지니오 연구소 연구위원
- **조성희** | 순천향대학교 전기공학과, 엔지니오 연구소 연구위원
- **최종만** | 광운대학교 전자융합공학과 학사, 엔지니오 연구소 연구위원
- **황현호** | 아주대학교 전자공학과, 엔지니오 연구소 연구위원

2023 엔지니오 전기산업기사 필기 해설집

발행일 2023년 2월 10일(초판)

편저자 박상신(연고맨) · 김학래 · 강길현 · 김성민 · 김석진 · 김우상 · 남궁찬 · 박대현
심지훈 · 오정현 · 이인범 · 전형민 · 정승현 · 정자연 · 조성희 · 최종만 · 황현호

발행인 최진만 | **편집** 김현수 | **표지디자인** 이재웅

판매처 종이향기

ISBN 979-11-92903-28-6(세트)
979-11-92903-30-9

정가 42,000원(전 2권)

이 책은 저자와 출판사, 그리고 독자가 함께 만듭니다.
최선의 책을 펴내기 위해 수많은 밤을 지새웠습니다. 혹시라도 내용상의 오류나 오탈자 등을 발견하면 네이버카페 정오게시판에 글 남겨주시길 바랍니다. 수정 보완하여 더 완벽한 책이 되도록 최선을 다하겠습니다.